여러[illegible]원하는

해커스공무원의 특별 혜택

FREE 공무원 사회복지학개론 **특강**

해커스공무원(gosi.Hackers.com) 접속 후 로그인 ▶ 상단의 [무료강좌] 클릭 ▶ [교재 무료특강] 클릭 후 이용

해커스공무원 온라인 단과강의 **20% 할인쿠폰**

23BA3D872F5C9289

해커스공무원(gosi.Hackers.com) 접속 후 로그인 ▶ 상단의 [나의 강의실] 클릭 ▶
좌측의 [쿠폰등록] 클릭 ▶ 위 쿠폰번호 입력 후 이용

* 등록 후 7일간 사용 가능(ID당 1회에 한해 등록 가능)

합격예측 **온라인 모의고사 응시권 + 해설강의 수강권**

697D3622E9AB27YS

해커스공무원(gosi.Hackers.com) 접속 후 로그인 ▶ 상단의 [나의 강의실] 클릭 ▶
좌측의 [쿠폰등록] 클릭 ▶ 위 쿠폰번호 입력 후 이용

* ID당 1회에 한해 등록 가능

해커스 회독증강 콘텐츠 **5만원 할인쿠폰**

542F2AECBECEB84S

해커스공무원(gosi.Hackers.com) 접속 후 로그인 ▶ 상단의 [나의 강의실] 클릭 ▶
좌측의 [쿠폰등록] 클릭 ▶ 위 쿠폰번호 입력 후 이용

* 등록 후 7일간 사용 가능(ID당 1회에 한해 등록 가능)
* 특별 할인상품 적용 불가
* 월간 학습지 회독증강 행정학/행정법총론 개별상품은 할인대상에서 제외

쿠폰 이용 관련 문의 **1588-4055**

해커스공무원

박정훈 사회복지학개론

기본서 | 2권

해커스공무원

박정훈

약력

연세대학교 졸업
숭실대학교 일반대학원 사회복지학 전공

현 | 해커스공무원 사회복지학 강의
전 | 아모르이그잼 노량진 본원 사회복지사1급 강의
전 | 아모르이그잼 노량진 본원 공무원 사회복지학 강의
전 | (주)시대에듀 사회복지사1급 강의
전 | (사)한국직업능력개발원 사회복지사1급 대표강사
서강대, 한양대, 한성대 등 출강 및 특강

수상

(사)한국사회복지사협회 협회장 표창
대한민국 국회 보건복지위원회 위원장(양승조) 표창
경기도의회 의회장(정기열) 표창

저서

해커스공무원 박정훈 사회복지학개론 기본서
해커스공무원 박정훈 사회복지학개론 합격생 필기노트
박정훈 사회복지학개론, 두빛나래
박정훈 사회복지사1급 더펩 키워드로 맥잡기, 두빛나래
사회복지사1급 한번에 합격하기, 크라운출판사
사회복지사1급 한번에 합격하기 핵심완성, 크라운출판사
사회복지사1급 한번에 합격하기 단원별 기출문제집, 크라운출판사

공무원 시험
합격을 위한 필수 기본서!

공무원 공부, 어떻게 시작해야 할까?

공무원 시험에서 하루라도 빨리 합격하기 위해서는 시행착오 없이 제대로 된 시작을 하는 것이 중요합니다. **『해커스공무원 박정훈 사회복지학개론 기본서』**는 수험생 여러분들의 소중한 하루하루가 낭비되지 않도록 올바른 수험생활의 길을 제시하고자 노력하였습니다.

이에 **『해커스공무원 박정훈 사회복지학개론 기본서』**는 다음과 같은 특징을 가지고 있습니다.

첫째, 사회복지학개론의 핵심을 쉽고 정확하게 이해할 수 있도록 구성하였습니다.
기본서를 회독하는 과정에서 사회복지학개론의 기본 개념부터 심화 이론까지 자연스럽게 이해할 수 있도록 체계적으로 구성하였습니다. 특히 한국사회복지교육협의회의 개정 교과과정을 교재 내에 전면 반영하여 최신 경향에 맞춰 학습할 수 있습니다. 더불어 이론의 중요도 및 실제 기출 가능성이 높은 정도를 구분하여 표기함으로써 회독에 따라 강약을 조절하여 내용을 학습할 수 있습니다.

둘째, 입체적인 학습을 할 수 있도록 다양한 학습장치를 수록하였습니다.
각자의 학습 정도에 맞추어 효과적으로 사회복지학개론을 공부할 수 있도록 '핵심PLUS'와 '기출CHECK' 등 다양한 학습 장치를 교재 곳곳에 배치하였습니다. 또한 학습한 내용에 대한 기출 지문을 바로 확인할 수 있도록 '기출OX'를 관련 이론 옆에 배치하여 이론 학습과 동시에 출제 포인트를 파악할 수 있도록 구성하였습니다.

셋째, 복잡한 법령 내용을 체계적으로 학습할 수 있도록 이를 분리하여 정리하였습니다.
시험에 자주 출제되는 사회복지학개론 관련 법령을 따로 모아 정리 · 수록하였습니다. 복잡한 법령의 핵심 내용을 자연스럽게 익힐 수 있도록 구성하였으며, 부록으로 '법률 핵심정리'를 수록하여 헷갈리기 쉬운 법률 내용을 한눈에 확인할 수 있도록 하였습니다.

더불어, 공무원 시험 전문 사이트 **해커스공무원(gosi.Hackers.com)**에서 교재 학습 중 궁금한 점을 나누고 다양한 무료 학습 자료를 함께 이용하여 학습 효과를 극대화할 수 있습니다.

『해커스공무원 박정훈 사회복지학개론 기본서』가 공무원 합격을 꿈꾸는 모든 수험생 여러분에게 훌륭한 길잡이가 되기를 바랍니다.

박정훈

목차

1권

제1편 사회복지총론

제2편 사회복지기초

2권

제3편 사회복지방법

3권

제4편 사회복지법제

부록

제3편

사회복지방법

제1장 사회복지실천

회독 Check! 1회 □ 2회 □ 3회 □

제1절 사회복지실천의 개관

1 사회복지실천의 개념, 목적, 기능

1. 개념

누가	사회복지사가
누구에게	• 클라이언트, 즉 개인 · 가족 · 집단 · 지역사회의 역량을 강화하고, • 사회복지 관련 조직, 지역사회, 그리고 사회제도가 개인의 욕구와 사회문제에 대한 책임성을 증진하도록
무엇을 가지고	사회복지실천 이념과 가치, 관점, 방법론을 적용하는

일련의 **전문적 활동**이다.

핵심 PLUS

전미사회복지사협회(NASW)에서 정한 사회복지실천의 개념

① **생태체계적 관점하**에서 개인, 집단, 가족이 **자신들의 문제해결 능력과 대처능력을 향상**시키는 실천활동이다.
② 인간이 필요로 하는 사회자원, 서비스, 기회 등의 환경체계가 원활하게 상호작용할 수 있도록 원조하는 실천활동이다.
③ 사회복지기관이나 조직의 보다 더 효과적이고 효율적인 운영을 추구하는 실천활동이다.
④ **새로운 사회정책 개발과 향상을 목적**으로 하는 실천활동이다.

2. 목적[❶] (必)

(1) 전미사회복지사협회(NASW, 2017년)

모든 개인의 복지를 향상시키고 기본적인 인간의 욕구를 충족시키며 그들에게 권한을 부여하는 것으로, 이를 위해 사회복지는 **이중적 초점, 즉 개인과 사회환경에 초점을 두는 통합적 특성**을 가진다.

(2) 전미사회복지교육협의회(CSWE, 1994년)

① 개인 · 가족 · 집단 · 조직 · 지역사회가 **목적을 달성하고 고통을 완화시키며 자원을 활용할 수 있도록 원조함**으로써 이들의 사회적 기능을 촉진 · 회복 · 유지 · 향상시키는 것이다.

② 인간의 복지 향상, 빈곤 · 억압 · 사회적 부정 경감, 기본적 욕구를 충족시키고, **인간이 가지고 있는 잠재력 및 가능성 개발을 돕기 위해** 필요한 사회정책 · 서비스 · 자원 · 프로그램을 계획 · 공식화 · 시행하는 것이다.

선생님 가이드

❶ 사회복지실천의 궁극적인 목적은 사회 구성원 모두가 동의하는 내용을 포함하고 있어야 합니다. 따라서 시대와 상황의 변화에 발맞추어 함께 변화되는 것이 일반적입니다. 전미사회복지사협회(NASW)에서는 1958년에 사회복지실천의 목적을 제시하였고, 이후 2017년에 생태체계적 관점이 반영된 새로운 사회복지실천 목적을 발표하였습니다. 1958년에 발표된 내용은 다음과 같습니다.
- 개인이나 집단과 환경 간 불균형으로 발생하는 문제를 발견하고, 해결 또는 축소하도록 돕는다.
- 개인이나 집단과 환경 사이의 불균형을 예방하기 위해 잠재영역을 밝혀낸다.
- 치료 및 예방의 목적을 위해 개인, 집단, 지역 사회에서 최대한의 잠재성을 찾아내며 강화한다.

③ 곤궁에 처한 집단에게 **권한을 부여하고, 사회적 · 경제적 정의를 실현하기 위해** 조직적 · 행정적 옹호와 사회정치적 운동을 통해 정책 · 서비스 · 자원 · 프로그램을 추구하는 것이다.

④ 이러한 목적을 달성할 수 있도록 관련된 **모든 전문적 지식과 기술을 개발하고 탐색**하는 것이다.

(3) 핀커스와 미니한(Pincus &Minahan, 1973년) 10. 국가직

① 개인의 **문제해결 및 대처능력을 향상**시킨다.

② 개인을 **사회적 자원과 서비스 및 기회를 제공하는 체계들과 연결**시키며, 이러한 체계들의 **효과적 · 효율적이며 인도적인 운영을 장려하고 촉진**시킨다.

③ **사회정책의 개발과 개선에 공헌(또는 기여)**한다.

(4) 전미사회복지사협회의 시카고 회의(1979년)

모든 개인들(또는 클라이언트)의 삶의 질 향상(Quality of Life)을 위해 **개인과 사회(또는 환경) 간에 서로 유익한 상호작용을 회복 및 촉진시키기 위해 노력**하는 것이다.

3. 기능

(1) 전미사회복지사협회(NASW, 1981년)

욕구가 있는 **개인의 사회기능과 사회정의의 증진**을 세분화하여 다음과 같이 제시하였다.

① 개인의 자신감을 높여주고, **문제해결 및 대처능력을 향상**시키도록 돕는다.

② 개인이 **자원을 획득**하도록 원조한다.

③ **조직이 개인의 요구에 반응(또는 부응)**하도록 돕는다.

④ **개인과 환경 내의 다른 사람 및 조직과의 상호 관계를 촉진**시킨다.

⑤ **조직과 제도 간의 상호 관계에 영향력을 행사**한다.

⑥ **사회정책과 환경정책에 영향력을 행사**한다.

(2) 헵워스와 라슨(Hepworth & Larsen, 2006년)

① **개인의 사회적 기능을 향상시키는 기능이 있다.**

② **개인이 가진 역기능의 회복 및 치료의 기능이 있다.**

③ **사회정의 촉진의 기능이 있다.**

기출 OX

01 사회복지실천의 목적은 개인의 문제해결 및 대처능력의 고양이다. ( ) 10. 국가직

02 사회복지실천의 목적은 자원, 서비스, 기회를 제공하는 체계와 개인의 연결이다. ( ) 10. 국가직

03 사회복지실천의 목적은 체계의 효과적이고 효율적인 운영의 향상이다. ( ) 10. 국가직

04 사회복지실천의 목적은 사회정책의 개발과 향상에 기여이다. ( ) 10. 국가직

01 ○
02 ○
03 ○
04 ○

2 사회복지실천의 분류

1. 클라이언트와의 대면적인 접촉 유무에 따른 분류 24. 국가직, 20. 지방직, 18. 서울시 (必)

(1) **직접적 실천(Direct Practice, 또는 직접적 개입)**

① 사회복지사가 **클라이언트와의 대면적인 접촉**을 통해 클라이언트의 문제에 개입하는 것을 말한다.

② 클라이언트 자체의 변화나 욕구 충족 · 문제해결 등을 목적으로 한다.

③ 형태: **상담, 방문, 교육 및 훈련, 서비스 및 프로그램**(예 인지행동모델, 심리사회모델 등) **제공** 등

(2) **간접적 실천(Indirect Practice, 또는 간접적 개입)**

① 사회복지사가 클라이언트와의 대면적인 접촉 대신 **클라이언트가 속한 환경에 개입**하는 것을 말한다.

② 클라이언트가 속한 환경체계의 변화를 통해 클라이언트에게 필요한 **사회적 지지체계의 개발**을 목적으로 한다.

③ 형태: **공청회 개최, 홍보, 제안서 신청, 모집, 모금, 자원개발, 서비스 조정 및 연계, 정책 개발, 서비스 및 프로그램 개발, 옹호, 조직화** 등

2. 사회복지사가 개입하는 클라이언트체계의 수준에 따른 분류 (必)

(1) **미시적(Micro) 수준**

① 주로 **개인이나 가족체계에 대한 개입**으로, 사회복지사는 이들과 직접적인 대면 관계를 갖고 상호작용하므로 일반적으로 **직접적 실천에 해당**한다.

② 형태: 방문, 상담, 치료 프로그램 제공, 교육 및 훈련, 구체적인 자원제공 등

(2) **중범위적(Mezzo, 또는 중시적) 수준**

① 미시와 거시의 중간 수준으로, 주로 **집단이나 조직 수준에 대한 개입**을 말한다.

② 형태: 자조집단 및 치료집단의 운영 등

기출 OX

01 정신장애인 취업적응 훈련을 실시하는 것은 직접실천에 해당한다. ( ) 20. 지방직

02 정서 · 인지에 개입하는 기술, 행동변화기술, 문제해결 향상 기술은 직접적 개입에 해당한다. ( ) 18. 서울시

03 사회적 지지체계를 개발하는 것은 직접적 개입에 해당한다. ( ) 18. 서울시

04 장애인 편의시설 확보를 위한 시민공청회는 직접실천에 해당한다. ( ) 20. 국가직

05 독거어르신 도시락 배달 연계는 직접실천에 해당한다. ( ) 20. 지방직

06 요보호아동 지원 프로그램 개발은 직접실천에 해당한다. ( ) 20. 지방직

01 ○
02 ○
03 × '직접적 개입'이 아니라 '간접적 개입'이 옳다.
04 × '공청회 개최'는 직접실천이 아니라 간접실천이다.
05 × '연계'는 직접실천이 아니라 간접실천이다.
06 × '프로그램 개발'은 직접실천이 아니라 간접실천이다.

(3) **거시적(Macro) 수준**

① 주로 클라이언트의 삶에 영향을 미치는 **지역 사회 또는 국가 복지체계를 대상으로 한 개입**을 말한다.

② **형태**: 사회정책의 대안 개발 · 분석 · 평가, 자원개발 및 관리, 모금, 행사, 서비스 조정, 서비스 및 프로그램 개발 등

3 사회복지실천의 이념

1. 개관

(1) 이념(Ideology)이란 이상적(理想的)인 것으로 여겨지므로 **그것을 가진 자에게 추구되어져야 할 가치**를 말한다.

(2) 사회복지사가 지닌 사회복지실천의 이념은 사회복지사로 하여금 그가 수행하는 **사회복지실천의 당위성과 방향성을 제공**한다.

2. 종류 (必)

(1) **인도주의[人道主義, Humanitarianism, 또는 박애(博愛)사상(Philanthropy)]**

① 인간애(人間愛)를 통해 **가진 자인 부자(富者)와 가지지 못한 자인 빈자(貧者)의 공존을 추구**한다. 이에 따라 **부자는 빈자를 도와야만 한다는 당위성을 제시하여 부자의 사회적 책임을 강조**한다.

② 일반적으로 사회개혁보다는 빈자에 대한 현실적이며 일시적인 구제를 선호한다.

③ **자선조직협회(COS) 우애방문단의 주요 이념**이었다.

(2) **사회진화론(社會進化論, Social Darwinism)** 12. 국가직

① 다윈(C. Darwin)의 **생물학적 진화론을 사회변동에 적용**한 이념으로, 19세기 **스펜서(H. Spencer)에 의해 주장**되었다.

② 생물학적 적자생존(適者生存)의 원리가 사회에도 적용되어 **사회적합계층(또는 부자)은 생존하고 부적합계층(또는 빈자)은 스스로 소멸한다고 가정**한다.

③ **인도주의 이념과 결합**하여 부적합계층, 즉 빈민 중에는 사회적합계층, 즉 부자의 인도주의적 도움을 통해 생존이나 발전이 가능한 자들도 있지만, 그렇지 못하고 소멸하는 자들도 있다고 보았다.

④ 이에 따라 빈자를 **'도울 가치가 있는 빈자(Deserving Poor)'와 '도울 가치가 없는 빈자(Non-Deserving Poor)'로 구분**하고 **'도울 가치가 있는 빈자'에 대해서만 원조**하게 하였다.

⑤ 이러한 구분을 위해서 **부자는 빈자에 대해 수혜자격 조사나 평가 등을 실시**하였고, 평가 결과 부자들이 정한 조건에 부합하는 빈자만을 도왔다. 이런 측면에서 **'사회통제적 성격'**을 가지고 있는 이념이다.

⑥ **자선조직협회(COS) 우애방문단의 주요 이념**이었다.

기출 OX

부자는 그들이 우월해서 부유층으로 살아남는 것이고, 빈곤한 사람은 그들이 게으르고 비도덕적이기 때문에 가난할 수밖에 없다는 것으로 사회복지실천에 영향을 미친 이념은 사회진화론이다. ( ) 12. 국가직

○

(3) **개인주의(個人主義, Individualism)** 16. 국가직

① 타인의 권리와 사회적 가치를 침해하지만 않는다면 **개인은 자신이 가진 자유를 통해 자신과 관련된 이익을 극대화시키는 것이 바람직하다고 보는 이념**이다.

② 자본주의 발전에 큰 영향을 주었으며, 사회복지실천과 관련해서는 **개별화와 수혜자격 축소에 영향**을 주었다.

개별화	사회복지사가 개인의 문제나 욕구에 따라 **각기 다른 개입 수준과 방법을 선택하는 것**을 말한다.
수혜자격 축소	빈곤의 원인을 빈자 개인의 나태함이나 도덕적 문제로 보아 **빈자의 수혜자격과 관련하여 엄중한 잣대의 제시를 주장**하는 것을 말한다.

(4) **이타주의[利他主義, Altruism, 또는 애타주의(愛他主義)]**

사회복지실천의 근본적 이념으로, 인간 행위의 목적은 **자신의 희생을 통해 타인의 이익이나 행복을 추구**하는 것이라고 가정하는 이념이며, **타인을 위해 봉사하는 정신으로 실천**되었다.

핵심 PLUS

이기주의, 이타주의, 개인주의의 관계

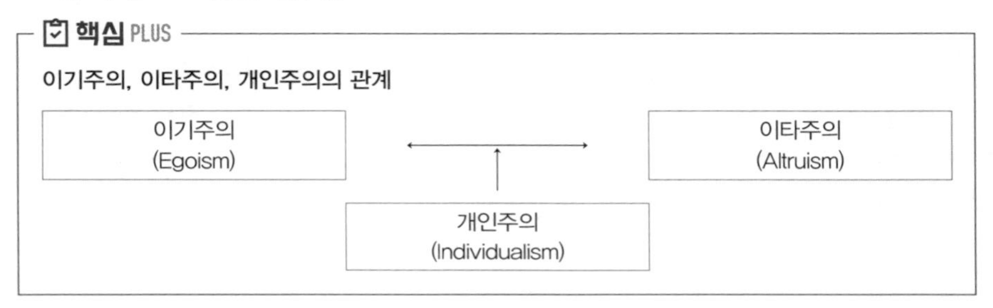

(5) **민주주의(民主主義, Democracy)**

① 사회적 의사결정 권한이 특정한 대상만이 누리는 특권이 아닌 **이해 당사자 모두의 보편적 권리임을 주장**하는 이념이다.

② 사회복지실천과 관련해서는 **사회정책 결정 시 빈자의 참여권을 강조**하여 빈자와 관련된 사회적 의사결정에서 기득권 계층인 부자만이 아닌 빈자의 의사 역시 포함되어야 함을 주장한다.

③ 또한 **서비스 제공자와 소비자의 동등한 관계 형성**과 **수혜자의 자기결정권 의식 향상에 영향**을 주었고, 이후 **사회개혁과 시민의식 확산에도 영향을 주어 과거의 주는 자 중심에서 받는 자 중심의 서비스로 전환하는 데에 기여**하였다.

④ **인보관 운동의 주요 이념**이었다.

기출 OX

개인주의란 사회는 개인에게 균등한 기회를 차별 없이 제공해야 한다는 것이다. ( ) 16. 국가직

× '개인주의'가 아니라 사회복지의 기본 가치(Friedlander) 중 '기회균등의 원리'에 대한 설명이다.

(6) **다양화(多樣化) 경향**

① 사회적 의사결정이 부자나 엘리트 등의 특정한 대상만이 아닌 사회를 구성하고 있는 다양하고 독립적인 가치를 지닌 **이익집단들 간의 다양한 상호작용에 의해 이루어진다고 보는 이념**이다.

② 사회복지실천과 관련해서는 사회복지사로 하여금 다양한 실천 대상 · 문제 · 문제 해결방법 등을 수용(또는 인정)하는 데 영향을 주었다.

(7) **다문화주의(Multi-Culturalism)**

① 다문화주의는 상호 이질적인 문화를 **단일의 문화로 동화시키지 않고** 한 사회 내에 공존시켜 상호 승인하고 존중하는 것을 목적으로 하는 **문화상대주의에 기반한 사상 · 정책 · 운동을 의미**한다.

② 이는 인간사회의 인종적 · 문화적 다양성을 설명하는 용어로 사용되면서, 최근 들어 우리나라 사회복지 현장의 중요한 관심영역으로 자리 잡고 있다.

예 결혼이주민, 이주노동자, 새터민 등에 대한 다문화 정책 등

(8) **문화 다양성(Cultural Diversity)**

① 다양한 문화의 공존을 지향하는 점에서는 다문화주의와 같지만, 이를 **'개인이나 소수자의 문화적 권리'라는 인권 측면으로 확대한 개념**이다.

② 즉, 다문화주의는 인간사회 내에서 주류 문화로의 동화나 각 문화 간의 충돌, 갈등 발생을 막기 위해서 다른 문화를 가진 집단의 집단적 문화권을 강조하는 측면이 강하다. 반면, **문화적 다양성은 경제 · 경쟁 논리에 따라 다양한 문화가 동화되거나 약소 문화가 존중 · 보호받지 못하는 것을 경계하는 '문화 주권'을 더욱 강조**한다.

③ 법률적 정의(「문화다양성의 보호와 증진에 관한 법률」 제2조 제1호): **문화 다양성**이란 집단과 사회의 문화가 집단과 사회 간 그리고 집단과 사회 내에 전하여지는 다양한 방식으로 표현되는 것을 말하며, 그 수단과 기법에 관계없이 인류의 문화유산이 표현 · 진흥 · 전달되는 데에 사용되는 방법의 다양성과 예술적 창작 · 생산 · 보급 · 유통 · 향유 방식 등에서의 다양성을 포함한다.

4 미국 사회복지실천의 역사

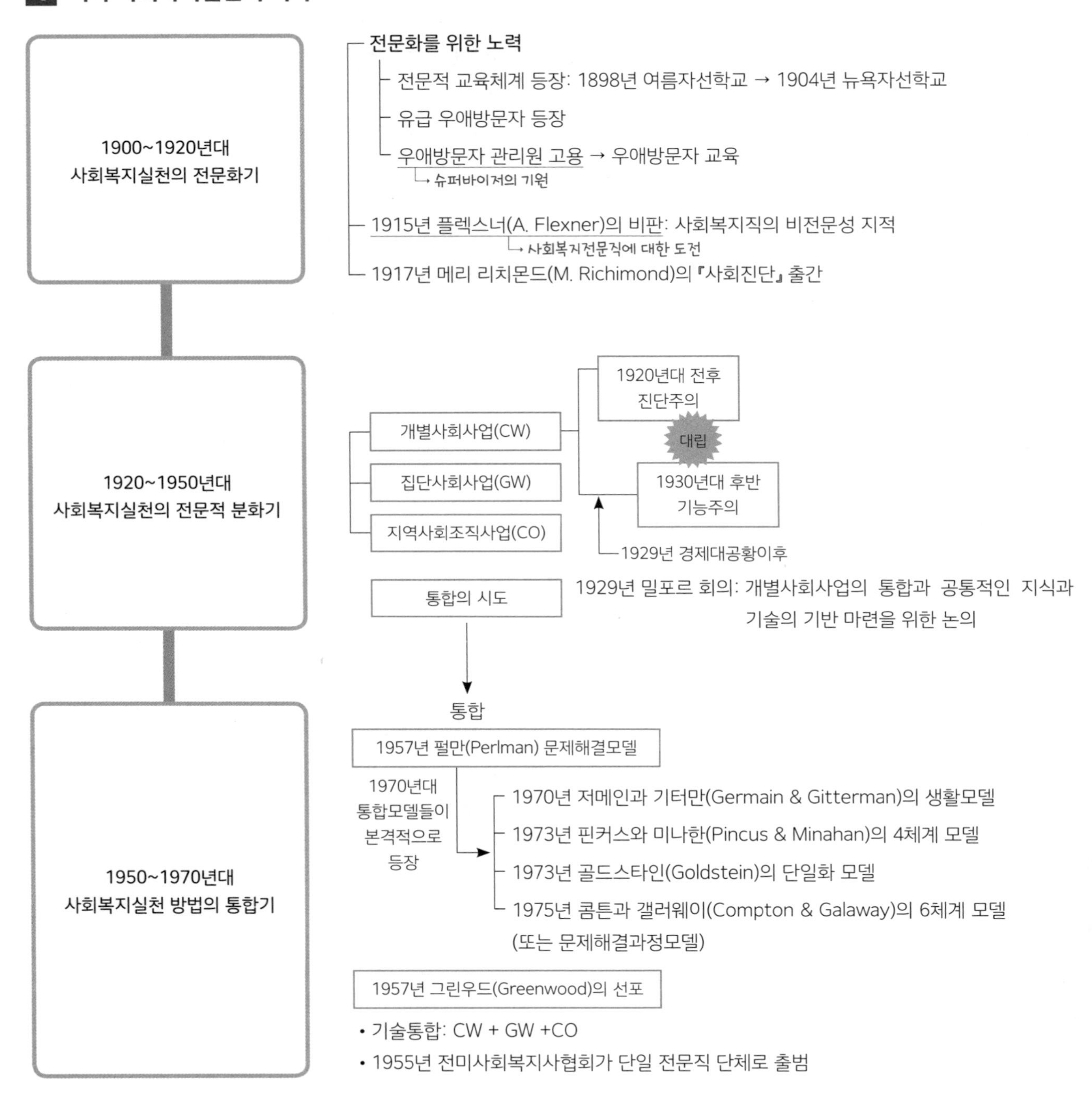
1900~1920년대
사회복지실천의 전문화기
전문화를 위한 노력
전문적 교육체계 등장: 1898년 여름자선학교 → 1904년 뉴욕자선학교
유급 우애방문자 등장
우애방문자 관리원 고용 → 우애방문자 교육
슈퍼바이저의 기원
1915년 플렉스너(A. Flexner)의 비판: 사회복지직의 비전문성 지적
사회복지전문직에 대한 도전
1917년 메리 리치몬드(M. Richimond)의 『사회진단』 출간
1920~1950년대
사회복지실천의 전문적 분화기
개별사회사업(CW)
집단사회사업(GW)
지역사회조직사업(CO)
1920년대 전후
진단주의
대립
1930년대 후반
기능주의
1929년 경제대공황이후
통합의 시도
1929년 밀포르 회의: 개별사회사업의 통합과 공통적인 지식과 기술의 기반 마련을 위한 논의
통합
1950~1970년대
사회복지실천 방법의 통합기
1957년 펄만(Perlman) 문제해결모델
1970년대
통합모델들이
본격적으로
등장
1970년 저메인과 기터만(Germain & Gitterman)의 생활모델
1973년 핀커스와 미나한(Pincus & Minahan)의 4체계 모델
1973년 골드스타인(Goldstein)의 단일화 모델
1975년 콤튼과 갤러웨이(Compton & Galaway)의 6체계 모델
(또는 문제해결과정모델)
1957년 그린우드(Greenwood)의 선포

- 기술통합: CW + GW +CO
- 1955년 전미사회복지사협회가 단일 전문직 단체로 출범

1. 사회복지실천의 전문화기(1900~1920년대) (必)

본격적인 전문화가 이루어져 사회복지실천이 봉사활동에서 벗어나 전문직의 위치를 갖게 된 시기로, 사회사업과 관련된 전문적 교육체계가 등장하고, 사회사업 단체나 조직에서 **유급직원을 채용**하기 시작하였다. 또한 **플렉스너(Flexner)의 비판 이후 메리 리치몬드의 사회진단이 출간**되는 등, **전문적 사회사업의 이론이 구축**되어 갔으며, **관련 단체의 조직화**가 이루어졌다.

(1) 전문적 교육체계의 등장

① **여름자선학교 프로그램: 1898년** 미국 최초의 사회복지인력 훈련 과정이 '여름자선학교'라는 명칭으로 뉴욕 자선조직협회에 의해 사회복지실천 경험자들을 대상으로 하여 6주 과정으로 개설되었으며, 이후 **1904년에 뉴욕자선학교로 그 명칭이 변경**되었다.

② 이후 **1919년까지 뉴욕자선학교 이외 17개의 2년제 전문사회복지학교가 설립**되었고, 1923년에는 이 중 13개 학교에서 사회사업 학부 과정이 신설되었다.

③ 우애방문자 관리원을 고용하여 **우애방문자에 대한 교육을 실시**하였으며, 이는 지금의 슈퍼바이저의 기원으로 볼 수 있다.

(2) 유급의 사회복지직의 등장

① **우애방문활동의 유급화**: 우애방문자들에게 **보수를 지급**하였고, 이를 통해 **서비스 제공의 지속성과 책임성을 증대**하고자 하였다.

② **유급의 의료 사회복지사 채용: 1905년** 미국의 매사추세츠 병원에서 의사인 **캐봇(Cabot)이 '의료 사회복지사'를 정식으로 채용**하였다.

(3) 플렉스너(A. Flexner)의 비판 – 사회복지 전문직에 대한 도전

개관: 1915년 미국 '전국자선단체 및 교정대회'에서 비평가인 플렉스너는 『사회복지직은 전문직인가?』라는 발표문을 통해 **사회복지직의 비전문성을 지적**하였다.

> **핵심 PLUS**
>
> **플렉스너가 주장한 사회복지직이 비전문직인 이유**
>
> ① 사회과학적 기초가 결여되어 있다.
> ② 독자적이고 명확한 지식체계와 전수할만한 기술이 결여되어 있다.
> ③ 국가의 책임하에 실시되는 교육과 전문적 자격제도가 없다.
> ④ 전문적 조직체가 없다.
> ⑤ 전문적 실천 강령이 없다.

(4) 『사회진단』 출간

1917년 메리 리치몬드(Mary Richimond)❶가 출간한 『사회진단(Social Diagnosis)』은 사회복지실천에 관한 이론과 방법을 체계화시킨 최초의 서적으로, 개별사회사업의 이론적 기반을 구축하는 데에 크게 기여하였다.

(5) 사회복지관련 단체의 조직화

미국 병원 사회사업협회(1918), **미국 사회복지사협회(1921)**, 미국 방문교사협회(1922), 미국 정신의학 사회복지사협회(1924) 등 전문가협회가 설립되었다.

선생님 가이드

❶ 메리 리치몬드(Mary Richmond, 1861~1928년)는 미국의 사회사업가이며, 진단주의자로 1889년 볼티모어 자선조직협회에서 근무를 시작해 약 25년간 개별사회사업 분야에서 두각을 나타내었습니다. 그녀는 최초로 개별사회사업을 체계적 이론으로 정리하였으며, 사회사업의 전문교육에서도 지도적 역할을 하였고, 이에 '개별사회사업의 어머니'라는 호칭을 얻게 됩니다. 주요 저서로는 『사회진단(1917년)』과 『개별사회사업이란 무엇인가(1922년)』등이 있습니다. 그녀는 개별사회사업의 과정을 개인과 사회 환경 간에 관련된 사회 관계의 조정으로 이해했습니다. 그리고 사회복지 실천모델로서 심리사회이론의 상황속의 인간(Person in Situation)관은 그녀에게서 그 기원을 찾을 수 있습니다.

기출 OX

미국에서 사회사업은 19세기 전반부터 전문직화되는 경향을 보였다. ( )

21. 국가직

× '19세기 전반'이 아니라 '20세기 초반(1900년대 초반)'이 옳다.

2. 사회복지실천의 전문적 분화와 통합시도의 시기(1920~1950년대)

(1) 3대 방법론으로의 분화

1920년대부터 사회복지실천기술은 3대 방법론, 즉 **개별사회사업, 집단사회사업, 지역사회조직사업으로 분화되어 발전**하였다.

① 개별사회사업(Case Work)의 분화: 당시의 개별사회사업은 **진단주의와 기능주의로 나뉘어져서 발전**되었다.

진단주의	㉠ **1920년대 전후**로, **프로이트의 정신분석이론을 이론적 기반으로 하여 등장**하였다. ㉡ 심리(또는 정신)결정론: 인간을 프로이트의 정신분석이론적 관점으로 이해하여, 역기능적인 상태의 클라이언트를 **과거의 심리사회적인 부정적 영향**으로 **현재 '자아의 기능'이 저하된 인간**으로 보았고, 이에 따라 **자아의 기능을 회복 및 강화시키는 것을 개입의 목표**로 삼았다. ㉢ **질병의 심리학**에 영향을 받아 **'진단과 치료'의 과정을 중시**하였고, 따라서 **치료자로서의 사회복지사의 역할을 강조**하였다. ㉣ 또한 이러한 '진단과 치료'를 위해 과거부터 현재까지의 클라이언트의 삶의 이력인 **클라이언트의 생활력(Life History)을 중시**하였다. ㉤ 이후 **리치몬드(M. Richmond)와 홀리스(F. Hollis)의 심리사회모델**의 개발과 발전에 영향을 주었다.
기능주의	㉠ **1930년대 후반부터 등장**[1]하였다. ㉡ **대표적 학자인 오토 랭크(Otto Rank)는 진단주의를 이론적 기반으로 삼은 프로이트의 인간관에 이의를 제기**하며, 인간은 과거의 생산물이 아니라 스스로 계속적으로 창조하고 재창조할 수 있다는 **낙관적 인간관**을 제시하였다. ㉢ 이러한 낙관적 인간관은 인간을 자신의 문제를 극복할 충분한 잠재력을 가진 존재로 보아 **인간의 창조성(또는 성장가능성)과 자유의지를 강조**하게 하였다. ㉣ 또한 개입과 관련하여 **클라이언트의 현재 경험과 개인의 동기에 대한 이해, 그리고 성장의 심리학**에 영향을 받아 **'원조 과정(Helping Process)'을 중요시**하였고, 클라이언트의 잠재적 성장 가능성을 높이기 위해 **사회복지사와 클라이언트의 관계를 활용**하였다. ㉤ **클라이언트가 자신의 자아를 회복하도록 원조하는 것을 개입의 목표**로 삼았으며, **시간 제한적이고, 과제중심적인 단기개입을 선호**하였다. ㉥ 사회복지사가 클라이언트를 치료해야 한다고 주장하는 진단주의와는 달리 사회사업기관이 **사회복지사의 실천을 위한 초점, 방향, 내용을 공급해야 한다**고 보았다. 더 나아가 **기관의 기능과 서비스를 최대한 활용하여 클라이언트의 문제를 해결**하는 것을 선호하였다. ㉦ 개입 시 **사회복지사와 클라이언트의 수평적(또는 파트너) 관계를 매우 중요하게 여겨** 사회복지사와 클라이언트가 함께 노력할 일치점을 찾는 데 주안점을 두었다. ㉧ 이후 **펄만(H. Perlman)의 문제해결모델, 로저스(Carl. Rogers)의 클라이언트중심모델** 등으로 발전하였다.

선생님 가이드

❶ 기능주의는 1929년에 발발한 미국발 세계대공황 이후 등장하게 됩니다. 경제대공황이 발발하기 전 사회경제적으로 안정되어 있던 시기에는 개인의 사회적 역기능과 사회적응에 초점을 둔 진단주의만으로도 사회복지는 그 역할을 충분히 할 수 있었습니다. 그런데 경제공황이 발발하고 나서는 빈부격차의 심화, 실업률, 계층 간 갈등 문제와 같은 다양한 사회 문제에 대응해야만 했고, 따라서 사회복지의 초점이 기존과 같은 개인에서 사회로 이동해야 했습니다. 그래서 등장한 것이 바로 기능주의입니다.

② 집단사회사업(Group Work)의 발전

㉠ 인보관활동에서 태동된 집단사회사업은 **1930년대 들어** 사회복지실천방법의 하나로 인정받게 되었다.

㉡ 특히 제2차 세계대전 이후 정신분석의 집단치료 방법을 활용하여 군대나 사회복지관에 집단지도자가 고용되었으며, **1946년에는 미국 집단사회사업협회(American Association of Group Workers)가 조직**되고, 병원과 진료소 등에서 집단사회사업의 실시가 증가하여 집단사회사업가의 존재가 사회적으로 인식되었다.

③ 지역사회조직사업(Community Organization)의 발전

㉠ 1920년대부터 주 단위로 공공복지기관이 설치되면서 지역사회조직사업으로 전환하는 계기가 마련되었다.

㉡ 결정적으로 1929년 대공황 이후 **1935년 「사회보장법」이 제정되어 공공사회복지기관이 크게 증가**하였다.

㉢ 특히 **1944년에 9가지 사회사업 필수과목 중에 하나로 지역사회조직이 선택**되었고, **1946년에는 버팔로에서 개최된 미국 사회사업회의에서 지역사회조직연구회가 발족**되었다.

(2) 통합의 시도 - 1929년 밀포드(Milford) 회의❷

① 개별사회사업 통합에 대한 논의

㉠ 1929년 개최된 밀포드 회의에서는 **최초로 개별사회사업의 통합과 공통적인 지식과 기술의 기반 마련을 위한 논의가** 있었다.

㉡ 이를 위해 **개별사회사업의 공통요소가 정리되어 발표**되었으며, 전문 사회사업에서 **일반사회사업(Generic Social Work)으로의 전환이 주장**되었다.

② 교과 과정의 체계화 제안: 사회사업 교육의 체계화를 위해서 사회사업의 기본적인 기술들인 개별사회사업, 사회사업조사, 사회사업행정을 포함하는 **일원화된 교과 과정이 제안**되었다.

③ 사회복지기관의 조직상 제시: 사회복지기관에 필요한 조직구조, 기준, 효과적인 서비스 전달체계 등이 제시되었다.

3. 사회복지실천 방법의 통합기(1950~1970년대) 必

(1) 시대적 배경

① 1945년 제2차 세계대전 종결과 이로 인한 사회변동으로 다양한 욕구와 문제에 대한 개별화된 개입의 필요성이 대두되었고, 이에 사회복지사의 역할과 기능에 대한 변화의 요구가 확대되었다.

② **전미사회복지사협회(NASW) 내부에서 통합적 방법을 지향하는 '사회복지실천'이라는 용어가 등장**하였으며, **사회복지실천에 공통기반이 있어야 함이 강조**되었다.

선생님 가이드

❷ 당시 밀포드 회의는 5년마다 주기적으로 개최되었습니다. 특별히 1929년 개최된 회의의 보고서에서는 통합적인 개별사회사업이 분화된 개별사회사업보다 개별사회사업의 모든 형태를 함축하는 점에서 더 실제적이었다는 것을 입증하여 보고하였고, 이로 인해 1930년부터 사회사업은 통합적인 기법들의 기초를 본격적으로 구축하기 시작하게 됩니다.

③ 특히 **1957년에 펄만(Perlman)은 진단주의와 기능주의의 접근 방법을 통합**하여 **최초의 통합모델인 문제해결모델을 제안**하였고, 이는 **진단주의와 기능주의 간의 논쟁을 종식시키는 계기**가 되었다.

④ **1960년대에는 가족이 사회복지실천의 주요 관심대상**이 되어 가족을 대상으로 한 개입 방법들이 발전하였고, 1970년대 들어서는 **행동주의모델, 과제중심모델, 위기개입모델 등의 다양한 이론들이 등장**하게 되었다.

⑤ 또한 1970년대에는 체계이론이 사회복지실천의 중요한 이론적 체계로 급속히 적용되어 **사회복지실천현장에서 통합적 관점과 이에 따른 환경 속의 인간관이 확대 · 적용**되었다.

(2) 4대 분야에서의 통합 13. 서울시

이론의 통합	사회복지실천의 공통기반을 완성하고, 이를 토대로 통합적인 사회복지실천이론을 구축하여 **통합모델들이 형성**되었다. ① 1957년 펄만(Perlman)의 문제해결모델 ② 1970년 저메인과 기터만(Germain & Gitterman)의 생활모델 ③ 1973년 핀커스와 미나한(Pincus & Minahan)의 4체계 모델 ④ 1973년 골드스타인(Goldstein)의 단일화 모델 ⑤ 1975년 콤튼과 갤러웨이(Compton & Galaway)의 6체계 모델(또는 문제해결과정모델)
기술의 통합	실천현장에서 개별사회사업, 집단사회사업, 지역사회조직화사업이 절충되어 활용되었다.
전문직 단체의 통합	1955년에 **전미사회복지사협회(NASW)가 단일 전문직 단체로 출범**하였다.
교육의 통합	사회복지 관련 교과 과정에 대해 연구 · 조사하고 그 결과 **공통의 교과 과정을 마련**하였다.

(3) 그린우드(Greenwood)의 선포

① **1957년, 그린우드**는 『전문직의 속성(Attributes of a Profession)』이라는 발표문에서 전문직의 속성을 5가지로 규정하고 **'사회복지직은 이미 전문직'**이며, 계속적으로 전문직화를 추구해 나가는 과정 속에 있다고 평가하였다.

② 그린우드가 제시한 전문직의 5가지 속성

체계적인 이론	전문직은 **체계적인 이론에 기초한 우월적인 기술을 사용**할 수 있어야 한다.
전문적 권위와 신뢰	전문직은 전문적 관계에서 사회복지사나 사회복지직에 부여된 **권위와 신뢰**가 있어야 한다.
사회적 인가 (또는 승인)	전문직은 전문가를 배출할 수 있도록 사회적으로 승인된 학교나 자격시험, 제도 등을 통해 **권한과 특권을 부여**받아야 한다.
윤리강령	전문직은 자신이 부여받은 권한과 특권이 잘못 사용되는 것을 방지하기 위해 **체계화된 윤리강령**을 가지고 있어야 한다.
전문직의 고유문화	전문직은 자체의 고유한 가치, 규범, 상징을 만들어 공유하고, 이를 보존할 수 있어야 한다.

기출 OX

1970년대 이후 등장한 통합적 접근 모델로는 골드스타인(Goldstein)의 단일화 모델(unitary model), 저메인과 기터맨(Germain & Gitterman)의 생활모델(life model), 콤튼과 갤러웨이(Compton & Galaway)의 문제해결모델, 핀커스와 미나한(Pincus & Minahan)의 4체계 모델이 있다. ( ) 13. 서울시

○

제2절 사회복지사와 사회복지실천현장

회독 Check! 1회 □ 2회 □ 3회 □

1 사회복지사의 자격제도와 전문적 실천기반

1. 사회복지사 자격제도 14 · 20. 국가직 (必)

(1) **사회복지사(「사회복지사업법」 제11조)**

① **보건복지부장관**은 사회복지에 관한 전문지식과 기술을 가진 사람에게 사회복지사 자격증을 발급할 수 있다.

② **사회복지사의 등급은 1 · 2급으로** 하되, 정신건강 · 의료 · 학교 영역에 대해서는 영역별로 **정신건강 사회복지사 · 의료 사회복지사 · 학교 사회복지사의 자격을 부여**할 수 있다.

③ **사회복지사 1급 자격은 국가시험에 합격한 사람에게 부여**하고, 정신건강 사회복지사 · 의료 사회복지사 · 학교 사회복지사의 자격은 **1급 사회복지사의 자격이 있는 사람 중에서 보건복지부령으로 정하는 수련기관에서 수련을 받은 사람에게 부여**한다.

핵심 PLUS

사회복지사 자격제도의 변화

① 「사회복지사업법」 개정으로 **2018년 4월부터** 기존 1급 · 2급 · 3급의 사회복지사자격 등급이 **1급 · 2급으로 축소**되었고, **2020년 12월부터는** 정신건강, 의료, 학교 등 특정영역에서 활동하고 있는 사회복지사의 전문성을 바탕으로 **정신건강 사회복지사, 의료 사회복지사, 학교 사회복지사 국가 자격이 신설**되었다.

② 정신건강 사회복지사는 정신의료기관, 정신건강복지센터, 중독관리통합지원센터 등 영역에서 정신건강 서비스 지원을 담당하고, 의료 사회복지사는 종합병원 등을 이용하는 환자에게 재활과 사회복귀를 위한 상담 및 지도 업무를 수행하여 보다 적합한 의료서비스를 지원한다. 또한 학교 사회복지사는 학교, 교육복지센터 등에서 사례관리, 지역사회자원개발, 학교폭력 대처 및 예방, 아동학대, 인터넷 중독 등 업무를 담당한다.

(2) **정신건강 사회복지사(「정신건강증진 및 정신질환자 복지서비스 지원에 관한 법률」 제17조)**

① **보건복지부장관**은 정신건강 분야에 관한 전문지식과 기술을 갖추고 보건복지부령으로 정하는 **수련기관에서 수련을 받은 사람에게 정신건강 전문요원의 자격을 줄 수 있다.**

② 정신건강 전문요원은 그 전문분야에 따라 **정신건강 임상심리사, 정신건강 간호사, 정신건강 사회복지사 및 정신건강 작업치료사로 구분**한다.

기출 OX

01 교정사회복지사는 전문사회복지사이다. ( ) 20. 국가직

02 정신건강 사회복지사 수련제도가 시행되고 있으며, 정신건강 사회복지사는 1급, 2급, 3급으로 구분되어 있다. ( ) 14. 국가직

01 × 전문사회복지사에는 정신건강 사회복지사, 의료 사회복지사, 학교 사회복지사가 있다.
02 × '1급, 2급, 3급'이 아니라 '1급, 2급'이 옳다.

③ 정신건강 사회복지사의 등급별 자격 기준(「정신건강증진 및 정신질환자 복지서비스 지원에 관한 법률 시행령」 별표1)

1급	㉠ 사회복지학 또는 사회사업학에 대한 석사학위 이상을 소지한 사람으로서 보건복지부장관이 지정한 수련기관에서 3년(2급 자격 취득을 위한 기간은 포함하지 아니한다) 이상 수련을 마친 사람 ㉡ 2급 정신건강 사회복지사 자격을 취득한 후 정신건강증진시설, 보건소 또는 국가나 지방자치단체로부터 정신건강 증진사업 등을 위탁받은 기관이나 단체에서 5년 이상 근무한 경력(단순 행정업무 등 보건복지부장관이 정하는 업무는 제외한다)이 있는 사람
2급	**사회복지사 1급 자격을 소지한 사람으로서 수련기관에서 1년 이상 수련을 마친 사람**

④ 정신건강 사회복지사의 업무(「정신건강증진 및 정신질환자 복지 서비스 지원에 관한 법률 시행령」 별표2)

정신건강 전문요원의 공통업무	㉠ 정신재활시설의 운영 ㉡ 정신질환자 등의 재활훈련, 생활훈련 및 작업훈련의 실시 및 지도 ㉢ 정신질환자 등과 그 가족의 권익보장을 위한 활동 지원 ㉣ 진단 및 보호의 신청 ㉤ 정신질환자 등에 대한 개인별 지원계획의 수립 및 지원 ㉥ 정신질환 예방 및 정신건강복지에 관한 조사 · 연구 ㉦ 정신질환자 등의 사회적응 및 재활을 위한 활동 ㉧ 정신건강 증진사업 등의 사업 수행 및 교육 ㉨ 보건복지부장관이 정하는 정신건강증진 활동
정신건강 사회복지사의 전담업무	㉠ 정신질환자 등에 대한 사회 서비스 지원 등에 대한 조사 ㉡ 정신질환자 등과 그 가족에 대한 사회복지 서비스 지원에 대한 상담 · 안내

2. 사회복지사의 전문적 실천 기반

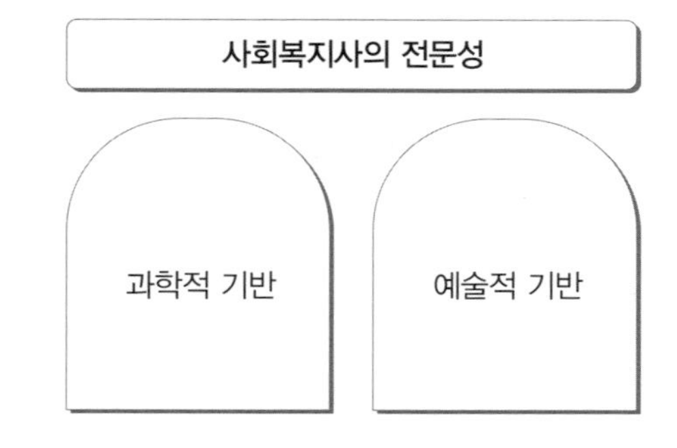

- 사회복지사의 전문성은 그들의 실천 기반을 통해 나타나며, 이러한 실천 기반에는 **과학적 기반(또는 과학성)과 예술적 기반(또는 예술성)**이 있다.
- 과학적 기반과 예술적 기반은 상호 대립적인 것이 아닌 상호보완적인 것으로, **사회복지사는 이러한 기반들을 조화시켜야만 효과적인 실천활동을 할 수 있으며, 따라서 사회복지사에게는 과학적 기반과 예술적 기반의 상호보완적이고 통합적인 실천역량이 요구**된다.

(1) **과학적 기반**

① 개념: 과학적 방법으로 개발되어 사회복지사의 **학습에 의해 습득된 '지식과 기술'**을 말한다.

② 종류: 이론과 실천의 준거틀을 적절하게 활용하는 것, 기술과 훈련, 사회적 조건과 문제에 관한 지식, 조사 및 연구에 관한 지식(예 연구자료의 수집과 분석, 객관적인 관찰 등), 사회정책과 프로그램에 관한 지식, 사회현상에 관한 지식, 사회복지 전문직에 관한 지식, 사회복지실천에 관한 지식, 인간행동과 사회환경에 관한 지식 등이 있다.

(2) **예술적 기반**

① 개념: 클라이언트의 정서적 측면에 개입하는 **사회복지사의 심리적 특성과 능력**으로, 학습으로만 형성되지 않는다.

② 종류: 전문적 관계형성 능력, 동정, 용기, 사회적 관심, 감정이입적 의사소통, 진실성, 상상력, 온화함, 창의적 사고, 융통성, 인내심, 희망, 에너지, 건전한 판단력, 사회복지 전문가로서의 가치, 직관적 능력, 이해력, 감수성, 실천지혜❶ 등이 있다.

선생님 가이드

❶ 실천지혜란 직관 · 암묵적 지식 · 사회복지실천의 과정 중의 경험을 통해 형성된 사회복지사의 비구조화된 지식을 말합니다.

2 사회복지 실천의 가치와 윤리 24. 국가직

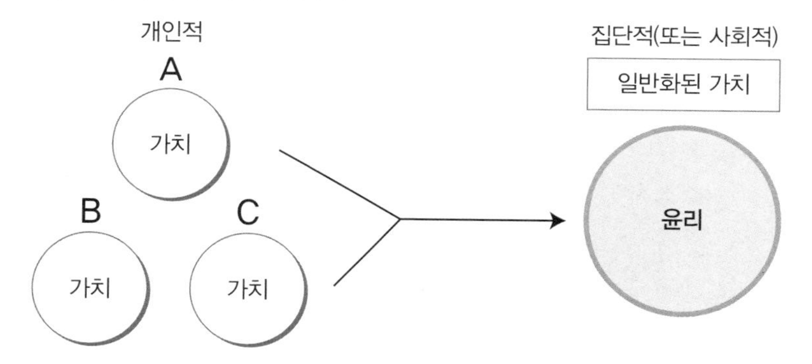

1. 가치(Value) 必

(1) **개념**

① **개인적인 신념 또는 믿음**으로, 일반적으로 **"좋다 · 싫다, 바람직하다 · 나쁘다"로 표현**되며, 사회복지실천의 **3대 축(지식, 기술, 가치) 중의 하나**이다.

② 사회복지 전문직의 가치는 **사회복지사의 올바른 판단과 결정을 위한 믿음체계**이다.

(2) **상대적 중요성에 따른 가치의 종류(Pumphrey)**

펌프리(Pumphrey)는 상대적 중요성에 따라 가치를 **궁극적 가치, 수단적 가치, 차등적 가치로 구분**하였다.

기출 OX

01 사회복지실천의 가치는 개인의 윤리 기준이 모여 사회적으로 형성된 행동 지침이다. ( ) 24. 국가직

02 사회복지실천의 가치는 좋은 것, 바람직한 것에 대한 가정이자 신념이다. ( ) 24. 국가직

03 사회복지실천의 윤리는 도덕적으로 옳고 그른 것을 판단하는 규범이다. ( ) 24. 국가직

04 사회복지실천의 윤리는 인간의 행동을 규제하는 기준이나 원칙을 포함한다. ( ) 24. 국가직

01 × '가치는 개인의 윤리 기준이 모여'가 아니라 '윤리는 개인의 가치 기준이 모여'가 맞다.
02 ○
03 ○
04 ○

궁극적 가치	시대나 상황의 변화에 영향을 받지 않는 **모든 인류가 보편적으로 공감할 수 있는 가치**로, **가장 추상적인 가치**이다. 예 인간의 존엄성, 인간의 자율성 등
수단적 가치	**구체적 행위나 수단과 관련된 가치**로, 궁극적 가치를 실현하기 위한 명확한 수단을 말한다. 예 자기결정권 보장, 비밀보장, 고지된 동의, 수용 등
차등적 가치	궁극적 가치와 수단적 가치 사이에 있으며, 궁극적 가치를 조금 더 구체화시킨 가치로, **시대나 상황의 변화에 따라 찬반의 양상이 달라지는 가치**이다. 예 낙태, 동성애 등

(3) 사회복지실천의 본질적 가치

① 인간의 존엄성: 모든 **인간을 절대적으로 존중하는 가치**이다.

② 사회적 배분정의: 개인의 문제는 사회구성원 전체의 연대적인 책임하에 해결하는 것이 정의로운 것임을 믿는 가치이다.

(4) 사회복지 전문직의 가치

① 레비(Levy)는 사회복지 전문직의 가치를 기능적인 측면에서 **사람우선, 결과우선, 수단우선** 등 3가지로 구분하였다.

사람우선 가치	㉠ '사회복지사에게 인간은 어떠한 존재인가?'라는 질문에 대한 대답으로, **사람에 대해 사회복지사가 갖추어야 할 기본적 가치**이다. ㉡ 인간에 대해 선호하는 믿음 • 인간의 존엄성: 사회복지사는 타고난 인간의 가치와 존엄에 대한 믿음이 있다. • 건설적 변화에 대한 능력과 열망: 모든 인간은 천부적으로 변화를 위한 능력과 열망을 가지고 있다. • 상호 책임성: 모든 인간은 사회 · 인류 · 자신에 대한 책임감을 가지고 있다. • 소속의 욕구: 모든 인간은 준거집단에 소속되고자 하는 욕구를 가지고 있다. • 인간의 공통되지만 독특한 욕구: 모든 인간은 공통된 욕구를 가지고 있지만, 각 개인은 독특한 존재이다.
결과우선 가치	㉠ '사회복지사는 어떠한 목표를 세우고 서비스를 제공할 것인가?'라는 질문에 대한 대답으로, **서비스 제공 후 발생하는 결과에 대한 가치**이다. ㉡ 인간에 대해 선호하는 결과 • 기회의 제공: 서비스 제공의 결과로 **개인은 자신의 잠재력을 실현하고 성장과 개발을 위한 기회를 제공**받아야 한다. • 사회적 책임: 사회는 개인의 발전을 위해 **사회 참여에 대한 기회를 동등하게 제공**해야 하며, **사회 문제를 해결하거나 미연에 방지**해야 하고, 동시에 이와 같은 **욕구를 충족시킬 수 있는 자원을 제공**해야 한다. 예 인간의 욕구 충족, 사회적 문제 해결 등

수단우선 가치	㉠ '사회복지사는 어떤 수단과 절차로 인간을 대할 것인가?'라는 질문에 대한 대답으로, **서비스를 제공하는 수단과 도구, 방법에 대한 가치**이다. ㉡ 인간을 다루는 데 있어서 선호하는 수단 • 인간은 존엄과 존중으로 다루어져야 한다. • 자기결정권 존중: 인간은 자기결정의 권리를 가져야 한다. • 인간은 사회변화에 참여해야 한다. • 개별화: 인간은 하나의 독특한 존재로 인정되어야 한다.

② 일반적인 사회복지 전문직의 가치

개인의 존엄성과 독특성에 대한 존중	모든 개인은 어떠한 조건하에서도 **인간이라는 그 이유만으로 존엄한 존재**여야 하며, 어떠한 독특성을 가진 인간이라도 그가 타인이나 전체사회에 해를 끼치지만 않는다면, 그러한 독특성 역시 그대로 인정되어야 한다.
자기결정(또는 자율성)의 원리	모든 개인은 **자신과 관련된 사항에 대해 스스로 결정할 권리가 있으며**, 이에 사회복지사는 그들이 선택할 수 있는 다양한 대안들을 충분히 발굴해야 한다.
사회적 형평성(또는 평등성)의 원리	모든 개인은 자신이 처한 어떠한 조건과도 관계없이 **자신의 잠재력을 실현하기 위해 필요한 모든 기회와 자원에 접근할 기회를 동등하게 가질 수 있어야 한다.**
개인의 복지에 대한 사회와 개인의 책임(또는 연대책임의 원리)	개인은 사회의 요구 및 개인의 욕구와의 균형 속에서 자신, 자신의 가족, 사회의 복지 향상을 위해 최대한 노력을 해야 할 책임을 갖는다. 즉, **사회구조적 문제로 인해 개인의 복지를 사회가 책임져야 할 상황일지라도 개인은 자신의 복지 향상을 위해서 적극적으로 행동**해야 한다.
사회복지사의 자기결정	사회복지사는 자신과 다른 가치를 가진 **동료 사회복지사들에게도 자신이 클라이언트에게 하는 것과 같은 동등한 존엄, 자기결정 등의 원리를 적용**해야 한다.

(5) **사회복지의 기본 가치(Friedlander)** 16. 국가직

프리드랜더는 사회복지의 기본 가치로 **개인 존중의 원리, 자발성 존중의 원리, 기회균등의 원리, 사회연대의 원리** 등을 제시하였다.

개인 존중의 원리(또는 인간의 존엄성, 인간존중)	① **모든 사람은 인간으로서의 가치, 품위, 존엄을 가지므로 개인은 그 이용 가치와는 상관없이 존중**되어야 한다. ② 모든 인간의 상이성과 유사성은 인정되어야 하며, 자신을 위해 자기의 잠재력이 성취되는 방향으로 성장할 수 있는 기회가 주어져야 한다. ③ 개인은 인종, 성, 경제적·정치적·사회적 지위, 종교, 국적, 지능, 육체적 조건 등의 속성으로 인해 차별대우를 받는 일이 없어야 하며, **인간으로서의 존엄과 기회의 균등을 보장**받아야 한다. 즉, 인간으로서 공평하고 동등한 대우를 받아야 한다.

기출 OX

01 사회복지의 기본 가치 중 인간존중이란 모든 사람은 인간으로서의 가치, 품위, 존엄성을 갖는다는 것이다. ( ) 16. 국가직

02 사회복지의 기본 가치 중 자기결정이란 모든 사람은 타인의 권리를 침해하지 않는 한 자신과 관련된 것을 스스로 결정할 자유를 갖는다는 것이다. ( ) 16. 국가직

03 개인주의에서 사회는 개인에게 균등한 기회를 차별 없이 제공할 것을 말한다. ( ) 16. 국가직

04 사회복지의 기본 가치 중 사회연대란 누구나 겪을 수 있는 공통의 위험에 대비하기 위하여 상호책임을 갖는다는 것이다. ( ) 16. 국가직

01 ○
02 ○
03 × '개인주의'가 아니라 '기회균등의 원리'가 옳다.
04 ○

자발성 존중의 원리 (또는 자기결정 원칙)	① 모든 사람은 타인의 권리를 침해하지 않는 한, **자신과 관련된 것을 스스로 결정할 자유**를 가진다. ② 이에 사회복지사는 클라이언트로 하여금 필요한 제반자원을 발견 · 활용할 수 있도록 도와주고, 여기서 클라이언트가 사용할 수 있는 자원의 위치와 크기 등에 대한 지식을 주어, 클라이언트가 스스로 결정을 내릴 수 있는 기반을 마련해 줌과 동시에 그 결정을 존중해 주어야 한다.
기회균등의 원리	사회는 여러 계층에 속한 개인들에게 **아무런 차별 없이 균등한 기회를 제공**해야 한다.
사회연대의 원리 (또는 상부상조의 원리)	현대사회에서 인간이 겪는 고통과 괴로움은 한 개인의 책임으로만 돌릴 수 없는 것으로 이에 대해 **연대적인(또는 상호적인) 책임, 공동의 과제**로 임해야 한다.

2. 윤리(Ethics)

(1) 개념

사회복지 **전문가 집단의 '일반화된 가치'**로 윤리적 기준의 판별에 따라 **"옳다 · 그르다."**로 **표현**되며, **전문적 실천활동의 도덕적 지침**이 된다.

핵심 PLUS

윤리적 결정의 철학적 배경

① **윤리적 절대주의(Ethical Absolutism, 또는 윤리적 보편주의)**: 모든 상황에 적용될 수 있는 고정불변의 윤리적 기준이 존재한다는 입장으로, 주로 경전(經典)을 가지고 있는 종교윤리에서 사용된다.

② **윤리적 상대주의(Ethical Relativism)**: 각 상황마다 적용되어야 할 윤리적 기준은 상대적이다는 입장으로, 현대 사회의 일반적인 윤리철학으로 통용된다.

(2) 사회복지실천 윤리의 필요성(Reamer)

① 사회복지사 등 전문가의 가치와 클라이언트, 동료 전문가 등 타인의 가치 사이에 존재하는 **공통점과 차이점을 체계적으로 확인**하기 위해서 필요하다.

② **윤리적 갈등을 이해하고 이에 대처하는 능력**을 갖추기 위해서 필요하다.

③ **서로 다른 가치들 사이의 관계 정립 또는 위계 설정을 위한 수단**으로써 필요하다.

④ 현재 사회복지 주류 가치가 얼마나 정당한지를 반성할 뿐만 아니라 **시대적 동향에 맞는 가치를 정립**하기 위해서 필요하다.

⑤ **사회복지실천 방법을 개발하거나 전문가의 전문경력을 발전**시키기 위해서 필요하다.

(3) 사회복지실천 윤리의 특징

① **가치와 조화**를 이루어야 한다.

② 가치와 같이 **윤리 기준은 지속적으로 변화**한다.

③ **가치가 개인적인 신념**과 관련이 있는 반면, 윤리는 **직접적인 행동지침의 성격이 강하다.**

3. 윤리적 갈등[윤리적 딜레마(Dilemma)]

(1) 개념

한 가지 상황에서 상충되는 여러 가지의 윤리적 기준을 적용해야 할 때, **사회복지사가 경험하게 되는 의사결정상의 고민**을 말한다.

(2) 가치갈등 15. 국가직, 21. 지방직 必

① **가치갈등**이란 사회복지사가 **사회복지실천 시 영향을 받는 개인적인 가치, 전문직으로서의 가치, 클라이언트 집단의 가치, 사회적 가치 간에 발생하는 갈등**을 말한다.

② **가치상충, 의무상충(또는 충성심과 역할 상충), 클라이언트체계의 다중성(또는 다중 클라이언트체계의 문제), 결과의 모호성, 능력 또는 권력의 불균형(또는 힘과 권력의 불균형)** 등이 있다.

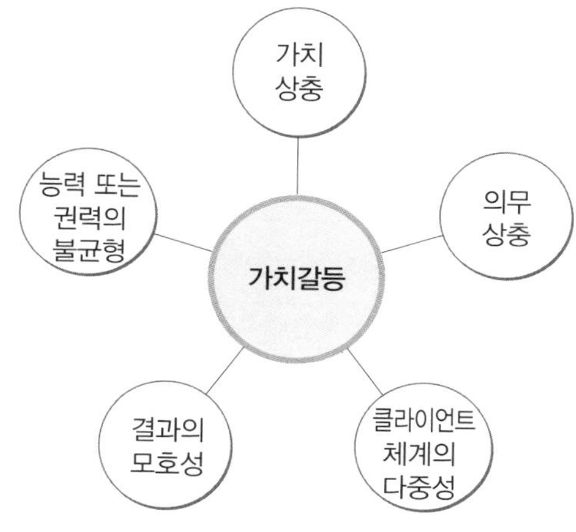

가치상충	윤리적 갈등이 가장 빈번히 야기될 수 있는 상황으로, 사회복지사가 **2개 이상의 경쟁적인 가치와 직면했을 때 발생**하는 가치갈등이다. 예 자살을 계획하며 사회복지사에게 이를 고백한 클라이언트에 대해 생명보호, 자기결정권 중 어느 가치를 존중해 주어야 할지에 대해 사회복지사는 갈등 상황에 빠질 수 있다.
의무상충 (또는 충성심과 역할 상충)	사회복지사의 개입 활동에 대해 클라이언트와 기관이 서로 상충되는 기대를 가질 때 **사회복지사는 "과연 누구의 기대를 우선 충족시켜야 하는가?"와 관련된 상황에서 발생**하는 가치갈등이다. 예 이용료 지불을 못할 형편에 있는 클라이언트와 클라이언트로부터 이용료 받아야 운영이 되는 사회복지기관에 대해 사회복지사는 누구의 요구를 따라야 할지에 대해 갈등 상황에 빠질 수 있다.
클라이언트체계의 다중성 (또는 다중 클라이언트체계의 문제)	클라이언트체계의 다중성, 즉 **"누가 클라이언트인가?", "누구의 이익이 최우선인가?", "어떤 문제에 우선성이 있는가?", "개입의 초점은 무엇인가?"에 대한 혼란으로 발생**하는 가치갈등이다. 예 아동학대 · 부부갈등 · 부부폭력 등의 문제를 복합적으로 지닌 이혼부부를 표적체계로 삼았을 때에 사회복지사는 "누가 클라이언트인가?"를 결정하는 데 있어서 아동을, 부부를, 또는 폭력을 가하는 사람 중 누구를 클라이언트로 삼고 개입해야 할지에 대해 갈등 상황에 빠질 수 있다.

기출 OX

01 클라이언트체계의 다중성이란 한 가정 내에 장애아동, 학대받는 아내, 치매에 걸린 부모 등 다수의 클라이언트가 존재하고, 이들 간의 이해가 충돌했을 때 누구의 이해를 최우선으로 할 것인가에 대한 갈등이다. ( ) 21. 지방직

02 의무의 상충은 학대받은 사실을 비밀로 해달라는 아동의 요청을 받았을 경우, 클라이언트의 비밀보장과 생명보호의 가치 중 어떠한 가치를 우선할 것인가에 대한 갈등이다. ( ) 21. 지방직

03 결과의 모호성은 영유아의 해외입양처럼 사회복지사의 결정에 대한 결과의 불확실성으로 인해 발생하는 갈등이다. ( ) 21. 지방직

04 권력의 불균형이란 클라이언트와 사회복지사 간의 권력의 불균형으로 인해 클라이언트의 알 권리 또는 자기결정권이 침해되었을 때 발생하는 갈등이다. ( ) 21. 지방직

05 '종합사회복지관에 근무하는 사회복지사 A는 방과 후 프로그램을 운영하고 있다. 방과 후 프로그램을 이용하는 아동 B의 결석이 잦아, 사회복지사 A는 이 문제에 대한 상담을 위해 가정방문을 하였다. 사회복지사 A는 가정방문을 통해 아동 B의 실직한 아버지와 도박중독인 어머니, 그리고 치매 증상을 보이는 할아버지를 만나게 되었다. 사회복지사 A는 이러한 상황 속에서 어떠한 문제에 먼저 개입해야 할지 결정하기가 쉽지 않은 상황에 직면하였다.' 이러한 상황에서 사회복지사 A가 직면한 윤리적 딜레마는 다중 클라이언트체계의 문제이다. ( ) 15. 국가직

01 ○
02 × '의무상충'이 아니라 '가치상충'이 옳다.
03 ○
04 ○
05 ○ 사회복지사 A에게 있어서 아동 B, 그의 실직한 아버지, 도박중독인 어머니, 그리고 치매 증상을 보이는 할아버지 모두가 클라이언트 체계로, A는 이들이 지닌 문제 중에 어떤 것에 먼저 개입해야 할지를 놓고 윤리적 딜레마에 빠졌다.

결과의 모호성	미래를 알 수 없는 사회복지사가 클라이언트를 대신해서 결정을 내려야 하는 상황에서 **어떤 결정이 최선책인가 하는 의구심이 생길 경우에 발생**하는 가치갈등이다. 예 유아를 클라이언트로 보고 개입할 경우, 어떻게 결정하는 것이 유아를 위해서 최선인지, 앞으로 5~10년 후에도 이 결정으로 인한 결과가 최선일 수 있는지에 대해 갈등 상황에 빠질 수 있다.
능력 또는 권력의 불균형 (또는 힘과 권력의 불균형)	사회복지사와 클라이언트 관계에서 **권력 배분의 불균형으로 인해 발생**하는 가치갈등이다. 예 원조 과정에서 클라이언트는 사회복지사에게 실질적으로 의존할 수밖에 없는 위치임으로 클라이언트의 자기결정권 등의 가치를 실제로 적용하는 것은 현실적으로 어려울 수 있다.

핵심 PLUS

가치갈등의 해결 지침(Zastrow, 1995년)

① **가치갈등에 대응하는 첫 단계는 가치갈등의 존재를 인식하는 것**이다.
② 사회복지사와 클라이언트는 서로 동등한 입장에서 자신들의 가치를 밝힐 수 있어야 한다.
③ 클라이언트는 자신의 가치가 무엇인지, 또한 그 가치에 부합되는 해결책이 무엇인지를 모색할 수 있는 원조를 받아야 한다.
④ 타인의 욕구를 침해하지 않는다는 조건하에 **클라이언트로 하여금 자신의 욕구를 충족시킬 수 있도록 허용**해야 한다.
⑤ **사회복지사는 누가 가치갈등을 가지고 있는지를 파악**해야 한다.

(3) 사회복지실천의 주요 윤리적 쟁점 11. 지방직, 17. 지방직(추가)

클라이언트의 자기결정권	클라이언트가 비합리적인 자기결정을 할 수 있는 다양한 조건이나 상황들(예 클라이언트의 나이가 너무 어리거나 심각한 지적장애를 갖고 있는 경우 등)에 놓여있어서 사회복지사의 입장에서 그 결정이 클라이언트 자신이나 또는 타인에게 해(害)를 입힐 가능성이 높다고 판단될 경우, **그 결정을 어느 정도까지 제한**해야 하는가에 대해 윤리적 갈등에 처할 수 있다.
클라이언트의 비밀보장	전문적 관계를 통해 알게 된 **클라이언트의 비밀을 어느 수준까지 보장**해야 할 것인가에 대해 윤리적 갈등에 처할 수 있다.
진실성 고수와 알 권리	**사회복지사는 진실을 말할 의무**, 즉 사회복지사는 클라이언트에게 원조 과정에서 발생할 수 있는 혜택, 위험, 영향 등의 정보를 진실하게 알려주어야 하는 의무가 있다.. 그러나 이러한 **진실한 정보가 오히려 클라이언트에게 해가 된다고 판단**될 때에 윤리적 갈등에 처할 수 있다.
제한된 자원의 공정한 분배	제한된 자원을 **형평적으로 분배하는 데 필요한 기준**을 찾는 데에서 윤리적 갈등에 처할 수 있다.
전문적 관계 유지	원조 과정 중 사회복지사의 지지적 태도를 클라이언트가 사적 관계로 오해하여 **공식적인 원조 관계의 유지를 어렵게 만들 때** 윤리적 갈등에 처할 수 있다.
클라이언트의 이익과 사회복지사의 이익	원조 과정 중 사회복지사는 클라이언트의 이익을 위해서 행동해야 하지만, **클라이언트가 사회복지사를 위태롭게 하거나 또는 희생을 강요할 경우** 윤리적 갈등에 처할 수 있다.
전문적 동료 관계	사회복지사가 알게 된 클라이언트나 기관에 대한 동료의 부당한 행위에 대해 **동료를 존중할 것인지, 아니면 클라이언트를 보호하거나 기관에 이러한 부당한 사실을 보고할 것**인지를 놓고 윤리적 갈등에 처할 수 있다.

기출 OX

사회복지사는 문제해결 과정에서 클라이언트가 스스로 자신의 목표를 수립할 수 있도록 도움을 제공해야 한다. 이것은 클라이언트의 자기결정권을 존중하는 것이다. ( ) 11. 지방직

○

규칙과 정책 준수	사회복지사는 자신이 속한 기관의 규칙과 정책을 준수해야 하나, **클라이언트의 문제 해결 또는 욕구 충족을 위한 개입이 이러한 규칙과 정책에 어긋날 때에** 윤리적 갈등에 처할 수 있다.

(4) **로웬버그와 돌고프(Loewenberg & Dolgoff, 1996년)의 윤리적 원칙 심사표(Ethical Principles Screen, 또는 일반결정모델)** 16 · 23. 국가직, 21. 지방직, 11 · 17. 지방직(추가), 18. 서울시

두 가지 이상의 정당한 윤리적 원칙 사이에서 갈등이 존재할 때, 사회복지사는 윤리적 딜레마에 빠질 수밖에 없다. 로웬버그와 돌고프(Loewenberg & Dolgoff)는 이러한 **윤리적 딜레마 상황하에서 윤리적 원칙 적용의 우선순위**를 **'생명보호 → 평등과 불평등 → 자율성과 자유(또는 자기결정) → 최소 해악 → 삶의 질 향상 → 사생활보호와 비밀보장 → 진실성과 완전공개(또는 정보개방)'** 으로 제시하고, **여러 원칙이 충돌하는 경우 상위원칙을 우선 적용**하도록 하였다.

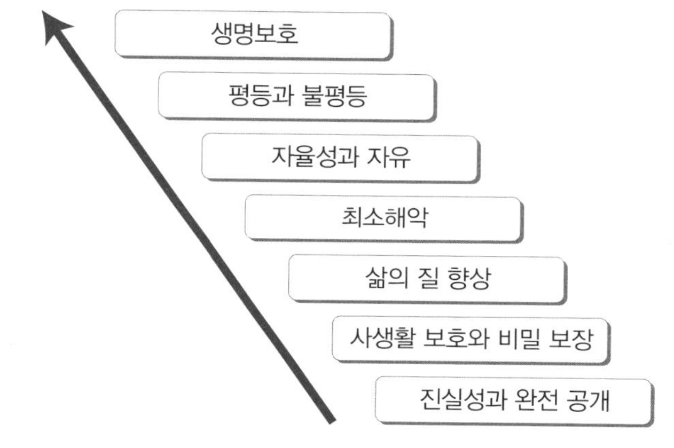

순위	윤리적 원칙	내용
1	생명보호의 원칙	인간 생명의 유지 및 보존은 다른 모든 윤리적 기준에 최우선한다.
2	평등과 불평등의 원칙	**(공정하고 평등한 결과의 유도)** 즉, 인간은 자신의 능력이나 욕구에 따라 **다른 사람과 동일하게 또는 동일하지 않게 취급받을 권리**가 있다. 예 아동을 학대하는 양부와 아동은 힘과 권위 면에서 불평등한 상태이다. 당연히 사회복지사는 아동을 양부와 불평등하게 취급하여 아동의 편에서 개입해야 한다.
3	자율성과 자유(또는 자기결정)의 원칙	**(자기결정)** 인간은 **자신의 의사에 따라 자유롭게 결정할 권리**가 있다. 따라서 클라이언트가 내리는 결정은 그의 의사대로 내려져야 한다.
4	최소 해악의 원칙	인간은 자신의 문제 해결과 관련하여 발생할 수 있는 **위해(危害)를 최소한으로 겪거나 혹은 겪지 않을 권리**가 있다. 따라서 다양한 대안 중 선택되는 것은 해악을 최소한으로 주는 것이어야 한다. 예 요양보호사의 권익 보호와 관련된 '요양보호사 처우개선 조례 제정'을 요구하기 위해 '단식 농성'에 들어간 클라이언트에게 사회복지사는 그보다는 위험부담이 덜한 대안들을 먼저 제시해야 한다.

기출 OX

01 '사회복지사 A는 신입사회복지사 B의 이야기를 듣고 상사에게 보고해야 하는지에 대한 고민이 생겼다. 동료사회복지사 C가 신입사회복지사 B에게 자신의 프로그램 운영에 필요한 자료 제작을 지시하였을 뿐만 아니라, 개인적인 대학원 과제도 시키는 일이 있어 어떻게 해야 할지 난감하다고 하였기 때문이다.' 이러한 상황에서 사회복지사 A가 겪을 수 있는 윤리적 쟁점은 전문적 동료 관계이다. ( ) 17. 지방직(추가)

02 사회복지실천에서 윤리원칙들이 상충할 때 로웬버그(Lowenberg)와 돌고프(Dolgoff)의 윤리원칙사정표(Ethical Principles Screen)가 사용된다. 중요도에 따라 가장 우선적으로 적용해야 할 원칙은 생명보호의 원칙이다. ( ) 11. 지방직(추가)

03 로웬버그(Loewenberg)와 돌고프(Dolgoff)가 제시한 윤리적 원칙 심사표의 윤리원칙을 우선순위대로 바르게 나열하면 생명보호의 원칙, 평등과 불평등의 원칙, 자율성과 자유의 원칙, 최소 해악의 원칙, 삶의 질 원칙, 사생활과 비밀보장의 원칙, 진실성과 완전공개의 원칙이다. ( ) 17. 지방직(추가)

01 ○
02 ○
03 ○

5	삶의 질 향상의 원칙	인간은 **보다 나은 삶의 질을 추구할 권리**가 있다. 따라서 **대안의 선택으로 모든 사람들의 생활의 질을 보다 향상시키는 기회를 선택**해야 한다.
6	사생활 보호와 비밀보장의 원칙	**(비밀보장)** 인간은 **사생활과 비밀을 보장받을 권리**가 있다. 따라서 사회복지사는 비밀을 누설하지 않고 지킴으로써 **모든 사람들의 사생활 보호의 권리를 신장시키는 결정**을 해야 한다.
7	진실성과 완전공개(또는 정보개방, 성실)의 원칙	인간은 **진실 및 가능한 정보 전부를 알 권리**가 있다. 따라서 사회복지사는 **모든 정보를 충분히 개방하는 것을 허용하는 결정**을 해야 한다.

핵심 PLUS

윤리적 의사 결정 과정의 단계 - 돌고프, 로웬버그와 해링턴(R. Dolgoff, F. Lowenberg & D. Harrington)

1	문제가 무엇이며, 또한 그 문제를 지속시키는 요인들이 무엇인지를 찾아낸다.
2	해당 **문제와 관련 있는 사람들**(예 클라이언트, 지지체계, 다른 전문가 등)**과 제도들을 확인**한다.
3	해당 문제와 관련해서 2번째 단계에서 **확인한 관련 있는 사람들이 갖고 있는 가치들을 찾아낸다.**
4	해당 문제를 해결하거나 문제의 정도를 경감할 수 있는 **개입목표를 찾아내고, 이를 명확히 한다.**
5	대안적인 개입전략과 개입대상을 찾아낸다.
6	확인된 목표에 부합되는 **각 대안(또는 개입 방법)의 효과성과 효율성을 평가**한다.
7	대안 선택 시 **의사결정에 관여해야 할 사람이 누구인지를 결정**한다.
8	가장 적절한 전략이나 개입 방법을 선택한다.
9	**선택된 전략이나 개입 방법을 실행**한다.
10	**실행을 점검**한다.
11	실행된 결과들을 평가하고 추가적인 문제들을 확인한다.

(5) 리머(Reamer, 1989년)의 윤리적 의사결정의 지침 17 · 21. 국가직

① 윤리원칙 1 - 인간행위에 필수적 전제조건 ⇨ 위해를 막는 규칙: **인간행위의 필수적 전제조건**(예 생명, 건강, 음식, 주거, 정신적 균형)에 대한 기본적인 위해를 막는 규칙은 거짓말, 비밀정보 누설, 오락, 교육, 재산과 같은 부가재를 위협하는 것과 같은 **위해를 막는 규칙에 우선**한다.

② 윤리원칙 2 - 기본적 복지권 ⇨ 타인의 자기결정권: **개인의 기본적 복지권,** 즉 인간행위의 필수적인 조건을 포함한 **자기결정권은 타인의 자기결정권에 우선**한다.

③ 우선원칙 3 - 자기결정권 ⇨ 기본적 복지권: **개인의 자기결정권**은 **그 자신의 기본적 복지권에 우선**한다.

④ 우선원칙 4 - 개인의 의무 ⇨ 개인의 권리: 개인이 자발적으로 동의한 법률, 규칙, 규정을 준수해야 하는 **개인의 의무는 이들을 위반할 개인의 권리보다 통상적으로 우선**한다.

기출 OX

01 타인의 자기결정권은 개인의 기본적인 복지권보다 우선한다. ( ) 17. 국가직

02 리머가 제시한 사회복지실천에서의 윤리적 결정 지침에서 개인의 기본적인 복지권은 타인의 자기결정권에 우선한다. ( ) 21. 국가직

03 윤리원칙 심사표(EPS)에서 제시하는 원칙 - 자율성 및 자유의 원칙은 클라이언트의 비밀보장 원칙에 우선한다. ( ) 21. 지방직

04 개인의 자기결정권은 그 자신의 기본적 복지권보다 우선한다. ( ) 17. 국가직

05 리머가 제시한 사회복지실천에서의 윤리적 결정 지침에서 개인의 기본적 복지권은 그 자신의 자기결정권에 우선한다. ( ) 21. 국가직

06 리머가 제시한 사회복지실천에서의 윤리적 결정 지침에서 개인이 자발적으로 동의한 법, 규칙, 규정을 지킬 의무는 이를 위반할 권리보다 통상적으로 우선한다. ( ) 21. 국가직

07 리머가 제시한 사회복지실천에서의 윤리적 결정 지침에서 주거, 교육, 공공부조와 같은 공공재를 증진할 의무는 개인의 재산관리권에 우선한다. ( ) 21. 국가직

01 × '개인의 기본적 복지권은 타인의 자기결정권에 우선한다.'가 옳다.
02 ○
03 ○
04 ○
05 × '개인의 자기결정권은 그 자신의 기본적 복지권에 우선한다.'가 옳다.
06 ○
07 ○

⑤ 우선원칙 5 – 개인의 복지권 ⇨ 협정: **개인의 복지권**은 그와 갈등을 일으키는 법률, 규칙, 규정 및 지원단체들의 **협정에 우선**한다.

⑥ 우선원칙 6 – 공공재를 증진시킬 의무 ⇨ 개인의 완전한 재산관리권: 기아와 같은 기본적 위해를 예방하고 주택(또는 주거), 교육, 공공부조와 같은 **공공재를 증진시킬 의무**는 **개인의 완전한 재산관리권에 우선**한다.

3 윤리강령

1. 개관 必

(1) **개념** 09 · 23. 지방직

① 윤리강령은 대부분의 전문직들이 가지고 있는 윤리적 지침이며, 사회복지사 윤리강령 역시 사회복지사들이 **준수해야 할 전문적 행동기준과 원칙을 명시한 규정**이다.

② 사회복지 전문직의 행동기준과 원칙을 제시하여 사회적 · 윤리적 제재력은 일정 정도 가지고 있지만, **법적 구속력(또는 제재력)은 없다.**

(2) **기능** 13. 지방직

① 사회복지실천 현장에서 **윤리적 갈등(또는 윤리적 딜레마) 시 지침과 원칙을 제공**한다.

② 사회복지사의 비윤리적 실천으로부터 **클라이언트를 보호**한다.

③ 사회복지사 스스로 자기규제를 갖게 하여 **외부(또는 정부)의 통제로부터 사회복지 전문직의 전문성을 보호**한다.

④ 일반 대중에게 **전문가로서의 사회복지사의 기본 업무 및 자세를 알리는 1차적 수단**이 된다.

⑤ 기관 내부의 다툼이나 분열로 인한 자기 파멸을 미연에 방지함으로써 **전문직 동료 간에 조화로운 화합**을 돕는다.

⑥ 선언적 선서를 통해 사회복지 전문가들의 **윤리적 민감화를 고양시켜서 윤리적 실천의 재고를 유도**한다.

⑦ 이를 준수한 사회복지사를 **실천오류(Malpractice) 소송[1]으로부터 보호**한다.

2. 한국사회복지사 윤리강령 08 · 09 · 11 · 13 · 17 · 20 · 24. 국가직, 09 · 10 · 11 · 14 · 15 · 16 · 17 · 20 · 23. 지방직, 11. 지방직(추가), 13 · 19. 서울시, 19. 서울시(2차) 必

(1) **연혁**

① 1973. 2. 윤리강령 초안제정 결의

② **1982. 1. 15. 한국사회복지사협회에서 사회복지사 윤리강령 제정**

③ 1988. 3. 26. 제1차 사회복지사 윤리강령 개정

④ 1992. 10. 22. 제2차 사회복지사 윤리강령 개정

⑤ 2001. 12. 15. 제3차 사회복지사 윤리강령 개정

⑥ 2021. 7. 5 제4차 사회복지사 윤리강령 개정

⑦ 2023. 4. 11 제5차 사회복지사 윤리강령 개정

선생님 가이드

[1] 실천오류(Malpractice)란 사회복지사의 우발적인 실수, 다양한 클라이언트 체계와 가치체계 간 상충으로 윤리원칙을 준수하지 못해서 발생하는 문제, 고의적인 부정행위 등을 통틀어 말하는 것입니다. 로웬버그(Loewenberg)는 윤리강령을 준수한 사회복지사는 클라이언트나 또는 다른 이해관계 관계인으로부터 민사 · 형사상의 소송에서 보호받을 수 있다고 보았습니다.

기출 OX

01 사회복지사 윤리강령은 모든 우리나라에서 유일한 전문직 윤리강령이다. ( ) 09. 지방직

02 사회복지사 윤리강령은 다른 사람을 원조하기 위한 전문적인 활동과 기술을 제시하고 있다. ( ) 09. 지방직

03 사회복지사 윤리강령은 사회복지의 윤리가 일반 사회의 가치관과 어느 부분에서 상충되는지를 설명하고 있다. ( ) 09. 지방직

04 사회복지사 윤리강령은 사회복지사들이 지켜야 할 전문적 행동기준과 원칙을 기술해 놓은 것이다. ( ) 09. 지방직

05 사회복지사 윤리강령은 동료나 기관과 갈등이 생길 때 사회복지사를 법적으로 보호한다. ( ) 13. 지방직

06 사회복지사 윤리강령은 외부의 통제로부터 사회복지 전문직의 전문성을 보호한다. ( ) 13. 지방직

07 사회복지사 윤리강령은 사회복지사를 실천오류(malpractice) 소송으로부터 보호한다. ( ) 13. 지방직

01 × 윤리강령은 사회복지사뿐만 아니라 대부분의 전문직(예 의사, 간호사, 요양보호사 등)이 가지고 있다.
02 ×
03 ×
04 ○
05 × '사회복지사를 법적으로 보호한다.'가 아니라 '사회복지사에게 지침과 원칙을 제공한다.'가 옳다.
06 ○
07 ○

(2) **본문**

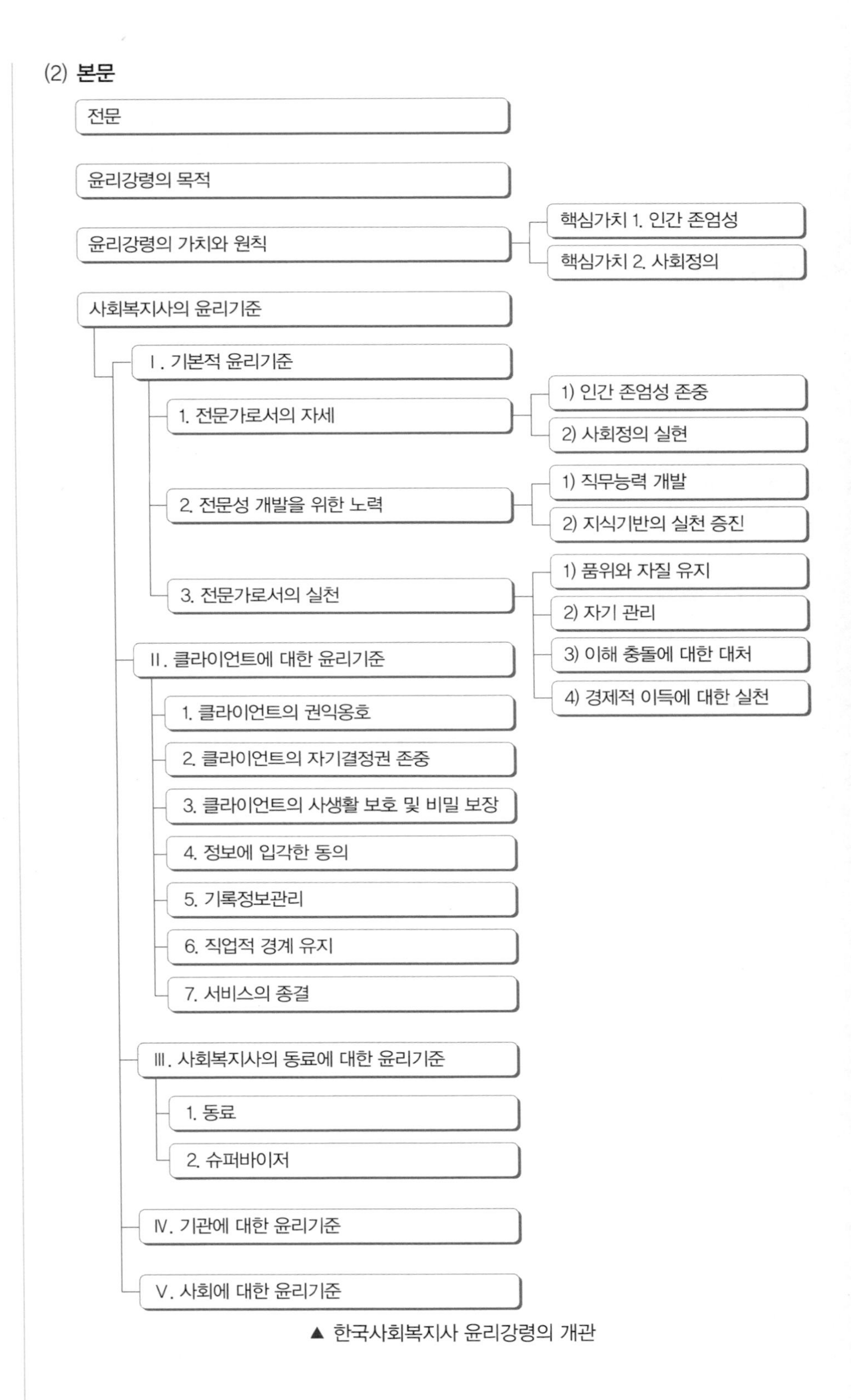

전문
윤리강령의 목적
윤리강령의 가치와 원칙
핵심가치 1. 인간 존엄성
핵심가치 2. 사회정의
사회복지사의 윤리기준
Ⅰ. 기본적 윤리기준
1. 전문가로서의 자세
1) 인간 존엄성 존중
2) 사회정의 실현
2. 전문성 개발을 위한 노력
1) 직무능력 개발
2) 지식기반의 실천 증진
3. 전문가로서의 실천
1) 품위와 자질 유지
2) 자기 관리
3) 이해 충돌에 대한 대처
4) 경제적 이득에 대한 실천
Ⅱ. 클라이언트에 대한 윤리기준
1. 클라이언트의 권익옹호
2. 클라이언트의 자기결정권 존중
3. 클라이언트의 사생활 보호 및 비밀 보장
4. 정보에 입각한 동의
5. 기록정보관리
6. 직업적 경계 유지
7. 서비스의 종결
Ⅲ. 사회복지사의 동료에 대한 윤리기준
1. 동료
2. 슈퍼바이저
Ⅳ. 기관에 대한 윤리기준
Ⅴ. 사회에 대한 윤리기준

▲ 한국사회복지사 윤리강령의 개관

〈전문〉

사회복지사는 인본주의 · 평등주의 사상에 기초하여, 모든 인간의 존엄성과 가치를 존중하고 천부의 자유권과 생존권의 보장 활동에 헌신한다. 특히 사회적 · 경제적 약자들의 편에 서서 사회정의와 평등 · 자유와 민주주의 가치를 실현하는 데 앞장선다. 또한, 도움을 필요로 하는 사람들의 사회적 지위와 기능을 향상시키기 위해 저들과 함께 일하며, 사회제도 개선과 관련된 제반 활동에 주도적으로 참여한다. 사회복지사는 개인의 주체성과 자기 결정권을 보장하는 데 최선을 다하고, 어떠한 여건에서도 개인이 부당하게 희생되는 일이 없도록 한다. 이러한 사명을 실천하기 위하여 전문적 지식과 기술을 개발하고, 사회적 가치를 실현하는 전문가로서의 능력과 품위를 유지하기 위해 노력한다. 이에 우리는 클라이언트 · 동료 · 기관 그리고, 지역사회 및 전체사회와 관련된 사회복지사의 행위와 활동을 판단 · 평가하며 인도하는 윤리기준을 다음과 같이 선언하고 이를 준수할 것을 다짐한다.

〈윤리강령의 목적〉

한국사회복지사 윤리강령은 사회복지 전문직의 가치와 윤리적 실천을 위한 기준을 안내하고, 윤리적 이해가 충돌할 때 고려해야 할 사항을 제시하고자 한다.

한국사회복지사 윤리강령의 목적은 다음과 같다.

1. 윤리강령은 사회복지 전문직의 사명과 사회복지 실천의 기반이 되는 핵심 가치를 제시한다.
2. 윤리강령은 사회복지 전문직의 핵심 가치를 실현하기 위한 윤리적 원칙을 제시하고, 사회복지 실천의 지침으로 사용될 윤리기준을 제시한다.
3. 윤리강령은 사회복지 실천 현장에서 발생하는 윤리적 갈등 상황에서 의사 결정에 필요한 사항을 확인하고 판단하는 데 필요한 윤리 기준을 제시한다.
4. 윤리강령은 사회복지사가전문가로서 품위와 자질을 유지하고, 자기 관리를 통해 클라이언트를 보호할 수 있도록 안내한다.
5. 윤리강령은 사회복지의 전문성을 확보하고 외부 통제로부터 전문직을 보호할 수 있는 기준을 제공한다.
6. 윤리강령은 시민에게 전문가로서 사회복지사의 역할과 태도를 알리는 수단으로 작용한다.

〈윤리강령의 가치와 원칙〉

사회복지사는 인간 존엄성과 사회정의라는 사회복지의 핵심 가치에 기반을 두고 사회복지 전문직의 사명을 다하기 위해 노력해야 한다. 이러한 핵심 가치와 관련해 사회복지 전문직이 준수해야 할 윤리적 원칙을 제시한다.

핵심 가치 1. 인간 존엄성

윤리적 원칙: 사회복지사는 인간의 존엄성과 가치를 인정하고 존중한다.

1) 사회복지사는 개인적 · 사회적 · 문화적 · 정치적 · 종교적 다양성을 고려하며 개인의 인권을 보호하고 존중한다.
2) 사회복지사는 클라이언트의 자율성을 존중하고, 자기 결정을 지원한다.
3) 사회복지사는 클라이언트가 역량을 강화하고, 자신과 환경을 변화시킬 수 있도록 지원한다.
4) 사회복지사는 사회복지 실천 과정에서 클라이언트의 개입과 참여를 보장한다.

핵심 가치 2. 사회정의

윤리적 원칙: 사회복지사는 사회정의 실현을 위해 앞장선다.

1) 사회복지사는 개인적 · 집단적 · 사회적 · 문화적 · 정치적 · 종교적 차별에 도전하여 사회정의를 촉진한다.
2) 사회복지사는 개인, 가족, 집단, 지역사회의 다양성을 존중하는 포용적 지역사회를 만들기 위해 노력한다.
3) 사회복지사는 부적절하고 억압적이며 불공정한 사회제도와 관행을 변화시키기 위해 사회의 다양한 구성원들과 협력한다.
4) 사회복지사는 포용적이고 책임 있는 사회를 만들어 가기 위해 연대 활동을 한다.

〈사회복지사의 윤리기준〉

Ⅰ. 기본적 윤리기준

1. 전문가로서의 자세

1) 인간 존엄성 존중

가. 사회복지사는 모든 인간의 존엄, 자유, 평등을 위해 헌신해야 하며, 사회적 약자를 옹호하고 대변하는 일을 주도해야 한다.

나. 사회복지사는 모든 인간의 고유한 존엄성과 가치를 인정하고 존중하며, 이를 기반으로 사회복지를 실천한다.

다. 사회복지사는 클라이언트의 성, 연령, 정신 · 신체적 장애, 경제적 지위, 정치적 신념, 종교, 인종, 국적, 결혼 상태, 임신 또는 출산, 가족 형태 또는 가족 상황, 성적 지향, 젠더정체성, 기타 개인적 선호 · 특징 · 조건 · 지위 등을 이유로 차별을 하지 않는다.

라. 사회복지사는 다양한 문화의 강점을 인식하고 존중하며, 문화적 역량을 바탕으로 사회복지를 실천한다.
마. 사회복지사는 문화적으로 민감한 실천을 제공하기 위해, 사회복지 실천 과정에서 자신의 개인적 · 사회적 · 문화적 · 정치적 · 종교적 가치, 신념과 편견이 클라이언트와 동료 사회복지사에게 미칠 수 있는 영향을 고려하여 자기 인식을 증진하기 위해 힘쓴다.

2) 사회정의 실현
가. 사회복지사는 사회정의 실현과 클라이언트의 복지 증진에 헌신하며, 이를 위한 국가와 사회의 환경 변화를 위해 노력한다.
나. 사회복지사는 사회, 경제, 환경, 정치적 자원에 대한 평등한 접근과 공평한 분배가 이루어지도록 노력한다.
다. 사회복지사는 개인적 · 집단적 · 사회적 · 문화적 · 정치적 · 종교적 특성에 근거해 개인이나 집단을 차별 · 억압하는 것을 인식하고, 이를 해결 또는 예방하기 위해 노력해야 한다.

2. 전문성 개발을 위한 노력

1) 직무 능력 개발
가. 사회복지사는 클라이언트에게 최상의 서비스를 제공하기 위해, 지식과 기술을 개발하는 데 최선을 다하며 이를 활용하고 공유할 책임이 있다.
나. 사회복지사는 사회적 다양성의 특징(성, 연령, 정신 · 신체적 장애, 경제적 지위, 정치적 신념, 종교, 인종, 국적, 결혼 상태, 임신 또는 출산, 가족 형태 또는 가족 상황, 성적 지향, 젠더 정체성, 기타 개인적 선호 · 특징 · 조건 · 지위 등), 차별, 억압 등에 대해 교육을 받고 이에 대한 이해를 증진하기 위해 노력한다.
다. 사회복지사는 변화하는 사회복지 관련 쟁점에 대응할 수 있도록 실천 기술을 향상하고, 새로운 실천 기술이나 접근법을 적용하기 위해 적절한 교육, 훈련, 연수, 자문, 슈퍼비전 등을 받도록 노력한다.
라. 사회복지사는 사회복지 실천에 필요한 정보통신 관련 지식과 기술을 습득하기 위해 노력하며, 이를 사용하는 과정에서 발생할 수 있는 윤리적 문제를 인식하고 정보통신 관련 지식과 기술을 활용하도록 한다.

2) 지식기반의 실천 증진
가. 사회복지사는 사회복지 실천 과정에서 평가와 연구 조사를 함으로써, 사회복지 실천의 지식 기반 형성에 기여하고, 궁극적으로 사회복지 실천의 질적 향상을 위해 노력한다.
나. 사회복지사는 평가나 연구 조사를 할 때, 연구 참여자의 권리를 보장하기 위해, 연구 관련 사항을 충분히 안내하고 자발적인 동의를 얻어야 한다.
다. 사회복지사는 연구 과정에서 얻은 정보를 비밀 보장의 원칙에서 다루며, 비밀 보장의 한계, 비밀 보장을 위한 조치, 조사 자료 폐기 등을 연구 참여자에게 알려야 한다.
라. 사회복지사는 평가나 연구 조사를 할 때, 연구 참여자의 보호와 이익, 존엄성, 자기 결정권, 자발적 동의, 비밀 보장 등을 고려하며, 「생명윤리 및 안전에 관한 법률」 등 관련 법령과 규정에 따라 연구윤리를 준수한다.

3. 전문가로서의 실천

1) 품위와 자질 유지
가. 사회복지사는 전문가로서의 품위와 자질을 유지하고, 자신이 맡고 있는 업무에 대해 책임을 진다.
나. 사회복지사는 자신의 이익을 위해 사회복지 전문직의 가치와 권위를 훼손해서는 안 된다.
다. 사회복지사는 전문가로서 성실하고 공정하게 업무를 수행한다.
라. 사회복지사는 부정직한 행위, 범죄행위, 사기, 기만행위, 차별, 학대, 따돌림, 괴롭힘 등 불법적이고 부당한 일을 행하거나 묵인해서는 안 된다.
마. 사회복지사는 자신의 소속, 전문 자격이나 역량 등을 클라이언트에게 정직하고 정확하게 알려야 한다.
바. 사회복지사는 클라이언트, 학생, 훈련생, 실습생, 슈퍼바이지, 직장 내 위계적 권력 관계에 있는 동료와 성적 관계를 형성해서는 안 되며, 이들에게 성추행과 성희롱을 포함한 성폭력, 성적 · 인격적 수치심을 주는 행위를 해서는 안 된다.
사. 사회복지사는 한국사회복지사협회등 전문가 단체의 활동에 적극적으로 참여하여, 사회정의 실현과 사회복지사의 권익옹호를 위해 노력한다.

2) 자기 관리
가. 사회복지사는 정신적 · 신체적 건강 문제, 법적 문제 등이 사회복지 실천 과정에서의 전문적 판단이나 실천에 부정적 영향을 주거나 클라이언트의 이익을 저해하지 않도록, 동료, 기관과 함께 적절한 조치를 하도록 노력한다.
나. 사회복지사는 클라이언트에게 최상의 사회복지서비스를 제공하기 위해 사회복지사 자신의 정신적 · 신체적 건강, 안전을 유지 · 보호 · 관리하도록 노력한다.

3) 이해 충돌에 대한 대처

가. 사회복지사는 클라이언트의 이익을 우선으로 고려하고, 이해 충돌이 있을 때는 아동, 소수자 등 취약한 자의 이해와 권리를 우선시한다.

나. 사회복지사의 개인적 신념과 사회복지사로서 직업적 의무 사이에 이해 충돌이 발생할 때 동료, 슈퍼바이저와 논의하고, 부득이한 경우 클라이언트가 적절한 지원을 받을 수 있도록 클라이언트를 다른 사회복지사에게 의뢰하거나 다른 사회복지서비스로 연결한다.

다. 사회복지사는 전문적 가치와 판단에 따라 업무를 수행하는 과정에서, 기관 내외로부터 부당한 간섭이나 압력을 받아서는 안 된다.

4) 경제적 이득에 대한 실천

가. 사회복지사는 클라이언트의 지불 능력에 상관없이 복지 서비스를 제공해야 하며, 이를 이유로 차별해서는 안 된다.

나. 사회복지사는 **필요한 경우에 제공된 서비스에 대해 공정하고 합리적으로 이용료를 책정할 수 있다.** 사회복지사는 업무와 관련해 정당하지 않은 방법으로 경제적 이득을 취해서는 안 된다.

Ⅱ. 클라이언트에 대한 윤리기준

1. 클라이언트의 권익옹호

사회복지사는 클라이언트의 이익을 최우선의 가치로 삼고 이를 실천하며, 클라이언트의 권리를 존중하고 옹호한다.

2. 클라이언트의 자기 결정권 존중

1) 사회복지사는 사회복지 실천 과정에서 클라이언트의 자기 결정을 존중하고, 클라이언트를 사회복지 실천의 주체로 인식하여 클라이언트가 자기 결정권을 최대한 행사할 수 있도록 돕는다.

2) 사회복지사는 의사 결정이 어려운 클라이언트에 대해서는 클라이언트의 이익과 권리를 보장하기 위한 적절한 조치를 취해야 한다.

3. 클라이언트의 사생활 보호 및 비밀 보장

사회복지사는 클라이언트의 사생활을 존중하고 보호하며, 전문적 관계에서 얻은 클라이언트 관련 정보에 대해 비밀을 유지한다. 그러나 클라이언트 자신과 타인에게 해를 입히거나 범죄행위와 관련된 경우에는 예외로 할 수 있다.

4. 정보에 입각한 동의

사회복지사는 클라이언트의 알 권리를 인정하고 동의를 얻어야 하며, 클라이언트가 받는 서비스의 목적과 내용, 범위, 합리적 대안, 위험, 서비스의 제한, 동의를 거절 또는 철회할 수 있는 클라이언트의 권리 등에 대해 정확하고 충분한 정보를 제공한다.

5. 기록 · 정보 관리

1) 클라이언트에 대한 사회복지 실천 기록은 사회복지사의 윤리적 실천의 근거이자 평가 · 점검의 도구이기 때문에 중립적이고 객관적으로 작성해야 한다.

2) 사회복지사는 클라이언트가 자신과 관련된 기록의 공개를 요구하면 정당한 비공개 사유가 없는 한 정보에 접근할 수 있도록 해야 한다.

3) 사회복지사는 클라이언트에 대한 문서 정보, 전자 정보, 기타 민감한 개인 정보를 보호해야 한다.

4) 사회복지사가 획득한 클라이언트 관련 정보나 기록을 법적 사유 또는 기타 사유로 제3자에게 공개할 때는 클라이언트에게 안내하고 동의를 얻어야 한다.

6. 직업적 경계 유지

1) 사회복지사는 클라이언트와의 전문적 관계를 자신의 개인적 이익을 위해 이용해서는 안 된다.

2) 사회복지사는 업무 외의 목적으로 정보통신기술을 사용해 클라이언트와 의사소통을 해서는 안 된다.

3) 사회복지사는 어떠한 상황에서도 클라이언트와 사적 금전 거래, 성적 관계 등 부적절한 행동을 해서는 안 된다.

4) 동료의 클라이언트를 의뢰받을 때는 기관 및 슈퍼바이저와 논의하는 과정을 거쳐야 하며, 클라이언트에게 설명하고 동의를 얻은 후 서비스를 제공한다.

5) 사회복지사는 정보처리기술을 이용하는 것이 클라이언트의 권리를 침해할 위험성이 있다는 사실을 인식하고 직업적 범위 안에서 활용한다.

7. 서비스의 종결

1) 사회복지사는 클라이언트에게 제공되는 서비스가 더 이상 클라이언트의 이해나 욕구에 부합하지 않으면 업무상 관계와 서비스를 종결한다.

2) 사회복지사는 개인적 또는 직업적 이유로 클라이언트와의 전문적 관계를 중단하거나 종결할 때 사전에 클라이언트에게 충분히 설명하고, 다른 기관 또는 다른 전문가에게 의뢰하는 등 필요한 조치를 취한다.

기출 OX

우리나라 사회복지사 윤리강령에서는 사회복지 서비스에 대한 이용료 부과를 금지한다. ( ) 23. 지방직

×

3) 사회복지사는 클라이언트의 고의적 · 악의적 · 상습적 민원 제기에 대해 소속 기관, 슈퍼바이저, 전문가 자문 등의 논의 과정을 거쳐 서비스를 중단하거나 거부권을 행사할 수 있다.

Ⅲ. 사회복지사의 동료에 대한 윤리기준

1. 동료

1) 사회복지사는 존중과 신뢰를 기반으로 동료를 대하며, 전문가로서의 지위와 인격을 훼손하는 언행을 하지 않는다.
2) 사회복지사는 사회복지 전문직의 권익 증진을 위해 동료와 다른 전문직 동료와도 협력하고 협업한다.
3) 사회복지사는 동료의 윤리적이고 전문적인 행위를 촉진해야 하며, 동료가 전문적인 판단과 실천이 미흡하여 문제를 발생시켰을 때 윤리강령과 제반 법령에 따라 대처한다.
4) 사회복지사는 다른 전문직의 동료가 행한 비윤리적 행위에 대한 윤리강령과 제반 법령에 따라 대처한다.
5) 사회복지사는 동료의 직무 가치와 내용을 인정하고 이해하며, 상호 간에 민주적인 직무 관계를 이루도록 노력해야 한다.
6) 사회복지사는 동료들에게 정보통신기술을 사용한 비윤리적 행위를 하지 않는다.
7) 사회복지사는 동료가 적법하게 업무를 수행하는 과정에서 부당한 조치를 당하면 동료를 변호하고 원조해 주어야 한다.
8) 사회복지사는 동료에게 행해지는 어떤 형태의 차별, 학대, 따돌림 또는 괴롭힘과 자신의 전문적 권위를 행사하는 다른 동료와의 부적절한 성적 행동에 가담하거나 이를 용인해서는 안 된다.
9) 사회복지사는 슈퍼바이지, 학생, 훈련생, 실습생, 자신의 전문적 권위를 행사하는 다른 동료와의 성적 행위나 성적 접촉과 성적 관계에 관여해서는 안 된다.

2. 슈퍼바이저

1) 슈퍼바이저는 슈퍼바이지가 전문적 업무 수행을 할 수 있도록 지원하고 슈퍼바이지는 슈퍼바이저의 전문적 지도와 조언을 존중해야 한다.
2) **슈퍼바이저는 전문적 기준에 따라 슈퍼비전을 수행하며, 공정하게 평가하고 평가 결과를 슈퍼바이지와 공유**한다.
3) 슈퍼바이저는 개인적인 이익 추구를 위해 자신의 지위를 이용해서는 안 된다.
4) 슈퍼바이저는 사회복지사 수련생과 실습생에게 인격적 · 성적으로 수치심을 주는 행위를 해서는 안 된다.

Ⅳ. 기관에 대한 윤리기준

1) 사회복지사는 기관의 사명과 비전을 확인하고, 정책과 사업 목표를 달성하기 위해 노력해야 한다.
2) 사회복지사는 소속 기관의 활동에 적극적으로 참여함으로써 기관의 성장과 발전을 위해 노력해야 한다.
3) 사회복지사는 기관의 부당한 정책이나 요구에 대해 전문직의 가치와 지식을 근거로 대응하고, 제반 법령과 규정에 따라 해결하도록 노력해야 한다.

Ⅴ. 사회에 대한 윤리기준

1) 사회복지사는 자신이 일하는 지역사회를 이해하고, 클라이언트가 지역사회에서 서로 도우며 함께 살아가도록 지원해야 한다.
2) 사회복지사는 정치적 영역이 클라이언트의 권익과 사회복지 실천에 미치는 영향을 인식하여 사회정의 실현을 위한 사회정책의 수립과 법령 제 · 개정을 지원 · 옹호해야 한다.
3) 사회복지사는 사회재난과 국가 위급 상황에서 문제를 해결하기 위해 적극적으로 활동해야 한다.
4) 사회복지사는 지역사회, 국가, 나아가 전 세계와 그 구성원의 복지 증진, 삶의 질 향상을 위해 적극적으로 노력해야 한다.
5) 사회복지사는 인간과 자연이 서로 떨어져 살 수 없음을 깨닫고, 인간과 자연환경, 생명 등 생태에 미칠 영향을 생각하며 실천해야 한다.

〈사회복지사선서문〉

나는 모든 사람들이 인간다운 삶을 누릴 수 있도록, 인간존엄성과 사회정의의 신념을 바탕으로, 개인 · 가족 · 집단 · 조직 · 지역사회 · 전체사회와 함께 한다.
나는 언제나 소외되고 고통받는 사람들의 편에 서서, 저들의 인권과 권익을 지키며, 사회의 불의와 부정을 거부하고, 개인이익보다 공공이익을 앞세운다.
나는 사회복지사 윤리강령을 준수함으로써, 도덕성과 책임성을 갖춘 사회복지사로 헌신한다.
나는 나의 자유의지에 따라 명예를 걸고 이를 엄숙하게 선서합니다.

기출 OX

01 사회복지사는 기관의 정책과 사업 목표의 달성을 위해 노력함으로써 기관에게 이익이 되도록 해야 한다. ( ) 11. 국가직

02 한국사회복지협의회는 사회복지윤리위원회를 구성해야 한다. ( ) 11. 국가직

01 × '기관에게'가 아니라 '클라이언트에게'가 옳다.
02 × '한국사회복지협의회'가 아니라 '한국사회복지사협회'가 옳다.

4 사회복지사의 역할

1. 개입 수준과 기능 수준에 따른 구분

마일리(Miley)는 **개입 수준과 기능 수준**에 따라 사회복지사의 역할을 **미시적 차원, 중범위적 차원, 거시적 차원, 전문가 집단 차원으로 구분**하였다.

구분		개입 수준에 따른 역할			
		미시적 차원	중범위적 차원	거시적 차원	전문가 집단 차원
기능 수준에 따른 역할	상담(Consultancy)	조력자	촉진자	계획가	동료
	자원관리 (Resource Management)	중개자, 옹호자	중개자	행동가	촉매자
	교육(Education)	교사	훈련가	현장개입가	연구자·학자

(1) 미시적 차원에서의 사회복지사의 역할 必

미시적 차원에서 사회복지사의 역할이란 **주로 개인이나 가족을 대상으로** 하여 원조하는 사회복지사의 역할을 말한다.

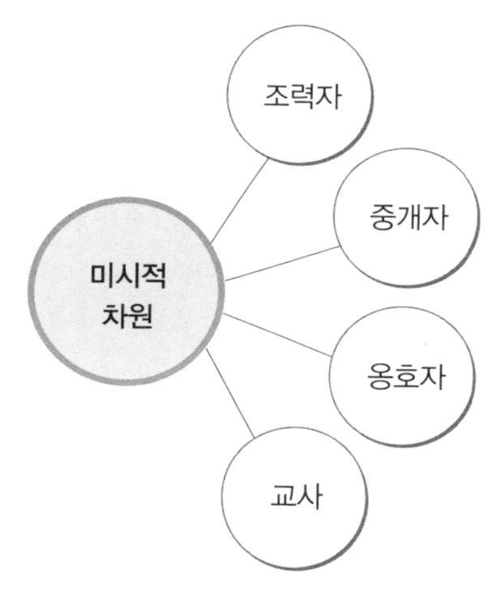

① 조력자(Enabler, 또는 조성자) 17. 국가직, 10·11. 지방직

㉠ 개인이나 가족의 **문제해결능력(또는 강점이나 자원) 개발과 향상을 원조**하는 역할을 말한다.

㉡ 즉, 개인이나 가족이 자신들의 욕구를 파악하고 문제를 명확히 규명하며, **스스로 문제를 해결[1]할 수 있는 능력을 개발**하고 필요한 자원을 찾거나 해결방안을 탐색하도록 돕는 것으로, 이때 사회복지사는 **클라이언트가 자신의 노력으로 변화되는 경험을 하도록 원조하는 것이 중요**하다.

예 알코올중독자가 자신의 문제를 깨닫고 금주 방법을 찾도록 도와주었다.

선생님 가이드

❶ 조력자란 말 그대로 '도와주는 사람'입니다. 즉 클라이언트가 어려움에 스스로 대처하도록 그의 문제해결능력을 향상시키고 자원을 찾아 회복하게 하는 역할로, 사회복지사가 클라이언트에게 직접적인 변화를 일으키는 것이 아니라 클라이언트가 자신의 노력으로 변화되는 경험을 하도록 돕는 사회복지사의 역할을 말합니다.

기출 OX

01 조력자는 개인이나 가족이 그들 자신의 욕구를 파악하고 문제를 명확히 규명하며, 스스로 문제를 해결할 수 있는 능력을 개발하고 필요한 자원을 찾아낼 수 있도록 돕는다. ( ) 10. 지방직

02 조력자의 역할은 클라이언트 개인의 강점이나 자원을 찾아내도록 도와주는 것이다. ( ) 11. 지방직

03 조력자의 역할에서는 클라이언트가 어려움에 스스로 대처하도록 그의 문제해결능력을 향상시키고 자원을 찾아 회복하게 하는 역할로서, 사회복지사가 이러한 변화를 일으키는 것이 아니라 클라이언트가 자신의 노력으로 변화되는 경험을 하도록 돕는 것이 중요하다. ( ) 17. 국가직

01 ○
02 ○
03 ○

② **중개자(Broker)** 12. 국가직, 11 · 16 · 22. 지방직: 개인이나 가족의 문제해결에 도움을 줄 수 있는 **지역사회의 자원이나 서비스를 그들에게 연결(또는 연계)하거나 소개**하는 역할을 말한다.

예 몸이 불편하고 경제상황이 어려운 노인에게 정기적으로 병원에 동행할 자원봉사자를 연계하였다.

③ **옹호자(Advocate, 또는 대변자, 변호자)** 11 · 22. 지방직, 11. 지방직(추가), 11 · 19. 서울시 1차: 자립해서 지역사회의 자원이나 서비스를 확보하기 어려운 **소외된 개인이나 가족의 사회적 권리 확보**를 위해 그들을 대신하여 그들의 입장을 대변하고 변호하는 역할로, 이때 사회복지사는 **대중의 입장이 아닌 소외된 개인이나 가족의 입장만을 대변하고 변호**해야 하며, 궁극적으로는 **사회제도와 정책의 변화를 추구**한다.

예 장애학생의 교육권 확보를 위해 학교 당국에 편의시설 설치를 요구하였다.

④ **교사(Educator, 또는 교육자, 정보제공자)** 20 · 22. 지방직: 개별 클라이언트에게 문제해결과 관련된 **정보, 지식, 기술을 그가 이해할 수 있는 방법으로 가르치는 역할**을 말한다.

예 지적장애인에게 일상생활기술 훈련을 실시하였다.

(2) 중범위적 차원에서의 사회복지사의 역할 必

중범위적 차원에서 사회복지사의 역할이란 **주로 집단이나 조직을 대상으로** 하여 원조하는 사회복지사의 역할을 말한다.

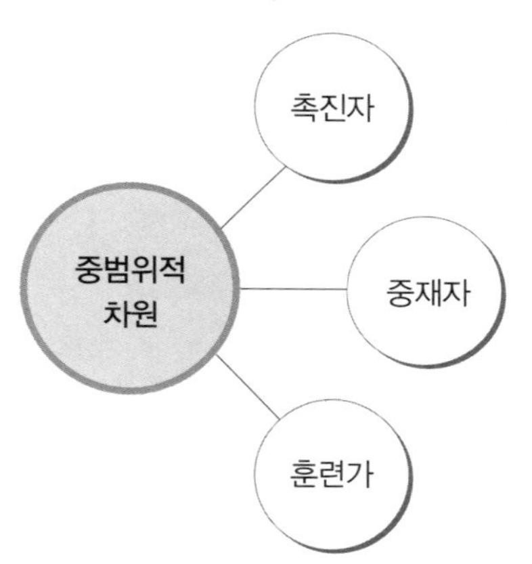

① **촉진자(Group Facilitator)**: 효과적인 조직의 서비스 전달체계 강화를 위해서 **조직 내에서는 조직 구성원 간 상호작용과 정보교환을 강화**시키고, **조직 간에는 연결망을 강화시키는 역할**을 말한다.

② **중재자(Mediator)** 11 · 13 · 22. 지방직: 분쟁 발생 시 **중립적 입장으로 개입**하여 **협상 또는 타협을 이끌 수 있도록 원조하는 역할**을 말한다.

예 장기간의 무단결석과 비행으로 학교에서 퇴학 위기에 처한 학생의 선처에 관한 의견 차이로 부모와 학교 당국 간에 갈등을 빚고 있다. 사회복지사는 양자 간의 타협 또는 문제의 해결을 위해 중립을 유지하며 돕는다.

기출 OX

01 중재자의 역할은 사회복지실천의 목표를 달성하기 위해 가능한 모든 자원과 클라이언트를 연결시키는 것이다. ( ) 11. 지방직

02 아동학대 피해아동의 가족에게 아동보호 전문기관을 소개해 주는 사회복지사의 역할은 중개자이다. ( ) 16. 지방직

03 옹호자의 역할은 사회복지사가 개입목표의 달성을 위해 클라이언트의 입장을 대변하고 변호하는 것이다. ( ) 11. 지방직

04 중소기업에서 경영상의 악화를 이유로 장애인 근로자를 전원 해고했다. 이에 사회복지사는 옹호자의 역할을 수행하기 위해 상담을 요청한 해고 장애인들과 함께 협력하여 기업을 대상으로 법적 대응방안을 강구하고, 집단행동을 통해 부당한 해고방침이 철회되도록 노력하였다. ( ) 11. 지방직(추가)

05 옹호자는 클라이언트의 정당한 권리를 대변하고 정책적 변화를 추구하는 활동을 한다. ( ) 19. 서울시 1차

06 중개자는 클라이언트에게 부정적 영향을 주는 프로그램이나 정책을 변화시키기 위한 운동을 지지한다. ( ) 19. 서울시 1차

07 지적장애인에게 일상생활기술훈련을 실시하는 사회복지사의 역할은 교육자이다. ( ) 12. 지방직

08 중재자의 역할은 사회복지실천의 목표를 달성하는 것이다. ( ) 11. 지방직

01 × '중재자'가 아니라 '중개자'가 옳다.
02 ○
03 ○
04 ○
05 ○
06 × 중개자라기보다는 옹호자나 행동가가 옳다.
07 ○
08 ×

③ 훈련가(Trainer): 집단이나 조직 구성원의 전문성 또는 리더십 개발을 위해 **그들을 대상으로 세미나, 워크숍, 슈퍼비전 등을 실시하여 교육 및 훈련을 시키는 역할**을 말한다.

(3) 거시적 차원에서의 사회복지사의 역할 (必)

거시적 차원에서 사회복지사의 역할이란 **주로 지역사회 이상의 체계에 대해** 개입하는 사회복지사의 역할을 말한다.

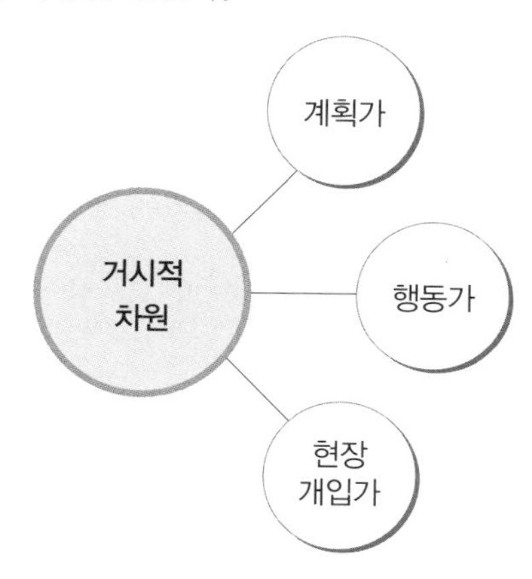

① 계획가(Planner, 또는 기획가): 지역사회 주민들의 욕구를 파악하여 그 욕구 충족과 관련된 기존 서비스의 개선 및 새로운 서비스의 개발에 필요한 **정책이나 프로그램을 계획하는 역할**을 말한다.

② 행동가(Activist) 22. 지방직: 지역사회를 포함한 거시적 체계 내의 사회정의와 평등실현을 위해 소외된 구성원들이 경험하는 **부정의와 불평등에 맞서 사회적 행동을 하는 역할**을 말한다.

③ 현장개입가(Outreach): 지역사회 내에서 잠재적 욕구를 지닌 주민들을 대상으로 서비스에 대한 홍보 및 교육 등을 실시하여 **지역주민들의 서비스에 대한 접근성을 향상시키는 역할**을 말한다.

(4) 전문가 집단 차원에서의 사회복지사의 역할

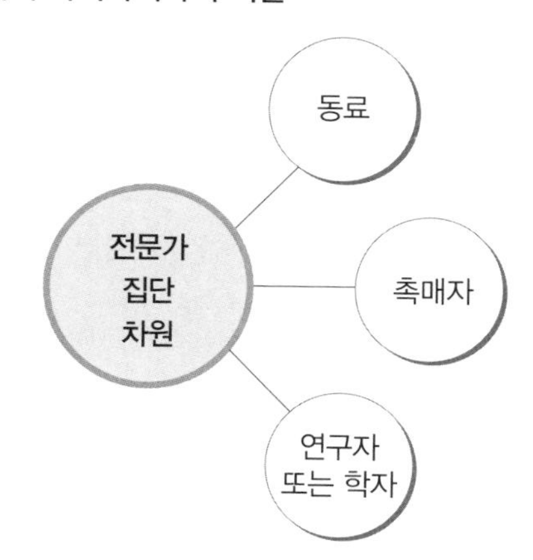

① 동료(Colleague): 다른 사회복지사를 협업을 수행하는 협력자로 인식하여 그들이 전문가적 윤리를 준수하도록 격려하고, 전문가 협회 등과 같은 조직에 참여하여 **상호지지를 제공하는 역할**을 말한다.

② 촉매자(Catalyst): 보다 효과적인 서비스 전달체계의 발전 및 개발을 위해 **국내 또는 국제적인 해당 전문가 또는 타직종의 전문가 간 협조 체제 안에서 활동하는 역할**을 말한다.

③ 연구자 또는 학자(Researcher or Scholar) 19. 서울시 1차: 보다 효과적인 서비스 전달체계의 발전 및 개발을 위해 **과학적 방법을 통한 지식체계의 개발, 개입 효과의 평가 등을 수행하고, 그 결과를 동료들과 공유**하여 **전문적 사회복지 실천 이론의 발전과 프로그램을 향상시키는 역할**을 말한다.

2. 기능에 따른 역할 분류(Hepworth 등)

(1) 직접 서비스 제공 기능

클라이언트를 대면해서 그에게 **직접 서비스를 제공하는 역할**이다.

① 상담자(Counselor, 또는 치료자): 관계형성기술이나 상담이론 등의 전문적 기술에 기반하여 **클라이언트의 심리 · 정서적인 문제를 파악한 후 이를 정상화시켜서** 클라이언트가 스스로 지지망과 같은 자원을 개발하고 유지하는 방법을 알 필요가 있다는 사실을 가르치는 역할이다.

② 가족치료자

③ 교사(또는 교육자)

(2) 체계 연결 기능 (必)

유용한 자원에 대한 정보나 이용 능력이 부족한 클라이언트를 **그들의 문제해결과 관련된 체계와 연결시키는 역할**이다.

① 중개자(Broker)

② 조정자[Coordinator, 또는 사례관리자(Case Manager)]: 클라이언트의 욕구를 사정하고, 다른 자원에 의해 제공된 필수적인 **재화와 서비스 전달의 중복이나 누락을 조정**하는 등, **클라이언트가 시의적절(時宜適切)한 방식으로 서비스를 제공받도록 서비스를 연결 · 조정하는 역할**이다.

③ 중재자

④ 옹호자

(3) 체계유지 및 강화 기능

사회복지조직의 서비스전달체계의 효율성을 저하시키는 조직 내 기능을 분석하고, 해당 전달체계의 강화 방법에 관한 계획을 수립하여 이를 실행하는 역할이다.

① 조직분석가(또는 조직평가자): 사회복지조직이 보다 효율적으로 운영될 수 있도록 조직의 구조 · 정책 · 절차 등에서 **서비스 전달에 부정적인 영향을 미치는 요인을 정확히 파악하고 분석하는 역할**이다.

② 촉진자

기출 OX

01 계획가의 역할에서는 전문적 사회복지실천 이론의 발전과 프로그램의 향상을 꾀한다. ( ) 19. 서울시 1차

02 조정자의 역할은 클라이언트가 시의적절한 방식으로 서비스를 제공받도록 서비스를 연결 · 조정하는 것이다. ( ) 11. 지방직

03 교사의 역할에서는 클라이언트에게 적합한 서비스를 연결하고 그러한 서비스를 활용하도록 조정한다. ( ) 19. 서울시 1차

01 × '계획가'가 아니라 '연구자 또는 학자'가 옳다.
02 ○
03 × '클라이언트에게 적합한 서비스를 연결하는 것'은 중개자의, '서비스를 활용하도록 조정하는 것'은 조정자의 역할이다.

③ 팀성원(또는 팀구성원): 클라이언트의 복합적 · 다차원적인 문제를 해결하기 위해서 구성된 **치료팀이나 전문가 조직의 일원으로 활동하는 역할**이다.

④ 자문가: 클라이언트의 문제해결과 관련해서 **타직종의 전문가에게 자문을 제공하는 역할**이다.

⑤ 슈퍼바이저: 슈퍼바이지가 제공하는 서비스의 질을 향상시키기 위해서 **적절한 방식으로 그에게 슈퍼비전을 제공하는 역할**이다.

(4) **체계 개발 기능**

사회복지조직이 제공하는 **서비스를 양적 · 질적으로 개선 및 확대시키는 역할**이다.

① 프로그램 개발자: 클라이언트의 새로운 욕구가 반영된 프로그램을 개발하는 역할이다.

② 계획자(또는 기획자): 공식적 · 비공식적으로 영향력을 가지고 있는 사람들과 협업하여 클라이언트의 새로운 욕구가 반영된 프로그램을 기획하는 역할이다.

③ 정책과 절차 개발자: 클라이언트의 욕구를 평가해서 그 욕구 충족과 관련된 기관의 특정 정책과 절차들의 적합 여부를 평가하는 역할로, 사회복지사는 이러한 **기관의 정책과 절차의 제정을 위한 의사결정 과정에 클라이언트의 입장에 서서 적극적으로 참여**해야 한다.

(5) **연구 및 조사 기능**

사회복지조직에서 제공하는 서비스의 효과성 제고를 위한 **평가 및 조사를 실시하는 역할**이다.

① **프로그램 평가자**

② **조사자**

핵심 PLUS

협상가(Negotiator)

① 사회복지사의 중재자 역할처럼 분쟁 발생 시 개입하여 **합의를 이끌 수 있도록 원조하는 역할**을 말한다.

② 중재자가 중립적인 입장에서 합의를 이끌어 내려고 하는 반면, **협상가는 어느 한쪽의 이익을 위해서 활동한다는 측면에서 차이가 있다.**

5 사회복지실천 현장

1. 개념

(1) **광의적 개념**

클라이언트의 **문제영역과 이와 관련된 모든 분야의 서비스, 서비스 대상집단 등**에 대한 통칭이다.

예 노인, 아동, 장애인, 약물중독, 교도소 등

(2) 협의적 개념

서비스를 직접 또는 간접적으로 제공하는 **물리적 실체로서의 사회복지기관**이다.

2. 분류 (必)

(1) 기관의 기능 또는 목적에 따른 분류 18. 서울시

구분	내용
1차 현장	**기관의 일차적 기능과 목적이 사회복지 서비스를 제공**하기 위해 존재하는 현장이다. 예 사회복지관, 노인복지관, 사회복귀시설, 아동 양육시설, 정신건강복지센터 등
2차 현장	기관의 일차적 기능은 별도로 있으며 **필요에 의해 부가적으로 사회복지 서비스를 제공**하는 현장이다. 예 병원, 학교, 교도소, 행정복지센터, 보건소, 보호관찰소 등

(2) 사회복지기관의 설립주체와 재원의 조달방식에 의한 분류

구분	내용
공공기관	**정부의 지원으로 운영되는 기관**이므로, 정부의 규정이나 지침에 따라 지도 및 감독을 받는다. 예 행정복지센터 등
민간기관	사회복지 관련 사업을 목적으로 설립된 **비영리기관**이다. 예 사회복지법인, 사회복지시설, 사회복지공동모금회, 한국사회복지사협회, 종교단체, 시민사회단체 등

(3) 서비스 제공방식에 따른 분류

구분	내용
행정기관	사회복지 서비스 전달체계 간 업무 협의 및 조정 등의 행정 업무를 수행하는 기관으로, 주로 **클라이언트와의 대면 서비스 제공을 하지 않고, 간접 서비스만을 제공**한다. 예 보건복지부, 한국사회복지사협회, 한국사회복지협의회 등
서비스 기관	**클라이언트를 대면하여 직접 서비스를 제공**하는 기관이다. 예 지역사회복지관, 노인복지시설 등

(4) 주거 서비스 제공여부에 따른 분류 18. 국가직, 18. 서울시

구분	내용
생활시설	**주거 서비스를 포함**한 사회복지 서비스를 제공하는 기관이다. 예 노인 의료복지시설(노인 요양원, 노인 요양 공동생활가정), 아동 양육시설, 장애인 거주시설, 모자가족복지시설, 청소년 쉼터, 아동 보호치료시설, 자립지원시설 등
이용시설	**주거 서비스 제공을 하지 않고** 사회복지서비스만 제공하는 기관이다. 예 노인 주야간보호센터, 노인 여가복지시설(경로당, 노인 복지관, 노인 교실), 쪽방상담소, 노인 복지관, 영유아 보육시설, 지역아동 센터, 가정위탁지원센터, 아동보호 전문기관 등

기출 OX

01 사회복지관은 1차 기관이다. ( ) 18. 서울시

02 노인복지관은 2차 기관이다. ( ) 18. 서울시

03 장애인 거주시설은 생활시설이다. ( ) 18. 국가직, 18. 서울시

04 아동 양육시설, 모자가족복지시설은 이용시설이다. ( ) 18. 국가직

05 노인 여가복지시설은 이용시설이다. ( ) 18. 국가직

06 지역아동 센터는 이용시설이다. ( ) 18. 서울시

01 ○
02 × '2차 기관'이 아니라 '1차 기관'이 옳다.
03 ○
04 × '이용시설'이 아니라 '생활시설'이 옳다.
05 ○
06 ○

제3절 사회복지실천의 관점

회독 Check! 1회 □ 2회 □ 3회 □

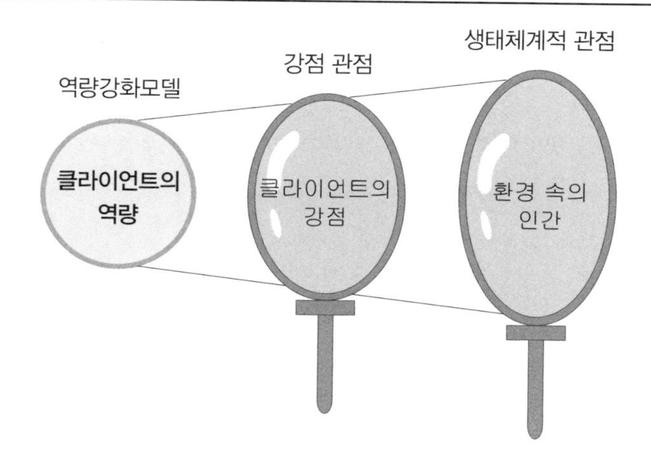

1 생태체계적 관점 09 · 11. 지방직

1. 개념 (必)

(1) **생태체계적(Eco-Systems) 관점(또는 생태체계이론)**은 **일반체계이론(General Systems Theory)과 생태학이론(Ecological Theory)이 결합**되어 형성되었다.

(2) 즉 일반체계이론의 주요 개념들을 그대로 활용하면서, 그 이론이 가지는 한계점을 극복하기 위해 생태학이론을 도입한 것으로, 하나의 이론이라기보다는 **다양한 이론들을 통합적으로 결합할 수 있는 시각 또는 관점**이다.

(3) 이러한 생태체계적 관점은 **개인뿐만 아니라 집단이나 지역 사회 등 다양한 체계에 적용이 가능**하다.

2. 인간관 - 환경 속의 인간(Person in Environment, PIE) (必)

(1) **총체적 인간**

인간은 관찰 가능한 행동을 하는 생물학적 · 심리적 · 영적 · 사회적 · 문화적인 존재, 즉 **총체적 존재**이다.

(2) **환경과 호혜적 관계를 맺는 인간**

① **인간과 환경은 지속적으로 상호작용하는 호혜적 관계를 유지**한다. 즉 인간은 환경으로부터 문화 및 유산 등을 물려받을 뿐만 아니라 다시 환경에서 전통과 유산을 창조한다.

② 다시 말해, 인간은 **환경과의 상호작용과 상호교류에 의해 환경적 요구에 적응하고, 때로는 환경을 자신의 요구에 맞추어 수정 · 변화**시켜서 만족스러운 삶을 영위하며 발달해 나가는 존재이다.

기출 OX

01 생태체계론은 체계론과 심리사회적 모델을 결합한 것이다. ( ) 11. 지방직

02 생태체계론에서는 변화를 위한 방법으로 다양한 이론과 전략을 수용한다. ( ) 11. 지방직

03 생태체계적 관점은 개인 클라이언트 체계에는 적용이 가능하나 집단과 공동체 수준의 클라이언트 체계에는 적용이 부적합하다. ( ) 09. 지방직

04 생태체계적 관점에서는 체계 간의 상호교류와 상호연관성을 중시한다. ( ) 09. 지방직

01 × 생태체계론은 일반체계이론과 생태학이론이 결합한 것이다.
02 ○
03 × 생태체계적 관점은 개인뿐만 아니라 집단이나 지역 사회 등 다양한 체계에 적용이 가능하다.
04 ○

(3) **낙관적 인간**

인간은 **자신의 삶을 형성하는 데 있어서 자율적이며 적극적인 역할을 수행**하며, 이러한 역할은 환경적인 영향력과 조건에 의해 조절된다.

(4) **사회문화적 인간**

인간은 자신의 생활환경 내에서 타인과 가치 있는 사회적 관계를 맺고 살아갈 때에만 인간적일 수 있다.

3. 기본가정 (必)

(1) 개인이 환경과 상호작용 및 상호교류하고 타인과 관계를 맺는 능력은 **천부적**이다.

(2) 유전 등 다른 생물학적 요인은 환경과 상호작용하는 과정에서 **다양한 방식으로 표현**된다.

(3) 개인과 환경은 모두가 욕구를 가지고 상호영향을 미치는 **단일 체계를 형성**한다. 따라서 개인과 환경은 분리되어 이해될 수 없으며, 때로는 **개인은 자신의 요구에 맞게 환경을 만들어내기도 한다.**

(4) 개인은 **목적 지향적이며 유능해지려고 노력**한다.

(5) 개인이 환경에 대해 갖는 **주관적 의미는 발달에 매우 중요**하다.

(6) 성격은 개인과 환경 간의 **상호작용(또는 상호교류)의 산물**이다.

(7) 개인은 **생활 경험에 따라 긍정적인 변화와 적응을 수행할 수 있는 적극적인 참여자**이다.

(8) **순환적 인과관계론**에 따라 개인이 경험하는 문제의 원인은 개인 또는 환경 중 어느 한쪽의 결함이 아니라 **개인적 요소와 환경적 요소 간 상호작용**의 결과물이다. 따라서 문제 해결의 방안은 개인과 그를 둘러싼 주변환경의 변화에도 존재하며, 따라서 생활상의 문제는 **전체 생활공간 내에서 이해**되어야 한다.

기출 OX

01 생태체계적 관점에서는 개인을 환경 안에서 변화와 적응을 수행할 수 있는 적극적인 참여자로 간주한다. ( ) 09. 지방직

02 생태체계론에서는 단선적 인과론에 입각하여 문제의 원인을 찾는다. ( ) 11. 지방직

03 경계는 질서 있고 상호 관련되며 기능적으로 전체를 구성하는 요소들의 집합체이다. ( ) 11. 지방직(추가)

01 ○
02 × 생태체계론에서는 순환적 인과론 관점에서 개인과 환경을 이해한다.
03 × '경계'가 아니라 '체계'가 옳다.

4. 체계(System) (必)

(1) **개념** 11. 지방직(추가)

상호의존적이며 상호작용하는 부분으로 구성되어 있으며, **기능적으로 전체를 구성하는 요소들의 집합체**를 말한다.

(2) **속성(Martin & O'Connor)**

마틴(Martin)과 오코너(O'Connor)는 체계의 속성을 **조직화, 상호인과성, 항구성, 경계, 공간성** 등 5가지로 제시하였다.

조직화 (Organization)	체계의 부분끼리는 상호 연관되어 있다.
상호인과성 (Mutual Causality)	체계의 한 부분에서 벌어진 변화는 다른 부분들에게 영향을 미친다.

항구성 (Constancy)	시간적으로 체계는 역동적 변화가 있는 동시에 나름의 안정된 구조를 유지하려고 한다.
경계 (Boundary)	① 독립된 하나의 체계를 다른 외부 체계와 구분하는 보이지 않는 **가상의 테두리**로, 모든 사회체계는 경계를 가지고 있다. ② 기능: 외부체계와의 구분을 통해 **체계의 정체성(또는 독특성)을 규정**하고, **외부체계와의 내적 · 외적 교환에 대한 통제, 즉 에너지와 정보의 흐름을 규제**한다.
공간성 (Spatiality)	경계를 통해 체계는 일정한 물리적 공간을 점유한다.

(3) 체계의 구조적 특성 22. 지방직, 11. 지방직(추가)

체계의 구조적 특성이란 체계가 **정태적인 자기 구조를 형성하려는 현상**으로, **개방체계와 폐쇄체계, 경계와 공유영역, 홀론, 위계, 역할** 등이 있다.

① 개방체계와 폐쇄체계

개방체계 (Open System)	㉠ **반투과성 경계**를 가지고 있어서 외부체계와 상호작용이 자유로운 **기능적인 체계**이다. ㉡ **넥엔트로피(또는 역엔트로피) 현상이 발생**한다.
폐쇄체계 (Closed System)	㉠ **비투과성 경계**를 가지고 있어서 외부체계와 상호작용을 하지 않는 **역기능적인 체계**이다. ㉡ 상호작용이 감소함에 따라 체계는 오직 유지를 위해 자신의 에너지를 소모하게 되어 **유용한 에너지가 감소하고 비조직화되어 가는 상태**에 이르게 된다. ㉢ **엔트로피(Entrophy) 현상이 발생**한다. ㉣ 체계의 **정체성이 명확**하고, **상호작용 예측이 용이**하다.

② 경계와 공유영역

경계 (Boundary)	**모든 사회체계에서 관찰되는 사회적 구조**로, 독립된 하나의 체계를 **다른 외부 체계와 구분하는, 보이지 않는 가상의 테두리**이며, 에너지 · 정보 · 자원의 흐름과 피드백을 조절하고 통제하여 **체계의 정체성을 유지**하는 역할을 한다.
공유영역 (Interface)	㉠ 서로 다른 두 개 이상의 체계가 공존하여 **공통적으로 추구하는 관심이나 이익이 형성되는 공간**으로, **체계 간의 교류가 일어나는 장소**이다. ㉡ 경계가 체계의 정체성을 유지하기 위해 필요한 데 반해, 공유영역은 서로 다른 두 체계가 추구하는 공통의 이익이나 관심을 추구하기 위해 필요하다는 점에서 차이가 있다. 예 결혼 이후 형성된 가족과 배우자의 원가족과의 관계에서 치루어지는 행사(예 환갑 잔치 등)

③ 홀론(Holon): 체계는 **부분성과 전체성을 동시에 가지고 있다는 개념**이다. 즉, 모든 체계는 다른 체계의 상위체계(또는 큰 체계)이면서, 동시에 다른 상위체계에 있어서는 하위체계(또는 작은 체계)로 존재하는 현상으로, 하위체계들 속에서 그들을 둘러싼 대상체계의 특성이 발견되기도 하고 하위체계들이 대상체계에 동화되기도 하는 것을 말한다.

기출 OX

01 개방체계는 다른 체계와 상호교류를 하지 않기 때문에 투입을 받아들이지 않고, 산출도 생산하지 않는다. ( )
11. 지방직(추가)

02 홀론(Holon)은 부분임과 동시에 전체라는 체계 속성을 의미한다. ( )
22. 지방직

01 × '개방체계'가 아니라 '폐쇄체계'가 옳다.
02 ○

핵심 PLUS

대상체계, 하위체계, 상위체계

대상체계란 분석 및 개입의 실질적 대상이 되는 체계이며, **하위체계란** 대상체계의 내부에서 대상체계를 구성하는 체계이다. 또한 **상위체계**란 대상체계의 외부에서 대상체계와 상호작용하는 체계를 말한다.

예 사회복지사가 '최씨 가족'이 겪고 있는 가족 문제에 개입할 경우
① '최씨 가족'은 대상체계
② '최씨 가족'의 부부, 자녀, 형제 등은 체계로 '최씨 가족'의 하위체계
③ '최씨 가족' 체계 밖에서 최씨 가족과 상호작용하는 다양한 체계들(예 교회 · 학교 · 사회복지관 등)은 상위체계가 된다.
대상체계로써 '최씨 가족'은 '최씨 가족의 부부 하위체계'에 있어서는 상위체계이지만, 최씨 가족이 거주하고 있는 지역사회체계에 있어서는 하위체계로 존재한다.

④ 위계(Hierarchy): 체계가 지닌 **권력과 이에 기반한 통제력으로 형성된 서열구조**로, 대부분의 체계는 위계질서를 가지고 있다.

⑤ 역할(Role): 체계 내에서 특정 지위를 가지고 있는 **개별 구성원이 맡은 특정 행동유형**으로, 모든 체계의 구성원은 체계 내에서 나름의 특정한 역할을 부여받고 이를 수행한다.

예 최씨 가족체계 내에서 최씨는 부부 하위체계에서는 남편으로의 역할을, 또한 부모하위체계 내에서는 아버지로의 역할을 부여받고 이에 합당한 행동을 수행하게 된다.

(4) **체계의 진화적 특성** 22. 지방직

체계의 진화적 특성이란 체계가 **지속적으로 변화**하며, 동시에 역동적인 균형상태를 유지하려는 현상으로, **균형, 항상성, 안정상태, 호혜성, 동등결과성과 다중결과성, 분화** 등이 있고, **진화 과정에서의 에너지 흐름(또는 교류)으로 엔트로피, 넥엔트로피, 시너지** 등이 있다.

① 균형(Equilibrium, 또는 평형상태)

㉠ **변화보다는 유지**: 체계가 **고정된 구조를 추구하려는 경향**으로 체계가 다른 체계와 **수평적 상호작용❶만을 하며 교류하지 않고 현상을 유지하려는 것**이다. 즉 외부환경으로부터 **새로운 에너지의 투입 없이 현상을 유지하려는 것**이다.

㉡ 균형은 환경과 상호작용하지 않는 **폐쇄체계의 진화적 특성**이다.

㉢ 예를 들어 외부온도의 변화와 상관없이 등유난로의 온도를 섭씨 25도에 맞추어 놓았을 때 등유난로가 자신의 에너지인 등유를 소모하여 그 온도를 계속 유지하려고 하는 경우 냉방기는 균형에 놓여있는 것이다.

② 항상성(Homeostasis)

㉠ **체계의 일관성 유지**, 즉 **균형보다 일정한 수준의 개방체계에서 나타나는 평형상태❷**로, 체계가 균형을 위협받았을 때에 다른 체계와의 상호작용을 통해 비교적 **지속적으로 안정적이지만 역동적인 균형 상태를 유지하려는 경향**을 말한다.

선생님 가이드

❶ 체계의 상호작용의 유형으로는 수직적 상호작용과 수평적 상호작용이 있습니다. 수직적 상호작용이란 체계가 자신 밖의 다른 체계(또는 환경)와 상호작용하는 것을 말합니다. 당연히 개방체계의 속성이 되겠지요. 반면 수평적 상호작용이란 체계가 환경과의 상호작용 없이 체계 내의 구성요소들과만 상호작용하는 것으로, 체계 자체의 에너지 소비를 통해 그 구조를 유지하고자 하는 것이다. 이 역시 당연히 폐쇄체계의 속성이 됩니다.

❷ 우리는 폐쇄체계를 가정하고는 있지만, 실제 환경과의 상호작용이 완전히 배제된 체계는 존재할 수 없습니다. 이미 공부하신 것처럼 폐쇄체계는 엔트로피 현상에 의해 결국 붕괴되고 말기 때문이지요. 따라서 실상 대부분의 체계는 다른 체계와의 상호작용 속에서 그 균형, 즉 현 구조를 유지해야만 합니다. 이러한 외부 환경과의 상호작용 속에서 체계는 끊임 없이 변화의 도전을 받게 되겠지요. 그 도전에 대한 부분적인 변화가 바로 항상성입니다. 다시 말해 '유지를 위한 변화', 그것이 바로 항상성입니다.

㉡ 즉, 체계가 **기존 구조를 유지한 상태**에서 체계의 **일관성을 유지하기 위해 내부적으로 일정한 범위(또는 항상성의 범주) 내에서만 변화하여 균형을 유지하려는 현상**이다.

㉢ 체계의 행동방식에 규칙성을 부여하나, **개인의 항상성이 오히려 역기능적 상황을 발생시킬 수도 있다.**

㉣ 예를 들어 **외부온도의 변화에 따라 전기난로의 온도를 섭씨 20~25도라는 일정한 범위 내에 맞추어 놓았을 때** 전기난로가 외부로부터 전달받는 전기를 소모하여 그 범위의 온도를 계속 유지하려고 하는 경우, **그 일정한 범위가 '항상성의 범주'가 된다.** 즉, 항상성은 외부 환경의 변화에 대해 체계가 자신을 유지시키기 위한 전략이다.

㉤ 가족체계의 경우 항상성은 **가족규칙을 활성화하여 가족의 지속적인 관계를 유지**하도록 기능한다. 예를 들어 자녀의 귀가 시간을 저녁 9~10시로 정한 가족규칙이 있었을 때에 성장한 자녀가 11시까지 귀가하겠다고 한다면 이는 항상성의 범주를 벗어난 것이다. 이런 경우 항상성의 범주 내에서 귀가 시간을 맞출 수 있도록 자녀를 설득하는 상호작용을 해야 한다.

③ 안정상태(Steady State)

㉠ **개방체계의 속성**으로, 체계가 고정되어 있는 것이 아니라 **지속적으로 움직이고 있는 상태**를 말한다. 즉 체계가 부분들 간의 관계를 유지시키고 쇠퇴해서 붕괴하지 않도록 **에너지를 지속적으로 사용하는 상태**이며, 이는 결국 체계가 **유지를 넘어선 변화의 단계에 들어서는 것**이다.

㉡ 다시 말해, 평형상태(Equilibrium)를 유지하기 위해 체계 간 상호작용을 하여 일정 수준의 **성장과 부동성(Stability)을 동시에 성취**하는 것이다.

㉢ 체계의 목표와 정체성을 유지하려는 **체계의 의도적인 노력**에 의해 수정된다.

㉣ 예를 들어 **외부온도의 변화에 따라,** 즉 추워지면 전기난로의 온도를 높일 수도 있지만, **더워지면 전기난로의 온도를 줄일 수도 있을 때** 전기난로는 안정상태에 놓여 있는 것이다.

㉤ 또 한 가지 예를 들어보자면, 가정에서 자녀가 아동기 때에 그의 부모가 사용했던 권위는 질풍노도의 시기인 청소년기가 되어서는 보다 융통성 있게 대처함으로써 그 권위를 긍정적으로 유지할 수 있다.

④ 호혜성(Reciprocity), 또는 상관성, 상호성

㉠ 한 체계의 일부 변화가 모든 다른 부분들과 상호작용하여 **나머지 부분들도 변화시키는 현상**을 말한다.

㉡ 이는 어떤 문제에는 그 문제를 일으킨 한 가지 원인이 있다고 보는 **단선적 인과성(Linear Causality)**이 아닌, 쌍방적 교류 과정으로 원인과 결과를 이해하는 **순환적 인과성(Circular Causality)에 적용**할 수 있다.

㉢ 동등결과성과 다중결과성의 기본 원리가 된다.

기출 OX

01 체계는 투입과 산출과정에서 절대적으로 안정된 항상성을 유지하려는 경향이 있다. ( ) 11. 지방직

02 항상성은 체계가 안정되고 지속적인 균형 상태를 유지하고자 하는 상태이다. ( ) 11. 지방직(추가)

03 항상성(homeostasis)은 체계 내외부에서 발생한 변화로 균형이 깨졌을 때 회복하고자 하는 경향을 의미한다. ( ) 22. 지방직

04 상호성(reciprocity)은 체계 내 한 부분의 변화는 다른 부분에 영향을 미치고 전체체계에도 파급 효과가 있음을 의미한다. ( ) 22. 지방직

01 ○
02 ○
03 ○
04 ○

⑤ 동등결과성[Equifinality, 또는 동귀결성(종결성)]과 다중결과성[Multifinality, 또는 다중귀결성(저종결성)]

동등결과성	㉠ 각각의 체계들이 처음에는 다른 상태에 있을지라도 **동일하거나 유사한 결과를 유발하는 투입이 제공**될 경우 각각의 체계에는 **동일하거나 유사한 결과가 발생**할 수 있다는 가정이다. ㉡ 같거나 유사한 문제를 지닌 클라이언트들이라 할지라도, 그러한 **문제를 유발시킨 원인은 각각 다양할 수 있다는 것**과 클라이언트의 문제 해결과 관련하여 **사회복지사의 다양한 개입 가능성을 시사**한다. 예 알코올 중독자들의 경우 알코올 중독이라는 결과는 같지만 이러한 결과를 발생시킨 원인은 가정불화, 아동기 피학대 경험, 사회부적응 등 다양할 수 있다. 예 사회복지사가 알코올 중독자에 대한 치료적 개입을 실시할 때에 다양한 프로그램으로 알코올중독의 치료라는 같은 결과를 얻을 수 있으므로, 사회복지사는 단지 한 가지만 고수하지 말고 다양한 대안을 검토해야 한다.
다중결과성	㉠ **동일하거나 유사한 투입을 제공**할지라도 **각각의 체계에게는 다른 결과가 발생할 수 있다는 가정**이다. ㉡ 클라이언트의 문제 해결과 관련하여 사회복지사는 각 **클라이언트를 개별화시켜 그에 맞는 다양한 개입 프로그램을 제공해야함**을 시사한다. 예 집단치료 프로그램에 참석한 알코올 중독자들의 경우 어떤 이는 치료가 이루어지는 반면 어떤 이는 치료가 되지 않을 수도 있다.

⑥ 분화(Differentiation): 시간이 지나면서 체계가 관계 · 상황 · 상호작용 등 부분의 단순한 형태에서 보다 복잡한 형태로 변하려는 경향을 말한다.

⑦ 진화 과정에서의 에너지 흐름(또는 교류)

엔트로피 (Entropy)	㉠ **비투과적 경계를 가진 폐쇄체계의 속성**으로, 외부체계와의 상호작용이 감소하거나 또는 중단되어 체계 내에 외부체계로부터 유용한 에너지 유입 없이 **체계 내부의 유용한 에너지가 소모 및 감소되는 현상(또는 상태)**이다. ㉡ 시간이 지나갈수록 체계 내의 모든 요소가 유사해지기 시작하고 결과적으로 체계의 효과적인 기능이 상실된다. ㉢ 이때 소모되고 감소된 유용한 에너지는 무질서와 혼돈으로 전환되며, **결국 체계는 해체**된다. ㉣ 이는 다른 체계와의 상호작용 능력을 감소시킨다.
넥엔트로피 (Negentrpy, 또는 역엔트로피)	㉠ **반투과적 경계를 가진 개방체계의 속성**으로, 외부체계와의 상호작용이 자유로워 **체계 내에 유용한 에너지가 지속적으로 유입**되면서 동시에 **체계 내부의 유용하지 않는 에너지는 감소**되어 결국 **체계가 정교(또는 질서) · 세분(또는 분화) · 성장 · 발달하는 현상**이다. ㉡ 넥엔트로피가 증가하면 체계 내에 질서 · 형태 · 분화가 생기고, 다양한 자원과 정보의 필요성이 높아지며, 다른 체계와의 상호작용 능력을 증가시킨다.
시너지 (Synergy)	**개방체계의 속성으로, 체계 내 · 외부와의 상호작용이 증가함**에 따라 부분체계가 상호 결합하여 상승적으로 더 큰 효과를 내는 현상이다. 이로 인해 **체계 내에 유용한 에너지가 증가하게 된다.**

기출 OX

01 엔트로피는 체계가 왕성한 성장을 향해 움직일 수 있도록 반투과적 경계를 갖고 있는 상태이다. ( ) 11. 지방직(추가)

02 엔트로피는 체계 외부로부터 에너지가 유입되어 체계 내부에 유용하지 않은 에너지가 감소하는 것을 의미한다. ( ) 22. 지방직

01 × '엔트로피'가 아니라 '개방체계'가 옳다.
02 × '엔트로피'가 아니라 '넥엔트로피'가 옳다.

(5) 체계의 행동적 특성

체계의 행동적 특성이란 체계가 생존 · 변화 · 성장하기 위해 **체계 내부 및 외부와 지속적으로 정보 및 에너지를 교환하려는 현상**으로, **투입 · 전환 · 산출, 환류, 적합성, 적응, 스트레스, 대처기술, 유능성** 등이 있다.

① 투입(Input) · 전환(Conversion) · 산출(Output)

㉠ 투입: 체계가 외부로부터 에너지, 정보 등의 **자원을 받아들이는 것**을 말한다.

㉡ 전환: 투입된 자원을 체계의 기능 유지에 필요한 **산출로 변환시키기 위해 체계가 수행하는 중간 과정**을 말한다.

㉢ 산출: 전환 과정을 통해 발생한 **결과물**을 말한다.

② 환류(Feedback, 또는 피드백)

㉠ **정보의 투입에 반응해서 행동하는 조직망**으로, **산출을 다시 체계로 투입하는 과정**이며, 체계가 목표 달성을 위해 체계의 행동을 점검한 후 새로운 정보를 포함시켜 적응적 행동을 할 수 있도록 수정하는 능력이다.

㉡ 다시 말해, 환류는 체계가 그 행동의 결과를 알아서 스스로 자신의 행동을 수정해 나가는 **일종의 적응기제**이다.

㉢ 적응적 행동과 관련된 환류로는 **정적 환류와 부적 환류**가 있다.

정적 환류 (Positive Feedback, 또는 증폭환류)	• 체계로 하여금 **현재의 행동을 유지시키거나 강화(또는 증폭)시키는 환류**이다. 즉, 체계가 자신의 목표 성취와 관련된 행동을 제대로 하고 있으므로 스스로 자신의 형태나 목표에 대한 수정 없이 **현 상태를 유지하거나 또는 오히려 증폭시키도록 유도하는 환류**이다. • 이는 체계의 **일탈이나 위기상황을 확장(↑)**시킨다. 예 딸이 집에 늦게 돌아오자 아버지가 잔소리를 해서 딸이 가출해버리는 경우 아버지의 잔소리는 딸의 일탈을 확장시키는 정적 환류의 기능을 한 것이다.
부적 환류 (Negative Feedback)	• 체계로 하여금 **현재의 행동을 수정하거나 중단시키는 환류**이다. 즉, 체계가 자신의 목표 성취와 관련된 행동을 제대로 못하고 있으므로 **스스로 자신의 형태나 목표를 수정하여 현 상태를 고치도록 유도하는 환류**이다. • 이는 체계의 **일탈이나 위기상황을 감소(↓)**시킨다. 예 딸이 집에 늦게 돌아오자 아버지가 잔소리를 해서 이에 딸이 일찍 귀가하는 경우, 아버지의 잔소리는 딸의 일탈을 감소시키는 부적 환류의 기능을 한 것이다.

③ 적합성(Goodness of Fit)

㉠ 개인의 욕구와 환경적 자원 간에 **조화(또는 균형)를 이루는 상태(또는 부합되는 정도)**를 말한다.

㉡ 일생을 통해 개인과 환경의 상호작용과 상호교류를 통해서 성취된다.

④ 적응(Adaptation)

㉠ 개인과 환경이 **상호 적합해져 가는 과정**을 말한다.

㉡ 개인과 환경 간의 상호교류에서 서로에게 유익한 효과가 있을 경우에는 적응이 되지만 한쪽이 일방적으로 희생해서 다른 부분의 생존과 발달이 이루어질 경우에는 부적응이 나타날 수 있다.

⑤ 스트레스(Stress)

㉠ 개인과 환경 사이의 상호교류 중 내 · 외적 자극에서 지각한 요구와 그 **요구를 충족시킬 수 있는 자원을 동원할 수 있는 능력 사이의 불균형**에 의해 야기되는 생리적 · 심리적 · 사회적 상태를 말한다.

㉡ 개인마다 동일한 상황을 스트레스로 경험할 수도 있지만 일종의 도전으로 경험할 수도 있다.

⑥ 대처기술(Coping Skills)

㉠ 스트레스를 경험할 때 자연적으로 발생하게 되는 **적응의 한 형태**로, 개인이 **자신의 고통이나 문제를 해결하는 기술**을 말한다.

㉡ 모든 인간은 **천부적으로 내적 · 외적 변화에 대한 대처능력을 가지고 있다.**

㉢ 종류

자아지향적 대처	개인이 스트레스를 해결하기 위해 **현실을 왜곡시키는 방법**으로, 체계의 불균형을 더욱 크게 만들 수 있다.
과제지향적 대처	스트레스의 원인을 현실적으로 인식하고, 이에 **대처할 수 있는 구체적 방안을 적용하여 그 결과를 예견 및 검토하는 방법**으로, 가장 근원적인 대처 방법이다.

⑦ 관계, 유능성

관계 (Relatedness)	㉠ 인간 관계를 형성하거나 타인과 연결될 수 있는 능력을 말한다. ㉡ 이러한 관계를 맺고자 하는 욕구와 능력은 **인생 초기의 양육과정에서 시작**된다.
유능성 (Competence)	㉠ 개인이 환경과 **효과적으로 상호작용할 수 있는 능력**을 말한다. ㉡ 효과적인 유능성은 환경과의 성공적인 상호작용을 통해서 형성되며, 일생에 걸쳐 확대될 수 있다.

5. 사회환경의 수준 - 브론펜브레너(Bronfenbrenner)의 생태적 체계 (必)

(1) 개관

① **기본 전제**: 발달하는 개인은 단순히 환경에 영향만을 받는 존재가 아닌, 스스로 환경을 인식하고, 재구성할 수 있는 역동적인 주체이다.

② **체계의 기본 구성**: 개인을 둘러싼 사회 · 문화적 환경은 크게 5가지 수준의 체계들, 즉 **미시체계, 중간체계, 외체계, 거시체계, 시간체계**로 나뉘어지며, 각 체계들 간에는 **위계가 존재**한다.

(2) **구성**

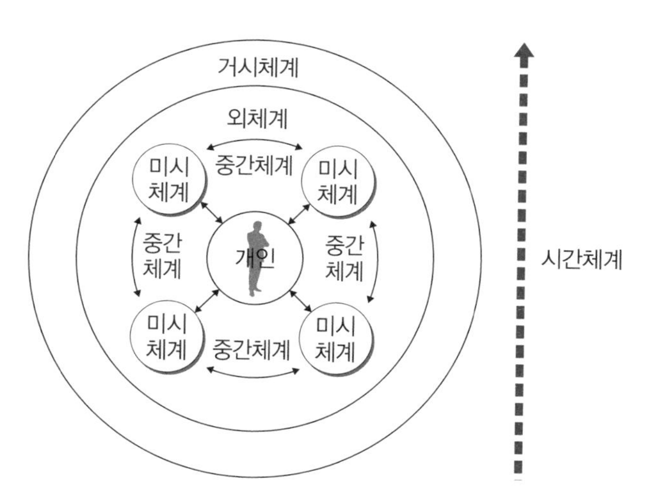

① 미시체계(Microsystem)

㉠ 가족, 친구, 학교 등과 같이 **개인에게 가장 가까운(또는 밀접한) 환경이며 동시에 개인이 일상생활에서 만나게(또는 상호작용하게) 되는 실제적인 사회적 · 물리적 환경**으로, 개인과 직접적인 상호작용을 한다.

㉡ 개인의 발달이 이루어지는 동안 이 영역은 점차 변화되고 확대되어 간다.

㉢ 예를 들어 영아일 때에는 엄마만이, 이후 아동이 되어 학교에 가면 엄마 외에 선생님이나 친구들도, 성인이 되면 직장 동료 역시 미시체계가 된다.

② 중간체계(Mesosystem)

㉠ 개인이 적극적으로 참여하는 **2개 이상의 미시체계 간 상호 작용(또는 관계)으로, 미시체계 간 연결망**을 의미한다. 예를 들어 개인에게 직접적인 영향을 미치는 미시체계인 친구들 간의 관계, 부모 간의 관계, 가족과 친척 간의 관계 등이 여기에 포함된다.

㉡ 상호 관계가 긍정적일 때에는 개인의 발달에도 긍정적인 영향을 미치지만, 그것이 부정적일 때에는 개인의 발달에도 부정적인 영향을 미칠 수 있다. 예를 들어 아동의 부모, 즉 부부 간의 불화(不和)한 관계는 아동에게 부정적인 영향을 미치게 된다.

㉢ 중간체계를 구성하고 있는 **여러 미시체계가 각기 다른 가치관을 표방하게 될 때 개인에게는 잠재적인 갈등의 위험**이 따를 수 있다. 예를 들어 한 청소년이 재학 중인 학교에서 직접적인 상호작용을 하는 친구와 선생님은 청소년의 미시체계에 해당하며, 그 **친구와 이를 지도하는 선생님의 관계는 청소년에게 있어서 중간체계에 해당**한다. 그런데 친구는 흡연하는 것이 좋다는 가치를 가지고 청소년에게 흡연을 권유하지만, 선생님은 흡연하는 것이 좋지 못하다는 가치를 가지고 청소년에게 흡연을 금지한다면 **청소년은 흡연이라는 행동의 선택을 어떻게 할지 갈등에 빠질 수밖에 없다.**

③ 외체계(Exosystem, 또는 외부체계)

㉠ 개인과 직접적인 상호작용은 없지만, **개인에게 간접적으로 영향을 미치는 사회적 환경**이다. 즉 개인에게 영향을 미치지만 그것이 직접적이지는 않은 환경을 말한다.

㉡ 예를 들어 아동의 아버지가 직장에서 받은 스트레스는 아동과 아버지 간의 상호작용에 영향을 미칠 수 있다. 이때 아버지가 근무하는 직장이 외체계에 해당한다.

④ 거시체계(Macro System)

㉠ 개인이 속한 **사회(또는 국가)의 이념이나 제도, 구조, 문화 등**으로, 미시체계 · 중간체계 · 외체계에 영향을 미치는 신념체계 또는 이데올로기이며, **역사적 · 사회적 · 문화적 요인**에 의해서 형성되고 수정된다.

㉡ 이는 개인의 생활에 직접적으로 개입하지는 않지만 **간접적으로 강력한 영향력**을 미친다.

⑤ 시간체계(Time System)

㉠ 시간체계는 초기의 **브론펜브레너(Bronfenbrenner)의 생태적 체계**에는 포함되지 않았으나 이후 새롭게 추가된 체계로, **개인의 생애 기간 동안 시간의 흐름에 따라 변화하는 환경적 요인**을 말한다. 예를 들어 부모의 이혼이 아동에게 미치는 영향에 관한 연구에서 이혼의 부정적인 영향은 이혼한 첫 해에 최고조에 달하며, 이혼 후 2년쯤 되면 가족 간의 상호작용은 안정을 되찾는다고 본다. 이는 시간체계 속에서의 변화를 의미한다.

㉡ 모든 생태적 체계는 시간체계의 변화 속에서 작용한다.

㉢ 어떤 시대에 태어나 성장했는지는 개인의 발달에 큰 영향을 미친다.

6. 사회복지실천에 미친 영향 必

(1) 사회복지실천의 관점 제공 09. 지방직

① 환경 속의 인간관은 사회복지사에게 **이중초점(Dual Focus)의 중요성**을 알게 하였다.

② 사회복지사에게 클라이언트의 문제가 아닌 **강점을 보고 활용**하도록 하였다.

③ 사회복지사에게 클라이언트의 문제에 대한 **포괄적인 이해의 틀을 제공**하였다.

④ 인간행동은 **다양한 체계 수준에 영향**을 받으므로, 사회복지사로 하여금 **전체 체계를 고려해서 클라이언트의 문제를 총체적으로 이해**하도록 하였다.

⑤ 인간과 환경 간의 균형을 강조하여 사회복지사로 하여금 클라이언트의 현재 행동을 **'상황 속 개인'의 '적합성'과 '적응과정'으로 설명**할 수 있게 하였다.

⑥ 사회복지사로 하여금 **각 체계들로부터 풍부한 정보의 획득이 가능하다는 것**을 알게 하였다.

기출 OX

생태체계적 관점은 사회복지실천에 넓은 관점을 제공하여 문제에 대한 총체적 이해를 가능하게 해준다. ( ) 09. 지방직

○

⑦ '역기능'을 상황 속에서 **적응적이거나 합리적인 것으로 개념화**시켰다.
⑧ 사회복지사로 하여금 **'맥락적 사고'와 '다체계적 접근'**을 하도록 하였다.

(2) **사회복지사의 역할 제시**
① 사회복지사는 개인과 환경 간 상호작용 증진을 위해서 **환경변화 · 개인의 역량 강화를 실시**해야 한다.
② 사회복지사는 개입 과정 중 클라이언트와 **상호교류하며, 수평적 관계를 유지**해야 한다.
③ 사회복지사는 **조력자, 교사, 촉진자, 중개자, 대변자, 조직가 등의 역할을 수행**해야 한다.
④ 사회복지사는 클라이언트에게 객관적이며 중립적인 원조관계가 아닌 **감정이입, 무조건적인 존경, 진실성 등을 전달하는 촉진적 원조 관계**를 형성해야 한다.
⑤ 사회복지사는 변화를 위한 방법으로 **다양한 이론(또는 모델)과 전략을 수용하고 이를 선택하여 활용**할 수 있어야 한다.
⑥ 사회복지실천의 **사정(Assessment)단계에서 가계도, 생태도, 사회관계망** 등을 **유용하게 활용**할 수 있다.

2 강점관점❶

1. 개관

(1) **기존의 주류 의료모델이 지녔던 병리관점(또는 문제중심관점)**에서는 **전문가 중심주의에 따라** 사회복지사와 클라이언트를 마치 의사와 환자의 관계로 여겨 사회복지사가 클라이언트가 지닌 문제의 원인과 관련된 많은 정보를 수집 · 분석하여 문제의 원인을 찾은 후, 그 원인을 제거하기 위한 적절한 계획을 수립하고 이에 따라 개입하는 방식이었다.

(2) **강점관점**(Strength Perspective)이란 이러한 **병리관점에 대비되는 사회복지 실천관점**으로, 클라이언트가 가지고 있는 목적이나 소망을 실현하게 하거나 또는 문제에서 벗어나게 하기 위해서 **그의 강점과 자원을 발견하고 드러내어 묘사 · 탐색 · 활용하려는 총체적인 노력**이다.

(3) 강점관점하에서 **사회복지사는 클라이언트의 잠재역량을 인정하여 클라이언트 스스로 자신의 삶을 통제할 수 있도록 권한을 부여하는 것이 중요**하다.

(4) 대표적인 학자로는 **샐리비(D. Saleebey)와 밀리(K. Miley)**가 있으며, 이 관점이 반영된 실천모델로는 **권한부여모델, 해결중심모델 등**이 있다.

선생님 가이드

❶ 생태체계적 관점과 강점관점, 그리고 강점관점에 기반한 실천모델 간에는 유사한 점과 별도로 차이점이 있습니다. 생태체계적 관점은 클라이언트의 문제해결을 위해 인간과 환경, 그리고 그들의 상호교류에 초점을 둡니다. 그러나 아직까지 클라이언트와 환경과의 부적합으로 발생한 문제상황에 초점을 두어 사회복지사의 개입을 통해 그 해결점을 찾으려 합니다. 반면 강점관점은 생태체계적 관점을 취하면서도, 즉 환경 속의 인간관을 가지고 있으면서도 클라이언트가 지니고 있는 또는 클라이언트가 이용 가능한 강점에 초점을 두어 그 해결점을 찾으려고 합니다. 다시 말해 문제 해결의 궁극적인 주체가 생태체계적 관점의 경우 사회복지사이고, 강점관점의 경우에는 클라이언트라는 것이지요. 그리고 강점관점에서 찾아낸 강점을 클라이언트가 활용할 수 있는 힘, 즉 역량으로 변환시키는 과정이 권한부여(또는 역량강화)입니다.

기출 OX

강점관점에서는 클라이언트의 잠재역량을 인정하여 자신의 삶을 통제할 수 있도록 힘을 부여하는 것이 중요하다. ( )
20. 지방직

2. 기본가정

(1) 모든 사람은 성장과 변화를 위한 개별적인 잠재능력을 가지고 있고, 또한 회복할 수 있다.

(2) 클라이언트는 **변화를 이끌어 내는 자원과 능력을 이미 가지고 있다.**

(3) 긍정적인 변화는 **미래에 대한 희망, 용기와 가능성을 기반**으로 한다.

3. 강점관점하에서 사회복지사에게 요구되는 초점의 변화

(1) 과거가 아닌 미래를 향해

병리관점이 과거에 몰입한 것에 반해, 강점관점하에서 현재의 강점을 찾으려고 한다. 이것은 **더 나은 미래의 성장을 위함**이다.

(2) 문제가 아닌 도전으로

클라이언트의 문제는 클라이언트를 고통스럽게 하지만, 궁극적으로는 성장을 위한 도전의 전환점이며 기회가 된다.

(3) 병리가 아닌 강점으로

강점관점하에서 클라이언트는 이미 자신의 문제를 해결할 수 있는 자원을 가지고 있는 자이다.

4. 실천원칙 20 · 21 · 23. 지방직, 12 · 17. 지방직(추가)

(1) **모든 개인, 집단, 지역사회는 강점을 가지고 있다.** 따라서 사회복지사는 클라이언트와 그를 둘러싼 환경에서 강점을 찾는 데에 주력해야 한다.

(2) **외상(또는 트라우마), 학대, 질병 등의 문제[❶]는 고통을 주지만 동시에 도전, 전환점, 성장의 기회가 될 수 있다.** 따라서 사회복지사는 클라이언트가 가지고 있는 문제의 영향을 인정하지만 동시에 클라이언트로 하여금 그 문제가 성장을 위한 도전과 기회라는 긍정적인 시각을 가지도록 원조해야 한다.

(3) **개인, 집단, 지역사회의 성장과 변화에는 제한이 없다.** 따라서 사회복지사는 이들의 능력과 변화가능성의 한계를 규정해서는 안 된다.

(4) **사회복지사와의 협동 작업을 통해 클라이언트는 최선의 원조를 받을 수 있다.** 따라서 사회복지사는 클라이언트의 문제를 파악하고 이를 해결하는 데 있어서 그와 **파트너십 관계를 맺고 원조**해야 한다.

(5) **모든 환경은 활용 가능한 자원들로 가득 차 있다.** 따라서 사회복지사는 자원의 중요성을 인식하고 기존에 고려하지 못했던 클라이언트가 가지고 있는 **내적 · 외적자원을 세심하게 사정하고 이를 활용**해야 한다.

(6) **보호와 환경을 강조한다.** 따라서 사회복지사는 클라이언트를 보호하는 것뿐만 아니라 맥락안의 모든 상황을 이해하고 해석하여 개입해야 한다.

선생님 가이드

❶ 펄만의 문제해결모델이 등장한 이후 '문제'는 클라이언트에 대한 사회복지사의 개입초점이었습니다. 따라서 당시 사회복지사의 역할은 문제를 정확히 사정하고, 그것을 해결하는 것이었습니다. 그러나 클라이언트의 입장에서는 타인인 사회복지사 앞에서 숨기고 싶은 자신의 문제를 드러내는 것이 결코 쉬운 일이 아니었습니다. 따라서 클라이언트가 자신의 부정적인 문제를 드러냄으로써 수치, 죄의식, 좌절과 같은 좋지 못한 감정을 경험하게 되었고, 이와 같이 문제를 강조하는 개입은 오히려 클라이언트가 가진 문제를 더욱 확대시키는 결과를 가져왔습니다. 이러한 맥락에서 강점관점의 창시자인 샐리비는 강점관점으로의 의식전환을 통해 사회복지사가 기존의 병리관점에서 부정적으로 보였던 클라이언트의 문제를 오히려 긍정적인 도전, 전환점, 성장을 위한 기회로 간주할 때, 클라이언트의 문제는 오히려 의미있는 주제가 된다고 주장하였습니다. 문제는 더 이상 문제가 아닌 미래를 위한 인간 삶의 원동력이라는 의미지요. 귀한 선생님들께서도 여러분 앞에 놓인 문제에 절대 좌절하거나 혹은 포기하지 마시고 그 문제를 인생 성공의 전환점으로 바꾸어 나가시길 바랍니다.

기출 OX

01 살리베이(Saleebey)가 제시한 강점관점의 원리는 모든 개인, 집단, 가족, 지역사회는 강점을 가지고 있다는 것이다. ( ) 12. 지방직(추가)

02 살리베이(Saleebey)가 제시한 강점관점의 원리에 따르면 외상, 학대, 질병은 도전과 기회의 단초가 될 수도 있다. ( ) 12. 지방직(추가)

03 강점관점에서는 클라이언트의 문제를 도전, 전환점, 성장의 기회로 간주한다. ( ) 17. 지방직(추가)

04 강점관점에서 클라이언트의 문제는 그에게 도전과 기회의 원천이 될 수 있다. ( ) 20. 지방직

01 ○
02 ○
03 ○
04 ○

5. 병리관점과 강점관점의 비교 08 · 23. 국가직, 20. 지방직, 17. 지방직(추가) 必

병리(Pathology)관점	구분	강점(Strength)관점
① 환자, 즉 진단에 따른 증상을 가진 **사례**(Case) ② **비도덕적인 존재나 희생자**	클라이언트에 대한 규정	① 독특한 존재, 즉 강점(기질, 재능, 자원)을 가진 자 ② 변화할 수 있는 능력을 가진 자 ③ 희생자가 아닌 **승리자(또는 생존자)**
클라이언트의 문제	개입의 초점	클라이언트의 희망과 가능성
클라이언트의 진술은 회의적일 수밖에 없으므로 **전문가인 사회복지사에 의해 재해석되어 진단에 활용**될 때에만 의미가 있음	클라이언트의 진술	클라이언트의 진술은 그 사람을 알아가고 평가하는 중요한 방법 중 하나이므로 **사회복지사는 클라이언트의 진술을 인정**해야 함
성인기의 병리를 예측할 수 있는 전조(前兆)	유년기의 외상경험	개인을 약하게도 또는 강하게도 할 수 있음
과거 지향 왜, 언제, 어떻게 클라이언트 체계가 잘못되었는지에 대해 조사하기 위해서 과거에 대한 탐색이 필요	지향점	현재와 미래 지향 현재 시점에서 클라이언트 체계가 가지고 있는 자원을 발견하고자 함
사회복지사에 의해 고안된 치료 계획	치료의 핵심	개인, 가족, 지역사회의 참여
사회복지사가 클라이언트 삶의 전문가	전문가	개인, 가족, 지역사회가 클라이언트 삶의 전문가
병리에 의해 제한됨	개인적 발전	항상 개방되어 있음
전문가인 사회복지사의 지식과 기술	변화를 위한 자원	개인, 가족, 지역사회와 같은 클라이언트 체계의 강점, 능력, 적응 기술
클라이언트의 역기능과 증상의 영향을 감소시키기 위함	원조목적	클라이언트의 삶에 함께하며 가치를 확고히 하기 위함

6. 주요 개념

(1) 변형성(Deformability)

사람들은 어떠한 환경 속에서 어떠한 자극에 어떻게 노출되거나 또는 어떠한 것을 학습하느냐에 따라 **그가 가진 행동, 생각, 감정 등이 얼마든지 달라질 수 있다.**

(2) 위약(僞藥)효과(또는 가짜 약 효과)

사람들이 어떠한 상황에 대해 스스로 지닌 긍정적인 기대나 평가, 잘 해결될 것이라는 확신 등이 변화와 관련된 강력한 효과를 발생시킬 수 있다.

(3) 임파워먼트(Empowerment, 또는 권한 부여)

개인, 집단, 가족, 지역사회가 내부 또는 외부에 가지고 있는 자원과 도구 등을 발견하고 확장하도록 돕는 과정으로, 개인 또는 집단에게 어떠한 힘을 주는 것이 아니라 **그들이 가지고 있는 힘을 발견하는 것**을 말한다. 이에 따라 클라이언트는 전문가인 사회복지사의 처분을 수동적으로 따르는 존재가 아니라 **자신의 문제해결과 관련해서 적극성을 지닌 행위의 주체**가 된다.

기출 OX

01 살리베이(Saleebey)가 제시한 강점관점의 원리에 따르면 사회복지사는 문제 원인을 파악하고 해결하는 데 주도적으로 개입해야 한다. ( ) 12. 지방직(추가)

02 살리베이(Saleebey)가 제시한 강점관점의 원리에서는 모든 환경에는 자원이 풍부하다고 한다. ( ) 12. 지방직(추가)

03 강점관점에서는 클라이언트가 갖고 있는 내적 · 외적 자원을 활용하고자 한다. ( ) 17. 지방직(추가)

04 강점관점은 문제중심관점과 대치되는 시각으로, 클라이언트의 강점에는 클라이언트의 개인적 요인뿐만 아니라 사회적, 환경적 요인까지 포함된다. ( ) 21. 지방직

05 강점관점에서는 개인을 진단에 따른 증상을 가진 자로 규정한다. ( ) 20. 지방직

06 강점관점에서는 클라이언트를 변화할 수 있는 능력을 가진 존재로 본다. ( ) 17. 지방직(추가)

07 강점관점에서는 클라이언트의 문제를 사정하고 해결하기 위해 과거를 중요하게 본다. ( ) 17. 지방직(추가)

08 강점관점에서 변화를 위한 자원은 클라이언트 체계의 장점, 능력, 적응기술이다. ( ) 20. 지방직

09 강점관점 모델은 클라이언트의 '문제나 결핍'보다는 클라이언트의 '내적 혹은 외적 자원'을 더욱 강조하고 활용하는 실천이론이다. ( ) 08. 국가직

01 × 사회복지사는 클라이언트의 문제를 파악하고 이를 해결하는 데 있어서 그와 파트너십 관계를 맺고 원조해야 한다.
02 ○
03 ○
04 ○
05 × '강점관점'이 아니라 '병리관점'이 옳다.
06 ○
07 × '강점관점'이 아니라 '병리관점'이 옳다.
08 ○
09 ○

(4) **레질리언스(Resilience, 또는 탄력성)**

심각한 문제와 극한 상황의 역경에 굴하지 않고 극복하고 이겨낼 수 있는 기능을 가지고 있다.

(5) **자연치유와 온전성**

외부의 적극적인 개입이 없어도 사람들은 스스로 온전한 상태로 되돌아 올 수 있는 기능을 가지고 있다.

(6) **불신(不信)의 종식(終熄)**

클라이언트 진술의 진실성 여부에 초점을 두는 것이 아니라 클라이언트의 내적인 힘이 될 수 있는 **강점과 자원을 신뢰하는 것**에 초점을 두는 것이다.

7. 강점 확인을 위해 사용될 수 있는 질문 13. 국가직, 18. 지방직 必

(1) **생존질문**

역경 속에서도 당신이 이를 믿고 의지할 수 있는 당신만의 특별한 자질은 무엇인가?

(2) **지지질문**

누가 당신에게 도움이(또는 지지가) 되었는가?

(3) **예외질문**

과거를 회상했을 때에 당신의 삶이 안정되었던 적이 있었는가? 그렇다면 그때는 지금과 어떻게 다르고 무엇이 특별했는가?

(4) **존중질문**

어떠한 상황이나 행동에서의 당신의 삶이 당신으로 하여금 진정으로 자긍심을 느끼게 하는가?

(5) **장래질문**

당신이 겪은 최근 경험과 역경이 왜 발생했으며, 이러한 것들이 장래에 어떻게 진행될 것이라고 생각하는가?

(6) **변화질문**

당신이 지닌 생각 · 감정 · 행동 · 사회관계 등은 앞으로 어떻게 변화될 것이라고 생각하는가?

(7) **의미질문**

당신의 주된 생각의 틀이나 가치체계는 무엇인가?

기출 OX

01 강점관점 질문의 예로는 "힘든 역경 속에서도 지금까지 어떻게 그렇게 버티어 올 수 있었나요?"가 있다. ( )
18. 지방직

02 샐리베이(Saleebey)가 소개한 강점관점 실천을 위한 유용한 질문에는 예외질문, 변화질문, 생존질문, 훈습질문이 있다. ( ) 13. 국가직

01 ○ '생존질문'의 예시이다.
02 × '훈습질문'은 해당되지 않는다.

3 다문화관점

1. 다문화주의(Multiculturalism) 必

(1) **다문화주의**란 상호 이질적인 문화를 단일의 문화로 **동화시키지 않고 한 사회 내에 공존**시켜 상호 승인하고 존중하는 것을 목적으로 하는 사상 및 정책으로, **문화상대주의에 기초**하여 **인간사회의 인종적 · 문화적 다양성을 설명하는 용어로 사용**된다.

(2) **발전**

① 1965년 **캐나다**에서는 『이중언어주의와 이중문화주의 위원회의 보고서』에서 처음으로 '다문화주의'라는 용어를 사용하였고, **1971년**[❶]에는 서구 국가들 중에서 처음으로 **다문화주의를 선언**하고, 이를 국가정책 기조로 채택하였다.

② 1970년대 이후 캐나다를 비롯한 호주 등 국가에서는 자국 내 소수민족을 주류사회로 편입시키는 **동화(Assimilation)주의 정책을 포기**하고, **공존에 목표를 둔 다문화주의 정책으로 이들을 포용**하게 된다.

③ 전세계적으로는 1980년대 이후 세계화(Globalization)로 인한 각국의 이민자 급증과 이에 따른 **사회통합의 원리**로 다문화주의는 주목받게 된다.

④ 우리나라 역시 1990년대부터 외국인 이주 노동자들과 결혼이주여성의 수가 급증함에 따라 **2000년대부터 이러한 다문화주의가 본격적으로 논의**되기 시작하였고, 사회복지 현장에서도 중요한 관심영역으로 부상하고 있다.

(3) **문화다원주의와 다문화주의**

① **문화다원주의(Cultural Pluralism)**는 다문화주의와 유사한 개념으로, 이 두 가지 개념 모두 문화의 다양성을 인정하고 사회통합을 추구하여 **소수민족의 주류사회로의 편입이 아닌 공존에 목표**를 둔다.

② 문화다원주의와 다문화주의의 비교

구분	문화다원주의	다문화주의
전제	문화의 다양성을 인정하지만 거기에는 반드시 주류문화(자신의 문화)가 존재해야 한다. 즉 주류문화를 형성하는 지배사회가 인정되고, 이들이 소수민족이나 계층의 문화적 다양성을 이해하거나 수용해 주는 형태이다.	소수민족이나 계층의 다양한 문화가 평등하게 인정되어야 한다는 것으로, 모든 사회구성원들은 동등한 자격을 가지고 있다고 주장한다.
대표국가	미국	캐나다, 호주
접근 방법	자유방임주의적 접근: 국가는 소수민족이나 계층이 자신들의 고유문화를 유지하는 것을 지원하지 않는다.	국가개입주의적 접근: 국가는 소수민족이나 계층이 자신들의 고유문화를 유지하고 발전시키는 것을 적극적으로 지원한다.

선생님 가이드

❶ 캐나다는 16세기와 17세기에 걸쳐 영국과 프랑스의 식민지 구축의 각축장이었습니다. 그리고 1763년부터 1849년까지 약 백여 년 동안 공식적으로 영국의 식민지가 됩니다. 이에 따라 캐나다의 대부분 지역에서 영국계가 정치와 경제적 우위를 차지하게 되었고, 이들이 사용하는 주된 언어 역시 영어였습니다. 또한 이러한 흐름은 캐나다가 영국으로부터 독립한 이후에도 계속되었습니다. 그러나 퀘백주를 중심으로 캐나다의 동부에 위치한 지역은 과거 다수의 프랑스인들이 이주하여 개척하고 발전시킨 곳으로, 이 지역에 거주하는 사람들의 주된 언어는 프랑스어였고, 그들의 문화 역시 영국 보다는 프랑스적 속성이 강했습니다. 이에 1960년대부터 프랑스 동부의 프랑스계 이민들은 퀘백주를 캐나다에서 분리시키려는 '분리주의'를 주장하게 됩니다. 이러한 국가 분열의 위기 속에서 당시 캐나다의 수상인 트뤼도는 프랑스어를 영어와 같이 국가의 공식언어로 지정하고, 프랑스인들과 영국계 사람들을 대등하게 여김으로 다문화주의의 토대를 구축하게 됩니다. 이러한 분위기는 캐나다에 거주하고 있던 다양한 소수민족들의 민족적 정체성 수용의 요구를 분출시켜 결국 캐나다는 서구국가들 중에서 처음으로 1971년에 다문화주의를 선언하고 이를 국가정책 기조로 채택하게 됩니다.

2. 다문화사회복지실천

(1) **다문화사회복지실천**이란 사회 구성원 간에 존재하는 **문화적 다양성과 차이점을 존중**하고 이를 전문적 관계에 적용하는 사회복지실천으로, 궁극적으로 **다문화 사회를 위한 사회복지실천**을 말한다.

(2) **다문화사회복지실천에서의 전략(Sue, 2006년)**

① 사회복지사는 클라이언트 편에서 교육, 조언, 협상, 옹호 등의 활동을 해야 한다.

② 사회복지사는 클라이언트의 인종적 · 민족적 · 문화적 · 성별 · 성적 취향의 배경에 충실한 목표를 설정하고, 개입 방법을 활용해야한다.

③ 사회복지사는 인간의 존재 및 실체가 개인적 · 집단적 · 보편적 차원으로 구성되어 있다는 점을 인식해야 한다.

④ 사회복지사는 클라이언트를 단순히 하나의 인간 개체로 여기기 보다는 문화적 · 사회적 맥락의 산물로 보아야 한다.

⑤ 사회복지사는 전문적 관계에서 변화의 두 초점인 클라이언트 개인과 그가 처한 상황을 적절하게 이용해야 한다.

(3) **다문화사회복지실천과 문화적 역량**

① **문화적 역량**(Cultural Competence)이란 사회복지사가 문화적 다양성 속에서 소수집단이 가지고 있는 문화에 대한 부정적 선입견을 제거하고, 그들의 문화에 담겨져 있는 강점을 인정하는 능력으로, **문화적 민감성**(Cultural Sensitivity)**과 문화적 인식을 넘어선 포괄적이고 복합적인 개념**이다.

② **문화적 역량은 문화적 민감성이나 문화 · 특성적 실천과 혼용**되어 사용되기도 한다. 다만, 명확히 구분하자면 각 개념 간에는 차이가 있다.

핵심 PLUS

문화적 역량과 관련된 주요 개념

① **문화적 민감성**(Cultural Sensitivity): 각 집단 간에 존재하는 **문화적 다양성과 유사성을 인지하여 다문화 생활경험과 가치에 맞는 개입전략을 개발하는 것**이다.

② **문화 · 특성적 실천**(Culture-Specific Practice): 주로 사회복지조직 차원에서 문화적 유능성 혹은 역량을 설명할 때 사용되며 **서비스 제공 기관의 환경을 다문화 클라이언트가 편안하게 느낄 수 있도록 하는 것**이다.

③ **다문화 · 간문화**(intercultural) **역량**: 문화적 역량의 하위개념으로, 다른 **문화적 정체성을 보이는 사람들과 섬세하게 교류할 수 있는 능력**이다.

③ 문화적 역량의 구성요소

문화적 인식	㉠ 다른 문화에 대한 인식을 통해 자신의 태도나 가치에 있어서 내적인 변화를 경험하고 **다른 문화에 대한 개방적 태도와 유연한 사고를 갖게 되는 상태**를 말한다. ㉡ 요소 • 사회복지사 자신의 문화적 배경에 대한 자기 인식 • 다른 문화의 다양성에 대한 인식 • 자신의 문화와 다른 문화와의 차이와 원조 과정에 미치는 영향에 민감하기 • 겸손, 존경, 개방성, 비심판적 태도, 사회정의 등의 가치를 견지하기 • 인종적 · 민족적 · 문화적 차이의 존재를 인정하고 고정관념을 피하기 • 문화집단 간에 존재하는 권력의 차이, 차별과 편견의 경험에 대해 인식하기 • 인간의 다양성을 이해하고 이를 인정하기
문화적 지식	㉠ 사회복지사가 가진 **다양한 문화에 대한 지식**으로, 문화의 형성 배경이나 역사, 그리고 문화와 관련된 제도나 생활상이 있다. ㉡ 요소 • 다양한 문화와 문화집단에 관한 지식: 다양한 문화집단이 갖고 있는 역사 · 전통 · 가치체계 · 세계관 · 가족체계 등, 다양한 문화집단의 출신국가의 사회 · 경제 · 정치적 상황, 이주를 촉발하게 한 상황 및 이주 과정이나 이주 후의 경험 등 • 역사: 특정 인구집단의 경험적 역사, 입국 및 이주 관련 역사에 대한 지식 • 문화: 특정 인구집단의 의사소통 유형, 세계관, 종교, 가치관 등에 관한 지식 • 현실 상황: 집단 내 단체 및 조직, 지역 사회 내 정착상황, 지원 법률 및 제도, 사회 적응 상황 및 과정, 정신건강 문제, 가족 상황, 강점 및 약점 등에 관한 지식
문화적 기술	㉠ 사회복지사가 다른 문화에 대한 인식과 지식을 바탕으로 **적절하게 개입전략을 수립하고 개입할 수 있는 능력**을 말한다. ㉡ 요소 • 원조 과정에서 문화적으로 적절한 기술과 전략 • 특정 문화집단과 상호작용하고 그들의 문제해결과정에 책임감 있게 참여하는 기술 • 다른 문화권의 사람들과 효과적으로 의사소통할 수 있는 능력

(4) 사회복지사의 다문화 역량을 높이기 위한 활동

① 사회복지 전문직의 윤리적 행동지침을 이해한다.

② **다른 문화를 동화시키지 않고, 한 사회 내에 공존시키고자 하는 문화상대주의에 대해 학습**한다.

③ **인간행동, 가치, 편견, 선입관, 개인적인 한계에 대한 자신의 생각이나 감정을 탐색**한다.

④ 자신과 문화적으로 다른 클라이언트나 집단의 세계관을 이해하기 위해 다양한 문화를 경험하는 등의 노력을 한다.

⑤ 자신과 다른 문화를 가진 클라이언트에게 개입할 때에는 **그들에게 적합한 개입 전략과 기술을 적극적으로 발전시키고 실행**해야 한다.

⑥ 사회적 차별에 맞서는 단체들의 활동을 분석할 수 있다.

⑦ 조직적이고 제도적인 권력이 **문화적인 역량의 발전을 어떻게 향상시키거나 오히려 부정할 수 있는지를 이해**해야 한다.

4 사회구성주의적 관점

1. 개관 22. 지방직

(1) 사회구성주의란 논리실증주의가 주장하는 사회적 현실이나 실제의 **객관성을 부정**하고, 이러한 것들이 개인이나 집단과 같은 사회 구성원들에게 어떻게 **주관적으로 이해되고 구성되며 발전하는지에 초점**을 둔 사회복지실천관점이다.

(2) **가정**

① 외적으로 동일한 현상일지라도 **개인이나 집단이 처한 사회나 문화적 맥락**(예 믿음, 전통, 관습 등)**에 따라 현실의 문제나 상황은 구성 또는 재구성**될 수 있다.

② 현실의 문제나 상황은 인간 관계에 의해 구성된다. 즉 현실의 문제나 상황은 객관적일 수 없으며 다분히 **인간의 개인적인 경험세계로부터 형성된 주관적인 인식에 기초**한다. 다시 말해, 상호 역동적인 관계에 있는 개인들 사이에서 사회세계가 창조되며 건설된다고 이해하여 **사회복지사와 클라이언트의 만남은 새로운 현실을 창조하는 맥락**이며, **본질적으로 개방적이고, 언어나 상징적 행위들에 의해 만남의 성격이 결정**된다.

③ 현실의 문제나 상황은 언어(또는 대화)를 통해 실현되며, **언어가 이야기(또는 말하기) 형식을 통해 조직화**된다. 즉, **언어가 현실의 문제나 상황을 그대로 비추는 것이 아니라 언어를 통해 현실의 문제나 상황이 만들어진다.**

2. 사회구성주의 관점에서의 사회복지실천 22. 국가직

(1) **클라이언트와 함께 말하기**

① 사회복지사는 클라이언트로 하여금 **자유롭게 이야기할 수 있도록 원조**하여 클라이언트가 지금까지 말하지 않았던 **현실이나 실제에 대한 이야기가 확장되어 '자기 이야기'로 표현될 수 있는 기회를 제공**해야 한다.

② 이를 통해 **맥락 안에서 클라이언트의 신념체계를 확인**할 수 있다.

(2) **클라이언트와의 평등한 관계**

① 클라이언트 자신에 대해 가장 잘 아는 것은 사회복지사가 아니라 클라이언트이다. 따라서 **사회복지사는 자신을 클라이언트에 대해 무지(無知)한 존재로 인정**해야 한다.

② 이를 통해 **사회복지사와 클라이언트는 평등한 관계를 구축**할 수 있다.

기출 OX

01 사회구성주의에 기반한 사회복지실천 관점 – 외적으로 동일한 현상도 개인의 믿음, 전통, 관습 등에 따라 다르게 인식될 수 있음을 강조한다. ( )
22. 지방직

02 사회구성주의에 기반한 사회복지실천 관점 – 과거의 객관적 실체와 사실관계 파악이 문제 해결의 기초라고 전제한다. ( )
22. 지방직

03 사회구성주의에 기반한 사회복지실천 관점 – 현실에 대한 사회적 구성은 주로 대화를 통해 이루어진다고 본다. ( )
22. 지방직

01 ○
02 × 사회구성주의라기 보다는 논리실증주의에 관한 설명이다.
03 ○

(3) **청자(聽者)와 화자(話者)의 재귀(再歸)적 과정**

① 집단을 대상으로 사회구성주의 관점을 적용할 경우 사회복지사는 **집단성원이 돌아가며 자신들의 이야기를 진술할 기회를 제공**해야 한다.

② 즉 청자와 화자는 번갈아 가며 자신들의 이야기를 진술하고, 다시금 처음의 화자가 이야기 진술의 주체가 되며, 그는 집단성원의 이야기에 대한 또 다른 이야기를 진술을 하게 되고, 이런 과정은 재귀적으로 순환된다.

(4) **민감한 반응**

사회복지사는 자신의 직관에 의존해 **클라이언트로부터 오는 메시지에 대해 민감하게 반응**하여 그것을 감지해야 한다.

제4절 사회복지실천의 통합적 접근과 사례관리

회독 Check! 1회 □ 2회 □ 3회 □

1 통합적 접근의 개관

1. 개념 (必)

(1) **통합적 접근**(Generalist Approach)이란 1960~1970**년대에 그 필요성이 대두된 사회복지실천의 접근 방법**으로, **클라이언트의 문제 해결**이라는 궁극적인 목적을 달성하기 위해 **전통적 방법의 일부 또는 전부를 조합**하여 실천현장에서 **통합적으로 활용하는 방법**을 말한다.

(2) 통합적 관점을 통해 **사회복지직은 전문직으로서의 정체성을 확보**하게 되었다.

2. 등장 배경 16. 국가직 (必)

(1) **사회복지실천 현장의 변화와 전통적 방법의 한계**

① 1960~1970**년대에 클라이언트의 문제와 욕구가 복잡하고 다양**해지므로 **이에 맞는 맞춤형 원조의 필요성이 대두**되었다.

② 그러나 **전통적 방법의 고분화 · 고전문화 경향**은 **서비스 파편화 현상을 초래**하여 클라이언트가 복잡하고 다양한 문제와 욕구를 해결하기 위해 다양한 기관이나 사회복지사들을 찾아 다녀야 하는 부담을 발생시켰다.

③ 또한 특정 지식과 기술만을 가르치는 전문화된 교육 및 훈련으로 인해 **사회복지사들의 분야별 직장 이동이 어려워졌다.**

④ 공통기반을 전제로 하지 않는 분화와 전문화로 인해 사회복지실천 현장에서 각기 다른 사고 · 언어 · 과정을 발생시켜서 **전문직 간 의사소통을 어렵게 하고, 사회복지 전문직의 정체성 확립에 장애**가 되었다.

기출 OX

통합적 접근 방법이 등장할 당시에는 클라이언트의 문제와 욕구들이 점차 표준화되었다. ( ) 16. 국가직

× '표준화되었다.'가 아니라 '복잡하고 다양해졌다.'가 옳다.

(2) **사회복지 전문직의 새로운 정체성을 확립하려는 시도**

① **다양한 실천방법에 공통기반이 존재한다는 인식이 확산**되었다.

② 사회복지 지식체계에 **'(사회)체계이론적 관점과 생태학적 관점'이 도입**되어 클라이언트의 문제 발생의 원인을 **다양한 체계 내 상호작용의 결과라고 인식하기 시작**하였다.

3. 특징 11. 지방직 必

(1) **공통기반의 존재 인정**

사회복지실천의 본질적인 개념, 활동, 기술, 과업 등에는 **공통적인 기반이 존재**한다고 가정한다.

(2) **체계이론과 생태학적 관점의 활용**

① **체계이론과 생태학적 관점을 절충하여 사회복지 지식체계의 기반으로 활용**한다.

② **환경 속의 인간(Person in Environment, PIE)관**: 체계이론에 영향을 받아 인간과 환경 간의 역동적인 상호작용을 강조하며, 인간과 환경의 공유영역에 대한 사회복지사의 개입을 중시한다.

> **핵심 PLUS**
>
> **환경 속의 인간관이 반영된 사회복지실천**
>
> ① **개인과 환경의 상호작용을 강조**한다.
>
> ② 개인이 경험하는 문제의 원인을 개인 또는 환경 중 어느 한쪽의 결함이 아니라 **개인적 요소와 환경적 요소의 상호작용으로 이해**한다. 따라서 문제 해결의 방안은 개인과 그를 둘러싼 주변환경의 변화에도 존재한다고 가정한다.
>
> ③ 이에 따라 사회복지실천은 개인 · 가족 · 집단체계 등 사회체계의 사회적 기능을 강화시키며, 관련된 사회체계가 어떻게 서로에게 영향을 미치고 상호작용을 하는가에 대해 관심을 가져야 한다. 즉 **개인 · 환경 간 상호작용 증진을 위해 개인의 역량을 강화해야 하며, 더불어 환경변화를 시도해야 한다고 본다.**

③ **순환적 원인론**: 다양하고 복잡한 인간의 문제를 **'단순하게 원인과 결과의 관계[또는 직선적 원인론, 단선적 사고(Linear Thinking)]'**로 이해하는 것은 불가능하다고 보고 **순환적 원인론의 관점으로 개입**한다.

④ **다중체계적 개입(Multi-Level Intervention)**: 클라이언트의 욕구나 문제의 발생 원인을 다양한 체계 간 상호작용의 결과로 인식하여 **사회복지사의 개입 대상이 되는 체계에 미시 · 중범위 · 거시 등 모든 체계를 포함**시키는 등, 클라이언트의 욕구나 문제에 대해 광범위하고 포괄적인 접근을 한다. 따라서 **사회복지사 역시 상담자, 교육자, 중개자, 중재자, 옹호자 등 다양한 역할을 수행**한다.

기출 OX

통합적 접근 방법이 등장하게 된 배경은 체계이론적 관점과 생태학적 관점을 활용하면서 이론적 기반이 형성되었기 때문이다. ( ) 16. 국가직

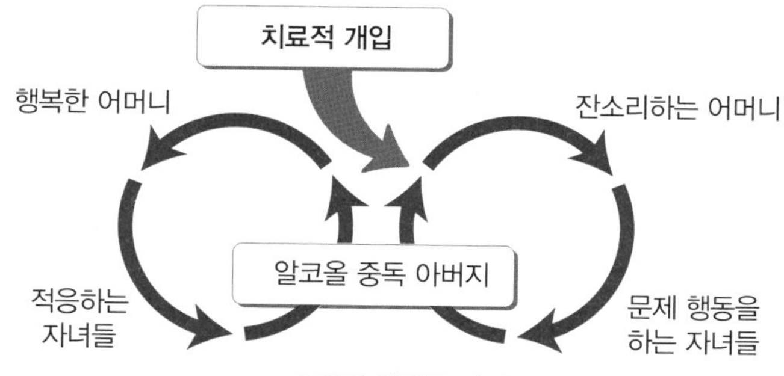

▲ 순환적 원인론 개념도

⑤ 사정 시 활용: **가계도**를 통해 가족의 특성을 이해하거나, **생태도**를 통해 클라이언트의 주변체계를 이해하고 자원을 발굴하여 동원한다.

(3) 클라이언트의 잠재성과 개발 가능성 인정

클라이언트의 **병리적 부분보다 강점을 강조**하고, 사회복지사와 클라이언트 간의 **수평적 관계를 중시**한다.

(4) 기본적 원칙 준수

인간의 존엄성, 클라이언트의 자기결정권 존중, 개별화의 원칙 등 **사회복지실천의 기본적인 원칙을 수립하고 이를 준수**한다.

(5) 지속적인 평가 실시

사회복지실천 과정의 **계속적인 평가를 통해 이론을 정비하고 발전**시켜 나간다.

(6) 일반주의적 접근(Generalist Approach)

① 클라이언트의 문제해결이라는 궁극적인 목적을 달성하기 위해 **'이미 검증된 다양한 이론과 개입 방법**(예 정신역동이론, 행동주의 이론 등)**'을 개방적으로 선택하고 활용**한다.

② 이로 인해 사회복지사의 지위 역시 과거 **전문사회복지사(Specialist)에서 일반사회복지사(Generalist)로 변화**되었다.

(7) 문제해결 과정

다양한 실천방법의 공통요소는 문제해결이며, 따라서 사회복지실천 과정을 **'점진적 문제해결 과정'으로 이해**한다.

(8) 다양한 가치

개입에 있어서 **다양성, 인권, 사회정의 등의 가치가 강조**되고 있다.

2 통합적 접근 모델

1. 펄만(Perlman)의 문제해결모델 10. 서울시 必

(1) 개관

① **미국 시카고 대학의 교수였던 펄만(H. Perlman)이 1957년에 처음으로 소개**한, **최초로 진단주의와 기능주의가 절충된 통합모델**[1]이다.

선생님 가이드

[1] 펄만은 본래 진단주의자입니다. 따라서 기본적으로는 진단주의의 입장을 취하면서도 기능주의의 긍정적인 견해를 받아들여 문제해결모델이라는 최초의 통합 모델을 만들었습니다.

기출 OX

01 통합적 접근은 정신 역동적 측면의 이해를 포함한다. ( ) 11. 지방직

02 통합적 접근에서는 개인의 심리역동을 설명하는 행동주의 이론도 적용된다. ( ) 11. 지방직

01 ○
02 × '행동주의 이론'이 아니라 '정신역동이론'이 옳다.

② 펄만은 클라이언트의 어려움은 문제에 있는 것이 아니라 **문제를 해결하는 태도**라고 보고, **인간의 삶 자체가 지속적인 문제해결 과정(Ongoing Problem Solving Process)이라고 전제**하였으며, 이에 따라 **개별사회사업의 개입 목표는 치료가 아닌 클라이언트가 사용하는 자아방어기제를 억제하여 문제해결 능력과 대처능력을 향상시키는 것**으로 보았다.

③ 사회복지실천을 클라이언트가 자신의 문제를 올바르게 평가하고 판단할 수 있도록 문제를 인식하게 하고 주어진 문제를 해결할 수 있는 능력을 향상시켜주는 **'교육과 치료의 중간 과정'으로 이해**하였다.

④ 모델의 형성과 관련해서 초기에는 **자아심리학, 역할이론, 사회심리학, 문화인류학, 교육학자인 듀이(Dewey)의 반성적 사고(Reflective Thinking) 개념❶ 등이 반영**되었고, 이후 **체계이론과 생태체계적 관점이 접목**되었다.

⑤ 이후 핀커스와 미나한(Pincus & Minahan)의 4체계 모델과 콤튼과 갤러웨이(Compton & Galaway)의 6체계 모델(또는 사회적 체계모델, 문제해결모델)에 이론적 기초를 제공하였다.

선생님 가이드

❶ 반성적 사고란 미국의 저명한 교육학자인 듀이(Dewey)가 창안한 개념으로, 인간이 생애 기간 동안 계속해서 직면하게 되는 문제 상황들에 대해 적절한 해결책을 모색하고 적응해가는 수단이나 합리적인 절차라고 볼 수 있습니다. 반성적 사고 과정은 '문제의 확인 → 문제의 검토 → 문제 해결방안의 수립 → 제언 및 추리에 의한 전개 → 행위에 의한 가설의 검증의 절차에 따라 진행됩니다.

(2) 4P 이론

펄만은 **개별사회사업의 문제해결 과정을 4P로 정의**하였다. 이는 '문제(Problem)를 가지고 있는 사람(Person)이 사회복지기관(Place)에 와서 문제를 해결해 가는 과정(Process)'을 의미한다.

구분	내용
문제(Problem)	① 문제는 주로 **개인의 사회적 기능과 관련된 것으로, 개인의 심리내적인 원인과 환경과의 상호작용에 의해서 발생**하며, 일상생활에서 클라이언트의 삶의 만족 수준을 저해하는 것으로 정의된다. ② 개인이 갖는 근본적인 어려움은 문제 자체가 아닌 그 문제를 해결하는 태도에 있다. 즉, 자신의 문제를 적절한 방법으로 해결 · 경감시키려는 **동기, 능력 또는 기회의 부족이 문제 발생의 원인**이다. ③ 따라서 문제를 해결하기 위해서는 문제는 개인에게 있어서 **'위협이 아닌 도전'으로 인식**되어야 하며, **사회복지사의 원조 방향도 이러한 인식의 형성과 발전을 돕는 것**이어야 한다.
사람(Person)	개인과 환경 간의 상호작용 내용의 변화를 위해 **조정이 필요한 인간**으로, 인간은 무의식에 의해 지배를 받는 존재가 아니라 **자아의 의지에 따라 항상 변화하고 발전하는 개방된 체계**이다.
기관(Place, 또는 장소)	① 사회복지실천은 **공식적 · 비공식적 기관의 역할 내에서 제공**되어야 한다. ② 이를 위해서는 기관이 클라이언트에게 기대하는 것, 또 반대로 클라이언트가 기관에 기대하는 것을 미리 정확하게 서로 확인하는 것이 필요하고, 이에 **사회복지사와 클라이언트 간의 계약은 공식적인 형태를 띠어야 한다.** ③ 따라서 문제해결모델에서의 장소는 서비스 제공 기관의 역할이나 계약 등 절차적 형식과 관련되며 이는 **기능주의의 영향을 보여준다.**
과정(Process)	① 문제 해결을 위한 클라이언트의 참여와 협조를 강조하며, 이를 위해 **클라이언트 스스로 대안을 선택하고 모니터링**하게 한다. ② 따라서 **변화의 동기나 의지가 약한 클라이언트에게는 적용이 어려울 수도 있다.**

핵심 PLUS

펄만의 6P

펄만은 1973년 4P 이후 1986년에 **여기에 2P(전문가, 제공)를 추가하여 6P를 제시**하였다.

① **전문가(Professional Person)**: 자신이 소속된 기관(또는 장소)에 소속된 사회복지사 또는 기관과는 별도로 존재하는 하나의 개별적인 주체로서의 **사회복지사**를 말한다.

② **제공(Provision)**: 클라이언트에게 클라이언트의 욕구(예 물질적 욕구, 지지관계망 확보 욕구, 만족스런 일상활동에 대한 욕구 등)를 충족시키는 데 필요한 **제반 서비스들을 제공해주는 모든 활동**을 말한다.

(3) 기본가정

① 인간은 본성적으로 자신의 문제를 해결할 능력을 가지고 있다.

② **인생은 지속적인 문제해결 과정**이다.

③ 변화에 대한 잠재성을 가장 강하게 만드는 것은 **클라이언트 자신의 동기**이다.

④ **기관(장소, Place)의 역할이 중요**하다.

⑤ 제한적 시간의 사용이 과업을 완수하는 데 도움이 된다.

2. 핀커스와 미나한(Pincus & Minahan)의 4체계 모델 必

(1) 개관

① 일반체계이론을 사회복지실천에 응용한 모델로, 핀커스와 미나한(Pincus & Minahan)에 의해 1973년에 처음 소개되었다.

② **클라이언트체계, 변화매개체계, 행동체계, 표적체계**로 불리는 4가지 체계의 상호작용에 관심을 두었다.

(2) **체계의 구성** 14 · 22. 국가직, 10 · 17. 지방직, 11 · 17. 지방직(추가), 17. 서울시

4체계 모델에서 체계란 사회복지사가 **사회복지실천 과정에서 상호작용하는 사람들을 의미**한다.

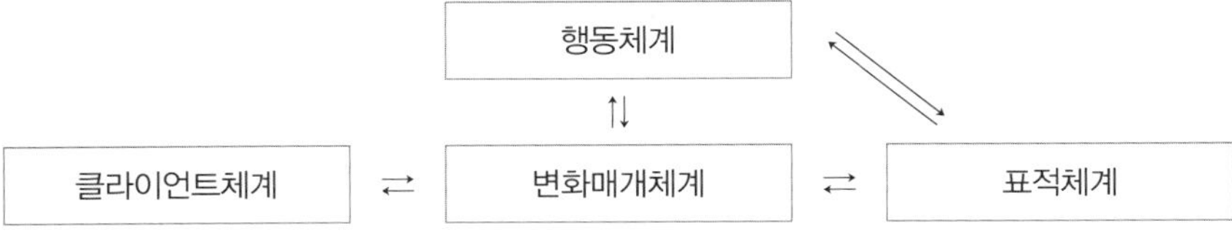

클라이언트체계	① **서비스나 도움을 필요로 하는 체계 또는 사람**으로, 표적체계의 문제가 무엇인지 알고 또한 그 문제의 해결을 바란다. ② 변화매개체계와 표적체계의 문제 해결과 관련된 계약을 한다.
변화매개체계	**사회복지사와 이들이 소속되어 일하는 조직이나 기관**으로, 표적체계의 문제를 해결할 능력과 지침을 가지고 있다.
표적체계	① **목표달성을 위해 영향을 미치거나 변화시킬 필요가 있는 대상**으로, 실제 문제를 가지고 있는 사람이다. ② 때에 따라서는 **클라이언트 체계와 같을 수도 있다.**
행동체계	① 변화매개체계가 변화노력을 달성하기 위해 **서로 상호작용하는(또는 공동으로 노력하는) 모든 사람**으로, 변화매개체계의 능력과 지침에 의존하여 표적체계의 문제를 해결하기 위해 실제적인 활동을 한다. ② 때에 따라서는 **클라이언트 체계의 구성요소가 중첩**될 수도 있다.

기출 OX

01 변화매개체계에는 사회복지사뿐만 아니라 사회복지사를 고용한 기관도 해당될 수 있다. ( ) 10. 지방직

02 클라이언트체계와 표적체계는 경우에 따라 동일할 수도 있다. ( ) 10. 지방직

03 행동체계의 구성요소와 클라이언트체계의 구성요소는 중첩되지 않는다. ( ) 10. 지방직

04 행동체계는 사회복지사와 함께 클라이언트 변화를 위해 상호작용하는 사람들이다. 이웃, 가족, 전문가들이 이 체계에 해당된다. 클라이언트가 변화하고자 하는 노력의 과정에서 여러 다른 사람들이 사회복지사와 함께 작업할 수 있다. ( ) 11. 지방직(추가)

05 클라이언트체계는 변화와 노력을 달성하기 위해 상호작용하는 모든 체계들을 의미한다. ( ) 17. 지방직(추가)

06 핀커스와 미나한(Pincus&Minahan)은 사회복지실천에서 중요한 3가지의 초점체계로 자연체계, 공식체계, 인간체계 등을 강조하고 있다. ( ) 11. 지방직

07 핀커스와 미나한이 제시한 체계들 중 변화매개체계: 비행청소년 A군을 정신건강복지센터에 의뢰한 법원 ( ) 22. 국가직

01 ○
02 ○
03 × '중첩되지 않는다.'가 아니라 '중첩될 수 있다.'가 옳다.
04 ○
05 × '클라이언트체계'가 아니라 '행동체계'가 옳다.
06 × '초점체계로 자연체계, 공식체계, 인간체계'가 아니라 '비공식적 자원체계, 공식적 자원체계, 사회적 자원체계'가 옳다.
07 × '핀커스와 미나한이 제시한 체계들 중 변화매개체계'가 아니라 '콤튼과 갤러웨이가 제시한 체계들 중 의뢰체계'가 옳다.

예 A가정의 남편은 자상하고 가정적이었지만 술을 마시기만 하면 늘 아내를 폭행하였다. 남편의 문제를 해결하기 위해 아내는 B복지관의 사회복지사를 찾아가 남편의 행동을 변화시켜 줄 것을 요청하였다. 이에 사회복지사는 A가정의 아내와 계약을 맺고, 남편의 폭행을 근절시키기 위해 가족치료 전문가의 도움을 받아 어제부터 개입하기 시작하였다.
→ 아내: 클라이언트체계, 남편: 표적체계, 사회복지사: 변화매개체계, 가족치료전문가: 행동체계

(3) **사회복지실천 자원체계의 유형(자원체계의 형성된 특성에 따른 구분)** 11. 지방직 (必)

비공식적 자원체계	가족, 친구, 이웃, 동료 등
공식적 자원체계	회원제로 운영되는 공식협의체나 조직 등
사회적 자원체계	병원, 법률 상담소, 학교 등

3. 콤튼과 갤러웨이(Compton & Galaway)의 6체계 모델 14 · 18 · 22. 국가직, 11 · 17. 지방직

(1) **개관**

핀커스와 미나한의 변화매개체계, 클라이언트체계, 표적체계, 행동체계에 **전문체계와 의뢰 · 응답체계(또는 문제인식체계)를 추가한 모델**이다.

(2) **체계의 구성** 11 · 17. 지방직, 14 · 18. 국가직 (必)

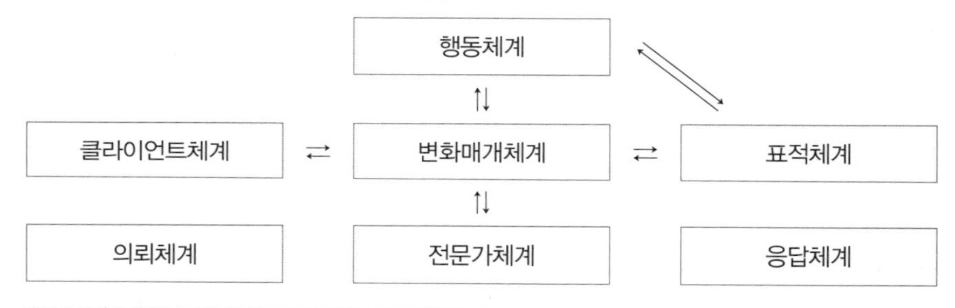

전문가(또는 전문)체계	**변화매개체계의 행동과 사고를 형성 및 발전시키는 체계** 예 한국사회복지사협회, 사회복지사의 보수교육 체제, 사회복지사를 준비시키는 학교 등
의뢰 · 응답체계❶ (또는 문제인식체계)	① **의뢰체계**: 서비스를 요청한 사람(예 법원, 경찰, 외부 전문가 등) ② **응답체계**: **의뢰 체계에 의해 강제로 의뢰가 이루어진 사람**

예 알코올중독자인 남편 '갑'은 술만 먹으면 배우자인 '을'에게 폭력을 행사한다. 이를 견디다 못한 '을'은 사회복지사 '병'을 찾아가 '갑'의 알코올중독에 따른 가정폭력 문제를 호소하였다. '병'은 '을'의 문제를 함께 해결해 가기 위해 계약을 맺고, '갑'의 가정폭력을 해결할 수 있는 방안을 찾기로 했다. 한편, '갑'과 '을'의 고등학생 아들인 '정'은 비행을 저질러 법원으로부터 보호관찰처분에 따른 부가 처분으로 상담을 명받아 '병'을 찾아왔다.
→ 사회복지사 '병': 변화매개체계, 배우자 '을': 클라이언트체계, 남편 '갑': 표적체계, 법원: 의뢰체계, 정: 응답체계

선생님 가이드

❶ 의뢰 · 응답체계는 클라이언트체계와는 구별됩니다. 핀커스와 미나한의 4체계에서 클라이언트체계에 대한 개입은 클라이언트의 관심이나 동의 하에 이루어져야 합니다. 따라서 만약 다른 사람의 요청에 의해 클라이언트에게 접근하거나 강제로 변화매개체계에게 온 클라이언트의 경우에는 사회복지사와 함께 작업하는 사람이 바로 클라이언트체계가 됩니다. 쉽게 말해 클라이언트체계는 변화매개체계와 계약이 성립된 관계라고 본다면 의뢰 · 응답체계는 아직 변화매개체계와의 계약 관계가 성립되지 않은 체계라고 할 수 있습니다. 콤튼과 갤러웨이는 이를 명확히 하고자 서비스를 요청한 사람을 의뢰체계로, 강제로 의뢰체계에 의해 강제로 의뢰가 이루어진 사람을 응답체계로 구별하였습니다.

4. 저메인과 기터만(Germain & Gitterman)의 생활모델 10 · 11. 국가직 必

(1) 개관

① **생태체계적 관점을 사회복지실천 분야에 도입하여 형성**되었다.

② 개입 목표: **인간의 욕구와 환경 간의 '적응' 수준을 향상시켜 '적합' 상태에 놓이게 하는 것**이다. 즉, 클라이언트로 하여금 생활 과정 안에서 자신의 문제를 해결해 나가게 하는 데에 개입의 초점이 있다.

(2) 개입 원칙

① 클라이언트의 다양성 존중: 클라이언트의 사회경제적 지위 · 종교 · 성 · 연령 등을 있는 그대로 수용하고 존중한다.

② 클라이언트와 사회복지사의 동반자적 관계 강조: 클라이언트를 자신의 삶에 대한 전문가로 이해하고, 클라이언트와 사회복지사의 관계를 동반자적 관계로 인식한다.

③ 통합된 양식과 방법 및 기술 사용: 인간과 환경의 상호작용에 초점을 두고 개인 · 집단 · 지역 사회 등 제반 체계에 개입할 수 있도록 실천원칙과 기술을 통합한다.

④ 개인과 집단의 강점을 강조: 생활에서 발생하는 스트레스는 인간 · 환경 사이의 적응 과정이 깨지면서 발생하는 것이기 때문에 개인과 집단의 잠재능력을 발휘하고 환경의 긴장 요인을 줄여 교류를 회복해야 한다.

(3) 생활상의 문제들

① 개념: 스트레스를 생산하는 문제 또는 적응 혼란에서 발생하는 스트레스 유발 상황을 말한다.

② 종류

생활변천	㉠ 발달상의 변화(예 사춘기, 중년의 위기 등) ㉡ 지위와 역할의 변화(예 부모가 되기 등) ㉢ 위기에 의한 변화(예 남편의 죽음 등)
환경의 압박	㉠ 차별적인 사회구조(예 성적 · 인종적 · 계급적 차별 등) ㉡ 적합하지 않은 물리적 환경(예 대기오염, 수질오염 등)
대인 관계 문제	의사소통과 대인 관계상의 장애

5. 골드스타인(Goldstein)의 단일화모델

(1) 유기체로서의 **개인과 역동적인 사회 관계 및 양자 간의 상호 관계에 초점을 둔 모델**이다.

(2) **사회복지사가 자원을 확보하고 활용하는 능력으로 사회가 변할 수 있음을 강조**한다.

(3) 사회체계모델, 문제해결모델, 과정모델을 결합한 형태이다.

기출 OX

생활모델은 생태체계적 관점에 입각하여 유기체로서의 개인이 그를 둘러싸고 있는 환경과 어떻게 적응 관계를 유지하는가에 주요 관심을 두고, 사람과 환경 간, 특히 인간의 욕구와 환경적 자원 간의 적합 수준(level of fit)을 향상시키는 것을 목적으로 하는 사회복지 실천모델이다. ( )

10. 국가직

○

3 사례관리

1. 개념 12 · 19. 국가직, 12 · 14 · 19 · 20. 지방직, 11. 지방직(추가) 必

클라이언트[1]	**만성적이고 복합적인 문제와 욕구를 지닌 클라이언트**[2](예 아동, 노인, 장애인, 정신장애인 등)에게
사례관리자	전문적인 지식과 기술을 가진 **사례관리자**가
사회적 자원체계	클라이언트의 문제해결 및 욕구충족을 시킬 수 있는 공식적(예 정부를 통해 제공되는 공적프로그램) · 비공식적(예 가족, 친구, 이웃 등) 사회적 자원체계(또는 지역사회자원)를
사례관리 과정	**사례관리 과정**을 통해

① 클라이언트에게 연계 · 조정 · 유지시켜서
② 클라이언트의 복지추구 · 기능의 강화를 통한 자립의 극대화 · 서비스의 효과성 증진을 하는 **통합적인 서비스 전달 방법**이다.

핵심 PLUS

통합적 접근과 사례관리

① 통합적 접근은 **1957년 펄만(H. Perlman)의 문제해결모델**의 등장 이후 1960~1970년대 **클라이언트의 문제와 욕구가 복잡하고 다양**해짐에 따라 **이에 맞는 맞춤형 원조의 필요성이 대두**되어 1970년대에 **핀커스와 미나한(Pincus & Minahan)의 4체계 모델, 저메인과 기터만(Germain & Gitterman)의 생활모델, 골드스타인(Goldstein)의 단일화모델** 등으로 확대 · 발전하였다.
② 반면 사례관리는 1960년대 미국의 정신장애인을 대상으로 한 탈시설화 정책(1963년 「지역사회정신보건법」 제정)으로 등장했으며, 1970년대 들어서 미국 사회복지학계에서 주창된 **'통합적 실천'의 구체적인 방법으로 각광**받기 시작했다. 이후 1988년 미국에서 공공부조 대상자 사례관리 서비스를 의무화한 **「가족지원법」이 등장하면서 일반화**되었다.

2. 목적(또는 목표) 17. 국가직, 16 · 17. 지방직 必

(1) 보호의 연속성 보장

사례관리의 대상은 주로 장기적인 서비스 제공이 필요한 만성적인 욕구를 가진 클라이언트이므로 **지속적(또는 연속적)으로 서비스를 제공**해야 한다.

(2) 비용과 효과성의 증대

제한된 자원 내에서 서비스의 효과성을 극대화해야 하고, 서비스 전달에 소요되는 비용도 최소화해야 한다.

(3) 모든 영역에 대한 보장

사례관리의 대상은 복합적인 욕구를 가진 클라이언트이므로 **그의 일생을 통해 변화하는 욕구의 모든 영역을 보장**하는 것이다.

(4) 접근성과 책임성의 증대

클라이언트가 서비스를 이용하는 데 발생하는 **다양한 장애물을 극복함으로써 그가 필요한 서비스에 쉽게 접근할 수 있도록 책임을 져야 한다.**

선생님 가이드

❶ 클라이언트, 사례관리자, 사회적 자원체계, 사례 과정을 사례관리의 4가지 구성 요소라고 합니다.
❷ 누구든지 사례관리의 대상이 되는 것이 아닙니다. 즉 사회복지실천의 개별적인 접근은 스스로 해결하기 어려운 심리사회적 문제를 지닌 사람을 대상으로 하지만, 사례관리에서는 사회적 기능 상 심각한 문제를 지닌 복합적인 욕구를 지닌 대상, 즉 보호가 필요한 아동, 허약한 노인, 만성장애인 등이 그 대상이 된다는 점에서 차이가 있습니다.

기출 OX

01 사례관리의 주요 서비스 대상은 아동, 장애인, 노인, 정신장애인 등과 같이 다양하고 복합적인 욕구를 가진 클라이언트이다. ( ) 11. 지방직(추가)

02 사례관리는 고도의 전문성을 필요로 하는 새로운 사회복지실천 방법이다. ( ) 12. 지방직

01 ○
02 × 사례관리는 새로운 사회복지실천 방법이 아닌 기존의 실천 방법들을 통합적으로 적용한 방법이다.

(5) 일차집단의 보호능력 및 사회적 기능의 향상

클라이언트의 가족, 친구, 이웃과 같은 1차 집단 등과 같은 사회적 지지체계의 기능을 향상시켜 클라이언트의 욕구에 **적합하게, 적시에, 적절한 방식으로, 중복되지 않게 서비스를 제공**해야 한다.

3. 등장 배경 09 · 15 · 20 · 24. 국가직, 11 · 17. 지방직, 08 · 11. 서울시 (必)

(1) 탈시설화

미국 정부는 1950년대 이후 정신장애인들을 병원이나 시설에 수용하지 않고 **지역 사회 내에서 치료하고 관리하는 정책**을 실시하였다. 이로 인해 **지역사회 보호의 중요성이 강조**되었으며, 이는 지역사회 전체에 **복잡하고 분산되어 있는 서비스체계**[❸]**를 통합적으로 관리**해야 할 필요성의 원인이 되었다.

(2) 클라이언트와 그 가족에게 부과되는 과도한 책임

지역사회에 적절한 환경자원이 제대로 마련되어 있지 않은 상태에서 탈시설화로 인해 시설에서 나온 클라이언트와 그를 부양해야 하는 가족은 너무 많은 책임을 감당하게 되었다.

(3) 다양한 문제와 욕구를 가진 클라이언트의 증가

탈시설화 이후 지역 사회 내에 다양하고 복합적인 욕구를 지닌 클라이언트들이 증가하였고, 더불어 **그들이 자신들의 욕구를 충족시킬 만큼의 서비스를 받지 못하게 되는 현상까지 발생**하였다. 이는 그들을 부랑자나 심지어 범죄와 연루가 되게 하는 등, 여러 가지 사회 문제의 원인이 되었다.

(4) 만성적이고 복합적인 문제를 지닌 클라이언트의 증가

사회인구학적으로 만성적이고 복합적인 문제와 욕구를 지닌 노인과 장애인 등의 인구가 증가하였고, 이로 인해 기존의 단기적인 **임상적 치료 모델의 한계가 인식**되었다. 따라서 **지역사회를 중심으로 한 장기보호의 필요성이 대두**되었다.

(5) 정부의 재정적 위기

1970년대 중반 이후 시작된 정부의 재정위기(복지국가의 위기)는 **공공지출의 삭감과 이를 통한 정부의 역할 축소**를 가져왔다.

(6) 서비스 비용 억제의 필요성 대두

중복 서비스를 제공하는 시설이나 병원 등의 전문기관이 확대되었고, 이에 제한된 자원 내에서 서비스 전달의 효과를 최대화하면서 동시에 **서비스 비용의 중복이나 낭비를 억제해야 하는 전문적인 기술의 필요성이 요구**되었다.

(7) 사회적 지지체계(또는 지원망)의 중요성에 대한 인식

가족, 친구, 이웃 등의 사회적 지지체계(비공식적 자원체계)에 대한 긍정적인 인식이 증가하였다.

선생님 가이드

❸ 당시 지역사회 정신보건운동의 전달체계는 주로 공공부문이 주도하였습니다. 그러나 탈시설화 이념 확산에 따라 점차 그 주도권이 민간부문으로 옮겨 옴에 따라 이러한 민간 부문을 조정할 장치가 필요하게 되었습니다.

기출 OX

01 사례관리의 목표는 클라이언트의 무의식을 분석하여 자신의 문제를 깨닫도록 돕는 것이다. ( ) 16. 지방직

02 사례관리는 클라이언트에 대한 시설보호와 치료적인 접근을 강조한다. ( ) 11. 지방직

03 사례관리는 시설보호에 초점을 두고, 시설에서 생활하는 클라이언트의 복합적인 욕구를 해결하기 위한 포괄적인 서비스 제공체계를 구축하기 위해 시작되었다. ( ) 17. 지방직

04 사례관리는 시설보호를 통한 집중적인 관리를 강조한다. ( ) 19. 지방직

05 사례관리는 시설보호를 강조하는 시설화의 영향으로 등장하였다. ( ) 15. 국가직

01 × '사례관리'가 아니라 '사회복지실천모델로서 정신역동이론'이 옳다. 지문은 정신역동이론의 '통찰'에 관한 설명이다.
02 × 사례관리는 탈시설화 경향에 의해 만들어진 실천 활동이다. 따라서 시설보호와 치료적인 접근을 지양한다.
03 ×
04 ×
05 ×

4. 기능

(1) 클라이언트와 필요한 서비스의 연결기능

(2) 비공식 보호체계와 클라이언트 간의 상호작용의 촉진기능

(3) 사례관리 기관 상호 간의 조정기능

(4) 상담기능

(5) 문제해결기능

(6) 옹호기능

5. 개입의 원칙 11 · 12 · 17 · 19. 국가직, 12 · 16 · 17 · 19 · 20. 지방직, 11. 지방직(추가) 必

(1) **클라이언트 중심적 개입**

사례관리자의 역할은 클라이언트의 문제나 욕구에 의해 결정되므로 **클라이언트의 문제나 욕구를 중심으로 개입**해야 한다.

(2) **개별화**

클라이언트의 신체적 · 정서적 · 사회적 상황과 욕구에 따라 **개별화된 '맞춤형 서비스'를 제공**해야 한다.

(3) **포괄적 서비스 제공**

기관의 네트워크 활용을 통해 **클라이언트의 복합적인 문제나 욕구가 충족될 수 있는 수준의 서비스를 제공**해야 한다.

(4) **통합성의 원칙 준수**

① 복잡하고 분산된 서비스 체계에서 **서비스 전달체계(또는 공식적 · 비공식적 자원) 간의 연계 및 조정**을 통해 서비스 제공의 중복을 방지하여 **서비스의 효율성을 높여야 하며**, 이를 위해 **개별적인 실천기술과 지역 사회 실천기술을 통합**해야 한다.

② 이를 위해서는 한 기관 내에서의 팀 협력 및 지역 사회 타전문 분야와의 협력이 중요하다.

(5) **자기결정권 보장**

클라이언트로 하여금 **선택에 대한 자율권을 보장**해야 하며, 이를 위해 **개입 과정에서 클라이언트의 참여와 자기결정을 촉진**시켜야 한다.

(6) **서비스 접근성 향상**

'아웃리치'를 활용한 서비스 사각지대의 발굴 이외에도, 클라이언트가 서비스를 이용하는 데 존재하는 장애물(예 인종, 성별, 계층 등)을 최소화시켜 이용자격 및 절차 등에서 어려움을 겪지 않고 서비스를 쉽게 이용할 수 있도록 원조해야 한다.

(7) **클라이언트의 자립성 강화**

클라이언트의 기능향상을 지원하여 **자원의 획득 및 활용 능력을 강화**시켜야 한다.

기출 OX

01 사례관리에서는 클라이언트 각자의 고유한 욕구에 부응하는 서비스의 개별성을 강조한다. ( ) 12. 지방직

02 사례관리 결과 서비스의 파편화(fragmentation)가 초래된다. ( ) 11. 지방직(추가)

03 사례관리를 통해 복잡하고 분산된 서비스 체계에서 서비스의 연계성을 확보할 수 있다. ( ) 12. 국가직

04 사례개입의 목표달성을 위해서라면 언제든 클라이언트의 자기결정을 제한하는 것이 정당하다. ( ) 20. 지방직

01 ○
02 × '초래된다.'가 아니라 '개선된다.'가 옳다.
03 ○
04 × 사례관리에서는 원칙적으로 클라이언트의 자기결정권을 보장한다.

(8) 지속적인 서비스 제공

사례관리는 종결이 어려운 장기적 욕구를 갖는 클라이언트에게 적합하므로 그들의 사회적 기능과 독립을 극대화하기 위해서 **문제나 욕구가 해결될 때까지 계속하여 사정하고 서비스를 제공**해야 한다.

(9) 체계성 원칙의 준수

① **체계이론과 생태체계적 관점을 주요 기반**으로 하여 클라이언트의 주변자원의 활용을 극대화해야 한다. 이를 위해 사례관리자는 **공식적 자원 이외에 비공식적 자원 역시 적극적으로 개발하고 활용**하여 **체계적인 지지망을 구축해야 하며, 이를 통해 공적부담을 줄일 수 있다.**

② 사례관리의 주요 등장 배경은 1970년대 중반 이후 시작된 미국 정부의 재정위기(복지국가의 위기)와 이로 인한 **공공지출의 삭감, 정부의 역할 축소**였다. 따라서 사례관리는 지역사회를 중심으로 한 서비스 전달체계(또는 공식적 · 비공식적 자원) 간의 연계 및 조정을 통해 서비스 제공의 중복을 방지하여 서비스의 효율성을 높이고 **궁극적으로는 공공부문의 역할을 축소하여 공적부담의 감소를 추구**한다.

(10) 변화를 위한 노력

클라이언트 개인 및 환경(예 지역사회)의 변화를 위해 노력해야 한다.

(11) 평가 실시

투입 및 과정에 대한 평가를 실시해야 한다.

6. 과정 20 · 24. 국가직, 23. 지방직 必

일반적으로 사례관리는 **'기관접촉 → 접수 → 사정 → 계획 → 개입(또는 실행) → 점검 → 재사정 → 결과평가'**의 순으로 진행된다.

(1) 기관접촉

클라이언트와 **사례관리 기관 간에 접촉이 이루어지는 과정**으로, 클라이언트는 타 기관, 가족, 지역사회의 조직, 교회, 경찰, 학교 등으로부터의 의뢰와 스스로의 방문, **아웃리치(Out Reach)**[❶]를 통해 기관과 접촉하게 된다.

(2) 접수(Intake)

① 클라이언트의 **문제와 상황에 대한 파악이 이루어지는 과정**으로, **개입 과정의 시작, 즉 계약**이라고도 불린다.

② 사례관리자는 **적합한 기관에 클라이언트의 배치가 이루어지는지를 결정**하고, 클라이언트는 기관이 제공하는 서비스의 내용과 한계 등에 관한 정보를 제공받을 수 있다.

(3) 사정(Assessment)

① **클라이언트의 현재 기능에 대한 광범위하고 구조화된 평가가 이루어지는 과정**으로, **면담이나 다양한 사정도구를 활용**하여 클라이언트의 **욕구와 자원, 외부자원, 장애물 등을 파악하는 단계**이다.

❶ 아웃리치란 서비스에 대한 욕구는 가지고 있지만, 그 욕구 충족을 위해 기관을 찾지 않는 잠재적 클라이언트들의 서비스 접근성을 높이고자 사례관리자가 직접 기관 밖으로 클라이언트를 찾아나서는 방법을 말합니다.

기출 OX

01 사례관리는 서비스 비용의 증대를 추구한다. ( ) 17. 국가직

02 사례관리의 초기고정 이후 단계는 사정 → 계획 → 실행 → 점검 → 평가이다. ( ) 23. 지방직

03 사정의 영역에는 욕구, 자원, 장애물 등이 포함된다. ( ) 23.지방직

01 × '증대를'이 아니라 '감소를'이 옳다.
02 ○
03 ○

② 사정의 내용

클라이언트의 욕구와 자원	클라이언트와 그의 사회적 · 물리적인 환경의 욕구를 정확히 평가한다.
외부 자원	클라이언트의 강점을 비롯해서 공식적 서비스 제공자 이외에도 가족이나 친구와 같은 비공식적 서비스 제공자로부터 클라이언트가 받을 수 있는 지원을 검토해야 한다.
장애물	개입 기간 중 효과성을 떨어뜨릴 수 있는 장애물도 파악해야 한다.

(4) **계획(Planning)**

① 사정에서 얻어진 자료들을 근거로 하여 포괄적이고 구체적인 **목표, 서비스 제공방침, 제공 과정**을 설정하는 과정이다.

② 개입 이후 평가를 통해 **미달성 목표를 다시 계획단계로 환류**시킨다.

(5) **개입(Intervention)** 12. 국가직, 11 · 14 · 20. 지방직, 11. 지방직(추가)

① **직접적인 개입과 간접적인 개입(연계 및 조정하기)이 이루어지는 과정**이다. 즉 내부자원 획득을 통해 직접적 서비스를 제공하고, 외부자원 획득을 위한 간접적 서비스를 제공하는 과정이다.

② 개입 시 사례관리자의 역할(Moxley): 사례관리자의 역할은 크게 두 가지, 즉 **직접적 개입과 간접적 개입**으로 나누어진다.

직접적 개입을 수행하는 역할	㉠ 이행자: 위기 시 심리적 지지를 제공하는 역할이다. ㉡ 상담가: **면담을 통해** 클라이언트에 대한 이해를 발전시키고 클라이언트가 스스로 지지망과 같은 자원을 개발하고 유지하는 방법을 알 필요가 있다는 사실을 가르치는 역할이다. ㉢ **교육자** ㉣ **안내자** ㉤ **협조자** ㉥ **진행자**: 클라이언트가 높은 수준의 자기지향을 행할 수 있도록 원조하는 역할이다. ㉦ **정보제공자**: 전문적 정보를 많이 가지고 있어 클라이언트에게 이를 전달해 주는 역할이다. ㉧ **지원자**: 클라이언트가 자기옹호를 할 수 있는 수준까지 도달한 경우 가능한 단순한 지원자의 역할만을 하는 것이다.
간접적 개입을 수행하는 역할	㉠ **중개자**: 클라이언트가 필요로 하는 **유용한 자원을 적극적으로 찾아 클라이언트와 연결**시키는 역할이다. ㉡ **연결자** ㉢ **조정자**: 원조자 사이의 갈등을 줄이기 위해 의사소통을 촉진하고, 지원망의 효율성을 증가시키는 역할이다. ㉣ **옹호자**: 대체로 사례관리가 필요한 클라이언트들의 경우 스스로 자신을 대변할 수 있는 능력이 부족하다. 이때 **클라이언트의 권리를 옹호하기 위해 그들의 요구사항을 만들어 내고, 가능한 한 자원이 적절히 공급되어 질 수 있도록 노력**하는 역할이다. ㉤ **협동가** ㉥ **협의자**

기출 OX

01 사례관리의 실천 과정 중 개입이란 내부자원 획득을 통해 직접적 서비스를 제공하고, 외부자원 획득을 위한 간접적 서비스를 제공하는 과정이다. ( ) 11. 지방직(추가)

02 사례관리의 실천 과정 중 개입에서 사례관리자는 직접적 서비스 제공을 위해 이행자, 안내자, 교육자, 정보제공자, 지원자로서의 역할을 수행한다. ( ) 11. 지방직(추가)

03 사례관리의 실천 과정 중 개입에서 사례관리자는 간접적 서비스 제공을 위해 중개자, 연결자, 옹호자로서의 역할을 수행한다. ( ) 11. 지방직(추가)

04 사례관리자는 조정자, 중개자, 평가자, 옹호자 등 복합적인 기능을 수행한다. ( ) 11. 지방직(추가)

05 사례관리에서 사회복지사는 다양한 기관, 조직, 시설에서 제공하고 있는 적합한 서비스에 클라이언트를 연결하고 서비스를 활용하도록 조정함으로써 개인과 가족에게 지속적으로 서비스를 제공한다. 또한 다양한 욕구를 지닌 클라이언트의 기능을 최적화하기 위해서 공식적, 비공식적 지원망을 창조하고 조정한다. ( ) 14. 지방직

01 ○
02 ○
03 ○
04 ○
05 ○

③ 기타 사례관리자의 역할

사정자	클라이언트의 약점, 역기능, 결함 등과 같은 부정적인 요소보다는 강점, 능력, 성장과 발전의 가능성, 자원, 잠재력 등의 긍정적인 요소에 중점을 두고 **그들의 욕구를 수집하고 분석하며, 종합하는 역할**이다.
계획자	클라이언트의 욕구를 충족시키기 위한 **사례계획, 치료, 서비스 통합, 기관의 협력 및 서비스 망을 설계하는 역할**이다.
평가자	프로그램의 효과성, 효율성 및 비용효과성을 검토하기 위하여 **사례관리 과정 전반에 관한 정보와 자료를 수집하고 분석하는 역할**이다.

(6) **점검(Monitoring)** 12 · 16. 지방직

클라이언트를 위해 수립된 **계획에서 정해진 서비스 전달 과정을 지속적으로 추적해서 감시하고 감독하는 과정**으로, **개입의 효과(또는 클라이언트의 변화, 산출결과)에 대한 중간검토 후 개입 계획 수정하기, 계획 과정에서 수립한 목표의 달성 정도 검토하기** 등의 과업이 수행된다.

(7) **재사정(Reassessment)** 19. 국가직

① 지속적인 서비스 제공이라는 사례관리의 특성상 **클라이언트에 대해 반복적인 평가를 실시하는 과정**으로, 사례관리 과정에 새로운 욕구가 발견되면 **재사정을 통해 서비스를 계속적으로 지원**한다.

② 또한 **각각의 사정은 재사정을 필요**로 한다.

(8) **결과평가**[❶](Evaluation of Results)

개입의 최종적인 효과를 평가하는 과정으로, 사례관리자의 전문적 판단에 의해 클라이언트가 서비스를 종결해야 할 준비가 되었을 때 이루어진다.

기출 CHECK

학생 A의 폭력 문제를 안고 있는 가정을 대상으로 사례관리를 실시하려고 한다. 사례관리 과정을 순서대로 바르게 나열한 것은? 20. 국가직

ㄱ. 문제와 관련된 전문가들이 모여 필요한 서비스를 확인하고 서비스의 우선순위를 정한다.
ㄴ. 학생 A의 폭력 정도와 이유에 대해 학생 A 및 가족들과 인터뷰한다.
ㄷ. 서비스를 제공하면서 학생 A의 폭력성 변화 여부를 점검한다.
ㄹ. 가족구성원에게 사례관리에 대해 어떻게 느꼈는지 조사한다.

① ㄱ → ㄴ → ㄷ → ㄹ
② ㄴ → ㄱ → ㄷ → ㄹ
③ ㄹ → ㄱ → ㄴ → ㄷ
④ ㄹ → ㄴ → ㄱ → ㄷ

해설

ㄴ. 학생 A의 폭력 정도와 이유에 대해 학생 A 및 가족들과 인터뷰한다. – 사정
ㄱ. 문제와 관련된 전문가들이 모여 필요한 서비스를 확인하고 서비스의 우선순위를 정한다. – 계획
ㄷ. 서비스를 제공하면서 학생 A의 폭력성 변화 여부를 점검한다. – 점검
ㄹ. 가족구성원에게 사례관리에 대해 어떻게 느꼈는지 조사한다. – 결과평가

답 ②

❶ 결과평가는 서비스의 종결을 의미한다는 점에서 재사정과는 다른 개념입니다.

기출 OX

01 사례관리자는 사정자, 조정자, 중개자, 평가자, 옹호자 등 복합적 기능을 수행할 수 있다. ( ) 20. 지방직

02 사례관리자는 클라이언트가 여러 기관의 서비스를 제공받을 수 있도록 지원한다. ( ) 12. 국가직

03 사례관리자는 클라이언트를 직접 상담하는 치료자 역할을 수행하지 않는다. ( ) 12. 국가직

04 사례관리에서 점검(monitoring)은 서비스 전달을 지속적으로 감시하고 감독하는 것이다. ( ) 12. 지방직

01 ○
02 ○
03 ×
04 ○

7. 사례관리자의 기술 11 · 17. 지방직, 11 · 19. 국가직 (必)

사례관리가 갖고 있는 중요한 기능인 서비스의 연계 · 조정 등을 수행하기 위해서는 클라이언트를 위한 직접적인 개입기술도 필요하지만, 옹호 · 연계 · 협력 · 조정 등의 간접적인 개입기술을 필요로 한다.

(1) 직접적인 개입기술

① **의사소통기술**: 말하기, 비언어적 의사소통, 질문, 경청, 적절한 반응 등

② **상담 및 치료기술**: 비지시적 · 지시적 상담, 관계형성, 동기 · 참여증진, 교육 · 훈련, 위기개입 등

(2) 간접적인 개입기술

① **연계기술**: **클라이언트를 서비스나 자원에 연결하는 것**으로, 유용한 정보의 제공 · 의뢰 등 클라이언트가 원조를 받는 데 필요한 모든 활동을 의미하며, 연속적인 개입활동이다.

② **옹호기술**: 기관이나 조직이 서비스 제공을 거부하거나 부적절한 정책과 절차 때문에 접근에 문제가 생길 때 기관을 대상으로 논의나 설득 · 축구 · 강요 등의 방법을 활용하여 옹호활동을 전개할 수 있다.

논의와 설득	갈등의 정도가 낮을 때 사용하는 기술로, 입장에 대한 분명한 진술, 클라이언트에 대한 코치, 기관의 정책과 절차에 대한 지식활용, 적절한 감정통제가 필요하다.
촉구	갈등의 수준이 중간 정도일 때 사용하는 기술로, 협상, 기관의 불만처리절차 활용, 주장적 요구, 상대보다 높은 권위에 호소하는 등의 활동이 포함된다.
강요	갈등의 정도가 높을 때 사용하는 기술로, 대상기관의 관리 · 감독처에 호소하기, 언론매체에의 폭로, 집단행동, 탄원 등이 있다.

③ **협력 및 조정기술**: 사례관리는 철저하게 개별 클라이언트의 욕구와 상황에 근거한 서비스를 제공해야 한다. 이를 위해 다양한 서비스 제공주체와 협력체계를 구축하고 협상 혹은 합의해야 한다. 협상과 합의를 위해 팀 접근이 필요하며 한 팀은 동반자적 관계를 유지하며, 협상 · 네트워킹 · 의사소통 · 융통성 등 보다 구체적인 기술이 필요하다.

기출 OX

01 사례관리는 클라이언트에 대한 직접적인 개입기술 및 옹호 · 연계 · 협력 · 조정 등의 간접적 개입기술을 필요로 한다. ( ) 11. 지방직

02 사례관리자의 직접적 개입에는 클라이언트와 서비스 제공자의 연결, 기관 간의 조정 등이 있다. ( ) 11. 국가직

03 사례관리자는 대상자의 문제해결을 위해서 클라이언트 개인을 변화시키기 위한 직접적 서비스 제공에 초점을 두고 활동한다. ( ) 17. 지방직

01 ○
02 × '직접적 개입'이 아니라 '간접적 개입'이 옳다.
03 × '직접적 서비스 제공에 초점을 두고 활동한다.'가 아니라 '직접적 서비스와 간접적 서비스 모두에 초점을 두고 활동한다.'가 옳다.

제5절 사회복지실천의 관계와 의사소통

1 전문적 관계

1. 개념

(1) 사회복지사가 권위를 갖고 클라이언트의 문제해결이라는 목적하에 제한된 시간 동안 **클라이언트와 맺는 계약적 관계**로, **사회복지사는 관계의 전반적인 과정에 대해 책임**을 진다.

(2) 라포(Rapport) 관계, 원조 관계라고도 한다.

2. 특징(Perlman, 1979년) (必)

(1) 의도적인 목적성

클라이언트와 사회복지사 간에는 **클라이언트의 환경 적응과 문제해결이라는 상호 합의된 목적**이 있다.

(2) 시간제한적

사회복지사는 클라이언트와 **구체적으로 한정된 기간을 갖고 관계를 맺으며**, 개입의 목적이 달성되었거나 달성될 수 없다고 판단되면 관계는 종결된다.

(3) 클라이언트에 대한 헌신

사회복지사는 **자신의 이익보다 클라이언트의 이익을 위해 자신을 헌신**해야 한다. 따라서 사회복지사는 클라이언트의 욕구에 민감할 수 있도록 객관성과 자기인식에 기초한 관계를 형성해야 한다.

(4) 권위성

사회복지사는 **전문성에 기반한 지식, 기술, 윤리강령에서 비롯되는 권위와 권한**을 가지고 있다. 다만, 이로 인해 사회복지사가 클라이언트보다 우월적 지위에 있다고 볼 수는 없다.

(5) 통제적 관계

사회복지사는 객관성을 유지하고 **자기 자신의 감정, 반응, 정서를 자각하고 그 책임을 져야 한다.**

3. 전문적 관계의 기본 요소 (必)

(1) 사회복지사와 클라이언트 간의 전문적 관계에서 클라이언트는 도움을 요청하고 사회복지사는 전문가로서 도움을 준다. 따라서 전문적 관계는 언제나 클라이언트의 입장에서 출발해야 하며 **사회복지사는 관계의 전반적인 과정에 대한 전문적인 책임을 지고, 관계 형성을 주도**해야 한다.

(2) 사회복지사는 전문적인 책임을 지기 위해서 다음과 같은 기본 요소들을 각각 활용할 수 있다.

① 타인에 대한 관심: 클라이언트와 그가 호소하는 문제에 대한 **사회복지사의 진심어린 관심**으로, 더 나은 클라이언트의 삶에 대한 사회복지사의 진심어린 바람을 의미한다.

② 도우려는 열망: **원조관계에서 사회복지사에 가장 필수적인 자질**로, 클라이언트로 하여금 스스로 자신의 삶을 선택하고 통제하는 능력을 향상시키는 것을 도우려는 헌신적인 열망을 의미한다.

③ 공감(Empathy, 또는 감정이입): 사회복지사가 클라이언트의 시각으로 **그의 감정과 그 감정의 의미를 민감하게 몰입(또는 인식)하고 이를 전달하는 능력으로,** 사회복지사는 스스로 자신이 클라이언트의 감정을 충분히 인식한다고 생각할지라도 실제는 '그들은 여전히 자신과는 다른 클라이언트라는 인식'이 자신의 저변에 존재하고 있음을 깨달아야 한다.

④ 존경심(또는 보살핌): **사회복지사가 클라이언트 스스로 자신의 문제 해결을 위해 무엇인가를 할 수 있다는 확신을 가지고 이를 클라이언트에게 전달하는 능력**으로, 이를 통해 궁극적으로는 클라이언트의 자기결정권을 수용하게 된다.

⑤ 구체성: 사회복지사가 클라이언트로 하여금 자신의 행동, 사고, 감정을 **자신의 독자적인 방법으로 표현할 수 있도록 도와줄 수 있는 능력**을 말한다.

⑥ 자기인식(Self Awareness)

㉠ 사회복지실천 시 자기 자신을 도구로 활용할 수밖에 없는 **사회복지사가 자신의 신념, 태도, 행동습관 등에 대해 정확히 인식**하고, 이들이 실천 과정 중 클라이언트와의 관계와 의사결정에 어떻게 영향을 미치는지를 파악할 수 있는 능력을 말한다.

㉡ 즉, 사회복지사가 사회복지실천과 관련된 자신의 효과성에 대한 **강점뿐만 아니라 한계**(예 바람직하지 못한 가치나 편견 등)**를 명확히 할 수 있도록 자기 자신에 대한 끊임없는 성찰**하는 것이다.

㉢ 사회복지사는 자기인식을 통해 자신의 개인적 가치가 클라이언트와의 관계 및 의사결정에 미치지 않도록 성찰해야 하며, 더 나아가 **자신의 개인적 가치를 사회적 가치나 전문적 가치와 구별할 수 있어야 한다.**

㉣ 사회복지사의 자기인식은 전문적 관계 형성에 필수적이며, 더 나아가 필요 이상으로 클라이언트에게 개입하는 것을 방지한다.

핵심 PLUS

자기인식 증진을 위한 사회복지사의 노력(Brill)

① **내면화된 자신의 가치관이 존재하고 있다는 것**과 그러한 가치관에 다분히 감정적인 요소가 개입되고 있다는 것을 인지해야 한다.
② 자신의 가치관의 근원과 이것이 사회복지실천에 미치는 영향을 검토해야 한다.
③ 자신이 가지고 있는 편견이 무엇인지를 의식해야 한다.
④ 객관적 · 현실적인 평가를 통해 변화가 필요한 가치관을 변화시키기 위한 노력을 해야 한다.
⑤ 다양한 생활경험을 통해 다양한 생활양식과 가치관을 존재한다는 것을 이해할 수 있도록 노력해야 한다.

㉤ 자기인식을 통해 사회복지사는 **효과적인 자기활용이 가능**해진다.

핵심 PLUS

효과적인 자기활용 시 사회복지사가 지양해야 할 점(한계를 자기인식한 사회복지사의 개입 전략)

① **사회복지사는 자신이 만능이 아니라는 사실을 인정**해야 하며, 따라서 사회복지실천 과정 중 클라이언트를 배제한 채 일방적으로 결정하고, 또한 결정한 내용을 클라이언트가 그대로 따르도록 강요하거나 유도하지 말아야 한다.
② 사회복지사가 전적인 책임을 지려고 하는 것 역시 바람직하지 않다. 사회복지사 자신이 모든 것에 관여하고 해결하려는 것 역시 불가능하며 매우 위험한 발상이라는 사실을 인정해야 한다.
③ 클라이언트로 하여금 사회복지사의 결정을 수용하도록 통제와 같은 방법으로 그를 설득하지 말아야 한다.

⑦ 진실성(또는 순수성)과 일치성

㉠ **진실성이란 실제적이고 순수해질 수 있는 능력**, 즉 사회복지사가 자기인식을 바탕으로 **자신의 감정과 반응을 있는 그대로 클라이언트에게 전달할 수 있는 능력**으로, 클라이언트에게 지킬 수 없는 약속을 하지 않고 최대한 진실해지는 것이다.

㉡ 또한 **일치성**이란 사회복지사가 클라이언트와의 관계에서 보여주는 **말과 행동 간의 일관성, 자아와 가치체계의 부합함**을 말한다.

핵심 PLUS

진실성(또는 순수성)과 일치성 증진을 위한 사회복지사의 자세

① 클라이언트에게 신중하고 진실되게 말하고 행동해야 하며, **말과 행동이 일치**하도록 노력해야 한다.
② 사회복지사와 클라이언트에게 동일한 의미로 전달되는 전문가의 역할, 기관의 절차 및 정책에 대한 분명한 인식이 있어야 한다.
③ 자신의 내면과 외면이 일치하도록 노력해야한다. 이를 위해서는 **올바른(또는 정직한) 자기인식**과 **자신의 감정에 대한 정직성**이 있어야 한다.
④ **타인에 대한 관심, 수용, 헌신 등 전문적 관계에서 요구되는 기본요소들을 내면화**해야 한다.

⑧ 대응(Confrontation, 또는 직면): 사회복지사가 **클라이언트의 언어와 행동 간의 불일치 등을 발견하고 이를 지적하여 교정할 수 있는 능력**을 말한다.

⑨ 자기노출(Self Disclosure, 또는 자아노출): 사회복지사가 원조 상황에 도움이 될 수 있다고 판단할 경우 언어적 표현 또는 비언어적 행동을 통해 **클라이언트에게 자신의 감정, 생각, 경험을 자연스럽게, 개방적으로, 또한 순수하게 드러낼 수 있는 능력**이다.

⑩ 따뜻함(Warmth): 사회복지사가 오직 클라이언트의 안녕과 복리를 위해서 언어 또는 비언어적인 방법으로 보살핌이나 관심을 전달할 수 있는 능력이다.

⑪ 자아실현(Self-Actualization): 가장 상위에 존재하는 인간의 욕구로, 클라이언트가 경험하는 모든 문제를 **그의 성장을 위한 기회로 인식하는 사회복지사의 시각**이다. 이는 인간의 문제와 난관 앞에서도 오히려 유머 감각을 유지할 수 있는 능력이 된다.

⑫ 권위(Authority)와 권한(Power): 클라이언트에 대한 통제권과 관련된 것으로, **클라이언트와 기관에 의해 사회복지사에게 위임된 영향력**이다. 사회복지사는 일정한 지식과 경험, 그리고 지위를 가짐으로써 권위와 권한을 갖게 된다.

⑬ 헌신과 의무(Commitment and Obligation): **사회복지사와 클라이언트의 책임감**으로, 목적을 이루기 위해 **상호 신뢰하고 일관된 태도를 유지하는 것**을 말한다.

핵심 PLUS

헌신과 의무

① **클라이언트의 헌신과 의무**: 자신의 문제에 대한 정직·개방성, 전문적 관계의 절차를 준수하는 것이다.
② **사회복지사의 헌신과 의무**: 전문적 관계의 절차 준수, 클라이언트의 변화와 성장을 위한 노력이다.

⑭ 민감성(Sensitivity): 사회복지사가 **드러나는 단서 없이도 클라이언트의 내면세계를 감지할 수 있는 능력**을 말한다.

⑮ 자기관찰 능력(Self-Observation Ability): 사회복지사가 **자신을 주관적·객관적인 측면으로 관찰할 수 있는 능력**을 말한다.

⑯ 수용과 기대(Acceptance & Expectation): **클라이언트를 적극적으로 이해하려고 하는 태도**에 기반하여 클라이언트를 있는 그대로 받아들이고, 비심판적이고 무비판적으로 대할 수 있는 능력으로, **클라이언트의 감정에 대한 존중 및 클라이언트에 대한 현실적인 믿음**을 의미한다.

⑰ 성숙(Maturity): 변화와 성장을 위협이 아닌 흥미로운 것으로 받아들여 성장하며 발전하는 한 인간이 되어가는 사회복지사의 능력으로, 결국 **유능한 사회복지사는 성숙해 가는 사람**이다.

⑱ 창조성(Creativity): 사회복지사가 클라이언트의 문제 상황에 대한 **창의적인 대안들에 대해 개방성을 유지할 수 있는 능력**으로, 이는 결코 기존의 이론이나 사고체계를 인정하지 않는 것이 아니라 그것들만이 전부인 것처럼 행동하지 않으려는 태도를 말한다.

⑲ 용기(Courage): 사회복지사가 자신에게 닥치는 어렵고 고통스러운 상황들, 즉 원조 과정의 실패, 난관에 부딪힘, 감정적인 억눌림, 비난받는 일, 신체적 위협 등을 기꺼이 받아들일 수 능력을 말한다.

⑳ 인간적 자질(Human Qalities): 사회복지사의 인간성으로, 클라이언트의 고통에 공감하는 태도, 자신과 다른 인생경험이나 가치관을 포용할 수 있는 힘, 장기적인 목표의 성취를 위해 꾸준히 일할 수 있는 끈기와 인내심, 클라이언트가 스스로 결정하고 행동할 수 있도록 스스로 수동적이고 낮은 자세를 취할 수 있는 겸손함 등을 의미한다.

2 비에스텍(Biestek)의 관계형성의 7가지 원칙(1957년)❶

15 · 17 · 19 · 23. 국가직, 10 · 11 · 13 · 17 · 18. 지방직, 11. 지방직(추가)

비에스텍(Biestek)은 사회복지기관에 도움을 요청하러 오는 클라이언트는 7가지의 기본적인 욕구를 가지고 있으며, 사회복지실천 과정에서 이러한 욕구들이 충족되어지기를 기대하며, 이러한 클라이언트의 욕구와 감정의 표현은 클라이언트와 사회복지사 간의 역동적인 상호작용이 이루어 질 때 더욱 구체적으로 나타난다고 보았다. 이에 비에스텍은 도움을 구하는 모든 사람에게는 공통적인 기본 감정과 태도 유형이 존재한다고 믿고 이를 바탕으로 7대 원칙이라 불리는 관계론을 정립하였다.

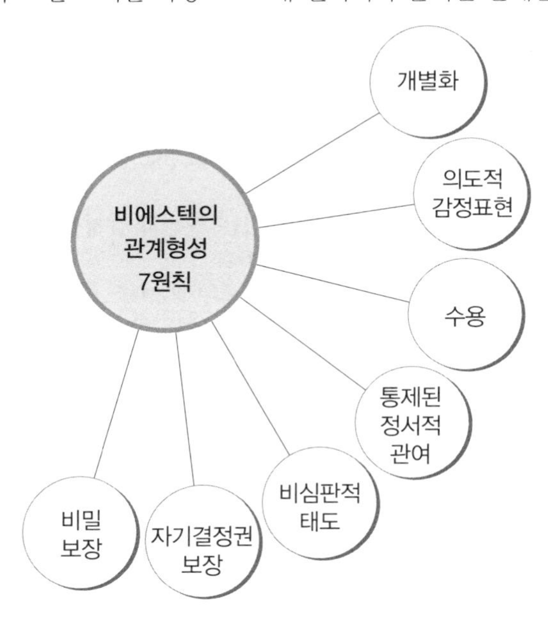

선생님 가이드

❶ 비에스텍(Biestek)은 사회복지기관에 도움을 요청하러 오는 클라이언트는 7가지의 기본적인 욕구를 가지고 있으며, 사회복지실천 과정에서 이러한 욕구들이 충족되어지기를 기대하고, 이러한 클라이언트의 욕구와 감정의 표현은 클라이언트와 사회복지사 간의 역동적인 상호작용이 이루어 질 때 더욱 구체적으로 나타난다고 보았습니다. 이에 비에스텍은 도움을 구하는 모든 사람에게는 공통적인 기본 감정과 태도유형이 존재한다고 믿고 이를 바탕으로 7대 원칙이라 불리는 관계론을 정립하였습니다.

1. 개별화(Individualization) (必)

(1) 클라이언트의 욕구

클라이언트는 **타인에게 개별적인 존재로 인정받고 싶어 한다.**

(2) 사회복지사의 과업

① **클라이언트를 각각 개별적인 특징과 자질을 가진 존재로 인정**하여 원조 방법과 과정 등에서 **각각 다른 원리나 방법을 활용**해야 한다.

② 클라이언트에 대한 **편견, 고정관념, 선입관**(예 성별, 연령, 출신지역, 교육 정도, 경제계층 등)**에서 벗어나 그의 개인적 경험을 존중**해야 한다.

③ **인간행동과 발달에 관한 전문지식을 가지고 이를 활용**할 수 있어야 한다.

④ **클라이언트가 속한 집단적 특성을 탐색하는 과정을 포함**해야 한다.

⑤ 클라이언트의 **언어적 표현**, 즉 자신의 개인적인 특성과 욕구 또는 문제에 관한 이야기를 **경청**할 수 있어야 한다.

⑥ 클라이언트가 **현재 처해있는 곳에서부터 출발하는 개입**으로 클라이언트에 보조를 맞추어 **클라이언트의 개입 과정 중 충분한 참여를 원조**해야 한다.

⑦ 클라이언트의 **감정을 포착해서 이에 민감하게 반응**하고, 특히 **클라이언트의 비언어적인 표현을 잘 관찰**해야 한다.

⑧ 클라이언트가 속한 **환경과 클라이언트의 전체 상황을 이해하고 관여**할 수 있어야 한다.

⑨ 클라이언트에게 **세심한 배려**를 해야 한다.

⑩ 클라이언트와 **면접시간을 정할 때 개별적으로 약속시간을 정하고, 클라이언트에게도 시간을 엄수할 것을 강조**한다.

⑪ 클라이언트의 사례기록을 재검토하는 등 **면접의 사전준비**를 한다.

2. 의도적 감정표현(Purposive Expression of Feeling) (必)

(1) 클라이언트의 욕구

클라이언트는 **타인에게 비난받을 수도 있는 자신의 감정을 표현하고 싶어 한다.**

(2) 사회복지사의 과업

① 클라이언트가 자신의 감정을 자유롭게 표현하도록 **의도적인 환경을 제공**해야 한다.

② 누구나 부정적 감정을 가질 수 있으며 이를 표현해도 좋으며 도움이 되고 싶다는 것을 알려주는 것이 필요하다.

③ 클라이언트에게 자신의 **감정을 표현하도록 장려**하고, 이러한 **감정표현을 경청**해야 한다. 단, 감정표현을 지연시키거나 재촉하지 말아야 하고, 표현한 감정에 대한 과도한 해석, 비현실적 보장, 비난이나 비판을 하지 말아야 한다.

④ 클라이언트의 상황을 잘 이해하기 전까지는 충고나 해결책을 제시하는 것을 삼가야 한다.

기출 OX

01 관계형성을 위해서 사회복지사는 클라이언트의 문제를 표준화하기 위해 노력해야 한다. ( ) 10. 지방직

02 개별화란 사회복지사가 각 클라이언트의 독특한 특성과 자질을 알고 이해하는 것으로, 클라이언트의 문제해결을 위해서 각기 다른 원리나 방법을 활용하는 것이다. ( ) 15. 국가직

03 통제된 정서적 관여는 클라이언트가 자신의 감정을 자유롭게 표현하도록 돕는 것이다. ( ) 11. 지방직(추가)

04 의도적인 감정 표현은 클라이언트가 자유롭게 감정을 표현하도록 하는 것이다. ( ) 13. 지방직

05 비에스텍이 제시한 전문적 사회복지실천관계의 기본 원칙에서, 사회복지사는 클라이언트가 자신의 감정을 표현하도록 격려하고 자극하는 것이 관계형성의 객관성 침해임을 인식하여, 이를 피해야 한다. ( ) 21. 국가직

01 × '표준화'가 아니라 '개별화'가 옳다.
02 ○
03 × '통제된 정서적 관여'가 아니라 '의도적 감정표현'이 옳다.
04 ○
05 × 비에스텍의 관계형성의 원칙 중 의도적 감정표현에 따르면 사회복지사는 클라이언트가 자신의 감정을 표현하도록 격려하고 자극해야 한다.

3. 수용(Acceptance) (必)

(1) 클라이언트의 욕구

클라이언트는 **타인에게 가치 있는 한 인간으로 인정받고 싶어 한다.**

(2) 사회복지사의 과업

① 클라이언트를 **'있는 그대로 인정'**해야 한다. 즉, **클라이언트의 강점(또는 장점)과 약점, 바람직한 자질과 바람직하지 못한 자질, 긍정적인 감정과 부정적인 감정, 건설적인 태도와 행동 또는 파괴적인 태도와 행동을 있는 그대로 받아들여야 한다.**

② 다만 수용과 동의는 다르다. 수용은 한 인간으로서 클라이언트의 가치, 그의 현실, 감정을 있는 그대로 받아들이는 것이지 **그의 일탈(逸脫)된(또는 문제) 행동에 동의하는 것은 아니다.**

4. 통제된 정서적 관여(Controlled Emotion Response) 11. 지방직 (必)

(1) 클라이언트의 욕구

클라이언트는 **타인에게 자신의 감정을 공감받고 싶어 한다.**

(2) 사회복지사의 과업

① **자신의 감정을 통제하는 범위 내에서 클라이언트의 감정에 관여**해야 한다.

② **민감성과 공감적 이해로 의도적이고 적절한 반응**을 해야 한다.

5. 비심판적인 태도(Nonjudgemental Attitude) (必)

(1) 클라이언트의 욕구

클라이언트는 **타인에게 심판받고 싶어 하지 않는다.**

(2) 사회복지사의 과업

① 문제의 원인이 클라이언트의 잘못에 의한 것인지 아닌지에 대해 **클라이언트를 심판하거나 비난하지 말아야 하며, 더 나아가 그의 특성이나 가치관을 비난하지 말아야 한다.**

② 사회적 적응을 원조한다는 분명한 목적의식에 근거하여 클라이언트의 행동, 태도 등을 **객관적으로 평가하고 판단**해야 한다.

6. 자기결정권 보장(Client Self Determination) (必)

(1) 클라이언트의 욕구

클라이언트는 **자신과 관련된 의사결정의 주체가 되고 싶어한다.**

(2) 사회복지사의 과업

① **클라이언트에게 유리한 대안을 제시**해 주어야 하며, **클라이언트의 능력이나 상황을 고려해서 그가 스스로 선택하고 결정**하게 해야 한다.

② 클라이언트의 약점보다는 강점과 능력을 강조해야 한다.

기출 OX

01 수용은 사회복지사가 클라이언트의 강점과 약점, 바람직한 자질과 바람직하지 못한 자질, 긍정적인 감정과 부정적인 감정, 건설적인 태도와 행동 또는 파괴적인 태도와 행동을 있는 그대로 이해하는 것이다. ( ) 11. 지방직(추가)

02 비에스텍이 제시한 전문적 사회복지 실천관계의 기본 원칙에서, 사회복지사는 클라이언트의 장점과 약점, 긍정적인 감정과 부정적인 감정 등을 포함하여 클라이언트를 있는 그대로 이해하고 편견 없이 받아들여야 한다. ( ) 21. 국가직

03 수용은 클라이언트를 있는 그대로 받아들여 문제행동도 옳다고 인정하고 받아들이는 것을 의미한다. ( ) 19. 국가직

04 통제된 정서 관여는 클라이언트의 감정을 통제하면서 반응하는 것이다. ( ) 13. 지방직

05 통제된 정서적 관여란 사회복지사는 클라이언트가 과도한 정서를 표출하지 않도록 통제해야 하는 것이다. ( ) 17. 국가직

06 비에스텍이 제시한 전문적 사회복지 실천관계의 기본 원칙에서, 사회복지사는 클라이언트의 상황과 자신의 개인적 감정을 분리하여야 하며, 클라이언트의 감정에 대해 목적을 가지고 적절히 반응하여야 한다. ( ) 21. 국가직

07 비에스텍이 제시한 전문적 사회복지 실천관계의 기본 원칙에서, 사회복지사는 문제의 원인이 클라이언트의 잘못에 의한 것인지 아닌지 심판하지 않으며, 클라이언트의 특성 및 가치관을 비난하지 않아야 한다. ( ) 21. 국가직

01 ○
02 ○ 비에스텍의 관계형성의 원칙 중 수용에 관한 설명이다.
03 × 수용은 문제행동도 옳다고 인정하고 받아들이는 것을 의미하지는 않는다.
04 × '클라이언트'가 아니라 '사회복지사'가 옳다.
05 × 통제된 정서적 관여는 사회복지사가 자신의 감정을 통제하는 것이다.
06 ○ 비에스텍의 관계형성의 원칙 중 통제된 정서적 관여에 관한 설명이다.
07 ○ 비에스텍의 관계형성의 원칙 중 비심판적인 태도에 관한 설명이다.

핵심 PLUS

① 클라이언트의 자기결정을 돕는 데 필요한 사회복지사의 역량
- 클라이언트가 **자신의 문제와 욕구를 전체적인 관점에서 관찰하고 이해**할 수 있도록 원조한다.
- 지역사회 내에 **클라이언트가 활용 가능한 자원들이 있음을 알려주고, 이를 분석**하도록 지원할 수 있어야 한다.
- 클라이언트가 **자신의 잠재력을 적극적으로 개발하고 활용**할 수 있는 환경을 조성할 수 있어야 한다.
- 경청하고 수용적인 태도로 **자기 자신이나 자신의 문제에 대해서 깊이 있게 성찰**할 수 있도록 원조해야 한다.

② 클라이언트의 자기결정을 위해 사회복지사가 피해야 할 사항
- 클라이언트에게 필요한 것을 **임의로 결정하고, 그 결정한 내용을 클라이언트에게 관철**시키지 말아야 한다.
- 사회복지사 중심의 서비스 계획을 수립하고, 지원내용과 방법 등을 결정하지 말아야 한다.
- 사회복지사의 판단에 따라 행동의 양식을 선택하거나 결정하도록 직 · 간접적으로 조정하지 말아야 한다.
- 통제와 같은 방법으로 클라이언트를 설득하지 말아야 한다.

7. 비밀보장(Confidentiality) 必

(1) 클라이언트의 욕구

클라이언트는 **자신의 비밀이 지켜지기를 원한다.**

(2) 사회복지사의 과업

① 사회복지사는 전문적 관계를 통해 알게 된 클라이언트의 비밀을 치료의 목적 이외에는 누설하지 말아야 한다.

② 비밀보장은 성공적인 전문적 관계를 위한 매우 중요한 기본 원칙이며, 동시에 사회복지사의 윤리적 · 법적 의무이다. 다만, **비밀보장의 원칙에는 예외 상황이 존재**한다.

핵심 PLUS

비밀보장의 예외 상황

① 클라이언트의 문제 해결과 관련하여 타 전문가와 필요한 정보를 공유해야할 경우
② 지도감독을 받기 위해 슈퍼바이저에게 보고해야 하는 경우
③ 클라이언트의 치료를 위해 전문가 회의를 할 경우
④ 비밀보장이 타인이나 클라이언트 자신의 생명을 위협하는 경우
⑤ 법정으로부터 클라이언트의 정보공개 명령을 받았을 경우

기출 OX

01 클라이언트의 자기결정 원리에 따르면 사회복지사는 의견이나 제안을 피력하지 않는다. ( ) 11. 지방직

02 자기결정은 사회복지사가 실천 과정에 함께 참여하도록 하고, 클라이언트의 능력에 상관없이 클라이언트 스스로 모든 사항을 직접 결정할 수 있도록 원조해야 하는 것이다. ( ) 18. 지방직

03 비밀보장은 원조 관계에서 알게 된 클라이언트에 대한 정보는 반드시 비밀을 보호해야 한다는 것이다. ( ) 19. 국가직

01 × '피력하지 않는다.'가 아니라 '피력할 수 있다.'가 옳다.
02 × '능력에 상관없이'가 아니라 '능력을 고려해서'가 옳다.
03 × '반드시'가 아니다. 비밀보장에는 예외 상황이 존재한다.

3 관계형성의 장애요인 - 변화를 방해하는 관계 21. 지방직, 11. 지방직(추가), 16. 국가직

1. 불신(Distrust)

(1) 클라이언트가 사회복지사를 신뢰하지 않는 현상을 말한다.

(2) **사회복지사의 대처 방법**

클라이언트와 **라포가 형성될 때까지 참고 기다려 준다.**

2. 비자발성(Involuntary) 必

(1) 개입에 대한 클라이언트의 **자발적인 참여 의지가 없는 현상**으로, 주로 법원이나 학교 등을 통해 사회복지사에 강제로 의뢰된 클라이언트에게서 나타난다.

(2) 클라이언트 자신의 변화 동기가 아닌 타인의 의지에 의해 사회복지사에게 의뢰되는 경우가 주요 원인이 된다.

(3) **비자발성을 지닌 클라이언트에 대한 동기화 및 개입 방법**

① 미래에 대한 희망과 용기를 준다.

② 저항의 실체를 수용한다.

③ 지금까지 견뎌온 것을 격려한다.

④ 부정적인 감정을 표출하도록 유도한다.

⑤ **다른 노력이 실패할 경우 '거래' 전략을 사용한다.**

⑥ 클라이언트가 자신의 양가감정을 인식하도록 성찰의 기회를 준다.

⑦ 클라이언트를 이해하기 위해 비언어적인 단서들을 찾아본다.

⑧ 클라이언트의 저항을 고려하여 대응이나 직면 기술의 사용은 가급적 피한다.

⑨ 사회복지사 개인의 경험을 노출한다. 단, 이때에 역전이 발생에 주의해야 한다.

핵심 PLUS

비자발적인 클라이언트와의 면접 시 지침(Kadushin & Kadushin, 1997년)

① 클라이언트에 대한 사회복지사 자신의 태도를 인식한다.

② 클라이언트를 의뢰한 기관과 사회복지사의 관계 및 의무사항을 이해한다.

③ 클라이언트의 의뢰기관에서 요구한 의무사항과 제한사항을 점검한다.

④ **사회복지사의 따뜻함과 존경심**은 클라이언트가 가질 수 있는 부정적이고 반항적인 감정에 대한 공감적 이해를 촉진시키는 의사소통 방법이 되며, 따라서 클라이언트의 저항감을 감소시킬 수 있다.

⑤ 사회복지사 자신은 **전문적 관계에서 정해진 법적인 의무사항, 한계, 결과에 따라 행동할 의무가 있음을 클라이언트에게 분명하게 알려준다.**

⑥ 법적인 의무사항의 범위 내에서 **클라이언트가 선택할 수 있는 다양한 대안을 제시**하고 이들 중에서 선택할 수 있는 자유가 있음을 알려주어야 하며, 또한 이를 존중해 주어야 한다.

⑦ 클라이언트가 걱정하는 문제를 해결하기 위해 기관에서 제공하는 서비스 중에 **무엇을 받기 원하는지를 적극적으로 탐색하고 고려**한다.

⑧ 사회복지사는 **클라이언트의 적(Enemy)이 아니라 동반자(Comrade)가 되기 위해 노력**해야 한다.

⑨ 초기 면접은 분명 강제적으로 진행되지만, 면접의 종결 뒤에는 **희망이 있음을 인식할 수 있도록 원조한다.**

3. 양가감정(Ambivalence) (必)

(1) 클라이언트가 사회복지사의 개입에 참여하여 **변화를 이루고자 하는 감정과 변화하는 것에 대한 두려움 때문에 개입에 참여하기를 거부하는 두 가지 감정이 혼재되는 현상**으로, 이는 **매우 자연스러운 현상**이다.

(2) **사회복지사의 대처 방법**

① 양가감정은 **클라이언트와의 초기 접촉단계에서부터 다루어져야 한다.**

② 양가감정이 매우 자연스럽고, 당연한 현상임을 설명하고 이를 수용하면 일반적으로 **클라이언트의 양가감정은 감소**하게 된다.

③ 양가감정을 인식하도록 **클라이언트에게 자기 성찰의 기회를 제공**해야 한다.

4. 저항(Resistance) (必)

(1) 클라이언트가 개입목표와 반대되는 행동을 보이는 현상을 말한다.

(2) 양가감정, 사회복지사에 대한 부정적 감정, 오해, 선입관 등이 원인이 된다.

(3) **유형**

침묵, 핵심에서 벗어난 주제를 말하기, 무력함 표현, 문제의 축소, 마술적 해법 기대, 행동으로 저항 심리 표현 등

> **핵심 PLUS**
>
> **침묵**
>
> **1. 침묵의 의미**
>
> 일반적으로 클라이언트의 침묵은 **클라이언트의 창조적 의지가 반영된 행동이며, 일종의 의사표현**이다. 즉, 침묵하는 시간을 통해 클라이언트는 자신을 음미하고, 생각하는 바를 정리하게 된다. 따라서 침묵은 클라이언트에게 매우 유익한 활동이 될 수 있다.
>
> **2. 클라이언트의 침묵 시 사회복지사의 대처 방법**
>
> ① 침묵의 이유를 파악한다.
>
> ② 사회복지사는 **조용한 관찰자가 되어 섣부르게 침묵을 깨지 말고 어느 정도 기다리면서 침묵의 의도를 탐색**해야 한다.
>
> ③ 사회복지사에 대한 강한 저항으로 침묵이 발생할 경우에 클라이언트는 마치 눈싸움을 하는 것처럼 또는 불쾌한 표정으로 사회복지사를 응시한다. 이때 사회복지사는 이러한 침묵의 원인이 되는 **클라이언트의 숨은 감정을 찾아서 언급해 주어야 한다.**
>
> ④ **다만, 침묵이 계속될 때에는 면접을 중단할 수도 있다.**

5. 전이(Transference) (必)

(1) **클라이언트가 어린 시절 누군가에게 지녔던 무의식적 감정**(예 사랑, 원망, 두려움 등)**을 사회복지사에게 보이는 현상**을 말한다.

(2) **사회복지사의 대처 방법**

클라이언트의 반응이 비현실적임을 지적하고 현실적인 관점을 갖도록 원조한다.

기출 OX

01 클라이언트가 개입목표와 반대되는 행동을 보이는 원인 중 하나는 양가감정이다. ( ) 11. 지방직(추가)

02 사회복지실천면접에서 클라이언트가 질문에 대하여 침묵하는 것 역시 일종의 의사표현이라는 것을 이해해야 한다. ( ) 21. 지방직

01 ○
02 ○

6. 역전이(Counter-Transference) 必

(1) **사회복지사가 어린 시절 누군가에게 지녔던 무의식적 감정을 클라이언트에게 보이는 현상**을 말한다.

(2) **사회복지사의 대처 방법**

자신의 감정의 기원을 파악하여 현실적으로 대처하도록 노력하지만 **전문적인 관계가 지속되기 어려울 것으로 판단될 경우 다른 사회복지사에게 '의뢰'**한다.

4 의사소통 21. 지방직

1. 개관

(1) **개념**

의사소통(Communication)은 **정보의 전달이나 관계 형성 · 유지를 위해 메시지를 교환하는 과정**(Process)으로, 인간 관계는 의사소통에 의해 이루어지며, 따라서 사회복지사와 클라이언트의 관계 역시 명확하고 안정적인 의사소통 활동이 필요하다.

(2) **과정**

① 의사소통 과정에서는 기본적으로 의사소통의 내용인 **메시지**(Message), **메시지를 보내는 사람인 송신자**(Sender)**와 메시지를 받는 사람인 수신자**(Receiver)가 있어야 한다.

② 송신자는 메시지를 보내면서 수신자로부터 피드백을 받으며 진행되는 **순환적 과정**(Cyclical Process)이다.

2. 형태

의사소통의 형태는 크게 **언어적 의사소통과 비언어적 의사소통**으로 나뉘어 있으며, 의사소통의 비중 면에서 **비언어적 의사소통이 언어적 의사소통에 비해 절대적으로 크다.** 따라서 사회복지사는 면접 시 클라이언트의 언어적 의사소통과 함께 비언어적 의사소통에도 관심을 가져야 한다.

(1) **언어적 의사소통**

① 사회복지실천의 핵심적인 의사소통 형태로, **언어를 매개로 교환되는 의사소통 유형**을 말한다.

② 사회복지실천의 의사소통은 **전문적 관계**(**또는 원조 관계**)**와 기관의 내 · 외부 간이나 타 전문분야 간의 정보교환을 촉진**시키기 위한 목적으로 사용된다.

기출 OX

01 사회복지실천의 개념 중 역전이(counter-transference)란 '사회복지사가 과거에 다른 사람에게 가졌던 감정을 현재의 클라이언트에게서 느끼는 현상'이다. ( ) 16. 국가직

02 사회복지실천면접에서 사회복지사는 면접 시 클라이언트의 언어적 표현과 함께 비언어적 표현에도 관심을 가져야 한다. ( ) 21. 지방직

01 ○
02 ○

핵심 PLUS

효과적인 언어적 의사소통을 위한 사회복지사의 태도

① 클라이언트의 **강점은 확대하는 반면, 문제는 최소화**한다.
② 클라이언트의 **이야기를 주의 깊게 듣고자 노력**한다.
③ 자신을 **방어하지 않고 개방적이 되려고 노력**한다.
④ 의사소통의 내용을 책임지려는 의지를 갖는다.
⑤ 의사소통 시 충분한 시간을 가지려고 노력한다.
⑥ 효율적으로 표현하기 위해 노력한다.

(2) **비언어적 의사소통**

시선접촉, 음성의 고저 · 크기 · 속도 · 질 · 억양 및 머뭇거림의 정도, 몸의 움직임이나 자세, 개인적인 공간[1], 접촉[2](예 손 · 팔 · 어깨 등을 잡아주는 것, 어깨를 다독여 주는 것 등), 옷차림과 외모 등을 말한다.

3. 나-전달법(I-Message)과 너-전달법(You-Message) (必)

(1) 나-전달법(I-Message)

① **기능적인 의사소통 유형**으로, '나(I)'를 주어로 표현하여 상대방의 행동에 대한 자신의 반응을 판단이나 평가(또는 비난) 없이 사실 그대로 알려줌으로써 **반응에 대한 책임을 자신이 지는 것**이다.

② 상대방에게 문제 행동에 대한 책임을 묻지 않고, **최종적인 결정권을 부여**하므로 감정이 담긴 강한 어조로 표현하더라도 **상대방은 방어적이지 않게 된다.**

③ **구성**: 상대방의 문제 행동에 대한 구체적이고 분명한 묘사, 그 행동으로 자신이 경험한 감정, 그 행동이 자신에게 미치는 명백한 영향, 자신의 요구나 바람

예 "넌 내게 도움을 구했고 난 너를 도와주고 싶지만 그럴 수 없어…. 나도 속상해"

(2) 너-전달법(You-Message)

① **역기능적 의사소통 유형**으로, '너(You)'를 주어로 표현하여 **지시나 명령 또는 비난을 섞어서 상대방에 대한 평가를 담은 표현을 하는 것**이다.

② 상대방에게 행동변화를 요구하지만 오히려 상대방이 받아들이기 어렵고 저항하게 만드는 효과를 가져온다.

예 "너 왜 맨날 약속을 어기는 거야?"

5 사회복지실천의 면접

1. 개념

(1) 클라이언트에 대한 원조를 목적으로 사회복지사와 클라이언트 간에 수행되는 의사소통 행위이며, **사회복지실천의 기본적 수단**이다.

(2) 전문적 관계를 바탕으로 이루어진다.

선생님 가이드

[1] 개인적인 공간(또는 근접거리)이란 의사소통 시 각 개인이 상대방과의 사이에서 확보하고자 설정한 물리적인 구역을 의미합니다. 보통 가까이 다가가면 신뢰와 친밀감을 표현하는 것이 될 수 있지만, 지나치게 밀착되면 오히려 상대방에게 위협적으로 인지될 수 있습니다. 따라서 사회복지사는 클라이언트의 몸의 움직임이나 자세를 면밀히 관찰하여 클라이언트가 설정한 개인적인 공간을 침범하지 말아야 합니다. 특히 사회복지사가 책상을 가운데 두고 클라이언트와 의사소통을 하게 되는 경우 사회복지사와 클라이언트 간에 친밀감이 저해되고, 자칫 클라이언트의 입장에서 사회복지사가 자신보다 우월하다는 생각을 가질 수 있으므로 사회복지사는 책상 옆으로 앉아 클라이언트와 대화하는 것이 바람직합니다.

[2] 접촉은 강력한 비언어적 의사소통방법이지만, 조심스럽게 활용되어야 합니다. 특히 신체적 또는 성적 학대를 당한 클라이언트에게 접촉은 무의식적 위협이나 그동안 겪었던 고통을 상기시키는 요인이 될 수 있으므로 가급적 사용을 자제하고 신중해야 합니다.

2. 특성(Compton & Galaway) 16. 국가직 必

(1) 세팅과 맥락

면접은 특정 클라이언트(또는 피면접자)에게 규정된 서비스를 제공하는 **기관의 상황[또는 세팅(Setting), 장]이 있고, 면접 내용은 특정상황(또는 맥락)에 한정**되어 있다.

(2) 목적과 방향

면접은 클라이언트의 문제 해결이라는 구체적인 목적을 달성하기 위한 **목적지향적인 활동**으로, 의사소통은 **개입목적에 관련된 내용들로 제한**된다.

(3) 한정적 · 계약적

면접은 **사회복지사와 클라이언트가 계약에 따라 상호 합의된 상태로 진행**되며, 사회복지사와 클라이언트가 목적달성을 위해 **제한된 시간 내에서 함께 활동**한다.

(4) 특정한 역할관계

면접 시 사회복지사와 클라이언트는 각각 특정한 역할관계를 규정하고 그 역할에 따라 상호작용한다.

(5) 공식적인 활동

면접은 개인적이거나 사적인 차원에서 이루어지는 것이 아니라 **공식적이고 의도적인 활동**이다.

3. 과업

(1) **효과적으로 시간을 활용할 수 있도록 구성**해야 한다.

(2) 기관의 정책과 절차를 클라이언트에게 설명해야 한다.

(3) 클라이언트가 잘못 이해하고 있는 부분을 교정해 주어야 한다.

(4) **전문적 관계와 사적 관계의 경계를 명확히 설정**해야 한다.

(5) 클라이언트가 안정되게 면접에 참여할 수 있는 좋은 분위기를 조성해야 한다.

(6) **사회복지사 자신의 편견과 선입견을 인지**해야 한다.

(7) 클라이언트의 문제에 대하여 적절한 논의를 해야 한다.

(8) 면접의 목적과 관련하여 클라이언트와의 상호작용에 초점을 맞추도록 노력해야 한다.

(9) 클라이언트의 비언어적 행동을 민감하게 관찰해야 한다.

4. 효과적인 면접에 영향을 미치는 요소

(1) 사회복지사의 자기인식의 정도

(2) 주고받는 심리에 대한 고유한 역동성 이해

(3) 원조 관계를 발전시킬 사회복지사의 능력

기출 OX

콤튼(Compton)과 갤러웨이(Galaway)에 따른 사회복지실천의 면접에 대한 특성에는 자유로운 분위기를 위해 계약을 지양한다. ( ) 16. 국가직

× '자유로운 분위기를 위해 계약을 지양한다.'가 아니라 '목적 달성을 위해서 계약을 지향한다.'가 옳다.

(4) 클라이언트를 존중하며 클라이언트로 하여금 의사소통 과정에 적극적으로 관여하도록 하는 사회복지사의 능력

(5) 클라이언트에게 기술적으로 말을 하고 질문하는 사회복지사의 능력

(6) 면접의 목적

(7) 면접이 행해지는 분위기와 장(場)

(8) 비밀보장의 정도

(9) 전이와 역전이 등에 대한 사회복지사의 인식

5. 효과적인 면접의 구성요소

면접장소	① 일반적 조건 ㉠ 사생활을 보장할 수 있어야 한다. ㉡ 안락하고, 조용해야 하며, 갑작스런 방해를 받지 않는 곳이어야 한다. ㉢ 환경이 열악한 경우에는 이에 대해 클라이언트에게 설명해 주어야 한다. ② 기타 고려해야 할 사항 ㉠ 적절한 채광과 조명 · 온도를 조절해야 한다. ㉡ **적절한 크기의 공간을 확보**해야 한다. ㉢ 방해받지 않는 분위기를 조성해야 한다. ㉣ **편안한 의자를 제공**해야 한다. ㉤ 개방적인 공간을 확보해야 한다. ㉥ 클라이언트의 특성이나 상황을 고려해서 **필요에 따라 면접장소를 유동적으로 정할 수 있다.** 예를 들어 거동이 불편한 클라이언트 경우에는 그의 집에서, 입원한 환자의 경우에는 병실에서, 긴박한 상황에서는 면접 대기실 · 버스정류장 · 공항에서, 청소년의 경우에는 공원이나 운동장 등에서 면접을 실시 할 수 있다.
시간제한의 계획	① **시간제한을 두면 면접을 더 신속하게 진행하는 데 도움**이 된다. ② 시작하는 시간과 진행 시간을 미리 정해야 목적에 부합하고 집중하는 면접이 이루어진다. ③ **클라이언트에게 면접의 횟수와 소요시간을 미리 알려주는 것이 바람직**하다. ④ **종결 시간은 사회복지사와 클라이언트의 동의와 참여로 정하는 것이 바람직**하다. ⑤ 클라이언트의 주의 집중 능력이나 의사소통 능력 등을 고려하여 면접시간을 조절할 수 있다.
면접자의 태도	① **옷차림과 행동**: 상황에 맞은 적절한 옷을 갖추어 입어야 한다. ② 클라이언트에 대한 관심과 염려를 보여 줄 수 있는 행동을 해야 하므로 면접 중 등을 기대거나 눈을 감거나 먼 곳을 주시한다거나 하는 행동은 삼가야 한다. ③ 면접장소 등 **물리적인 환경이 열악한 경우, 이에 대해서 설명**하고 양해를 구한다. ④ 신체적 접촉도 고려해야 한다. 다만, 손을 잡거나 어깨에 손을 올리는 행위 등은 신중해야 한다. ⑤ **클라이언트와 적당한 거리를 확보**해야 한다.

6. 면접의 유형 (必)

(1) 구조화 정도에 따른 종류

구분	내용
구조화된 면접 (또는 표준화 면접)	① 면접상황에 관계없이 **모든 피면접자에게 동일한 절차와 방법으로 수행되는 면접**이다. ② 사전에 준비한 동일한 순서나 내용으로 질문하므로 서로 다른 피면접자 간의 면접 내용 비교가 가능하다. ③ 사용이 적절한 경우 ㉠ 수집한 자료를 비교하는 것이 중요할 때 ㉡ 한 명 이상의 면접자가 면접을 수행할 때 ㉢ 면접자의 면접경험이 부족할 때 ④ 한계 ㉠ 정서적 내용이 거의 없다. ㉡ 피면접자에 따라 특정한 질문이 해당되지 않거나 부적절할 수 있어 면접시간을 낭비할 수 있다.
반구조화된 면접	① 지침이 있는 면접, 즉 미리 결정된 질문이 있으나 **구조화된 면접과는 달리 피면접자의 반응에 따라 적절한 시점에서 개방형의 질문을 하는 면접**이다. ② 특징 ㉠ 특정관점에서 질문할 수 있다. ㉡ 비구조화된 면접이나 구조화된 면접 양자의 장점을 취할 수 있다. ③ 사용이 적절한 경우: 사람들 사이의 정보를 비교하고자 하면서도 각각의 개인 경험에 대한 심층적 이해를 원할 때
비구조화된 면접 (또는 비표준화 면접, 개방형 면접)	① 어떠한 구조화된 지침도 없이 **면접자의 의도와 즉시적인 질문 창출로 진행되는 면접**이다. ② 피면접자의 세계에 대해 심층적인 이해를 얻고자 할 때 사용한다.

(2) 목적에 따른 면접의 종류(Zastrow)

<table>
<tr><td rowspan="7">정보수집면접</td><td colspan="2">① 클라이언트와 그의 상황을 이해하는 데 필요한 다분히 객관적인 정보를 수집하는 면접이다.
② 면접에 포함되는 내용</td></tr>
<tr><td>일반적인 사항</td><td>나이, 성별, 학력, 결혼상태, 주소 등</td></tr>
<tr><td>현재 문제</td><td>현재 상황, 현재 문제와 관련된 과거력 등</td></tr>
<tr><td>가족력</td><td>클라이언트와 원가족과의 관계, 부부 관계, 자녀 관계 등</td></tr>
<tr><td>개인력</td><td>성장 과정, 성장 과정상의 문제, 교우 관계, 직장생활, 결혼생활 등</td></tr>
<tr><td>사회적 · 직업적 기능</td><td>클라이언트의 사회적 직업적 기능 정도 등</td></tr>
</table>

사정면접	① **서비스와 관련된 의사결정을 하기 위한 면접**으로, 정보수집면접보다 목적지향적이다. ② 면접에 포함되는 내용 ㉠ 문제와 욕구 상황에 대한 이해 ㉡ 클라이언트가 지닌 자신의 문제와 욕구에 대한 의미 파악 ㉢ 문제에 대한 클라이언트의 반응 파악 ㉣ **클라이언트의 강점** 파악 ㉤ **문제해결 과정의 장애물** 파악 ㉥ **클라이언트의 욕구의 우선순위 설정**
치료면접	치료면접은 **클라이언트의 변화 원조와 환경 변화 원조**를 위한 2가지 형태로 진행된다. ① 클라이언트의 변화 원조를 위한 치료적 면접: **클라이언트의 자신감 · 자존감 · 자기효율성을 강화시키고,** 필요한 기술 훈련을 실시하여 문제 해결 능력을 키워주는 것으로, 인지적 재구조화, 기적질문, 예외질문, 명료화 등의 기법을 활용한다. ② 환경의 변화 원조를 위한 치료적 면접: 클라이언트의 권리와 이익을 대변하기 위해 클라이언트와 관련된 환경체계 내의 중요 인물들 또는 사회복지지관이나 공무원 등의 이해관계인을 대상으로 진행하는 면접이다.

회독 Check! 1회 □ 2회 □ 3회 □

제6절 사회복지실천 과정

핵심 PLUS

일반적인 사회복지실천 과정 19. 국가직, 18. 서울시 必

① 일반적인 사회복지실천 과정은 '**접수 → 자료수집 → 사정 → 계획수립(또는 목표 설정) → 계약 → 개입 → 평가 및 종결 → 사후관리**'의 단계로 진행된다.

② 또한 이러한 과정은 크게 **초기 단계(접수와 자료수집) → 사정 및 계획 단계 → 개입 단계 → 종결단계로 구분**할 수 있다.

기출 CHECK

1. 사회복지실천 과정을 순서대로 나열한 것으로 가장 옳은 것은? 18. 서울시

① 계획 → 개입 → 사정 → 평가 → 종결
② 계획 → 사정 → 개입 → 종결 → 평가
③ 사정 → 개입 → 계획 → 평가 → 종결
④ 사정 → 계획 → 개입 → 평가 → 종결

답 ④

2. 사회복지 실천 과정을 순서대로 바르게 나열한 것은? 19. 국가직

① 접수 → 자료수집 및 사정 → 개입 → 목표설정 및 계약 → 평가 및 종결
② 접수 → 목표설정 및 계약 → 개입 → 자료수집 및 사정 → 평가 및 종결
③ 접수 → 목표설정 및 계약 → 자료수집 및 사정 → 개입 → 평가 및 종결
④ 접수 → 자료수집 및 사정 → 목표설정 및 계약 → 개입 → 평가 및 종결

답 ④

1 접수(Intake)

1. 개념

원조 관계의 시작 단계로, **적격판단(適格判斷) 과정**, 즉 **클라이언트의 문제와 욕구를 확인하여 기관의 정책과 서비스에 부합되는지를 판단**하며, 이를 통해 **기관에서 제공하는 서비스를 받을 수 있는지의 여부를 결정**하는 과정이다.

2. 주요 과업 20. 국가직 (必)

(1) 클라이언트의 문제와 욕구 그리고 기대를 확인하기

(2) 기관의 서비스에 대한 정보 제공, 즉 클라이언트에게 원조 과정(예 자격요건, 이용 절차, 비용 등)에 대해 안내하기

(3) 자료수집하기(단, 클라이언트의 **문제와 기관의 서비스 간 부합 여부를 판단하는 데 필요한 정도로만 수집**한다)

(4) 서비스 제공 여부를 결정하기

(5) 초기 면접지(Intake Sheet), 정보 제공동의서 등 서비스 제공 과정에 대한 안내 및 관련 서식을 작성하기

> **핵심 PLUS**
>
> **초기 면접지에 포함되어야 하는 내용**
>
> ① **클라이언트의 기초적인 정보**: 성명, 나이, 주소, 연락처, 직업, 혼인 관계, 가족 관계, 종교 등
> ② 클라이언트가 **호소하는 주요 문제**
> ③ 클라이언트가 **기관을 찾게 된 주요 동기**
> ④ 클라이언트가 **이전에 서비스를 받은 경험**
> ⑤ 의뢰되어 온 클라이언트의 경우에는 **의뢰된 이유**

(6) **의뢰(Referral)하기**

클라이언트의 문제를 기관의 기능으로 해결하는 것이 어려울 경우 **다른 적합한 기관에 연결**시켜주어야 한다.

> **핵심 PLUS**
>
> **의뢰 시 주의 사항**
>
> ① **반드시 클라이언트의 동의를 구해야 한다.**
> ② 클라이언트에게 의뢰 이유를 설명해주어야 한다.
> ③ 클라이언트 입장에서 도움이 될 만한 곳을 추천해 주어야 한다.
> ④ 의뢰에 대한 클라이언트의 준비 상태를 확인해야 한다.
> ⑤ 의뢰로 인해 클라이언트가 버림받았다는 느낌을 갖지 않도록 배려해야 한다.
> ⑥ 의뢰된 기관에서 제공될 서비스에 대해 **비현실적으로 보증하는 것을 삼간다.**
> ⑦ 지역 사회 내 자원(의뢰 기관)에 대한 구체적인 정보를 클라이언트에게 제공하고 공유해야 한다. 단, **그곳에서 사회복지사가 사용할 기술이나 방법까지 구체적으로 알려주지는 않는다.**
> ⑧ 클라이언트에게 필요한 서비스가 제공되는 **다른 기관의 정보도 제공**하여 이들 중에서 클라이언트가 선택하도록 해야 한다.
> ⑨ 의뢰 후 필요한 경우 다시 접촉할 수 있음을 클라이언트에게 고지해야 한다.

(7) 참여유도를 통해 클라이언트의 저항감을 해소시키고, 동기화시키기

(8) 클라이언트와 긍정적인 원조 관계를 수립하고, 상호신뢰(相互信賴)를 확보하기

2 자료수집

1. 개념

(1) 클라이언트의 문제 파악과 관련된 **'사실적 자료(또는 정보)'를 수집하는 단계**(Collecting Data)로, **사정과 더불어 실천의 전 과정에서 이루어지는 지속적인 과정**이다.

(2) **수집된 자료를 바탕으로 사정이 이루어지지만,** 실제 자료수집과 사정은 거의 동시에 반복적으로 진행되는 것이 일반적이다.

2. 자료의 내용과 원천

(1) **자료의 내용**

자료의 내용이란 클라이언트의 정보를 말하며, 클라이언트의 정보는 **수직적 정보와 수평적 정보**로 분류할 수 있다.

수직적 정보	**시간적 차원에서 발생한 클라이언트의 정보**를 말한다. 예 개인력, 가족력 등
수평적 정보	**구조적 차원에서 발생한 클라이언트의 정보**를 말한다. 예 현재 클라이언트의 기능, 자원, 강점, 한계, 환경, 원가족과의 관계, 문제에 관한 정보 등

(2) **자료의 원천**

① 클라이언트에게서 직접 얻은 자료: 클라이언트의 진술, 클라이언트가 작성한 양식, 클라이언트의 모니터링❶ 등

② 클라이언트의 가족에게서 얻은 자료

③ 객관적인 자료: 클라이언트와 관계가 있는 행정기관이나 서비스 제공자로부터 얻은 자료, 심리검사 결과 자료 등

④ 클라이언트의 개인적 관계에서 얻은 자료: 클라이언트의 친구, 이웃 등으로부터 얻은 자료

⑤ 클라이언트와의 상호작용을 통해 사회복지사가 주관적으로 얻은 개인적 경험

3. 자료수집 시 주의 사항

(1) 성공적인 자료수집을 위해서는 **자료수집의 전과정에서 클라이언트의 참여가 필수적**이다.

(2) 클라이언트의 언어적 표현과 비언어적 행동이 불일치할 경우에는 오히려 클라이언트의 진솔한 감정이 담겨있는 **비언어적인 행동에 더 주의**해야 한다.

선생님 가이드

❶ 클라이언트의 모니터링이란 매우 유용한 자료의 원천으로, 자신의 문제를 명확하게 인식하지 못하고 있는 클라이언트에게 그 문제행동의 빈도나 발생 시 감정, 생각 등을 글로 기록하게 하여 스스로 확인해 보도록 하는 방법을 말합니다. 이를 통해 클라이언트는 자신의 상황에 대한 통찰력을 얻을 수 있으며, 사회복지사와의 협력자의 역할을 수행함으로써 역량강화의 효과까지 구할 수 있습니다.

기출 OX

접수 단계에서는 클라이언트와 긍정적 관계조성 및 상호신뢰를 확보해야 한다. ( ) 20. 국가직

○

(3) 클라이언트와 사회복지사의 상호작용 유형을 파악하여 **클라이언트와 제3자의 상호작용 유형을 짐작**할 수 있다.

(4) 클라이언트 **진술의 주관성과 이로 인한 사실 왜곡에 주의**해야 한다.

(5) 자료수집에는 클라이언트의 **문제와 욕구 이외에도 강점과 자원 역시 모두 포함**되어야 한다. 즉, 자료수집 시 자칫 클라이언트의 문제와 욕구에만 관심을 갖기 쉬우나 **사정에 적합한 자료수집의 범위에는 강점과 자원 역시 포함**되어야 한다.

(6) 클라이언트와 관계된 사람들로부터 부수적인 정보를 얻는 과정에서 때로는 각 **정보제공자의 관점차이 등에 따라 상반된 정보를 제공하는 자료를 취득**될 수도 있다. 예를 들어 고부 간 갈등이 있는 가정에 개입할 경우 갈등의 원인에 대해 며느리는 시어머니의 괴롭힘으로, 시어머니는 며느리의 품행과 예절 때문이라며, 서로 상반된 정보가 담긴 자료를 사회복지사에게 제공할 수 있다. 이때 **사회복지사는 이러한 자료를 활용해 어떠한 상호작용이 이런 관점차이에 영향을 미쳤는지를 파악**해야 한다.

(7) 대부분의 클라이언트는 다양하고 복잡한 문제를 가지고 있기 때문에 **클라이언트의 문제를 다양하게 규정할 수 있어야 한다.**

3 사정❷

1. 개념 20. 국가직, 23. 지방직 (必)

(1) **사정(Assessment)**이란 다양한 사정도구(예 가계도, 생태도 등)를 활용하여 **수집된 '사실적 자료'를 분석하여 전문적인 개입의 목적과 목표를 결정하는 과정**이다.

(2) 사정이란 수집된 정보를 바탕으로 **전체적인 상황을 이해하는 사고의 전개 과정**이다.

(3) 사정이란 **클라이언트의 능력, 강점, 자원을 함께 평가하는 과정**이다.

(4) 사정이란 **평가를 위한 개입의 기초선을 파악하는 과정**이다.

(5) 사정이란 개입을 위해 **클라이언트의 욕구와 문제를 다각적인 측면에서 파악하는 과정**이다.

2. 범주

사정의 범주는 **문제발견, 정보발견, 문제형성으로 구분**할 수 있다.

(1) **문제발견(Problem Discovery)**

① **사정의 가장 기초 단계**로, 우선 **클라이언트가 제시한 문제에 초점**을 둔다.

② 문제정의, 즉 '문제가 무엇인가?'에 관해서는 **클라이언트 자신이 중심이 되어 정의**해야 하며, 사회복지사는 이러한 과정을 원조해야 한다.

❷ 사정은 조사와 진단을 포괄하는 개념으로, 진단주의자들의 의료모델에서 사용하던 용어인 진단(Diagnosis)을 대신해서 1970년대 이후 사정(Assessment)이 사회복지실천 분야에서 주류화되기 시작한 용어입니다.

기출 OX

01 개입 단계에서는 가계도 및 생태도 등을 활용한 클라이언트의 객관적인 정보를 파악한다. ( ) 20. 국가직

02 사정은 클라이언트의 욕구와 문제를 이해하는 과정이다. ( ) 23. 지방직

01 × '개입 단계'가 아니라 '사정 단계'가 옳다.
02 ○

(2) **정보발견(Information Discovery)**

문제를 조금 더 이해하기 위해서 문제와 관련된 정보를 수집하는 단계이다.

> **핵심 PLUS**
>
> **사정 시 정보를 수집하는 지침(Brown & Levitt)**
>
> ① 누가 문제체계에 관여되어 있는가?
> ② 문제체계에 관여된 사람들은 어떻게 상호작용을 해서 문제를 야기시키는가?
> ③ **클라이언트는 문제에 어떤 의미를 부여**하는가?
> ④ 어디에서 또는 어떤 상황하에서 문제행동이 일어나는가?
> ⑤ 언제 문제행동이 일어나는가?
> ⑥ 문제행동이 일어나는 빈도의 정도는 얼마 만큼인가?
> ⑦ 문제행동은 언제부터 있어 왔는가?
> ⑧ 문제와 관련되어 충족되지 못한 욕구는 무엇인가?
> ⑨ **문제에 대한 클라이언트의 정서적 반응**은 무엇인가?
> ⑩ 문제를 해결하는 데에는 어떠한 대처기술이 필요하며, 클라이언트는 문제에 대해 그 동안 어떻게 대처해 왔는가?
> ⑪ **클라이언트는 어떤 강점과 기술을 가지고 있는가?**
> ⑫ **클라이언트가 필요로 하는 외부의 환경적 자원은 무엇인가?**

(3) **문제형성(Problem Formation)**

발견된 정보들을 분석해서 사회복지사가 전문가적 소견으로 **클라이언트의 문제를 욕구로 바꾸어 판단(또는 진술)하는 단계**이다.

3. 특징 13. 국가직 (必)

(1) 사정은 **자료수집 단계와 순환하는 단계로, 실천의 전 과정에서 이루어지는 지속적인 과정**이며 결과물❶이다.

(2) 사정의 초기 단계에서는 클라이언트의 수평적인 정보, 즉 현재의 대인 관계나 기능 등을 중심으로, 시간이 지나가면서 클라이언트의 수직적인 정보, 즉 과거력, 개인력 등을 수집하는 것이 바람직하다.

(3) 사정은 **이중초점(Dual Focus), 즉 상황(또는 환경) 속의 인간 관점**을 갖는다. 따라서 클라이언트의 문제와 그를 둘러싼 자원을 함께 다룬다.

(4) 사정은 사회복지사와 클라이언트의 **쌍방향적 상호작용 과정**이다.

(5) 사정은 **클라이언트의 문제와 욕구에 따라 개별화**해야 한다.

(6) 사정을 통해 클라이언트를 완전히 이해하는 데에는 한계가 있다.

(7) 사정 시에는 개입 계획을 수립하기 위해 수집된 정보에 대한 분석을 하게 되며, 이 과정에서 **사회복지사의 전문적 시각에 따른 주관적 판단이 개입될 수도 있다.**

(8) 사정은 클라이언트와 함께 진행해야 한다. 즉 사정 과정에는 **사회복지사뿐만 아니라 클라이언트의 관여도 필요**하다.

(9) 사정 시 클라이언트를 둘러싼 부정적인 측면뿐만 아니라 **긍정적인 측면, 즉 강점도 고려해야 한다.**

선생님 가이드

❶ 사정은 가계도나 생태도와 같은 기록물을 발생시킵니다. 이런 의미에서 사정은 사회복지사에 의해 기록된 기록물, 즉 결과물로서의 특징을 가지고 있습니다.

기출 OX

01 사정에서는 클라이언트와 그를 둘러싼 환경의 부정적 측면뿐만 아니라 긍정적 측면도 고려해야 한다. ( ) 13. 국가직

02 사정은 환경 속의 인간이라는 맥락에 기초한다. ( ) 23. 지방직

03 사정은 클라이언트의 상호협력적 활동이다. ( ) 23. 지방직

01 ○
02 ○
03 ○

4. 자료의 원천

(1) 클라이언트의 구두 진술, 또는 자기 모니터링

(2) 검사도구로 측정한 클라이언트의 상태

(3) 클라이언트의 비언어적 행동이나 태도에 대한 관찰

(4) 클라이언트에 대한 사회복지사의 주관적 관찰

(5) 사회복지사를 대하는 클라이언트의 태도

(6) 클라이언트와 다른 구성원 간의 상호작용 관찰

(7) 기록물(예 초기 면접지, 심리검사, 신체검사, 성격검사 등)

(8) 부수정보(예 클라이언트의 가족 · 친구 · 동료 · 이웃 등이 제공하는 정보나 의견)

4 사정도구

사회복지실천의 사정도구는 **사정의 대상에 따라 개인사정도구, 가족사정도구, 집단사정도구**로 구분된다.

1. 개인 사정도구

개인을 사정하는 대표적인 도구로는 **사회적 관계망표, PIE(Person-In-Environment) 분류체계, DSM-5** 등이 있다.

(1) **사회적 관계망표(Social Network Grid, 또는 사회적 관계망 그리드)**

① **휘태커와 트레이시(Whitaker & Tracy)에 의해 개발된 개인 및 가족 사정도구**이다.

② 사회적 관계망[2]을 표를 이용하여 **개인이나 가족**의 **사회적 지지체계를 사정하는 도구**이다.

③ **제공정보**: 사회적 관계망의 중요한 인물, 사회적 지지를 받는 생활영역, 사회적 지지의 강도 및 유형, 소속감, 유대감, 접촉빈도, 관계기간 등

클라이언트	생활영역	물질적 지지	정서적 지지	정보 · 충고	비판	원조의 방향	친밀성	얼마나 자주 보는가?	얼마나 오래 알았는가?
김누리	1. 동거가족 2. 다른가족 3. 직장 · 학교 4. 조직들 5. 친구 6. 이웃 7. 전문가 8. 기타	1. 거의 없음 2. 간혹 있음 3. 항상 있음	1. 거의 없음 2. 간혹 있음 3. 항상 있음	1. 거의 없음 2. 간혹 있음 3. 항상 있음	1. 거의 없음 2. 간혹 있음 3. 항상 있음	1. 양방향 2. 당신이 그들에게 3. 그들이 당신에게 4. 없음	1. 거의 없음 2. 간혹 있음 3. 매우 친밀	0. 보지 않음 1. 연 몇 회 2. 매달 3. 주별 4. 매일	1. 1년 미만 2. 1~5년 3. 5년 이상
전종선(남편)	1	1	1	1	1	1	1	1	1
전수진(딸)	2	2	2	2	2	2	2	2	2
전인제(아들)	2	2	2	2	2	2	2	2	2
신용호(친구)	5	3	3	3	3	3	3	3	3

❷ 사회적 관계망(Social Network)이란 클라이언트의 환경 내에 영향을 미치는 중요한 사람이나 체계를 말합니다.

(2) **PIE(Person-In-Environment) 분류체계(또는 척도)**

① 체계이론적 관점에서 **상호작용 맥락에 대한 이해를 통해 성인 클라이언트의 사회적 기능 수행상의 문제를 묘사 · 분류 · 기호화하기 위해 마련**되었다.

② 구성: **사회기능상 문제, 환경상 문제, 정신건강상 문제, 신체건강상 문제** 등 4가지 기본 구성요소로 이루어져 있다.

Factor Ⅰ 사회기능상 문제	개인의 연령이나 발달단계에 맞추어 사회가 요구하는 일상생활 수행 기능성 문제
Factor Ⅱ 환경상 문제	개인의 사회적인 기능과 안녕(Well-Being)에 영향을 미치는 **외부적인 요소들**로, 개인을 둘러싼 사회체계의 종류, 문제의 유형과 심각성 · 지속기간 등
Factor Ⅲ 정신건강상 문제	사회적 기능성에 영향을 미칠 수 있는 정신적 이상 및 장애
Factor Ⅳ 신체건강상 문제	사회적 기능성에 영향을 미칠 수 있는 신체건강 상의 문제

(3) **DSM-5(Diagnostic and Statistical Manual of Mental Disorders 5th Edition, 정신질환 진단 및 통계 편람 제5판)**

① 미국정신의학협회(American Psychiatric Association)에서 출간하는 **클라이언트 개인의 정신장애 진단과 분류에 사용되는 사정도구**이다.

② 정신이상, 감정장애, 불안장애, 해리장애, 신체형 통증장애, 인격장애, 성적(性的)장애, 섭식장애, 수면장애, 적응장애, 충동조절장애 등의 범주로 구성되어 있다.

2. 가족 사정도구 (必)

가족을 사정하는 대표적인 도구로는 **가계도, 생태도, 생활력도표, 가족생활주기표** 등이 있다.

(1) **가계도(Genogram)** 13 · 18. 지방직, 15. 국가직

① **보웬(Bowen)**[1]**이 자신의 다세대전수 가족치료모델에서 활용**하기 위해 개발하였다.

② 일반적으로 **2~3세대 이상 가족의 정보를 다양한 상징(또는 그림)을 통해 보여주는 가족 사정도구**이다.

③ 사회복지사와 가족의 상호 협조에 의해 작성한다.

④ **제공정보: 일반적으로 2~3대에 걸친 가족의 구성 및 구조 및 변화**, 가족 내 하위체계 간 경계의 속성, 종단 및 횡단 · 종합 및 통합적인 가족의 속성, **가족의 생애주기**, 출생 · 질병 · 사망 · 결혼 · 이혼 · 재혼 등의 생활 사건, 성별 · 나이 · 직업 · 종교 등의 사회 · 인구학적 특성, **가족규칙, 세대 간의 반복적인 정서적 · 행동적 유형 · 사건 · 특징, 가족성원의 역할과 기능의 균형상태**, 가족의 지배적 주제, 가족 내 삼각 관계 유형 등

선생님 가이드

❶ 보웬은 다세대전수 과정 개념을 제시하여 어떤 개인의 심각한 수준의 역기능 상태는 몇 세대에 걸친 가족정서체계 작용의 결과로 보았습니다. 이를 확인하고, 또한 치료의 도구로 활용하기 위해 가계도를 개발하였습니다.

기출 OX

01 가계도란 2~3세대까지 확장해서 가족구성원에 관한 정보와 그들 간의 관계를 도표로 작성하는 방법이다. ( ) 15. 국가직

02 생태도는 복잡한 가족유형을 한눈에 볼 수 있게 하는 그림으로, 가족 성원의 세대 간 맥락에 기반한 정서적, 행동상의 문제를 검토하는 데 유용하게 활용된다. ( ) 13. 지방직

03 가계도는 가족의 2~3세대 이상에 대한 정보를 제공해 주며, 가족 내에서 반복되는 정서적 · 행동적 패턴을 이해할 수 있다. ( ) 18. 지방직

01 ○
02 × '생태도'가 아니라 '가계도'가 옳다.
03 ○

⑤ 주요 상징

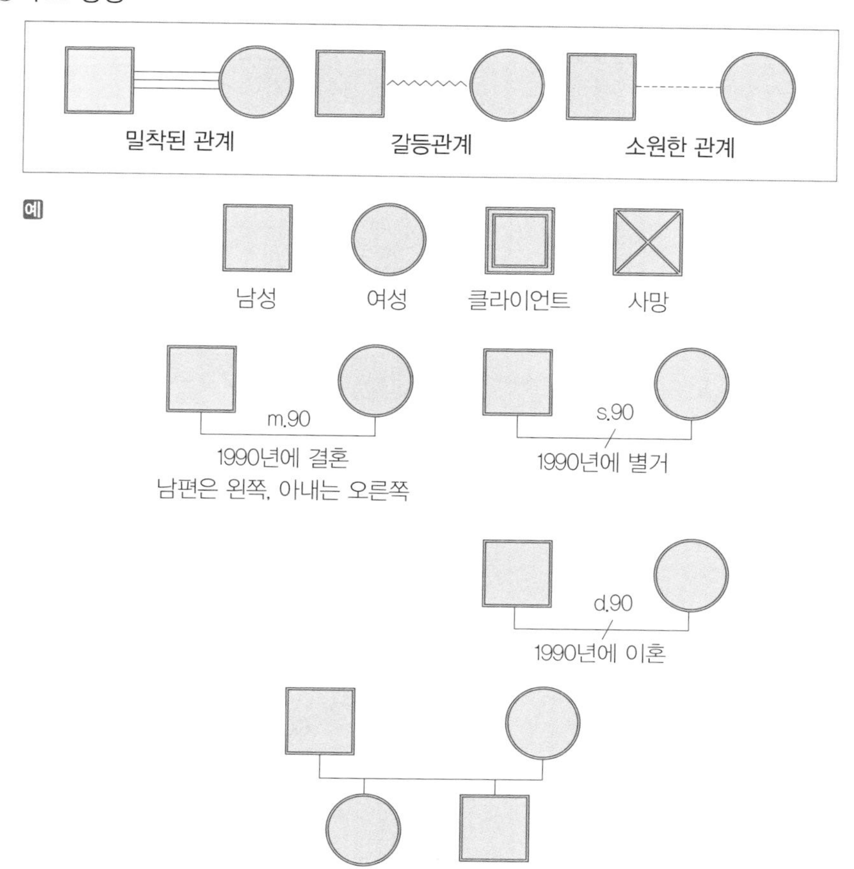

(2) **생태도(Ecomap)** 13 · 18. 지방직

① **하트만(Hartman)에 의해 고안**된 가족 사정도구로, **생태체계적 관점, 즉 환경 속의 인간관이 반영**되었다.

② 다양한 **상징(또는 그림)을 활용**하여 가족과 그들에게 있어서 의미 있는 **환경체계들과의 역동적인 상호작용을 시각적으로 제시**한다.

③ 사회복지사와 가족의 상호 협조에 의해 작성한다.

④ 제공정보: **가족의 환경체계**(예 가족이 이용하는 서비스 기관의 종류, 가족의 여가활동, 이웃주민들과의 친밀도, 확대가족의 관계 등), **각 가족성원과 자원체계 간의 에너지 흐름**, 각 가족성원과 자원체계 간의 관계의 양과 질, 가족의 환경체계에 변화가 필요한 내용, 가족에게 부족한 자원과 보충되어야 할 자원 등

⑤ 작성 방법: 중앙에 가족체계를 나타내는 원을 표시한다. → 원 내부에 가족원들을 가계도의 상징에 맞추어 표시한다. → 가족과 상호작용하는 **다른 체계들은 원 외부에 작은 원으로 표시**한다. 이때 **원의 크기는 자원의 양**을 나타낸다. → 가족과 상호작용하는 체계의 관계를 선으로 표시한다. 이때 **선의 모양은 관계의 정도**를 나타낸다.

기출 OX

01 생태도는 클라이언트의 상황에서 의미 있는 체계들과의 관계를 시각적으로 제시한다. ( ) 21. 국가직

02 생태도는 가족의 건강한 성장, 발전 및 적응에 기여하는 외부환경과의 상호교류와 가족생활을 해치며 가족기능을 약화시키는 외부환경과의 상호교류에 대한 이해를 돕는 기능을 한다. ( ) 13. 지방직

03 생태도를 통해 클라이언트와 가족이 외부 체계들과 맺고 있는 관계의 범위와 특성을 확인할 수 있다. ( ) 21. 국가직

04 생태도를 통해 클라이언트와 외부 체계와의 관계에서 자원 교환이나 에너지의 흐름 등을 파악할 수 있다. ( ) 21. 국가직

01 ○
02 ○
03 ○
04 ○

⑥ 주요 상징

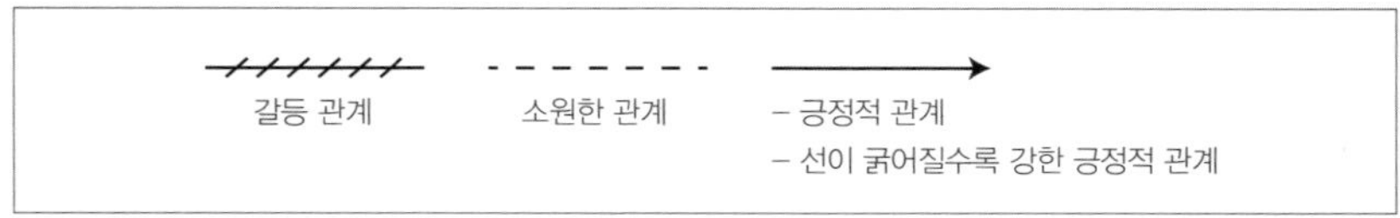

예

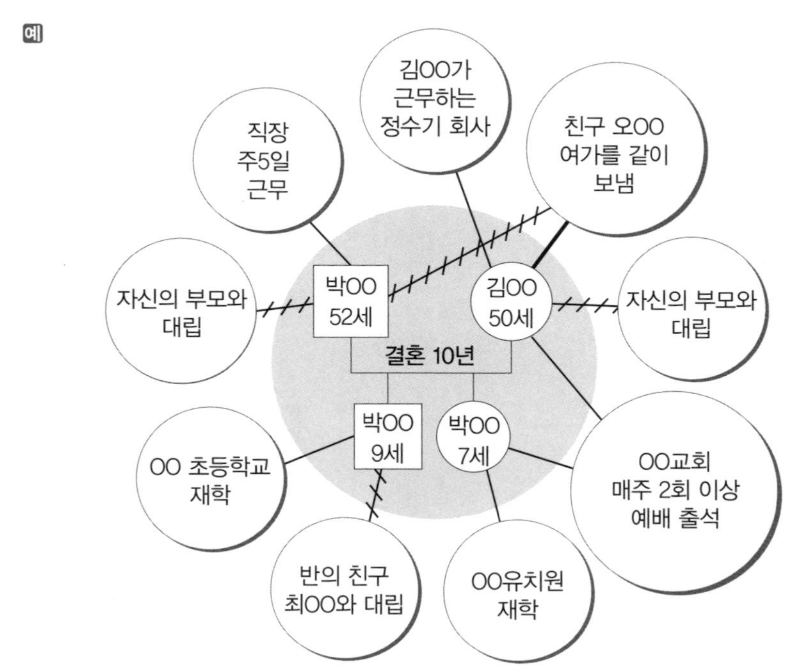

(3) **생활력도표(Life History Grid, 또는 생활력표, 사회력표, 가족생활력표)**

① 가족 기간(또는 생애) 동안 가족에게 발생한 **주요 사건(또는 문제)의 발전 과정에 관한 정보를 특별한 상징 없이 표를 이용하여 시계열적(또는 종단적)으로 전개한 가족 사정도구**이다.

② **제공정보:** 가족 기간 동안 가족성원에게 발생한 중요한 생활사건이나 문제, 특정 가족 발달단계에서의 생활경험 등

예

연도	장소	가족	주요 사건	주요문제
1979	대구	장녀	출생	미숙아로 출생함
1997	대구	남편	실직	가족의 생계에 큰 문제가 발생함
2005	대구	장녀	사망	교통사고로 사망함
2020	대구	남편	사회복지학과 입학	사회복지사가 되기 위해 만학의 길을 선택함

(4) **가족생활주기표(Family life Cycle Matrix)**

① **남녀 간의 결혼으로 가족이 형성되는 시점부터 배우자의 사망으로 가족이 해체되는 시점까지** 가족의 변화와 발달 과정을 구조화시킨 것이다.

② 주로 가족구조와 발달과업을 파악하고, 가족이 발달하면서 경험하게 될 사건이나 위기를 예측하기 위해 활용된다.

예 듀발(Duvall)의 가족생활주기 8단계

순서	단계	시기	발달과업
제1단계	가족 형성기 (신혼 가족)	자녀가 출생할 때까지	• 가정의 토대 확립하기 • 공유된 재정적 체제 확립하기 • 누가, 언제, 무엇을 할 것인가에 대해 상호적으로 수용 가능한 유형 확립하기 • 상호 간 만족스러운 성적 관계 확립하기 • 만족스러운 의사소통유형 확립하기 • 우정의 연결망 확립하기 • 친척들과의 관계 확립하기 • 미래의 부모역할을 어떻게 할 것인가 결정하기 • 서로서로에 대한 헌신의 본질과 의미 결정하기
⬇			
제2단계	출산 가족	출생~36개월까지의 자녀가 있는 가족	• 생활비용 충족시키기 • 가사의 책임분담 재조정하기 • 의사소통을 보다 효율화시키기 • 영아를 포함하는 생활유형에 적응하기 • 조부모를 가족단위 속에 조화시키기
⬇			
제3단계	학령전자녀 가족	6세까지의 자녀가 있는 가족	• 확대되는 가족에게 요구되는 공간과 설비를 갖추는 데 필요한 비용 충당하기 • 자녀를 포함하는 가족생활의 예측 가능한 비용과 예측 불가능한 비용 충족시키기 • 변화하는 가족욕구를 충족시켜야 하는 책임에 적응하기 • 가족성원들 사이의 의사소통유형에 적응하기
⬇			
제4단계	학령기 자녀 가족	6세~13세 까지의 자녀가 있는 가족	• 자녀의 활동을 충족시키고 부모의 사생활 보장하기 • 재정적 지급능력 유지하기 • 결혼생활을 유지하기 위해 노력하기 • 자녀의 변화하는 발달적 요구에 효과적으로 대응하기 • 자녀의 발달을 돕기 위하여 학교와 보조 맞추기 • 우호적인 친구 관계가 형성될 수 있도록 적극 지원하기
⬇			
제5단계	청소년 가족	13세~20세 청소년가족	• 가족성원들의 다양한 요구에 대비하기 • 가족의 금전 문제에 대처하기 • 모든 가족성원들이 책임 공유하기 • 성인들의 부부 관계에 초점 맞추기 • 청소년과 성인 사이의 의사소통 중재하기 • 훈육과 통제 대신 자신의 인생에 있어서 책임의식을 가질 수 있도록 지도하고 격려하기
⬇			

제6단계	성인 자녀를 갖는 가족	자녀가 독립한 가족	• 가정의 물리적 설비와 자원 재배치하기 • 성인생활로 들어가는 자녀들에게 필요한 생활비용 충족시키기 • 자녀가 가정을 떠날 때 책임 제한당하기 • 자녀가 삶의 보금자리에 정착할 수 있도록 안내해 주기 • 부부 관계 재조정하기 • 가족성원들 사이의 의사소통 유지하기 • 자녀의 결혼을 통하여 새로운 가족성원을 받아들임으로써 가족범위 확대시키기
		⬇	
제7단계	중년기 가족	빈둥지~ 은퇴까지의 가족	• 텅 빈 보금자리에 적응하기 • 부부 사이의 관계를 계속해서 재조정하기 • 조부모로서의 생활에 적응하기 • 성인부모의 부모 돌보기 • 은퇴에 적응하기 • 쇠퇴하는 신체적, 정신적 기술에 대처하기
		⬇	
제8단계	노년기 가족	은퇴~사망까지	• 배우자의 죽음에 적응하기 • 계속되는 노화 과정에 적응하기 • 타인, 특히 그들의 자녀에 대한 의존에 대처하기 • 생활배치에서의 변화에 적응하기 • 경제적 문제에서의 변화에 적응하기 • 임박한 죽음에 대처하기

3. 집단 사정도구 (必)

집단을 사정하는 대표적인 도구로는 **소시오메트리, 소시오그램, 상호작용차트, 의의차별척도** 등이 있다.

(1) 소시오메트리(Sociometry)❶

① 모레노와 제닝스(Moreno & Jennings)가 개발하였다.

② 집단성원 간 '사회적 거리'를 점수로 측정하여 집단성원 간 대인 관계(또는 정서적 관계) 정도를 평가하는 사정도구이다.

③ **작성 방법:** 집단성원에게 각 성원의 이름을 적은 후 각 성원에 대한 호감도를 '1점(가장 선호하지 않음)에서 5점(가장 선호함)으로 평가하도록 요청한다. → 집단 내 각 성원이 집단성원들로부터 얻은 총점을 획득 가능한 최고점수로 나누어 집단성원의 호감도 점수를 계산한다.

④ '집단응집력이 높은 집단의 성원들'이 '집단응집력이 낮은 집단의 성원들'보다 '호감도 점수'가 높게 측정된다.

(2) 소시오그램(Sociogram) 15. 지방직

① **모레노와 제닝스(Moreno & Jennings)가 개발**하였다.

② **집단 내 성원 간❷의 상호작용을 이해**하기 위해 **상징(주로 '선')을 이용**하여 그리는 집단 사정도구이다.

선생님 가이드

❶ 협의적 의미로 소시오메트리는 집단사정 도구의 한 종류입니다. 소시오메트리는 라틴어인 'Socius(사회)'와 'Metrum(측정)'의 합성어입니다. 즉 이 용어에는 '사회성을 측정한다.'라는 의미가 담겨있습니다. 따라서 협의적 의미인 집단 사정도구를 넘어서 광의적 의미로는 집단 내 집단성원 간의 인간 관계를 측정하는 이론이나 기술을 통칭해서 적용되기도 합니다.
❷ 소시오메트리나 소시오그램이 '집단 내' 성원 간 상호작용의 정도를 알아보기 위해 사용되는 척도라면, 사회복지조사론에서 공부한 보가더스의 '사회적 거리'는 '집단 간' 사회적 거리감을 측정하는 데 사용됩니다.

③ **제공정보:** 집단성원 간의 응집력, 집단성원의 지위(예 소외자, 주도자 등), 집단성원 간 대인 관계(예 선호도, 적대감, 무관심, 갈등, 거부, 수용 등), 집단 내 하위집단(또는 결탁)의 유무 등

④ 상징

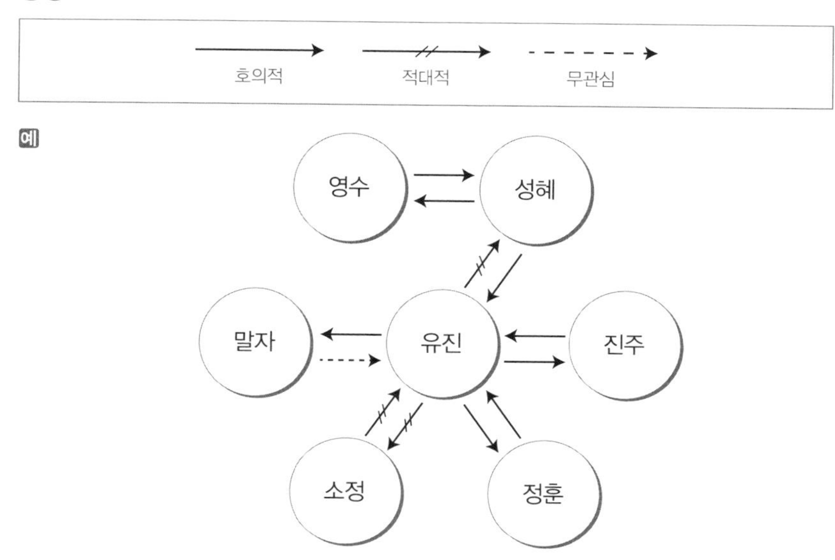

(3) **상호작용차트(Interaction Chart)**

① 집단성원들 간의 또는 집단성원과 사회복지사 간의 상호작용과 관련된 **특정 행동의 '빈도수'를 측정하여 상호작용 정도를 파악**하는 사정도구이다.

② 집단 과정 중에 사회복지사가 직접 작성하는 것은 거의 불가능하므로 관찰자나 녹화 등을 활용한다.

③ 사회복지사는 사정 전에 집단성원의 사전동의를 얻어야 한다.

④ **시간에 관계없이 특정행동이 일어날 때마다 기록하는 방법과 일정시간 동안 특정행동이 일어나는 빈도를 기록하는 방법**이 있다(예 60분 동안 운영되는 집단의 경우 매10분마다 3분 동안 특정 행동의 발생빈도를 기록한다).

(4) **의의차별척도(Semantic Differential Scale)**

① 일직선으로 도표화된 척도의 **양극단에 서로 상반되는 형용사를 배열**하고 양극단 사이 5~7개의 범주 내에서 **집단성원이 집단 내 자신의 동료에 대한 인식 정도를 평가**하는 척도이다.

② **제공정보:** 동료성원에 대한 평가, 동료 성원의 잠재력 및 활동력에 대한 인식 평가 등

예 집단성원 김영희에 대한 당신의 감정에 V표 해주세요.

불쾌한	- - 1 - - - - - 2 - - - - 3 - - - - 4 - - - - 5 - - - - 6 - - - - 7 - -	유쾌한
두려운	- - 1 - - - - - 2 - - - - 3 - - - - 4 - - - - 5 - - - - 6 - - - - 7 - -	편안한

기출 OX

소시오그램(sociogram)은 집단 내 성원들 간의 상호작용을 상징을 사용하여 그림으로 나타냄으로써 집단 내 소외자, 하위집단, 연합 등을 파악할 수 있게 해준다. ( ) 15. 지방직

○

5 계획수립과 계약

1. 계획수립

(1) 개념

① 개입의 장단기 **목표에 대한 사회복지사와 클라이언트의 합의 과정**이다.

② **사정에 기반한 사정의 산물**로, 문제해결 과정의 일부분이다.

(2) 단계

단계	내용
클라이언트를 동기화시키기	대화와 자기결정권 존중으로 **클라이언트를 계획 수립에 적극적으로 참여**하게 한다.
⬇	
표적 문제 선정하기	이 단계에서는 **표적 문제와 문제해결의 우선순위를 정해야 한다.** ① **표적 문제 선정 시 고려해야 할 사항** ㉠ 클라이언트와 사회복지사가 합의한 문제인가? ㉡ 사회복지사의 지식과 기술의 수준이 고려된 문제인가? ㉢ 구체적인 문제인가? ㉣ 클라이언트가 이해할 수 있는 수준으로 기술된 문제인가? ㉤ 클라이언트의 자기결정권에 의해 정해진 문제인가? ② 문제해결의 우선순위 정하기: **클라이언트가 표적 문제로 정한 것 가운데에서 긴급성, 대표성과 현실적으로 변화 및 해결 가능성**이 높은 것부터 고려하여 사회복지사와 클라이언트 간의 합의하에 **최대 3개 정도를 선정**한다.
⬇	
목적 설정하기	① 목적의 개념: "왜 개입을 하려고 하는가?"에 대한 논리적 진술로, 개입을 통해 얻고자 하는 **장기적이고 궁극적인 결과**이다. ② **목적 설정 시 고려해야 할 사항** ㉠ 목적은 목표와 달리 **추상적으로 기술**한다. ㉡ **장기적 과제형태, 긍정적 형태, 변화되기 원하는 방향으로 기술**한다. ㉢ **클라이언트와 사회복지사가 합의하여 설정**한다. 예 부부 관계를 향상시키기
⬇	
목표 설정하기	① 목표의 개념: 목적을 달성하기 위해서 **구체적으로 수행해야 할 과업**을 말한다. ② 목표 설정 시 고려해야 할 사항 ㉠ **단기적 과제를 제시**해야 한다. ㉡ **기관의 가치나 기능에 부합**되어야 한다. ㉢ **하나의 표적 문제에 대해 하나의 목표를 설정**해야 한다. ㉣ **클라이언트가 바라는 바와 연결**되어야 한다. ㉤ **동기부여보다 달성 가능성을 더 중요하게 고려**해야 한다. ㉥ 다수의 목표일 경우 시급성과 달성 가능성을 고려하여 우선순위를 정해야 한다. ㉦ **클라이언트와 사회복지사가 합의하여 설정**해야 한다.

핵심 PLUS

에간(Egan)의 목표 설정의 SMART 원칙

① Specific(구체성): 목표는 구체적이어야 한다.
② Measurable(측정 가능성): 목표는 측정 가능해야 한다.
③ Attainable(달성 가능성): 목표는 달성할 수 있어야 한다.
④ Realistic(현실성): 목표는 현실적이어야 한다.
⑤ Time-Bounded(시간 제한성): 목표는 시간 제한적이어야 한다.
예 일주일에 2번 이상 아내와 외식하기

2. 계약 13. 국가직 (必)

(1) 개념

목표 달성을 위한 과제와 관련하여 **사회복지사와 클라이언트 간에 맺은 합의**로, 계약 시 **사회복지사는 개입에 소요되는 시간, 사회복지 윤리, 사용이 가능한 기술 등에 대해 고려**해야 한다.

(2) 계약에 포함되어야 할 내용

① 사회복지사와 클라이언트 간에 합의된 목표
② 클라이언트의 기대
③ 사회복지사와 클라이언트의 역할(또는 과업)
④ 계약 변경 조건
⑤ 개입 방법
⑥ 개입시간
⑦ 세션의 빈도 및 시간
⑧ 개입의 시작일 및 종료일
⑨ 평가방법
⑩ 클라이언트의 지불 비용
⑪ 서명
⑫ 계약 날짜 등

(3) 계약의 형식

서면계약	① 가장 공식적이면서 명확한 계약형태이다. ② 클라이언트에게 참여의지와 책임성을 부여하는 데 유리하다.
구두계약	① 개입에 대한 클라이언트의 저항감이 클 때 사용한다. ② 합의된 계약 내용의 상세한 부분을 기억하는 것이 어려울 수 있다.
암묵적 계약	① 별도의 절차 없이 사회복지사와 클라이언트 간에 이루어진 암묵적인 합의를 말한다. ② 개입을 진행하면서 사회복지사와 클라이언트 간에 오해 발생의 소지가 있다.

기출 OX

클라이언트와 계약을 할 때는 시간, 기술, 윤리 등을 고려한다. ( ) 13. 국가직

(4) 고지된 동의(Informed Consent, 또는 사전동의) 18. 국가직

① 개념: 사회복지사가 **개입을 시작하기 전** 개입의 내용 등에 대해 클라이언트에게 충분히 설명한 후 얻게 되는 **개입에 대한 클라이언트의 자발적인 동의**로 이는 **클라이언트의 자기결정의 가치를 실현하기 위한 윤리원칙**이다.

② **서면(書面)뿐만 아니라 구두(口頭)의 형태**로도 받을 수 있다.

③ **포함되는 내용**: 개입의 목적과 내용, 개입 시 발생할 수 있는 위험, 개입 시 소요되는 비용, 개입의 다양한 대안들, 개입의 한계, 동의의 거부나 철회권 등

핵심 PLUS

고지된 동의(Informed Consent) (必)

① 의의: '고지된 동의'는 사회복지실천뿐만 아니라 사회복지조사에서도 중요하게 다루는 윤리적 원칙이며 절차이다. 사회복지조사에서 고지된 동의란 연구를 시작 전 연구의 전반적인 내용과 과정을 연구 참여자에게 알려주는 절차를 말한다. 2018년 국가직 시험에서는 한 문제의 응답범주 안에 사회복지실천과 사회복지조사에서 다루는 고지된 동의가 모두 출제되었다.

② 사회복지조사의 고지된 동의 내용
- 조사의 목적
- 조사 완료까지 예상 되는 기간 및 절차
- 조사에 참여하거나 중간에 그만둘 수 있는 권리
- 조사 참여를 거부하거나 그만 두었을 때 예상되는 결과
- 조사 과정 중 예측되는 위험, 고통, 불편 등
- 조사에 참여함으로써 얻을 수 있을 것으로 예상되는 이득
- 비밀보장의 한계
- 참여에 대한 보상

기출 CHECK

클라이언트의 고지된 동의(informed consent)에 대한 설명으로 옳지 않은 것은? 18. 국가직

① 사회복지사는 클라이언트가 받는 서비스의 범위와 내용에 대해 정확하고 충분한 정보를 제공하고 클라이언트의 동의를 얻어야 한다.
② 고지된 동의는 클라이언트의 자기결정의 가치를 실현하기 위한 윤리원칙이다.
③ 원칙적으로 고지된 동의가 이루어지기 위해서는 클라이언트가 충분한 정보를 제공받아서 지식을 갖추고 있고, 자발적으로 동의를 해야 하며, 동의를 할 수 있는 능력을 갖추고 있어야 한다.
④ 클라이언트를 대상으로 연구하는 사회복지사는 클라이언트로부터 고지된 동의를 얻을 필요가 없다.

해설

'얻을 필요가 없다.'가 아니라 '얻어야 한다.'가 옳다. **답 ④**

6 개입

1. 개입의 개념 必

(1) **목표 달성을 위한 실천의 단계**를 말한다. 즉 클라이언트의 문제해결을 위해 상담, 자원연계, 교육 등 다양한 실천기술을 활용하는 단계이다.

(2) **개입 중 계획의 수정이 필요할 경우 재사정을 실시**할 수 있다.

2. 개입 시 주요 기술 必

(1) **관찰(Observation)** 09. 지방직

① **면접에서 가장 기본적으로 사용되는 기술**로, 면접의 모든 과정 동안 선입견을 제거하고 **클라이언트의 말과 행동에 주의를 기울이는 기술**이다.

② 특히 클라이언트의 비언어적 표현을 관찰할 경우에는 신중해야 한다.

(2) **경청(Attentiveness)**

① **잘 들어주는 기술**, 즉 클라이언트의 말을 선택적으로 주목하여 **클라이언트의 감정과 사고가 무엇인지를 이해하며 파악하고 듣는 기술**이다.

② 단순히 클라이언트의 말을 들어주는 것이 아니라 **클라이언트의 언어적 · 비언어적 의사표현에 집중**하고 **클라이언트의 의사표현에 내재되어 있는 내용과 감정을 파악**해야 한다.

> **핵심 PLUS**
>
> **경청의 기능과 방법**
>
> ① 기능
> - 클라이언트에게 자신의 생각이나 감정을 자유롭게 표현할 수 있는 용기를 줄 수 있다.
> - 클라이언트가 자신의 방식으로 문제를 탐색할 수 있게 한다.
> - 클라이언트에게 감정의 정화와 심적 안정을 제공한다.
> - 클라이언트와 사회복지사 간에 라포를 형성시킨다.
>
> ② 방법
> - 반응적 행동하기(예 눈길 보내기, 고개를 끄덕이기)
> - 단순한 음성반응하기(예 "아, 예, 그랬구나" 등)
> - 관심어린 질문하기
> - 클라이언트의 말을 '환언'[1]하기

(3) **질문(Questioning)** 22. 국가직

① 클라이언트로부터 정보를 이끌어 내기 위해 가장 많이 사용하는 기술로, **클라이언트에게 질문을 해서 대답을 유도하는 것**이다.

② 클라이언트로 하여금 **개인적 경험을 나누도록 격려**하고, **클라이언트와의 상호작용을 촉진하는 도구**로 사용된다.

③ 응답범주 부여 여부에 따른 질문의 유형

개방적 (또는 개방형) 질문	㉠ **클라이언트에게 응답범주를 부여하지 않아** 클라이언트 자신이 원하는 방식대로 응답할 수 있는 여지가 있는 유형의 질문이다. ㉡ 주로 **클라이언트에 대한 정보가 충분하지 못한 상태**나 **클라이언트에 대해 더 많은 정보가 필요할 때 사용**한다. 예 "어제 댁에 따님이 방문하셨을 때 무슨 일이 있었나요?"

선생님 가이드

[1] 환언이란 클라이언트가 한 말의 내용을 사회복지사가 클라이언트의 말과는 다른 말로 바꾸어 부연해 주는 기술을 말합니다. 경청 시 사회복지사의 환언은 클라이언트에게 사회복지사가 자신의 말에 집중하고 있다는 메시지를 전달할 수 있습니다.

기출 OX

종결 단계란 클라이언트의 문제해결을 위해 상담, 자원연계, 교육 등 다양한 실천기술 활용하는 단계이다. ( ) 20. 국가직

× '종결 단계'가 아니라 '개입 단계'가 옳다.

폐쇄적 (또는 폐쇄형) 질문	㉠ **클라이언트에게 응답범주를 제시**하는 유형의 질문으로, 클라이언트는 그 범주 내에서만 응답할 수 있게 된다. ㉡ 사용하기에 적절한 경우 • **제한된 시간 동안 많은 양이나 또는 자세한 정보를 파악**하고자 할 경우 • 위기적인 상황에서 신속하게 정보를 얻고자 할 경우 • **비자발적인 클라이언트로부터 사실 관계에 관한 정보**를 얻고자 할 경우 • **면접의 마무리 단계에서 면접 내용을 요약하고 사실이나 구체적인 내용을 명료화**하고자 할 경우 예 "오늘 면접 참여를 남편분이 동의하셨나요? 어르신은 현재 혼자 사세요?"

④ 면접 시 삼가야 할 부적절한 질문 유형

유도형 질문	클라이언트의 진실한 반응이 아닌 **사회복지사의 편견이 담긴 제안에 클라이언트의 동의를 구하는 식의 질문유형**이다. 예 "아드님과 평소에 관계가 좋지 못하시죠. 그렇지요? 아드님을 원망하고 계시지요?"
중첩형 질문 (또는 복합형 질문, 폭탄형 질문)	㉠ 클라이언트가 대답하기 전에 **한꺼번에 여러 개의 질문을 쏟아 놓는 질문유형**이다. ㉡ 이 질문을 받은 대부분의 클라이언트는 혼동하거나 단순히 마지막 질문에 대해서만 응답할 수 있다. 예 "폭력을 당하신 부위는 어디였고, 그 때 옆에 누가 계셨나요?"
'왜?'라는 식의 질문	클라이언트로 하여금 **자기 자신을 분석하고 비판하도록 요구하는 질문**으로, 클라이언트에게 위협감을 줄 수 있다. 예 "아들을 왜 때렸죠? 아들이 집 밖으로 나가지 않겠다고 약속했는데도 불구하고, 아들을 방에 가둔 이유가 뭐죠?"
모호한 질문	사회복지사가 특정 대명사(예 그, 그것, 저것, 누가 등)를 많이 사용하거나 또는 면접 상황에서 벗어난 질문을 하여 **클라이언트로 하여금 질문의 내용을 명확하게 이해할 수 없게 하는 유형의 질문**이다. 예 "그 사람의 그런 행동이 당신에게 무슨 문제가 되었나요?"

(4) 분위기 조성(Creating an Atmosphere)

① **주로 면접의 초기 단계에 사용하는 기술**로, 클라이언트에게 심리적으로 편안한 분위기를 제공하는 기술이다.

② 면접의 분위기 조성을 위해 **가벼운 일상의 주제로부터 시작**하여 **클라이언트의 관심사와 문제로 초점을 전환**하여 진행하는 것이 바람직하며, 이때 사회복지사는 **클라이언트의 표정이나 눈 맞춤 등의 비언어적 표현을 주의 깊게 관찰**해야 한다.

③ 따라서 먼저 **사회복지사가 자기소개**를 한 후, **일상적인 주제로 화제를 제시**하고, 이후 **클라이언트 자신의 문제로 대화의 초점을 옮기도록 유도**해 나가는 것이 바람직하다.

④ 분위기 형성의 중요한 요건으로는 공감적 태도와 **적극적 경청, 진심, 온화함** 등이 있다.

기출 OX

01 개방형 질문은 클라라이언트의 자유로운 의사표현을 격려하고자 할 때 폐쇄형 질문보다 더 유용하게 사용된다. ( ) 22. 국가직

02 개방형 질문은 비자발적인 클라이언트로부터 사실 관계에 관한 정보를 얻고자 할 때 폐쇄형 질문보다 더 유용하게 사용된다. ( ) 22. 국가직

03 개방형 질문은 면담 마무리 단계에서 면담 내용을 요약하고 사실이나 구체적인 내용을 명료화하고자 할 때 폐쇄형 질문보다 더 유용하게 사용된다. ( ) 22. 국가직

01 ○
02 ×
03 ×

(5) **표현촉진(Promotion of Expression)**

① 클라이언트의 정보노출을 위해 클라이언트의 표현을 촉진하는 기술로, **클라이언트가 계속 말을 하도록 사회복지사가 반응을 보이는 것**이다.

예 고개 끄덕이기, 시선 맞추기, "아, 네" 등의 언어적 반응 등

② 표현을 촉진할 때는 클라이언트에게 좀 더 구체적으로 표현하도록 요청해야 한다.

3. 다양한 개입기술

(1) 정서 및 인지에 대한 개입기술 (必)

① 명료화(Clarification) 11 · 24. 국가직, 15 · 20. 지방직: **클라이언트의 메시지가 추상적이거나 혼란스러운 경우**, 이를 보다 **구체적으로 표현할 수 있게 유도**하는 기술로, 때로는 **클라이언트가 말한 내용을 사회복지사가 잘 이해했는지 확인**하기 위해서도 사용된다.

예 "며느리에게 심하게 하셨다는 데 구체적으로 어떻게 하셨다는 말씀인가요?"

예 클라이언트: 내가 매일 주민센터 가서 아무리 얘기해도 듣는 건지, 안 듣는 건지···. 공무원들한테는 얘기해도 소용없어.
사회복지사: 여러 번 주민센터에 가서 얘기하셨는데, 그곳의 공무원들이 잘 들어주지 않는다는 말씀이신가요?

② 해석(Interpretation) 13 · 23. 국가직, 15 · 23. 지방직

㉠ 클라이언트의 내면세계를 파악하는 가장 고난이도의 기술[❶]로, 클라이언트의 통찰력 향상을 위해 **클라이언트의 행동(또는 제공한 정보) 속에 내포된 저변의 단서를 발견한 후 사회복지사 자신의 이론 및 지식과 직관력에 근거하여 이에 대한 가설을 제시하고 설명**하는 기술이다.

㉡ 클라이언트의 '무의식 세계'를 분석하여 클라이언트가 자신의 행동, 감정, 생각을 새로운 시각으로 볼 수 있게 하며, 따라서 클라이언트에게 자신의 상황을 바라보는 대안적 준거틀을 제공한다.

㉢ 클라이언트와의 신뢰 관계가 충분히 형성되고, 클라이언트에 관해 충분한 정보를 파악한 이후에 활용해야 하며, 사회복지사의 해석을 **클라이언트가 거부하는 경우에는 이를 수용하고 즉시 멈추어야 한다.**

예 "제 생각에는 ··· 라고 생각하는데, ㅇㅇ님은 어떻게 생각하는지요?"

③ 반영(Reflection)

㉠ **감정과 태도에 대한 환언 기술, 즉 클라이언트가 자신의 말과 행동으로 표현한 저변의 감정과 태도**를 사회복지사가 클라이언트의 말과는 다른 좋은 말로 부연해 주는 기술이다.

㉡ 클라이언트가 사회복지사에게 이해받고 있다고 느끼게 하는 데에 유용하다.

㉢ 일반적으로 정보제공, 해석기술을 사용하기 전에 사용한다.

㉣ "~게 느끼시는 것 같네요.", "~게 들리는데요.", "~라고 느껴집니다." 등의 형태로 진술된다.

선생님 가이드

❶ 사회복지사가 사용하는 기술 중에 클라이언트로 하여금 자신의 내면세계에 깊이 접근하게 하는 정도는 '반영 → 명료화 → 직면 → 해석'의 순입니다.

기출 OX

01 명료화(clarification)는 클라이언트의 메시지가 추상적이고 애매모호할 때 구체화하는 것이다. ( ) 15. 지방직

02 해석은 클라이언트가 제공한 정보를 바탕으로 사회복지사가 다양한 이론에 근거하여 클라이언트에게 자신의 상황을 보는 대안적 준거틀을 제공하는 것이다. ( ) 23.지방직

01 ○
02 ○

④ 요약(Summary) 15 · 23. 지방직

㉠ 클라이언트가 생각나는 대로 두서없이 말한 경우, **말한 내용을 간결 · 정확하게 적절한 시기에 축약해서 정리**하는 기술이다.

㉡ 클라이언트로 하여금 자신의 생각과 문제를 정리해 볼 수 있게 할 수 있다.

예 "지난 모임 때 김선생님께서는 아버지와 어머니가 너무 싫고, 그래서 가족과도 현재 연락을 끊고 지내신다고 하셨습니다. 이 내용이 맞지요?"

⑤ 피드백(Feedback) 11. 서울시

㉠ 사회복지사가 클라이언트의 **말과 행동 등을 파악하여 이를 진솔하게 알려주는 기술**이다.

㉡ 클라이언트에게 목표를 향해 성공적으로 이동하고 있다는 것을 알려줄 때(확인적 목적), 클라이언트가 목표와 어긋난 방향으로 나갈 경우 이에 대한 수정에 필요한 정보를 알려줄 때(교정적 목적), 적절하거나 부적절한 프로그램의 결과의 내용을 알려 줄 때(동기부여 목적)에 사용한다.

(2) 정서적 안정을 원조하는 기술 (必)

① 지지하기 11 · 13 · 23. 국가직, 23. 지방직 11. 서울시: '지지하기'란 사회복지사가 클라이언트의 감정, 행동, 의사결정 내용 등을 정하고 지지하는 것으로, **격려, 인정, 재보증 등의 기술이 포함**된다.

격려 (Encouragement)	**클라이언트의 행동이나 태도를 인정하거나 칭찬**해서 긍정적인 행동을 취하도록 동기화시키는 기술이다. 예 "계약기간 동안 업무를 잘 해내셨군요. 이번에도 잘 감당할 수 있을 것이라 믿어요."
인정(Recognition)	**클라이언트가 어떤 행동을 하거나 중단한 이후** 이에 대해 긍정적으로 평가해주는 기술이다. 예 "남편에게 자신의 의사표현을 정확히 하셨군요. 정말 잘 하셨습니다."
재보증 (Reassurance, 또는 안심)	㉠ **클라이언트에게 신뢰를 표현해 주어 자신감과 희망을 갖게 하는 기술**로, 클라이언트가 자신의 합리적인 생각과 결정에 대해 의구심을 갖거나 자신(또는 확신) 없어 할 때에 사용한다. ㉡ 또한 클라이언트로 하여금 **불안감이나 불확실한 감정을 줄이고 편안한 감정을 갖게 할 수도 있다.** 예 "염려하지 마세요. 상황이 더 좋아질 거예요."

② 일반화(Universalization, 또는 보편화): 클라이언트가 **현재 경험하는 고통스러워하는 문제를** 자신과 비슷한 상황에 놓인 다른 사람들과 같거나 또한 비슷한 상황에 있다고 말해줌으로써 그것을 **보편화**시켜 불안감을 줄이는 기술이다.

예 "이전에도 당신과 같은 상황에 계신 분을 치료해 본 적이 있지요. 그 당시 정말 좋은 결과를 얻었습니다."

③ 환기(Ventilation, 또는 정화법) 13. 국가직, 16. 지방직: 클라이언트로 하여금 자신이 경험하는 문제와 관련된 **억압되고 부정적인 감정**(예 분노, 증오, 고통, 좌절, 슬픔, 불안 등)**을 스스로 표출**하게 하는 기술로, 클라이언트의 감정의 강도를 약화 또는 해소시키는 데 유용하다.

예 "힘드셨을 것 같네요. 그 때 기분이 어떠셨나요?"

기출 OX

01 재보증이란 클라이언트의 능력에 대해 사회복지사가 신뢰를 표현함으로써 클라이언트의 불안과 불확실성을 제거하고 위안을 주는 것이다. ( ) 23. 지방직

02 환기란 클라이언트의 억압된 감정, 특히 부정적 감정인 분노, 슬픔, 죄의식 등이 문제 해결을 방해하거나 그러한 감정 자체가 문제가 되는 경우, 이를 표출하도록 함으로써 감정의 강도를 약화시키거나 해소시키는 기술이다. ( ) 16. 지방직

01 ○
02 ○

④ 공감(Sympathy, 또는 감정이입) 24. 국가직, 18. 지방직: **사회복지사가 클라이언트의 입장에서** 그의 감정 · 의미 · 경험 등을 **민감하고 주의 깊게 파악하고 이해하는 기술**이다.

예 청소년: "우리 부모님은 폭군이에요. 항상 자기들 마음대로 해요. 나를 미워하고 내가 불행해지기를 바라는 것 같아요. 가출하고 싶을 때가 한두 번이 아니에요."
사회복지사: "부모님 때문에 숨이 막힐 것처럼 느끼는 구나"

(3) 인지능력 향상 기술 (必)

① 재명명(Reframing) 18 · 23. 지방직, 11. 서울시: 클라이언트가 자신이 경험하는 문제에 대해 **스스로 부여한 부정적인 의미를 긍정적으로 수정하여 사회복지사가 재진술**해주는 기술로, **클라이언트의 관점이나 인식을 변화시키기 위한 목적으로 활용**된다.

예 아들의 과잉행동이 심하다고 사회복지사에게 호소하는 어머니에게 사회복지사가 "아드님이 적극적이고 활동적이네요"라고 말하는 경우

② 초점화(Focusing, 또는 초점제공): 클라이언트가 경험하는 문제가 다양하거나 불확실할 경우 **특정한 문제에만 초점**을 맞추는 기술로, 클라이언트로 하여금 **자신의 사고 과정을 명확히 인지**할 수 있도록 하는 데에 유용하다.

예 "이것은 우리가 좀 더 이야기해야 할 중요한 일인 것 같군요."
"당신은 이중에서 가장 중요한 부분이 무엇이라고 생각하시나요?

③ 부분화(Segmentation, 또는 세분화)

㉠ 초점화를 통해 다루어야할 클라이언트 문제의 일반적인 영역은 명확해졌지만, 그 문제가 너무 복잡하고 광범위할 때에 이를 해결하기 위해 **문제를 여러 작은 부분으로 나누어 긴급히 해결해야 할 문제로 그 범위를 좁히는 기술**이다.

㉡ 부분화를 위해서는 문제의 **긴급성, 대표성, 처리 가능성을 염두**해야 한다.

긴급성	사회복지사와 클라이언트의 합의에 따라 **가장 먼저 다루어야 할 부분을 부분화**한다.
대표성	보다 **중요한 문제에 밀접하게 관련된 부분을 부분화**한다.
처리 가능성	문제에 대한 두려움이나 방어가 있더라도 **클라이언트가 처리할 수 있는 부분을 먼저 부분화**한다.

④ 도전(Challenge): 클라이언트가 자신의 문제에 대해 부정, 회피, 합리화할 경우 이를 **현실 상황에서 문제로 인정하게 하여 의지와 관심을 가지고 해결하도록 유도하는 기술**이다.

예 "당신은 지금 상황이 어쩔 수 없는 상황이라고 말하지만 절대 그렇지 않습니다. 당신과 제 노력으로 얼마든지 해결할 수 있는 상황입니다! 한 번 해봅시다."

⑤ 직면(Confrontation) 11 · 13 · 23. 국가직, 15. 지방직, 11. 서울시

㉠ **클라이언트의 말과 행동이 불일치하거나**, 클라이언트가 자신의 문제를 부정 · 회피하는 등의 경우 등 **클라이언트의 모순적 행동을 지적**하는 기술로, 클라이언트로 하여금 자신의 감정 · 사고 · 행동상의 모순을 깨닫게 하여 현실을 회피하지 않고 그대로 수용하게 하는 데에 유용하다.

기출 OX

01 공감은 사회복지사가 클라이언트의 입장에 서서 클라이언트가 경험한 감정, 행동, 동기 등을 민감하고 주의 깊게 이해하는 실천 기술이다. ( ) 24. 국가직

02 재명명이란 클라이언트 관점의 변화로서, 부정적인 상황을 보다 긍정적으로 볼 수 있도록 전환하여 주는 것이다. ( ) 11. 서울시

03 재보증(reassurance)기술은 클라이언트의 말한 내용과 행동 또는 말한 내용들 간에 일치되지 않는 부분이 있을 경우 클라이언트 메시지의 불일치된 내용을 지적할 때 사용하는 기술이다. ( ) 11. 국가직

01 ○
02 ○
03 × '재보증'이 아니라 '직면'이 옳다.

ⓛ 다만, 클라이언트로 하여금 방어적 반응을 불러일으킬 수 있고, 라포를 저해시킬 수 있으므로 클라이언트와 **사회복지사 간에 충분한 신뢰관계가 형성된 후에 사용**해야 한다. 특히 클라이언트가 극심한 정서적 긴장 상태에 있을 때에는 사용하지 말아야 한다.

예 • "시어머니가 돌아가셔서 슬프다고 하셨지만 표정은 그렇게 보이지 않습니다."
• "잠시 무엇을 했는지 한 번 살펴봅시다. 지난 번 하겠다고 한 것과는 반대의 일을 하고 있네요?"
• 알코올 중독자인 A는 술을 그만 마시겠다고 가족들과 약속하였으나 여전히 술을 자제하기 어려움을 사회복지사에게 호소하고 있다. 이 때 사회복지사가 "당신은 가족들과의 관계를 발전시키고 싶어 하면서도, 여전히 술을 마시고 있군요!"라고 말하는 경우
• "지난 면담에서는 절대 체벌을 해서는 안 된다고 말씀하셨는데 오늘은 체벌만큼 효과적인 교육법이 없다고 하시니 제가 혼란스럽네요."

⑥ 정보제공(Informing) 11. 서울시: 클라이언트의 의사결정이나 과업수행에 필요한 **최신의 객관적인 정보를 제공**해주는 기술이다.

예 국민기초생활보장 제도의 수급자격이나 노인장기요양보험 제도의 수급자격 요건 등과 같은 구체적이고 정확한 정보를 알려주는 경우

⑦ 조언(Advice)[1] 11. 서울시: 클라이언트가 수행해야 할 행동 등을 **사회복지사의 주관적 판단에 의해 추천하거나 제안**하는 기술이다.

예 "내가 당신이라면~이렇게 할 수도 있을 것입니다.", "제 생각에는 담임 선생님을 만나보시는 것이 좋은 거 같아요."

⑧ 지시(Direction): 조언 기술의 효과가 미약할 경우 **사회복지사가 부여받은 권위를 이용해 클라이언트에게 구체적인 과업 행동을 지시**하는 기술이다.

예 "이렇게 하세요!"

(4) 기타 개입 기술 (必)

① 환언(Paraphrasing, 또는 바꾸어 말하기) 23. 국가직, 15. 지방직

㉠ 클라이언트가 한 말의 내용을 말의 뜻에 맞추어 사회복지사가 **클라이언트의 말과는 다른 말로 바꾸어 부연(또는 재진술)해 주는 기술**이다.

ⓛ 클라이언트가 한 말을 사회복지사가 정확하게 이해하고 있는지를 확인할 때 사용한다.

예 **클라이언트**: "아버지께 화내서 너무 죄송해요. 왜냐하면 아버지께서 당뇨를 앓고 계시거든요. 더구나 당뇨관리가 제대로 안되어 다리 절단의 위기에 처해 있는데도 술을 계속 드실 때에는 화를 내게 돼요. 나는 왜 우리가 잘 지내지 못하는지 모르겠어요."
사회복지사: "아버지를 걱정하고 관계가 향상되길 바라지만 때때로 아버지와 함께하는 것이 매우 어려운 것 같군요."

② 자기노출(Self - Disclosure)[2] 11. 국가직

㉠ 사회복지사가 원조 상황에 도움이 될 수 있다고 판단할 경우, 언어적 표현 또는 비언어적 행동을 통해 **클라이언트에게 자신의 감정 · 생각 · 경험을 자연스럽게, 개방적으로, 순수하게 드러낼 수 있는 기술**이다.

선생님 가이드

❶ 정보제공이 객관적, 즉 사실적 정보를 제공하는 것인데 반해, 조언은 사회복지사의 경험이나 경륜에 근거한 다분히 주관적인 추천이나 제안을 말합니다.
❷ 사회복지사의 자기노출은 매우 위험하고 그렇기 때문에 신중하게 고려되어야 합니다. 사회복지사 자신의 이야기를 하는 것이 위험한 이유는 개입의 주제와 관심이 클라이언트로부터 사회복지사에게로 옮겨지기 때문이며, 또한 자신의 문제해결을 위해 클라이언트와의 관계형성을 이용하는 것처럼 보일 수 있기 때문입니다. 더 나아가 클라이언트가 사회복지사를 문제가 많고 도움이 필요한 사람으로 볼 수 있어서 결국 전문적 관계가 훼손될 수 있기 때문입니다.

기출 OX

재보증은 클라이언트가 해야 할 것을 추천하거나 제안하는 사회복지사의 진술을 의미한다. ( ) 11. 서울시

× '재보증'이 아니라 '조언'이 옳다.

ⓛ 사회복지사의 적절한 수준의 자기노출은 클라이언트로 하여금 사회복지사를 진실하고 진솔된 인간으로 받아들이게 하여 **신뢰감과 상호이해가 증진**될 수 있으며, **클라이언트의 표현을 촉진하는 데 유용**하다.

핵심 PLUS

자기노출 시 주의 사항 必

① 자기노출의 **내용과 감정은 일치**해야 한다.
② 지나치게 솔직한 자기노출은 자제해야 한다.
③ 클라이언트의 반응에 따라 적절한 수준의 자기노출을 해야 한다. 특히 부적절한 자기노출은 클라이언트로 하여금 사회복지사의 **정서적 안정성이나 전문성에 의심을 갖게 하고, 더 나아가 자신이 사회복지사에 조종당하고 있다는 느낌을 줄 수도 있다.**
④ 클라이언트의 반응에 따라 자기노출의 양과 형태를 조절해야 한다.
⑤ 자기노출의 긍정적인 측면과 부정적인 측면을 균형 있게 사용해야 한다.
⑥ 자기노출의 형태에서 자신의 감정과 행동에 대한 책임을 져야 한다.

7 평가

1. 개념

사회복지사의 개입노력을 사정하는 것으로, 실시한 개입이 변화를 일으켰는지 또한 변화를 일으켰다면 그 정도는 얼마만큼인지를 알아보는 것이다.

2. 사회복지실천 평가의 중요성

(1) 효과성 측정

평가의 1차적인 목적은 **계획 당시 수립한 목표를 달성했는지를 측정**하는 것이다. 즉 얼마나 효과적이었는지를 알아보는 것이다.

(2) 효율성 측정

동일한 비용으로 높은 효과를 내었을 때 효율성은 증가한다. 평가 과정을 통해 실천의 효율성을 측정할 수 있다.

(3) 자원의 사용에 대한 책임성 입증

재정적인 지원이나 지역사회의 승인이 필요할 때 이에 대한 근거를 제시하는 계획안이 될 수 있다.

(4) 클라이언트에 대한 책임성 이행

사례의 진행정도에 대해 사회복지사 뿐 아니라, 지역사회와 클라이언트에게 알려줄 책임을 이행할 수 있다.

(5) 실천 과정에 대한 모니터

클라이언트의 반응, 계획했던 변화가 일어나고 있는지 변화 과정에 대한 모니터를 할 수 있다.

기출 OX

사회복지사의 자기노출은 클라이언트가 사회복지사를 진솔한 인간으로 인식할 수 있도록 가능한 자주 사용하는 것이 좋다. ( ) 11. 국가직

× 자기노출은 적절한 수준에서 통제되어야 한다.

(6) 사회복지사의 능력 향상

실천 내용에 대해 점검하고 평가함으로써 반성할 기회를 갖고 새로운 활동에 반영하여, 효과 있는 개입 방법을 적용해 사회복지사의 능력을 향상시킬 수 있다.

3. 평가의 유형

(1) 평가차원에 따른 분류 (必)

구분	내용
성과평가 (또는 결과평가)	① **계획된 목표의 성취된 결과를 평가하는 것**이다. ② 측정도구가 없는 경우 클라이언트의 관점과 생각을 사회복지사의 생각과 비교하기 위해 상담이나 질문지를 사용할 수도 있다.
과정평가	① **클라이언트의 시각에서 개입이 도움이 되었는지, 또 원조 과정을 어떻게 인지했는지를 평가**하는 것이다. ② 긍정적인 변화를 유발할 수 있는 일반적인 요소를 잘 알아 **실천에 통합하고 치료적 효과를 향상시키는 것이 핵심**이다. ③ 평가내용에는 목표달성을 위해 사용한 방법이나 기법에 대해 피드백하는 것도 포함된다.
실무자 (또는 사회복지사) 평가	① 개입 과정에서 사회복지사의 행동이나 태도 등이 개입에 어떠한 영향을 주었는지 알아보기 위해 **클라이언트로부터 직접 피드백을 받는 것**을 말한다. ② 부정적 피드백은 때로는 고통스럽지만 사회복지사의 개입 활동상 문제점을 클라이언트가 직접 알려준다는 점에서 이후 개입 활동의 개선에 매우 도움이 된다. 따라서 사회복지사는 평가 시 어떠한 비판이라도 수용할 수 있어야 한다.

(2) 평가목적에 따른 분류

구분	내용
형성평가	① **개입 과정에 대한 평가**로, 사회복지실천 과정에 초점을 두고, 주기적으로 진전 상황을 평가하는 것이다. ② 개입 과정에서 **부분적으로 수정 · 개선 · 보완하는 데 필요한 정보를 얻기 위하여 실시**한다. ③ 이를 통해 개입 과정을 검토하고 필요한 경우 **개입계획을 수정**할 수 있다.
총괄 평가	① 개입이 종결되었을 때 **산출된 성과와 효율성에 대해 종합적인 가치판단을 하는 행위**를 말한다. ② 개입이 종결되었을 때 목적달성 여부와 관련하여 그 요인을 분석하는 것이 형성평가와 다르다. ③ 주로 **효율성과 효과성을 평가**한다. ④ 평가 시에는 기관의 사명, 프로그램의 목적, 목표, 목표달성 여부 결정방법, 목표달성 여부, 평가자료 활용방법 등을 고려해야 한다.
통합평가	**형성평가와 총괄평가를 통합한 평가**이다.

(3) 평가대상에 따른 분류

구분	내용
사회복지실천 평가	① 프로그램 자체에 대한 평가와 달리 **프로그램을 진행하는 사회복지사의 개입 노력을 사정하는 평가**이다. ② 사회복지사의 노력이 클라이언트를 얼마나 변화시켰는지와 관련되어 있다.
프로그램 평가	**프로그램 자체의 효과성과 효율성을 평가**하는 것이다.

8 종결

1. 개념

사회복지사의 개입으로 **클라이언트가 변화하고 그에게 미친 영향을 마무리하는 단계**로, 종결 이후 클라이언트는 앞으로 사회복지사의 개입 없이 스스로 상황들을 대처해 나가야 됨을 의미한다.

2. 유형

<table>
<tr><td colspan="2">(계획되지 않은 종결)
클라이언트의 일방적인
조기종결</td><td>① 클라이언트가 갑자기 약속을 어기거나 이런 저런 핑계를 대면서 올 수 없다고 알리거나 자기 문제를 노출시키지 않으면서 종결을 원하는 경우를 말한다.
② 이때 클라이언트는 불만이 있거나 저항의 방법을 사용하기도 한다. 이런 경우 종결 전에 클라이언트의 부정적인 감정을 해소해야 한다.
③ 사회복지사는 클라이언트의 부정적인 감정에 관하여 논의하기를 원한다고 말하고 함께 다루어 나간다.
④ 사회복지사는 종결의 중요함을 알리고 신중히 생각할 것을 권한다.
⑤ 그러나 결정은 클라이언트에게 맡기며, 언제든지 다시 오면 서비스가 제공될 수 있음을 알려준다.
⑥ 사회복지사는 클라이언트의 자기결정권을 존중하는 한편 전문가로서 의견을 제시해야 할 의무를 다해야 한다.</td></tr>
<tr><td rowspan="2">계획된
종결</td><td>기관의 기능과
관련된 시간의
제약에 의해
결정된 종결</td><td>① 종결을 미리 아는 것은 이별에 대한 감정을 처리할 수 있는 충분한 시간을 줄 수 있다.
② 실습생이 실습을 종결하는 경우, 실습생이 맡았던 프로그램이나 면접은 종결된다.
③ 실습기간이 끝나 종결하는 것이라면, 실습생은 자신이 지도감독 받고 있는 학생이라는 것과 기관을 떠나는 시기에 대해 클라이언트에게 미리 알려야 한다.
④ 시간적 제한 때문에 충분한 서비스가 제공되지 못할 수도 있는 단점이 있다.
⑤ 예정된 종결임에도 불구하고 클라이언트는 서비스가 중단되었다고 생각할 수 있고, 사회복지사는 남아있는 문제를 해결하기 위해 다른 기관에 의뢰해야 하는 부담을 가질 수도 있다.</td></tr>
<tr><td>시간제한적인
개입모델에
따른 종결</td><td>① 처음부터 사회복지사와 클라이언트가 기간을 정하고 시작하는 개입에 대한 종결로, 정서적 애착과 의존이 줄어들고 종결에 따른 상실감도 감소한다.
② 사회복지사의 과제
㉠ 목표에 대한 평가를 한다.
㉡ 클라이언트가 얻은 것을 분명히 한다.
㉢ 지속적인 개입이 필요한 경우 또 다른 계획을 세운다.
㉣ 개입기간에 배운 것을 클라이언트가 일생생활에 어떻게 적용할 것인지 확인한다.
㉤ 사후관리를 계획한다.</td></tr>
</table>

(계획을 세워나가는 종결) 시간제한이 없는 개방형 모델에 따른 종결	① 클라이언트는 종결할 즈음에 사회복지사에게 매달리거나, 과거 문제가 재발했다고 하거나 새로운 문제를 갖고 오는 경우가 있다. 또한 사회복지사를 대치할 대상을 찾는 경우 등 강한 정서적 반응을 보일 수 있다. ② 이 경우 **종결의 시기**는 클라이언트에게 더 이상의 서비스 제공이 필요 없거나 현 시점에서 더 이상 이득이 되지 않는다고 판단되는 경우 **사회복지사와 클라이언트의 합의로 결정**한다.
사회복지사의 사정으로 인한 종결	① 사회복지사의 **개인적 사정으로 인해 중단하는 경우, 사회복지사가 이동, 즉 갑자기 이직하거나 퇴직하는 경우, 클라이언트의 비협조와 동기부족 등으로 개입이 도움이 되지 못한다는 판단으로 종결하는 경우** 등이 있다. ② 사회복지사는 클라이언트로 하여금 **부정적 감정을 표현할 기회를 주고 극복할 수 있도록 도와준 후 다른 사회복지사에게 의뢰**[1]해야 한다.

3. 과업 13. 지방직, 20. 국가직 必

적절한 종결시기 결정하기	① **클라이언트와의 접촉 빈도를 줄여 가면서** 종결 유형에 따라 적절한 종결시기를 달리 정한다. ② 종결시기를 결정하기 위해 고려해야 할 사항 ㉠ 개입목표의 달성 정도 ㉡ 서비스 시간 내 제공완료 여부 ㉢ 클라이언트의 문제상황의 해결 정도 ㉣ 사회복지사와 기관의 투자노력 ㉤ 이득체감(利得體感, 더 이상의 만남이 큰 도움이 되지 않으리라는 것)에 대한 합의 ㉥ 클라이언트의 의존성 ㉦ 클라이언트에 대한 새로운 서비스의 적합성 여부
정서적 반응다루기	① 사회복지사가 떠난 이후에도 클라이언트가 목표지향적 작업을 계속하기 위한 계획을 세우도록 원조한다. ② **클라이언트의 감정을 이해하고 있음을 전달**하면서, **부정적 감정을 유도해내는 공감적 의사소통**을 한다. ③ **클라이언트의 부정적·긍정적인 모든 감정표현을 허용**하고 다른 사회복지사에게 의뢰하는 것을 수용하도록 원조한다. ④ 특히 클라이언트의 드러나는 언어적 메시지뿐만 아니라 **비언어적 메시지에 민감하게 반응**해야 한다.
효과의 유지와 강화하기 (또는 결과의 안정화)	① 획득된 성과를 유지 및 일반화하여 계속 발전할 수 있도록 계획한다. ② 클라이언트로 하여금 문제해결의 기본원칙을 파악하도록 원조한다. ③ 표적 문제에 대해 문제해결의 원칙이 어떻게 적용되었는지 검토하고 일반화 방법 등에 대해 예측 및 연습을 한다.
의뢰하기	의뢰해야 하는 경우는 다음과 같다. ① 사회복지사가 더 이상 그 클라이언트를 다룰 수 없게 되었을 경우(예 사회복지사 이직 등) ② 클라이언트가 기관의 다른 직원에게 서비스를 받는 것이 더 좋은 경우

선생님 가이드

❶ 의뢰 실시 여부는 종결의 유형에 영향을 받습니다. 예를 들어 클라이언트의 요구에 따른 일방적인 조기종결의 경우 클라이언트의 입장에서는 어떠한 이유에서든 더 이상 개입을 원치 않는 것이므로 의뢰가 실시되지 않는 것이 일반적입니다. 그러나 기관의 기능과 관련된 시간의 제약에 의해 결정된 종결이나 사회복지사의 사정으로 인한 종결의 경우에는 의뢰에 대해 심각하게 고려해야 합니다.

기출 OX

01 클라이언트가 종결에 대한 두려움을 갖지 않도록 가능한 한 종결시기는 명백하게 제시하지 않는다. ( ) 13. 국가직

02 사정 단계에서는 개입을 통해 획득한 효과를 유지하고 강화한다. ( ) 20. 국가직

01 × 종결의 시기는 다양한 요인들을 고려하여 정하되, 가급적 명확히 제시하는 것이 클라이언트의 종결에 대한 부정적인 감정을 줄이는 데에 유리하다.
02 × '사정 단계'가 아니라 '종결 단계'가 옳다.

	③ 사회복지사와 클라이언트 사이의 갈등이 해결되지 않아 이것이 서비스 제공과 클라이언트의 진전에 방해가 될 경우 ④ 사회복지사가 어떤 이유로든 그 클라이언트를 싫어해서 필요한 감정이입이나 온화함을 개발하거나 보여 줄 수가 없을 경우 ⑤ 가치, 종교적 신념, 언어, 문화적 배경 등의 차이로 인해 심각하고 극복할 수 없는 상호이해와 의사소통에서의 차이가 있을 경우
평가하기	개입활동의 결과가 **효율적인지 아니면 효과적이었는지 여부와 클라이언트가 이룬 변화와 성과를 확인**한다.
사후관리 계획 수립하기	① **사후관리(Follow-Up Service)**란 사회복지사가 클라이언트에 대한 원조 및 개입 과정이 종결된 이후에도 **클라이언트가 원조 과정에서 획득한 변화를 유지할 수 있도록 계속 관심을 가지고 확인하는 과정**이다. ② 과업 ㉠ 주기적으로 클라이언트의 적응 상태를 확인한다. ㉡ 클라이언트의 변화를 유지시킨다. ㉢ 종결로 인한 클라이언트의 정서적 충격을 완화시킨다. ㉣ 재개입 여부에 대한 판단과 실제적인 재개입을 한다. ㉤ 클라이언트가 변화를 지속하는 데 어려움이 있다면 필요한 도움을 제공할 수 있다는 확신을 준다.

4. 종결에 따른 반응

긍정적인 종결	① 원조 과정을 통해 성취한 이득으로 종결로 인한 상실감의 충격이 감소하게 되는 종결 형태이다. ② **사회복지사가 강점중심과 문제해결 접근법을 사용하는 경우** 클라이언트와 사회복지사 모두는 성취감을 느끼게 된다.
부정적인 종결반응	① 치료 및 사회복지사에게 집착: **클라이언트가 원조관계 자체에 몰입하고 집착하는 경우**로, 이 때 지사는 **클라이언트의 강점이나 역량보다는 약점이나 결함과 같은 병리적인 부분에만 초점**을 두고 개입한 것이 아니었는지 검토해야 한다. ② 과거 문제 재발: **개입 기간 중 발생하지 않았던 과거 문제가 다시 발생하는 경우**로, 이때 사회복지사는 클라이언트가 갖는 종결 이후의 삶에 대한 불안감과 두려움에 초점을 두어야 한다. ③ 새로운 문제 호소: 클라이언트가 원조 관계를 계속하기 위한 방편으로 새로운 문제를 호소하는 경우로, 이때 **사회복지사는 클라이언트의 감정을 탐색한 후 그 문제에 관심을 가져야 한다.** ④ 사회복지사의 대리인 발견: 클라이언트가 현재 사회복지사 이외에 의존할 다른 대상을 찾는 경우로, 이때 사회복지사는 클라이언트가 이런 선택이 어떤 결과를 가져 올지를 알려주고, 원조해야 한다.
실패로 인한 종결	① 시간제한이 없는 종결의 경우 어떠한 원조에도 불구하고 **클라이언트의 변화가 감지되지 않을 때에는 사회복지사가 종결을 권유할 수 있다.** ② 실패로 인한 종결은 대체로 클라이언트의 부정적인 감정 반응을 발생시키며, 이를 성공적으로 극복하기 위해서 사회복지사는 **클라이언트의 현재 감정에 초점을 두어야 하며 공감적 의사소통, 수용, 따뜻함 등의 기술과 태도들을 활용**해야 한다.

회독 Check! 1회 □ 2회 □ 3회 □

제7절 사회복지실천의 분야

1 아동복지

1. 아동복지의 개념

(1) 법적 개념(「아동복지법」 제3조 제2호)

"아동복지"란 아동이 행복한 삶을 누릴 수 있는 기본적인 여건을 조성하고 조화롭게 성장 · 발달할 수 있도록 하기 위한 경제적 · 사회적 · 정서적 지원을 말한다.

(2) 광의적 · 협의적 개념(Kadushin & Martin)

카두신과 마틴(Kadushin & Martin)은 아동복지의 개념을 광의적 개념과 협의적 개념으로 나누어 설명하였다.

광의적 개념	광의적 의미의 아동복지는 **모든 아동들의 행복**을 위해 그들의 신체적 · 사회적 · 심리적 · 발달을 보호하고 촉진하기 위한 경제 · 교육 · 보건 · 노동 등 아동을 둘러싼 **사회체계의 개선을 위한 총제적인 사회적 노력**이다.
협의적 개념	협의적 의미의 아동복지는 **부모의 양육이 불가능한 상황**에서 특수한 욕구를 가진 아동과 그의 가족을 대상으로 **사회복지기관을 비롯한 특정 기관에서 제공하는 서비스**이다.

핵심 PLUS

아동의 연령 규범

종류	관련 법률 용어	연령규범	관련 법률 등의 조항
「유엔아동권리협약」(1989년 11월 20일 제정)	아동	18세 미만	제1부 제1조 이 협약의 목적상, 아동은 아동에게 적용되는 법에 의하여 보다 조기에 성인연령에 달하지 아니하는 한 18세 미만의 모든 사람을 의미한다.
「아동복지법」	아동	18세 미만	법 제3조 제1호 "아동"이란 18세 미만인 사람을 말한다.
「영유아보육법」	영유아	7세 이하	법 제2조 제1호 "영유아"란 7세 이하의 취학 전 아동을 말한다.
「청소년기본법」	청소년	9세 이상 24세 이하	법 제3조 제1호 "청소년"이란 9세 이상 24세 이하인 사람을 말한다. 다만, 다른 법률에서 청소년에 대한 적용을 다르게 할 필요가 있는 경우에는 따로 정할 수 있다.
「청소년보호법」	청소년	만 19세 미만	법 제2조 제1호 "청소년"이란 만 19세 미만인 사람을 말한다. 다만, 만 19세가 되는 해의 1월 1일을 맞이한 사람은 제외한다.

「소년법」	소년	19세 미만	법 제2조 이 법에서 "소년"이란 19세 미만인 자를 말하며, "보호자"란 법률상 감호교육(監護敎育)을 할 의무가 있는 자 또는 현재 감호하는 자를 말한다.
「한부모가족지원법」	아동	18세 미만	① 법 제4조 제1의2 "청소년 한부모"란 24세 이하의 모 또는 부를 말한다. ② 법 제4조 제5호 "아동"이란 18세 미만(취학 중인 경우에는 22세 미만을 말하되, 「병역법」에 따른 병역의무를 이행하고 취학 중인 경우에는 병역의무를 이행한 기간을 가산한 연령 미만을 말한다)의 자를 말한다.
「입양특례법」	아동	18세 미만	법 제2조 제1호 "아동"이란 18세 미만인 사람을 말한다.

2. 아동복지의 원칙 (必)

(1) 권리와 책임의 원칙

아동복지는 **아동 · 부모 · 사회(또는 국가)라는 3주체의 권리와 책임에 기반**을 두고 있어야 한다는 원칙이다.

아동의 권리와 책임	① 아동의 권리: **(한 인간으로서의 권리)** 모든 아동은 **부모와 상관없이 한 인간으로서 독자적인 권리를 가진 존재**이며, **(미성숙한 인간으로서의 권리)** 동시에 부모와 사회로부터 의식주를 제공받아 생존하고 신체적 · 정신적으로 건강하고 위생적인 삶을 보장받아야 하는 **미성숙한 인간으로서의 권리를 지니고 있다.** ② 아동의 책임: 아동은 자신들을 책임지고 있는 **어른들의 긍정적인 기대를 충족**시켜야 하며 그들에게 부과되는 합리적 요구를 받아들여 **능동적으로 자신의 발달을 촉진**해야 한다.
부모의 권리와 책임	① 부모는 **아동의 보호와 양육에 대한 1차적인 권리와 책임을 가진 존재**이다. ② 부모는 아동에 대해 **후견인(後見人)의 권리**를 가짐으로써 아동에 대한 재정적 지원, 신체적 보호, 정서적 책임, 기타 부모의 위치에서 가져야 할 의무가 있다. 다만, 이를 제대로 수행하지 못할 경우 그 **권리는 제한당할 수도 있다.**
사회(또는 국가)의 권리와 책임	사회(또는 국가)는 아동을 보호하고 건전하게 육성하기 위한 **제반 권한을 행사하여 입법조치와 실질적 대책을 마련**할 수 있으며, 부모의 양육과 보호가 법률에 규정하는 수준에 미치지 못할 경우 **부모에 대해 강제력을 행사하여 아동을 강제보호하거나 위탁가정이나 시설의 보호를 받도록 할 수 있다.**

(2) 보편성과 선별성의 원칙

아동복지에서 **보편성과 선별성은 동시에 적용될 수 있는 원칙**이다.

① 보편성: **평등의 이념을 전제**로, **전체 아동을 대상으로** 급여나 서비스를 제공하는 원칙이며, 제도 운영에 필요한 **재정은 일반조세에서 충당**된다.
예 아동수당, 가족수당, 무상의무교육 등

② 선별성: **요보호 아동만을 대상**으로 급여나 서비스를 제공하는 원칙으로, **시혜적이고 일시적 · 보충적 · 잔여적 성격**이 강하다.

(3) 개발성의 원칙

아동의 변화를 유도하고, 이들이 가진 **능력을 최대한 발휘**할 수 있도록 해야 한다. 이를 위해 문제 발생 후 대응하는 복지체계에서 벗어나 예방적이며 의도적인 변화를 가져올 수 있는 사회복지체계를 구축해야 한다.

(4) 전문성의 원칙

아동의 욕구를 충족시키기 위해서는 전문적인 지식과 기술을 지닌 전문 인력이 활용되어야 한다. 그러므로 아동복지는 **전문기구와 전문적 인력에 의해 수행**되어야 한다.

(5) 포괄성과 통합성의 원칙

한 인간으로서 아동의 모든 삶의 영역, 즉 건강한 가정, 경제적 안정, 교육, 보건, 노동, 오락, 보호 등의 서비스가 아동에게 포괄적 · 통합적으로 제공되어야 한다.

(6) 예방성과 치료성의 원칙

가장 바람직한 아동복지는 **아동의 문제를 미연에 방지**하는 것이며, 부득이 문제가 발생할 경우에는 확인된 문제의 해결을 위해 **최선의 조치를 강구**해야 한다.

핵심 PLUS

아동복지의 기본이념(「아동복지법」 제2조)

① 아동은 자신 또는 부모의 성별, 연령, 종교, 사회적 신분, 재산, 장애유무, 출생지역, 인종 등에 따른 어떠한 종류의 차별도 받지 아니하고 자라나야 한다.
② 아동은 완전하고 조화로운 인격발달을 위하여 안정된 가정환경에서 행복하게 자라나야 한다.
③ 아동에 관한 모든 활동에 있어서 아동의 이익이 최우선적으로 고려되어야 한다.
④ 아동은 아동의 권리보장과 복지증진을 위하여 이 법에 따른 보호와 지원을 받을 권리를 가진다.

3. 아동복지의 이념

(1) 자유방임주의(Laissez-Faire)

아동복지에 대한 국가의 역할을 최소화하는 반면, **아동의 부모가 지닌 권리와 책임을 우선시**하는 **가부장제(Patriarchy)적** 이념이다.

(2) 국가부권주의(State Paternalism)

아동보호(Child Protection)와 관련해서 광범위한 국가의 개입을 인정하여, 부모 · 자녀 간의 생물학적 유대 보다는 부모가 아동에게 적절하지 않아 **아동의 권리가 침해당할 때에 국가가 부모와 아동에게 개입할 수 있다**고 보는 이념이다.

(3) 가족중심주의(Pro-family)

아동과 부모의 생물학적인 부모 · 자녀 관계를 유지시키는 데 초점을 두는 이념으로, 최대한 부모의 친권은 보호되고 유지되어야 한다고 본다. 이러한 이념에서는 국가가 아동에게 대리적 보호를 제공하기보다는 대리적 보호가 필요하지 않도록 가족을 위한 **지지적 서비스를 제공**할 것을 제안한다.

(4) 아동권리주의

아동을 성인과 같은 자유와 자율을 지닌 존재로 규정하여 **그의 자기결정권을 중시하는 이념**으로, 국가는 **아동의 권리보호에 적극적으로 역할**을 하되, 그 외의 부분에 대해서는 최소한의 개입만 할 것을 강조한다.

4. 아동복지의 대상 18. 지방직 (必)

아동복지의 대상은 기본적으로 모든 아동을 대상으로 하되, 아동복지의 원칙 중 **'보편성과 선별성의 원칙'에 따라 일반아동과 요보호아동으로 구분**할 수 있다.

(1) 일반아동

보편성의 원칙에 따른 아동복지의 대상으로, 아동이 속한 가정에서 제공되는 보호 이외의 **다른 특별한 보호를 받지 않고도 생활할 수 있는 아동들**을 말한다.

(2) 요보호(要保護)아동

① **선별성의 원칙**에 따른 아동복지의 대상으로, **특별한 보호가 필요한 아동**을 말한다.

② 우리나라 「아동복지법」에서는 이러한 요보호아동을 **보호대상아동과 지원대상아동으로 구분**하고 있다.

구분	내용
보호대상아동 (법 제3조 제4호)	**보호자가 없거나 보호자로부터 이탈된 아동 또는 보호자가 아동을 학대하는 경우** 등 그 보호자가 아동을 양육하기에 적당하지 아니하거나 양육할 능력이 없는 경우의 아동을 말한다.
지원대상아동 (법 제3조 제5호)	아동이 조화롭고 건강하게 성장하는 데에 필요한 기초적인 조건이 갖추어지지 아니하여 **사회적 · 경제적 · 정서적 지원이 필요한 아동**을 말한다.

③ **카두신(Kadushin, 1998년)**은 요보호아동을 다음과 같이 분류하였다.

구분	내용
부모의 역할이 없는 아동	부모 사망, 별거, 이혼, 신체적 · 정신적 질환, 투옥, 비합법성 이민
부모가 그 역할을 거부한 아동	태만, 자포자기, 신체학대, 유기
부모가 무능력한 아동	신체적 · 정신적 또는 정서적 부적절성, 지식 또는 훈련의 결여, 정서적 미성숙, 약물중독, 무지
무능력과 장애를 가진 아동	간질, 정서적 결함, 정서적 혼란, 뇌손상
지역 사회 자원의 결함에 노출된 아동	부적절한 주택, 실업

④ **장인협과 오정수(2001년)**는 요보호아동을 다음과 같이 분류하였다.

양육환경상의 보호가 필요한 아동	가족의 구조와 기능이 결손되어 건강한 양육환경에서 성장하기 힘든 아동들로, **빈곤가정아동, 결손가정아동, 부모부재아동 등이 해당**된다.
신체적 · 정신적 · 정서적으로 문제나 장애를 지닌 아동	자신들이 지닌 독특한 심신상의 결함으로 인해 정상적인 사회참여에 제한을 받고 있고, 독립적인 인격체로서의 존엄성을 침해당하고 있는 아동들로 **장애아동 등이 해당**된다.
사회적 · 법적 보호가 필요한 아동	**가출아동이나 비행아동** 등을 말한다.
특별보호를 요하는 아동	**학대 및 유기된 아동이나 미혼모의 아동** 등을 말한다.

5. 아동복지서비스의 분류 13 · 17. 국가직, 11 · 13 · 18 · 22. 지방직, 11. 서울시 必

(1) 서비스 제공 장소에 따른 분류

재가서비스 (In-Home Service)	아동이 **자신의 원가정에서 그대로 생활**하면서 서비스를 제공받는 것을 말한다.
가정 외 서비스 (Out of Home service)	아동이 **자신의 원가정을 떠나** 시설이나 다른 가정에 위탁되어 생활하면서 서비스를 제공받는 것을 말한다.

(2) 카두신(Kadushin)의 서비스 기능에 따른 분류

아동이 속한 **원가정에 대해 제공되는 서비스의 기능**에 따른 분류이다.

분류	내용	대표적인 서비스 종류
지지적 서비스 (Supportive Service)	① 제1차 방어선 역할: **가장 예방적이며, 약한 단계의 아동복지서비스**로, 가족이나 부모 · 자녀 관계체계가 스트레스에 노출될 경우에 발생하는 초기 문제를 다룬다. ② 제반의 가족 기반 서비스: 부모로 하여금 아동에 대한 책임을 효율적으로 수행할 수 있도록 그들의 능력을 지지 · 강화시키는 서비스이다. ③ 외부에서의 지원: 서비스 제공기관은 부모의 역할을 대신하는 것이 아니라 **부모가 부모로서의 기능을 제대로 수행할 수 있도록 외부에서 원조**해 주는 역할을 한다. ④ 재가보호(Home-Based Care): 아동의 가정 내에서 제공되는 서비스이다.	① 가족치료 ② 부모교육(예 아동학대부모교육, 미혼부 · 모교육, 장애아동 부모교육 등) ③ 익명의 부모 모임 ④ 개별사회사업서비스 ⑤ 아동상담 사업 ⑥ 가족상담 사업 ⑦ 집단상담 사업 ⑧ 지역사회 프로그램 ⑨ 미혼부모복지사업 ⑩ 학교사회사업 ⑪ 근로아동 복지사업[1] ⑫ 빈곤아동 지원사업

선생님 가이드

[1] 근로아동이란 15세 이상 18세 미만의 아동으로, 이들은 취학의 기회를 가정의 경제형편 등 여러 가지 이유로 놓치거나 얻기 어려운 상황에서 취업을 통해 근로활동을 하고 있는 아동을 말합니다.

보충적 서비스 (Supplementary Service, 또는 보조적 서비스, 보완적 서비스)	① 치료적이면서 예방적인 아동복지 서비스로, 부모의 실업·질병·장애·재정적 곤란 등으로 인해 발생하는 부적절하거나 제약된 부모의 보호를 보상하거나 아동이 받아야 할 보호를 보충하는 서비스를 말한다. ② 재가보호(Home-Based Care): 아동의 가정 내에서 제공되는 서비스로, 서비스 제공기관은 **부모의 역할을 일부 대행**한다.	① **보육사업**: 하루 중 일정 시간 동안 가정의 아동양육기능을 대행하는 사업 ② 가사조력서비스(또는 가정봉사원 파견 서비스)❷ ③ 장애아동보호사업 ④ **아동보호사업(또는 프로텍티브 서비스)**: 아동학대 피해 아동을 보호하는 사업 ⑤ 경제적 지원을 위한 사회보험, 공공부조 사업 ⑥ **소득유지사업**: 만 20세 이하의 소년소녀 가장 또는 그 세대에 생계급여와 결연을 통한 민간 차원의 후원 등을 장려하는 사업
대리적 서비스 (Substitutive Service)	① **부모의 역할이 상실되었을 경우 아동이 가정을 이탈하여 다른 체계에 의해 보호를 받는 서비스**이다. ② 가정 밖에서의 지원(또는 가정 외 서비스): 서비스 제공기관은 아동을 가정에서 분리한 후 부모의 역할을 전부 대신한다.	① 입양사업 ② 가정위탁❸보호사업(또는 위탁가정사업) ③ 시설보호사업 ④ 일시보호소 ⑤ 쉼터

(3) 주커만(Zukerman)의 방어선의 위치에 따른 분류

분류	내용	카두신(Kadushin)과의 비교
제1차 방어선으로서 가정 내 서비스	① 방어선의 위치: **출생가정(또는 원가정)**❹ ② 아동의 출생가정이 아동의 기본적 욕구를 충족시킬 수 없는 위험에 처하거나 부모·자녀의 관계에 장애가 발생할 경우 **가정의 사회적 기능을 회복·유지·강화하기 위해 제공**되는 서비스이다.	**지지적 서비스, 보충적 (또는 보조적) 서비스**
제2차 방어선으로서 대리가정 서비스	① 방어선의 위치: **대리가정** ② 최소 침해 대안의 원칙(The Least Detrimental Alternative): 가정이 아동에게 정상적인 기능을 제공해 주지 못할 경우 **가정과 가장 유사한 자연스러운 보호의 장을 마련**해 주기 위해서 제공되는 서비스이다. ③ 이러한 서비스는 수용시설에 비해 덜 구속적이어서 아동이 서비스 제공시설에서 지역사회에 자유롭게 접근할 수 있어야 한다. ④ 종류: 보육서비스, 가정위탁서비스, 입양서비스	**대리적 서비스**

선생님 가이드

❷ '가사조력서비스'는 어머니의 부재로 어머니 역할이 불충분하거나, 어머니의 업무과다로 그 역할이 부적절하게 수행될 경우 어머니의 역할을 일정 기간 제공함으로써 가정생활의 정상적인 보호와 유지가 가능하도록 하는 서비스 활동을 말합니다.

❸ 우리나라 「아동복지법」 제3조 제6호에서는 '가정위탁'을 '보호대상아동의 보호를 위하여 성범죄, 가정폭력, 아동학대, 정신질환 등의 전력이 없는 보건복지부령으로 정하는 기준에 적합한 가정에 보호대상아동을 일정 기간 위탁하는 것'으로 정의하고 있습니다. 따라서 아동은 계획된 기간 동안 위탁의 사유가 된 상황이 해소되면 다시 친부모의 가정으로 돌아갈 수 있습니다.

❹ 가정은 아동에게 있어서 제1차 방어선입니다. 즉 이 서비스는 제1차 방어선인 가정의 기능을 회복시키는 데 초점을 둡니다.

기출 OX

01 카두신(Kadushin)이 제시한 아동복지서비스의 유형 중 가정위탁은 지지적 서비스에 해당한다. ( ) 17. 국가직

02 위탁보호가정의 대리부모는 위탁보호아동과 법적 친권 관계를 맺는다. ( ) 11. 지방직

03 지지적 서비스는 가정을 이탈한 아동이 다른 체계에 의해 보호를 받는 동안 부모를 지원하여 가족 기능을 강화하도록 하는 상담 서비스이다. ( ) 18. 지방직

04 일하는 어머니를 도와주는 보육 서비스는 보완적(보충적) 서비스에 해당된다. ( ) 18. 지방직

01 × '지지적 서비스'가 아니라 '대리적 서비스'가 옳다.
02 ×
03 × '가정을 이탈한 아동이 다른 체계에 의해 보호를 받는 것'은 대리적 서비스에 관한 설명이고, '부모를 지원하여 가족 기능을 강화하도록 하는 것'은 '지지적 서비스'에 관한 설명이다.
04 ○

제3차 방어선으로서 수용시설 서비스	① 방어선의 위치: **수용시설** ② 아동이 원가정과 대리가정을 통해 보호와 양육서비스를 제공받을 수 없을 경우 **시설에 수용하여 집단[1]적인 보호서비스를 제공**하는 것이다. ③ 주로 또래집단과의 집단적 관계가 필요한 아동이나 특수한 욕구를 지닌 장애아동에게 제공된다. ④ 원가정을 대리한다는 점에서 제2차 방어선과 같지만, **'집단적인 생활환경'에서 서비스가 제공된다는 점에서 차이가 있다.**	**대리적 서비스**

6. 유엔 아동권리에 관한 국제협약(UN Convention on the Rights of the Child)

12 · 24. 국가직, 19. 서울시 必

(1) 개관

① **18세 미만 아동의 생존 · 보호 · 발달 · 참여의 권리 등을 담은 국제협약**으로, **1989년 11월 20일 유엔총회에서 만장일치로 채택**되어, **1990년 9월 2일에 발효**되었으며, **우리나라는 1990년에 이 협약에 서명**하고, **1991년에 비준서를 UN에 제출**하여 조약당사국이 되었다.

② **전문, 제3부, 총 54개 조항으로 구성**있다.

(2) 주요 내용

① 아동의 4가지 기본적인 권리

권리	내용
생존권	㉠ 기본적인 삶을 누리는 데 필요한 권리 ㉡ 적절한 생활 수준을 누릴 권리 ㉢ 안전한 주거지에서 살아갈 권리 ㉣ 충분한 영양을 섭취하고 기본적인 보건 서비스를 받을 권리
보호권	모든 형태의 학대와 방임, 차별, 폭력, 고문, 징집, 부당한 형사처벌, 과도한 노동, 약물과 성폭력 등 아동에게 유해한 것으로부터 보호받을 권리
발달권	㉠ 잠재능력을 최대한 발휘하는 데 필요한 권리 ㉡ 교육받을 권리 ㉢ 여가를 즐길 권리 ㉣ 문화생활을 하고 정보를 얻을 권리 ㉤ 생각과 양심과 종교의 자유를 누릴 권리
참여권	㉠ 자신의 생활에 영향을 주는 일에 대하여 의견을 말할 수 있어야 하며 그 의견을 말하고 존중받을 권리 ㉡ 표현의 자유 ㉢ 양심과 종교의 자유 ㉣ 의견을 말할 권리 ㉤ 평화로운 방법으로 모임을 자유롭게 열 수 있는 권리 ㉥ 사생활을 보호받을 권리 ㉦ 유익한 정보를 얻을 권리

선생님 가이드

[1] '집단적인 보호'는 소규모 그룹홈(보통 6~12명 정도)에서부터 대규모 수용시설에 이르기까지 다양한 형태로 제공됩니다.

기출 OX

01 아동에 대한 가정 외 서비스에는 시설보호, 위탁가정, 일시보호소, 쉼터 서비스 등이 포함된다. ( ) 18. 지방직

02 가장 예방적인 접근인 대리적 서비스는 재가서비스 형태로 이루어진다. ( ) 18. 지방직

03 가정과 유사한 곳에서 생활하는 것이 주커만의 방어선에 분류에 의한 3차 방어선이다. ( ) 11. 서울시

04 아동학대에 대한 보호 서비스 즉, 프로텍티브 서비스는 보완적 서비스에 해당한다. ( ) 11. 서울시

05 주커만의 가정 내 서비스는 카두신의 지지적 서비스와 보완적 서비스가 여기에 해당한다. ( ) 11. 서울시

06 생존권은 적절한 생활 수준과 주거, 영양, 보건 등을 통해 아동의 생존을 보장받을 권리이다. ( ) 24. 국가직

07 보호권은 모든 아동이 위험에서 보호받고 안전하게 살아갈 권리이다. ( ) 24. 국가직

08 발달권은 아동이 자신의 잠재 능력을 최대한 발휘하고 성장할 권리이다. ( ) 24. 국가직

09 국제연합(UN) 참여권은 권리의 객체인 아동에게 영향을 미치는 일에 보호자가 참여할 권리이다. ( ) 24. 국가직

01 ○
02 × '대리적 서비스'가 아니라 '지지적 서비스'가 옳다.
03 × '3차 방어선'이 아니라 '2차 방어선'이 옳다.
04 ○
05 ○
06 ○
07 ○
08 ○
09 × '권리의 주체인 아동이 자신에게 영향을 미치는 일에 참여할 권리'가 맞다.

② 아동의 권리와 관련된 4가지 기본원칙

무차별의 원칙	**아동이나 그의 부모, 후견인의 인종, 피부색, 성별, 언어, 종교, 정치적 의견, 민족적 · 인종적 · 사회적 출신, 재산, 장애여부, 태생, 신분 등의 차별 없이 협약에 규정된 권리를 존중**하고, 모든 아동에게 이를 보장해야 하며, 아동이 부모나 후견인 또는 다른 가족의 신분과 행동, 의견이나 신념을 이유로 차별이나 처벌을 받지 않도록 모든 적절한 조치를 취해야 한다.
아동 최우선의 이익 원칙	공공 · 민간 사회복지기관, 법원, 행정당국, 입법기관 등은 아동과 관련된 활동을 함에 있어 **아동에게 최상의 이익이 무엇인지 가장 먼저 고려**해야 한다.
생존 및 발달 보장의 원칙	모든 아동이 생명에 관한 고유의 권리를 가지고 있음을 인정하고, **아동의 생존과 발달을 최대한 보장**해야 한다.
참여의 원칙	책임감 있는 어른이 되기 위해 아동은 자신의 능력에 맞게 적절한 사회활동에 참여할 기회를 가지고, 자신의 생활에 영향을 주는 일에 대하여 의견을 말할 수 있어야 하며, 그 의견을 존중받을 수 있어야 한다.

(3) 협약에 제시된 당사국의 의무 사항

① **조치 의무**: 협약 당사국은 협약에 명시된 아동의 권리 실현을 위해 **입법적, 행정적 조치**를 비롯해 모든 적절한 조치를 취해야 한다. **경제적 · 사회적 · 문화적 권리 보장**을 위해 당사국은 최대한 자원을 동원해야 하며 필요한 경우 이를 국제협력의 관점에서 시행해야 한다(제4조).

② **법적 보호자에 대한 존중 의무**: 협약 당사국은 아동이 협약에 명시된 권리를 행사함에 있어서 부모, 확대가족, 공동체 구성원, 후견인 등 법적 보호자들이 아동의 능력과 발달정도에 맞게 지도하고 감독할 책임과 권리가 있음을 존중해야 한다(제5조).

③ **홍보 의무**: 협약 당사국은 협약의 원칙과 규정을 적절하고 적극적인 수단으로 성인과 아동 모두에게 널리 알릴 의무를 가진다(제42조).

④ **보고 의무**: 협약 당사국은 협약이 규정하는 권리 실행을 위해 채택한 조치와 이러한 권리의 보장과 관련해 이루어진 **이행상황의 보고서를 유엔사무총장을 통해서 협약이 비준된(또는 발효된) 후 2년 이내에, 그 후에는 매 5년마다 유엔아동권리위원회**❷**에 보고**해야 한다(제44조).

(4) 기타

협약의 규정은 아동권리 실현에 보다 크게 공헌할 수 있는 협약 당사국의 법이나 당사국에서 효력을 가지는 국제법의 규정에 영향을 미치지 않는다(제41조).

2 장애인 복지

1. 장애의 개념적 모델

장애의 개념적 모델이란 **장애를 인식하는 기본적인 시각**으로, **개별적 모델과 사회적 모델로 구분**할 수 있다.

선생님 가이드

❷ 아동권리위원회(Committee on the Rights of the Child, CRC)는 협약의 의무 이행에 관해 협약 당사국이 달성한 진전 상황을 심사하기 위해 「아동권리에 관한 협약」에서 창설된 유엔 산하의 인권기구입니다.

기출 OX

01 우리나라는 1991년 유엔아동권리협약에 서명하고, 비준서를 유엔에 제출하였다. ( ) 12. 국가직

02 유엔아동권리협약에는 아동 이익 최우선의 원칙을 제시하고 있다. ( ) 12. 국가직

03 유엔아동권리협약에는 협약 당사국은 모든 아동들의 인권보장을 위한 법적, 제도적, 행정적 조치를 취하여야 한다고 명시한다. ( ) 12. 국가직

04 「아동권리에 관한 국제협약」에서 규정한 아동의 기본적인 4대 권리에는 자유권이 포함된다. ( ) 19. 서울시

01 × 우리나라는 1990년에 이 협약에 서명하고, 1991년에 비준서를 UN에 제출하여 조약당사국이 되었다.
02 ○
03 ○
04 ×

(1) **개별적(또는 의료적) 모델**

장애를 개인에게 발생한 비극적인 사건으로 인해 발생한 손상(Impairment)으로 보는 모델로, 이 모델에서 장애는 의료 전문가에게 치료받아야 할 상태로 정의된다.

(2) **사회적 모델**

장애를 개인의 문제가 아닌 사회적 환경하에서 발생한 **장애인에 대한 여러 가지 제한으로 이해**하는 모델로, 장애인에 대한 사회적 편견, 제도적인 차별, 배제 등이 여기에 포함된다.

2. 세계보건기구(WHO)의 장애 개념 11. 지방직, 12. 국가직 必

(1) ICIDH(International Classification of Impairments, Disabilities, and Handicaps, 1980년)

① **ICD**[1]**를 근간**으로 하여, 장애를 **손상, 능력(또는 기능)장애, 사회적 분리로 구분**하였다.

손상 (Impairment)	1차 장애	신체적 차원의 장애	㉠ 천적 또는 노령 · 질병 · 사고 등으로 인해 개인의 **신체적 · 정신적 상태가 일시적 또는 영구적으로 손상된 상태**를 말한다. ㉡ 의의: 일반 타인이 개인의 어떤 '비정상성'을 인식하게 되었다.
능력(또는 기능)장애 (Disability)	2차 장애	개인적 차원의 장애	㉠ **손상으로 인해 개인의 활동수행 능력이 감소된 상태**로, 그 상태에 대한 개인의 적응 결과가 포함된다. ㉡ 의의: 개인적인 차원에서 활동수행 능력이 감소되었다.
사회적 불리 (Social Handicap)	3차 장애	사회적 차원의 장애	㉠ **능력(또는 기능)장애로 인해 '사회적 참여의 제한'이라는 사회적 반응이 발생**하여 개인의 독립생활, 교육, 취직 등이 저해되고 있는 상태를 말한다. ㉡ 의의: 개인이 다른 사람들의 일상적인 삶에 비교해서 불리한 상황에 처해졌다.

② 이러한 장애에 대한 개념 구분은 손상이나 능력장애의 측면보다는 **사회적 불리를 받는 상황(손상 → 능력장애 → 사회적 불리)**[2]**을 강조한 개념**이다. 즉, **장애발생의 원인과는 상관없이 장애가 발생하면 사회적 불리를 경험하게 된다는 논리**로, 이로 인해 **장애에 대한 사회적 책임론이 확장**되는 계기가 되었다.

예 암벽등반을 하다가 사고를 당해 하반신 마비가 되어(손상), 걷지 못하게 되었고(능력장애), 이로 인해 취업이 어려워졌다(사회적 불리).

선생님 가이드

❶ 국제질병분류(International Classification of Diseases, ICD)는 인간의 질병이나 사망의 원인에 관한 표준 분류 규정으로, 세계보건 기구(WHO)에서 발표하는 자료입니다.

❷ ICIDH는 손상이라는 전제하에 능력장애를, 다시 능력장애라는 전제하에 사회적 장애의 여부를 판단하는 체계였습니다.

(2) ICIDH-2(1997년)

① 세계보건기구는 1980년에 ICIDH를 국제 통용안으로 의결하였으나, 이후 이를 보완하여 **1997년에 ICIDH-2를 제안**하였다. **ICIDH-2는** ICIDH를 근간으로 하되, ICIDH의 손상, 기능장애, 사회적 분리를 **손상, 활동, 참여로 재분류한 것**이다.

② 장애를 ICIDH와 같이 '손상 → 능력장애 → 사회적 불리'의 **일방적인 발전 과정**으로 보는 것이 아니라, **환경과의 상호 관계성적 측면하에 보다 포괄적으로 장애를 규정**하고 있다.

손상(Impairment)	신체 구조나 물리적 · 심리적 기능상의 상실이나 비정상성을 의미하는 것으로, **세부적으로는 기능과 구조로 구분**된다.
활동(Activity)	**활동(Activity) 및 활동제한(Activity Limitation)**은 **개인적 수준에서 일상생활과 관련된 개인의 활동**으로, 걷는 것에서부터 쇼핑을 하고 직무를 수행하는 등, 일상의 모든 활동이 포함된 용어이다.
참여(Participation)	㉠ **참여(Participation) 또는 참여억제(Participation Restriction)**는 손상, 활동, 건강조건, 생활요인과 관련한 생활상황에서 개인의 연관성 정도와 본질로 정의한다. 따라서 참여는 개인의 참여 정도, 참여를 촉진하게 하거나 또는 방해하는 환경 등을 말한다. ㉡ 참여의 측면에서는 따돌림을 당하거나 오명(汚名)을 당해 적절한 사회적 관계를 맺지 못하는 개인의 경우에도 장애가 될 수 있다.

(3) ICF(International Classification of Functioning, Disability and Health, 2001년)

① 1997년에 제안된 **ICIDH-2를 근간으로 5년 동안의 현장검증과 국제회의 등을 거쳐 2001년 세계보건위원회에서 승인된 장애분류체로,** ICIDH-2와 큰 맥락은 동일하면서도 장애에 대한 개인적인 특성과 사회 · 환경적인 특성을 통합한 장애개념이다.

② 특정 영역에서 **신체의 기능과 구조, 활동과 참여와 같은 개인의 기능과 장애**를 상황적 요인과의 상호작용의 결과로 이해한다.

구분	영역1) 기능과 장애		영역2) 상황적 요인	
구성요소	**신체기능과 구조**	**활동과 참여**	**환경적 요소❸**	**개별적 요소**
영역	㉠ 신체기능 ㉡ 신체구조	생활영역(과업, 활동 등)	기능과 장애에 영향을 미치는 외적 영향력	기능과 장애에 영향을 미치는 내적 영향력
구성	㉠ 신체기능의 변화(생리학) ㉡ 신체구조의 변화(해부학)	㉠ 표준환경에서의 과제 수행 능력 ㉡ 현재 환경에서의 과제수행정도	물리적 · 사회적 · 인지적 측면에서 촉진 또는 방해하는 힘 예 사회인식, 건축물의 장애요소 등	개별적인 특성에 의한 영향 예 성, 연령, 인종, 습관, 대처방식 등

선생님 가이드

❸ 'ICIDH(1980년) → ICIDH-2(1997년) → ICF(2001년)'로 장애에 대한 개념 규정 변천의 주요 특징은 환경적 요소들이 점차 강조되는 추세를 보이는 것입니다. 2011년 지방직 시험에서 출제된 적이 있습니다.

③ **국제질병분류체계(ICD-10)와 상호 보완적으로 사용하도록 구성**되어 있다. 다만, ICD-10이 질병의 진단에 초점을 두는 반면, **ICF는 기능에 대한 다양한 정보를 제공**한다.

3. 장애인의 법적 정의와 범주 14 · 16. 지방직, 15. 국가직 (必)

(1) 장애인[❶]의 법적 정의(「장애인 복지법」 제2조)

"장애인"이란 신체적 · 정신적 장애로 오랫동안 일상생활이나 사회생활에서 상당한 제약을 받는 자를 말한다.

① "신체적 장애"란 주요 외부 신체 기능의 장애, 내부기관의 장애 등을 말한다.

② "정신적 장애"란 발달장애 또는 정신 질환으로 발생하는 장애를 말한다.

(2) 장애 범주에 대한 논의

① 장애의 개념은 개별 국가의 문화적 기대나 환경에 따라 변화될 수 있으며, 이에 따라 **장애 범주 역시 각 국가의 정치적 · 사회적 · 경제적 · 문화적 환경에 따라 차이**가 있다.

② 우리나라의 경우 장애인의 범주를 주로 **의료재활적 관점에 입각**해서 **신체구조 및 신체 · 정신의 기능 상의 장애로 판정**한다. 그러나 유럽 등 서구 선진국에서는 신체 · 정신의 기능적인 장애에 추가하여 **과업수행 능력**, 개인적 요인뿐만 아니라 환경적 요인에 의해 불이익을 받는 조건까지 포함하는 **사회적 의미의 장애** 등, **포괄적인 장애범위를 채택**하고 있다.

(3) 우리나라의 장애인에 대한 법적 분류

① 대 · 중 · 소 · 세분류

대분류	중분류	소분류	세분류
신체적 장애	외부 신체기능의 장애	지체장애	절단장애, 관절장애, 지체기능장애, 변형 등의 장애
		뇌병변장애	뇌의 손상으로 인한 복합적인 장애
		시각장애	시력장애, 시야결손장애
		청각장애	청력장애, 평형기능장애
		언어장애	언어장애, 음성장애, 구어장애
		안면장애	안면부의 추상, 함몰, 비후 등 변형으로 인한 장애
	내부기관의 장애	신장장애	투석치료중이거나 신장을 이식 받은 경우
		심장장애	일상생활이 현저히 제한되는 심장기능 이상
		간장애	일상생활이 현저히 제한되는 만성 · 중증의 간기능 이상
		호흡기장애	일상생활이 현저히 제한되는 만성 · 중증의 호흡기기능 이상
		장루 · 요루장애	일상생활이 현저히 제한되는 장루 · 요루
		뇌전증장애	일상생활이 현저히 제한되는 만성 · 중증의 뇌전증

선생님 가이드

❶ 1981년 「심신장애자 복지법」에서 '심신장애자'라는 법률용어를 처음으로 사용하였으며, 이는 1989년 「장애인 복지법」에서 지금의 '장애인'으로 변경되었습니다.

기출 OX

01 세계보건기구가 분류한 장애는 손상(impairment), 능력장애(disability), 사회적 배제(social exclusion)이다. ( ) 11. 지방직

02 장애의 개념 규정에서 환경적 요인들이 점차 강조되는 추세이다. ( ) 11. 지방직

03 세계보건기구(WHO)가 2001년에 발표한 새로운 국제장애분류체계는 ICF이다. ( ) 12. 국가직

01 × '사회적 배제'가 아니라 '사회적 분리'가 옳다(ICIDH).
02 ○
03 ○

정신적 장애	발달장애	지적장애	지능지수가 70 이하인 경우
		자폐성장애	소아청소년 자폐 등 자폐성 장애
	정신장애	정신장애	조현병, 조현정동장애, 양극성 정동장애, 재발성 우울장애

② 장애인의 종류 및 기준에 따른 장애인(「장애인복지법 시행령」 제2조 별표1)

구분	기준
지체장애인(肢體障碍人)	㉠ 한 팔, 한 다리 또는 몸통의 기능에 영속적인 장애가 있는 사람 ㉡ 한 손의 엄지손가락을 지골(指骨: 손가락 뼈) 관절 이상의 부위에서 잃은 사람 또는 한 손의 둘째 손가락을 포함한 두 개 이상의 손가락을 모두 제1지골 관절 이상의 부위에서 잃은 사람 ㉢ 한 다리를 가로발목뼈관절(lisfranc joint) 이상의 부위에서 잃은 사람 ㉣ 두 발의 발가락을 모두 잃은 사람 ㉤ 한 손의 엄지손가락 기능을 잃은 사람 또는 한 손의 둘째 손가락을 포함한 손가락 두 개 이상의 기능을 잃은 사람 ㉥ 왜소증으로 키가 심하게 작거나 척추에 현저한 변형 또는 기형이 있는 사람 ㉦ 지체(肢體)에 위 각 목의 어느 하나에 해당하는 장애정도 이상의 장애가 있다고 인정되는 사람
뇌병변장애인(腦病變障碍人)	뇌성마비, 외상성 뇌손상, 뇌졸중(腦卒中) 등 뇌의 기질적 병변으로 인하여 발생한 신체적 장애로 보행이나 일상생활의 동작 등에 상당한 제약을 받는 사람
시각장애인(視覺障碍人)	㉠ 나쁜 눈의 시력(공인된 시력표에 따라 측정된 교정시력을 말한다. 이하 같다)이 0.02 이하인 사람 ㉡ 좋은 눈의 시력이 0.2 이하인 사람 ㉢ 두 눈의 시야가 각각 주시점에서 10도 이하로 남은 사람 ㉣ 두 눈의 시야 2분의 1 이상을 잃은 사람
청각장애인(聽覺障碍人)	㉠ 두 귀의 청력 손실이 각각 60데시벨(dB) 이상인 사람 ㉡ 한 귀의 청력 손실이 80데시벨 이상, 다른 귀의 청력 손실이 40데시벨 이상인 사람 ㉢ 두 귀에 들리는 보통 말소리의 명료도가 50퍼센트 이하인 사람 ㉣ 평형 기능에 상당한 장애가 있는 사람
언어장애인(言語障碍人)	음성 기능이나 언어 기능에 영속적으로 상당한 장애가 있는 사람
지적장애인❷(知的障碍人)	정신 발육이 항구적으로 지체되어 지적 능력의 발달이 불충분하거나 불완전하고 자신의 일을 처리하는 것과 사회생활에 적응하는 것이 상당히 곤란한 사람
자폐성장애인(自閉性障碍人)	소아기 자폐증, 비전형적 자폐증에 따른 언어 · 신체표현 · 자기조절 · 사회적응 기능 및 능력의 장애로 인하여 일상생활이나 사회생활에 상당한 제약을 받아 다른 사람의 도움이 필요한 사람
정신장애인(精神障碍人)	지속적인 양극성 정동장애(情動障碍, 여러 현실 상황에서 부적절한 정서 반응을 보이는 장애), 조현병, 조현정동장애(調絃情動障碍) 및 재발성 우울장애에 따른 감정조절 · 행동 · 사고 기능 및 능력의 장애로 인하여 일상생활이나 사회생활에 상당한 제약을 받아 다른 사람의 도움이 필요한 사람

선생님 가이드

❷ 2007년 10월 「장애인 복지법 시행령」 개정 전까지는 '정신지체장애'로 명칭되었으나, 이것이 장애인에 대한 무시라는 지적에 따라 법 개정 이후 '지적장애'로 전환 · 대치되었습니다.

기출 OX

01 청각장애 및 언어장애는 신체 내부기관 장애에 해당한다. ( ) 15. 국가직

02 선진국의 경우에는 일반적으로 저개발 국가들에 비하여 장애인의 범위가 포괄적이다. ( ) 15. 국가직

03 뇌병변장애는 정신적 장애로 분류된다. ( ) 14. 지방직

04 발달장애는 신체적 장애에 포함된다. ( ) 16. 지방직

01 × '신체 내부기관 장애'가 아니라 '외부 신체기능의 장애'가 옳다.
02 ○
03 × '정신적 장애'가 아니라 '신체적 장애'가 옳다.
04 × '신체적 장애'가 아니라 '정신적 장애'가 옳다.

신장장애인 (腎臟障碍人)	신장의 기능장애로 인하여 혈액투석이나 복막투석을 지속적으로 받아야 하거나 신장기능의 영속적인 장애로 인하여 일상생활에 상당한 제약을 받는 사람
심장장애인 (心臟障碍人)	심장의 기능부전으로 인한 호흡곤란 등의 장애로 일상생활에 상당한 제약을 받는 사람
호흡기장애인 (呼吸器障碍人)	폐나 기관지 등 호흡기관의 만성적 기능부전으로 인한 호흡기능의 장애로 일상생활에 상당한 제약을 받는 사람
간장애인 (肝障碍人)	간의 만성적 기능부전과 그에 따른 합병증 등으로 인한 간기능의 장애로 일상생활에 상당한 제약을 받는 사람
안면장애인 (顔面障碍人)	안면 부위의 변형이나 기형으로 사회생활에 상당한 제약을 받는 사람
장루 · 요루장애인 (腸瘻 · 尿瘻障碍人)	배변기능이나 배뇨기능의 장애로 인하여 장루(腸瘻) 또는 요루(尿瘻)를 시술하여 일상생활에 상당한 제약을 받는 사람
뇌전증장애인 (腦電症障碍人)	뇌전증에 의한 뇌신경세포의 장애로 인하여 일상생활이나 사회생활에 상당한 제약을 받아 다른 사람의 도움이 필요한 사람

4. 장애인복지의 주요 이념 20 · 23. 국가직, 17. 지방직(추가) (必)

(1) 인간의 존엄성(또는 인권보장)

장애인 복지의 궁극적인 지향점이며 기본이념으로, 인간은 누구나 인간으로서 존엄하고 평등한 가치를 가진 존재이며, **장애인 역시 한 인간으로서 이러한 '존엄'의 대상이 되어야 한다**는 것이다.

(2) 정상화(Normalization)

① **1959년 덴마크에서** '정신지체인을 가능한 최대로 정상적인 생활조건에 가깝게 생존하도록 하는 것'이라 정의한, 정신지체인을 대상으로 한 「**정신지체인법」에서 처음으로 사용된 개념**이다.

② 처음의 취지는 정신지체인에게 주거, 교육, 일, 취미활동(또는 여가) 등을 포함하여 다른 모든 시민들이 갖고 있는 기본권을 제공하는 데 있었다.

③ 이후 인간은 발달 과정에서 **개인적인 경험을 중시**받고, 인생주기에 있어서 **선택의 자유를 보장받을 수 있는 환경이 제공**되어야 한다고 보아 **장애인에게 사회적으로 가치 있는 일을 부여하고 지원하는 과정으로 그 의미가 확대**되었다.

④ **동화(同化)로서의 정상화와 이화(異化)로서의 정상화**가 있다.

동화로서의 정상화	대규모 수용시설의 비인간적인 보호에 대한 반성에 기인하여 모든 수용시설에서 생활하는 사람들에게 **일상적인 생활을 영위하는 보통의 사람들과 같은 생활조건을 제공하는 것**을 말한다.
이화로서의 정상화	그동안 대규모 수용실에서 생활해 온 사람들에 대한 배제와 차별에 대한 반성에 기인하여 **기회의 평등을 포함한 모든 주민의 실질적 평등을 권리로서 보장하는 것**을 말한다.

⑤ 기본적으로 **지역 사회 내 강제적이며 폐쇄적인 장애인 생활시설 집중화(또는 확충)에 반대**[❶]하며, 따라서 지역사회 중심의 서비스 제공을 강조한다.

❶ 정상화란 장애인을 비정상적인 존재로 보고 이를 정상적인 사람으로 만든다는 의미가 아니라 그가 정상적인 행동을 할 수 있도록 그가 속한 환경을 정상화한다는 의미입니다. 따라서 정상화 이념 하에서는 정상적이고 일상적인 생활의 리듬을 강조하며 개인의 성장과 발달에서 정상적인 발달경험, 생의 주기에서의 자기 선택의 자유, 정상적인 가정과 지역사회에 통합된 삶을 강조합니다. 이로 인해 시설 집중화에 반대합니다.

(3) **사회통합(Social Integration)**

① 사회통합이란 사회적 자원의 분배를 통해 **사회전반의 불평등을 감소시키고자하는 이념**으로, 모든 소외 계층(예 빈민, 장애인, 노인, 여성 등)은 지역 사회 내에서 불평등 없이 다른 계층들과 공존할 수 있어야 함을 주장한다.

② 장애인 역시 자신이 가지고 있는 **불리를 경감하고 해소**하여 차별이나 배제를 당하지 않고, 비장애인처럼 자신이 속한 지역사회에서 자신에게 주어진 역할을 수행하는 등 **의미 있는 사회참여를 할 수 있어야 한다.**

③ **이러한 사회통합은 우리나라 「장애인 복지법」의 기본이념이기도 하다.**

> **핵심 PLUS**
>
> 1. 「장애인 복지법」 제3조(기본이념)
> 장애인 복지의 기본이념은 장애인의 **완전한 사회 참여와 평등을 통하여 사회통합**을 이루는 데에 있다.
>
> 2. 테일러(Taylor)는 장애인의 사회통합을 '**제한이 없는 환경**'이라고 정의하였고, 이러한 '**제한이 없는 환경' 구성의 원칙**을 다음과 같이 제시하였다.
> ① 장애인은 지역 사회 내에 거주하면서 지역사회의 환경, 그리고 이웃들과 함께 통합되어야 한다.
> ② 장애인은 비장애인과 마찬가지로 **가정과 지역 사회 내에 거주**해야 한다.
> ③ 장애인의 생활기술과 능력을 발전시키며, 서비스를 계획하고 실시를 하는 데에 있어서 **장애인 당사자의 참여가 보장**되어야 한다.

(4) **자립생활**

① 자립생활이란 자신의 삶과 관련된 여러 가지 이슈에 대해 **스스로 판단하고 결정해서 자신의 삶을 스스로 통제할 수 있는 능력이나 가능성**을 말한다.

② **장애인 역시 자기결정권을 행사하여 타인에게 의존하는 것이 아니라 자신이 자신의 삶의 주체가 되어 자신이 바라는 생활목표나 생활양식을 선택하며** 살아가야 한다.

(5) **사회책임**

시장 경제 체제 내에서 장애인이 경험할 수밖에 없는 **인간의 존엄성과 생존권 훼손의 위협에 대응**하기 위해서 국가는 장애인복지 정책을 통해 이에 적극적으로 개입해야 한다.

5. 장애인복지의 다양한 관점 23. 국가직, 11. 지방직 必

(1) **의료재활 관점**

① 문제에 대한 인식: **장애 자체**

② 개입목표: **장애의 회복 또는 치료**를 통한 장애인의 취업과 사회생활 안정

③ 개입 방법: 전문가가 제시하는 의료 및 재활 프로그램의 제공과 이에 대한 장애인의 순응 및 동조를 통해❷ 장애인이 지닌 **신체의 잔존기능을 최대화시켜 장애를 회복 또는 치료**❸한다.

④ 비판: 장애인의 신체적 기능을 **손상 이전의 상태로 회복시키는 것은 거의 불가능**하므로, 이후 등장하는 여러 관점들의 등장 배경으로만 활용된다.

선생님 가이드

❷ 이 관점의 성공여부는 장애인이 전문가가 제공하는 프로그램에 얼마나 순응하고 동조하는가에 달려있습니다.
❸ '의료재활 관점'에서는 장애를 회복 또는 치료하여 그를 취업시키거나 그의 사회생활을 안정시키는 것이 장애인의 문제를 해결할 수 있는 유일한 해결책이라고 봅니다.

기출 OX

01 자립생활은 장애인이 자기결정권을 가지고 자신이 바라는 생활목표나 생활양식을 선택하여 살아가는 것을 의미한다. ( ) 20. 국가직

02 사회통합은 장애인을 사회적으로 기여할 수 없는 무가치한 존재로 인식하여 비장애인 중심의 일반 사회에서 격리 보호하는 것이 타당하다는 의미이다. ( ) 20. 국가직

03 사회통합이란 장애인이 가지고 있는 불리를 경감하고 해소하여 의미 있는 사회참여를 할 수 있도록 하는 것이다. ( ) 17. 지방직(추가)

04 정상화는 장애인만의 생활방식과 리듬을 강조하면서 장애인이 정상적인 발달경험을 할 수 있도록 시설에 보호하는 것이다. ( ) 17. 지방직(추가)

05 정상화(normalization) 이론은 장애인의 시설보호를 반대하고 지역사회 중심의 서비스 제공을 강조한다. ( ) 23. 국가직

01 ○
02 ×
03 ○
04 × '시설에 보호하는 것이다.'가 아니라 '생활시설 집중화에 반대하는 것이다.'가 옳다.
05 ○

예 교통사고와 이로 인한 척추골절로 인해 하반신 마비가 된 장애인이 심리사회적으로 고통스러워 할 때에, 이 모델에서는 원인을 '척추골절과 이로 인해 발생한 하반신 마비로' 보고, 이를 치료하기 위해 의료적 처치, 휠체어 등의 보조기구 활용의 방법을 제시한 후, 이에 대해 장애인이 순응하고 동조해 줄 것을 강요한다.

(2) **심리재활 관점**

① 문제에 대한 인식: 장애로 인해 발생한 **장애인의 역기능적인 심리상태**

② 개입목표: **장애인의 심리적 안정**

③ 개입 방법: 검사 → 상담 → 치료

검사	지능 및 심리검사를 실시한다.
상담	개별상담, 집단상담, 전화상담 등을 실시한다.
치료	놀이치료, 음악치료, 미술치료, 가족치료 등을 실시한다.

(3) **기능주의(또는 역할이론) 관점**

① 문제에 대한 인식: **병자역할을 하는 장애인**, 즉 장애인 스스로 자신을 병자로 인식하여 자신에게 요구되는 사회적 책임과 역할 수행을 회피하고 **사회에 기대어 의존적으로 살아가려 한다.** 이러한 현상은 결국 사회 내에서 장애인을 **하급시민으로 취급**받게 만든다.

② 개입목표: **장애인의 '병자역할'에서의 이탈**

③ 개입 방법: 병자역할을 하는 장애인을 사회일탈의 문제로 이해한다.

(4) **심리사회적 관점**

① 문제에 대한 인식: **심리적 측면(장애인 개인의 심리적 · 정신적 문제)와 사회환경적 측면(장애인이 속한 사회환경 또는 환경과의 부적절한 상호작용으로 발생하는 문제)**❶

② 개입목표: **장애인 개인과 사회환경에 대한 중재**와 이를 통한 장애인의 심리적 · 사회적 자립 및 사회통합

③ 개입 방법: **환경 속의 인간관에 근거**해서 장애인의 **심리적 측면과 사회환경적 측면에 모두 개입**한다.

(5) **사회학적 관점**

① 문제에 대한 인식: **장애인이 처한 역기능적인 사회환경**(예 부적절한 물리적 환경, 기존 사회의 편견, 근거 없는 차별, 제도화된 억압 등)

② 개입목표: **장애인에 대한 '옹호와 자조'를 통한 사회통합**

③ 개입 방법(국제재활협회 사회재활위원회): 인간 중심의 복지사회를 만들기 위한 사회제도의 개혁을 시행할 것, 장애인의 생활을 위협하고 있는 사회적 · 심리적 · 문화적 요소가 무엇인지를 규명할 것, 각국의 사회재활과 관련된 정책이나 보편원칙은 국제 수준에 맞게 진행할 것, 전인재활이라는 차원에서 다른 재활분야와 역동적인 관계를 가질 것

선생님 가이드

❶ 이 관점에서는 장애인과 환경과의 부적절한 상호작용은 장애인의 사회참여를 제한하거나 심리적인 열등감을 일으켜 장애인 스스로 자신을 무능력자로 인식하게 만든다고 봅니다.

기출 OX

장애의 개념에서 신체적 잔존기능을 최대화시키고자 하는 것은 심리사회적 관점이다. ( ) 11. 지방직

× '심리사회적 관점'이 아니라 '의료재활관점'이 옳다.

6. 장애인복지 모델 必

(1) 재활모델과 자립생활모델 15 · 21 · 23. 국가직

① 장애인 복지의 모델은 **전통적인 재활모델(또는 패러다임)에서 자립생활모델(또는 패러다임)로 변화**되었다.

재활모델	㉠ **개별적(또는 의료적) 모델에 기반한 모델**로, 장애인은 일상적인 활동 수행 능력이 부족하고, 직업생활을 하기 위한 준비 역시 되지 않은 사람으로서, 이 경우 **모든 문제는 장애인 개인에게 있다고 보는 관점**이다. ㉡ 이에 변화가 필요한 것은 장애인 개인이다. 다만, 이러한 장애인 자신의 문제가 무엇인지를 알고 이에 대한 변화를 이끌어 낼 수 있는 사람은 **의사 등의 전문가일** 뿐 장애인 자신은 **환자나 클라이언트**에 불과한 **매우 의존적이고 수동적인 존재**라고 본다. ㉢ 장애인에 대해 **의료적 또는 직업훈련적 접근을 강조**한다.
자립생활모델	**장애 문제를 인권적, 장애인 주체적, 장애인 당사자 중심적, 지역사회 중심적, 역량강화적 관점**으로 보아, 장애인이 자신의 삶의 문제를 결정할 때에 타인의 개입이나 보호를 최소화하고 당사자로서 참여할 것을 강조하는 모델이다.

② 재활모델과 자립생활모델의 비교

구분	재활모델	자립생활모델
문제의 정의	신체적 · 정신적 손상, 직업기술이나 능력의 부족	누군가(예 전문가, 가족, 친척 등)에 대한 의존, 자립을 막는 사회적 장애(예 장애인에게 불리한 건물 · 교통 · 경제상황 등)
문제의 원인	장애인 개인	사회환경, 재활 과정
장애인에 대한 시각	환자나 클라이언트	소비자
문제의 해결 방법	의사 등의 전문가의 전문적 개입	옹호, 자조, 소비자 주권, 사회적 장애 제거
개입의 목표	최대한의 일상생활 능력(ADL) 회복, 취업	자립생활

(2) 복지모델과 시민권모델 11. 지방직

① 장애인복지 모델은 **복지모델에서 시민권모델로 변화**되었다.

복지모델	㉠ 장애인을 **'일반인들이 충분히 수행하는 일상생활을 수행할 수 없게 만드는 신체적 · 정신적 손상을 가진 사람'**으로 정의한다. ㉡ 그러므로 장애인은 **복지의 주체가 아닌 객체로서 보호받아야할 대상**이며, **전문가의 판단에 따라 장애의 유형이 구분되고 이에 따른 의료적 재활서비스 제공**이 병행되어야 한다고 주장한다.
시민권모델	㉠ 장애인을 장애로 인한 **'사회적 배제로 공민권, 참정권, 사회권 등의 시민권의 행사에 있어서 불이익을 당하는 사람'**으로 정의한다. ㉡ 2007년 4월 10일에 제정된 「**장애인 차별 금지 및 권리구제 등에 관한 법률**」이 이러한 시민권모델이 적용된 대표적인 사례이다.❷

선생님 가이드

❷ 2008년 4월에 제정된 이 법의 제1조에서 규정하고 있는 목적은 '모든 생활영역에서 장애를 이유로 한 차별을 금지하고 장애를 이유로 차별받은 사람의 권익을 효과적으로 구제함으로써 장애인의 완전한 사회참여와 평등권 실현을 통하여 인간으로서의 존엄과 가치를 구현한다.'고 규정하고 있습니다.

기출 OX

01 재활모델은 장애인의 문제를 장애인 당사자가 가장 잘 이해하고 있다는 관점을 취한다. ( ) 15. 국가직

02 자립생활 모델은 재활모델에 비해 전문가의 개입을 통한 문제해결과 치료적 접근을 더 추구한다. ( ) 21. 국가직

03 재활모델은 자립생활 모델에 비해 변화가 필요한 체계로서 환경을 더 강조한다. ( ) 21. 국가직

04 자립생활 모델은 재활모델에 비해 장애인을 소비자로 보는 경향이 더 강하다. ( ) 21. 국가직

05 재활모델은 자립생활 모델에 비해 장애인의 자기결정권과 선택권을 더 강조한다. ( ) 21. 국가직

06 자립생활모델은 삶의 선택에 있어서 장애인 당사자의 참여와 선택을 강조한다. ( ) 23. 국가직

01 × '장애인 당사자'가 아니라 '전문가'가 옳다.
02 × '자립생활 모델은 재활모델에 비해'가 아니라 '재활모델은 자립생활 모델에 비해'가 옳다.
03 × '재활모델은 자립생활 모델에 비해'가 아니라 '자립생활 모델은 재활모델에 비해'가 옳다.
04 ○
05 × '재활모델은 자립생활 모델에 비해'가 아니라 '자립생활 모델은 재활모델에 비해'가 옳다.
06 ○

② 복지모델과 시민권모델의 비교

구분	복지모델	시민권모델
문제의 소재	개인적 문제(또는 손상)	사회적 문제(또는 차별)
해결책	개별적 치료	사회적 행동
기본적 시각	분리, 보호	통합, 권리
해결방안	개별적인 적용	사회변화
서비스 주체	전문적 권위자	집합적 사회
장애인의 역할	통제대상	선택주체
권리구제 방법	행정규제	개별소송

7. 장애인 고용 및 고용시책의 유형 11. 지방직

(1) 보호고용

① **통제된 작업환경**(예 보호작업장 등) **하에서 장애인 개인에게 근로경험 및 관련된 서비스를 제공**해주어 그들이 정상적인 생산적인 취업상태로 발전해 나가도록 지원하는 고용형태를 말한다.

② 주로 작업능력이 일반인에 비해 현저하게 떨어져 일반기업체에 취업이 곤란한 **중증장애인들을 대상**으로 하고, 장애인들의 생산량에 따라 일정한 보수를 지급하므로 중증장애인의 사회적 · 경제적 의존 수준을 감소시키고 자신의 생산능력에 따라 일할 수 있도록 할 수 있다.

(2) 지원고용(또는 지원을 통한 일반고용)

① **중증 장애인에 대한 선배치-후훈련(또는 선고용-후훈련) 방식**으로, 직업훈련 후 바로 사업체에 배치되는 것이 아니라 먼저 사업체에 선배치되고, 이후에 훈련을 받는 고용 형태를 말한다.

② 보호고용의 중증장애인이 직업적응훈련과 직업훈련, 생산작업을 통해서 작업능력이 증대될 경우 해당 장애인을 개별적으로 노동시장에 취업시키고 이들에 대해 지원하며, **기본적으로 유급고용을 원칙**으로 한다.

③ 경쟁고용이 불가능하거나 지속될 수 없는 중증장애인이 계속적으로 유급직업에 종사할 수 있도록 하기 위해 **정부가 필요한 지원을 지속적으로 제공**하고, **장애인은 비장애인과 함께 고용되며 통합적인 작업환경에서 '직무 지도원'의 직접적인 직업지도를 받는다.**

(3) 할당고용

① **법령으로써 기업 등에 일정비율 이상의 장애인 고용**을 강제하는 고용 형태를 말한다.

② 우리나라 「**장애인고용촉진 및 직업재활법**」 제28조 제1항(사업주의 장애인 고용 의무)에서는 "**상시 50명 이상의 근로자를 고용**하는 사업주는 그 근로자의 총수의 **100분의 5의 범위에서 대통령령으로 정하는 비율인 의무고용률 이상**에 해당하는 장애인을 고용해야 한다."라고 정하고 있다.

기출 OX

01 복지모델은 장애 유형에 따른 적합한 재활서비스의 제공을 강조한다. ( ) 11. 지방직

02 시민권모델은 장애인의 의료적 재활을 최우선적 목표로 한다. ( ) 11. 지방직

03 복지모델은 장애인을 보호의 대상으로 강조한다. ( ) 11. 지방직

01 ○
02 × '시민권 모델'이 아니라 '복지모델'이 옳다.
03 ○

(4) 유보(Reservation)고용

일정한 직종을 정하고 그 직종의 일부를 장애인에게 충당하도록 하는 고용 형태를 말한다.

(5) 우선고용

장애인을 동등 능력을 가진 비장애인보다 우선해서 채용하도록 하는 고용 형태를 말한다.

(6) 채용 및 해고제한

비장애인의 채용 또는 장애인의 해고에 대해 행정관청의 통보나 허가, 해고의 사전예고를 요건으로 하는 고용 형태를 말한다.

3 여성복지

1. 여성복지의 개념(한국여성개발원)

여성복지란 여성이 국가와 사회로부터 인간의 존엄성과 인간다운 생활을 할 권리를 동등하게 보장받음으로써 **여성의 건강, 재산, 행복의 조건들이 만족스러워지는 상태**를 의미하며 동시에 **가부장적 가치관과 이에 기초를 둔 법, 기타 사회제도를 개선하는 것** 등으로 여성의 인간다운 삶을 실현하기 위한 모든 실천적 노력을 포함하는 개념이다.

2. 여성불평등(또는 여성문제)의 기원 11. 지방직 必

여성불평등이란 여성의 권력결핍을 의미하는 것으로, 이를 발생시킨 원인으로는 **가부장제, 자본주의, 가족이데올로기** 등이 있다.

(1) 가부장제

가부장제란 성(性)을 기반으로 형성된 위계구조(位階構造)로, 남성이 여성보다 높은 위계에서 여성을 억압하는 제도를 말한다.

(2) 자본주의

자본주의체제는 **남성에게는 사회적 분야에서의 노동을 가능**하게 했지만, **여성에게는 가사노동을 종용(慫慂)**하여 노동 분야를 성별로 양분화시켰다.

(3) 가족이데올로기

가족이란 가장으로서의 남편, 주부인 아내, 그리고 자녀들이라는 **가부장적 성체계가 조직화된 이데올로기**로, 이는 여성의 위치를 '가정'에 한정시켰으며 이로 인해 **여성의 경제적 종속과 열등한 위치는 지속**되었다.

기출 OX

01 지원고용에서 장애인은 비장애인과 함께 고용되고, 통합적 작업환경에서 직무지도원(job coach)의 직접적인 직업지도를 받는다. ( ) 11. 지방직

02 지원고용은 직업훈련 후 바로 사업체에 배치되는 것은 아니라 먼저 사업체에 선(先) 배치되고, 후(後) 훈련받는 방식을 활용하는 유급고용제도이다. ( ) 11. 지방직

03 여성주의 사회복지실천에서는 여성문제의 원인을 남성의 가부장적 특성과 여성의 권력 결핍에서만 기인하는 것으로 본다. ( ) 11. 지방직

01 ○
02 ○
03 × '권력 결핍에서만'이 아니라 '권력 결핍에서'가 옳다.

3. 여성주의(Feminist Practice) 사회복지실천의 원칙 11. 지방직 (必)

(1) **여성문제에 관한 인식**

사회복지사는 여성문제가 여성의 개인 내적인 것이 아닌 **사회구조적으로 제도화된 성차별(또는 남성의 가부장적 특성과 여성의 권력 결핍)에 근거하여 발생한다는 인식**을 가져야 한다. 이에 따라 여성 클라이언트의 문제를 개인적 차원뿐만 아니라 정치적 · 사회적 · 문화적 맥락에서 고려해야 한다.

(2) **사회복지사와 클라이언트의 관계**

사회복지사와 클라이언트는 평등한 관계로, 서로에게 도움을 주며, **전문가나 권위적인 인물이 아닌 동료 혹은 동반자로서의 역할**을 해야 한다. 이에 따라 사회복지사는 자신을 클라이언트 문제에 대한 전문가로 보지 말고 **클라이언트 자신이 스스로의 힘을 회복하도록 상호 노력**해야 한다.

(3) **권한부여(또는 역량강화)**

사회복지사는 남성적 특성들과 비교해서 열등한 것처럼 보였던 여성적 특성들을 재정의해야 한다. 즉 여성주의 실천 과정을 통해 여성들은 자신이 원하는 역할을 선택하여 수용하게 되며 **자신의 가능성과 능력을 발견하고 키워 나가도록 동기화**되며, 이러한 과정에서 여성들은 자신의 약점보다는 강점을 강조하고, 스스로에 대한 존중심을 키워 나가며 **다른 여성에 대한 신뢰와 존중감도 회복**하게 된다.

(4) **실천의 목표**

여성주의 사회복지 실천은 **기존의 고정 관념을 벗어나 여성 특유의 관점에서 클라이언트에게 가치를 부여하고 문제에 접근하는 창의적이고 개방적인 여성을 형성**해 가야한다.

4. 페미니즘(Feminism) 23. 국가직, 11. 지방직

(1) **개념**

여성이 억압받는 원인을 분석하여, 이로부터의 **여성해방을 위한 전략을 제시하는 다양한 관점**을 말한다.

(2) **종류**

① **자유주의 페미니즘**: 기회의 평등, 즉 남성이 구축한 정치적 참여, 교육의 기회, 입법체계 등을 **여성에게도 확대하는 방법으로 여성해방을 추구**하는 것이다.

② **급진주의 페미니즘**: 여성의 억압을 개인적인 것이 아닌 **가부장제 사회에서 비롯된 것**으로 보고, 기존의 **여성성과 여성의 재생산 기능에 대한 재평가를 통해 여성해방을 추구**하는 것이다.

③ **마르크스주의 페미니즘**: 여성억압의 원인을 성차별이 아닌 자본주의체제의 노동, 가족, 결혼 등에 있어서의 **계급차별로 보고, 가사노동의 사회화를 통해 가사노동으로부터의 여성해방을 주장**하는 것이다.

기출 OX

01 여성주의 사회복지실천에서는 클라이언트가 자기 내부에서 변화의 가능성을 찾도록 권한을 부여하는 것에 초점을 둔다. ( ) 11. 지방직

02 여성 문제의 주요 요인은 여성의 자원과 권력의 결핍이므로 사회복지사는 여성 클라이언트와의 관계에서 전문가적 권위를 행사해야 한다. ( ) 11. 지방직

03 교육, 직업, 사회적 지위 등에서 남성과 동등한 권리를 획득하는 데 관심을 두는 것은 자유주의적 페미니즘이다. ( ) 11. 지방직

01 ○
02 × '전문가적 권위를 행사해야 한다.'가 아니라 '동료 혹은 동반자로서의 역할을 해야 한다.'가 옳다.
03 ○

④ 사회주의 페미니즘: **가부장제와 자본주의가 동시에 여성억압의 원인**이 된다고 주장하여 전통적으로 여성이 전담한 **가족 내의 보살핌노동과 가사노동을 남성과 사회가 분담**하고, **남성만이 가족의 생계를 부양해야 한다는 통념이 깨어져야 여성해방**이 된다고 주장하는 것이다.

5. 성 인지적 관점(性認知的觀點, Gender Perspective) 20. 지방직 必

(1) 개념

각종 제도나 정책 등에 포함된 어떠한 개념이 **특정한 성에게 유·불리(有·不利)한지 또는 성역할 고정관념(또는 성역할 분업)이 반영되었는지를 확인**하여 성차별로 인한 문제를 분석하거나 개입할 때에 사용할 수 있는 관점을 말한다.

(2) 적용

① 여성과 남성이 지닌 생물학적, 사회 문화적 경험의 차이로 **서로 다른 이해나 요구를 가지고 있다는 사실을 제도나 정책 등에 반영**할 수 있다.

② 각종 제도나 정책 등이 **여성과 남성에게 미치는 효과를 평가하고, 그것을 반영**할 수 있다.

③ 궁극적으로는 **남녀 성차별의 개선**을 이룰 수 있다.

4 노인복지

1. 노인의 개념

일반적으로 **65세부터 사망까지의 인간 발달 시기**를 말한다.

핵심 PLUS

우리나라 주요 법령상 노인의 연령❶ 규범

노인복지법	'65세 이상의 자'에 관한 규정이 대부분이다. 다만 노인복지주택의 입소자격을 '60세 이상의 노인'으로 정하고 있다(법 제33조의2 제1항).
노인장기요양보험법	"노인 등"이란 65세 이상의 노인 또는 65세 미만의 자로서 치매·뇌혈관성 질환 등 대통령령으로 정하는 노인성 질병을 가진 자를 말한다(법 제2조 제1호).

2. 노화의 유형 11. 지방직

(1) 생물학적 노화

① **점진적으로 이루어지는 신체적 변화**에 중점을 두는 것으로, 노화는 모든 인간에게 자연적이고 당연하게 발생하는 현상이며, 다만 개인차가 있다고 주장한다.

② 이 관점에서 노화의 주된 원인은 신체 내적인 것에 있으며, **인간 생명의 종식과 관련**이 있다.

선생님 가이드

❶ 인간의 연령을 정의하는 방법은 다양합니다. 신체적·생리적 건강 상태에 따른 연령인 생물학적 연령, 인지기능이나 정서 등 심리적 발달수준에 따른 심리적 연령, 사회적 지위나 역할 등 사회가 기대하는 사회적 연령, 실제 활동기능에 따른 기능적 연령, 출생일부터 계산되는 역연령(曆年齡, 또는 생활연령) 등이 대표적입니다.

기출 OX

사회복지실천에서 성인지관점은 가족 내 성역할 분업을 강조하는 관점이다. ( )

20. 지방직

× 성인지관점에서는 성역할 분업(또는 고정관념)을 강조하지 않는다.

(2) **심리학적 노화**

노년기의 감각, 지각, 학습, 기억, 지능, 동기, 정서, 성격, 태도 등의 **행동 유형의 변화에 관심을 갖는 이론**이다.

(3) **사회학적 노화**

사회적 기대나 규범이 반영된 노화이론으로, 개인의 사회적 지위나 역할은 일생 동안 일정하게 유지되는 것이 아니라 전생애를 통해 계속해서 변화해 나간다는 전제하에, **노인의 사회적 지위와 역할 역시 자신의 연령에 맞게 변화**된다고 보는 이론이다.

3. 노화이론[❶] 14. 지방직 (必)

(1) **분리이론**

노인의 사회적 활동이 축소되는 현상인 **사회적 분리(또는 후퇴)**를 생의 발달 과정 중 당연한 현상으로 본다. 즉, 노인이 대체로 사회에 소용되지 않기 때문에 사회는 노인을 사회로부터 분리시키려 하며, 노인 역시 스스로 사회에서 분리되기를 원하기 때문에 **노인과 사회의 유리(遊離)는 사회와 노인 모두에 유리(有利)하다고 주장하는 이론**이다.

예 "요즘에 은퇴하고 쉬는 게 뭐가 나쁜가? 나이 들면 신체적으로 약해지니까 직장생활 그만하고 쉬는 게 사회적으로도 개인적으로도 이롭지."

(2) **활동이론**

분리이론에 반대되는 개념으로, 노년을 중년의 연장으로 이해한다. 즉 노인은 신체적으로 노쇠(老衰)해지는 생물학적 변화를 제외하고는 중년기와 같은 사회적 · 심리적 욕구를 지니고 있으므로, **퇴직으로 인한 사회적 역할의 변화를 통해 사회참여를 하고 싶어한다고 주장하는 이론**이다.

예 "나이가 들어도 건강한 사람은 여전히 왕성하게 사회생활을 할 수 있네. 아무래도 사회활동을 하면 보람도 있고, 내가 아직 가치있는 사람이라는 느낌도 생기고 말이야."

(3) **지속성 이론**

노년기의 성격 변화를 부정한다. 즉 성인기에 형성된 성격은 노년기에 들어서도 그 성향이 지속될 뿐 아니라 보다 견고해지며 더 현저해진다고 주장하는 이론이다.

(4) **사회교환이론**

개인이나 또는 집단 간에는 **사회적 교환(또는 거래)을 통해 상호 만족이 발생할 때에만 이러한 상호작용이 이루어진다고 가정**한다. 그러나 노인은 거래를 위한 건강, 대인 관계 능력, 수입 등이 젊은 세대에 비해 현저히 적기 때문에 이들과의 사회적 상호작용 정도가 낮을 수밖에 없다고 주장하는 이론이다.

예 "돈이 많아서 자식들한테 용돈도 자주 주고 건강해서 손자들 키워주면 대우가 다르잖아. 스마트폰이나 인터넷 검색을 잘해서 맛집 정보라도 알려주면 자식들도 고맙다고 외식도 시켜준다고 하던데…."

선생님 가이드

❶ 노화이론은 미시적 노화이론과 거시적 노화이론으로 구분할 수 있습니다. 그리고 미시적 노화이론은 활동이론, 은퇴이론, 연속이론, 교환이론, 사회적 와해이론, 사회구성주의이론, 제3기 인생론 등이 있으며, 거시적 노화이론으로는 현대화이론, 연령계층이론, 생애과정이론, 비판이론, 여성주의이론 등을 들 수 있습니다. 우리 책에서는 이 중에서 중요시되는 노화이론만을 다루고자 합니다.

기출 OX

사회학적 노화란 한 개인이 사회에서 자신의 연령에 맞게 역할을 얼마나 잘 수행하는지를 말하며, 사회적 기대나 규범이 반영된 연령을 의미한다. ( )

11. 지방직

○

(5) **연령문화이론**

① 모든 인간 사회는 일정한 연령군을 한 단위로 구분하여, 각 연령군에 사회적 지위를 부여하고, 그 지위에 적합한 역할과 규범을 규정해 놓고 있다고 가정한다. **노인 역시 사회에서 부여한 연령에 합당한 지위에 따라 적합한 수준의 역할을 담당해야 한다고 주장**하는 이론이다.

② 이 이론에서는 노화를 통해 노인은 신체적 · 정신적 · 사회적 적응력의 쇠퇴를 경험하지만, 그렇다고 노인의 역할과 지위가 쇠퇴하는 것은 아님을 강조한다.

(6) **현대화 이론**

현대사회에서의 노인의 소외 현상을 설명하는 이론으로, 현대사회의 전문화 · 분업화로 인해 과거 노인이 독점하던 지식은 젊은 층으로 이관되었으며 핵가족화는 노인에 대해 부정적인 태도를 갖게 하여 세대 간의 갈등을 증대시키는 원인이 되었다고 주장하는 이론이다.

예 "하지만 사회에서 노인들을 대하는 것이 어디 우리 어릴 적만 하던가? 쓸모없는 노인네 취급하지, 자식들도 분가해서 따라 살고 말이야."

4. 노인의 사고(四苦)

(1) 병고(病苦)

(2) 빈고(貧苦)

(3) 고독고(孤獨苦)

(4) 무위고(無爲苦)

5. 노인복지의 기본 이념(「노인복지법」 제2조)

(1) 노인은 후손의 양육과 국가 및 사회의 발전에 기여하여 온 자로서 **존경받으며 건전하고 안정된 생활을 보장**받는다.

(2) 노인은 그 능력에 따라 적당한 일에 종사하고 **사회적 활동에 참여할 기회를 보장** 받는다.

(3) 노인은 노령에 따르는 심신의 변화를 자각하여 항상 심신의 건강을 유지하고 그 지식과 경험을 활용하여 **사회의 발전에 기여하도록 노력**하여야 한다.

6. 국제연합(UN)의 노인복지의 5가지 기본 원칙[2] 必

(1) **독립의 원칙**

① 노인은 가족과 지역사회의 지원 및 자조를 통하여 의 · 식 · 주 · 의료에 접근할 수 있어야 하며, 일할 수 있는 기회를 제공받거나, 다른 소득을 얻을 수 있는 기회를 제공받아야 한다.

② 노인은 자신의 퇴직시기의 결정에 의견을 제시할 수 있으며, 적절한 교육과 훈련프로그램에 참여할 수 있어야 한다.

선생님 가이드

❷ 1991년 12월 유엔총회에서 채택한 '노인을 위한 유엔원칙'(United Nations Principles for Older Persons)으로, 그 내용은 독립(Independence), 참여(Participation), 보호(Care), 자아실현(Self-Fulfillment), 존엄(Dignity) 등이 있습니다.

③ 노인은 자신의 욕구에 맞추어 안전하고 편리하게 적응할 수 있는 환경에서 살 수 있어야 하며, 가능한 한 오랫동안 가정에서 살 수 있어야 한다.

(2) **참여의 원칙**

① 노인은 사회에 통합되어야 하며, 그들의 복지에 직접 영향을 미치는 정책의 형성과 이행에 적극적으로 참여할 수 있고, 자신의 지식과 기술을 젊은 세대와 함께 공유할 수 있는 기회가 제공되어야 한다.

② 노인은 지역 사회 봉사를 위한 기회를 찾고 개발하여야 하며, 흥미와 능력에 맞는 자원봉사자로서 봉사할 수 있어야 한다.

③ 노인은 인권과 권익을 위해 사회운동과 단체를 형성할 수 있어야 한다.

(3) **보호의 원칙**

① 노인은 각 사회의 문화적 가치체계에 따라 가족과 지역사회의 보살핌과 보호를 받아야 하며, 신체적 · 정신적 · 정서적 안녕의 최적 수준을 유지하거나 되찾도록 도와주고, 질병을 예방하거나 지연시키는 건강보호에 접근할 수 있어야 한다.

② 노인은 사회적 · 법률적 서비스에 접근할 수 있어야 하며, 인간적이고 안전한 환경에서 보호 · 재활 · 사회적 · 정서적 격려를 제공하는 적정 수준의 시설보호를 이용할 수 있어야 한다.

③ 노인은 보호시설이나 치료시설에서 거주할 때 인권을 존중받으며, 자신들의 건강보호와 삶의 질을 결정하는 권리도 존중받는 것을 포함하는 인간의 권리와 기본적인 자유를 누릴 수 있어야 한다.

(4) **자아실현의 원칙**

노인은 자신들의 잠재력을 완전히 개발하기 위한 기회를 추구하여야 하며 사회의 교육적 · 문화적 · 정서적 자원과 여가에 관한 자원에 접근할 수 있어야 한다.

(5) **존엄의 원칙**

① 노인은 존엄과 안전 속에서 살 수 있어야 하며, 착취와 육체적 · 정신적 학대에서 자유로워야 한다.

② 노인은 나이, 성별, 인종이나 민족적 배경, 장애나 기타 지위에 상관없이 공정하게 대우받아야 하며, 그들의 경제적인 기여와 관계없이 평가되어야 한다.

5 학교사회사업

1. 학교사회사업의 개념

(1) **코스틴(Costin)**

학생 개개인이 지적 · 사회적 · 정서적 욕구와 문제해결에 관심을 갖도록 도와주며, 이를 통해 모든 학생들이 **학교에서 공평한 교육기회와 성취감을 제공받을 수 있도록 학교현장에서 활동하는 전문적인 사회사업분야**를 말한다.

(2) 알렌미어스(Allen-Meares)

학생들이 건전한 사회기능을 달성할 수 있도록 준비시키며, 학생 개인의 문제뿐만 아니라 사회환경이나 교육환경의 변화에 즉시 개입하여 학교가 자신의 역할과 기능을 극대화할 수 있도록 도와주는 연계활동으로, 이를 위해 **학교 사회복지사는 일반 교사나 교육행정가의 역할과는 다른 학생 · 학교 · 지역사회의 연계자로서의 고유한 역할을** 해야 한다.

2. 학교사회사업의 실천모델 11. 국가직, 12 · 18. 지방직 必

(1) 엘더슨(Alderson)의 모델

전통적 임상모델	이론적 기초	정신분석학, 자아심리학, 개별사회사업이론
	문제에 대한 관점	학생의 정서적 · 정신적 문제의 원인을 **'가족, 특히 부모 · 자녀' 간의 역기능적인 갈등 관계**에 있다고 가정한다.
	개입의 초점	**개별학생의 잠재적 학습 능력을 저해**시키는 학생과 가족의 사회 · 정서적 특성
	표적체계	학생과 그의 부모들
	개입목표	학생의 행동 수정 · 학생이나 부모의 특성의 변화를 통해 학생이 학교에 적응하고 학습기회를 효과적으로 활용할 수 있도록 원조하는 것이다.
	사정 과정	학생에 대한 개입은 교장 · 교감 · 교사의 의뢰로 이루어지며, 의뢰된 학생에 대한 기질 · 태도 · 행동 · 가족 관계 · 또래집단 내에서의 대인 관계 등에 대해서 사정을 한다.
	개입 방법	문제 해결을 위해 학생, 가족 또는 도움이 필요한 학생들을 학교나 학급 내에서의 관찰, 가정방문, 지역조사 등 아웃리치를 통해 발굴한다.
	학교 사회복지사의 역할	학생이나 그의 가족들에 대한 조력자(또는 기능하게 하는 자), 지지자, 자문가
학교변화 모델(또는 제도적 변화모델)	이론적 기초	일탈이론, 조직이론
	문제에 대한 관점	**학교의 제도나 환경이 학생들의 학교부적응과 학업미성취의 원인**이 된다고 가정한다.
	개입의 초점	학교의 제도 및 환경
	표적체계	학교 내의 모든 개인들(예 학생, 교사, 교장, 교감, 행정직원 등)을 포함한 모든 사람들
	개입목표	학생이 학업을 성취하지 못하게 하는 역기능적인 학교규범과 제도를 변화시키는 것이다.
	개입 방법	학생과의 교제에 노력하고 학교의 상황에 보다 많은 관심을 가져야 하며, 교사와 행정가가 학습과 학교적응에 적절하지 않은 학교의 규칙과 수행활동을 확인하도록 도와야 한다.
	학교 사회복지사의 역할	대변자, 협상자, 자문가, 중재자

지역사회-학교 모델	이론적 기초	지역사회조직이론, 조직이론, 체계이론, 의사소통이론 등
	문제에 대한 관점	빈곤을 포함한 **지역사회의 사회적 조건과 지역사회의 문화적 차이에 대한 학교의 이해 부족**으로 본다.
	개입의 초점	학교에 대한 이해와 신뢰가 적은 취약 지역사회에 대해 지역사회에서의 학교의 역할, 학교직원들에게 지역사회의 역동성과 학교에 영향을 미치는 사회적 요소들을 설명한다.
	표적체계	지역사회와 학교
	개입목표	① 지역사회가 지역 사회 내 학교의 역할을 이해하고, 지지하며 학교가 이런 취약지역의 학생들을 위한 프로그램을 개발할 수 있도록 원조한다. ② 학교가 학생들로 하여금 교육적 · 사회적 기능 역량을 발휘하는 데 장애가 되는 조건들을 시정하여 학생을 전인적으로 교육시킬 수 있도록 원조한다.
	개입 방법	① 학교는 단순한 교육기관이 아니며, 또한 지역사회는 지리적 영역이 아닌 상호 유기적 체계로 본다. 즉 **'지역사회 내의 학교**(School in Community)'로 인식한다.[1] ② 이 모델은 기본적으로 소외되고 취약한 지역사회에 초점이 맞추어져 있다.
	학교사회 복지사의 역할[2]	① 이 모델을 적용하기까지 학교 사회복지사는 '전통적 임상모델'로 자신의 전문성을 인정받아 학교 내 신뢰를 쌓고, 이를 바탕으로 학교의 내부 식구로 인정받게 되면 '학교변화 모델'로의 접근을 시도할 수 있다. 그런 후에야 학교 사회복지사는 **지역사회와의 협력 구축을 위한 새로운 역할을 모색**할 수 있다. ② 학교 사회복지사는 **학교와 지역사회가 함께 협의회를 구성**하도록 하여 지역사회에 적합한 교육 프로그램을 계획하고 실행해야 한다. ③ 내용으로는 지역사회를 대상으로 학교의 교육내용과 방침에 대한 설명, 지역사회의 환경에 대한 이해와 자원개발, 학교직원에게 지역사회의 역동성과 사회적 요인 설명, 혜택 받지 못하는 학생을 원조하는 학교 프로그램 개발 등이 포함된다.
사회적 상호작용 모델	이론적 기초	체계이론, 집단사회사업 실천이론, 의사소통 이론
	문제에 대한 관점	학생 개인과 다양한 체계들(예 학교, 지역 사회 등) 간의 역기능적인 상호작용
	개입의 초점	역기능적 관계 요인들에 대한 평가
	표적체계	다양한 체계들
	개입목표	학교 · 학생 · 지역 사회 간 기능적인 상호작용을 방해하는 장애물을 확인하고, 이 체계들 간의 역기능적인 상호작용 유형에 변화를 준다. 이를 통해 학교 · 학생 · 지역사회가 함께 기능적인 상호작용을 할 수 있도록 원조한다.
	개입 방법	문제해결 과정은 학생과 학교, 가정 및 지역사회가 상호작용하고 있는 역동성을 파악하는 과정이며, 학생문제에 대한 포괄적인 사정에 근거한 행동 지향적 실천과정으로 이해된다.
	학교 사회복지사의 역할	중재자, 자문가, 가능자

선생님 가이드

❶ 이러한 관점하에서 학교는 지역사회와 공존하는 중요한 공적기관으로서 지역사회와의 협력적 관계가 형성 될 때에만 학교교육의 목표를 달성할 수 있습니다.

❷ 이 모델과 관련해서 2012년 지방직 시험에서는 다음과 같은 예문이 출제되었습니다. '학교사회복지사 A는 학교의 문제 원인이 빈곤을 포함한 지역사회의 이해부족 때문이라고 보아 학교와 지역사회에 대한 개입이 모두 필요하다고 판단하였다. 그 결과 학교에 대한 이해와 신뢰가 적은 취약지역에 학교 역할을 설명, 이해시킴으로써 학교를 지지하도록 도왔다. 또한 학교 교직원들에게는 지역사회의 역동성과 학교에 영향을 미치는 사회적 요소를 설명하고 학교가 취약지역 학생을 위한 프로그램을 개발, 운영하도록 도왔다.'

(2) 코스틴(Costin)의 모델

학교 · 지역사회 · 학생 관계 모델❸	이론적 기초	사회학습이론, 체계이론과 그와 관련된 이론들(조직개발, 상황이론, 역할과 체계문제의 분류화)
	문제에 대한 관점	학교와 지역사회의 결함과 학생들이 생활주기상의 다양한 스트레스 시점에 있을 때에 **학생집단의 특성과 상호작용하는 특정 체계의 특성**으로 이해한다.
	개입의 초점	**학교와 지역사회의 결함**으로, 학생들이 생활주기상 다양한 스트레스 시점에 있을 때에 학생집단의 특성과 상호작용하는 특정 체계의 특성
	표적체계	학교와 지역사회의 상황과 역기능적인 상호작용을 초래하는 사회적 행동을 하며, 학교와 지역사회에 의해 만들어진 요구와 기대를 효과적으로 다루는 능력이 부족한 학생들 집단
	개입목표	표적체계가 갖는 스트레스를 완화시킬 수 있도록 학교 · 지역사회 · 학생 관계체계에 변화를 가져와 표적체계인 학생들 집단이 학습기회를 더욱 효과적으로 활용할 수 있도록 원조하는 것이다.
	개입 방법	① 사정은 주로 학생의 특성이 학교와 지역 사회 상황과 어떻게 상호작용하는지, 그리고 학생의 특성이 학생집단에 어떻게 영향을 미치는지를 '조사'하고 '평가'하는데 주안점을 둔다. ② 개입 계획은 여러 교직원(예 교장, 교감, 교사 등)으로부터 지속적인 자문을 거쳐 수립한다.
	사회복지사의 역할	'조사'를 하고 '서비스 계획'을 세우고 문서화하여 기획(또는 계획)한 바를 달성하기 위해 참여와 협조가 필요한 모든 사람에게 제출하는 역할

❸ 이 모델과 관련하여 2018년 지방직 시험에서는 다음과 같이 출제되었습니다.
'낙후지역인 A지역에 소재한 B중학교 학생들의 생활실태를 조사하였다. 그 결과, 한부모가정의 비율이 높고, 부모의 직업은 일용직 · 임시직 비율이 높았다. … 중략 … B중학교 사회복지사는 이들을 표적집단으로 선정한 후, 교육서비스와 복지서비스를 제공할 수 있도록 계획을 세웠다. … 생략 …'

기출 OX

'학교제도가 학생들의 부적응과 학업미성취의 원인이 된다고 보고 학생이 사회적 · 교육적 기대에 적절하게 부응하는데 장애가 되는 학교의 역기능적인 규범과 조건을 변화시키고자 하는 것으로 주된 개입의 초점은 학교환경이다.' 이를 설명하는 학교사회복지 실천모델은 학교변화모델이다. ( ) 11. 국가직

○

제2장 사회복지실천기술

회독 Check! | 1회 □ 2회 □ 3회 □

제1절 사회복지실천개입모델

1 정신역동모델 17. 지방직(추가)

1. 개입목표 - 통찰(Insight)[1] (必)

(1) 과거의 경험에서 형성된 클라이언트의 **무의식적 갈등과 이로 인한 불안을 표현하도록 하여 의식화**시키고, 이것이 현재 클라이언트 자신의 행동이나 감정에 어떤 영향을 주는지 **통찰하게 하는 것**이다. 이를 위해 사회복지사는 클라이언트의 **자아를 강화**시켜 클라이언트가 **자신의 삶을 보다 합리적으로 통제할 수 있도록 원조**해야 한다. 즉, 클라이언트가 자신을 인식하고, 타인과 효과적인 인간관계를 맺으며, 불안을 현실적으로 잘 처리하고, 충동적이고 비합리적인 행동을 통제하는 것에 관여하게 하는 것이다.

(2) 증상의 원인이 되는 클라이언트의 **무의식적 과정을 탐색**하여 비정상적인 **행동이나 증상의 원인을 파악하고 이를 경감하거나 제거하는 것**으로, 이는 **병리적 관점이 반영**된 것이다.

2. 개입기법

(1) **전이 활용** (必)

① **전이**(Transference)란 클라이언트가 과거 자신이 경험한 부정적인 대인 관계에서 형성된 감정을 사회복지사에게 무의식적으로 투사하는 과정으로, 치료 상황 밖에서 발생한 클라이언트의 인간 관계 유형을 파악할 수 있는 중요한 자료가 된다.

② 따라서 사회복지사는 **치료 과정 중 의도적으로 이러한 전이를 유도한 후 클라이언트에게 전이로 인한 행동과 정서적 반응을 해석**해주어 클라이언트 스스로 자신에 대한 '통찰'을 가능하게 할 수 있다.

(2) **자유연상** (必)

① 최면술에 거부감을 가졌던 프로이트가 무의식 세계를 탐구하기 위하여 최면술 대신 선택한 방법으로, 클라이언트에게 편안한 자세를 취하고 **눈을 감게 한 후 마음속에 떠오른 감정이나 기억 등을 자유롭게 말하게 하여** 클라이언트 자신이 방어기제를 사용하여 스스로 억압한 충동을 발견하고 무의식을 의식 수준으로 전환할 수 있도록 돕는 기술을 말한다.

선생님 가이드

[1] 정신역동이론에서의 통찰(Insight)이란 정신 공간 중 전의식이나 무의식 속에 놓여 있어 의식화되지 못한 정신적 갈등을 의식화시켜 깨닫게 만드는 것을 말합니다. 이러한 통찰은 정신역동이론의 개입 목표이며, 또한 지향점이 됩니다.

기출 OX

자유연상은 행동주의 치료모델의 치료 기법이다. ( ) 17. 지방직(추가)

× '행동주의 치료모델'이 아니라 '정신역동모델'이 옳다.

② 이 때 사회복지사는 클라이언트의 진술 내용 중 **별로 중요하지 않거나 연관이 없는 것이라 할지라도 억제하지 말고 모두 진술하는 것이 중요하다는 것을 설명**해 주어야 한다.

(3) **직면**

① 사회복지사가 클라이언트의 **언어와 행동 간의 불일치 등을 발견하고 이를 지적하여 교정하게 하는 기술**을 말한다.

② 주로 저항을 극복하거나 동기화시킬 때에 활용한다.

(4) **훈습(Working Through)**[2] (必)

① 클라이언트가 무의식적으로 치료의 목표 달성에 반대되는 태도를 보이는 현상인 **저항이나 전이에 대한 이해를 반복하여 심화하고 확장시키는 기술**로, 이를 통해 클라이언트는 자신의 불안을 최소화하고, 적합한 방법으로 자신의 문제를 이해할 수 있는 능력을 키우게 된다.

② 직면을 통해 클라이언트의 저항을 극복하는 것은 실제 한계가 있으므로 **상당한 시간에 걸쳐 반복적으로 클라이언트의 저항에 도전하는 훈습이야말로 이를 극복하는 훌륭한 기술**이 될 수 있다. 다만, 이러한 훈습을 사용하는 사회복지사에게는 상당한 인내가 필요하다.

(5) **꿈의 해석**

꿈을 통해 나타나는 무의식적 소망, 욕구 등을 해석함으로써 클라이언트가 자신에 대한 '통찰'을 가능하게 하는 기술이다.

(6) **해석**

① 클라이언트의 행동 속에 내포된 의미에 대해 **사회복지사가 자신의 지식과 직관력에 근거하여 가설을 제시하고 이를 설명하는 기술**이다.

예 "제 생각에는 … 라고 생각하는데, ㅇㅇ님은 어떻게 생각하는지요?"

② 클라이언트의 '무의식 세계'에 대한 분석을 통해 클라이언트가 자신의 행동, 감정, 생각을 새로운 시각으로 볼 수 있게 하는 **통찰력을 향상**시킨다.

③ 다만 클라이언트와의 신뢰 관계(또는 라포 관계)가 충분히 형성되고, 클라이언트에 관해 충분한 정보를 파악한 이후에 활용해야 하며, 사회복지사의 해석을 **클라이언트가 거부하는 경우에는 이를 수용하고 즉시 멈추어야 한다.**

3. 개입의 한계

(1) 적용 대상의 한계

해석이나 직면기술의 사용은 비자발적이거나 문제해결 의지가 약한 클라이언트에게는 반감이나 저항감을 불러일으킬 수 있다. 따라서 이 모델은 **통찰을 통한 자기분석과 자기성장에 대한 의지나 욕구가 강한 클라이언트에게만 효과적**일 수 있다.

선생님 가이드

[2] 훈습(薰習)이란 본래 불교(佛敎)에서 사용하는 용어로, 특정 향기나 냄새에 반복적으로 노출되었을 때에 이것이 옷에 스며들어 배어든다는 의미를 가지고 있습니다. 따라서 정신역동모델의 훈습 역시 이해를 반복시키면 이것이 심화되고 확장된다는 가정하에 실시되는 기법입니다.

(2) **장기 모델의 한계**

정신분석을 통한 통찰과 성장에 **소요되는 시간이 매우 길어** 클라이언트뿐만 아니라 이를 실행하는 사회복지사 역시 피로감에 노출될 수 있다.

(3) **사회복지실천 가치와의 대립**

사회복지사와 클라이언트와의 관계를 **지나치게 '수직화'시키고**, 클라이언트의 문제를 지나치게 **정신(또는 심리)결정론적 관점으로 바라보는 것 등**은 사회복지실천의 기본 가치에 위배된다.

2 심리사회모델 10 · 11 · 14 · 17 · 18. 국가직, 10 · 17. 지방직, 17. 지방직(추가), 19. 서울시

1. 개관

(1) **발전 과정**

창시자: 메리 리치몬드(Mary Richmond)
- 1917년 저서 『사회진단』을 통해 '상황 속의 인간' 개념 도입

⬇

고든 해밀튼(Gordon Hamilton)
- '심리사회모델' 용어 사용

⬇

플로렌스 홀리스(Florence Hollis)
- 이론의 체계화

① **메리 리치몬드(Mary Richmond)**가 1917년 그녀의 저서 『사회진단』을 통해 **'상황 속의 인간' 개념을 도입**하였다.

② 이후 **고든 해밀튼(Gordon Hamilton)은 '심리사회모델'이란 용어를 처음으로 사용**하였다.

③ **플로렌스 홀리스(Florence Hollis)가 치료모델로써 이론을 체계화**시켰다.

(2) **이론적 기반**

심리사회모델은 다양한 이론이 절충되어 형성된 모델로, 그 이론들로는 **정신분석이론, 대상관계이론, 체계이론, 생태체계적 관점, 자아심리이론, 역할이론, 의사소통이론** 등이 있다.

(3) **특징**

① 인간의 **심리 내적 부분과 환경(또는 상황)의 상호작용을 강조**한다.

② 개인, 가족, 집단 등에 폭넓게 적용이 가능하나 특히 **개인을 대상으로 한 치료모델로 유용하게 활용**된다.

③ 정신역동모델과 함께 **장시간의 개입 기간이 소요되는 장기개입모델**이다.

기출 OX

01 심리사회모델은 클라이언트의 개별성을 강조하며 클라이언트의 심리적 변화와 사회환경적인 변화를 시도한다. ( ) 14. 국가직

02 심리사회 모델은 클라이언트를 '상황 속의 인간'으로 이해하며 과거 경험이 현재 상태에 미치는 영향을 중시한다. ( ) 10. 지방직

03 심리사회적 모델은 개입에 있어 구조화된 절차를 가지고 교육적 접근을 강조한다. ( ) 10. 국가직

04 심리사회모델은 개인의 내적 요소와 사회적 요소를 모두 중시한다. ( ) 19. 서울시

01 ○
02 ○
03 × '심리사회적 모델'이 아니라 '인지행동모델'이 옳다.
04 ○

(4) 개입 목표 必

① 심리사회적 문제해결: 클라이언트의 심리적 문제뿐만 아니라 사회환경적 문제도 해결하는 것이다. 이에 따라 클라이언트의 심리적 부분과 사회환경적 부분에 대한 개입을 별도로 진행한다.

② 이때 **심리적 부분에 대한 개입을 '직접적 개입', 사회환경적 부분에 대한 개입을 '간접적 개입'**이라고 한다.

(5) 개입 시 대원칙

클라이언트와 사회복지사 간의 관계를 중요시하며, 이를 위해 다음과 같은 원칙을 중시한다.

① 클라이언트가 있는 곳에서 출발하기

② 클라이언트를 **개별화**하기

③ 클라이언트를 수용하기: 클라이언트의 고통스러운 경험을 공감하기 위해 온정과 친절한 태도로 **클라이언트의 감정이나 주관적인 상태에 감정이입을** 한다.

④ 클라이언트의 자기결정을 존중하기: 사회복지사가 제시한 다양한 정보나 제안들 중에서 클라이언트 스스로 주체적인 태도로 선택할 수 있도록 돕는다.

⑤ **환경 속의 인간(Person-in-Environment) 관점을 유지**하기

2. 개입 기술

(1) 직접적 개입 기술 必

지지하기	① 목표: 클라이언트의 불안을 감소시키기, 원조 관계를 수립하기, 동기화를 촉진시키기 ② 세부 기술: 재보증, 격려, 실질적 활동(예 경제적 지원, 선물주기 등)
직접 영향주기	① 목표: 사회복지사와 클라이언트 간의 신뢰 관계를 기반으로 클라이언트에게 **사회복지사의 의견을 제시하고 이를 관철시키기** ② 세부 기술: **자신을 위한 클라이언트의 제안 '격려'하기**, 현실적인 '제안'하기, **직접적인 '조언'하기**, 대변적인 '행동'하기, 문제 해결을 위한 사회복지사의 의견을 강조하기, 충고하기, 독려하기 등
탐색 · 기술 (또는 묘사) · 환기	① 목표: 클라이언트와 환경과의 상호작용에 대한 사실을 **클라이언트 스스로 기술하게 하여 상황을 드러내게 하고, 이에 따른 클라이언트 자신의 감정을 표현하도록 하여 클라이언트의 내적 긴장을 완화시켜 감정의 전환을 도모**하기 ② 세부 기술: 초점 잡아주기, 부분화하기, 화제 전환하기 등
개인 · 환경에 관한 고찰 (또는 인간 · 상황에 관한 고찰)	① 심리사회모델의 핵심 기법이다. ② 목표: 사건에 대한 클라이언트의 지각방식 및 행동에 대한 자신의 신념이나 외적 영향력 등을 평가하기 ③ 이때 사회복지사는 클라이언트를 '상황(또는 환경) 속의 인간' 관점에서 고찰해야 한다. ④ 또한 클라이언트로 하여금 **자신이 경험한 타인과의 사건을 '지금, 여기에서'의 관점에서 고찰**하게 해야 한다. ⑤ 세부 기술: 토의, 추론, 부연설명, 일반화, 변화, 역할극, 강화, 명확화, 교육 등

유형 · 역동성 고찰 (또는 유형 · 역동의 반영적 고찰)	① 목표: 클라이언트에게 클라이언트 자신의 심리적 기능(예 성격유형, 특징, 행동유형, 방어기제 등)을 이해시키기 ② 이를 위해 사회복지사는 정신역동이론하에서 클라이언트를 고찰해야 한다. ③ 세부 기술: 문제의 명확화, 해석, 통찰 등
발달적 고찰 (또는 발달적 성찰, 발달 과정의 반영적 고찰)	① 목표: 클라이언트에게 **자신의 성인기 이전의 생애(또는 유년기) 경험이 현재의 자신의 성격이나 기능에 어떤 영향을 미치는가를 이해**시키기 ② 이때 사회복지사는 전이와 역전이 발생에 유의해야 한다. ③ 세부 기술: 명료화, 해석, 통찰, 토의, 추론, 설명, 일반화, 변호, 역할극, 강화, 교육 등

(2) **간접적 개입 기술(또는 환경 조성하기)** 必

① 목표: 클라이언트의 **인적 · 물적 환경과 관련된 문제를 해결하기**

② 이때 사회복지사는 **클라이언트의 자기결정권을 존중**하여 클라이언트가 스스로 환경변화의 주체가 되도록 해야 한다. 또한 사회복지사는 **클라이언트의 개인정보 보호에도 주의**해야 한다.

3. 한계 必

실제 모델을 적용함에 있어서 **직접적 개입에 치중하다 보니 간접적 개입을 등한시하는 경향**이 있다. 즉 클라이언트의 환경보다는 클라이언트의 내적갈등만을 지나치게 강조한다.

3 행동주의모델 14. 국가직, 17. 지방직, 17. 지방직(추가)

1. 개관

(1) **등장 배경**

1950년대에 **정신분석이론에 반대하여 등장**하였다.

(2) **이론적 배경**

고전적 조건화 이론, 조작적 조건화이론, 사회학습 이론 등 행동주의 심리학을 기반으로 한다.

(3) **개입목표**

행동을 수정하기, 즉 현재의 문제행동을 변화시켜서 **바람직하지 못한 행동은 감소하거나 제거하고 바람직한 행동은 강화하기**

(4) **개입원칙**

① 그것이 정상적이든 비정상적이든 행동은 모두 같은 원칙하에 발달된다. 즉 **특정 개입 방법의 효과성은 모든 인간에게 공통적으로 적용**될 수 있다.

② 인간의 모든 행동은 학습 원리에 의해 수정되거나 변화될 수 있다.

기출 OX

행동주의모델의 주요한 이론적 배경은 정신역동이론이다. ( ) 14. 국가직

× 행동주의모델은 정신역동이론(또는 정신분석이론)에 반대하여 등장하였다.

(5) **특징**

① **단기개입 모델**로, 비교적 단시간에 개입의 효과를 볼 수 있어서 실천현장에서 많이 사용된다.

② 개입의 원리를 잘 알고 동기화가 된 클라이언트의 경우 사회복지사의 직접적인 개입이 없이도 본인 스스로 실천에 옮길 수 있을 만큼 **접근방법이 구체적**이다.

2. 개입기술

(1) 선행요인(A) 영역의 개입기술

① 개입기술로는 **바람직하지 못한 행동의 감소 또는 제거가 목적인 '선행조건의 통제'**와 **바람직한 행동의 증가를 목적으로 하는 '새로운 선행조건의 개발'**로 나눌 수 있다.

② 선행조건의 통제 시 사용되는 기술

선행조건의 회피	바람직하지 못한 표적행동을 가져오는 상황이나 사고로부터 **클라이언트를 분리시켜서 문제행동이 발생하는 것을 방지하는 기술**이다. 예 흡연 욕구를 이기기 어려워하는 클라이언트에게 출퇴근 시 담배 가게가 있는 골목을 피해 다니도록 지시하는 경우
행동연쇄를 변화시키기	클라이언트의 **행동 고리의 어느 부분을 끊어서 다음 행동으로 넘어가는 것을 멈추게 하는 기술**이다.
선행조건의 재인식	일정한 선행조건에 접했을 때 문제행동을 하도록 인식하는 **클라이언트의 인식체계를 변화시키는 기술이다.** 예 식탐으로 인한 비만으로 고민하고 있는 클라이언트에게 음식에 대한 인식을 수정시키기 위해 과체중으로 인해 발생하는 다양한 질병들에 대해 자세하게 교육시켜 주는 경우

③ 새로운 선행조건을 만들 때 사용되는 기술

언어적 지시	조작적 행동의 첫 번째 원칙인 **언어적 지시가 행동을 통제하는데 강력한 힘이 있다는 것을 응용하는 기술**이다. 즉 **사회복지사가 클라이언트에게 특정 행동을 지시하는 것**이다.
사고 중단	클라이언트로 하여금 바람직하지 못한 생각이 들 때 **즉시 스스로에게 '멈춰!' 라고 말하게 하는 것을 가르치는 기술**이다.

(2) 행동영역(B)의 개입기술

① 행동의 변화를 위해서는 바람직하지 않은 행동을 단순히 억압하기보다는 **바람직한 새로운 대체행동을 발달시키는 것이 보다 효과적**이다.

② 바람직한 새로운 대체행동을 발달시키는 기술

정적(또는 긍정적)	클라이언트가 **바람직한 행동을 한 후에 유쾌한 자극을 제공하여 그 행동을 증가시키는 기술**이다.
부적(또는 부정적) 강화	클라이언트가 **바람직한 행동을 한 후에 불쾌한 자극을 제거하여 그 행동을 증가시키는 기술**이다.

대체행동의 사용	**바람직하지 못한 행동을 대체할 수 있을 만한 효과적인 행동을 제시**하여 클라이언트의 행동을 통제하는 기술이다. 예 흡연욕구를 이기기 어려워하는 클라이언트에게 도저히 흡연욕구를 참지 못할 경우에는 껌을 씹게 지시하는 경우
리허설(Rehearsal)	클라이언트로 하여금 발달시키고자 하는 행동을 **반복적으로 연습하게 하여 이 행동이 숙달되도록 하는 기술**이다.
모델링(Modelling)	사회복지사의 관점에서 **클라이언트가 바라거나 필요로 하는 절차에 대해 시범을 보이는 기술**이다.
행동형성(또는 행동조성)	㉠ 클라이언트의 행동이 사회복지사가 설정한 목표행동으로 **서서히 접근해 가도록 연속적, 단계적으로 강화하는 기술**로, 클라이언트가 한 번도 해 본적이 없거나 거의 하지 않는 어떤 새로운 행동을 가르치려고 할 때 효과적으로 응용될 수 있다. ㉡ 단, 목표는 낮은 수준에서부터 설정해야 하고, 단계적으로 목표를 높여나갈 때에 간격이 너무 커서 클라이언트가 위압되지 않도록 좁은 간격으로 잡아야 한다.

(3) **후속요인(C)에 대한 개입기술**

① 행동영역(B)의 개입기술로 **변화되지 못한 행동에 대해서 사용하는 기술**이다.

② 이는 다시 목적에 따라 **바람직하지 못한 행동을 제거하는 것과 바람직한 행동을 증가시키는 것**으로 나누어진다.

<table>
<tr><td rowspan="4">바람직하지 못한 행동의 제거를 목적으로 하는 경우</td><td colspan="2">㉠ 처벌: 사회복지사가 클라이언트의 바람직하지 못한 행동의 빈도수를 감소시키는 조작적 행위이다.</td></tr>
<tr><td>정적처벌</td><td>클라이언트에게 불쾌한 자극(예 체벌 등)을 제공하여 바람직하지 않은 행동을 감소시키는 기술이다.</td></tr>
<tr><td>부적처벌</td><td>클라이언트에게 유쾌한 자극을 제거하여 바람직하지 않은 행동을 감소시키는 기술이다.</td></tr>
<tr><td colspan="2">㉡ 소거: 강화를 중지시켜 강화된 행동의 빈도수가 줄어들거나 사라지게 하는 기술로, 간헐적으로 강화된 행동은 연속적으로 강화된 행동에 비해 소거가 어렵다.
예 아이가 버릇없이 굴 때마다 어머니는 아이를 달래주거나 야단을 치다가 그래도 아이의 행동이 변화되지 않자, 어머니는 생각을 바꿔 아이를 달래주지도, 야단치지도 않았다. 그러자 아이의 버릇없는 행동이 감소되었다.</td></tr>
<tr><td>바람직한 행동의 증가를 목적으로 하는 경우</td><td colspan="2">일관되게 정적 강화를 하는 것과 행동을 유발할 수 있을 만큼 강력한 강화물을 찾아 새로운 행동이 시행되었을 때에만 이러한 강화물을 제공하는 것 등이 있다.</td></tr>
</table>

3. 한계

인간행동을 강화와 처벌과 같은 방법을 통해 얼마든지 변화시킬 수 있다는 가정은 **인간의 자유의지와 자기결정의 권리를 간과하는 경향**을 만들었고, 이는 사회복지의 기본 가치에 위배된다.

4 인지행동모델[1] 10 · 17 · 18. 국가직, 10 · 17 · 21. 지방직

1. 개관

(1) 기본 가정

① 인간행동은 **전생애에 걸쳐서 학습**되어진다.

② 인간은 외부 자극에 수동적으로 반응하거나, 심리 내적인 힘에 따라 결정되는 존재가 아니다. 즉 인간행동은 **자신이 지닌 의지에 의해 결정되며, 문제에 대한 통제력은 전적으로 자신에게 있다.**

③ 인간은 자신에게 주어진 사건을 이해하는 **자신의 신념체계를 통해 감정에 영향을 받는다.** 따라서 개인의 심리적 장애는 **개인의 경험한 사건 자체가 아니라 그 경험에 대한 개인의 독특한 주관적 해석에 근거**하며, 그러한 **주관적 해석, 즉 생각이 바뀌면 역기능은 해소**될 수 있다.

(2) 특징 必

① 클라이언트의 **주관적 경험의 독특성, 즉 문제 및 상황에 대한 주관적인 인식을 중요시**한다.

② 클라이언트와 **사회복지사의 협조적인 노력을 강조**하며, 특히 **사회복지사의 적극적인 역할 수행을 요구**한다.

③ **클라이언트의 책임을 강조**하여 개입 과정 중 **클라이언트의 능동적인(또는 적극적인) 참여를 요구**한다.

④ 인지체계 변화를 위한 **구조화되고 방향적(또는 직접적)인 접근을 강조**한다.

⑤ **교육적 접근을 중요시**하여 **대체 사고와 행동에 대한 학습을 강조**한다. 따라서 사회복지사는 개입초기에 클라이언트가 치료를 이해하고 이에 협조할 수 있도록 충분히 설명 · 교육 · 논의해야 한다.

⑥ 클라이언트의 문제해결과 관련하여 **설득, 논쟁 등의 방법과 때로는 구체적인 행동적 과제가 부여**되는 등 **다양한 개입 방법을 활용**한다.

⑦ **소크라테스식 문답법**을 활용하여 사회복지사의 질문을 통해 클라이언트는 자기발견과 타당화의 과정을 거치게 된다.

⑧ **시간제한적인 단기개입모델**이다.

⑨ **문제중심적이며, 목표지향적, 현재중심적인 개입모델**이다. 따라서 **문제를 명확히 하고 목표를 정하는 데 초점**을 준다.

⑩ 현재 자신의 문제와 관련된 클라이언트의 생각, 행동, 문제를 발생시키는 환경적 요인에 대한 **체계적인 사정이 가능**하다.

(3) 이론적 기반

인지이론과 행동주의 이론(고전적 조건화이론, 조작적 조건화이론, 사회학습이론 등)이 절충되어 형성되었다.

선생님 가이드

[1] 각 시대마다 사회복지실천현장에서 주류로 활용되던 실천모델과 이들의 치료 초점이 있었습니다. 1920년대에는 정신역동모델에 따른 심리내적인 치료가, 그리고 1950년대에는 행동주의모델에 근거한 행동치료가 주로 각광을 받았습니다. 그러나 1960년대 부터 행동주의와 이에 따른 행동치료를 통한 행동변화에 문제점들이 제기되면서 그 문제점들을 보완할 수 있는 새로운 접근법이 요구되었습니다. 그래서 등장한 것이 바로 인지행동모델입니다. 참고로 인지행동모델은 하나의 실천 모델이 아니라 1962년 등장한 엘리스의 합리적 정서행동치료모델, 그리고 이듬해인 1963년에 등장한 인지치료모델, 1971년에 등장한 스릴라와 골드프라이드의 문제해결치료 등 여러 모델들을 총칭하는 것입니다. 다만 인지행동모델에서는 부적응적 행동유형을 변화시키기 위해 그 행동을 유지시키는 사고유형을 바꾸는 것이 필요하다는 생각을 공통적인 기반으로 삼습니다. 쉽게 말해 생각이 바뀌면 행동도 변화된다는 것이지요. 이러한 맥락에 주의해서 인지행동모델을 공부해주시길 바랍니다.

기출 OX

01 과제중심모델은 개인의 비합리적 신념이나 인지적 오류를 변화시킴으로써 부정적 감정을 극복하고 긍정적인 행동 변화를 이끈다. ( ) 17. 국가직

02 인지행동모델에서는 인간의 현재 행동을 이해하기 위해서는 과거의 경험에 대한 탐색이 중요하다. ( ) 18. 국가직

03 인지행동모델은 클라이언트의 주관적 경험의 독특성을 중시하고, 구조화되고 교육적인 접근을 강조한다. ( ) 10. 지방직

04 인지행동 접근법은 클라이언트의 문제를 해결하기 위해 클라이언트의 인지재구성에 초점을 두고 인지 및 행동의 수정을 위한 훈련을 강조한다. ( ) 21. 지방직

01 × '과제중심모델'이 아니라 '인지행동모델'이 옳다.
02 × '인지행동모델'이 아니라 '정신역동모델이나 심리사회모델'이 옳다.
03 ○
04 ○

(4) **대표적인 모델**

엘리스(A. Ellis)의 합리적 정서치료모델과 **벡(A. Beck)의 인지치료모델** 등이 있다.

2. 엘리스(A. Ellis)의 합리적 정서행동치료모델(Rational Emotive Behavior Therapy, REBT)

(1) **인간관**

① 인간은 자기보존, 성장 및 변화, 행복, 사랑, 대화, 자기실현 경향성 등 **합리성**과 자기파괴, 사고회피, 게으름, 반복적인 실수, 미신, 완벽주의와 자기비난 경향, 성장 잠재력의 실현 회피 등 **비합리성**을 동시에 가진 **이중적인 존재**이다.

② 인간은 외부적 요인에 의해서 방해받기보다는 자기 자신의 왜곡되게 생각하려는 생리적 · 문화적 경향에 의해서 방해를 받는다.

③ 인간은 자신의 인지적 · 정서적 · 행동적 과정을 변화시키기 위한 역량을 지니고 있다.

(2) **개입 목표** 23. 국가직

클라이언트가 자신이 가진 **비합리적인 신념**과 그러한 신념들로부터 생기는 **부적절한 정서적 결과**[❶]를 스스로 지각하여 자신의 **'비합리적 신념'을 수정할 수 있도록 원조하는 것**이다.

선생님 가이드

❶ 비합리적 신념으로 인해 발생하는 부적절한 정서적 결과에는 분노나 수치심과 같은 부정적인 감정 이외에도 우울이나 불안과 같은 심리적 증상도 포함됩니다.

(3) **비합리적 신념의 종류**

① **인정의 욕구**: 모든 사람들로부터 사랑과 인정을 받아야 한다는 신념이다.

② **과도한 자기 기대감**: 가치 있는 사람이 되기 위해서는 반드시 모든 영역에서 완벽하고 유능하게 행동해야 하며, 또한 결과에 있어서도 반드시 성공을 해야 한다는 신념이다.

③ **비난성향**: 자신에게 해를 끼치거나 악행을 저지르는 사람은 나쁜 사람이며, 이에 반드시 비난과 처벌을 받아야만 한다는 신념이다.

④ **좌절적인 반응**: 일이 바라는 대로 되지 않으면 인생이 아무런 가치가 없다고 여기는 신념이다.

⑤ **정서적 무책임**: 인간이 경험하는 불행의 원인은 오직 외부환경에 있고, 인간은 그것을 통제할 힘이 없다는 신념이다.

⑥ **과도한 불안**: 위험하거나 두려운 일에 항상 신경을 써야 하고 그러한 일들은 항상 일어날 가능성이 있다는 것을 염두해 두고 있어야 한다는 신념이다.

⑦ **문제 회피**: 인생에 있어서 어떤 어려움과 자기책임을 직면하는 것보다 오히려 피하는 것이 쉽다는 신념이다.

⑧ **의존성**: 사람은 타인에게 의존해야만 하고 의존할 만한 더 강한 누군가가 있어야만 한다는 신념이다.

기출 OX

로저스(Rogers)는 비합리적인 신념을 제거하는 것을 개입의 목표로 제시하였다. ( ) 23. 국가직

× '로저스(Rogers)'가 아니라 '엘리스(Ellis)'가 옳다.

⑨ **무력감**: 과거의 경험과 행동이 현재 행동의 가장 중요한 결정요인이며 인간은 과거의 영향에서 결코 벗어날 수 없다는 신념이다.

⑩ **타인에 대한 지나친 염려**: 다른 사람의 문제나 어려움에 대해서도 매우 신경을 써야 한다는 신념이다.

⑪ **완전무결주의**: 모든 문제에는 항상 적절하고도 완전한 해결책이 있으며 사람은 그것을 찾아야만 하며 그렇지 않으면 파멸된다는 신념이다.

(4) 개입 과정 必

① 엘리스는 개입이 이루어지는 과정을 ABCDE **모델로 제시**하였다.

② A(선행사건)가 C(결과)의 원인이 되는 것이 아니라 **B(신념체계)가 C(결과)의 직접적인 원인**이 되며, **결국 B(신념체계)가 인지적 요인으로서 가장 중요한 기능**을 한다.

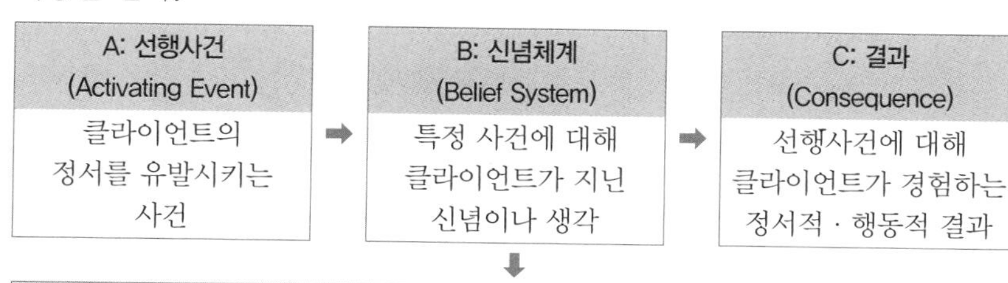

D: 논박(Disputing)
클라이언트가 지닌 비합리적 신념에 대해 사회복지사가 시도하는 논박 과정으로 **개입을 실시하는 단계**

E: 효과(Effect)
논박 과정을 통해 비합리적 신념체계가 합리적 신념체계로 전환된 상태

3. 벡(A. Beck)의 인지치료모델(Cognitive Therapy)

(1) 기본 가정

① 우울증 등의 정신장애는 **생활사건에 대한 인지적 오류(또는 왜곡)의 결과**이다.

② 인지매개가설의 적용: 사건이 같다고 결과가 같은 것이 아니라 **인지가 중간에 매개해서 어떻게 해석 또는 평가하는지에 따라 동일한 사건도 다르게 인지되어진다.**

(2) 개입 목표

왜곡된 인지와 역기능적 도식을 파악하고 현실을 검증하며 수정하는 것이 목표이다.

(3) 주요 개념 必

① 자동적 사고

㉠ 개인이 **어떤 상황에 대해 내리는 즉각적이고 자발적인 평가나 이미지**로, 심사숙고하거나 합리적으로 판단한 결과가 아니라 자동적으로 튀어나오는 스쳐지나가는 생각을 말한다.

㉡ 우울증 등의 정신장애를 가지고 있는 사람들의 자동적 사고는 '인지적 오류(또는 왜곡)'로 나타난다.

② 도식(Scheme, 또는 스키마)

㉠ 사건에 대한 **개인의 지각과 반응을 형성하는 인지구조**로서 개인의 기본적인 신념과 가정을 모두 포함하고 있으며, 일반적으로 **개인의 이전 경험에 의해서 형성**되어 적응적 기능과 부적응적 기능을 모두 수행한다.

㉡ **핵심믿음체계와 중간믿음체계로 구성**되어 있다.

핵심믿음 (또는 신념)체계	근원적으로 깊은 수준에서 형성된 믿음으로, 이에 대해 사람들은 인식하지 못한 채 **이러한 믿음을 의문의 여지없이 당연한 것으로 수용**한다.
중간믿음 (또는 신념)체계	**핵심믿음체계와 자동적 사고 사이에 존재하는 태도·규칙·가정들**로, 핵심믿음체계가 영향을 미친다.

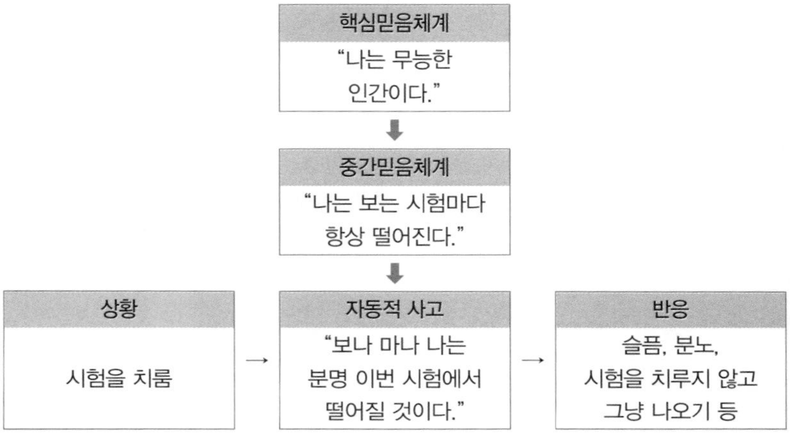

핵심믿음체계
"나는 무능한 인간이다."
⬇
중간믿음체계
"나는 보는 시험마다 항상 떨어진다."
⬇

상황		자동적 사고		반응
시험을 치룸	→	"보나 마나 나는 분명 이번 시험에서 떨어질 것이다."	→	슬픔, 분노, 시험을 치루지 않고 그냥 나오기 등

③ 인지적 오류(또는 왜곡)

임의적 추론 (또는 자의적 추론)	**결론을 지지하는 증거가 부족하거나 부적절함에도 불구하고 부정적인 결론**을 내려버리는 자동적 사고이다. 예 "내가 너무 못생겨서 남자 친구가 떠났어", "선생님은 나를 미워해"
과잉 (또는 과도한) 일반화	㉠ **단일 사건에 극단적인 신념을 적용**하여 유사하지 않은 사건이나 장면에 **부적절하게 또는 비논리적으로 확대하여 적용**하는 자동적 사고이다. ㉡ 즉, 한 번의 부정적 사건을 마치 끝없이 반복되는 실패의 본보기처럼 생각하는 것이다. 예 "내가 너무 못생겨서 남자친구가 떠났으니 결혼도 하기 어렵겠지!"
선택적 요약 [또는 정신적 여과 (Mental Filtering), 선택적 사고]	**전체적인 사건 가운데에서 긍정적인 부분은 여과시켜 무시**하고 부정적인 세부 부분만을 가지고 전체적인 사건에 적용하는 자동적 사고이다. 예 중간고사에서 사회복지실천기술론에서는 좋은 점수를 받았지만, 사회복지정책론에서는 좋지 못한 점수를 받은 학생이 "나는 이번시험을 망쳤어"라고 하는 경우

극대화와 극소화 (또는 과장과 축소)	**부정적인 부분은 극대화시키고 반면에 긍정적인 부분은 극소화**시키는 자동적 사고를 말한다. 예 (극소화) "난 이번 시험에 합격했지만, 이 시험은 누구든지 합격할 수 있는 시험이야!" (극대화) "난 몸이 약해, 분명히 나는 오래 살지 못할 거야"
개인화 (또는 잘못된 귀인)	**자신과 관련시킬 근거가 없는 부정적인 외부 사건을 자신과 관련시켜 자신이 원인이라고 인지**하는 자동적 사고를 말한다. 예 "내가 신고만 빨리 했어도 지하철 화재로 사람이 죽지 않았을 텐데"
이분법적 사고 (또는 상반된 사고, 절대적 사고, 양극적 사고)	**흑백논리(黑白論理)에 근거한 사고로 완벽주의**를 추구한다. 즉 모든 사건들은 개인에게 있어서 '좋은 것'이 되거나, 그것이 아니라면 '나쁜 것'이 되어 버리는 것으로 인지하는 자동적 사고를 말한다. 예 "최고가 아니면 모두 실패자인 거야"

4. 인지행동모델의 개입 기법

(1) 내적의사소통의 명료화

클라이언트 스스로 **자신에 대해 독백(獨白)하고 생각하게 만드는 기법**으로, 사회복지사는 피드백을 제공하여 **클라이언트 자신의 독백과 생각의 비합리성을 이해할 수 있게 해야 한다.**

예
> **남편**: 우리 아내만 생각하면 정말 치가 떨려요.
> **사회복지사**: 아내의 어떤 면이 당신을 치가 떨리게 만드나요? 구체적으로 이야기 해주실 수 있나요?
> **남편**: 아내는 저를 철저히 무시해요! 제가 이야기하면 들은 체도 하지 않아요.
> **사회복지사**: 그때 당신은 어떻게 하시나요?
> **남편**: 어떤 때는 며칠 동안 아무 말도 안 할 때도 있고….
> **사회복지사**: 그런 상황에서 당신이 침묵하시는 건 무엇을 의미할까요?
> **남편**: 전 잘 모르겠어요. 아마도 아내에 대한 어떤 불만, 아니 미안한 감정이 있는 것 같기도 하구요….
> **사회복지사**: 미안한 감정이요?
> **남편**: 아, 글쎄…. 그동안 아내가 보여준 가족에 대한 사랑 그런 것들…. 그런데 저는 가족에게 많이 실수하며 살아 왔어요. 한 동안 외도로 가정을 등졌어요….
> **사회복지사**: 어떤 사람들이 실수를 하나요?
> **남편**: (침묵)
> **사회복지사**: 당신도 가족에게 실수했다고 생각하나요?
> **남편**: (침묵) 네 그런 것 같아요….

(2) 설명

엘리스의 합리적 정서행동치료모델에서 사용하는 기법으로, **ABC 매커니즘을 클라이언트에게 구체적으로 설명**하여 **생각이 어떻게 행동에 영향을 미치는 지를 알려주는 것**이다.

예
> **사회복지사**: 만약 제가 내일 유성이 지구와 충돌하여 지구가 멸망한다고 말하면 어떤 느낌이 들 것 같으세요?
> **클라이언트**: (웃으면서) 말도 안돼요.
> **사회복지사**: 무섭지 않나요?
> **클라이언트**: 전혀요, 전 당신 말을 믿지 않을 거니까요!
> **사회복지사**: 자, 보세요, 당신의 감정은 당신의 믿음에 달려 있어요. 제가 내일 유성이 지구와 충돌한다고 말한 것은 선행 사건(A)이에요. 그런데 당신의 신념체계(B)에 의한 감정의 결과(C), 즉 당신은 웃으며 무섭지 않다고 했지요. 바로 당신의 믿음이 당신의 감정을 만들 뿐이에요.

(3) 과제수행(또는 기록과제, 과제기록, 행동기록일지 작성)

클라이언트에게 특정 상황에서 떠오르는 **자신의 생각이나 정서를 스스로 파악하고 이를 기록하는 과제를 부여하는 기법**으로, 클라이언트로 하여금 **새로운 행동을 배우게 하거나 과거의 부정적인 반응을 제거하게 하는 데 활용**된다.

예 행동기록일지

날짜	상황	정서	자동적 사고	합리적 반응	결과
2000년 0월 0일	아내가 나를 무시할 때	분노	나 자신이 싫다.	분노할 필요가 없다.	

❶ 인지적 불일치란 개인이 두 가지 이상의 상반되는 믿음, 생각, 가치를 동시에 지닐 때나 또는 기존에 자신이 가지고 있는 것과 반대되는 새로운 정보를 접했을 때에 경험하게 되는 불편한 감정 등을 말합니다. 또한 인지적 불일치(또는 부조화) 원리란 개인이 인지적 불일치 상황에서 자신의 태도나 신념을 변화시켜 불편한 감정에서 벗어나려는 경향을 보이는 것을 말합니다. 즉 개인이 인지적 불일치 상황하에서 자신의 태도와 행동을 일치시키기 위해 노력하고, 만일 행동과 태도가 일치하지 않을 때에는 결국 자신의 신념을 바꿀 것이라는 가정을 의미합니다. 예를 들어 흡연을 즐기는 흡연가가 건강과 관련된 흡연의 해악을 인지하게 된다면 그는 "흡연은 건강에 나쁘다."라는 태도를 갖게 될 것입니다. 즉 흡연이라는 행동을 하면서도 "흡연이 건강에 좋지 않다."라는 태도를 갖게 된다는 것이지요. 이러한 인지적 불일치를 감소시키기 위해서 결국 흡연가는 흡연이라는 행동을 취소하여 태도와 행동을 일치시키게 될 것입니다.

(4) 경험적 학습 (必)

① **인지적 불일치(또는 부조화) 원리**❶**를 적용한 기법**으로, 왜곡된 인지에 도전하여 변화를 유도하기 위해 클라이언트로 하여금 **자신의 인지적 왜곡에 부합하지 않는 특정한 행동을 하도록 지시**하여 클라이언트가 자신의 인지적 오류를 발견하고 수정하도록 하게 하는 것이다.

② 자기주장훈련, 모델링, 역할극, 사회기술훈련, 심리극 등을 활용한다.

(5) 역설적 의도(Paradoxical Intention)

① 이중구속: 클라이언트의 불안에 대한 인지적 오류에 도전하기 위해 **오히려 그가 두려워하거나 불안해 하는 행동을 하도록 지시하는 기법**이다.

② 이 기법을 사용할 때에는 클라이언트에게 치료 기법을 충분히 이해시킨 후 동의한 경우에만 사용해야 한다.

③ 특히, 자해 또는 타해의 위험이 있는 클라이언트나 문제의 원인이 신체적인 것에 기인하고 있는 클라이언트에게는 가급적 사용해서는 안 된다.

(6) 역동적 · 실존적 숙고 치료활동

역동적 숙고와 실존적 숙고를 통해 인지재구조화를 촉진시키는 기법으로, 클라이언트의 문제와 그 해결에만 초점을 맞추어 활용해야 한다.

역동적 숙고	자신이 경험하고 있는 인생 문제를 **어떤 합리적이고 물리적인 방법으로 해결할 것인지에 대해 깊이 있게 생각하는 방법**이다.
실존적 숙고	인생의 의미와 잠재성에 대해 철학적이고 추상적으로 깊이 있게 생각하는 방법이다.

(7) 인지 재구조화 (必)

개인이 가지고 있는 **비합리적 신념이나 인지를 재구성하여 현실에 맞는 행동의 변화로 대치 또는 인도하는 기법**이다.

(8) 모델링 (必)

① 사회복지사의 관점에서 **클라이언트에게 바라거나 필요로 하는 절차에 대해 시범을 보이는 기법**이다.

② 즉, 사회복지사가 목표행동으로 설정한 모범적 행동을 **클라이언트가 반두라의 사회학습이론에 따른 관찰학습 과정[주의 과정 → 보존 과정 → 운동(또는 행동)재생 과정 → 동기화 과정]을 통해 모방하여 체득하게 만드는 것**을 말한다.

③ 모델링을 통해 **클라이언트의 행동뿐만 아니라 행동에 대한 감정과 태도변화도 도모**한다.

예 클라이언트에게 친구들과 다정하게 이야기하는 장면을 보여주고 역할연습을 하게 하는 경우

(9) 시연

클라이언트가 습득한 새로운 행동기술을 **현실에서 직접 실행하기 이전에 사회복지사 앞에서 반복적으로 연습하도록 지시하는 기법**이다.

예 대인기피증이 있는 클라이언트에게 사회복지사 앞에서 간단한 발표를 반복적으로 연습하도록 지시하는 경우

(10) 자기지시기법

클라이언트가 변화되기를 바라는 행동에 대해 **클라이언트 스스로 구체적인 목표를 설정하고 이에 따른 실천행동을 작성하게 한 후 이를 실행에 옮기도록 유도하는 기법**이다.

예

> 분노를 조절하는 자기지시기법
> – 나는 앞으로 한 달 동안 절대 타인에게 화내지 않을 것이다.
> – 나는 나의 분노를 통제할 충분한 능력을 가지고 있다.
> – 나는 화가 날 때 크게 숨을 들이쉬고 내쉬며 참을 것이다.
> – 나는 화가 날 때 그 자리를 피할 것이다.

(11) 체계적 둔감화(또는 체계적 탈감법) (必)

① **고전적 조건화 이론에 근거한 기법**으로, 클라이언트로 하여금 **그가 불안감을 경험하는 상황에 의도적으로 노출시키는 것**이다.

② 즉, **클라이언트에게 가장 덜 위협적인 상황에서 가장 위협적인 상황까지 상황들을 순서대로 제시**하면서, 불안자극과 불안반응 간의 연결이 없어질 때까지 불안을 일으키는 자극들을 반복적으로 이완 상태와 연결하는 기법이다.

예

> 고소공포증이 있는 클라이언트에게 맨 아래에 있는 가장 덜 위협적인 장면에서부터 더 큰 불안을 야기하는 장면인 위쪽으로 점차 나아가면서 단계별로 상상하거나 경험하도록 한다.
> – 초고층 빌딩의 건설에 대한 기사 읽기 19. 국가직
> – 4층 건물에서 창문 밖을 내려다보기
> – 4층 건물의 발코니 난간에서 아래를 내려다보기
> – 12층 건물에서 창문 밖을 내려다보기
> – 63빌딩 꼭대기 층에서 걸어보기
> – 63빌딩 꼭대기에서 아래를 내려다보기

(12) **홍수법**

체계적 둔감화의 정반대 방법으로, 클라이언트로 하여금 그가 불안감을 경험하는 상황에 의도적으로 노출시키는 면에서는 체계적 둔감법과 같지만, 체계적 둔감법이 가장 덜 위협적인 상황에서 가장 위협적인 상황들로 진행되는 데에 반해서, **홍수법은 처음부터 가장 위협적인 상황에 클라이언트를 노출시켰음에도 불구하고 클라이언트에게 아무런 문제가 발생하지 않는다는 것을 확인시키는 기법**이다.

예 대인기피증이 있는 클라이언트를 200여명 앞에서 발표하게 하도록 하는 경우

(13) **토큰 경제(Token Economy)**

① 클라이언트의 행동을 수정하거나 학습효과를 향상시키기 위해 흔히 사용하는 기법으로, **일반화된 강화물인 토큰(Token)을 클라이언트에게 제공하여 바람직한 행동을 강화시키는 것**이다.

② 토큰으로는 다양한 물건이 사용되며, 돈처럼 교환 가치가 부여될 때 강화물로서의 힘을 발휘한다.

③ 클라이언트가 일정 기간 인사를 잘해서 토큰 10개를 받았다면, 나중에 사회복지사는 그것을 상품권으로 교환해 준다. 이처럼 **토큰과 교환된 물건을 교환 강화 자극 또는 후속 강화 자극이**라고 한다.

(14) **타임아웃(또는 격리법)** 必

부적처벌의 원리를 활용한 기법으로, 클라이언트에게 문제 행동을 발생시키는 상황으로부터 그를 **일시적으로 분리시킴으로서 문제행동을 감소시키는 방법**이다.

예 수업 중에 장난을 치는 아동의 행동은 급우들에 의해 강화되고 있다고 볼 수 있다. 따라서 그 행동을 감소 또는 제거시키기 위해서는 급우들의 웃는 행동을 통제하기보다는 그 아동을 잠시 복도같은 다른 곳에 격리시킴으로써 그의 행동이 강화 받지 못하도록 할 수 있다.

(15) **이완훈련**

클라이언트에게 근육의 수축과 이완, 복식호흡, 즐거운 사건에 대한 상상 또는 연상 등을 하게하여 일상생활의 스트레스에 대처할 수 있도록 유도하는 기법이다.

예 대인기피증이 있는 클라이언트에게 발표에 앞서 사회복지사가 20초 동안의 복식호흡과 함께 평화로운 하늘의 구름을 연상하도록 지시하는 경우

(16) **자기주장훈련**

클라이언트로 하여금 타인의 권리를 침해하지 않는 범위 내에서 대인 관계에서 억제된 생각이나 **감정을 솔직하게 표현**하고, **자신의 이익대로 행동하도록 유도하는 기법**이다.

기출 OX

과제중심모델은 클라이언트가 명확하게 인식하고 있는 특정 문제에 초점을 두기 때문에 조언, 환경적 개입과 같은 기술을 사용하지 않는다. ( ) 11. 국가직

× '기술을 사용한다.'가 옳다.

5. 한계

(1) 지적능력이 낮은 클라이언트에게는 효과가 제한적이다.

(2) 즉각적인 위기개입을 해야 하는 클라이언트에게는 적용하기가 어렵다.

(3) 특정 개입기법 사용에서 윤리적 문제가 발생할 수 있다.

(4) 새로운 시도에 대한 의지가 약한 클라이언트에게 적용하기가 어렵다.

5 과제(또는 과업)중심모델 11 · 12 · 15. 국가직, 10 · 11 · 17. 지방직

1. 개관

(1) 등장 배경 (必)

① 1970년대 **미국 시카고 대학의 리드와 엡스타인(Reid & Epstein)에 의해 제안**된 모델로, 당시 **장기개입 모델의 비효과성에 대한 비판**과 이에 대한 대안으로 **시간제한적인 단기치료에 대한 실천 현장에서의 관심 고조, 구조화되고 집중적인 개입형태의 선호** 등이 이 모델이 등장하게 된 원인이다.

② 이 모델은 **'경험적 기초'에 의해 개발**됐다. 즉, 실천을 통해 형성된 어떤 노하우나 검증되지 않은 이론이 아닌 **3년의 모델 설계 기간 이후 다양한 사회복지기관에서 실제 사례에 모델을 적용하고 평가하는 과정을 거쳐 개발**됐다.

③ **모델 초기**에는 **펄만(Perlman)의 문제해결 과정 및 요소와 스투트(Studt)의 클라이언트의 과제에 대한 개념에 영향**을 받았다.

(2) 개입목표 (必)

클라이언트가 **자신의 문제해결에 필요한 기술이나 자원을 얻게 하여 자신이 호소하는 문제를 해결하기**

(3) 특징 (必)

① 시간제한적인 단기개입모델: 대개 **약 2~3개월 동안 8~12회기 이내에 사례가 종결**된다.

② 클라이언트의 문제 중심

㉠ 클라이언트의 문제란 **클라이언트가 인식한 클라이언트 자신의 자원 또는 기술의 부족**으로 정의된다.

㉡ 또한 **계약에 따라 클라이언트와 사회복지사 간에 합의된 구체적인 문제해결에 초점**을 주고 접근한다.

③ 절충적 접근(또는 종합적 접근, 통합적 접근)

㉠ 개입의 효과성과 효율성 증진이라는 목적을 달성하기 위해 특정한 이론이나 개입 방법에 몰입하지 않고 **다양한 이론들을 절충하여 활용**한다.

㉡ 즉, 체계이론, 의사소통이론, 인지이론, 정신분석이론, 학습이론의 기본 원칙들이 통합되어 형성된 모델이다.

기출 OX

01 과제중심모델의 이론적 관점은 인본주의 철학을 중심으로 한다. ( ) 15. 국가직

02 문제규명단계에서 클라이언트가 제시한 문제에 개입하기 위해서는 표적 문제를 구체적으로 설정해야 한다. ( ) 15. 국가직

03 과제중심모델의 실행단계에서는 매 회기마다 클라이언트가 수행한 과제의 내용을 점검하고 상황에 따라 과제를 수정 보완해 나간다. ( ) 15. 국가직

04 과제중심모델에서는 클라이언트의 문제해결 능력을 향상하기 위하여 심리적인 변화와 사회환경적인 변화를 시도한다. ( ) 17. 국가직

05 과제중심모델은 리드(Reid)와 엡스타인(Epstein)이 개발한 모델로써 시간제한, 초점화된 면접, 현재의 집중, 신속한 초기사정에 기초한 단기의 구조화된 개입 접근이다. 또한, 클라이언트가 규명한 표적 문제에 초점을 둔다. ( ) 11. 지방직

06 과제중심모델에서는 관찰 가능한 행동과 환경을 분석하여 변화시킨다. ( ) 13. 지방직

07 과제중심모델은 리드(Reid)와 엡스타인(Epstein)이 개발한 모델로써 시간제한, 초점화된 면접, 현재의 집중, 신속한 초기사정에 기초한 단기의 구조화된 개입 접근이다. 또한, 클라이언트가 규명한 표적 문제에 초점을 둔다. ( ) 11. 지방직(추가)

08 과제중심모델은 클라이언트의 표적 문제들에 내재된 무의식적 충동과 같은 근본적인 문제원인의 해결에 집중한다. ( ) 10. 지방직

01 ×
02 ○
03 ○
04 × '심리사회모델'이 옳다.
05 ○
06 ×
07 ○
08 × 과제중심 모델은 클라이언트가 현재 호소하는 문제 해결에 초점을 둔다.

④ 과제 중심적 개입: **사회복지사와 클라이언트 간에 합의하여 클라이언트가 동의한 과제를 중심으로 개입**한다.

⑤ 구조화되고 체계적인 접근: **다섯 개의 개입 과정(시작 → 문제규명 → 계약 → 실행 → 종결)으로 구성**되어 있으며 각 개입 과정별 클라이언트와 사회복지사의 역할 등이 고도로 구조화 · 체계화되어 있다.

⑥ 클라이언트의 자기결정권 존중

㉠ **표적 문제의 규명 시 클라이언트의 견해를 우선적으로 반영**한다.

㉡ **계약을 통해 개입 과정을 클라이언트에게 명확하게 제시**한 후 클라이언트의 동의하에 계약을 한다.

㉢ 클라이언트는 과제 설정, 실행 등 **개입의 전 과정에서 주체자의 역할을** 한다.

⑦ 클라이언트의 환경에 대한 개입 강조: **클라이언트가 경험하는 문제는 자원의 부족 또는 기술의 부족과 관련 있는 것으로 이해**된다. 따라서 클라이언트의 환경 내에서 문제와 관련한 자원을 탐색하고 이를 활성화하기 위한 방안이 전 개입 과정에서 강조된다.

⑧ **클라이언트와 사회복지사 간의 협조적 관계를 중시한다.**

⑨ 사회복지사 개입의 책무성 강조: 사회복지사는 전 개입 과정을 객관적으로 기록하고 진척 상황을 회기마다 모니터해야하며, 개입 과정과 사회복지사의 개입 행위에 대한 클라이언트와 사회복지사 자신의 평가를 중요하게 여긴다.

2. 주요 개념

(1) 표적 문제

클라이언트가 해결을 호소하는 심리사회적 문제로, 이는 면접 초기에 **클라이언트의 문제의식을 반영**하여 **클라이언트와 사회복지사 간의 합의에 의해 잠정적으로 결정**되며, **일반적으로 3개 이내로 선정**된다.

(2) 과제

① 클라이언트와 사회복지사 간에 계획하여 계약으로써 동의한 표적 문제에 대한 해결활동으로, **클라이언트의 과제와 더불어 사회복지사의 과제**도 있다.

구분	내용
클라이언트 과제	표적 문제를 감소시키기 위해 **클라이언트가 수행해야 하는 활동**이다.
사회복지사의 과제	㉠ 표적 문제를 감소시키기 위해 **클라이언트의 입장에서 사회복지사가 수행해야 하는 활동**이다. ㉡ 주로 클라이언트의 과제수행을 지원하기 위한 활동이다. 예 타기관 혹은 클라이언트의 가족 · 친구 · 이웃 등과 협의하고 협상하는 일 등

② 유형

일반과제	㉠ 행동의 방향만을 제시하는 과제, 즉 **구체적 행동을 제시하지 않는 과제**를 말한다. ㉡ 클라이언트의 목표, 즉 과제가 수행했을 때 달성되어야 하는 상태를 포함한다. 예 제철씨는 인지치료를 받아야 한다.
조작과제	일반과제에서 도출되며, **클라이언트가 수행해야 하는 구체적인 행동**을 말한다. 예 제철씨는 인지치료센터에 가서 인지 기능 검사를 받아야 한다.

3. 개입 과정 (必)

개입 과정은 고도로 체계화 · 구조화되어 있으며, 일반적으로 **시작 → 문제규명 → 계약 → 실행 → 종결의 단계**를 거친다.

시작 → 문제규명 → 계약 → 실행 → 종결

<table>
<tr><td colspan="2">시작단계</td><td>① 클라이언트의 기본적인 정보를 확인하는 단계로, 클라이언트가 자발적으로 찾아온 경우인지, 또는 타기관 등에 의해 의뢰되어 온 것인지를 명확히 하고 이에 따라 각기 다른 개입을 한다.
② 과업
<table><tr><td>자발적으로 찾아온 클라이언트의 경우</td><td>클라이언트가 호소하는 문제와 그 문제의 우선순위를 확인한 후 문제규명 단계로 진행한다.</td></tr><tr><td>타기관 등에 의해 의뢰되어 온 클라이언트의 경우</td><td>의뢰기관의 의뢰경위와 의뢰를 통해 달성하고자 하는 문제와 목표, 클라이언트가 생각하는 문제와 목표 등을 확인한 후, 의뢰기관과 클라이언트의 문제와 목표가 다를 경우 이에 대한 협의와 조정을 통해 문제와 목표를 일치시켜야 한다.</td></tr></table></td></tr>
<tr><td rowspan="2">초기
단계</td><td>문제
규명</td><td>① 전체 과정 중에 가장 핵심적인 단계로, 표적 문제와 그 우선순위를 설정한다.
② 과업
㉠ 표적 문제는 클라이언트가 규정한 문제와 의뢰기관에서 위임한 문제가 있으며, 이 두 가지 표적 문제를 파악하고, 클라이언트의 견해를 최대한 반영하여 정한다.
㉡ 표적 문제의 우선순위를 설정할 때에는 클라이언트가 가장 중요하게 생각하고, 현실적으로 변화의 가능성이 높을 것을 기준으로 하여 3가지 이내로 정해야 한다.
㉢ 이후 계약을 위한 예비적인 초기 사정을 신속하게 실시한다.</td></tr>
<tr><td>계약</td><td>① 표적 문제의 해결 방향에 대한 클라이언트와 사회복지사의 동의가 이루어지는 단계이다.
② 계약은 서면 또는 구두로 진행된다.
㉠ 계약에 포함하는 내용: 표적 문제, 목표, 클라이언트의 과제, 사회복지사의 과제, 개입기간과 일정, 면접일정, 클라이언트와 사회복지사 외의 참여자 등
㉡ 계약서 작성 시 주의사항: 하나의 표적 문제에 대해 하나의 목표만을 수립해야 하며, 표적 문제와 목표는 클라이언트 입장에서 '누가 무엇을 어떻게 한다.'는 것이 분명히 드러나도록 구체적으로 서술해야 한다.</td></tr>
</table>

중기 단계	실행(또는 수행)	① **개입 과정에서 가장 많은 시간이 할애되는 단계로, 표적 문제를 집중적으로 사정하고 과제수행의 정도를 점검하며, 필요에 따라 과제를 수정**한다. ② 과업 ㉠ 초기 문제규명단계보다 **표적 문제에 대해 더욱 집중적(또는 초점적)이고 정교한 사정**을 한다. ㉡ 클라이언트와 사회복지사의 **수행과제를 개발하고 수립하며, 실질적인 장애물**(예 클라이언트의 기술부족, 타인과의 협력과 지지 부족, 자원부족 등)**을 규명하고 제거**하기 위한 활동들을 계획하고 개선한다. ㉢ **수립된 수행과제를 수행(또는 이행)**한다. 또한 과제 수행 시 **사회복지사와 클라이언트는 협력 관계를 유지**해야 한다. ㉣ 매 회기마다 표기법, 차트, 그래프, 간결한 이야기체 코멘트 등을 사용하여 **표적 문제의 상태와 변화 과정을 확인 및 점검**한다.
종결 단계	종결	① 종결의 시기는 이미 계약단계에서 정해졌기 때문에 **클라이언트와 사회복지사가 모두 예상하고 있는 가운데에서 진행**된다. ② **사회복지사가 클라이언트에게 피드백을 요청**하거나, **사회복지사 자신의 활동에 대해 스스로 평가**한다.

4. 한계

(1) 단기모델이라는 특성상 중증상태의 만성적인 클라이언트에게 적용하기는 어렵다.

(2) 과제수행에 비협조적인 클라이언트나 가족환경에 적용하기에 어렵다.

6 위기개입모델[1] 11 · 13 · 17 · 18 · 24. 국가직, 10. 지방직

1. 개관

(1) 위기(Crisis)

① 개념: **개인적인 입장에서** 자신이 가진 현재의 자원과 대처기제로는 감당하기 어려운 사건이나 상황을 **주관적으로 지각하거나 경험하는 것**이다. 즉, 위기란 사건 자체가 아니라 **사건에 대한 주관적인 인식**이다.

② 종류(Richard & Burl)

발달적 위기	개인이나 가족이 **현재의 발단단계에서 다음 발달단계로 넘어갈 때 자연스럽게 발생하는 위기**로, 모든 사람들이 당연히 경험하는 위기이다. 예 청소년의 정체성 위기, 중년의 위기, 노년의 위기, 자녀의 출생, 자녀의 학교 입학 등
상황적 위기(또는 우발적 위기)	**예기치 않는 위기**로, 개인이 통제할 수 없는 사건이 발생할 때 나타난다. 예 실직, 사고, 가족의 사망, 성폭행 피해, 이혼 등
실존적 위기	삶의 의미, 책임감, 독립성, 자유, 헌신 등과 같은 **인간적 이슈에 동반되는 갈등이나 불안과 관련된 위기**로, 갑자기 발생한다. 예 인생이 덧없다고 느끼는 허무감 등
환경적 위기	**자연이나 인간이 일으킨 재해를 당했을 때 발생하는 위기**로, 다수의 사람과 환경이 영향을 받는다. 예 허리케인 같은 자연재앙, 9.11테러, 포항 대지진, 후쿠시마 대지진 등

선생님 가이드

❶ 위기개입모델은 1942년 493명이 사망한 미국 보스턴 코코넛 그로브 나이트클럽의 대화재 사건 이후, 1944년 정신의학자였던 린드먼(Lindemann)이 그 사건 생존자들의 심리적 증상에 대한 임상논문을 발표하여 비탄 과정의 이론화에 초석을 마련한 것에서부터 유래됩니다. 이후 1946년에 린드먼과 카플란(Lindemann & Caplan)이 함께 보스턴 지역의 정신건강을 위한 지역 사회 프로그램인 Wellesley 인간관계 봉사기관을 설립하면서부터 임상적 연구가 본격화되었습니다.

기출 OX

01 위기개입모델은 클라이언트의 통찰력 강화, 성격변화에 초점을 둔다. ( ) 13. 국가직

02 위기개입모델에서는 특정 위기상황은 예측할 수 있는 단계를 거치며 단계마다 사람들이 예측할 수 있는 정서적 반응과 행동을 드러낸다고 전제한다. ( ) 13. 국가직

03 위기개입모델은 초점화된 단기개입으로 클라이언트의 심리내적 변화에 일차적인 목표를 둔다. ( ) 17. 국가직

04 위기개입모델에서 인간은 감당하기 어려운 상황에 직면하게 되면 균형상태가 깨져 혼란 상태에 놓인다고 가정한다. ( ) 18. 국가직

05 위기개입모델은 단기적 접근으로 클라이언트가 적어도 위기 이전의 기능 수준으로 회복하도록 돕는 데 일차적 목표를 둔다. ( ) 10. 지방직

01 × '위기개입모델'이 아니라 '정신역동모델'에 관한 설명이다.
02 ○
03 × '클라이언트의 심리내적 변화'가 아니라 '위기 이전의 기능 수준으로 회복하는 데'에 일차적인 목표를 둔다.
04 ○
05 ○

(2) 위기반응 단계(Golan)

골란(N. Golan)은 개인이 위기에 노출되었을 때에 이에 반응하는 양상을 **'위험사건 → 취약상태 → 위기촉진요인 → 위기 → 재통합' 등 5단계로 구분**하였다.

제1단계	위험사건	**위기가 시작되는 단계**로 발달적 위기, 상황적 위기, 실존적 위기, 환경적 위기 등 다양한 형태의 위기에 개인이 노출된다.
제2단계	취약상태	**위험사건으로 인한 충격에 대해 개인이 주관적으로 반응하는 단계**로, 주로 긴장과 불안이 동반되는 상태이다. 이때 사람들은 평상시에 하던 문제대처방법을 이용해 위기를 극복하기 위한 시도를 하게 된다.
제3단계	위기촉진요인	① **취약상태를 불균형의 상태로 전환시키는 부가적인 스트레스 유발 사건이 발생하는 단계**로, 불안과 긴장이 한층 고조되는 상태이다. ② 분명히 사소한 사건임에도 불구하고, 막대한 감정이 결부되어 나타난다면 그것이 촉진요인의 단서가 된다.
제4단계	위기 (또는 활성 위기)	① 해결되지 않은 문제가 존재하는 상태에서 촉진요인이 작용하여 개인의 균형을 유지하는 기제를 파괴하며, **긴장이 고조되고, 활성위기(Active Crisis)라는 와해 상태가 초래되는 단계**이다. ② 이때 개인은 4~6주 동안 혼돈, 걱정, 절망, 분노와 같은 감정을 동반하는 격심한 정서적인 혼란 상태에 빠진다.
제5단계	재통합	**발생된 문제를 인지적으로 이해하는 단계**로, 위기와 관련한 감정을 방출하고 변화를 수용하며 새롭게 학습한 문제해결방법에 자신을 맞추기 시작하는 단계이다.

2. 개입

(1) 개입목표(Rapopprt) 必

1단계	1단계의 치료목표는 기본목표로 반드시 달성해야 할 목표를 말한다. ① 위기로 인한 증상 제거(또는 완화)하기 ② 위기 이전의 기능 수준으로 회복하기 ③ 촉발 사건 이해하기 ④ 클라이언트나 가족이 이용할 수 있는 지역사회의 자원이나 치료기제를 규명하기
2단계	2단계의 치료목표는 추가목표로 경우에 따라 달성할 수 있는 목표를 말한다. ① 현재의 스트레스와 과거의 경험 및 갈등과의 연관성을 인식하기 ② 새로운 인식, 사고, 정서를 개발하기 ③ 위기상황 이후에도 사용할 수 있는 새로운 적응적 대처기제를 개발하기

(2) **개입원칙**

① 신속한 개입: **개입은 가능한 한 즉시 제공**되어야 한다. 즉 위기단계에서 6주 이내에 문제를 해결해야 하며, 이로 인해 **위기개입모델은 단기개입모델에 해당**한다.

② 희망과 기대: 위기에 처해 절망하는 **클라이언트에게 희망과 기대를 고취**시켜야 한다.

③ 지지체계의 구성: **실용적인 정보와 확실한 지지**가 주어져야 하며, 때에 따라서는 **사회적 지지가 동원**되기도 한다.

④ 초점적 문제해결: **표적 문제는 구체적**이어야 하며, 위기적 문제 파악과 해결에 초점을 두면서 **클라이언트가 통제할 수 있을 수준에서 현실에 직면하도록 원조**해야 한다.

⑤ 자기상의 보호와 확립: **클라이언트의 자기상을 보호**하고 건전한 자기상을 확립하도록 원조해야 한다.

⑥ 자립: 사정하고 개입을 계획함에 있어서 **클라이언트가 함께 참여할 기회를 제공**해야 한다.

⑦ 행동기술: 사회복지사의 역할은 **지시적이고 적극적이어야 하며, 주로 행동기술에 초점**을 둔다.

(3) **위기개입 시 고려해야 할 기본 가정(Gilliand & James)**

① 인간이 처한 다양한 상황에서 초래되는 직접적인 스트레스와 위험한 사건에 직면했을 때 겪는 **격한 정서적 불균형과 사회적 해체 현상은 정상적인 것**이다.

② 위기상황으로 인해 겪는 격심한 고통은 정상적인 삶의 경험으로 일시적 혼란이라 할 수 있으며, **누구나 일생을 통해 겪을 수 있는 현상**이다.

③ 정서적 불균형을 경험하는 사람은 **본능적으로 정서적 균형을 찾으려는 경향**이 있다.

④ 사람들은 정서적 균형을 회복하려고 노력하는 과정에서 **일시적이고 격심한 심리적 유약성을 경험**할 수 있다.

⑤ 심리적으로 현저히 약해져 있을 때, **일반적으로 사람들은 심리적 치료 서비스를 수용하는 태도**를 갖게 된다.

⑥ 위기는 부정적 결과를 가져올 수도 있지만 **한편으로는 성장과 발전의 기회**가 되기도 한다.

(4) 개입 단계

① 아길라와 메식(Aguilera & Messick)의 위기개입 단계

사정 단계	클라이언트의 **위기 상황을 사정하는 단계**로, 사정을 위한 세부영역은 다음과 같다. ㉠ 오늘 무슨 일이 있었으며 왜 클라이언트가 찾아 왔는가? ㉡ 클라이언트가 **현재의 위기와 선행사건을 어떻게 이해**하고 있는가? ㉢ 클라이언트에게 **도움을 줄 수 있는 지지적 차원의 수준과 질**은 어떠한가? ㉣ 클라이언트에게 **과거 비슷한 문제가 있었는가? 있었다면 어떤 대처기술로 대응**했는가? ㉤ 클라이언트는 **자해 또는 타해의 위험 가능성**을 가지고 있는가? 또한 위험하다고 판단되면 바로 입원치료 의뢰와 같은 절차를 실시할 수 있는가?
계획 단계	클라이언트의 기능에 어느 정도 손상이 있는지, **어느 정도 회복될 것인지, 주변의 자원들은 어떻게 반응하고 있는지를 확인하고 행동계획을 수립하는 단계**이다.
개입 단계	실제적인 개입 행동이 이루어지는 단계로, 세부적인 개입 내용은 다음과 같다. ㉠ 클라이언트 개인으로 하여금 **자신의 위기에 대해 지적인 이해를 하도록 원조하기** ㉡ 클라이언트의 **부정적인 감정 표현을 지지하기** ㉢ **과거 대처기술 탐색하기**: 과거에 클라이언트에게 어떤 대처기술이 성공적으로 사용되었는지, 이것이 지금의 위기에도 적절하게 적용가능한지, 새로운 대처기술로는 무엇이 적절한지를 탐색하기 ㉣ **사회적 활동 재개하기**
위기대비계획	㉠ 클라이언트로 하여금 미래의 다른 위기를 준비하도록 원조하기 ㉡ 클라이언트로 하여금 대처행동들을 명확하고 구체적으로 이해할 수 있도록 원조하기

② 골란(Golan)의 위기개입 단계

초기 단계	㉠ 관계형성하기 ㉡ 위기의 실제 여부 파악하기 ㉢ 현재의 위기상황 파악하기 ㉣ 사회복지사와 클라이언트가 수행할 과업을 계약하기
중기 단계	㉠ 현재 상황에서 구체적인 문제해결을 위해 계획된 과업의 확인과 실행하기 ㉡ 부적절한 과업을 수정하기 ㉢ 새로운 대처방안 습득하기
종결 단계	㉠ 새로운 자원과의 결속을 강화하기 ㉡ 개발된 대처유형과 성취를 확인하기 ㉢ 사후계획 수립하기

핵심 PLUS

자살에 대한 위기개입 24. 국가직

1. 개관

(1) 자살을 유발시키는 개인의 사건이나 감정은 갑작스럽게 발생하는 것이 아니라 **오랜 기간에 걸쳐 형성**된다.

(2) 개인은 자살 전 자살과 관련된 다양한 단서를 보인다.

㉠ 언어적 단서: 예 "내가 죽으면 모두가 행복할거야", "죽으면 이 고통에서 벗어날 수 있을 거야" 등

㉡ 신체적 단서: 예 식욕부진, 수면장애, 자신의 외모에 대한 무관심, 무력감 등

㉢ 행동적 단서: 예 자신의 소유물을 지인들에게 나누어줌, 자해 등

(3) 자살을 시도하는 대부분의 사람들은 실재 이를 행동으로 옮기기 전에 **자신의 자살의지에 대해 직·간접적으로 다른 사람들에게 이야기한다. 그러나 그들의 이야기를 듣는 사람들이 이를 심각하게 받아들이지 않는다면, 이는 자살의 촉발 요인**이 될 수 있다.

(4) 실재 자살을 시도한 사람 중 **치명적이지 않은 방법을 선택하여 생존한 경우 자살 시도는 오히려 누군가의 주의를 끌어 도움을 요청하는 행위**일 수 있으며, 이때 적절한 도움이 제공되지 않으면 자살의 위험은 크게 증가할 수 있다.

2. 사회복지사의 자살문제 개입

(1) 개입의 목표

자살을 예방하는 것이다. 따라서 자살의 생각이나 행동을 발생시키는 원인을 해결하기 보다는 현재 클라이언트의 자살위험을 줄이거나 없애는 것이다.

(2) 개입방법

① 자살에 대해 클라이언트에게 적극적·직접적·분명한 태도를 보인다.

② 자살을 생각하는 **클라이언트가 보여주는 언어적·신체적·행동적 단서에 민감**해야 하며, **클라이언트가 느끼는 정서적 고통, 절망감, 무력감 등에 대해 경청**한다.

③ 위험사건 자체가 아닌 **위험사건에 부여하는 클라이언트의 감정이나 의미를 탐색**한다.

④ **자살유발 요인을 개인 및 사회환경적 차원에서 다각도로 파악**한다.

⑤ 자살의 동기를 클라이언트의 시각에서 이해하기 위해 노력한다.

⑥ 자살의 위험정도를 파악하기 위해 **현재 자살 계획, 과거의 자살시도 경험, 자원**에 대해 직접적으로 질문하고, **절망 척도, 자살 가능성 척도 등을 활용해 자살 위험 정도를 평가**한다.

현재 자살 계획	•실제 자살계획이 있거나 또는 그 계획이 구체적일수록 자살위험이 증가한다. •사회복지사는 **클라이언트의 현재 자살계획에 대해 직접적으로 물어보아야 한다.**
과거의 자살 시도 경험	자살시도의 횟수가 많을수록, 가족 중 자살한 경우가 있는 경우 자살위험이 증가한다.
자원	•내부자원(예 자신감, 자존감, 대처기술, 희망, 종교적 신념 등)이 고갈되거나 그 기능을 수행하지 못하는 경우 자살위험은 증가한다. •반면 외부자원(예 도움이 될 가족이나 친구들, 좋은 직업, 사회적 지지망 등)은 자살위험을 감소시킬 수 있다.

⑦ 클라이언트에게 중요한 타자(예 가족 등)을 개입시키는 것도 좋은 방법이 될 수 있다.

⑧ 자살계획을 묻는 등, 클라이언트에게 **자살에 대해 직접적이고 개방적으로 이야기하며 솔직하게 관심을 보이는 방법**은 자살 가능성을 규명하여 **자살의 위험을 감소시키는 가장 좋은 방법**이다.

예 "혹 자살을 생각하고 있습니까?"

⑨ **클라이언트에게 안도감을 주기 위해서 사회복지사는 공감에 기반해 자살에 관한 대화를 할 수 있다.**

⑩ 우울증 등 **정신병리적 이상이 파악될 경우 정신건강복지센터 등 정신건강 관련 기관에 의뢰**한다.

기출 OX

01 자살 위험이 있는 클라이언트에 대한 개입 방법 – 자살 유발 요인을 개인 및 사회환경적 차원에서 다각도로 파악한다. ( ) 24. 국가직

02 자살 위험이 있는 클라이언트에 대한 개입 방법 – 절망 척도, 자살 가능성 척도 등을 활용해 자살 위험 정도를 평가한다. ( ) 24. 국가직

03 자살 위험이 있는 클라이언트에 대한 개입 방법 – 클라이언트가 자살에 대해 말하면 신속하게 위로하고 다른 주제로 전환한다. ( ) 24. 국가직

04 자살 위험이 있는 클라이언트에 대한 개입 방법 – 클라이언트가 느끼는 정서적 고통, 절망감, 무력감 등에 대해 경청한다. ( ) 24. 국가직

01 ○
02 ○
03 × '다른 주제로 전환하는 것'이 아니라 '직접적이고 개방적으로 이야기하는 것'이 맞다.
04 ○

7 역량강화모델 11 · 17. 국가직, 16. 지방직

1. 개관

(1) 역량강화의 개념 (必)

① **역량(Competence)**이란 주위환경과 상호작용하기 위해 체계가 소유하고 있는 지식과 기술의 질(Quality)을 의미한다. 따라서 역량강화란 취약한 상황으로 인해 무기력한 상태에 놓여 있는 **클라이언트의 역량을 강화시켜서 스스로 자신의 삶에 대한 통제력을 갖게 하는 것**을 말한다.

② 역량강화를 통해 **개인은 자기확신, 변화가능성 확인, 개인의 진전과 같은 심리적인 변화의 경험**을 하게 된다.

(2) 역량강화의 관점 (必)

생태체계적 관점 + 강점관점

(3) 시각 (必)

① 전문적 관계에 대한 시각: **협력과 파트너십**

② 클라이언트에 대한 시각: **개입의 주체, 자신의 문제에 대한 전문가, 변화 과정에 능동적으로 참여하는 파트너, 소비자, 문제해결을 위한 자원**

(4) 개입목표 (必)

① 클라이언트가 의미 있는 선택을 할 수 있도록 **자아효능감을 증진시키고 자신의 강점을 찾도록 원조**한다.

② 옹호활동을 통해 **클라이언트의 자원과 기회를 확대**시키고, 클라이언트가 **자신의 삶과 상황에 대해 더 많은 통제력을 갖도록 원조**한다.

(5) 특징

① 클라이언트의 **잠재적 역량과 자원을 인정**한다.

② 개입 시 클라이언트를 주체로 이해하기 때문에 **변화를 위한 클라이언트의 역할을 중요시**한다. 따라서 **클라이언트의 권리와 함께 책임 역시 강조**한다.

③ 사회복지사와 클라이언트 간의 **상호 협력적인 파트너십을 강조**한다.

④ 문제해결과 관련하여 **환경자원의 활용을 강조**한다.

⑤ **소외계층(또는 다양한 계층, 억압받는 집단)에 대해 관심을 가지고 이들을 수용**한다.

⑥ **클라이언트의 자기결정권과 개별화를 강조**한다.

⑦ 개인적 차원, 대인 관계 차원, 구조적 차원 등 **사회체계의 모든 수준에 적용이 가능**하다.

개인적 차원	개인 스스로의 역량감, 지배감, 강점, 변화능력 등을 의미한다. 즉 개인적 차원의 역량강화란 인성, 인지, 동기 등 **자신의 모든 삶의 요소에 있어서의 통제감**을 말한다.
대인 관계 차원	다른 사람에 대한 영향력, 즉 대인 관계에서 어느 일방에 의해 주거나 또는 받는 것이 아니라 상호 주고받는 평형관계를 갖게 하여 **효율적인 상호작용을 하게 하는 것**을 말한다.

기출 OX

01 임파워먼트모델은 사회복지사와 클라이언트가 협력적인 파트너십을 기반으로 문제해결 과정에 함께 참여한다. ( ) 11. 국가직

02 권한부여모델은 전문가적 접근성보다는 협력적인 파트너십과 해결지향적 접근을 강조한다. ( ) 17. 국가직

03 권한부여모델은 사회적, 조직적 환경에 대한 클라이언트의 통제력을 증가시키기 위한 개입모델이다. ( ) 16. 지방직

04 권한부여모델은 전문적 지식과 기술을 활용한 치료계획을 통해 클라이언트의 증상을 치료하는 구조적인 접근방법이다. ( ) 16. 지방직

01 ○
02 ○
03 ○
04 ×

구조적 차원	정치적 · 사회적 상황과 같은 **사회구조를 변화시키기 위한 행동에 참여**하여 보다 큰 힘을 얻고 새로운 기회를 창출하는 것으로, **구조적 차원의 역량강화는 그 사회의 모든 구성원에게 권한을 부여**한다.

(6) **개입활동의 예**

한부모 자조집단 프로그램, 노숙인을 위한 인문학 강좌, 장애인 동료상담가 양성프로그램, 시설 운영위원회에 이용자 대표참여 의무화 등

핵심 PLUS

임파워먼트 실천의 역사적 기원

임파워먼트 실천의 역사적 기원으로는 **제인 아담스(Jane Addams)의 인보관 운동, 19세기 미국 흑인여성들 및 소수민족집단들의 사회개혁 노력들, 초기 집단사회사업 이론가들, 레이놀즈(B. Reynolds)의 활동 등**이 있다. 레이놀즈(B. Reynolds)는 1950년대에 활동한 급진주의적 정신의료사회사업가로, 사회복지사와 클라이언트의 관계를 **동맹 관계로 개념화**하고, 최대한도의 시민참여와 자원분배의 평등을 지향한 이상주의적이며 사회주의적 성향을 지닌 사회복지실천가였다. 이러한 그의 활동은 **강점과 역량강화 발전에 있어서 역사적 기원으로 평가**받는다.

2. 개입 과정

개입 과정은 **'대화 → 발견 → 발전(또는 발달)' 단계로 진행**된다.

(1) **대화(Dialogue) 단계** (必)

① 사회복지사와 클라이언트 간의 **대화를 통해 라포를 형성하고 클라이언트의 상황을 이해하는 단계**이다.

② 주요 과업

파트너십(또는 협력관계) 형성하기	㉠ 클라이언트와의 상호협력적인 분위기 조성하기 ㉡ 클라이언트의 권리와 특성을 규정하기
현재 상황의 명확화 (또는 상황이해하기)	클라이언트의 진술을 적극적으로 경청하여 클라이언트의 상황을 이해하기
방향정하기 (또는 방향설정)	㉠ 목표를 분명히 설정하기 ㉡ 목표 달성을 위해 사회복지사와 클라이언트가 함께 나갈 방향을 정하기 ㉢ 방향 설정을 통해 클라이언트의 참여를 동기화시키기

(2) **발견(Discovery) 단계** (必)

① 사정과 분석을 통해 **수집된 정보를 조직화**하여 **클라이언트의 강점을 발견하고 역량강화를 위한 계획을 수립하는 단계**이다.

② 주요 과업

강점 확인(또는 규명)하기	클라이언트의 강점을 구체화하기: 클라이언트의 강점을 자세하게 조사하여 다양한 가능성(예 문화적 정체성, 역경을 극복하는 강점 등)을 발견하기
자원 역량(또는 능력) 사정하기	클라이언트와 함께 클라이언트의 사회체계를 강점관점으로 사정하여 **이용가능한 자원체계의 능력을 분석**하기
해결방안 수립하기	㉠ **목표를 구체화하여 설정**하고, 클라이언트와 함께 목표 달성과 관련된 다양한 행동 계획을 수립하기 ㉡ 클라이언트와 사회복지사의 역할 정하기

(3) **발전(Development) 단계** (必)

① 강점을 발전시켜 역량을 강화하고, 강화된 역량을 안정화시켜 **달성한 것을 통합하는 단계**이다.

② 주요 과업

자원 활성화하기	㉠ 클라이언트가 활용 가능한 자원을 확보하기 ㉡ 클라이언트의 권리와 책임을 강조하기 ㉢ 클라이언트를 행동에 참여시켜 동기를 부여하기
결연(또는 동맹) 관계 창출하기	클라이언트와 체계 간 역량강화적인 결연관계 수립을 통해 변화를 활성화시키기 위한 새로운 자원을 형성시키기
기회 확장하기	사회변화를 위한 행동(예 프로그램 개발, 지역 사회 조직, 사회 행동 등)을 통해 **새로운 자원을 개발하고 활성화하기**
성공 확인 · 인정하기	클라이언트의 성공적인 변화의 노력에 대해 평가하기
종결하기	클라이언트의 변화를 격려하고 유지시키기

3. 한계

(1) 역량강화모델의 주요 관점인 강점관점이 지나치게 낙관적이어서 클라이언트의 부정적인 성향을 간과하고 있다.

(2) 실제 문제를 무시하거나 경시하는 경향이 있으며, 따라서 실제 실무에서 완전히 강점관점에 근거한 모델을 적용하는 데에는 한계가 있다. 이로 인해 이 모델은 제한적으로 적용될 수밖에 없으며, 따라서 '설명되지 않은 채 끌어들인 용어'라는 비판도 받는다.

8 해결중심모델 17. 국가직, 17 · 21. 지방직

1. 개관

(1) 1970년대 초 김인수(In Soo Kim Berg)와 그녀의 남편 드쉐이저(S. de Shazer)가 개발한 모델로, MRI(Mental Research Institute)의 전략적 가족치료모델을 토대로 발전되었다.

(2) **이론적 배경**

체계이론, 사회구성주의, 강점관점, 에릭슨(M. Erickson)의 치료적 접근❶**에 영향**을 받아 개발되었다.

(3) **사회복지사의 역할**

① 해결과제 수립 시 **사회복지사보다 클라이언트의 견해를 존중하고 우선시**한다. 따라서 주로 **자문가의 역할만**을 한다.

② 치료의 기본 도구로 주로 **'다양한 질문'을 사용**하며, 따라서 **사회복지사는 변화촉진을 위한 질문자의 역할을 수행**한다.

선생님 가이드

❶ 우선 인간행동과 사회환경에서 공부하신 에릭슨(Erik. Erikson)과는 다른 사람임을 알려드립니다. 밀턴 에릭슨(Milton H. Erickson, 1901년 12월 5일~1980년 3월 25일)은 의료 최면 및 가족치료 전문가로, 클라이언트의 준거틀에 맞춘 창의적 상담과 강점 및 자원의 활용을 강조하였습니다. 특히 그는 수정구슬 기법이라는 독특한 치료법을 창안했는데, 이는 클라이언트에게 자신 앞에 수정구슬이 있는 장면을 상상하게 한 후 이 수정 구슬 안에 있던 문제가 사라져 버린 자신의 미래 모습을 다시금 상상하게 하는 것으로, 이는 해결중심모델에서 많이 사용하는 '기적질문'의 원형으로 볼 수 있습니다.

(4) **개입의 목표**

클라이언트의 문제 원인과 발전 과정에 관심을 두지 않고, 그가 호소하는 현재의 문제해결을 위한 방법을 그와 함께 모색하여 구축하고 실현하고자 한다.

(5) **개입의 목표 수립 시 원칙[1]**

① 개입의 목표는 **작아야 한다.**

② 개입의 목표는 **구체적이고 명확해야 한다.**

③ 개입의 목표는 **행동이어야 한다.**

④ 개입의 목표는 **클라이언트에게 중요해야 한다.**

⑤ 개입의 목표는 클라이언트가 갖지 않은 것보다 **갖고 있는 것에 초점을 두어야 한다.**

⑥ 개입의 목표는 **긍정적이며 과정의 형태로 정의되어야 한다.**

⑦ 개입의 목표는 **문제해결의 시작으로 간주되어야 한다.**

(6) **특징** 必

① **단기개입모델**이다. 그러나 장기개입과 비슷한 치료효과를 얻을 수 있다.

② **클라이언트 지향적 접근**을 한다. 즉 클라이언트를 **자신의 문제를 가장 잘 아는 전문가이며 문제해결의 주체로 인정**하는 등, 실제 전문적 관계에 있어서 동반자로 이해한다.

③ 사용하는 기법이나 개입절차가 단순하고 분명해서 **사회복지사가 쉽게 배울 수 있으며, 실제 적용 시에도 효율성이 높은 편이다.**

④ 클라이언트의 **갑작스럽고 심도 있는 변화의 가능성을 인정**한다.

2. 개입원칙

(1) **강점관점** 必

① **모든 개인은 강점 · 자원 · 능력 · 건강성 · 성공경험을 가지고 있으며,** 따라서 개입 시 **클라이언트의 병리가 아닌 현재 가지고 있는 강점 · 자원 · 능력 · 건강성 · 성공경험에만 초점**을 두어야 한다.

② 다시 말해 무엇이 잘못되었는지를 찾는 **문제의 원인규명보다는, 무엇이 잘 되었고 그것을 어떻게 활용하는가에 관심을 두어야 한다.**

(2) **활용**

클라이언트의 **과거 성공했던 경험과 장점에 개입의 1차적인 초점**을 두어야 한다. 즉 클라이언트가 이미 가지고 있는 자원, 지식, 믿음, 행동, 증상, 사회관계망, 환경, 개인적 특성 등을 활용해야 한다.

(3) **탈 이론적, 비규범적, 클라이언트의 견해 중시** 必

클라이언트가 경험하는 문제에 대해 이론이나 규범에 기반한 어떠한 가정도 하지 말아야 한다. 대신에 클라이언트가 호소하는 내용에 기초하여 개별화된 해결책을 발견하기 위해 노력해야 한다.

선생님 가이드

❶ 해결중심모델에서의 치료 목표는 본질적으로 경제성을 추구합니다. 따라서 접근과 치료가 쉬운 단순한 것에서부터 시작하며, 접근과 치료가 어려운 복잡한 것은 꼭 필요할 경우에만 다룹니다.

기출 OX

01 해결중심 접근법은 클라이언트의 문제에 초점을 맞춰 과거, 현재, 미래에 영향을 미치는 모든 요인들의 상호작용을 분석함으로써 문제를 해결한다. ( ) 21. 지방직

02 해결중심모델은 클라이언트의 문제 그 자체보다는 성공경험과 강점을 강화함으로써 해결책을 모색한다. ( ) 17. 국가직

03 해결중심모델에서는 인간은 누구나 문제해결능력을 가지고 있으며, 변화는 불가피하다고 가정한다. ( ) 18. 국가직

04 해결중심모델에서는 클라이언트 문제의 개입 초반부터 문제의 해결을 모색할 수 있도록 클라이언트를 지원하고 격려하는 것을 강조한다. ( ) 17. 지방직

01 × 해결중심 접근법에서는 '클라이언트의 문제가 아닌 강점'에 초점을 두며, '과거가 아닌 현재와 미래'를 지향한다.
02 ○
03 ○
04 ○

(4) 간략화

클라이언트의 작은 변화가 또 다른 변화를 가져오며 더 나아가서는 큰 변화를 가져 올 수 있음을 주지해야 한다.

(5) 변화의 불가피성

변화는 사회복지사의 특정한 개입 없이도 인간의 삶 속에서의 지속적인 현상임을 알아야 한다. 따라서 사회복지사의 역할은 **클라이언트로 하여금 긍정적인 변화가 일어나도록 원조**하는 것이다.

(6) 현재와 미래 지향성[2] (必)

과거의 탐색을 통해 클라이언트의 문제에 대한 원인을 파악하는 것보다는 **클라이언트로 하여금 현재와 미래의 상황에 적응하도록 돕는 데 1차적인 관심**을 가져야 한다.

(7) 협력(또는 협동)[3] (必)

진정한 협력적인 관계는 클라이언트가 사회복지사에게 협력할 때 뿐 아니라 **사회복지사도 클라이언트에게 협력할 때 이루어진다고 믿어야 한다.**

3. 사회복지사와 클라이언트의 관계 유형

- 해결중심모델에서는 치료적 효과와 관련해서 사회복지사와 클라이언트 간의 협조적인 관계를 중시한다.
- 클라이언트의 동기와 원하는 것, 사회복지사와의 상호작용 특성에 따라 **사회복지사와 클라이언트의 관계를 방문형, 불평형, 고객형으로 구분**[4]하고, **각 유형마다 각기 다른 개입 과정과 과제를 제시**한다.
- 따라서 **사회복지사가 개입 초기에 관계 유형을 정확히 파악하는 것은 매우 중요한 과업**이다.

(1) 방문형

① 사회복지사와 클라이언트가 공동으로 문제나 목표를 발견할 수 없을 때에 형성되는 관계로, **클라이언트는 자신이 아닌 타인에게 문제가 있다고 생각하고, 따라서 개입의 필요성을 인정하지 않는다.**

② 주로 자신의 의사와는 상관없이 부모나 배우자, 법원의 명령 등에 의해 억지로 의뢰된 사람들과 형성되기 쉽다.

(2) 불평형

① 사회복지사와 클라이언트가 공동으로 문제는 확인하였으나 해결 방법을 구축하는 데 있어서 클라이언트의 역할이 불분명했을 때 형성되는 관계로, **클라이언트는 문제 자체와 해결의 필요성에 대해서는 인정하지만 자신을 문제 해결의 일부로 보지는 않는다.**

선생님 가이드

❷ 해결중심모델에서는 현재와 미래를 지향합니다. 즉 클라이언트로 하여금 과거와 문제로부터 멀리하게 하고, 발전적인 미래와 현재 문제에 대한 구체적인 해결방안을 구축하는 데 관심을 갖도록 노력합니다.
❸ 이러한 특성 때문에 협력이 어려운 비자발적인 클라이언트를 대상으로 이 모델을 적용하는 데 어려움이 있습니다.
❹ 사회복지사와 클라이언트 간 관계가 세 가지 유형 중에 확실하게 포함되지 않을 수도 있습니다. 또한 개입 과정 중 방문형이 고객형이나 불평형으로 바뀔 수도 있습니다. 특히 각 유형마다 각기 다른 개입 과정과 과제가 적용되므로 해결중심모델을 적용할 때 사회복지사는 관계 유형에 대한 판단이 확실하지 않을 때에는 신중하게 접근하거나 별도의 관찰팀을 두어 확인해야 합니다.

② 클라이언트는 타인에 의해 자신이 희생당했다고 생각하여 사회복지사에게 이를 이해받기 원하며, **해결 방법이 자신이 아닌 자신의 배우자나 친구와 같은 타인에게 있다고 생각**한다. 따라서 이들은 **매우 수동적이며, 불평과 문제 중심적 대화의 양상**을 보인다.

(3) **고객형**

① 클라이언트와 사회복지사가 공동으로 문제해결 방법을 확인했을 때에 형성되는 관계로, **클라이언트는 자신을 문제해결의 일부로 생각하고 문제해결을 위해 무엇인가를 수행할 의지**를 가지고 있다.

② **자발적으로 도움을 요청한 클라이언트와 흔하게 형성**된다.

4. 해결 지향적 질문 22. 국가직

(1) **상담 전 변화질문(Presession Change Question)** 必

변화의 불가피성에 근거하여, 클라이언트가 **면접을 약속한 후 현재 면접 당시 그동안 일어났던 변화에 대해 질문하는** 기술이다. 변화가 있을 경우 사회복지사는 클라이언트가 지닌 해결 능력을 인정하고 칭찬해야 한다.

예 "상담예약을 하신 후부터 지금까지 시간이 좀 지났는데 그동안 상황이 좀 바뀌었나요?"

(2) **예외(발견)질문(Exception-Finding Question)** 必

① 어떠한 문제에도 예외, 즉 **클라이언트가 문제로 생각하고 있는 행동이 일어나지 않았던 경우나 우연적인 성공은 있기 마련이라는 가정하에 실시하는 질문**이다.

② 즉 중요한 예외를 질문을 통해 찾아내서 계속 그것을 강조하면서 클라이언트의 성공을 확대하고 강화시켜 주는 것이다.

예 "두 분이 매일 싸우신다고 말씀하셨는데, 혹시 싸우지 않은 날은 없었나요?"

(3) **기적질문(Miracle Question)** 必

① 문제 자체를 제거시키거나 감소시키지 않고 **문제와 분리되어 해결책을 상상하게 하는 기술**이다. 다시 말해 **클라이언트로 하여금 문제가 해결된 미래의 상태를 상상해보게 하는 것**이다.

② 이 질문을 통해 사회복지사는 클라이언트가 바꾸고 싶어 하는 것을 스스로 설명하게 하여 문제에 대한 집착으로부터 벗어나 해결 중심 영역으로 들어가게 할 수 있다.

예 "간밤에 기적이 일어나 걱정하던 문제가 해결되었다고 생각해보세요. 당신은 주변에 무엇을 보고 기적이 일어난 것을 알 수 있을까요?"

(4) **척도질문(Scale Question)** 必

클라이언트에게 자신의 문제, 문제의 우선순위, 성공에 대한 태도, 정서적 친밀도, 자아존중감, 변화에 대한 확신, 변화를 위해 투자할 수 있는 노력, 진행에 관한 평가 등의 수준을 **'수치'로 표현하도록 하는 기술**이다.

예 "처음 상담에 오셨을 때가 0점이고 개입목표가 달성된 상태를 10점이라고 한다면, 지금 당신의 상태는 몇 점입니까?"

기출 OX

01 예외질문 – "딸의 가출 횟수가 지금보다 조금이라도 줄었을 때는 언제였나요?" ( ) 22. 국가직

02 관계성질문 – "장기간 경제적 어려움과 건강악화가 계속되었는데 지금까지 어떻게 견딜 수 있으셨나요?" ( ) 22. 국가직

03 척도질문 – "내방하기 전을 0점이라고 하고 당신이 염려하는 문제가 해결된 상태를 10점으로 한다면 지금은 몇 점입니까?" ( ) 22. 국가직

01 ○
02 × '관계성질문'이 아니라 '대처질문'이 옳다.
03 ○

(5) 대처질문(Coping Question) (必)

과거 클라이언트가 수행한 문제의 대처 경험에 대해 질문하여 클라이언트 스스로가 자신이 대처기술을 가졌다는 것을 깨닫게 하는 기술이다.

예 "어려운 상황 속에서도 더 나빠지지 않고 견뎌낼 수 있었던 것은 무엇 때문이라고 생각하십니까?"

(6) 관계성 질문(Relationship Question) (必)

클라이언트에게 중요한 타인(예 부모, 아내, 남편 등)**의 관점으로 클라이언트가 처한 현 상황을 바라보도록 질문**하는 기술이다.

예 "당신의 어머니는 이 상황에서 당신이 무엇을 해야 문제해결에 도움이 된다고 말씀하실까요?"

(7) 간접적인 칭찬

클라이언트의 긍정적인 부분을 암시하여 제시하는 질문 기술로, 클라이언트로 하여금 자신의 강점이나 자원을 발견하도록 이끄는 질문형태를 취하기 때문에 **직접적인 칭찬보다 더욱 효과적이다.**

예 "어떻게 집안을 그토록 조용하게 유지할 수 있었어요?"

5. 치료를 위한 피드백 - 메시지

(1) 해결중심모델에서는 매 회기 종료 전에 사회복지사가 메시지를 작성하여 클라이언트에게 전달하는 것을 필수적인 과정으로 여기며, 여기에 중요한 의미를 부여한다.

(2) 메시지는 칭찬(Compliment), 연결문(Bridge), 과제(Task)의 세 부분으로 구성된다.

구분	내용
칭찬	**개입 과정 중에 드러난 클라이언트의 성공과 강점을 인정하고 긍정적인 표현을 통해 강조**하는 것으로, 클라이언트의 자존감을 높여주고 사회복지사에게 협조적이 되게 할 수 있다.
연결문	① **클라이언트에게 과제부여의 당위성이나 배경을 설명하는 것**으로, 사회복지사가 과제를 부여하게 된 근거를 제공한다. ② 주로 클라이언트의 문제를 일반화시키거나 그에게 필요하다고 판단되는 사실을 교육시킨다. 예 "당신이 계속 이런 아픔을 겪고 산다는 것은 좋지 않을 것입니다. 따라서 저는 이런 제안을 당신에게 하고 싶습니다."
과제	① 해결중심모델에서는 **사회복지사와 클라이언트 간 관계 유형별로 기적 질문에 대해 분명한 대답을 하는지 여부, 예외상황**[❶] **여부와 그 예외상황이 우연적 또는 의도적인 행동에 따라 발생했는지**에 따라 각각 다른 과제가 부여된다. ② 특별히 **고객형에게는 주로 행동과제**[❷]**가, 불평형의 경우에는 관찰과제가 부여**된다. ③ 방문형의 경우 **방문한 것을 칭찬하고 다음에 다시 방문하도록 격려**한다. 다만, 칭찬만 하고 **과제는 부여하지 않는다.**

선생님 가이드

❶ 예외상황이란 예외질문을 통해 확인된 클라이언트의 행동을 말합니다. 예를 들어 "두 분이 매일 싸우신다고 말씀하셨는데, 혹시 싸우지 않은 날은 없었나요?"라는 예외질문에 대해 클라이언트가 "싸우지 않은 날이 있었고, 그 때 아내와 외식을 했습니다."라고 대답할 경우 클라이언트의 의도적 행동에 따라 발생한 예외상황이며, 반면 "아이가 아팠을 때에 아내와 싸우지 않았습니다."라는 대답은 우연히 발생한 상황에 따른 예외상황이 됩니다.

❷ 해결중심모델에서 클라이언트에게 부여되는 과제는 관찰과제와 행동과제로 나뉩니다. 관찰과제(Observation Task)란 해결방법을 구축하는데 도움이 될 것이라고 생각되는 것에 클라이언트가 주의를 기울일 것을 제안하는 것입니다. 반면 행동과제(Behavioral Task)는 사회복지사가 생각하기에 클라이언트에게 도움이 될 만한 어떤 일을 실제로 해 보도록 제시하는 것을 말합니다. 고객형의 경우 주로 행동과제가 부여되지만, 간혹 관찰과제를 함께 부여할 수도 있습니다.

6. 한계

(1) 모델의 특성상 여러 기법의 배합 혹은 절충주의적 성격이 크다. 이로 인해 문제의 원인을 해결하기보다는 임시대응적인 응급대책에 불과하다는 비판을 받는다.

(2) 과거에 대한 이해를 중요시하지 않지만 실제로 이 이론을 적용하는 데에는 사정과 진단을 해야 한다. 다시 말해, 비용효과성에 대한 비현실적인 기대를 갖고 있다.

9 동기강화모델❸

1. 개관

(1) **기본 가정(W. Miller & S. Rollnick)**

① 변화의 동기는 외부로부터 부여되는 것이 아니라 **클라이언트에게 내재되어 있는 신념이나 가치관 등에서 나온다.**

② **양가감정을 인식하고 해결하는 것은 사회복지사가 아닌 클라이언트의 과업**이다.

③ 사회복지사의 설득이나 조언, 또는 충고는 양가감정을 해결하는 데 도움이 되지 않는다. 다만 사회복지사는 **클라이언트의 선택의 자유권과 능력을 인정해야 한다.**

④ 개입방식은 조용히 이끌어 내는 것이다.

⑤ 사회복지사는 클라이언트로 하여금 자신의 양가감정을 이해하고 이를 해결하도록 원조해야 한다.

⑥ 클라이언트의 변화는 대인 간 상호작용으로부터 발생한다.

⑦ **사회복지사와 클라이언트는 파트너십 또는 동반자 관계**이다.

(2) **개입목표**

클라이언트의 **양가감정을 탐색하고 해결하여 변화에 대한 내적 동기를 증진**시킨다.

(3) **주요 적용대상**

① 자신의 행동을 부정하고 변화의 동기가 적은 전형적인 중독증상과 이에 따른 행동을 보이는 사람들로, 이러한 **중독증상과 관련된 행동의 변화가 요구되는 사람들**이다.

예 알코올 중독, 흡연 중독, 약물 중독, 도박중독, 가정폭력 등의 폭력성 중독

② 최근에는 일상생활에서 **규칙적인 관리가 필요한 비만, 만성질환자 등에도 적용**하고 있다.

선생님 가이드

❸ 동기강화모델은 1982년 노르웨이에서 약물중독자들을 대한 심리치료 전문가들의 슈퍼바이저 역할을 하던 미국인 상담가인 윌리엄 밀러(William R. Miller)에 의해 창안되었습니다. 노르웨이의 심리치료전문가들은 밀러에게 끝임 없이 어려운 질문을 했고, 밀러는 이러한 질문에 슈퍼비전을 주기 위해 고민하는 과정에서 이 모델을 개발하였습니다. 따라서 초기에 이 모델은 음주를 포함한 약물중독자들에 대한 효과적인 모델로 각광을 받았으며, 현재는 약물중독을 넘어서 클라이언트의 행동변화가 필요한 다양한 분야에 활용되고 있습니다. 이 모델은 하나의 이론이기 보다는 클라이언트 안에 있는 변화의 동기를 이끌어내고 이를 강화하기 위해 만들어진 기술 또는 태도의 종합이라고 말할 수 있습니다.

(4) 특징

① 클라이언트 자신의 문제를 수용(또는 인정)하지 않아도 변화가 가능하다고 본다.

② 클라이언트 개인의 선택과 책임을 강조한다.

③ 클라이언트의 저항을 사회복지사의 개입 행동에 영향을 받는 상호작용적 과정으로 이해한다.

④ 로저스(Rogers)의 인간중심적 개입 철학에 기반하고 있다.

⑤ **단기개입 모델**이다. 즉 3개월 이내의 개입을 지향한다.

⑥ **개입기법 및 과정에 대한 훈련이 비교적 용이**하다.

⑦ 독자적으로 활용되기도 하지만, **인지행동모델이나 해결중심모델과 같은 다른 단기개입 모델과 통합해서 적용**하기도 한다.

⑧ **개인 및 집단을 대상으로 한 개입에 모두 활용**할 수 있다.

2. 기본 원리

(1) 공감 표현하기(Express Empathy)

사회복지사는 **수용과 존중의 태도로 클라이언트에게 공감을 표현**하여 클라이언트와의 사이에서 신뢰 관계를 형성시키고, 치료적 협력관계를 돈독하게 만들어야 한다.

(2) 불일치감 만들기(Develop Discrepancy)

① 사회복지사는 **클라이언트에게 그가 지닌 신념과 가치가 무엇인지를 질문**하여 현재 **클라이언트 자신의 행동이 그 신념과 가치에 얼마나 일치하지 않는지를 깨닫게 해야** 한다.

② 이때 사회복지사는 **클라이언트의 신념과 가치, 그리고 행동 간에 불일치감을 더욱 증폭시키기 위해 질문하고 돕는 역할**을 한다. 이를 통해 클라이언트는 자신이 지닌 양가감정, 즉 변화하고 싶지만, 동시에 변화를 회피하려는 감정을 파악할 수 있고, 더 나아가 **변화를 회피하려는 감정의 힘을 이겨내어 양가감정에서 벗어날 수 있다.**

(3) 저항과 함께 구르기(Roll with Resistance)

① 사회복지사는 개입 중 클라이언트가 주저함, 망설임, 자신의 행동에 대한 정당화 등의 저항 반응을 보일 경우 **이에 대해 직접적으로 맞서서 반박하거나 직면하지 말고, 그대로 인정하고 존중해야 한다.**

② 이를 통해 클라이언트의 **저항 반응은 오히려 감소하고 바람직하게 반응하게 되는 일이 생길 수 있다.**

(4) **자기효능감 지지하기(Support Self-Efficacy)**

① 자기효능감이란 **클라이언트 자신이 특정 과제를 잘 성취하고 성공적으로 변화할 수 있다는 자신에 대한 믿음**이다.

② 사회복지사는 클라이언트로 하여금 그 자신이 변화의 주체이자 변화할 수 있는 능력이 있음을 확신하게 하기 위해 그를 지지해야 하고, **더 나아가 사회복지사 자신도 클라이언트의 변화 가능성에 대한 확고한 믿음을 가져야 한다.**

3. 기본 개입기법

(1) **개방형(또는 열린) 질문하기(Open-Ended Questions)**

① 사회복지사의 격려와 지지, 그리고 경청을 통해 클라이언트로 하여금 "예"나 "아니오" 과 같은 단답형 응답이 아닌 **다소 길거나 또는 생각을 필요로 하는 응답을 클라이언트의 시각에서 이끌어 내게 만드는 질문 형식을 말한다.**

예 "자, 오늘은 어떤 주제로 이야기를 나누어 볼까요?"

② 열린 질문을 가장한 닫힌 질문도 활용할 수 있다.

예 "무엇을 하고 싶습니까? 현재 일을 그만두고 싶나요? 아니면 계속하고 싶나요?"

(2) **인정하기(Affirming)**

① 사회복지사가 클라이언트의 강점, 변화를 위한 노력, 변화된 점 등을 **칭찬하거나 이해함을 표현함**[❶]**으로써 지지하는 것**을 말한다.

② 이를 통해 클라이언트의 자존감이 높아질 수 있고, 궁극적으로는 사회복지사와 클라이언트 간의 전문적 관계(또는 라포) 형성에 도움이 될 수 있다.

예 "누구도 쉽게 해내지 못할 일인데 정말 잘 하셨습니다.", "정말 좋은 생각입니다."

(3) **반영하기(Reflection, 또는 반영적 경청)**

동기강화모델의 가장 핵심적인 기법으로, 사회복지사가 클라이언트의 진술을 경청하는 것, 즉 잘 들어주는 것에서 더 나아가 **그 진술에 적절하게 반응하는 것을 말한다.**

(4) **요약하기(Summarizing)**

사회복지사와 클라이언트 간에 오간 대화 내용을 사회복지사가 일목요연하게 요약해서 전달해주는 것으로, 정기적인 요약은 클라이언트로 하여금 사회복지사가 자신의 진술에 집중하고 그것을 기억하고 있다는 것을 알게 하며, 이후 더 자세한 진술을 하려는 의지를 갖게 할 수도 있다.

예 "오늘 만남에서는 김선생님께서 술을 끊지 못하는 이유와 앞으로 술을 끊기 위해 어떤 노력을 하실 지에 대해 대화를 했고, 이를 통해 김선생님의 의지와 고충을 어느 정도 이해했습니다. 제가 이야기한 내용이 맞는지요?"

선생님 가이드

❶ 사람들은 누구나 자신의 감정을 지지하고, 인정해 주는 사람에게 더욱 마음을 열고, 신뢰하며, 그와 더 많은 시간을 가지려고 합니다. 이러한 특성을 활용한 개입기법이 바로 인정하기입니다.

제2절 가족 대상 사회복지실천

1 가족의 개관

1. 가족의 개념

(1) 혼인 · 혈연 · 입양 등을 통해 형성된 부부 또는 친족 관계에 있는 사람들이 생계 또는 주거를 함께 하는 생활공동체로, 다세대(多世帶)에 걸친 역사성의 산물이다.

(2) 현대에 와서는 '그들 자신을 가족이라고 생각하고 가족생활에 필수적인 역할과 의무를 수행하는 1명 이상의 생활공동체'로 인식이 전환되어지고 있다.

(3) 우리나라의 「민법」 제779조에서는 가족의 범위를 다음과 같이 정하고 있다.

> ① 배우자, 직계혈족 및 형제자매
> ② 직계혈족의 배우자, 배우자의 직계혈족 및 배우자의 형제자매, 단 이 경우에는 생계를 같이 하는 경우에 한한다.

2. 가족의 주요 특징

(1) **1차적 집단**

① 가족은 **비인위적으로(또는 자연스럽게) 형성된 1차적 사회집단**으로, 가족성원 간에는 상호 신뢰를 바탕으로 **한 정서적 · 감정적인 관계를 갖고 있으며, 다분히 상호의존적이다.**

② 가족의 한번 성원은 영원한 성원이 되므로 **가족성원 간 상호 영향과 관계는 직접적이고, 친밀하며, 항구적(또는 지속적)**이다.

(2) **공식적 집단**

가족의 각 성원에게는 나름대로 할당되고 부여된 공식적 · 비공식적 역할이 있으며, **이러한 역할은 가족생활주기나 상황에 따라 변화**될 수 있다.

(3) 가족은 나름대로의 권력구조와 의사소통 형태를 가지고 있다.

(4) 가족은 나름대로 문제를 해결하고 타협하거나 협상하는 방법을 가지고 있다.

(5) 가족은 나름대로 유형화된 생활방식을 가지고 있다.

(6) 가족은 아동의 성격발달에 1차적인 영향력을 미친다.

(7) 가족의 현재 모습은 세대 간 전승된 통합과 조정의 결과물이다.

(8) 기능적인 가족은 응집성, 적응성, 문제해결력이 높은 가족이다.

2 가족의 기능과 변화

1. 전통적인 가족의 기능

(1) 제도적 기능(또는 사회구성원의 재생산 기능)

가족의 가장 근본적인 기능으로, **자녀출산**을 통해 사회구성원을 지속적으로 충원시켜 **사회의 영속성을 유지**시키고, **가계를 계승**한다.

(2) 성적욕구 및 규제 기능

부부 관계를 통해 **사회적으로 용납될 수 있는 방법으로 성적욕구를 충족**시킨다.

(3) 구성원의 양육과 보호 기능

자녀의 양육 및 노부모의 부양을 통해 **1차적인 사회보장 기능을 수행**한다.

(4) 사회화(또는 교육기능) 기능

가족성원에게 사회적응을 위한 사고 및 행동 양식 등을 내면화시키고, **가족의 문화와 전통을 계승**시킨다.

(5) 정서적 안정 제공(또는 정서적 교류) 기능

가족성원에게 **정서적인 유대와 안정감을 제공**한다.

(6) 경제적(또는 생산 및 소비) 기능

가족의 생계와 관련하여 **생산 및 소비 기능을 수행**한다.

2. 현대 우리나라 가족의 변화 18 · 19. 국가직

(1) 가족구조와 규모의 변화 必

① 저출산, 핵가족화로 인해 **가족구조가 단순화되고 가족규모가 축소**되고 있다. 즉 기존의 부부와 미혼자녀로 구성된 전통적인 핵가족 형태 대신 **단독가구와 무자녀가구를 포함한 비전통적인 가구 유형인 1 · 2인 가구의 비율이 꾸준히 증가**하고 있다. 또한 **1인 가구 중에서도 노인 단독가구와 여성가구주 가족이 계속 증가**하고 있으며, 이와 같은 가족 형태의 단순화는 꾸준히 지속될 것으로 전망된다.

② 가족의 구성원의 연령계층별 비율이 변화하였다. 즉 유소년은 크게 줄고, **75세 이상의 고령자는 급증**하였다.

③ 합계출산율이 낮아져서 **외향적으로 가구규모가 점점 축소**되고 있다.

④ 여권 신장과 지위 향상 등으로 **여성의 취업과 사회참여 활동은 계속 증가**하고 있다. 특히 기혼 여성의 사회 · 경제활동 참여가 증가하고 있다.

⑤ 초혼연령이 점차 높아지고 있다.

⑥ 한국 남성의 아시아계 여성과의 국제결혼의 급증, 남한에 유입되는 새터민과의 결혼 등으로 **다문화 가족이 급속하게 증가**하고 있다.

(2) **가족 형태의 변화** 必

① 고학력화와 일 중심의 가치관 증대로 결혼을 기피하거나 연기하여 초혼연령과 미혼(未婚)율이 증가하고 있다.

② 초혼연령의 증가(또는 만혼 경향)로 인해 자녀가 원가족에서 독립하여 가족을 형성하는 시기, 즉 **가족생활주기가 시작되는 시기가 늦어지고,** 결혼부터 첫 자녀를 출산하는 기간과 첫 자녀 출산에서부터 막내 자녀 출산까지의 기간이 단축되고 있다.

③ 평균 수명 연장으로 가족의 생애주기가 길어지고, **빈둥지(Empty Nest, 자녀의 출가 이후 노부부만 남아 이후 배우자 사망까지의 기간) 기간 역시 길어지고 있다.**

④ 청년실업이 증가하여 자녀가 독립하는 시기가 늦어지고, 이로 인해 **빈둥지 시기가 늦게 찾아오고 있다.**

⑤ **출산하는 자녀수의 감소로 첫 자녀부터 막내 자녀까지 결혼 완료까지의 기간이 짧아지고 있다.**

⑥ 이혼에 대한 가치관의 변화와 이에 따른 이혼 증가로 한부모가족이 급증하고 있다. 특히 이혼이 점차 젊은 층, 단기간 동거부부에서 중장년층, 장기간 동거부부에게로 확대되어 가고 있다.

⑦ 시대와 문화의 변화에 따라 **다양한 가족개념이 등장**하여 **가족생활주기별 구분이 모호**해지고 있다.

예 단독가구, 한부모가족, 동성애가족, 다문화가족, 무자녀 가족 등

⑧ 청소년가장 가구와 가족 구성원의 직장관계 혹은 자녀의 교육상 국내외에서 별거하고 있는 **기러기 가족, 주말에만 만나는 가족, 재혼으로 이루어진 가족, 입양자녀로 구성된 가족 등도 증가**추세에 있다.

(3) **가족 관계의 변화** 必

① **부부 관계가 기존의 권위적인 지배관계에서 민주적인 상호의논 관계로 남편주도형에서 부부의논형, 더 나아가 아내주도형 등으로 변화하는 등 가족의 권력구조가 평등화**되었다. 이는 가족 내 다양한 갈등 발생의 원인이 되고 있다.

② 자녀에게 있어서 부모의 권위는 낮아지고 오히려 부모가 자녀의 눈치를 보는 **역수직 관계가 발생**하고 있다.

③ 평균수명의 연장으로 **가족의 생애주기가 길어지고, 노부모와 성인자녀의 관계 기간이 더욱 길어지게 되었으며, 이에 성인자녀가 노부모를 부양해야 하는 기간도 길어졌다.**

기출 OX

01 첫 자녀결혼 시작에서 막내 자녀결혼 완료까지의 기간은 출산 자녀 수의 감소로 짧아지고 있다. ( ) 18. 국가직

02 최근 한국 가족변화의 특징 – 부부와 미혼자녀로 구성된 전형적인 핵가족형태의 가구 비율이 꾸준히 증가하고 있다. ( ) 19. 국가직

03 최근 한국 가족변화의 특징 – 초혼연령과 조혼인율이 지속적으로 내려가 저출산 문제가 심각해지고 있다. ( ) 19. 국가직

04 최근 한국 가족변화의 특징 – 가족가치관의 경우 부부간 의사결정방식에 있어 남편주도형이 주를 이루고 있으며, 부부공동형과 아내주도형은 감소하고 있다. ( ) 19. 국가직

05 최근 우리나라의 가족생활주기 변화 현상 – 새로운 가족유형이 나타나면서 가족생활주기별 구분이 보다 더 뚜렷해지고 있다. ( ) 18. 국가직

06 최근 우리나라의 가족생활주기 변화 현상 – 초혼 연령이 높아지면서 가족생활주기가 시작되기 전까지의 기간이 길어지고 있다. ( ) 18. 국가직

01 ○
02 ×
03 × 초혼 연령은 지속적으로 올라가고 있다.
04 ×
05 × – '보다 더 뚜렷해지고 있다.'가 아니라 '보다 더 모호해지고 있다.'가 옳다.
06 ○

(4) 가족 기능의 변화 (必)

① 전통적인 가족이 본래 가지고 있던 기능의 많은 부분을 다양한 사회제도에 이전하게 되었다.

전통적인 가족 기능	사회적 이양 주체
구성원의 양육과 보호 기능	어린이 집, 장기요양기관 등의 사회적 돌봄 제도
사회화 기능	학교 등의 교육제도
경제적 기능	기업 등의 경제 주체

② **가족의 정서적 기능**은 **산업화와 이에 따른 경쟁화로 현대 가족에서 그 기능이 점점 더 중요시**되고 있지만, 오히려 **약화되고 있다.**

3. 가족생활주기(Family life Cycle)

(1) 개념

남녀 간의 결혼으로 가족이 형성되는 시점부터 배우자의 사망에 이르기까지 가족의 변화와 발달 과정을 구조화시킨 것이다.

(2) 기능

① 주로 가족구조와 발달과업을 파악하는 데 활용된다.

② 가족이 발달하면서 경험하게 될 사건이나 위기를 예측하는 데 도움이 된다.

(3) 특징

① **각 단계마다 가족이 수행해야 할 일정한 발달과업과 더불어 욕구가 존재**한다.

② 이전 단계에서 다음 단계로 진행될 때에는 위기가 발생할 수 있다.

③ **각 단계는 가족유형이나 사회문화적 배경에 따라 다를 수 있다.**

④ **가족생활주기상의 발달과업의 변화에 맞추어 가족성원 간의 역할분담 역시 변화**해야 한다.

⑤ 각 단계로 진행할 때에는 이전 단계의 발달 과업을 달성해야 하는데, 이를 달성하지 못할 경우 외부의 지원이 필요하게 된다.

3 가족치료의 개관

1. 체계로서 가족의 특징 22. 국가직

(1) 가족항상성

체계로서의 가족이 그 구조와 기능에 균형을 유지하려는 속성으로, 가족이 위기 상황 이후에 예전의 정상적인 기능수행으로 되돌아가려는 경향성이다.

(2) 가족규칙

가족이 가족항상성을 유지하기 위해서 가족성원들에게 부여한 '지켜야 할 의무나 태도에 대한 지침이나 권리' 등을 말한다.

예 "우리 집 딸들은 반드시 저녁 9시까지는 귀가해야 돼!"

(3) 가족신화

가족성원 모두에게 받아들여지고 아무런 의심이나 비판 없이 공유하고 지지되는 가족의 믿음이나 신념으로 일종의 왜곡현상이다. 이에 집착하면 가족은 새로운 것을 시도하기보다는 습관적으로 기능하도록 조장된다.

예 "형은 항상 동생에게 양보해야 한다."

(4) 순환적 인과관계(Circular Causality, 또는 순환적 인과성, 상호적 인과관계) 必

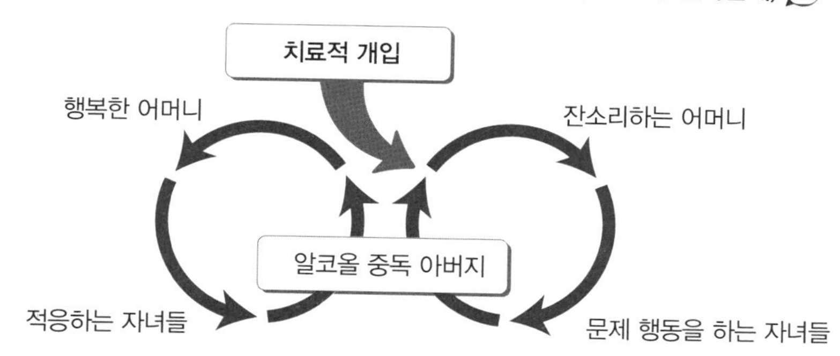

① **문제의 원인과 결과를 단선적 인과론(또는 직선적 인과관계)이 아닌 순환적 인과관계로 이해**하는 것으로 **가족문제를 이해하는 효과적인 관점**이다.

② 가족 내 한 성원의 변화는 다른 가족 성원을 반응하게 하는 자극이 되고 **이러한 자극은 다른 가족에게 상호 영향을 미쳐 결국 전체에 영향을 주게 되며** 이 영향은 처음에 변화를 유발하게 한 성원에게 다시 순환적으로 영향을 미친다고 가정하는 것이며, 따라서 **가족성원이 많을수록 더욱 복잡한 양상**을 띠게 된다.

③ 순환적 인과관계에서 가족의 문제는 그 문제를 일으킨 특정 대상만의 문제가 아니라, **순환 중인 가족체계의 맥락 속에서만 파악되고 이해**될 수 있다.

④ 즉 이 관점에서 사회복지사가 가족체계에 개입할 경우에는 문제의 직접적인 원인을 찾기보다는 **체계론적 관점 하에서 악순환적인 연쇄고리, 즉 가족의 악순환적인 상호작용의 과정이나 양상을 파악**해야 하며, **문제를 일으킨 성원도 되지만 또는 다른 성원의 변화를 통해서도 이러한 악순환적인 연쇄고리를 끊어 가족 전체의 역기능적인 문제를 해결**할 수 있다. 쉽게 말해 **가족성원 중 누군가의 바람직한 변화는 가족 전체의 바람직한 변화를 일으킬 수 있다는 것**이다.

⑤ 이 관점에서는 문제와 관련된 증상을 보이고 있는 가족구성원은 **환자나 문제의 유발자가 아닌 증상을 표출시키는 사람 또는 가족에 의해 환자로 지목된 사람에 불과**하다. 다시 말해 가족 문제의 발생과 지속의 원인은 **문제를 발생시킨 특정 대상 때문이 아니라 문제가 발생되는 가족의 상호작용유형이 지속되기 때문**이다.

기출 OX

개인의 문제를 해결하기 위해서 가족 단위의 개입이 시행될 수 있다. ( )

22. 국가직

○ '순환적 인과성'에 관한 설명이다.

⑥ **순환적 인과관계는 파문효과(Ripple Effect)와 관련**이 있다. **파문효과**란 상호작용 고리를 만들고 있는 체계의 한 구성요소에 변화를 주면 그 효과는 다른 구성요소에 영향을 주고 결국 전체체계에 영향을 주게 되는 것, 즉 하위체계의 변화가 상위체계에 영향을 주게 되는 것을 말한다.

(5) **비종합성** 必

가족이라는 전체 체계는 **가족 내 하위체계의 각 부분의 합 이상의 의미를 갖는다는 개념**으로, 이에 따라 사회복지사는 가족을 이해할 때에 가족성원 개개인보다 가족성원 간의 상호작용 유형을 먼저 파악해야 한다.

(6) **동등결과성[Equifinality, 또는 동귀결성(동종결성)]과 다중결과성[Multifinality, 또는 다중귀결성(다중종결성)]** 必

동등결과성	① 각각의 체계들이 처음에는 다른 상태에 있을지라도 **동일하거나 유사한 결과를 유발하는 투입이 제공**될 경우 각각의 체계에는 **동일하거나 유사한 결과가 발생**할 수 있다는 가정이다. ② 같거나 유사한 문제를 지닌 클라이언트들이라 할지라도, 그러한 **문제를 유발시킨 원인은 각각 다양할 수 있다는 것**과 클라이언트의 문제 해결과 관련하여 **사회복지사의 다양한 개입 가능성을 시사**한다. 예 ㉠ 알코올 중독자들의 경우 알코올 중독이라는 결과는 같지만 이러한 결과를 발생시킨 원인은 가정불화, 아동기 피학대 경험, 사회부적응 등 다양할 수 있다. ㉡ 사회복지사가 알코올 중독자에 대한 치료적 개입을 실시할 때에 다양한 프로그램으로 알코올중독의 치료라는 같은 결과를 얻을 수 있으므로, 사회복지사는 한 가지만 고수하지 말고 다양한 대안을 검토해야 한다.
다중결과성	① **동일하거나 유사한 투입을 제공**할지라도 **각각의 체계에게는 다른 결과가 발생할 수 있다는 가정**이다. ② 클라이언트의 문제 해결과 관련하여 사회복지사는 각 **클라이언트를 개별화시켜 그에 맞는 다양한 개입 프로그램을 제공해야 함**을 시사한다. 예 집단치료 프로그램에 참석한 알코올 중독자들의 경우 어떤 이는 치료가 이루어지는 반면 어떤 이는 치료가 되지 않을 수도 있다.

2. 가족치료와 사이버네틱스(Cybernetics)

(1) 사이버네틱스는 배의 조타수(또는 조종사)를 의미하는 그리스어 'Kybernetes'에서 유래된 용어이다.

(2) 인류학자인 그레고리 베이트슨(Gregory Bateson)이 사이버네틱스이론을 가족체계에 적용하여 조현증 환자의 의사소통을 분석하였고, 이것이 가족치료의 태동으로 여겨진다.

(3) 1차적 사이버네틱스와 2차적 사이버네틱스

1차적 사이버네틱스	2차적 사이버네틱스
① 전통적인 치료모델이다. ② 치료환경에 대한 2분법적 관점 ㉠ **사회복지사의 객관적 입장을 강조**한다. 즉 치료자인 사회복지사는 치료의 대상인 가족체계 밖에서 **가족을 관찰하여 가족 내부의 의사소통과 제어 과정을 객관적으로 발견**한다. ㉡ 사회복지사와 클라이언트의 관계를 전문가와 비전문가의 관계 또는 도움을 주는 사람과 도움을 받는 사람의 관계로 규정한다. ㉢ 치료에 있어서 사회복지사와 클라이언트는 **수직적 · 일방적인 원조관계**에 놓여진다.	① 일반체계이론이나 1차적 사이버네틱스의 한계를 벗어난 인식론으로 발전되었다. ② 포스트모더니즘 관점 ㉠ 사회복지사는 클라이언트의 체계를 변화시키는 존재이면서 동시에 클라이언트의 체계에 포함되는 하나의 하위체계가 된다. 즉, **사회복지사와 클라이언트는 한 체계 내에서 상호작용**한다. ㉡ 치료에 있어서 사회복지사와 클라이언트의 **협력적 · 수평적 · 쌍방적 관계를 강조**한다. ㉢ 클라이언트의 현실에서 클라이언트의 관점 · 관심 · 해결책을 찾으려고 한다.

3. 외부경계의 속성에 따른 가족체계의 종류

(1) 폐쇄형 가족체계(Closed Family System)

① **비투과성 경계를 가진 가족체계**로, 가족 내 권위자가 세운 가족규칙에 따라 가족체계가 **이웃이나 지역사회와 같은 외부환경과 상호작용이나 정보교환 없이 분리되고 고립된 것**을 말한다.

② **엔트로피(Eentropy) 현상의 발생**, 잠긴 문, 대중매체나 여행 등 자녀의 외부 교류 행위에 대한 부모의 엄격한 감시와 통제, 출입금지, 낯선 사람에 대한 배척이나 의도적인 거리두기, 높은 담장 등이 폐쇄형 가족체계의 전형적인 특징이다.

(2) 개방형 가족체계(Open Family System)

① **자유롭고 유동적인 경계, 즉 반투과성 경계**를 가진 가족체계로, **가족체계가 이웃이나 지역사회와 같은 외부환경과 상호작용이나 정보교환에 있어 자유로워** 가족은 외부환경으로 확대되고, 동시에 외부환경, 특히 외부의 문화가 가족체계로 유입될 수 있는 것을 말한다.

② 개방형 가족체계 역시 가족성원들의 행위를 제한하는 규칙을 가지고 있지만 폐쇄형 가족체계의 규칙이 가족 내 권위자에 의해 수립되는 반면, **개방형 가족체계의 규칙은 가족성원의 합의 과정에서 도출**된다.

③ 개방형 가족체계의 가족성원 개인은 다른 가족성원들에게 악영향을 주거나 가족규칙을 위반하지 않는 범위 내에서 **외부환경과의 자유로운 교류가 가능하고 이를 스스로 통제할 수 있다.**

④ **넥엔트로피(Negentrpy, 또는 역엔트로피)현상의 발생,** 친구 · 친척 · 이웃과 같은 손님의 방문이 많은 가족, 가족성원의 외부집단에 대한 소속과 외부활동의 적극적인 참여, 대중매체에 대한 최소환의 검열 등이 개방형 가족체계의 전형적인 특징이다.

(3) **방임형 가족체계(Random Family Systems, 또는 임의형 가족체계)**

① **외부환경에 대한 가족경계선의 방어를 중요하게 여기지 않는 가족체계**로, 외부환경과 교류의 제한이 거의 없고 **이에 따라 외부환경과의 구분이 거의 없는 것**을 말한다.

② 가족 내 갈등이나 사생활로 취급되어야 할 것들을 공공장소에서 표현하는 것, 가족 내 출입의 권한을 제3자에게 확대하는 것 등이 방임형 가족체계의 전형적인 특징이다.

4 가족치료모델(1) – 보웬(M. Bowen)의 다세대 가족치료모델 12 · 22. 국가직

1. 개관

(1) **가족관**

① 가족을 **'다세대적 현상'으로 이해**하여 **다세대에 걸친 가족체계의 분석**을 통해 현재 가족이 겪는 문제의 원인을 찾으려고 한다.

② 이전 세대에서 제대로 정리되지 않은 문제는 다음 세대로 이어져 그 세대에 문제를 일으키는 근본적인 원인이 된다고 본다.

(2) **기능적인 가족과 역기능적인 가족**

① 기능적인 가족: **자아분화 수준이 높은 가족**이다.

② 역기능적인 가족: **자아분화 수준이 낮은 가족**으로, 그 **주요한 특징은 삼각관계를 형성**하고 있다는 것이다.

(3) **치료목표** 必

탈삼각화(Detriangulation)[❶], 즉 삼각관계에서 제3자를 분리시켜 **미분화된 자아의 분화를 촉진시키는 것**이다.

2. 주요 개념

(1) **자아분화** 必

① **보웬이론에서 가장 핵심적인 개념**으로, **개인이 원가족의 정서적 융합**[❷]**에서 벗어나 자기만의 방식으로 자주적으로 행동하게 되는 것**을 말한다.

② **자아분화 수준이 높을수록 원가족과 정서적으로 분화**되어 사고와 감정의 균형, 자발성, 적응력, 자율성, 자제력, 객관성 등 기능적인 요소를 갖는 경향이 증가한다.

선생님 가이드

❶ 보웬모델에서 탈삼각화는 치료의 목표이면서 개입기법입니다.

❷ 정서적 융합이란 개인이 원가족과의 관계에서 감정과 사고가 분리되지 못한 상태를 말합니다.

③ 반면 **자아분화수준이 낮을수록 원가족과 정서적으로 미분화**되어 삼각관계 형성, 타인과 정서적 융합, 자기중심적 사고, 분노, 배척 등 역기능적 요소를 갖는 경향이 증가한다.

④ 보웬은 **기능적인 가족을 자아분화 수준이 높은 가족성원의 결합**으로 보았다.

(2) 핵가족 정서체계[3]

① 비슷한 자아분화 수준을 갖고 결혼한 두 사람이 원가족에서 형성된 각각의 자아분화 수준을 지니고 함께 살게 되면서 **융합되고 동일한 특성을 지닌 가족 정서가 형성되는 현상**을 말한다.

② 원가족에서 자아분화가 잘 되지 않을 경우 부모와 정서적으로 단절하는 반면 부부 관계에서 융합을 형성하려는 경향이 발생한다.

(3) 정서적 단절

① 미해결된 정서적 애착[4]으로 인해 **부모 등 원가족의 다른 성원들과 정서적 유대관계를 갖지 않고 자신을 고립시키는 현상**을 말한다.

② 이 현상은 주로 **가족투사 과정에 개입된 자녀에게서 두드러지게 나타난다.**

③ 정서적 단절 상태에 있는 사람은 가족과 접촉을 피하거나 접촉을 하더라도 상대방의 잘못을 계속 지적하는 등의 이상행동을 보인다.

(4) 가족투사 과정

① 다음 세대, 즉 **자녀의 희생을 통해 무의식적으로 부부 사이에서 발생한 불안을 감소시키려는 투사방어기제**를 말한다.

② 자아가 미분화된 부부에게 불안이나 긴장이 발생하게 되면 **부부는 부부체계를 안정시키기 위해 무의식적으로 가장 취약한 자녀를 통해 삼각 관계를 형성**한다. 그리고 **자신의 불안이나 긴장을 자녀에게 투사**하여 결국 그 자녀는 최소한의 자아분화만을 이루게 되고, 부모와 밀착 관계를 갖게 된다. 이러한 일련의 과정을 가족투사 과정이라고 한다.

(5) 삼각 관계 (必)

자아분화 수준이 낮은 부모가 이로 인해 발생하는 불안이나 갈등을 회피하기 위해 **제3자를 끌어들이는 현상**을 말한다. 다시 말해 부부 사이에 갈등이 발생하게 되면 이들 중 불편을 느끼는 사람이 갈등으로 인한 불안을 감소시키기 위해 제3의 사람이나 대상(예 텔레비전, 애완동물, 취미활동, 친구 등)을 부부관계로 끌어들이는 정서적 역동 현상이다.

(6) 다세대 전수 과정

① 자아분화 수준이나 삼각 관계와 같은 **가족의 정서적 과정이 여러 세대에 걸쳐 이어지는 과정**을 말한다.

② 자아분화 수준이 낮은 두 사람이 결혼하여 자녀에게 자신들의 미분화된 자아를 투사하면 자녀는 부모보다 더욱 미분화된 상태가 된다.
이러한 과정이 수대에 걸쳐 진행되면 조현병, 알코올중독, 강박증 등과 같은 병리적인 질환들이 나타나게 된다.

선생님 가이드

❸ 핵가족이란 원가족에서 출가한 두 사람의 결혼에서 시작되는 가족형태로, 보웬은 사람들이 결혼할 때 일반적으로 자신과 비슷한 수준의 자아분화 상태를 배우자로 선택한다는 사실을 발견하였습니다.

❹ 정서적 애착이란 결혼을 통해 원가족을 떠나야 할 때 미분화된 자아를 지닌 사람에게서 보여지는 애착 현상을 말합니다.

기출 OX

탈삼각화기법은 아내가 자신에게서 멀어지는 남편을 대신하여 딸이 자신을 편들도록 할 때, 딸을 끌어들이지 않고 당사자끼리 갈등을 해결할 수 있도록 함으로써 딸이 부모의 갈등에서 자유로울 수 있게 하는 기법이다. ( ) 22. 국가직

○

③ 보웬의 입장에서 개인의 정서적 역기능은 **다세대 걸쳐 전수된 미분화된 자아의 결과물**이다.

(7) **출생순위(또는 형제자매의 위치)**

① 자녀 각각의 출생순위가 가족의 정서체계 내에서 역할과 기능을 달리하게 만드는 현상을 말한다.

② 보웬은 다른 환경에서 살아감에도 불구하고 동일한 형제자매의 위치에 있는 사람들은 유사한 성격을 가지게 된다는 사실을 발견하였다.

③ 예를 들어 장남이나 장녀가 막내처럼 행동할 경우 이는 그들이 삼각관계에 속한 자녀임을 드러내는 것이다.

(8) **사회의 정서적 과정**

가족투사 과정을 사회로 확대시킨 개념이다. 사회구성원들에게 만성적인 스트레스가 발생하여 사회불안이 증가하게 되면 하위집단을 융합시키는 비정상적인 압력이 증가하게 되고, 이는 **사회적 수준에서의 자아분화를 감소시켜 다양한 사회 문제**(예 학교폭력, 이혼, 성범죄, 음주문화 등)**를 확산**시킨다는 것이다.

선생님 가이드

❶ 가계도는 보웬의 발명품으로, 보웬은 가족의 다세대 전수 과정을 입증하고 이를 치료하기 위해서 가계도를 만들었습니다.

3. 치료 기법

(1) **가계도**❶

① **가족의 속성을 종단 · 횡단으로 파악하여 다세대 전수 과정을 살펴볼 수 있는 사정도구**이다.

② 또한 가족성원과 함께 작성하고 작성된 것을 사회복지사가 해석해줌으로써 **가족의 정서적 과정을 가족에게 인지시키는 치료 도구로도 사용**된다.

(2) **치료적 삼각관계**

① 삼각관계가 형성되어 있는 가족관계에 한 사람이나 또는 한 대상의 위치에 **사회복지사가 대신하여 들어가 개입하는 기술**이다.

② 이때 사회복지사는 두 사람의 정서 과정에 연루되지 않도록 주의해야 한다.

(3) **코칭(Coaching)**

① 가족성원이 능력과 기능을 최대한 발휘하여 스스로 문제를 해결할 수 있도록 돕는 기술이다.

② 세부기술로는 **도전, 직면, 설명, 과제부여** 등이 있다.

(4) **나 - 입장 취하기(I-position)**

상대방의 행동을 비난하는 대신 **그 행동에 대한 본인의 입장을 상대방에게 표현하게 하는 기술**로, **탈삼각화를 촉진하기 위한 목적으로 활용**된다.

예 "당신 때문에 아이가 이렇게 됐어."로 표현하는 남편에게 "당신은 아이의 지도를 좀 더 엄격하게 해주었으면 좋겠어."라고 표현하도록 지도하는 경우

(5) **불안 완화기법**

① 가족성원 간에 발생한 감정을 가라앉혀 **이성적으로 대화할 수 있도록 하는 기술**이다.

② **세부기술:** 부부 중 한 사람씩만 차례대로 사회복지사에게 말하고 다른 사람은 경청하게 하기, 비슷한 문제를 가진 다른 가족의 이야기를 사회복지사가 들려주기, 영화와 같은 매체물을 이용해 가족 내에서 자신의 역할을 간접적으로 체험하게 하기 등

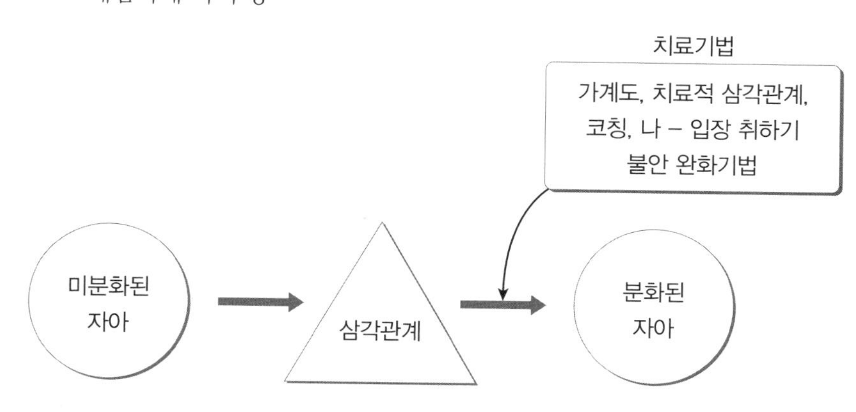

5 가족치료모델(2) – 미누친(S. Minuchin)의 구조적 가족치료모델

13. 국가직, 10 · 12 · 22. 지방직, 11. 지방직(추가)

1. 개관

(1) **가족관**

가족을 **체계이론적 관점으로 이해**하여 가족은 **일관성 있고 예측 가능한 행동 유형**을 보인다고 가정한다.

(2) **기능적인 가족과 역기능적 가족** (必)

① 기능적인 가족

㉠ 가족구조가 균형 상태에 있는 가족으로, **하위체계 간 명확한 경계**를 가지고 있고, **가족하위체계의 위계가 부부 중심으로 되어 있는 가족**이다.

㉡ 따라서 미누친에게 있어서 **이상적인 가족은 권위적인 부부하위체계가 다른 하위체계를 통제하는 것**이다.

② 역기능적인 가족

㉠ 가족구조가 불균형 상태에 있는 가족으로, **하위체계 간 유리되거나 밀착된 경계**를 가지고 있고, **부부하위체계 중심의 위계가 없는 가족**이다.

기출 OX

01 미누친의 구조적 가족치료모델에서는 가족의 역기능적 의사소통 유형을 회유형, 비난형, 계산형, 혼란형으로 구분하였다. ( ) 11. 지방직

02 구조적 가족치료에서는 주요기법으로 예외질문을 사용한다. ( ) 12. 지방직

03 미누친의 구조적 가족치료모델은 가족을 재구조화하여 가족이 적절한 기능을 수행하도록 돕는 방법이다. ( ) 11. 지방직(추가)

04 미누친의 구조적 가족치료모델에서는 가족에 대한 개입을 할 때, 가족 내 권력구조와 힘의 불균형 상태에 초점을 둔다. ( ) 11. 지방직(추가)

05 미누친의 구조적 가족치료모델에서 극단적인 가족 문제는 가족 하위체계들의 경계가 지나치게 유리되거나 밀착된 경우이다. ( ) 11. 지방직(추가)

01 × '미누친의 구조적 가족치료모델'이 아니라 '사티어의 경험적 가족치료모델'이 옳다.
02 × '구조적 가족치료'가 아니라 '해결중심적 모델'이 옳다.
03 ○
04 ○
05 ○

ⓛ 역기능적 상황에 놓이기 쉬운 가족 유형

한 부모와 한 자녀로 구성된 가족	• **모호한 경계**로 인해 **서로에게 지나치게 의존하는 경향이 발생**할 수 있다. • 자녀는 부모, 즉 어른과 너무 많은 시간을 보내어 제 나이가 되기도 전에 어른의 역할을 하게 되고, 따라서 **부모와 자녀는 부모 · 자녀가 아닌 동등한 위계를 가지기 쉽다.**
3세대 가족	• 3세대 가족이란 주로 **조모, 그리고 자녀의 어머니와 자녀로 구성된 가족**으로, 3세대 간 역할이 분리되거나 배치되기 어려운 특성이 있다. • 어머니는 조모의 자녀이며, 따라서 자신의 자녀에게 부모라기보다 동료로 여겨질 가능성이 더 크다. • 또한 **조모와 어머니는 자녀에 대한 일차적인 부모역할과 책임을 두고 경쟁**할 수 있으며, **자칫 조모와 자녀 간에 부모자녀 사이와 같은 연합이 있을 수도 있다.** • 이러한 가족에 대해 사회복지사의 치료 목표는 **명확한 경계 설정으로 3세대 간의 역할을 적절히 분리하고 배치하는 것**이다.
혼합가족 (또는 복합가족)	• 혼합가족이란 이혼이나 사별로 인해 해체되었던 가족이 재혼이나 동거 등의 방법으로 새로이 **부부 관계 차원에서만 결합된 가족**이다. • 사회복지사는 재혼한 부부가 부모역할을 제대로 할 수 있도록 돕는 것에 앞서서 **부부체계가 건강하게 기능하도록 원조**해야 한다.

(3) **치료목표** (必)

가족 문제의 제거가 아닌 **재구조화를 통해 가족구조를 바로 잡는 것**이다. 즉 가족 하위체계 간 '경계'와 '위계'의 기능을 강화시켜 **가족하위체계 간 규칙과 역할을 재조정**하는 것이다.

핵심 PLUS

가족재구조화를 위한 지침

① **가족 위계구조(또는 권력구조)와 힘의 불균형 상태에 초점**을 둔다. 기능적인 가족은 **부모가 권위를 가지며 부모의 권위를 기반으로 부모 · 자녀 간 차이를 인정하는 구조**를 갖추어야 한다.

② 부모는 **연합, 즉 일관되게 상호 지원하는 모습을 자녀에게 보여야 한다.** 부모의 연합이 이루어지지 않으면 오히려 자녀가 권위를 갖거나 부모 중 한 쪽이 자녀와 연합하여 역기능적인 위계와 경계를 형성시키게 된다.

③ **부모의 연합을 본 자녀들은 비로소 기능적인 형제자매 체계로 기능**할 수 있다.

④ **부모는 형제자매 간 서로 협상하고 지원하고 갈등을 해결하고 존중하도록 지원**해야 한다.

⑤ **부부 하위체계는 부모 하위체계와 분리되어 존재**한다.

⑥ 자녀의 경우 발달단계에 따른 차이를 존중하고 그 연령에 맞는 활동을 스스로 시도할 수 있도록 원조한다.

2. 주요 개념

(1) 가족구조

① **반복적이고 체계화되어 있어서 예측할 수 있는 가족의 행동양식**이다.

② 기능적 가족과 역기능적 가족을 판단하는 기준이 되는 가족체계 내 하위체계에서 발견되어지는 **경계와 위계의 형태**를 말한다.

(2) 가족하위체계 (必)

① 가족체계를 구성하고 있는 **4가지 형태의 하위체계로 경계에 의해 구분**된다.

② 가족성원으로서의 개인은 각 하위체계 내에서 서로 다른 '위계와 역할'을 가지고 고유의 기능을 수행한다.

③ 종류

부부하위체계	㉠ 가족체계에서 가장 높은 상위에 존재하는 체계이다. ㉡ 부부 하위체계의 정서적 안정과 원활한 기능은 가족체계의 안녕을 좌우한다. ㉢ 따라서 **부부 하위체계는 어떠한 다른 하위체계보다도 중요**하며, 다른 체계의 필요와 욕구에 의한 방해로부터 보호하기 위해 분명한 경계를 가져야 한다. ㉣ 어느 한 쪽의 희생이 아닌 각자의 능력, 자원, 고유성을 서로 존중하고 지원함으로써 서로의 자아실현과 성장을 상호지원해야 한다. ㉤ 주요과업: 협상과 조정 ㉥ 주요기능: 성, 사랑, 친밀감
부모하위체계	㉠ **자녀의 출산으로 형성되는 하위체계**이다. ㉡ 부부와 부모는 동일한 사람이지만 가족체계 내에서 자녀에 대한 역할(또는 기능)은 서로 다르다. ㉢ 주요기능: 자녀의 양육과 지도, 통솔, 자녀의 사회화
부모 · 자녀하위체계	㉠ **부모 · 자녀, 부자, 모녀 등 세대가 다른 가족성원으로 구성된 하위체계**이다. ㉡ 부모하위체계가 기능에 따른 구분인 데 반해 부모 · 자녀 하위체계는 위계에 따른 구분이다. ㉢ 부모와 자녀 관계는 본질적으로 평등한 횡적 관계를 유지할 수 없으며 자녀는 부모의 보호에 의존하고 권위와 지도에 순종하며 추종하는 가운데 성장한다. ㉣ 주요과업: 위계구조 확립
형제자매 하위체계	㉠ **동일한 세대에 속한 형제자매로 구성된 하위체계**이다. ㉡ 사회적 실험실과 같아서 형제자매 간에 협동, 경쟁심, 협상, 지지, 희생을 배울 수 있다. ㉢ 한 개인이 형제 하위체계에서 차지하는 위치는 생애에 중요한 의미를 부여한다. ㉣ 하위체계가 기능적이기 위해서는 부모에 대항하여 자신들만의 세계와 흥미를 개발하고 확립할 수 있어야 하며, 사생활 보호, 시행착오 등에 있어서 자유를 가져야 한다. ㉤ 부모의 부적절한 개입은 하위체계를 역기능적으로 만들 수 있다.

(3) 경계

① 각각의 하위체계들은 경계에 의해 내부와 외부를 구분하고 다른 체계와의 관계 속에서 체계 자체의 정체성을 유지한다. 이를 확인하여 하위체계 간 상호교류 정도를 파악할 수 있다.

② 종류

역기능적인 경계	경직된 (또는 유리된) 경계	㉠ 지나치게 경직되어 다른 하위체계와 거의 접촉하지 않아 **가족하위체계 간 관계가 소원한 상태의 경계**이다. ㉡ 특징: 지나친 독립, 거리감, 소외감, 지역사회에서 고립, **충성심과 소속감 부족, 가족 보호기능의 부재**, 의사소통의 어려움
	모호한 (또는 밀착된) 경계	㉠ **지나치게 밀착되어 불분명한 상태의 경계**이다. ㉡ 부모는 자녀에게 많은 시간과 희생을 감수하고 관여하며 이에 자녀는 독립성이 결여된 의존적인 상태에 놓이게 된다. ㉢ 특징: 개인의 정체성 부족, **자율성 방해**, 자율적인 문제 탐색과 해결능력 부족, 개인의 독립성과 자율성 비허용, 지나친 간섭
기능적인 경계	명확한 경계	㉠ **하위체계와 체계간 거리가 유지되면서 동시에 개방적이며 유연한 상태의 경계**이다. ㉡ 부모는 자녀의 자율성을 보호하고 필요한 경우에 한해서만 개입하여 지지와 제재를 제공하여 **가족체계로 하여금 균형을 유지**하게 한다. ㉢ 특징: 자율성 존중, 필요 시 협동과 지지로 상호 관여, 독립과 자율성을 보호, 구성원 간 상호교류와 친밀성 보호, 하위체계 간 의사소통 기회 증가

(4) 제휴

① 가족성원들이 상호 간에 **정서적 · 심리적으로 '밀착된 경계'를 갖는 현상**을 말한다.

② 만일 세대를 넘어 형성될 경우 가족의 기본적인 위계구조를 무너뜨릴 수도 있다.

③ 종류

동맹	㉠ 가족 내 두 명의 구성원이 가족 내 다른 구성원과는 다른 자신들만이 바라는 공동의 목적을 이루기 위해 수행하는 제휴를 말한다. ㉡ 연합과의 차이점은 다른 구성원과 적대 관계에 놓여 있지 않다는 것이다.

기출 OX

01 밀착가족은 가족성원 간 상호작용이 부족하다. ( ) 22. 지방직

02 밀착가족은 가족성원의 자율성이 보장되지 않는다. ( ) 22. 지방직

03 유리가족은 가족성원 간 충성심이 부족하다. ( ) 22. 지방직

04 유리가족은 가족으로서의 보호 기능을 수행하기 어렵다. ( ) 22. 지방직

01 × '밀착가족'이 아니라 '유리가족'이 옳다.
02 ○
03 ○
04 ○

<table>
<tr><td rowspan="3">연합</td><td colspan="2">㉠ 가족 내 두 명의 구성원이 가족 내 다른 구성원에게 대항하기 위해서 맺는 제휴를 말한다.
㉡ 연합한 가족 내 두 구성원은 다른 구성원과 적대 관계에 놓여 있다.
㉢ 종류</td></tr>
<tr><td>안정된 연합</td><td>가족 내 두 구성원이 가족 내 다른 구성원에게 대항하기 위해 '밀착된 경계'를 '지속적'으로 갖는 것이다.
예 폭력적인 남편에 대항하기 위해 아내가 아들에게 남편을 비난하고, 이에 아들도 아버지를 적시하는 경우. 이 경우 연합하는 두 사람은 아내와 아들이고, 두 사람 모두 아버지와는 거리를 두게 된다.</td></tr>
<tr><td>우회연합</td><td>• 가족성원에게 갈등이 발생할 경우 이를 회피하기 위한 수단으로 사용하는 수단이다.
• 특히 가족의 위계구조를 위태롭게 하는 우회연합은 부부갈등이 있을 때 한쪽 부모가 자녀 중 한 명과 밀착된 관계를 형성하여 자신의 우위를 점유하려 할 때에 발생한다.
예 폭력적인 남편에 대항하기 위해 아내가 아들에게 남편을 비난하는 경우. 단 이때 '안정된 연합'과는 달리 아들은 아버지를 적대시하지는 않는다.</td></tr>
</table>

3. 치료기법

구조주의 가족치료의 치료기술은 **개입단계에 따라 합류하기, 가족구조 사정하기, 재구조화하기**의 3단계로 진행된다.

(1) 합류하기(Joining) 必

① 사회복지사가 **가족 상호작용의 일원이 되어 가족 정서체계에 적응하여 관계를 맺고, 신뢰 관계를 형성하는 것으로, 가벼운 대화로 편안한 분위기를 조성**한다. 따라서 개입 초기에 활용된다.

② 목적: 개입 초기에 사회복지사와 가족성원 간에 **'라포'와 '신뢰관계'를 형성**하거나 **가족성원 간의 상호교류의 맥락을 이해**하기 위해 사용한다.

③ 방법: 사회복지사는 주로 가벼운 대화로 사회복지사와 가족 간에 편안한 분위기를 조성하며, 세부적인 방법으로는 **유지(또는 적응), 추적, 모방**이 있다.

유지 (Maintenance, 또는 적응)	가족에게 적응하기: 사회복지사가 **그 가족의 구조를 있는 그대로 지지하고 존중해 주는 것**[1]이다. 예 사회복지사가 가족 내 자녀에게 질문을 하기 전에 가족 내에서 권위적으로 군림하는 아버지에게 "아드님께 물어봐도 될까요?"라고 허락을 받는 경우
추적(Tracking)	가족을 따라가기: 사회복지사가 가족의 상호작용과 행동양식을 관찰하고 **그들의 대화내용을 따라가면서 가족원들이 계속 이야기를 하도록 격려하는 방법**이다. 예 "네 계속 그렇게 하세요. 잘 하고 계십니다."
모방(Mimesis)	가족을 흉내내기: **사회복지사가 가족의 말투나 행동 등을 그대로 따라하는 방법**으로, 사회복지사의 자기노출도 포함된다. 예 "저도 당신 아버지처럼 느긋한 성격입니다. 저희 가족에게도 이런 일이 있었어요."

선생님 가이드

❶ 사회복지사가 가족체계에 관여하기 시작하면 대부분의 가족은 긴장하고 또한 무의식적 저항을 하게 됩니다. 이때 사회복지사가 그 가족을 있는 그대로 지지하고 존중해주면 가족들은 편안한 마음으로 사회복지사의 치료에 임할 수 있게 됩니다.

(2) **가족구조 사정하기**

가족구조를 사정하는 방법으로는 **실연과 가족지도** 등이 있다.

실연 (Enactment)	① 가족성원으로 하여금 **자신들의 역기능적인 패턴(또는 상호교류)을 사회복지사 앞에서 행동으로 재현(또는 재구성)**시켜 보게 하는 방법이다. ② 실연의 3단계 ㉠ 1단계: 사회복지사는 그동안의 가족에 대한 관찰을 통해 어떤 역기능적 상호작용에 초점을 맞출 지 결정한다. ㉡ 2단계: 사회복지사가 차단하기로 정한 역기능적 상호작용을 중심으로 가족에게 실연을 요구한다. ㉢ 제3단계: 가족에게 기존 방법과는 다른 기능적인 상호작용을 시도하도록 촉진시킨다.
가족지도 (Family Map)	① 가족구조를 이해하고 구조의 변화 과정을 평가하거나 치료목표를 설정하기 위해서 **가족의 내부 구조, 즉 하위체계의 경계선이나 위계구조 등을 그림으로 표현한 것**이다. ② 가족지도를 완성 후 가족과 함께 지도에 대해 논의하는 것은 가족성원의 역할을 명료하게 하는 데 도움이 된다.

(3) **재구조화하기** (必) 23. 국가직

가족의 역기능적 구조를 재구조화는 방법으로는 **긴장 고조시키기, 경계 만들기, 과제부여, 균형깨뜨리기** 등이 있다.

긴장 고조시키기	① 사회복지사가 가족체계의 역기능적인 경계, 제휴, 연합, 권력에 직접 개입하여 **가족들의 긴장을 고조시킴으로써 가족구조를 재구조화하는 방법**이다. ② 구체적으로는 **평소의 의사소통 유형 방해하기, 가족 갈등을 공개적으로 토론하게 하여 갈등을 표면화시키기, 가족 내 제휴에 합류하기 등**이 있다.
경계 만들기	① 역기능적인 경계인 밀착된 경계나 유리된 경계를 기능적인 경계인 명확한 경계로 바꾸기 위해서 사용하는 방법이다. 즉 **밀착된 경계를 가진** 가족성원에게는 상호 간 경계를 분명히 하여 개인의 독립심과 자율성을 키워주고, **유리된 경계를 가진** 가족성원에게는 상호 간 접촉을 증가시켜 상호교류를 촉진시키는 것이다. ② 경계는 가족치료 시 가족이 앉은 위치를 통해서 파악이 가능하며, 세대 간 경계를 관찰할 때에는 **문화적 가치를 고려**해야 한다. ③ 방법 ㉠ 세대 간의 경계를 명확하게 하고, 부모하위체계와 자녀하위체계가 분리될 수 있도록 가족치료 시 가족의 앉은 위치를 조정하여 **부모끼리 · 자녀끼리 자리를 재배치하기** ㉡ **사회복지사가 자신의 몸으로 분리되어야 할 가족성원들을 가려서 분리하기** ㉢ **부모의 권위와 영향력을 강화하기** ㉣ **가족성원 간의 세대 간 연합깨기** ㉤ **취약한 하위체계와 번갈아가며 일시적 동맹 맺기 등**

기출 OX

가족 조각은 밀착된 가족성원들을 분리시켜 적절한 경계를 만들도록 돕는 기법이다. ( ) 23. 국가직

× '가족 조각'이 아니라 '경계 만들기'가 옳다.

과제부여 (또는 과제주기)	① 가족의 **기능적인 상호교류를 증진시키기 위해서 활용하는 기술**로, 과거 가족의 상호교류에서 자연스럽게 이루어질 수 없었던, 그러나 **'터득해야 할 기능적인 패턴'을 실연해 보도록 지시하는 것**이다. ② 사회복지사는 과제를 부여할 때 언제 · 어디서 · 누구와 · 어떻게 교류해야 하는 것인가를 명확히 설명해야 한다. 예 "남편께서는 아내가 힘들어 할 때마다 아내를 안아주세요.", "남편께서는 매주 1회 이상 아내와 영화를 보러 가세요."
균형 깨기(또는 균형깨뜨리기, 탈균형화)	① **가족 내 하위체계 간 역기능적인 위계의 균형을 깨뜨리고자 활용**한다. ② 사회복지사가 일부 가족성원의 편을 일방적으로 들어주기도 한다.

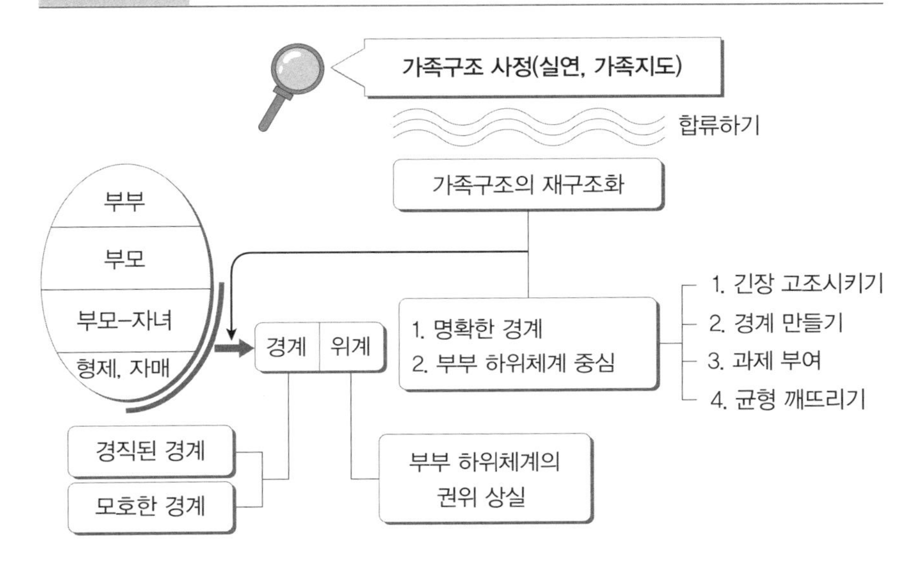

6 가족치료모델(3) – 사티어(V. Satir)의 경험적 가족치료모델(또는 의사소통 가족치료모델) 12 · 22. 국가직, 10 · 12. 지방직, 11. 지방직(추가)

1. 개관

(1) 가족관

① 가족은 **충분한 성장 가능성**을 가지고 있으므로 현재의 가족의 문제는 다만 그 가능성을 발휘하지 못하고 있는 것이다. 따라서 사회복지사는 **가족의 병리적 측면보다 성장 가능성에 더욱 초점**을 두어야 한다.

② 사회복지사에게는 가족을 치료하는 기술보다 **가족의 성장 가능성을 도출시킬 수 있는 '자질'이 더욱 중요**하며, **가족 내 개인의 정서적 경험과 가족체계에 대한 이중적 초점**이 있어야 한다.

(2) 기능적인 가족과 역기능적인 가족 (必)

① 기능적인 가족

㉠ **일치형 의사소통이 가능한 가족**, 즉 효과적인 의사소통을 위해 기쁨이나 성취만이 아닌 실망 · 비판까지도 포함된 **모든 것이 가족성원 간에 솔직하게 언급될 수 있으며, 타인의 생각과 감정을 수용**한다.

기출 OX

01 사티어(Satir)의 경험적 가족치료모델은 행동이론, 학습이론, 의사소통이론을 기초로 하며, 직접적이고 분명한 의사소통과 개인 · 가족의 성장을 치료 목표로 한다. ( ) 12. 국가직

02 경험적 가족치료는 가족 내 의사소통을 명확화하는데 초점을 두며, 주요 기법으로는 대처질문, 기적질문, 척도질문이 있다. ( ) 10. 지방직

03 미누친의 구조적 가족치료모델에서는 가족의 역기능적 의사소통 유형을 회유형, 비난형, 계산형, 혼란형으로 구분하였다. ( ) 11. 지방직(추가)

01 ○
02 × '대처질문, 기적질문, 척도질문'은 '해결중심모델'의 주요 치료 기법이다.
03 × '미누친의 구조적 가족치료모델'이 아니라 '사티어의 경험적 가족치료모델'이다.

㉡ 이들은 서로의 성장을 돕는다.

② 역기능적인 가족

㉠ **비난 · 회유 · 초이성(또는 계산) · 혼란 등의 역기능적인 의사소통이 일상화된 가족**으로, 이들은 자아존중감이 매우 낮고, 의사소통에서는 이중적이거나 애매모호하고 불투명하며 정직하지 않다.

㉡ 또한 가족규칙에는 융통성이 전혀 없고, 사회참여나 활동을 매우 두려워하며 책임을 회피한다.

선생님 가이드

❶ 이런 특성으로 인해 사티어의 경험주의적 가족치료모델을 '성장모델'이라고 합니다.

(3) **치료목표**

① 가족체계의 **단순한 안정이 아니라 성장**❶이다. 다시 말해 **가족성원 개인의 '자아존중감(또는 자존감)'이 향상되는 경험을 제공**하여 가족체계를 건강하게 만드는 것이다.

② 역기능적 의사소통(회유형, 비난형, 초이성형, 산만형)에서 벗어나 **일치형(또는 분명한) 의사소통을 하게 하는 것**이다.

(4) 체계이론, 정신분석이론, 대화이론, 교류분석이론, 세대이론, 클라이언트 중심이론, 게슈탈트이론, 행동주의이론, 학습이론, 의사소통이론 등에 영향을 받았다.

2. 주요 개념

(1) 자아존중감(또는 자존감) (必)

① **인간의 기본적인 욕구로 '자기평가'를 통해 갖게 되는 개인적인 신념**이다.

② 생애초기 부모로부터 이 욕구가 충족되고 이후 그 충족의 대상이 주위 사람들로 확대되어진다.

③ 사티어는 이러한 자아존중감을 **'문제 대처의 근원적인 에너지이며 생존을 위해서 유지 발전시켜야 할 것'**으로 정의하였다.

④ 자아존중감은 **자기, 타인, 상황**이라는 3가지 요소로 구성되어 있다.

자기	자신의 가치와 유일무이(唯一無二)성에 대한 인식으로, **자기 자신에 대한 사랑 · 신뢰 · 존중 등에 의해서 형성**된다.
타인	타인에 대한 인식으로, 타인과 **자신과의 동질성 · 이질성 · 상호작용 등이 포함**된다. 주로 타인과의 관계를 통해 형성된다.
상황	자신에게 주어진 **외부의 환경적 조건에 대한 인식**으로, 주로 원가족 3인군과의 상황 등에 의해서 형성된다.

⑤ 이러한 자아존중감의 3가지 요소 중 어느 것이라도 완성되지 못할 경우 개인의 자아존중감이 낮아지고, 이는 역기능적인 현상이 된다.

(2) 자아존중감과 의사소통 유형 (必)

① 사티어는 의사소통 중에 자아존중감을 구성하는 3가지 요소 중 **무엇을 중요시 하는가 아니면 무시하는가에 따라** 5가지 의사소통 유형으로 구분하였다.

② 유형으로는 **회유형, 비난형, 초이성형, 산만형, 일치형** 등 5가지가 있다.

③ 이러한 의사소통에는 **언어적인 것뿐만 아니라 비언어적인 것까지도 포함**되어 있으며, **역기능적인 의사소통 유형인 회유형, 비난형, 초이성형, 산만형에서는 언어적 메시지와 비언어적 메시지의 불일치**한 반면, **기능적인 의사소통 유형인 일치형에서만 언어적 메시지와 비언어적 메시지의 일치**한다.

구분	유형	중요(O)와 무시(X)의 대상			내용
		자기	타인	상황	
역기능적 의사소통 유형	회유형 (또는 아첨형)	X	○	○	**타인과 상황의 요구에 부응하기 위해 자기를 무시하는 의사소통 유형**이다. 예 "다 내 잘못이야", "네가 없으면 난 아무 것도 아니야"
	비난형 (또는 공격형)	○	X	○	회유형의 반대 유형으로 자신의 생존을 위해 **타인을 무시하고 탓하며, 타인에게 자신만의 방식을 강요**하는 의사소통 유형이다. 예 "네가 하는 것은 모두 틀렸어.", "모든 것이 너 때문이야!"
	초이성형 (또는 계산형, 이성형)	X	X	○	상황을 위해 자기와 타인을 무시하는 유형으로, **오직 객관적 사실과 정확한 논리에 기초한 의사소통만을 추구**한다. 이러한 유형은 문제해결 능력은 탁월하지만, 자신과 타인을 모두 고통스럽게 만든다. 예 "A대학 사회복지학과의 최근의 연구 결과에 따르면 …."
	산만형 (또는 혼란형, 주의산만형)	X	X	X	초이성형의 반대 유형으로 자기, 타인, 상황을 모두 무시하는 의사소통 유형으로, **맥락 없이 이야기를 하며 초점과 주제가 없다.**
기능적 의사소통 유형	일치형	○	○	○	㉠ 자기 · 타인 · 상황을 모두 중요시하며, **높은 수준의 자아존중감을 지닌 의사소통유형**이다. ㉡ 언어적 · 비언어적인 메시지가 일치하고, 솔직하게 표현하며 타인의 생각과 감정을 수용한다.

(3) **가족규칙**

① 가족이 가족항상성을 유지하기 위해서 **가족성원들에게 부여한 '지켜야 할 의무나 태도에 대한 지침이나 권리'** 등을 말한다.

② 주로 원가족 3인군에서 경험한 것이 내면에 내재되어져 형성된다.

③ 역기능적인 가족규칙으로는 **복종만을 강조하는 가족규칙**이 있다. 이는 자아존중감을 낮추는 기능을 한다.

예 "절대로 안 된다.", "항상 이렇게 해야 한다."

선생님 가이드

❶ 원가족 삼인군이란 아버지, 어머니, 자기 자신 등 3명이 하나의 팀이 되어 상호작용하는 단위를 말합니다.

3. 치료기법

(1) 원가족 삼인군 치료(Primary Triad Therapy)❶

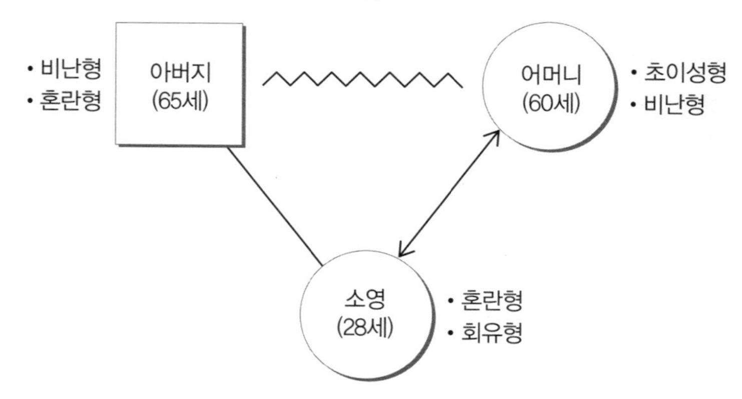

① 치료의 목적은 역기능적인 원가족 삼인군 관계에서 세대 간에 전달되어 학습되는 역기능적인 패턴을 검토하고 현재의 변화된 관점에서 상황을 이해하게 하여 이 **쟁점들을 현재의 삶에서 긍정적인 의미로 변화시키는 것**이다.

② 치료 과정

㉠ 1단계 - 원가족 삼인군 도표 작성하기: 가족성원들이 의논하여 현재의 가족, 어머니의 원가족, 아버지의 원가족 도표를 작성한다.

㉡ 2단계 - 원가족 삼인군 도표를 사용하는 치료 과정: 원가족 도표를 설명하고 탐색한다.

㉢ 3단계: 원가족 삼인군 도표를 근거로 하여 가족 조각과 역할극을 한다.

(2) 가족 조각(Family Sculpture) (必)

① 공간 속에서 **가족성원들이 자신들의 신체적 동작을 이용해 가족력(家族歷) 중 일정 시점에서의 가족의 느낌이나 감정 등 상호작용양상을 비언어적, 즉 시각적으로 표현**하도록 유도하는 기술이다.

② 절차: 가족의 동의를 얻은 후 4가지 역기능적 의사소통에 대한 조각상을 표현해보도록 한다. 이때 사회복지사가 시험을 보여 가족들이 따라할 수 있도록 한다. → **가족이 경험했던 특정한 시기의 어려웠던 사건을 선정**한다. → **언어를 사용하지 않고 신체적으로 상징화**하기 위해서 **가족성원 중 한 사람이 '조각가'가 되어 다른 가족성원의 동작과 신체적 표현을 조각하고 배치**한다. → 가족의 배치가 끝난 후 **조각가도 가족 조각의 어느 부분에 들어가 자신의 모습을 만든다. → 조각 후, 사회복지사는 현재의 조각이 어떻게 변화되기 바라는지를 다시 조각으로 표현하게 한다.** → 가족 조각 과정을 주제로 가족성원 간에 감정을 나눈다.

③ 주의점

㉠ 가족 조각 실연 중 가족성원은 엄숙하고 진중한 자세로 임해야 한다.

㉡ **사회복지사의 피드백은 감정적**이어야 한다.

기출 OX

가족조각은 공간 속에서 가족구성원들의 몸을 이용해 가족의 상호작용 양상을 시각적으로 표현하는 것이다. ( )

22. 국가직

○

④ 기능: **가족 관계, 가족 간의 친밀도, 가족규칙, 가족동맹, 가족신화, 가족성원들의 감정, 하위체계 내의 배제 또는 포함 대상 등을 파악**할 수 있다.

(3) 가족그림(Family Drawing)

① 가족성원들이 그리는 **그림을 이용해 가족의 상호작용양상을 표현하도록 유도하는 기술**이다.

② 절차: 가족성원들로 하여금 가족 각자가 자신의 가족성원에 대해 어떻게 생각하는지를 그림으로 그리게 한다. → 그 그림들을 모아 일련의 공동 작업으로 엮어 내게 한다.

(4) 역할극(Roll Play)

가족성원들에게 다른 가족성원의 **과거의 사건 · 소망 · 미래의 사건 등에 대한 감정을 담은 역할**을 직접 표현할 수 있는 기회를 제공하는 기술이다.

예 어머니에게 자신이 지금의 딸 만한 나이 때에 좋아했던 것을 상상한 후 역할놀이를 해 보라고 한다.

(5) 빙산탐색 치료(또는 빙산기법, 빙산치료)

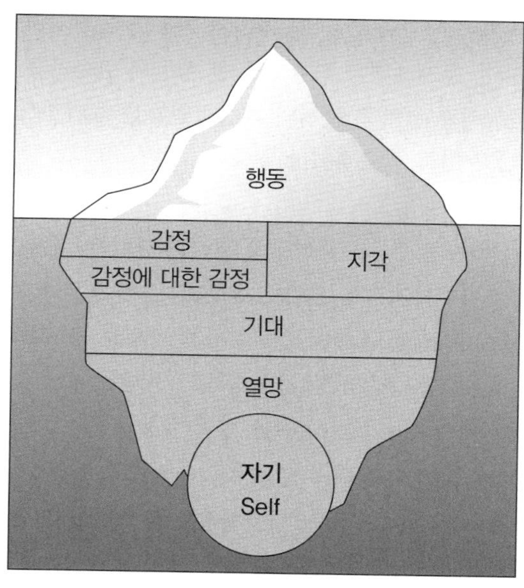

▲ 사티어의 빙산 구조

빙산비유	① 사티어는 개인의 경험세계를 **빙산에 비유**하였다. ② 빙산은 수면 위로는 행동이나 대처방식, 수면 아래에는 감정, 감정에 대한 감정, 지각, 기대, 열망, 자기가 위치해 있다. ③ **개인 경험의 대부분은 수면 아래에서 일어난다.**
빙산탐색	① **개인의 내적 과정, 다시 말해 클라이언트가 자기를 찾아가는 과정을 이끌어 내어 진정한 내면의 감정을 느끼고, 표현하게 만드는 기술**이다. ② 가족성원들과의 상호작용을 통해 빙산을 탐색함으로써 궁극적으로 '자기'에 도달하도록 유도한다.

7 가족치료모델(4) – 전략적 가족치료모델 13. 국가직, 10 · 12. 지방직

1. 개관

(1) 개념

전략적 가족치료는 **가족 문제의 원인이 아닌 증상제거(또는 개선)를 위해 구체적이며 다양한 치료전략을 수립**하여 접근하는 가족치료모델들에 대한 통칭이다.

(2) 치료목표

제시된 **현재 증상을 제거하고 행동을 변화시키는 것**이다.

(3) 전략적 가족치료의 범주에 속하는 모델들의 공통점

① **과거보다는 현재에, 성장보다는 변화에 초점**을 둔다.

② **체계이론의 순환적 인과성(또는 인과관계) 관점**에 따라 가족 문제의 지속과 유지를 이해한다.

③ 가족 내에서 반복되는 **문제행동의 연쇄 과정과 행동패턴을 변화시키는 데 주력**한다. 즉, 문제행동을 발생시킨 원인을 찾기보다는 무엇이 그 문제행동을 지속시키는가에만 관심을 둔다. 따라서 가족의 정신내적 갈등이나 통찰을 통한 성찰보다는 **문제해결과 관찰 가능한 행동의 변화만을 추구**한다.

④ 기존에 잘못 시도된 가족 문제의 해결방법들을 효과적으로 전환하도록 원조하는 것이 유용하고 필수적이다.

(4) 사회복지사의 역할

① 사회복지사는 직접적으로 개입하여 변화를 유도한다. 따라서 개입 중 클라이언트에 대한 **사회복지사의 권위가 요구**된다. 이에 따라 사회복지사는 가족성원보다 높은 지위에서 그들에게 지시하고 과제를 부여한다.

② 사회복지사는 내담자의 저항을 처리하는 전략을 세우는 전략가로서 문제해결과 변화에 대한 직접적인 책임을 진다.

(5) 발전

① 전략적 가족치료는 크게 MRI **상호작용모델, 헤일리의 전략적 구조모델, 밀란의 체계적 모델** 등, 세 가지 세부적인 모델로 나뉜다.

② 가장 처음 전략적 가족치료를 시도한 것은 베이트슨의 영향을 받아 와츠래비크, 위클랜드, 휘쉬 등이 주도한 **MRI 상호작용모델**을 들을 수 있다.

③ 헤일리는 초기에는 MRI에서 함께 연구했으나, 이후 마다네스와의 협업을 통해 또 하나의 **전략적 가족치료 모델인 전략적 구조모델**을 만들었다.

④ 마지막으로 이탈리아의 밀라노에서 **파라졸리를 중심으로 활동한 밀란학파의 체계적 모델이 등장**하였다.

기출 OX

01 전략적 가족치료는 지금까지 가족이 문제해결을 위해 시도해 온 방법을 변화시키는 데 초점을 두며 주된 기법으로 순환적 질문, 역설적 개입 등이 있다. ( ) 13. 국가직

02 전략적 가족치료는 인간의 부적응적 행동에 대한 원인보다는 증상행동의 변화에 초점을 둔다. ( ) 10. 지방직

03 전략적 가족치료의 주요 기법으로는 역설적 개입이 있다. ( ) 12. 지방직

01 ○
02 ○
03 ○

(6) **각 모델별 비교**

구분	MRI 상호작용모델	헤일리(J. Haley)의 전략적 구조모델	밀란(Milan) 학파의 체계적 모델
가족 문제의 원인	역기능적인 의사소통	역기능적인 위계구조	역기능적인 가족게임
주요 개념	의사소통, 가족항상성, 이중구속, 피드백고리, 가족규칙	권력과 통제력, 위계, 역설적 지시	가족게임, 가설설정, 순환질문, 중립성
이론적 근거	의사소통이론		체계이론
주요 개입기법	증상처방, 치료적 이중구속, 역설적 지시, 재명명		순환질문

2. MRI 상호작용모델

(1) 개관

① 가족성원 간 의사소통의 **'내용'보다는 '과정'이 가족의 증상과 문제를 유지시키는 상호작용**이라고 본다.

② 가족치료의 목표는 현재 가족의 증상과 문제를 유지시키는 **의사소통 상의 피드백 고리를 찾고**, 역기능적 상호작용을 유지시키는 **가족규칙을 파악**한 다음 이를 **변화시키는 구체적인 전략을 수립**해서 10회 내외의 **단기간의 면접을 통해 종결**하는 것이다.

(2) 주요 개념 (必)

① 의사소통

<table>
<tr><td>개념</td><td>㉠ 모든 행동은 어느 수준에서 의사소통이다.
㉡ 가족은 나름의 복잡한 의사소통형태를 가지고 있으며, 의사소통에는 언어적인 것뿐만 아니라 비언어적인 것(예 자세, 음성의 고저, 표정 등)이 모두 포함된다.</td></tr>
<tr><td>가족성원의 의미체계</td><td>가족성원들 각자가 자신들에게 주어진 상황을 인식하고 여기에 나름의 의미를 부여하는 것으로, 각 성원들의 의미체계가 서로 다를 경우 불화(不和)가 발생할 수 있다.
예 여름휴가 기간 동안 남편과 아내가 모두 충분한 휴식을 갖자고 동의했지만, 남편이 이러한 상황에 부여한 휴식의 의미는 '집에서 쉬자는 것'이고 아내가 부여한 의미는 '가족여행을 가자'는 것일 경우 결국 남편과 아내는 다툴 수밖에 없다.</td></tr>
<tr><td>의사소통의 내용기능과 관계기능</td><td>㉠ 모든 의사소통에는 내용기능(또는 내용 수준)과 관계기능(또는 관계 수준)이 있다.
<table><tr><td>내용(또는 보고) 기능</td><td>의사소통을 통해 사실적인 정보만을 제공(또는 보고)하는 것이다.</td></tr><tr><td>관계(또는 지시) 기능</td><td>의사소통을 통해 의사소통의 대상들과 관계를 정의하는 것이다. 즉 의사소통을 통해 상대방에게 암묵적인 명령(또는 지시)을 하는 것이다.</td></tr></table>예 퇴근한 남편이 아내에게 "오늘 나 많이 힘들어."라고 하면 이 말의 내용기능은 "자신이 힘들다."는 사실적인 정보를 아내에게 전달하는 것이지만, "자신이 많이 힘드니까 어떤 조치를 해주기 바란다."는 암묵적인 명령(또는 지시)이 담긴 관계기능이 함께 존재한다.</td></tr>
</table>

<table>
<tr><td></td><td colspan="2">㉡ 기능적인 가족은 내용기능과 관계기능이 일치하거나, 또는 모호한 암묵적인 명령이 없거나 또는 있더라도 그것을 상대방이 잘 이해할 수 있다.
㉢ 가족성원이 성원 간 관계를 수직적으로 이해할수록 내용기능과 관계기능의 일치는 적어지고, 암묵적인 명령이 많아져 역기능적인 의사소통이 된다.</td></tr>
<tr><td rowspan="3">의사소통의 대칭적 관계와 보완적 관계</td><td colspan="2">의사소통은 대칭적 또는 보완적인 관계를 갖으며, 기능적인 가족의 의사소통은 상황에 따라 대칭적 관계와 보완적 관계가 교환적으로 발생할 수 있는 융통적인 관계이다.</td></tr>
<tr><td>대칭적 관계</td><td>평등한 관계에 놓여 있는 가족성원 간의 경쟁적인 상호작용으로, 가족성원 간 감정적인 반응을 증폭시켜 갈등 상태에 놓이게 만드는 의사소통 유형이다.
예 남편: 가수 A가 노래를 정말 잘해!
아내: 무슨 소리, 가수 B가 노래를 더 잘해!
남편: 조용히 해! 도대체 당신이 뭘 안다고!</td></tr>
<tr><td>보완적 관계</td><td>㉠ 불평등한 관계에 놓여 있는 가족성원 간 그 불평등의 차이를 극대화시키는 상호작용으로, 가족성원 중 한 쪽이 다른 쪽을 보완하는 의사소통유형이다.
㉡ 즉, 다른 가족성원 중 한 쪽이 공격적(또는 지배적)이면 다른 가족성원 한쪽은 순응적(또는 복종적)이며, 한 쪽의 순응적 태도는 다른 한 쪽의 공격적 태도를 증폭시켜 한쪽은 더욱 순응적이고 되고 한쪽은 더욱 공격적이 되는 것을 말한다.
예 남편: 가수 A가 노래를 정말 잘해!
아내: 그래요….
남편: 항상 내 말이 맞아! 인정하지!</td></tr>
<tr><td>의사소통과 구두점 (Punctuation, 또는 마침표)</td><td colspan="2">㉠ 구두점이란 순환적 인과성 속에서 가족의 상호작용에서 발생하는 인과관계, 즉 무엇이 원인이고 또한 무엇이 결과인지에 관해 특정하는 것이다.
㉡ 인과관계를 바라보는 관찰자에 따라 다르며, 구두점을 찍는 가족성원에 따라 그 원인을 식별해 내는 행위도 달라진다. 따라서 구두점은 가족 문제의 원인과 결과에 영향을 미친다.
㉢ 역기능적인 의사소통이 생기는 이유는 가족성원 각자가 자기중심적인 구두점에 집중하고 있기 때문으로, 사회복지사는 가족성원 중 누가 옳은지가 아니라 이러한 형태로 가족성원 간 상호작용이 지속되고 있는 것에 초점을 두어야 한다.
예 철수 어머니는 남편의 늦은 귀가에 대해 잔소리를 하고, 철수 아버지는 아내의 잔소리 때문에 집에 늦게 들어와 부부갈등이 지속되고 있는 경우, 이때 철수 어머니는 남편의 늦은 귀가에 구두점을, 반면 철수 아버지는 아내의 잔소리에 구두점을 찍고, 이것에 집중하고 있기 때문에 부부갈등이 지속되고 있는 것이다.</td></tr>
<tr><td>메타 의사소통 (Meta Communication, 상위 의사소통)</td><td colspan="2">의사소통의 의사소통으로, 가족성원이 자신의 욕구를 상대방에게 정직하게 말하고, 앞으로의 관계를 건설적으로 진행하는 데 유리한 기능적인 의사소통 방법이다.
예 당신은 화가 나면 말을 하지 않는데, 그런 태도는 나를 정말 힘들게 해.</td></tr>
</table>

② 이중구속(Double Binds): **가족의 병리적 의사소통 유형**으로, 상호 중요한 관계에 있는 가족성원끼리 상반되거나 모순된 두 개의 메시지를 전달했을 때에 이를 받은 다른 구성원은 그 메시지에 대해 응답하기 어려운 상황에 놓인 상태이며, 따라서 **가족의 유대관계를 약화**시킨다.

예 아버지가 아들에게 "네 진로의 결정은 너 스스로에게 맡긴다."라고 평소에 강조하다가 막상 아들이 "대학진학 대신 취업하여 기술을 배우겠어요."라고 말했을 때, "대학을 가지 않는 것은 실패한 인생이야. 반드시 대학을 가야한다."라고 면박을 주는 경우

③ 피드백 고리(Feedback Loop, 또는 환류고리)

㉠ 가족은 피드백을 통해 **상호 정보를 교환하면서 서로의 행동을 통제하거나 확장**한다.

㉡ 적응적 행동과 관련된 피드백으로는 **정적 피드백과 부적 피드백**이 있다.

정적 피드백 (Positive Feedback, 또는 증폭환류, 정적환류)	• 체계로 하여금 **현재의 행동을 유지시키거나 강화(또는 증폭)시키는 피드백**이다. 즉, 체계가 자신의 목표 성취와 관련된 행동을 제대로 하고 있으므로 스스로 자신의 형태나 목표에 대한 수정 없이 **현 상태를 유지하거나 또는 오히려 증폭시키도록 유도하는 것**이다. • 이는 체계의 **일탈이나 위기상황을 확장(↑)**시킨다. 예 딸이 집에 늦게 돌아오자 아버지가 잔소리를 하고 이에 딸이 가출해버리는 경우에서 아버지의 잔소리는 딸의 일탈을 확장시키는 정적 피드백의 기능을 한 것이다.
부적 피드백 (Negative Feedback, 부적환류)	• 체계로 하여금 **현재의 행동을 수정하거나 중단시키는 피드백**이다. 즉, 체계가 자신의 목표 성취와 관련된 행동을 제대로 못하고 있으므로 **스스로 자신의 형태나 목표를 수정하여 현 상태를 고치도록 유도하는 것**이다. • 이는 체계의 **일탈이나 위기상황을 감소(↓)**시킨다. 예 딸이 집에 늦게 돌아오자 아버지가 잔소리를 하고 이에 딸이 일찍 귀가하는 경우, 아버지의 잔소리는 딸의 일탈을 감소시키는 부적 피드백의 기능을 한 것이다.

㉢ **가족규칙에 따라 가족의 상호작용이 정적 피드백 고리인지 아니면 부적 피드백 고리인지가 정해지며**, 따라서 **피드백 고리는 가족규칙이 유지되거나 변화되는 과정을 설명**한다.

㉣ 역기능적인 가족의 경우 **정적 피드백, 즉 새로운 시도를 하지만, 이로 인해 문제가 악화되는 것을 보고 기존의 부적 피드백으로 회귀**하는 경향이 있다.

④ 가족항상성

㉠ **가족항상성이란 가족체계의 일관성 유지, 즉 가족이 변화에 저항하여 원래의 상태를 유지하려는 성질**이다. 즉, 가족항상성은 **균형보다 일정한 수준의 개방체계에서 나타나는 평형상태**로, 가족체계가 균형을 위협받았을 때에 다른 체계와의 상호작용을 통해 비교적 **지속적으로 안정적이지만 역동적인 균형 상태를 유지하려는 경향**을 말한다.

㉡ 가족항상성은 **가족규칙을 활성화하여 가족의 지속적인 관계를 유지**하도록 기능한다. 즉 **가족체계는 가족규칙을 만들고, 이를 강화시켜 가족항상성을 유지하려는 경향**이 있다. 예를 들어 자녀의 귀가 시간을 저녁 9~10시로 정한 가족규칙이 있었을 때에 성장한 자녀가 11시까지 귀가하겠다고 한다면 이는 **항상성의 범주**를 벗어난 것이다. 이런 경우 항상성의 범주 내에서 자녀가 계속 귀가 시간을 맞출 수 있도록 자녀를 설득하는 상호작용을 해야 한다.

㉢ 역기능적인 가족은 가족체계가 외부로부터 균형을 위협받았을 때 가족항상성으로 인해 기존의 방식으로 반응하게 되고, 이는 더욱 더 **부적 피드백 고리를 작동시켜 문제를 악화**시킨다.

㉣ 전문가의 개입 과정에서 **가족항성성이 작동될 수 있다.**

⑤ 가족규칙(또는 가족규범)

㉠ **가족성원의 상호작용을 지배하는 행동규범이나 기대**로, **가족항상성을 유지하도록 하는 기제**이며, **가족의 상호작용이 정적 피드백 고리인지 부적 피드백 고리인지는 이러한 가족규칙에 따라 결정**된다.

㉡ 종류

명시적 규칙	드러나 있고 **가족성원 전체가 잘 알고 있는 규칙**이다.
암묵적 규칙	드러나 있지 않지만 **가족체계 내에서 무의식적 또는 암묵적으로 지켜지는 규칙**으로, 일반적으로 **가족규칙은 명시적 규칙보다 암묵적으로 이루어지는 경우가 더 많다.**

㉢ 기능적인 가족의 경우 **전체로서의 가족과 가족성원 각자의 건강한 발달에 도움이 되는 가족규칙**을 가지고 있으며, **가족발달 단계에 따라 변화**한다.

㉣ 반면 역기능적인 가족의 경우 가족규칙의 변화가 가능한 **융통성 있는 상위규칙이 없거나 또는 있더라도 그것이 현재의 가족규칙이 변화하지 못하게 하는 기능**을 한다.

3. 헤일리(J. Haley)의 전략적 구조모델

(1) 개관

① **가족 문제의 원인은 가족체계의 잘못된 위계**이며, 따라서 가족성원은 각자 가족 내에서 자신의 위치에 맞는 권력과 통제력을 가질 때에 **위계(Hierarchy)가 유지**되고 기능적이 될 수 있다고 보았다.

② 즉 부모, 자녀, 조부모 등 각 가족성원은 **명확한 경계를 유지**하고, 자기 위치를 지키며, **윗세대가 아랫세대보다 위계적으로 상위에 위치하여 권력과 통제력**을 가져야 한다.

③ 따라서 **사회복지사의 치료의 1차 목표는 가족체계의 잘못된 위계질서[1]를 바로잡기**, 즉 부모와 자녀사이의 권위, 그리고 부부 간에 서로 적절한 권력의 균형을 이루고 자신들의 위치에서 알맞게 권력을 행사하도록 원조하는 것이다.

[1] 이와 같은 목표를 보면 구조적 가족치료와 다른 점이 없는 것처럼 보일 수 있지만, 구조적 가족치료는 가족 문제의 원인을 찾고 이를 제거해서 위계질서를 바로 잡으려 하는 반면, 전략적 가족치료는 그 원인에 관심을 갖지 않고, 다만 현 가족의 상태에서 위계질서를 바로 잡으려 한다는 점에서 큰 차이가 있습니다. 예를 들어 반항적인 십대 자녀와 그의 부모가 그들의 관계를 향상시키기 위해서 가족치료자에게 왔다고 가정할 경우, 헤일리는 가족에게 반항하는 아들을 다루는 현재의 어려움에 대해서 이야기하도록 하도록 할 것입니다. 반면, 구조적 가족치료자라면 부모에게 부부간의 문제, 즉 자녀가 반항하게 된 이유에 대해 서로에게 이야기하도록 요구할 것입니다.

(2) 주요 개념

① 권력과 통제력

㉠ 가족성원 각자는 **자신의 위치에 맞는 권력과 통제력을 가져야만**하며 또한 자신의 위치에 맞은 권력과 통제력을 부여받은 가족성원은 **이를 이용하여 다른 가족성원을 보호하고 돌보는 데 사용**해야 한다.

㉡ 가족 문제는 이와 같이 권력과 통제력을 다른 가족성원을 보호하고 돌보는 데 적절하게 사용하지 않았을 경우에 발생한다.

② 위계(Hierarchy): 윗세대가 더 많은 **'권력과 통제력'**을 **가지고 있어야 기능적인 가족체계**이다.

4. 밀란(Milan) 학파의 체계적 모델

(1) 개관

① 초기 밀란 학파의 체계적 모델은 역기능적인 가족게임의 규칙 변화를 통해 가족성원의 행동변화에 초점을 둔 반면, 후기 밀란 학파의 모델은 순환적 질문을 통해 가족의 역기능적 신념체계인 '인지적 오류'를 변화시키는 데 주력하였다.

② 밀란 학파의 체계적 모델에서는 가족성원 개인의 생각이나 행동의 변화보다는 **전체가족체계 내의 규칙, 관계 유형 그리고 의미의 구조를 변화시키는 데 치료의 목표**를 두며, 구체적인 치료 목표로는 **가족들이 가지고 있는 역기능적인 게임을 무력화시키는 것이다.**

(2) 주요 개념

① 가족게임

㉠ 가족항상성을 유지하기 위한 **가족만의 복잡한 의사소통 유형**을 말한다.

㉡ 가족의 의사소통은 순환적인 하나의 연쇄 과정을 이루고 있으므로 그 시작과 끝, 원인과 결과를 정확하게 구분할 수가 없다.

㉢ **역기능적인 가족의 경우**에는 가족성원 간에 의사소통의 연쇄 과정을 어떻게 구분할 것인가에 대한 합의(게임의 규칙에 대한 합의)가 이루어지지 않고, 오직 더 큰 권력을 얻기 위해 끝없는 게임을 하게 된다. 더 나아가 가족성원들은 다른 성원이 가족게임에서 승자가 되게 하는 목적으로 세력동맹을 맺고, 이러한 혼란된 구조에 적응하기 위해 **지속적인 다툼과 같은 증상행동이 나타날 수밖에 없다.**

예 아내가 남편의 늦은 귀가에 대해 잔소리를 하고, 남편은 아내의 잔소리 때문에 집에 늦게 들어와 부부갈등이 지속되고 있는 경우, **의사소통의 연쇄 과정은 남편의 늦은 귀가 → 아내의 잔소리 → 남편의 늦은 귀가 → 아내의 잔소리로 구분**할 수 있는 데, 만약 부부가 각기 자신들만이 다른 방식으로 의사소통의 연쇄 과정을 구분하고 있다면 관계의 성격이 규정될 수가 없으며, 따라서 이러한 관계를 규정하기 위한 싸움을 지속하게 된다.

② 순환적 인식론: **가족성원 한 사람의 증상행동을 다른 가족성원 행동의 원인이거나 또는 반응이라고 규정할 수 없다는 인식**으로, 가족치료사인 사회복지사로 하여금 중립적 입장에서 가족의 행동 유형이나 맥락에 초점을 두어 개입할 수 있게 한다.

(3) 치료 기법 (必)

① 지시(Directive Method)

㉠ 전략적 치료의 핵심적 기술로, 클라이언트와 가족에게 **그들이 해야 할 일을 처방**하여 가족으로 하여금 **과거와 다른 행동을 하게 하거나 반대로 계속해서 같은 행동을 하도록 하는 것**이다.

㉡ 종류

직접적 지시	• 어떤 행동을 중지하도록 하거나 평소와 다른 어떤 행동을 하도록 하는 지시하는 것이다. • 방법: 충고, 제안, 코칭, 시련행동의 부과 등
은유적 지시	클라이언트가 밝히기를 꺼려하는 문제[예 부부 간 성적(性的)인 문제 등]의 경우 **비유를 통해 변화를 유도하는 지시**이다.

② 역설적 개입(Paradoxical Intervention, 또는 역설적 지시) 23. 국가직

㉠ **"변화하라!"는 메시지와 "변화하지 말라!"는 두 가지의 모순된 메시지를 전달하는 '치료적 이중구속(Therapeutic Double Bind)'을 활용**하여 가족으로 하여금 증상을 통제하거나 포기하게 만들어 가족의 문제를 해결하는 기법이다.

㉡ 즉 **가족이 사회복지사의 지시에 저항하도록 하여 변화를 일으키는 기법**으로, 사회복지사는 가족의 변화를 돕기 원한다고 하면서 동시에 그들에게 "변화하지 말라."고 요구함으로써 가족의 변화를 유도한다.

㉢ 주로 **가족이 변화에 대한 저항이 매우 크거나 또는 사회복지사에게 상호작용과 의사소통에 대한 큰 압력을 받을 때 활용**한다.

㉣ 세부 전략

재구성 (Reframing, 또는 재정의, 재명명)	• 겉으로 보기에는 역기능적인 상황을 **긍정적인 언어로 재정의함으로써 그러한 상황을 다른 시각에서 보거나 다른 방법으로 이해하게 하여 변화를 위한 동기를 부여**한다. • 이 기법을 사용하는 목적은 클라이언트가 이 모델의 개입전략을 따르는 데 따른 중요성을 인식하고 용납하도록 하기 위해서이다.
증상처방 (Prescription)	• 문제와 관련된 **클라이언트의 행동체계를 정확히 파악**하여 **클라이언트에게 간단하지만 수용하기 어려운 증상을 지속하게 하거나 증상을 과장하게 하여** 클라이언트 스스로 증상을 통제할 수 있도록 만드는 기법이다. • 이를 통해 클라이언트는 **사회복지사의 지시를 거부하고 증상을 포기하거나, 또는 그 지시대로 따르면서 증상이 본인의 통제와 조절 하에 있다는 것을 깨닫게 된다.**

기출 OX

01 재구성은 문제를 다른 시각에서 바라볼 수 있도록 돕는 기법이다. ( ) 23. 국가직

02 역설적 지시는 문제가 된다고 판단되는 행동을 유지하거나 강화하도록 지시하는 기법이다. ( ) 23. 국가직

01 ○
02 ○

	예 갈등이 심한 부부에게 매일 일정시간을 정해 놓고 부부싸움을 하도록 지시한다. 이때 이 지시를 따라 부부싸움을 하게 되면 결국 부부싸움을 하고 또는 하지 않는 것이 결국 자신들의 통제하에 있다는 것을 깨닫는 것이고, 반대로 부부싸움을 하지 않게 되면 증상을 포기하게 되는 것이다.
제지 (Restraining)	클라이언트의 문제가 개선될 때 **항상성 균형이 위험하다고 판단되어 사용**하는 기법으로, 클라이언트의 변화의 속도를 통제하기 위해 **"변화의 속도가 지나치게 빠르다."라고 지적**하는 것이다.
가장(또는 위장)놀이 (Pretending Method)	• 클라이언트에게는 증상을 가지고 있는 것처럼 행동하게 하고, 그의 가족들에게는 클라이언트를 원조하는 것처럼 행동하게 하는 기법이다. • 다시 말해 **연극이나 놀이를 즐기는 기분으로 저항을 우회시키는 것**이다.
시련기법 (Ordeal techniques, 또는 고된체험)	• **클라이언트가 경험하고 있는 증상보다 더 고된 체험을 하도록 과제를 주어 증상을 포기하게 하는 기법**이다. • 이를 통해 클라이언트가 증상을 포기하는 것보다 증상을 유지하는 것이 더 고통스럽다는 것을 알게 되면 증상을 포기할 수 있게 된다. 예 갈등이 심한 부부의 남편에게 아내가 미운 생각이 들 때마다 포옹을 하고 값비싼 선물을 사주도록 지시하는 경우

③ 순환질문(Circular Questioning)❶

㉠ **가족성원 모두에게 돌아가면서** 현재 가족의 체계가 어떠한지, 그렇다면 왜 그런지, 가족의 상호작용 유형은 어떠한지 등을 질문하는 기법이다.

㉡ 가족성원들로 하여금 현재 자신들이 경험하는 역기능적인 유형을 스스로 인식하도록 사고의 자극과 변화를 주기 위해 사용되며, **한 가족성원이 다른 가족원들의 관계 유형을 어떻게 보는지를 확인하는 방식으로 진행**된다.

㉢ 또한 가족성원들로 하여금 질문을 받게 되었을 경우 반사적으로 현재의 상황이나 문제에 대해 심사숙고(深思熟考)하게 만들 수도 있다.

예 "당신이 보기에 당신의 아버지가 두 자녀를 모두 때리나요? 아니면 아들만, 혹은 딸만 때리나요?"

8 이야기 가족치료모델 13. 국가직

1. 개관

(1) 1990년대부터 발전하기 시작한 모델로, 사회구성주의적 접근❷을 한다.

(2) **지배적 이야기**

인간이 인생을 살면서 자신이 설정해놓은 기준에 의해 일부만을 선택하고 그 사건을 기초로 쓴 이야기를 말하며, '억압적인 지배적 이야기'를 **'경청 → 해체 → 대안이야기 구축'**이라는 치료 과정을 통해 **대안적 이야기로 바꾸어 문제를 해결할 수 있다고 본다.**

선생님 가이드

❶ 가족대상 개입기법 중에서 '질문 기법'을 사용하는 것은 주로 '해결중심적 가족치료모델'이지만, 전략적 가족치료모델의 경우에도 '순환질문' 기법이 있습니다.

❷ 이야기 가족치료모델에서는 개인의 이야기는 항상 재창조될 수 있다고 가정하고, 이에 사회복지사가 클라이언트 개인의 부정적인 견해를 반복해서 경청해준다면 클라이언트가 문제를 해결할 수 있는 힘을 찾아 자신의 이야기를 새롭게 쓸 수 있다고 가정합니다.

기출 OX

이야기 가족치료는 사회구성주의 관점에 근거하며 주된 기법으로 문제의 외현화, 시련기법 등이 있다. ( ) 13. 국가직

× '시련기법'은 '전략적 가족치료모델'의 치료기법이다.

(3) **문제에 대한 관점**

문제와 사람을 분리한다. 즉 문제를 자신과는 별개인 **'외부침입자'로 간주**하게 하여 자신을 병리적이라고 생각하는 데서 벗어나게 한다.

(4) **치료 목표**

① **단기 목표**: 가족이 호소하는 문제를 감소시키기

② **궁극적 목표**: 가족 스스로가 자신들이 선호하는 방향으로 자기 가족의 **'대안적 이야기'**를 써나갈 수 있게 만들기

2. 치료기법

(1) **문제의 외현화(Externalization, 또는 문제의 외부화, 문제의 외재화, 표출대화)** 必

클라이언트 안에 존재하는 문제를 끄집어내어 클라이언트와 분리해서 다루는 기술이다.

예 "돈은 당신이 남편과 갈등을 겪도록 만들었군요. 그렇지요?"

❶ 지배적 이야기 밖에 존재하는 것, 예전의 경험 또는 관계를 되찾는 것 등을 의미합니다.

(2) **문제이야기와 상반되는 독특한 결과를 찾아내기**

표출대화를 통해 예외적인 것을 끌어내어 **독특한 결과**❶**를 형성하는 기술**이다.

예 "돈이 당신과 당신의 가족에게 갈등을 안겨주었지만 돈 없이도 행복했던 때를 기억할 수 있나요? 어떻게 그렇게 했지요? 최근에 있었던 것으로서 그 동안 잊고 있었던 예외적인 것은 무엇입니까?"

(3) **인정예식**

① 사람들의 생활이야기를 **다양한 층으로 형성된 대화와 다시 대화하는 것**을 통해서 타인이 될 수 있는 선택권을 주어 자신에 대한 정체성을 확대하게 하는 기술이다.

② **대화의 과정**: 1단계 대화하기(Telling) → 2단계 대화에 대하여 다시 대화하기(First Retelling) → 3단계 다시 대화한 것에 대하여 다시 대화하기(Second Retelling) → 4단계 다시 대화한 것에 대해 다시 대화하고, 다시 또 대화하기(Third Retelling)

예 "대화를 하면서 당신의 주의를 끄는 것은 무엇입니까? 당신의 삶과 정체성에 대해 떠오르는 그림을 말로 표현해 보세요. 새로운 그림 안에서 당신의 목적은 무엇입니까? 당신이 선호하는 것은 무엇입니까? 당신에게 중요한 것은 무엇입니까?"

(4) **재저작(Re-Authoring)**

'독특한 결과들'이 발견되고 '지배적인 이야기'가 해체된 이후에 새롭게 가족의 이야기를 형성하는 과정을 말한다.

(5) **인정예식과 외부증인집단**

사회복지사가 한 명 또는 두 명과 먼저 대화를 하고 나머지 참여자는 대화의 청중(또는 외부증인집단)이 되는 기술로, 인정예식을 통해 치료에 참여한 클라이언트와 청중(또는 외부증인집단) 모두가 카타르시스를 경험하게 된다.

제3절 집단 대상 사회복지실천

회독 Check! 1회 □ 2회 □ 3회 □

1 집단의 개관

1. 집단의 개념

공통의 관심사를 지닌 **2명 이상의 사람들이 모여 지속적인 상호작용을 하는 사회체계**이다.

2. 집단의 특징

(1) 일정규모

집단의 크기는 한정되어 있지 않지만 최소한 **두 명 이상의 구성원**으로 이루어져 있다. 그리고 구성원들 간의 상호작용의 제한을 받기 때문에 대부분 규모가 작은 편이다.

(2) 공통 목표

집단은 **집단성원이 수행해야 할 공통적인 목표(또는 목적)**를 가지고 있다.

(3) 정체성

집단성원들은 **공통의 집단 정체성을 공유하며 집단을 하나의 실체로 지각**한다. 이러한 집단의 정체성은 집단 과정을 통해 더욱 명확해 진다.

(4) 배타성

집단은 모든 사회체계 중에서 가장 배타적이다.

(5) 자기조직화

① 집단성원들 사이의 관계와 효과적인 상호작용은 구성원들의 내적이고 자연스런 상황에 기인한다.

② 집단은 스스로 조직된 것이며 **집단과 관련된 행동은 이성적인 요소보다는 정서적인 측면**에 의해 나타난다.

(6) 개인행동에 대한 영향

집단은 구성원들에게 **사회화와 사회통제의 기능을 수행**한다. 이에 모든 집단은 독특한 하위문화를 소유하며 구성원들의 행동에 영향을 미치는 규범을 가지고 있다.

2 집단의 종류

1. 집단성원의 접촉방식에 따른 구분(Cooley)

1차 집단(Primary Group)	구분	2차 집단(Secondary Group)
혈연이나 지연을 바탕으로 자연발생적으로 형성된 집단	정의	**특정 목적 달성을 위해 의도적으로 형성**된 집단
직접적, 친밀하고 전인격적인 접촉 방식	접촉 방식	간접적, 형식적, 계약적 접촉 방식
① 개인의 성격과 자아 형성에 중요한 역할을 한다. ② 일반적으로 규모가 작다. ③ 구성원의 인간 관계 자체가 목적이다. ④ 집단성원 간의 관계가 지속적이다. ⑤ 도덕, 관습 등에 따른 비공식적 통제가 이루어진다.	특성	① 특수한 이해관계를 바탕으로 한 공식적이고 합리적인 인간관계가 이루어진다. ② 규칙, 법률 등에 따른 공식적 통제가 이루어진다.
가족, 또래집단, 이웃 등	예	학교, 조합, 회사, 정당, 과업집단 등

2. 집단의 구성형태에 따른 구분

(1) 자연 집단(Natural Group)

인위성이 배제되어 **자연발생적으로 형성된 집단**이다.

예 또래집단, 동년배집단, 친구집단, 갱집단 등

(2) 형성 집단(Formed Group)

특정목적이나 계획을 달성하기 위해서 **인위적으로 조직된 집단**으로, 그 **목적에 따라 치료집단과 과업집단으로 분류**된다.

예 특정 위원회, 팀 등

3. 집단의 목적에 따른 구분

(1) 집단성원 각 개인의 변화와 발전을 목적으로 하는 집단

치료집단, 자조집단이다.

(2) 집단이 정한 과업의 달성을 목적으로 하는 집단

과업집단이다.

4. 집단 과정 중 사회복지사의 개입 정도에 따른 구분

(1) 사회복지사의 적극적인 개입이 필요한 집단

(비자발적 형성집단) 치료집단, 과업집단이다.

(2) 사회복지사가 소극적 또는 무개입하는 집단

(자발적 형성집단) 자조집단이다.

3 집단이론

1. 소시오 메트리(Sociometry)

(1) 모레노(J. Moreno)와 제닝스(H. Jennings)가 제안하였다.

(2) **집단관**

집단은 집단성원 사이에 끊임없이 변화하는 **견인(Attraction, 개인 간의 관심)과 반발(Repulsion, 개인 간의 거부)의 역학적인 긴장 체계**이다.

(3) **가정**

집단은 집단성원의 '자발성'과 '문화적으로 규정된 집단 내 역할에 대한 학습 정도'에 따라 상대적으로 안정된 구조를 만들어 낼 수 있다.

(4) 역할연기, 사회적 측정법(협의적 의미에서의 소시오메트리)을 활용한다.

2. 장이론(Field Theory)

(1) 레빈(K. Lewin)이 제안하였다.

(2) **집단관**

① **심리적 장(場)**: 개인의 행동에 영향을 미치는 **현재 개인이 지각한 모든 심리적 상황**(예 목표, 비전, 요구 등)이다.

② **체계론적 집단 인식**: 장이론에서 집단은 역동적인 상호작용을 하는 **전체로 이해되어야 하며, 개별 집단성원의 총합이상**이다.

③ 집단은 집단성원 간의 **역동적인 상호작용이 연속적으로 발생하는 과정**이다.

(3) **가정**

① 인간은 자신이 처한 **물리적 환경**(예 의복, 주택, 음식 등)**에 의해서 행동하는 것이 아니라 자신의 심리적 장에 따라 행동**을 하게 되며, 따라서 개인에게 실제로 존재하는 물리적 현실 따위는 없고 **개인이 중요하다고 생각하거나 의미를 두고 있는 현실, 즉 심리적 상황만이 실제로 체험될 뿐이다.**

② 또한 **요구 · 신념 · 정서 등 개인의 내적 특성이 변하면 개인의 심리적 상황에 대한 지각도 변하게 된다.**

(4) 사회복지사에게 있어서 클라이언트의 '심리적 장'은 그의 주관적인 경험 속에서 추상적이고 체계적으로 해석되어야 한다.

3. 집단상호작용론(Group Interaction)

(1) 베일스(R. Bales)가 제안하였다.

(2) **집단관**

집단은 **공통의 목표(또는 문제해결)를 달성하기 위해 상호작용하는 개인들의 모임**이다. 따라서 관심의 초점은 집단성원들의 의사소통 행위의 양상과 결과에 있다.

(3) 가정

① 목표달성이라는 집단의 과업 이외에도, 집단 내의 긴장을 해소하여 통합된 집단을 유지하기 위해 집단성원의 정서적인 문제를 다루어야 한다.

② 이런 과정에서 집단은 '목표달성'과 '정서적인 문제' 사이에서 혼동 상태에 놓일 수 있으며, 이러한 혼동 상태를 예방하기 위해 **집단 과정은 명확하고, 규칙적이며 순차적인 단계와 절차에 따라 진행되어야 한다.**

4 사회복지실천집단의 종류

사회복지사가 집단사회복지실천을 하는 집단에는 치료집단, 과업집단, 자조집단 등이 있다.

1. 치료집단(Treatment Group) 18. 국가직, 12 · 22. 지방직

토스랜드와 리바스(Toseland & Rivas)는 치료집단을 그 목적에 따라 다음과 같이 세분화하였다.

(1) 지지집단(Support Group) 必

① 집단성원: **스트레스를 발생시키는 유사한 생활 사건이나 문제를 경험했거나 경험 중**이어서 자조 및 상호원조가 필요한 사람들

② 집단목적: 집단성원들의 상호원조를 통해 **생활 사건이나 문제에 대한 대처기술을 향상**시키고, **미래에 대한 희망을 촉진**시킨다.

③ 특징: 유사한 상황에 있는 사람들로 구성되어 **유대감 형성이 쉽고, 집단 내 자기개방(또는 자기표출) 수준도 높다.**

예 이혼가정의 취학아동 집단, 암환자 가족 모임, 자녀양육의 어려움을 함께 나누는 한부모집단 등

(2) 교육집단(Educational Group) 必

① 집단성원: 지식, 정보, 기술의 향상이 필요한 사람들

② 집단목적: 집단성원에게 **지식, 정보, 기술을 학습적인 방법을 통해 전달**한다.

③ 특징: 주로 강의 형태로 진행되며, **집단성원 간 자기개방 수준은 비교적 낮은 편이다.**

예 청소년 성교육집단, 예비 부모교육을 받는 미혼 성년 집단, 위탁가정의 부모가 되려는 집단 등

(3) 성장집단(Growth Group) 必

① 집단성원: 타인과 자신과의 차이점을 알고 싶어 하거나 타인의 경험을 통해 성장할 기회를 갖기 원하는 사람들

② 집단목적: 집단성원의 생각이나 감정 등 **내면의 성장(또는 자기인식)을 통해 잠재력을 최대화시키고 심리사회적 건강을 증진**시킨다.

기출 OX

01 치료집단(treatment group)에서는 집단의 공동 목적과 성원 개개인의 목적을 모두 다룬다. ( ) 12. 지방직

02 사회적 목표 모델은 집단성원에게 기술과 정보를 제공할 목적을 가지며, 교육과 강의 중심으로 구성된다. ( ) 22. 지방직

01 ○
02 × '사회적 목표 모델'이 아니라 '교육집단'이 옳다.

③ 특징

㉠ 병리의 치료가 목적이 아니라 **개인의 잠재력 증진과 심리사회적 건강 증진이 목적**이다.

㉡ **집단성원 간 상호작용**이 집단목적을 달성하기 위한 중요한 도구(또는 수단)가 된다.

㉢ **다양한 특성과 배경을 지닌 성원으로 구성할 경우** 집단이질성을 통해 **성장이 강화**될 수 있으나, **유사한 집단성원으로 구성하면** 집단동질성을 통해 **성원 간 감정이입(또는 공감)과 지지가 증진**될 수 있다.

㉣ **높은 수준의 구조화가 치료에 효과적**이다.

㉤ **집단 내 자기개방 수준이 높으며, 개별성원의 자기표출을 긍정적으로 인식**한다.

예 부부를 위한 참만남집단, 청소년을 위한 가치명료화 집단, 여성을 위한 의식고양 집단, 은퇴준비 노인 집단 등

(4) **사회화집단(Socialization Group)** 必

① 집단성원: 사회적 관계에 어려움이 있거나 이를 증진시키고자 하는 사람들

② 집단목적: **사회적 기술을 효과적으로 배우거나 증진**시킨다.

③ 특징: 프로그램 활동, 야외활동, 게임 등의 기법을 활용한다.

④ 종류

사회기술 훈련집단	의사소통능력이 부족하여 만족스러운 사회적 관계를 형성하지 못하는 경우에 활용한다. 예 자기주장 훈련집단 등
자치집단	대외적으로 폐쇄적인 치료공동체 등에서 집단성원들이 자신들의 역할, 책임, 권리 등을 명확히 설정하고자 할 경우에 활용한다. 예 정신병동이나 시설 생활인들의 자치 모임 등
여가집단	여가의 목적, 방법, 시간, 공간 등을 타인과 함께 함으로써 사회적 관계 능력을 증진시키고자 하는 경우에 활용한다. 예 사교춤 등의 여가활동을 포함하는 한부모 집단 등

핵심 PLUS

사회(성)기술훈련(Social Skills Training)

① **사회(성)기술이란 사회화집단에서 활용하는 일종의 대인 관계 기술**이다.

② 따라서 **사회기술훈련**이란 **행동주의적 접근과 사회학습이론에 근거하여 적당한 훈련 방법**(예 모델링, 강화, 과제 제시, 직접적인 지시, 영상물, 행동시연, 역할연습, 코칭, 자기옹호 등)**을 활용**하여 클라이언트의 환경에 대한 영향력을 향상시키고, 적응하게 만드는 것이다.

③ 의사소통기술, 사회인지기술(상대방의 말을 경청하고, 상황을 파악하고, 어떻게 반응해야 하는지를 알 수 있는 능력), 사회 문제 상황에 대한 대처기술 등으로 구성되어 있으며, **정신병원이나 교정시설 퇴소자 등의 사회복귀지원 프로그램에 적용이 가능**하다.

선생님 가이드

❶ 토스랜드와 리바스(Toseland & Rivas)가 구분한 치료집단(Treatment Group)중에 하나로 치료(Therapy, 또는 치유)집단이 있습니다. 쉽게 말해 영어 표현은 분명 각기 다르지만 우리말 번역은 함께 치료집단으로 번역된 것이 통상적이며, 실제 시험에서도 치유가 아닌 치료집단으로 출제되고 있습니다. 주의 바랍니다.

기출 OX

상부상조는 자조집단을 만드는 원리이다. ( ) 18. 국가직

○

(5) **치료(또는 치유)집단(Therapy Group)**❶ 必

① **집단성원:** 심각한 수준의 개인적인 정서적 문제(예 부적응적 사고, 비합리적인 신념 등)와 역기능적인 행동(예 정신질환, 약물중독 등)을 가진 사람들

② **집단목적:** 집단성원의 정서적인 문제의 개선, 역기능적(또는 병리적) 행동의 변화, 개인적인 문제의 개선, **외상 후 상실된 기능의 회복과 재활**을 원조한다.

③ 특징

㉠ 집단 자체의 목적도 중요하지만 집단성원 개개인의 치료적 목적이 매우 중요하므로 **사회복지사는 집단 내에서 일대일 치료 관계**를 맺는다.

㉡ 사회복지사는 인간행동에 관한 전문적인 지식을 갖추고 있어야 하며 **집단 내에서 권위적인 역할**을 해야 한다.

㉢ **치료집단 중 집단 내 자기개방 수준이 가장 높아** 집단성원에 대한 비밀보장이 중요하다.

예 외상 후 스트레스 장애 치유집단, 심리치료를 받는 외래환자 집단, 금연을 원하는 사람들의 집단, 보호관찰 처분을 받은 청소년 집단, 약물중독으로 치료를 받고 있는 집단 등

2. 과업집단과 자조집단

(1) 과업집단

① **집단성원:** 집단의 과업달성을 위해 공동의 관심을 가지고 노력을 추구하는 사람들

② **집단목적:** 집단성원이 공식적으로 설정한 **과업 달성, 즉 문제의 해결책 모색이나 성과물을 산출**한다.

③ 특징

㉠ 성원들이 제시한 아이디어와 의견의 분석, 상명하복, 과업할당, 규칙과 제도 준수 등을 통해 **집단이 성취하고자 하는 과업을 수행**하며, 이를 위해 **조직구조의 영향을 최대화**한다.

㉡ 일반적으로 **자기개방 수준이 낮다.**

예 팀, 위원회, 사회행동집단, 지역사회보장협의체, 사례회의 등

(2) 자조집단(Self-Help Group, 또는 자조모임) 18. 국가직 必

① **집단성원:** 비슷한 관심사를 공유하며 자조 및 상호원조가 필요한 사람들

② **집단목적:** 집단상호 간 **자조적 활동[상부상조(相扶相助)]**을 통해 문제상황에 대처할 수 있는 능력을 향상시킨다.

③ 특징

㉠ 집단성원의 **자율적인 참여를 위해서는 동기부여가 필요**하다.

㉡ **자기노출 정도가 높고,** 따라서 문제의 보편성을 경험할 수 있다.

㉢ 집단 과정 촉진을 위해서 집단성원 간 의사소통이 활성화되어야 한다.

㉣ 집단성원 간 **정보공유, 모델링, 상호지지, 옹호 등의 기능**을 한다.

ⓜ 비슷한 상황에 처해 있는 사람들을 집단성원으로 한다는 측면에서 지지집단과 유사하지만, 지지집단과는 달리 **자발적 형성집단**이므로 **사회복지사는 소극적으로 개입하거나 또는 개입하지 않는다.** 즉 사회복지사의 주요한 역할은 **집단성원이 설정하고 공유하는 목적을 보호하고 지지해 주는 것**이다.

예 AA(익명의 알코올중독자들 모임, Alcoholics Anonymous), 치매노인가족집단, 도박모임, 자폐아동부모집단 등

제4절 집단사회복지실천

회독 Check! 1회 □ 2회 □ 3회 □

1 집단사회복지실천의 개관

1. 집단사회복지실천의 개념 11. 국가직 必

집단성원	**'집단성원'**의 모임을 통해
집단	형성된 **'집단'**을 매개로 하여
목적	개인의 사회적 기능 및 문제해결 능력 증진이라는 실천 **'목표(또는 목적)'**를 달성하고자
전문가(=사회복지사)	**전문가(또는 사회복지사)**가
프로그램 활동	**전문직의 가치, 목적, 윤리에 기초하여 제공**하는 **프로그램** 활동을
장소	집단사회복지실천 **장소**에서 제공함으로서
	집단성원으로 하여금 **의도적인 집단경험을 갖게 하는 목표지향적 사회복지실천 활동**이다.

핵심 PLUS

집단사회복지실천의 6가지 구성요소
① 집단성원
② 집단
③ 전문가(사회복지사)
④ 프로그램 활동
⑤ 장소
⑥ 목적

2. 집단사회복지실천의 기본 원칙

(1) 개별화의 원칙

사회복지사는 **집단전체는 물론 집단성원 개개인의 성장을 돕기 위해 그들의 욕구와 존재 역시도 개별화**시키고, 이에 대응해야 한다.

기출 OX

집단사회복지실천은 사회복지방법론 중 하나이며 사회복지 전문직의 가치, 목적, 원리, 윤리에 기초한다. ( ) 11. 국가직

○

(2) 수용의 원칙

사회복지사는 집단성원을 **있는 그대로 인정하고 받아들여야 한다.** 다만 이것이 범죄행위와 같은 반사회적 행위까지 용납한다는 의미는 아니다.

(3) 참가(또는 참여)의 원칙

사회복지사는 집단성원이 집단 과정에 참가 동기를 가지고 **집단의 주체적 역할을 수행하도록 지지**해야 한다.

(4) 체험의 원칙

집단성원들은 집단 과정에서 **각자 자신의 문제를 해결할 수 있다는 것을 스스로 체험할 때에 능력을 키울 수 있다.** 따라서 사회복지사는 집단성원에게 이러한 체험의 기회를 제공해야 한다.

(5) 갈등해결의 원칙

사회복지사는 **집단성원이 갈등을 스스로 적극적이고 구체적으로 해결하는 것을 경험할 수 있도록 원조**해야 하며, 또한 집단이 직면하는 어려움을 해결하기 위해 **집단에 직접 개입해야 한다.**

(6) 규범의 원칙

사회복지사는 집단 과정의 원활한 수행을 위해서 집단활동에 필요한 **최소한의 규범을 수립하고 집단성원들로 하여금 이를 준수하도록 원조**해야 한다.

(7) 계속평가의 원칙

사회복지사는 **집단 과정을 지속적으로 평가하고 분석**해야 한다.

3. 집단사회복지실천의 치료적 효과 요인

(1) 얄롬(Yalom, 1975년) 必

집단의 치료적 효과란 사회복지사가 "왜 집단을 구성하여 개인을 치료하는가?" 또는 "집단은 개인 치료에 어떤 효과가 있는가?"에 대한 해답으로, 얄롬은 총 11가지의 치료적 요인을 제시하였다.

① 희망주기(또는 희망증진): **문제 해결을 위한 집단의 존재와 집단 과정**을 통해 집단성원에게 문제의 개선 가능성의 희망을 제시해 준다.

② 보편성(또는 일반화): **자신과 유사한 문제를 경험하고 있는 집단성원들을 관찰**하면서 "나만 경험하고 있는 문제가 아니야!"라는 위로감을 형성시켜 준다.

③ 정보전달: 자신과 유사한 문제를 경험하고 있는 집단성원과 이에 대한 지식 등이 풍부한 사회복지사와의 교류를 통해 **문제에 대한 명확한 인식과 해결방법에 대한 모색이 가능**해진다.

④ 이타주의(또는 이타성): 집단성원 간 상호지지를 통해 **"나도 누군가에게 도움을 줄 수 있다."라는 자존감이 형성**된다.

⑤ 초기 가족의 교정적 재현: 집단과 가족의 유사점, 즉 **집단 사회복지사는 마치 부모처럼, 다른 집단성원은 형제자매처럼 역할**을 하여, 이를 통해 집단성원은 이전 가족 관계에서 해결되지 못한 갈등상황에 대한 탐색 및 도전의 기회를 제공받는다.

⑥ 사회화 기술의 발달: 집단성원 간 피드백 등을 통해서 **기능적인 사회화 기술**❶**을 습득**할 수 있다.

⑦ 모방행동: **기능적인 집단사회복지사와 집단성원의 생각이나 행동을 관찰학습**하여 역기능적인 생각이나 행동을 기능적으로 수정할 수 있게 해준다.

⑧ 대인 관계 학습: 집단성원 간 상호작용을 통해 자신의 대인 관계 양상 및 지향하는 관계형성에 대한 통찰이 가능해지고, **새로운 대인 관계 방식을 시험**할 수 있게 된다.

⑨ 집단응집력: 집단성원 간 상호작용으로 형성된 소속감을 통해 **위로와 용기를 제공**받을 수 있다.

⑩ 정화(또는 카타르시스): 집단성원 간의 유대감으로 형성된 비교적 안전한 분위기를 집단성원에게 제공하여 그동안 억압되었던 감정을 자유롭게 발산시키고, 이를 통해 **감정의 정화를 경험**하게 해준다.

⑪ 실존적 요인: "어떠한 원조가 있을지라도 **자기 인생의 책임자는 궁극적으로 자기 자신이라는 확신**"을 습득하게 해준다.

선생님 가이드

❶ 사회화 기술이란 대인 관계에 있어서의 일상적인 관습적 행동, 즉 자기를 소개하는 것, 상대방을 존중하는 태도로 대화하는 것, 약속 시간을 지키는 것, 다른 사람의 말을 막지 않고 경청하는 것 등을 말합니다.

(2) 말레코프(Malekoff, 1997년)

말레코프(Malekoff)는 **집단 역동성의 치료적 효과와 이에 따른 집단사회복지실천의 장점**을 9가지로 제시하였다.

① 상호지지: 집단성원간 지지를 통해 서로 도움을 주고받는 것이 가능하다.

② 일반화: 집단성원의 문제가 집단 내 상호 공통된 관심사가 되어 집단성원으로 하여금 자신의 문제를 객관화시켜 볼 수 있게 하고, 문제가 자신만의 것으로 여겨져 소외감을 갖던 집단성원이 자신만이 아닌 **집단성원 전체의 문제라는 인식을 갖게 되어 공동체 의식을 가질 수 있다.**

③ 희망증진: 집단성원들이 집단을 매개로 하여 문제의 해결점을 함께 찾아가면서 스스로 문제해결능력이 있음을 깨닫게 된다.

④ 이타성 향상: 집단 과정을 통해 자신도 집단성원에게 도움을 줄 수 있다는 것을 깨닫게 되면서 **독립적인 자신으로 성장시킬 수 있게 된다.**

⑤ 새로운 지식 및 정보 습득: 외부에서는 금기시되거나 차단될 수밖에 없는 주제와 정보를 집단 내에서 자유롭게 공유하고, 교환하면서 새로운 기술을 실험해 볼 수 있는 기회를 가질 수 있다.

⑥ 집단의 성장 및 소속감: 집단성원간 유사한 문제를 공유하고, 동등한 기회를 제공받으며, 집단의 목표 달성에 함께 노력하게 되어 집단은 성장되고, 성장되는 집단 속에서 강력한 소속감도 발전시킬 수 있다.

⑦ 정화: 집단성원들은 자신의 문제에 대한 불안, 감정, 희망 등을 공유하기 때문에 심리적 정화가 가능하고, 심리적 정화가 이루어진 상태에서 자신의 문제를 보다 객관적으로 해결할 수 있는 기회를 제공받을 수 있다.

⑧ 재경험의 기회제공: 역기능적인 경험을 재현할 뿐 아니라 집단성원 간 역동성 속에서 역기능을 경험하기도 하는 등, 집단 내 상호작용 과정에서 **그동안 해결되지 않은 원가족과의 갈등에 대해 탐색하고 행동패턴을 수정하여 성장할 기회를 가질 수 있다.**

⑨ 현실감각의 테스트효과: 집단성원간 자신들의 생각이나 가치를 서로 주고받는 과정에서 잘못된 생각이나 가치를 고쳐나갈 수 있다.

4. 집단사회복지 실천모델

- 집단사회복지실천 모델은 집단 대상 사회복지실천을 수행하는 사회복지사에게 실천의 목표와 방법 등을 제시해 준다.
- **파펠과 로스만**(Papell & Rothman)은 집단사회복지 실천모델로 **사회적 목표모델, 치료모델, 상호작용모델** 등 3가지를 제시하였다.

(1) 사회적 목표모델(Social Goals Model) 11. 국가직, 22. 지방직 必

① 목표: 지역 사회 내 민주주의 확산을 통해 능력 있는 시민, 즉 **사회적 의식과 책임감이 있는 민주시민을 육성**하는 것이다.

② 인간관: **사회적 이득**을 위해 집단에 참여하는 인간

③ 활용: 범죄, 빈곤, 환경 등 지역 사회 문제 해결

④ 특징: 토론, 합의, 참여, 집단과제, 실제행동 등 **민주적 절차와 과정을 중시**한다.

⑤ 사회복지사의 역할: 집단 내에 민주적 절차의 개발 및 유지를 위해 영향력을 끼치는 자 또는 바람직한 역할모델 제시자

⑥ 집단크기의 확장성: 개방적이며, 따라서 **전문가에 의한 통제가 이루어지는 치료모델보다 그 규모가 더 크다.**

⑦ 실천 장소: 지역사회복지관, 시민조직 등

예 청소년 유해환경 감시단, 보이스카우트, 지역사회환경 감시단 등

(2) 치료모델(Remedial Model) 必

① 목표: **집단성원의 행동변화**, 즉 **역기능적 행동을 하는 개인을 치료**하는 것이다.

② 인간관: 지식과 기술을 가진 전문가를 통한 **치료를 원하거나 또는 이러한 치료가 필요한 인간**

③ 활용: 개인의 역기능적인 행동을 치료하기 위해 임상에서 활용한다.

④ 특징: **집단을 개인 치료의 수단으로 이해**한다, **정해진 목표를 달성하기 위해 구조화된 개입**을 한다, 전문가의 역할과 능력을 중시한다.

기출 OX

01 집단사회복지 실천모델 중 사회적 목표모델에서는 집단사회복지사가 집단 내의 민주적 절차를 개발하고 유지하는 역할을 한다. ( ) 11. 국가직

02 치료 모델에서는 개인의 치료와 재활을 위한 도구로 집단을 활용한다. ( ) 22. 지방직

03 치료 모델은 사회적 기능 수행상 문제가 있는 개인의 회복을 위해 임상에서 사용된다. ( ) 22. 지방직

04 상호작용 모델은 집단성원 간의 공생적이며 상호적인 관계를 통해 문제를 해결하는 것에 초점을 둔다. ( ) 22. 지방직

01 ○
02 ○
03 ○
04 ○

⑤ 사회복지사의 역할: 변화매개자

⑥ 집단크기의 확장성: 전문가에 의한 강제적 통제가 이루어진다.

⑦ 실천 장소: 교정시설, 정신병원, 지역사회복지관, 병원 등
예 치유집단 등

(3) 상호작용모델(Reciprocal Model) (必)

① 목표

㉠ **장기적 목적은 개인과 사회의 조화**이다.

㉡ 그리고 목표는 **개인의 문제해결을 위한 상호원조체계의 개발(또는 구축)**, 즉 집단성원 간의 공생적이며 상호적인 관계를 통해 문제를 해결하는 것이다. 단, 이러한 목표는 집단성원간의 상호작용 과정 중 집단지도자와 집단성원 간의 협력을 통해 설정한다. 다시 말해 **집단활동이 이루어지기 전에는 구체적인 집단목표가 설정되지 않는다.**

② 인간관: 사회체계와 상호작용(또는 의존)하는 인간

③ 활용: 개인의 정신건강 증진과 지역 사회 참여

④ 특징: **사회적 목표모델과 치료모델을 혼합형 형태**로, 성장에 대한 잠재력을 강조하고, 상호원조를 통한 집단성원의 적응능력 향상을 유도하는 등 **인본주의적 접근**을 한다.

⑤ 사회복지사의 역할

중재자	**집단성원과 집단이 상호원조체계가 될 수 있도록 원조**한다.
조력자	**집단성원들이 상호원조체계를 형성할 수 있도록 원조**한다.

⑥ 집단크기의 확장성: 집단성원 간 동의에 따라 자유로운 가입이 가능하다.

⑦ 실천 장소: 지역사회복지관 등의 사회복지시설 등
예 지지집단, 자조집단

핵심 PLUS

집단프로그램 선택 시 고려해야 할 사항

① **집단성원의 수준**: 집단 프로그램 활동은 **집단성원들의 욕구, 기술, 신체적 활동 능력 등의 다양한 수준을 고려해서 선택**되어야 한다.

② **시기의 적절성**: 집단 프로그램 활동은 **사회복지사의 강요로 갑작스럽게 진행되는 것이 아닌 집단성원들이 필요로 할 때에 집단 과정에 맞추어 자연스럽게 적용**되어야 한다.

③ **적합성**: 새로운 집단 프로그램 활동은 집단성원들에게 이전에 해보지 못한 새로운 행동을 요구할 수 있다. 그러나 **그 행동은 성원들에게 충격을 줄 정도로 새롭지는 않아야 하며, 더불어 집단규범에 위배되지 않고 적합해야 한다.**

④ **집단성원의 동의**: **집단성원은 집단 프로그램 활동에 자발적으로 참여할 수 있어야 한다.** 즉 참여를 거부하는 집단성원의 의사는 존중되어야 한다.

⑤ **수행의 안전성**: 아무리 효과적인 집단 프로그램 활동일지라도 프로그램 진행 중 집단성원에게 신체적 · 심리적 위해가 된다면 그 적용은 고려되어야 한다.

2 집단지도자의 역할과 집단지도력

1. 집단지도자의 역할 11. 국가직

(1) 조력자(Enabler, 또는 조성자)

개입 과정 중 가장 중요한 집단지도자의 역할로, 집단성원들이 **집단목표 달성과 관련된 계획과 활동에 있어서 자신의 감정과 관심사를 표현하도록 격려하는 역할**이다.

(2) 중재자(Mediator)

집단성원 간 갈등이나 상반되는 관점으로 인해 분쟁이 발생할 경우 **'중립적 입장으로 개입하여' 협상 또는 타협을 이끌 수 있도록 원조하는 역할**이다.

(3) 중개자(Broker)

문제해결과 관련된 **지역사회의 자원이나 서비스를 집단성원에게 연결(또는 연계)하는 역할**이다.

(4) 옹호자(Advocate)

집단지도자의 중개자로서의 역할이 성공을 거두지 못하였거나 주변의 환경이 집단성원들의 욕구와 상충하는 경우, **집단성원의 입장에서 집단성원을 대변하는 역할**이다.

(5) 교육자(Educator, 또는 교사)

집단성원들에게 문제해결에 필요한 새로운 정보를 제공하고, 행동모델이 되어 주는 역할로, 집단지도자는 인간행동에 관한 지식과 기술, 그리고 다양한 시각적 · 청각적 교육 방법을 활용해야 한다.

(6) 촉진자(Facilitator)

집단 내에서는 집단성원 간 상호작용 강화와 정보교환을 촉진시키고, 집단 간에는 연결망을 강화시켜 궁극적으로 **집단체계를 효과적으로 유지 및 강화시키는 역할**이다.

2. 집단지도력

(1) 개념

집단지도자가 집단성원들과의 의사소통을 이용해 집단 목표를 달성하고자 사용하는 **집단성원에 대한 영향력**을 말한다.

(2) 지도력 발휘의 조건

① 감정이입 등 민감성을 유지한다.

② 열린 관점에서 집단성원을 이해한다.

③ 개별성원들에게 공평한 관심을 표현한다.

④ 집단 목표 달성이라는 방향성을 유지한다.

⑤ **지명된 지도력과 위임된 지도력의 협력을 유도**한다.

기출 OX

집단사회복지사는 집단 전체와 개별성원이 목적을 달성하도록 돕기 위해 중개자(broker), 중재자(mediator), 교육자(educator)의 역할을 수행할 수 있다. ( )

11. 국가직

○

(3) 공동지도력

① 개념: **한 집단 과정 중에 2명 이상의 집단지도자가 집단지도력을 발휘하는 경우**를 말한다.

② 장점과 단점

장점	단점
㉠ **지도자의 소진(Burn-Out)을 예방**할 수 있다. ㉡ 지도자의 역할분담이 가능하다. ㉢ 모임에서 한 지도자가 정서적으로 격앙된 경우 공동지도자와 함께 이런 정서적 문제에 관해 탐색해 볼 수 있다. ㉣ **지도자의 역전이를 방지**할 수 있다. ㉤ 경험이 없는 **초보 지도자에 대한 훈련이 가능**하다. ㉥ 지도자의 **전문적인 성장을 도모**할 수 있다. ㉦ 클라이언트가 다양한 갈등해결 방법을 모델링할 수 있다.	㉠ 지도자 각각의 역할에 대한 조정이 안 될 경우 의사소통 문제로 갈등이 발생할 수 있다. ㉡ 공동지도자 간에 화합할 수 없으면 집단이 양극화될 수 있다. ㉢ 지도자 간 권력다툼, 갈등, 경쟁 관계가 발생할 수 있다. ㉣ 집단 과정 운용에 비용이 많이 든다.

3 집단역동성(Group Dynamics, 또는 집단역학, 집단역동)

1. 개념

집단성원들의 상호작용 과정 중에 발생하는 힘으로, 집단 대상 사회복지실천을 하는 데 있어서의 **개입의 효과를 달성하는 원동력이 된다.**

2. 구성요소 12. 지방직, 17. 지방직(추가)

(1) 의사소통 유형

① 집단성원들의 **언어적 또는 비언어적인 상호작용의 형태**를 말한다.

② 유형

집단 중심형	㉠ **집단성원들이 자유롭게 서로 의사소통을 하는 유형**으로, 일반적으로 **가장 바람직한 형태의 의사소통 유형**이다. ㉡ 집단 과정을 촉진시키고, 집단 사기가 높아지는 장점이 있다. ㉢ 반면, 집단목적에 벗어난 의사소통이 주가 될 경우 집단의 목표달성을 방해할 수도 있다.
집단지도자 중심형	㉠ 집단지도자를 통해서 성원들이 의사소통하거나 지도자가 집단성원 중 한 사람과 의사소통하는 것을 **다른 성원들이 지켜보는 유형**이다. ㉡ 집단성원들 간의 자유로운 상호작용을 방해하여 의사소통의 기회를 제한시킬 수 있다.

③ 집단지도자가 집단의 상호작용 유형을 이해하고, 개입하는 데 있어서의 **첫 단계는 집단성원들이 모여서 의사소통하는 것을 인식하는 것**이다.

기출 OX

집단 목표달성 및 결속감 강화에 부정적인 영향을 미치므로 집단역동성(group dynamics)이 생기지 않도록 개입해야 한다. ( ) 12. 지방직

× '생기지 않도록'이 아니라 '생기도록'이 옳다.

④ 의사소통을 통한 집단성원들의 상호작용은 집단 내 상호작용 유형을 결정하는 중요한 요인이 된다.

⑤ 집단지도자는 **집단성원 간에 '솔직하고 직접적인 의사소통'이 이루어지도록 원조**해야 한다.

(2) 집단목적

① 집단의 목적은 집단성원의 선별과 발달, 집단의 규범, 집단활동 그리고 의사소통 유형 및 집단성원과 집단의 평가 기준에 영향을 미친다.

② 개별성원의 목적과 집단 전체 목적의 일치 여부에 따라 집단역동이 달라질 수 있다. 즉, **개별성원의 목적과 집단 전체의 목적이 일치할 경우 집단역동이 활성화**된다.

③ 집단지도자는 집단성원들이 자신들의 다양한 목적을 파악하고, 이를 명백히 규정하며, 개개인의 특정한 목적 안에서 공통의 목적과 참여 동기를 찾을 수 있도록 원조해야 한다.

(3) 집단응집력(또는 집단결속력) (必)

집단 내에서 각자의 개성을 표현할 수 있고, **충분한 친밀감을 허용하는 서로 간의 유대 또는 유착(Bond)**으로, 일반적으로 **'우리'라는 강한 일체감 또는 소속감**이며, 강할 경우 집단성원들 사이에 상호 의존하려는 경향이 강해진다.

핵심 PLUS

집단응집력

① 집단응집력 향상의 장점
- **집단성원들 간 상호작용이 활발**해진다.
- 집단성원들 간 관계가 비경쟁적, 협력적이 된다.
- 집단성원의 집단에 대한 만족도가 높아진다.
- 집단성원들 사이에 상호원조가 잘 이루어져 **집단의 치료적 효과를 향상**시킨다.
- **집단 내 성원의 자기노출에 대한 저항감을 감소**시킨다.

② 집단응집력 지표
- 집단성원의 자발적인 참여도
- 집단성원의 모임시간 엄수 정도
- 집단성원 간 상호 신뢰할 수 있는 집단으로 만들기 위한 노력 정도
- 다른 집단성원에 대한 수용, 지지, 경청, 보살피려는 노력 정도

③ 집단응집력 향상을 위한 지침(또는 전략)
- **가급적 동질적 집단으로 구성**한다.
- **공개적인 집단 토의와 프로그램 활동 등을 적극적으로 활용**하여 집단성원 간 상호작용을 촉진시킨다.
- 집단성원이 **흥미있어 하는 프로그램 활동을 일정에 포함**시킨다.
- **집단성원 간 원활한 피드백을 교환할 수 있도록 지지**한다.
- **사회복지사가 집단응집력의 모델**이 된다.
- 집단에 대한 **자부심을 고취**시킨다.
- 집단성원으로서의 **책임성을 강조**한다.
- 집단성원 간 **다른 인식과 관점을 수용, 지지, 경청, 인지하도록 원조**한다.
- 집단 참여를 통해 얻게 되는 **보상, 자원 등을 제시하고 또한 제공**한다.
- 개별성원의 변화하려는 시도와 기능적인 행동을 습득하기 위해 노력하는 모습에 대해 집단성원들이 **지지하고 격려하는 분위기가 형성**되도록 한다.
- **집단성원 간 협력적 관계를 형성**할 수 있도록 원조한다.

기출 OX

집단응집력은 '우리'라는 강한 일체감 또는 소속감을 의미한다. ( )

17. 지방직(추가)

○

- **집단성원의 기대와 집단의 목적을 일치**시킨다.
- 집단 내 인정과 소속감을 향상시킨다.
- 집단성원들로 하여금 자신들이 **집단의 목표를 달성할 수 있는 유능한 존재라는 것을 인**식시킨다.

(4) **하위집단**

① 집단성원 간에 공통적인 관심사나 매력, 정서적 유대감에 의해 **2명 이상의 집단성원으로 형성된 '집단 내 집단'**으로, **하위집단이 생기는 것은 집단 과정 중 발생하는 필연적인 현상**이다.

② 보통 **집단 초기단계에서 나타나며**, 하위집단 간에는 경쟁, 갈등, 협력 등의 상호작용이 이루어진다.

③ **장점**: 전체집단의 목표달성과 관련된 일종의 안전망 기능을 할 수 있고, **규모가 큰 집단의 경우, 집단응집력을 향상시키는 데에도 기여**할 수 있다.

④ **단점**: 둘 이상의 하위집단이 서로 경쟁하고 집단 내 분파를 조장하여 **집단응집력을 저해시킬 가능성이 있다.** 따라서 **집단지도자는 발생할지 모르는 하위집단의 이러한 부정적인 영향을 파악**해야 한다.

⑤ 집단지도자는 하위집단에 대해 수용적인 태도를 가져야 하며, 궁극적으로 하위집단이 집단목표 달성에 유리하게 작용하도록 원조해야 한다.

⑥ 하위집단을 파악하는 방법은 의사소통의 질, 집단성원 간의 어울림 등을 관찰함으로써 가능하며, **소시오그램(Sociogram)이나 소시오메리트를 통해 측정과 분석이 가능**하다.

(5) **대인관계**

집단성원 간 인간적 상호작용에서 발생하는 관심과 흥미의 정도로, **이타적이지 못하면서 자기애적인 대인관계를 갖는 성원**이 있을 수 있는데, 집단지도자는 집단의 활성화나 생존을 위해서 집단성원들이 **개별적이고 자기중심적이기보다 집단중심적이고 집단에 통합된 행동과 생각을 보일 수 있도록 원조**해야 한다.

(6) **집단문화**

① 집단성원들이 공통적으로 가지는 가치, 신념, 관습, 전통 등으로, 대부분의 집단성원들은 자신의 경험이나 종교 등으로부터 고유의 문화를 집단으로 가져오게 되고, **이러한 개별적인 문화가 상호작용 과정에서 섞여서 집단문화가 형성**된다.

② **집단성원이 동질적일수록 빠르게, 이질적일수록 느리게 형성**된다.

③ 집단문화는 **일반적으로 서서히 발달**한다. 단, **일단 형성되고 나면 변화가 어려운 경향**이 있다.

(7) 가치와 집단규범(또는 집단규칙)

① 집단 내에서 **집단성원이 따라야 할 적절한 행동에 대한 집단성원들 간의 합의**로, 집단성원의 가치판단을 통해 구체화된다.

② 집단규범은 집단을 통제하는 데 있어 중요한 역할을 하며, 또한 집단규범이 **집단내부를 통제하므로 외적 통제의 수준을 감소**시킬 수도 있다.

③ 기능적 집단규범과 역기능적 집단규범

기능적 집단규범	㉠ 자신의 개인적인 것들을 자발적으로 드러낸다. ㉡ 지도자를 존경심으로 대하고 지도자의 투입을 진지하게 생각한다. ㉢ 성원들에게 집단토론에 참여하게 하고 그 집단의 중심이 될 수 있는 동등한 기회를 부여한다.
역기능적 집단규범	㉠ 피상적인 주제에 대한 토론만 계속한다. ㉡ 위험을 회피하고 자기 폐쇄적이다. ㉢ 기회가 있을 때마다 지도자를 괴롭히거나 비판하고, 불평한다. ㉣ 문제를 불평하는 데 시간을 보내고 그것을 해결하는 데 필요한 에너지를 쏟지 않는다. ㉤ 공격적인 성원들이 그 집단을 지배하게 내버려둔다. ㉥ 감정적으로 긴장되었거나 미묘한 주제에 대해 말하지 않는다. ㉦ 장애물을 무시하고 집단 문제에 대해 이야기하는 것을 회피한다.

④ 집단지도자는 집단으로 하여금 **집단성원의 가치가 반영된 기능적 집단규범을 제정**하고 집단성원으로 하여금 이를 따르도록 원조해야 한다.

(8) 지위와 역할

① 지위란 집단 내의 다른 성원들과의 **'위계 관계'에서 개별 성원이 차지하는 서열적 위치**로, 지위에 따라 집단 내에서 개별 구성원의 역할, 권한, 권위, 책임, 의무 등이 결정된다.

② 지위의 종류에는 **귀속지위와 성취지위**가 있다.

귀속지위	**천부적으로 부여받은 사회적 지위**를 말한다. 예 라오스에서 이주한 여성 등
성취지위	**후천적인 노력의 결과로 얻게 되는 사회적 지위**를 말한다. 예 지도자, 전문가, 관리자 등

③ 역할이란 **지위에 따라 집단 내에서 수행하기를 기대하거나 또는 수행하는 구체적인 기능과 관련된 집단성원의 활동(또는 행동)**을 말한다.

④ 집단지도자는 **집단성원이 다양한 지위와 역할을 경험하도록 원조**해야 한다.

(9) 긴장과 갈등

① 집단 과정 중 발생하는 **집단성원 간의 상호 이해 정도의 차이**로, 집단성원들 간에는 **다양한 형태의 긴장 및 갈등 관계가 형성**될 수 있다.

② 긴장과 갈등이 집단에 항상 부정적인 영향을 미치는 것은 아니다. 오히려 **집단은 긴장과 갈등을 건설적으로 해결할 때 더욱 성장**할 수 있다. 그러나 긴장과 갈등이 오랜 기간 지속되거나 심각해지면 집단성원들의 심리적인 분열과 심리사회적 기능의 와해를 야기할 수도 있다.

기출 OX

집단문화는 특정 성원이 집단 내에서 수행해야 할 구체적인 과업이나 기능과 관련된 행동을 의미한다. ( )

17. 지방직(추가)

× '집단문화'가 아니라 '역할'이 옳다.

4 집단 발달 단계

1. 개관

(1) 개념

시간의 흐름에 따라 발생하는 집단의 변화 과정을 말한다.

(2) 단계

일반적으로 집단은 **'준비 → 초기 → 사정 → 중간 → 종결'의 5단계**에 걸쳐서 발달한다.

2. 준비 단계(또는 집단 계획 단계, 시작 단계, 집단 구성 단계) 22. 국가직, 12. 지방직

집단이 형성되기 이전에 사회복지사가 '집단을 계획'하는 단계로, 아직 집단성원의 첫 회합이 이루어지지 않은 상태이며, 주요과업은 다음과 같다.

(1) 집단 목표(또는 목적) 및 필요성 정하기

① 준비단계의 집단 목표(또는 목적)와 집단의 필요성은 명확하게 설정되어야 한다.

② 단, **집단 목표는 초기 단계에 들어서서 집단지도자와 집단성원 간의 합의 하에 그 내용이 수정**될 수 있다.

③ 집단 목표 달성과 관련하여 **종결 후 진행될 평가계획도 역시 수립**해야 한다.

(2) 집단 구성하기(또는 집단성원의 선발절차 정하기) 必

집단 목표(또는 목적)에 따라 집단을 구성한다.

① **동질성과 이질성**: 집단성원의 참여동기, 문제 유형, 인구학적 특성과 같은 기준에 따라 **동질성과 이질성의 균형을 고려**해야 한다.

동질성	㉠ 동질성이란 **집단성원들의 참여 동기, 문제 유형, 인구학적 특성 간의 유사 정도**를 말한다. ㉡ 동질성을 높이기 위해서는 **사전에 집단성원의 욕구 수준을 파악**해야 한다. ㉢ 동질성이 높으면 집단성원 간 의사소통을 원활하게 하여 **공감대 형성을 증진시키며, 집단성원에 대한 매력과 집단소속감을 높여 집단응집력, 즉 구성원 간의 관계를 증진시키고 방어와 저항이 줄어든다.** ㉣ 단 **지나치게 동질적일 경우에는 집단발달에 부정적으로 작용**할 수 있다(예 음주운전 가해자들을 대상으로 한 교육집단이 가해자들만으로 구성되었을 경우 자신들의 행위를 정당화하려 할 수 있다).
이질성	㉠ 이질성이란 **집단성원들의 주요 특성에서의 차이 정도**로, 집단성원들의 다양한 인생경험, 대처능력 등은 상호 학습 효과를 발생시킬 수 있다. ㉡ 단, 지나치게 이질적인 경우 집단목적을 흐릴 수 있다(예 조현증을 앓고 있는 성원들을 대상으로 한 치유집단에 우울증 환자가 포함된 경우 집단 프로그램의 적용 등에 있어서 문제가 될 수 있다).

기출 OX

01 집단 초기 단계에는 집단의 구성, 지속 기간, 회합빈도를 결정한다. ( ) 12. 지방직

02 집단구성원의 이질성은 집단 초기부터 집단구성원에 대한 매력을 높여 구성원 간의 관계를 증진시키고 방어와 저항을 줄인다. ( ) 12. 지방직

03 집단초기단계에서는 집단구성원의 선발 절차를 정한다. ( ) 22. 국가직

01 × '초기 단계'가 아니라 '준비 단계'가 옳다.
02 × '이질성'이 아니라 '동질성'이 옳다.
03 × '집단초기단계'가 아니라 '집단준비단계'가 옳다.

② 집단의 유형

㉠ **치료집단의 경우 지지 · 교육 · 성장 · 치료(또는 치유) · 사회화 집단으로 할 것**인지, **과업집단이나 자조집단으로 할 것인지**를 정한다.

㉡ **구조화 · 비구조화 · 반구조화 집단의 유형 선택도 고려**해야 한다.

<table>
<tr><td>구조화 집단</td><td>사전에 이미 정해진 목표, 과정, 내용, 절차에 따라 집단지도자가 집단 과정을 이끌어 가는 집단을 말한다.</td></tr>
<tr><td>비구조화 집단</td><td>• 사전에 정해진 집단활동이 없고, 집단성원 개개인의 관심과 경험에 따라 상호작용하는 집단을 말한다.
• 구조화 집단에 비해 집단성원에게 깊고 폭넓은 자기탐색의 기회를 제공할 수 있지만, 능력과 경험을 갖춘 집단지도자만이 집단 과정을 진행할 수 있으며, 집단성원의 자발성이 크게 요구되는 한계를 가지고 있다.
• 감수성 집단이나 참만남 집단 등이 대표적이다.</td></tr>
<tr><td>반구조화 집단</td><td>구조화 집단과 반구조화 집단을 혼합한 형태로, 시작은 비구조화집단의 형태로 운영하되, 필요에 따라(예 집단 과정 중 집단성원의 저항이나 갈등이 발생하는 경우) 구조화 집단에서 사용하는 집단활동을 활용하는 집단을 말한다.</td></tr>
</table>

㉢ 집단의 개방 수준을 고려하여 **개방형 집단과 폐쇄형 집단으로 운영**할 수 있다.

<table>
<tr><td>개방형 집단
(Open-End Group)</td><td>• 집단 과정 중 신입 성원이 집단에 참여(또는 입회)할 수 있는 집단을 말한다.
• 장점과 단점
<table>
<tr><th>장점</th><th>단점</th></tr>
<tr><td>다양한 집단성원의 참여를 유도하여 새로운 정보와 자원의 유입이 용이하다.
- 새로운 집단성원의 참여는 집단과 집단성원들에게 자극이 될 수 있다.
- 집단 가입과 탈퇴 조건이 유연하다.</td><td>- 집단의 안정성을 해치거나 집단응집력을 약화시킬 수 있다.
- 신입 성원이 집단에 소속감을 갖기가 어려울 수 있다.
- 집단지도자가 집단 발달 단계를 예측하는 것이 어려울 수 있다.</td></tr>
</table>
• 개방형 집단이 적합한 경우
- 생활시설이나 병원 등에서 운영되는 치료집단(집단성원이 치료를 마치고 퇴원을 하여 집단에 여석이 생길 경우 새로운 성원이 집단에 합류할 수 있다)
- 자조집단
- 위기상황(위기상황에 처해 있는 사람들은 위기 해결을 위한 새로운 집단이 형성될 때까지 기다릴 필요 없이 언제든지 기존 집단에 참여할 수 있어야 한다)</td></tr>
</table>

<table>
<tr>
<td>폐쇄형 집단
(Close-End
Group)</td>
<td>• 집단 과정 중 신입 성원이 집단에 참여(또는 입회)할 수 없는 집단을 말한다.
• 장점과 단점
<table><tr><th>장점</th><th>단점</th></tr><tr><td>- 집단성원의 역할과 집단규범이 안정적인 집단연속성을 높일 수 있다.
- 집단응집력이 강하다.</td><td>- 다수의 성원이 탈퇴할 경우 나머지 성원에게 미치는 심리적 영향이 클 수 있다.
- 새로운 정보나 내용이 없을 경우 지루해질 수 있다.</td></tr></table>• 폐쇄형 집단이 적합한 경우
- 교육집단(동일한 집단성원들로 시작하고 종결함으로써 집단성원들의 성과를 강화할 필요가 있다)
- 미혼모집단
- 심리 · 정신치료집단 등</td>
</tr>
</table>

③ 집단의 크기

㉠ 집단의 크기란 **집단을 구성하고 있는 집단성원의 수**로, **집단 목표달성과 상호작용 촉진을 위해 융통성 있게 정해져야 한다.** 즉 집단성원의 연령과 기능 수준, 과거 집단 과정의 경험 유무, 집단 유형, 집단성원의 문제나 관심사에 따라 **목적을 달성할 만큼 작고 경험의 다양성을 제공할 만큼 크게 구성하는 것**[❶]**이 좋다.**

㉡ 집단의 크기가 클 경우에는 다음과 같은 장 · 단점이 있다.

장점	단점
• 아이디어, 기술, 자원 등을 상대적으로 더 많이 확보할 수 있다. • 집단성원 간 상호학습기회가 커지고, 서로 간에 지지, 피드백, 우정 등을 위한 기회가 커진다. • 한두 명 정도 빠져도 문제가 생기지 않는다. • 의미 있는 상호작용을 하기 위해 필요한 최소 수준이 평균 이하로 떨어질 위험이 적다. • 말을 하거나 행동을 하는 데 압력을 덜 받는다.	• 각각의 집단성원들이 주목받을 수 있는 확률이 적어진다. • **집단성원의 참여의식이 감소한다.** • **사회복지사의 통제와 개입이 어려워진다.** • 가까운 상호작용이 어렵다. • 집단을 저해하는 하위집단이 생길 위험이 있다. • 침묵하는 성원의 철회 등을 조장하게 된다. • 집단성원이 빠지는 데 대해 상대적으로 덜 의식하게 된다. • 응집력 형성과 의견 일치가 어렵다.

④ 회합의 빈도와 시간

㉠ **집단성원의 주의집중능력을 고려해서 욕구나 문제를 다루기에 적절한 수준으로 계획**되어야 한다.

㉡ 일반적으로 주 1회 1~2시간 정도가 적당하지만, 아동이나 청소년의 경우 지속시간이 길어지면 산만해지기 때문에 조금 짧게(주2회기, 매회기 당 30분 정도) 운영해야 한다.

선생님 가이드

❶ 보통 소집단의 경우 집단의 크기는 5~12명 정도가 적당합니다. 그 수가 너무 적으면 상호작용이 다양하지 못하고, 혹 집단 과정 중 이탈하는 성원이 발생할 경우 정상적인 집단활동이 어려워져 남은 성원들에 대한 집단 참여 압력이 커질 수 있습니다. 참고로 일반적으로 7~8명 정도가 직접적인 상호작용이 일어날 수 있는 가장 이상적인 집단의 크기로 여겨집니다.

⑤ 집단(모임)의 지속 기간

㉠ 집단응집력과 신뢰감을 발달시킬 수 있을 만큼, 즉 집단 목표를 달성할 만큼 **충분한 회기로 계획**해야 한다.

㉡ 시간제한적 집단과 지속적 집단

시간제한적 집단	• **집단 과정의 종결 시점이 정해져 있는 경우**로, 약 20회기 내외로 운영되는 것이 적당하다. • 정해진 기간 내에 집단 목표 달성을 위해 노력하게 되므로 생산적이다.
지속적 집단	• **집단 과정의 종결 시점이 정해져 있지 않은 경우**이다. • 집단목표 달성을 위한 충분한 시간이 있지만, 시간제한적 집단에 비해 **생산적이지 못하고, 집단성원들의 집단에 대한 의존성이 증가할 수 있다.**

⑥ 집단모임을 위한 공간

㉠ 집단의 정서적 안정감을 높이기 위해 쾌적하고, 비밀이 보장되는 장소를 선정해야 한다.

㉡ 집단상담을 할 경우에는 가능하면 원형으로 서로 잘 볼 수 있는 공간을 만들 수 있는 장소가 바람직하다.

(3) 집단활동 계획서 작성 및 기관장 및 관련체계의 승인 얻기

집단의 필요성과 목적, 집단의 구성, 집단성원의 선발 및 홍보방법, 공동집단지도자의 유무 등을 정하여 집단활동 계획서를 작성하고, 기관장 및 관련체계의 승인을 얻는다.

(4) 잠재적 성원 모집하기

① 집단성원이 될 수 있는 잠재적인 성원들을 확인하여 관련된 **정보를 수집한 후 모집계획을 수립하고 홍보하여 모집**한다.

② **모집 방법**: 직접적인 접촉, 안내문 게시, 미디어 매체(예 신문, 라디오, TV 등)를 통한 홍보, 인쇄물 배포 등

핵심 PLUS

집단활동에 적합하지 않은 사람(Corey)

① 극도의 위기상태에 있는 사람
② 자살 가능성이 높은 사람
③ 의심이 매우 많은 사람
④ 타인을 지배하려는 욕구가 너무 강한 사람
⑤ 지나치게 적대적이고 공격적인 사람
⑥ 매우 자기중심적인 사람
⑦ 자아가 지나치게 약해서 상처를 쉽게 받는 사람 등

(5) **개별적인 사전면접 실시하기**

① 개별적인 사전면접이란 집단성원의 회합 전에 **모집된 개별성원들 각자에 대해 실시하는 면접**으로, 이때 **집단 과정에 대한 개별성원과의 계약이 진행**[1] **될 수도 있다.**

② 목적 및 주요 과업

㉠ **관계를 형성**한다.

㉡ **집단 과정에 대한 개요를 설명**한다.

㉢ 집단 과정에 참여를 하면 얻을 수 있는 효과와 집단성원에게 기대되는 행동을 설명한다.

㉣ 집단성원들이 집단 내에서 보다 쉽게 개방적이 되도록 돕는다.

㉤ **집단성원의 개별적인 관심사를 찾는다.**

㉥ **집단성원으로부터 추가정보를 얻어 개입의 방향을 조정**한다.

㉦ 집단성원에 대한 사전지식을 확보하여 집단 내 행동의 의미를 빠르게 파악한다.

㉧ 잠재적 성원이 집단참여로 갖는 두려움 등의 감정을 살핀다.

㉨ 집단 참여 중 발생할 수 있는 집단성원의 개별적인 장애물을 미리 점검한다.

㉩ 집단 과정에 적극적으로 참여할 것과, 비밀보장을 당부한다.

㉪ 치료적 개입이 중요한 집단의 경우 **집단성원의 참여 적합성 여부를 판단**한다.

3. 초기 단계 11 · 22. 국가직

집단에 대한 집단지도자의 **직접적 개입이 시작되는 단계**로 집단성원 간 라포 형성 및 소개가 이루어지진다.

(1) **특징**

① 집단성원의 **불안감과 저항이 높다.**

② 집단성원의 관심은 **집단지도자에게 집중**되어 있으며, **집단지도자를 평가하고 시험**하려 한다.

③ 집단성원 간 **서열화가 시작**된다.

④ 집단 내 **하위집단이 등장하기 시작**한다.

(2) **주요 과업** 必

① 집단의 구조화하기: 집단구조화란 **집단 과정을 촉진하기 위해 집단의 기본 구조를 세우는 작업**으로, 일종의 **오리엔테이션(Orientation)**이며, 세부적인 과업은 다음과 같다.

㉠ **집단 목적(또는 목표)을 설명하기**: 집단 전체의 목적(또는 목표)과 집단 과정을 통해 획득해야 할 집단성원의 목표를 구체화하여 설명하고, **집단성원들의 의견을 수렴**한다. 더불어 **집단성원 개개인이 집단에서 성취하고자 하는 개인적 목표를 설정하도록 돕는다.**

선생님 가이드

[1] 보통 계약은 초기 단계에서의 과업입니다. 그러나 개별적인 사전면접 시 개별성원과의 합의를 통해 진행될 수도 있다는 점, 꼭 기억해주세요.

기출 OX

01 집단 사회복지실천 과정 중 중간 단계는 집단구성원이 집단에 대한 불안과 긴장이 높은 시기이므로 사회복지사는 주로 신뢰할 수 있는 분위기를 확립하고 집단활동에 대한 동기와 능력을 고취시키는 데 중점을 둔다. ( ) 11. 국가직

02 집단초기단계에서는 각 구성원들이 집단에서 성취하고자 하는 개인적 목표를 설정하도록 돕는다. ( ) 22. 국가직

03 집단초기단계에서는 집단규칙, 참여자의 역할에 대해 설명하고 안내한다. ( ) 22. 국가직

01 × '중간 단계'가 아니라 '초기 단계'가 옳다.
02 ○
03 ○

ⓒ 사회복지사의 역할 소개하기

ⓒ 집단운영방식 설명하기

ⓔ 집단의 규칙수립하기: 집단 과정 중 **집단성원이 준수해야 할 의무와 책임 등을 명확히 정한다.**

예 "집단 과정 중에는 휴대폰은 지참하지 않거나 꺼놓는다." 등

ⓜ **집단성원의 역할을 명확히 하기**

② 집단성원 소개하기: 첫 회기의 집단성원 소개 과정은 **집단성원 간 신뢰 관계를 형성**시키는 매우 중요한 작업이다.

③ 신뢰할 수 있는 분위기 조성하기

ⓐ **집단성원의 불안과 저항을 다루기**

ⓑ 집단성원으로 하여금 개별적인 생활사, 상호 관심사, 집단에 대한 기대나 감정, **집단목적과 관련된 정보를 공유하게 하여 집단성원 간 공통점을 찾아 상호 연결되도록 원조**하며, 이를 통해 **집단성원 간 상호작용을 촉진**시킨다.

ⓒ **집단활동에 대한 참여 동기를 확인**한 후 이를 유발시키기 위해 **개별 집단성원이 집단에 참여하는 목적과 집단 과정을 통해 기대하는 것을 표현할 기회를 제공**한 후, 사회복지사는 이를 격려한다.

ⓓ 집단 과정의 초기 단계에서는 **사회복지사가 먼저 개방적인 모습을 보여** 집단성원들이 이를 따르게 할 수 있다.

④ 초기 집단성원의 문제행동에 대해 대처하기

ⓐ **강제로 의뢰된 비자발적인 집단성원의 경우** 저항과 함께 문제행동을 보일 개연성이 높다.

ⓑ 이때 사회복지사는 이러한 집단성원의 저항이나 문제행동을 **집단성원 전체의 저항으로 다루지 말아야 하며,** 그에게 일대일로 논쟁하거나 법적 또는 의무적 참여를 강조하지 말고 **적극적인 집단 참여 여부에 있어서 자기결정권이 있음을 알려주어야 한다.**

⑤ **계약하기**

4. 사정 단계

(1) 주요 과업

집단사정은 **개별성원 · 전체집단 · 집단외부환경 차원에서 수행**된다.

① 개별성원에 대해 사정하기

ⓐ 집단사회복지실천에 있어서 **집단은 물론 개인도 동등하게 중요**하며, 따라서 **사회복지사는 집단 과정 중 개별성원에 대한 개입도 할 수 있다.**

ⓑ 이에 개별성원의 문제행동에 대한 기초선을 조사한 후 **집단 과정 중 변화와 성장 여부, 기능적 행동과 비기능적 행동 등**을 파악해서 기록하는 **집단성원별 문서화된 개별 프로파일을 준비하는 것이 바람직하다.**

② 전체집단에 대해 사정하기

㉠ 집단 내 상호작용(또는 행동양식) 방식 사정: 집단성원 간 상호지지적인지, 건설적인 방향으로 집단 과정이 진행 중인지, 누구에게 권력이 집중되어 있는지, 집단 목표가 공유되고 있는지, 집단의사결정이 민주적인지 여부를 사정한다.

㉡ 집단규범 사정: **집단규범이 집단에 기능적인지 여부**를 사정하는 것으로, **집단에서 허용되지 않는 감정표현이나 이야기 주제, 그리고 집단활동에 대한 성원의 태도 등을 통해 확인**할 수 있다.

㉢ 하위집단 사정: **하위집단에 전체 집단에 미치는 영향**❶, 즉 **하위집단의 목적이 집단전체의 목적에 부합되는지 여부를 파악**해야 한다.

③ 집단외부환경에 대해 사정하기

㉠ 집단을 인가하고 지원하는 기관에 대한 사정: 집단을 인가하고 지원하는 **기관의 목표와 집단 간 목표의 유관성**과 **해당 기관의 자원할당이 어떻게 또한 얼마만큼 이루어지는지를 파악**한다.

㉡ 상호조직(또는 기관) 간의 환경 사정하기: 상호 유관되어 있는 타기관이 우리 기관과 유사한 집단을 운영하는지 여부, 타기관에서 제공하는 서비스나 프로그램의 유용성 정도, 타기관과 우리 기관의 연계 시 얻을 수 있는 이점 등을 사정한다.

㉢ 지역사회환경 사정하기: 지역사회의 입장에서 **우리 집단에서 표출되는 문제 등을 어떻게 받아들이는지**와 지역사회를 대표하는 **지도자들이 우리 집단을 어느 정도 수용하고 지원해 줄 수 있는지**를 사정한다.

(2) **사정도구**❷

소시오메트리, 소시오그램, 상호작용차트, 의의차별척도 등

5. 중간 단계 22. 국가직

집단의 목표 달성과 관련된 **'생산성'이 이루어지는 단계**이다.

(1) **특징**

① 집단성원들의 **소속감, 성원 간 신뢰감, 상호 공유, 집단지도자에 대한 신뢰감, 집단 응집력이 증대**되며, 활발한 상호작용이 이루어져 **집단성원들은 자신들의 문제에 대해 통찰력을 갖게 되는 반면, 집단성원 간 갈등과 저항하는 집단성원**도 발생❸한다.

② **문제해결 과정에서 나타나는 갈등과 차이점을 적극적으로 표현**한다.

③ 집단성원의 **자기개방(또는 자기노출) 수준이 극대화**된다.

④ 초기 단계에 이어 집단 내 **하위집단이 계속해서 등장하고 발전**한다.

⑤ 집단성원 간 **의사소통기술이 향상**된다.

⑥ **집단문화가 발생**한다.

선생님 가이드

❶ 집단 내 하위집단의 형성은 매우 자연스러운 현상입니다. 또한 하위집단 자체가 집단목표 달성에 전적으로 부정적이거나 또는 긍정적이지는 않습니다.

❷ 집단사정도구를 묻는 문제는 사회복지실천론과 사회복지실천기술론에서 거의 매회 출제되고 있습니다. 우리 교재 사회복지실천론에서 집단사정도구에 관한 내용을 일괄적으로 다루었으니, 다시 한 번 정리 부탁드립니다.

❸ 집단이 항상 이렇게 기능적으로 발전하는 것은 아닙니다. 중간 단계로 진행됨에 따라 집단성원 간 자기개방 정도가 커지면서 개별 성원들은 오히려 불안 수준이 높아져 자신을 방어하거나 또는 예상되는 상처를 피하기 위해 강력한 저항을 보이기도 합니다.

⑦ 집단성원의 지위 · 역할 등이 형성됨에 따라 **집단리더가 만들어지며,** 그 리더를 실험하고 신뢰할 수 있게 된다.

⑧ 집단성원 간의 공통점과 차이점을 파악하고 존중할 수 있게 된다.

(2) **주요 과업** 必

① **집단 응집력 촉진시키기:** 집단 목표와 개별성원의 개별적인 목표를 달성하도록 집단응집력을 촉진시켜야 하며, 함께 **집단 내 갈등과 저항하는 집단성원을 적극적으로 다루어야 한다.**

② **집단성원 간 상호작용, 갈등, 하위집단, 상호작용, 협조체계, 집단의사결정방법 등을 파악**하기

③ **개별성원에 대해 태도, 관계, 행동, 동기, 목표 등을 개별적으로 사정하고 평가**하기

④ **집단성원 간 공통점과 차이점을 파악**하기

⑤ 모든 집단성원을 공평하게 대하기

⑥ 집단성원의 참여유도와 능력을 고취시키기 위해 **집단의 목표(또는 목적)를 상기**시키기

⑦ **집단성원이 다양한 경험을 할 수 있도록 원조**하기

⑧ **하위집단의 의사소통과 상호작용 빈도를 평가**하는 등, **집단 과정을 모니터링하고 평가하기**

⑨ 집단성원의 내적 변화를 파악하기 위해 개별상담을 실시하기

⑩ **집단성원에게 기능적인 역할 모델 수행**하기

⑪ **기관의 집단에 대한 더 많은 지지를 획득**하기

⑫ **기관 간 상호 연계망 구축**하기

⑬ 집단을 통한 문제해결에 대해 **지역사회의 인식을 고양**시키기

⑭ 각 회기를 시작하고 마무리 할 때 **미해결과제를 언급, 부여된 과제 점검, 집단 회기별 목표 공유, 공지사항 전달**을 통해 **매 회기가 집단 목표 실현의 연장선에 있음을 인식**시키기

핵심 PLUS

집단회기를 마무리 짓는 방식

① 회기에 대한 사회복지사의 **관찰과 생각을 전달**하면서 회기를 마무리 짓는다.
② 집단성원 각자가 회기 중 **얼마만큼 많은 시간과 노력을 투자했는지를 질문**할 수 있다.
③ **참여 정도가 좋은 집단성원을 인정하고 긍정적인 피드백을 제공**한다.
④ 회기 중 다루었던 **내용을 요약하는 것**은 효과적인 방법이다.
⑤ 회기 중 제기된 **이슈를 다 마무리하지 않고 회기를 마치는 것도 방법**이 된다.
⑥ 회기에서 다룬 내용을 **집단 밖에서 어떻게 적용할지에 대한 계획을 질문**한다.
⑦ **다음 회기에 다루기 원하는 주제나 문제를 질문**한다.

기출 OX

집단초기단계에서는 집단구성원의 저항과 갈등을 적극적으로 다룬다. ( )

22. 국가직

× '집단초기단계'가 아니라 '집단중간단계'가 옳다.

(3) 필요한 기술

집단 과정 촉진기술	① 자기노출: 집단지도자가 언어적 또는 비언어적 행동을 통해 **자신에 대한 정보**(예 경험, 감정, 생각 등)**를 의도적으로 집단성원에게 노출하는 기술**로, 적절한 수준으로 제공되어야 한다. ② 직면 ㉠ 집단지도자가 집단성원의 말과 행동 간에 불일치를 보이는 경우 이러한 **모순을 확인하여 지적하는 기술**로, 사회복지사는 **집단성원의 모순된 행동을 구체적으로 지적**하고 그러한 **행동이 집단에 미치는 영향에 대해 설명**해야 한다. ㉡ 집단지도자의 직면을 통해 **집단성원은 자신이 아직 인식하지 못했던 부분을 확인**할 수 있다. ㉢ 다만 직면의 당사자인 집단성원으로 하여금 방어적 반응을 불러일으킬 수 있고, 라포를 저해시킬 수 있으므로 **충분한 신뢰관계가 형성된 후(보통 중간 단계 이후)에 사용**해야 하며, 특히 집단성원이 극심한 정서적 긴장 상태에 있을 때에는 사용하지 말아야 한다. ③ 피드백 활용 ㉠ 집단성원에게 **그들의 역할 수행 등에 대해 명확한 정보를 제공하는 기술**이다. ㉡ **집단 과정 촉진을 위한 효과적인 피드백** • 집단성원이 **요청하면 제공**하기 • **구체적인 행동이나 관계에 대한 피드백을 제공**하기 • **분명하고 솔직한 피드백**을 제공하기 • **집단성원의 장점에 초점을 두어 제공**하기 • 지나치게 많은 피드백을 동시에 제공하지 않기, 즉 **집단성원이 활용할 수 있는 만큼의 피드백만 제공**하기 • 집단성원의 **피드백의 수용여부 정도를 확인**하기 • 집단성원 **상호 간에 피드백을 제공**하게 하기
변화를 이끌어 내기 위한 실천기술	① 개인 내적 수준의 개입 방법 ㉠ **집단성원의 인지적 측면에 초점을 두어 개입하는 것**을 말한다. ㉡ 대표기술: 엘리스(Ellis)의 합리적 정서치료이론 ② 대인 관계의 변화를 일으키게 하는 개입 방법 ㉠ **집단을 매개로 하여 개인의 대인 관계 능력을 향상시키는 것**을 말한다. ㉡ 대표기술: 사회기술훈련 ③ 환경 수준의 개입 방법: 변화의 효과를 극대화시키기 위해서 **집단성원의 환경체계**(예 사회적 지지망 등)**에 개입하는 것**을 말한다.

6. 종결 단계

집단 과정을 마무리하는 단계로, **종결은 미리 계획되어 집단성원에게 예고하는 것이 바람직**하다.

(1) **종결의 유형**

성공적 집단종결	① **계약 시 수립한 목표가 달성된 종결 유형**이다. ② 종결 과업: 달성한 목표 결과 및 과정에 대해 평가하기, 남은 문제에 대한 처리 방안 논의하기, 집단성원의 정서적 반응 다루기, 특별한 이벤트 개최에 대해 논의하기(예 식사모임 갖기 등)
미완결상태의 집단종결	① **계약 시 수립한 목표가 달성되지 못한 종결 유형**이다. ② 일반적으로 집단성원의 부정적 감정(예 분노, 좌절, 실망 등)이 표출된다. ③ 종결 과업: 목표가 달성되지 못한 원인 및 대안 찾아보기, 집단성원의 부정적인 감정 다루기
중도탈락	① **집단성원이 집단 과정 중 자신의 의지에 의해 중도에 탈락하는 종결 유형**이다. ② 종결과업: 해당 집단성원에 대해 의뢰하기, 남은 집단성원들에게 상황을 설명하고 그들의 감정을 다루기
타기관 의뢰	① **집단을 통해 목표달성이 어려울 경우 타기관에 의뢰되어 발생하는 종결 유형**이다. ② 종결과업: 의뢰이유를 충분히 설명해 주기
집단지도자에 의한 종결	① **집단지도자의 이직 등의 사유로 인해 발생하는 종결 유형**이다. ② 종결과업 ㉠ 타기관 또는 타지도자에게 의뢰하기 ㉡ 집단성원의 정서적 반응과 혼란을 수용하고 다루기 ㉢ 남아 있는 문제와 목표들을 재점검하기 ㉣ 그동안의 집단 과정 중의 성취된 변화를 유지하도록 지지하기

(2) **주요 과업** 必

개별성원의 **집단에 대한 의존성을 감소시켜 독립성을 촉진**하기 위해 **회합의 빈도와 시간을 줄이기**

① 성취된 변화 유지의 능력을 확인하기

② **변화를 유지하고 생활영역으로 일반화**하기

③ 불만족스러운 종결사유에 대해 이해시키기

④ 종결에 대한 양가감정 등을 다루기: 종결 시에는 **목표에 대한 성취감, 자신감, 만족감 이외에도 불안감, 상실감, 슬픔 등의 양가감정을 가질 수 있고,** 따라서 종결 전에 이러한 감정을 충분히 표현하고 공유할 수 있는 기회를 제공해야 한다.

⑤ 미래에 대한 계획을 세우기

⑥ **미해결된 과제에 대해 논의**하기

⑦ 추후 일정에 대해 논의하기: 집단 과정을 통해 성취된 변화가 **생활영역에서 얼마나 효과적으로 일반화되는지를 점검하기 위한 일정을 논의하고 계획**한다.

⑧ 집단경험을 평가하기: 집단 과정의 효과, 즉 집단 과정을 통한 집단성원의 변화된 태도 · 신념 · 행동 · 정서 등에 대해 **집단성원 간 피드백을 교환**하고, 이를 평가하여 **집단 과정 전반에 대한 종결보고서를 작성**한다.

⑨ **의뢰에 대한 필요성을 검토**하고 필요 시 의뢰하기

제5절 사회복지실천의 기록

회독 Check! 1회 □ 2회 □ 3회 □

1 개관

1. 목적과 용도 22. 국가직

(1) **개입의 책임성 확보**

대부분의 사회복지프로그램은 공공이나 민간의 재정지원을 받고 있으며, 사회복지실천기록은 **사회복지기관이나 사회복지사가 재정지원을 대가로 약속한 대로 전문적 개입활동을 행하고 있다는 것을 입증**한다. 또한 이와 같이 책임성을 입증하는 기록은 **프로그램 예산을 확보하기 위한 근거자료로도 활용**된다.

(2) **개입 및 개입 과정에 대한 점검과 평가**

기록을 통해 기관 개입이나 개입 과정 상의 효과성, 효율성, 질 등을 점검 및 평가하고, **클라이언트에 대한 이해를 증진**시켜 보다 효과적인 서비스를 제공할 수 있다.

(3) **사례의 지속성 유지**

기록은 담당사회복지사가 교체되어 업무를 인계할 때 **그 사례를 인수받는 다른 사회복지사가 사례에 대한 현재까지의 진행 과정을 파악할** 수 있게 해주어 서비스의 연속성을 유지시키는 데 활용된다.

(4) **전문가 간 의사소통의 활성화**

여러 전문직 또는 학제가 함께 일하는 사회복지실천 현장에서 기록은 **전문적 공조체계를 원활히 해주는 도구로 활용**된다.

(5) **슈퍼비전의 활성화**

기록은 학생 및 초보 사회복지사들에게 사회복지 실무와 기관의 업무 과정을 가르치기 위한 **교육도구로 활용되어 지도감독 및 슈퍼비전 활성화에 기여**할 수 있다.

(6) **클라이언트와 정보 공유**

기록은 클라이언트와 정보를 공유하고 의사소통할 수 있는 도구가 된다. 즉, 사회복지사는 기록을 통해 클라이언트와 개입의 목표 및 방법을 공유할 수 있다.

(7) **행정적 자료**

클라이언트에게 제공된 서비스에 대한 기록은 **클라이언트의 욕구, 수급자격의 입증자료, 서비스의 유형, 직무관리, 직원의 직무수행, 자원의 재분배에 관한 행정적 결정을 내리기 위한 정보를 제공하기 위해 사용**된다.

(8) **조사연구를 위한 정보제공**

잘 작성된 기록은 자료를 모으고자 하는 전문적 조사연구자들에게 풍부한 정보를 제공할 수 있다. 또한 동료검토의 근거자료로도 활용될 수 있다.

기출 OX

01 사회복지실천 기록은 개입한 사례의 첫 단계부터 종결단계까지 제공한 서비스의 내용과 과정, 목표달성 여부와 성과 등을 남겨 문서화해야 한다. ( ) 22. 국가직

02 사회복지실천 기록은 사회복지사의 활동을 점검하고 교육하는 슈퍼비전의 유용한 도구이다. ( ) 22. 국가직

03 사회복지실천 기록은 사회복지사의 관점에서 작성되며 클라이언트와 공유되지 않는다. ( ) 22. 국가직

04 사회복지실천 기록은 사례관리, 의뢰 및 전문직 간 협조체계를 활성화하는 도구로 활용된다. ( ) 22. 국가직

01 ○
02 ○
03 × '공유되지 않는다.'가 아니라 '공유될 수 있다.'가 옳다.
04 ○

2. 좋은 기록과 좋지 않은 기록의 특징

좋은 기록의 특징	좋지 않은 기록의 특징
① **서비스의 결정과 개입 실행에 초점**을 둔다. ② 클라이언트와 상황에 관한 정보가 들어 있다. ③ 각 개입 단계에서 목적 · 목표 · 계획 · 과정과 진행을 포함하여 서비스 전달에 관한 정보가 들어 있다. ④ 구조화되어 있어 **정보를 쉽게 분류할 수 있다.** ⑤ 서비스 전달이 잘 묘사되어 있다. ⑥ 객관적 상황의 묘사와 사회복지사의 주관적 견해를 구분한다. ⑦ 정확하게 기술되어 있다. ⑧ **간결하고 구체적**이다. ⑨ 사실에 근거한다. ⑩ 전문가의 윤리에 기초한다. ⑪ 이론에 기초한다. ⑫ **전문가의 견해를 담으면서도 클라이언트의 관점을 무시하지 않는다.**	① 내용이 부정확하고 사실에 근거하고 있지 않다. ② 내용이 너무 길고 복잡하여 이해하기 어렵다. ③ 내용이나 과정상의 윤리적 문제가 있다. ④ 기록자의 선입견이나 클라이언트에 대한 편견이 들어 있다. ⑤ 클라이언트에게 낙인을 준다. ⑥ 수동태 문장을 많이 사용하여 행위의 주체를 파악하기 어렵다. ⑦ 지나치게 요약하여 정보로서의 가치가 없다.

2 사회복지실천기록의 종류

1. 과정기록(Process Recording) 22. 지방직 (必)

(1) 개관

① 사회복지사와 클라이언트 간 면접 · 개입 중에 있었던 **상호작용 과정을 시간의 흐름에 따라 있는 그대로(또는 구체적으로) 기록하는 방식**이다.

② **면접 · 개입 중 상호작용 과정의 전부, 즉 사회복지사와 클라이언트와의 의사소통 내용뿐만 아니라 클라이언트의 비언어적 표현(또는 행동)까지도 상세하게 포함**하여 기록한다. 따라서 클라이언트와 사회복지사와의 **상호작용 과정**(예 클라이언트의 표정과 몸짓, 사회복지사의 느낌 등)을 **면밀하게 분석하기 위해서 사용**된다.

③ **클라이언트와 사회복지사의 면접 · 개입 내용, 사회복지사의 의견, 슈퍼바이저의 슈퍼비전(또는 코멘트) 부분**으로 나누어 기록하는 것이 일반적이다.

④ **대화체로 기록하는 직접인용 과정기록**과 **대화 내용을 이야기체로 풀어서 기록하는 간접인용 과정기록이 있다.**

⑤ 최근에는 많이 사용하지 않으며, **교육적 목적 등을 위해 부분적으로 활용**한다.

기출 OX

01 이야기체기록은 사회복지사와 클라이언트 간에 있었던 모든 일을 대화 형태로 기록한다. ( ) 22. 지방직

02 요약기록은 사회복지사의 성찰과 슈퍼비전을 위해, 면접 내용과 슈퍼바이저 코멘트 부분을 구분하여 기록한다. ( ) 22. 지방직

01 × '이야기체기록'이 아니라 '대화체기록'이 맞다.
02 × '요약기록'이 아닌 '과정기록'이 옳다.

(2) 장점과 단점

장점	단점
① 초보 사회복지사나 실습생 등이 자신의 활동에 대한 점검과 **슈퍼비전 또는 자문을 받을 때 유용**하여 **교육적 도구**로 활용된다. ② **사회복지사 자신의 행동분석**, 즉 사회복지사와 클라이언트 사이의 활동을 **개념화 · 조직화하여 사례에 대한 개입 기술을 향상시키는 데 도움**이 된다. ③ **어려운 사례를 다루거나 새로운 기술 등을 개발하고 향상시키고자 할 때 유용**하다.	① 완벽한 기록이란 불가능하므로 **정보가 불완전하며, 따라서 왜곡될 수 있다.** ② **작성시간과 비용이 많이 소요**되어 **비효율적**이며, 따라서 **최근에는 많이 사용되지 않고 선택적으로 사용**된다. ③ **사회복지사가 기억하는 능력에 따라 기록의 유용성이 좌우**된다.

예 직접인용 과정기록

면접내용	• 재철: (무기력하고 우울한 표정으로) 저는 인터넷 도박에 빠져 전재산을 다 탕진하고 지금은 그 후유증으로 알코올중독증과 대인기피증에 빠져 살고 있습니다.(흐느낀다.) • 사회복지사: 지금의 상황이 어려운 것은 짐작이 됩니다. 재철: 솔직히 말씀드리는데... (한숨을 쉰다.) 저 얼마 전부터 약국들을 돌며 수면제를 사 모았어요. 지금 상황에선 언제든지 자살할 수 있을 것 같아요. 아니 당장이라도 자살하고 싶어요! • 재철: (자신의 통장을 내보이며) 이 5만 4천원이 내 전재산이에요. 이 돈만 떨어지면 전 자살할 거예요.
사회복지사의 의견	재철씨는 매우 위기적인 상황에 고통스러워하고 있는 것처럼 보였다. 사회복지사로써 내가 당장에 해줄 것이 없는 것이 아쉬웠다.
슈퍼바이저의 슈퍼비전	이런 위기적 상황에서는 다차원적인 개입을 통해 위기 극복에 대한 적극적인 원조를 실시해야 합니다. 우선 재철씨의 '국민기초생활보장법 상의 수급권자'의 자격 여부를 행정복지센터를 통해 확인해서 재철씨의 경제적인 어려움에 대한 해결을 모색하시고 더불어 지역정신건강복지센터에의 의뢰 및 주2회 이상 지지적 면담을 실시하여 재철씨가 경험하는 심리사회적인 어려움에 대한 개입을 즉각 실시하시기 바랍니다.

2. 요약기록(Summary Recording) 22. 지방직 必

(1) 개관

① **면접 · 개입과 관련된 중요한 정보만을 간추려 요약하여 기록하는 방식**으로, **사회복지관에서 흔히 사용되는 기록형태**이다.

② **날짜와 클라이언트의 기본사항을 기입**하고 **면접 · 개입 내용과 변화된 상황, 면접 · 개입 활동, 주요 정보 등을 간략하게 요약**해서 **이야기체로 기록**한다.

③ 특히 **클라이언트에게 나타난 변화에 초점**을 두어 기록한다.

④ **'시간의 흐름에 따라 기록'**하거나 **'주제별로 조직화하여 기록'**하는 방법이 있다.

기출 OX

과정기록은 정보수집을 통해 얻은 자료를 선택하여 핵심 내용을 중심으로 기록한다. ( ) 22. 지방직

× '과정기록'이 아니라 '요약기록'이 옳다.

(2) 장점과 단점

장점	단점
① **사례가 장기간 지속될 경우에 유용**하다. ② **사회복지사가 중요하다고 판단한 정보를 선택해서 기록**하며, 따라서 융통성이 있다. ③ **클라이언트 및 그 상황과 서비스 교류의 특수한 본질을 개별적으로 반영**할 수 있다. ④ **간결하고 초점이 분명한 기록이 가능**하다.	① 면접 · 개입의 내용을 요약 · 조직화 · 선별하는 것은 전적으로 **사회복지사의 재량에 의존**하며, 따라서 **나중에 원하는 정보를 찾거나 복구하는 것이 어려울 수 있다.** ② **사회복지사의 문장력에 의존**하며, 따라서 자칫 **그 내용이 지나치게 단순해지거나 초점이 불명확해질 수 있다.** ④ 중요한 정보만을 간추리고 요약하는 데 **시간이 많이 소요**된다.

예

2000년 0월 0일
'재철씨'는 인터넷 도박에 빠져 전 재산을 탕진하고 그 후유증으로 알코올중독과 대인기피증에 빠져있다. 수면제를 사모아 언제든지 자살할 준비를 하고 있다. 통장의 잔고는 5만 4천원이 전부이다. 현재 신용불량자로 개인파산을 신청한 상태인 것 역시 확인되었다.

2000년 0월 0일
'재철씨'의 하루 음주량은 소주 3병 정도이다. 대인 접촉은 사회복지사 외에는 일주일 동안 없는 것으로 확인되었다. 실재로 그동안 사서 모은 수면제의 양이 약30알정도 되는 것으로 확인되었다.

2000년 0월 0일
'국민기초생활보장법 상의 수급권자'의 자격 가부 여부를 행정복지센터를 통해 확인 의뢰하였다. 지역정신건강복지센터에도 의뢰하였다. 주2회 이상 본인의 지지적 면담을 실시하여 재철씨가 경험하는 심리사회적인 어려움에 대한 개입도 실시할 예정이다.

핵심 PLUS

이야기체 기록(Narrative Recording)

1. **대화형태가 아닌 기록자에 의해 이야기하듯이 내용을 조직화 · 재구성하여 기록하는 방식**이다.
2. **'시간의 흐름별' 또는 '주제별'로 조직화**되어 있다.
3. **'간접인용 과정기록'**이나 **'요약기록'이 대표적**이다.

3. 문제중심 기록(Problem-Oriented Recording) 22. 지방직

(1) 개관

① 현재 클라이언트에 의해 제시된 문제를 **목록화하고, 사정하고, 문제해결을 위해 어떤 개입을 선택할 것인지에 대해 계획하는 기록 방식**이다.

기출 OX

문제중심 기록은 문제영역을 목록화하여 각 문제에 대한 주관적 정보, 객관적 정보, 사정, 계획을 기록한다. ( ) 22. 지방직

○

② 기록방법: SOAP식 구성

S(Subjective Information)	(주관적 정보) 클라이언트가 지각하는 자신의 상황에 대한 인식과 감정 등 **클라이언트나 가족으로부터 얻는 주관적 정보**를 기술한다.
O(Objective Information)	(객관적 정보) 클라이언트의 행동이나 외모에 대한 사회복지사의 관찰과 사실적 자료와 같은 **객관적 정보**(예 전문가의 관찰, 검사 결과, 클라이언트의 주거상태, 경제상태, 건강상태 등)를 기술한다.
A(Assessment)	(사정) 주관적 정보와 객관적 정보를 검토해서 추론된 **전문가의 해석이나 분석을 기술**한다.
P(Plans)	(계획) 주관적 정보, 객관적 정보, 사정을 기반으로 하여 확인된 **문제를 해결하기 위한 방법이나 계획**을 기술한다.

(2) 장점과 단점

장점	단점
① 문제중심으로 기록하므로 **문제유형의 파악이 용이하고, 기록이 간결**하다. ② **다양한 전문직간의 의사소통 및 정보교환이 용이**하다. ③ 실무자들은 목록화된 각 문제에 초점을 맞춰 다뤄야 하고, 문서화된 후 점검을 할 책임이 있으므로 **책무성이 향상**된다. ④ **기록이 간결하고 형식이 통일**되어 있어 기록의 슈퍼바이저, 조사연구자, 외부의 자문가 등이 팀 접근을 통해 보다 쉽고 질 높은 기록 검토를 할 수 있다.	① 클라이언트의 강점보다는 문제에 중점을 둠으로써 **클라이언트의 강점이나 자원을 덜 중요시하는 경향**이 있다. ② 개인과 환경의 상호작용보다는 개인을 강조하여 관련 현상의 복잡성을 단순화시킬 우려가 있다. ③ **부분화를 강조**하므로 **서비스 전달이나 현상의 복잡성을 지나치게 단순화**시킬 수 있다.

예 문제1 알코올중독증, 대인기피증, 자살시도 가능성

S(Subjective information) 주관적 정보	'재철씨'는 인터넷 도박에 빠져 전 재산을 탕진하고 그 후유증으로 알코올중독과 대인기피증에 빠졌으며 이로 인해 수면제를 사모아 언제든지 자살할 준비를 하고 있다고 호소하였다.
O(Objective information) 객관적 정보	'재철씨'가 보여준 통장의 잔고는 5만 4천원이 전부였으며, 현재 신용불량자로 개인파산을 신청한 상태다. 사회복지사의 관찰 결과 하루 음주량은 소주 3병 정도이고, 대인 접촉은 사회복지사 외에는 일주일 동안 없었다. 실재로 자살을 계획하며 부당한 방법을 통해 사서 모은 수면제의 양이 약30알정도 되는 것으로 파악되었다.
A(Assessment) 사정	현재 '재철씨'는 경제적, 사회적, 심리적으로 심각한 위기상황에 처해 있는 것 같다. 이러한 위기상황에 대한 즉각적인 개입이 없으면 제철씨가 호소한 것처럼 극단적인 선택을 할 경우도 배제할 수 없다.
P(Plan) 계획	• 경제적 문제에 대한 개입 계획: 국민기초생활보장법 상의 수급권자의 자격 가부 여부를 행정복지센터를 통해 확인하기 • 사회적 대인관계 및 심리적인 문제에 대한 개입: 지역정신건강복지센터에의 의뢰 및 주2회 이상 사회복지사의 지지적 면담 실시하기

회독 Check! 1회 □ 2회 □ 3회 □

제6절 사회복지실천의 평가

1 개관

1. 목적

(1) **개입과 목표달성 간 상호관련 정도를 확인**한다.

(2) **개입 내용에 대한 점검을 통해 반성의 기회**를 갖고, 부족한 점을 발견하여 새로운 프로그램의 개발 및 적용에 활용한다.

(3) 상이한 문제나 특성을 가진 클라이언트에게 **상대적으로 효과적인 개입 방법을 선정하는 데 도움이 되는 정보를 제공**한다.

(4) 평가결과의 환류를 통해 **프로그램의 변경이나 지속여부 등을 판단**한다.

(5) 투입된 공적 · 민간 자원 운용의 투명성과 제공된 프로그램의 효과성 및 효율성에 대한 평가를 통해 기관, 클라이언트, 전문가 집단 및 사회에 대한 **책무성 향상에 도움**이 된다.

(6) 프로그램 제공과 클라이언트의 변화 간 인과관계 파악을 통해 **이론 형성에 기여**한다.

2. 유형 22. 국가직

(1) **평가의 시점에 따른 유형**

구분	내용
형성평가 (Formative Evaluation)	① 프로그램 진행 과정 중 **사회복지사의 개입 과정을 평가하는 것**이다. 즉 **서비스이용자의 욕구를 반영하여 사회복지사가 기대했던 진전이 이루어지고 있는지를 사정하는 것이다.** ② **프로그램 활동의 수정 · 개선 · 보완에 필요한 정보를 얻어 현재와 미래에 관련된 프로그램 수행상의 문제해결이나 결정을 내리기 위한 목적으로 수행**한다. ③ 평가 시 **프로그램의 전달체계, 기관의 운영상황, 클라이언트의 욕구 등을 고려**해야 한다. ④ 사회복지실천 과정 중에 **사정과 관련**되며, **실천 과정의 점검**이라고 할 수 있다.
총괄평가 (Summative Evaluation)	① **프로그램 종료 후** 최종 목표 달성 여부를 **효과성과 효율성 측면에서 평가하는 것**이다. ② 평가 시 **기관의 사명, 프로그램의 목적, 프로그램의 목표, 프로그램 목표달성 여부 결정 방법, 목표달성 여부, 평가자료 활용방법 등을 고려**해야 한다.

(2) 평가의 차원에 따른 유형

성과평가 (또는 결과평가)	계획 당시 설정된 **목표에 비추어 성취된 결과를 평가하는 것**으로, 가장 대표적인 평가 방법으로는 '점수 척도'로 목표달성의 정도를 클라이언트에게 설문하는 것이다.
과정평가	클라이언트의 입장에서 프로그램이 도움이 되었는지 그리고 클라이언트가 **원조 과정을 어떻게 인지하였는지와 관련된 평가**로 **프로그램의 진행 중에 이루어지는 평가**이다.
사회복지사 평가	① **클라이언트가 프로그램을 제공한 사회복지사를 평가하는 것**이다. ② 클라이언트의 **긍정적 피드백**은 사회복지사로 하여금 자신의 장점을 더 잘 알게 하여 더 나은 서비스 제공의 단초를 제공한다. 반면 **부정적인 피드백**은 이를 받는 사회복지사의 입장에서는 창피하고 고통스러울 수도 있지만, 프로그램 진행 중 사회복지사의 반성이 필요한 사건들을 알려준다는 점에서 역시 도움이 된다.

(3) 수량화(또는 계량화) 여부에 따른 분류

정량적 평가 (또는 양적평가)	객관적으로 **수량화(또는 계량화)가 가능한 자료를 측정하거나 분석하는 평가방법**이다.
정성적 평가 (또는 질적평가)	**수량화(또는 계량화)가 어려운 자료**를 토대로 평가자가 그 자료의 의미를 찾고 해석하는 평가 방법이다.

핵심 PLUS

양적 평가(Quantitative Evaluation)를 위한 기초선 자료의 측정

클라이언트의 문제 발생빈도와 심각성 정도와 같이 **수치화(또는 계량화)시킬 수 있는 기초선 자료를 개입 전에 측정하는 방법**으로, **명시적 행동 측정, 소급된 추정, 암시적 행동 측정** 등이 있다.

명시적 행동 측정	① 클라이언트의 명시적 행동(Overt Behavior), 즉 **관찰 가능한 표적행동의 빈도를 측정하여 기초선 자료로 활용하는 방법**이다. ② 측정은 사회복지사 이외에도 클라이언트 자신이나 별도의 관찰자가 수행할 수 있다.
소급된 추정 (Retrospective Estimate)	개입의 목표가 되는 표적행동의 **일상적인 빈도를 클라이언트로 하여금 소급해서 추정하게 하거나 이전의 자료를 수집하는 방법**이다.
암시적 행동 측정	① **암시적 행동(Covert Behaviors)**이란 클라이언트의 표적 문제를 유발시키는 비이성적인 공포, 우울증 상태, 자기 비하적 생각 등을 말하며, 이러한 암시적 행동에 대한 기초자료를 측정하는 것을 암시적 행동측정이라고 한다. ② 클라이언트로 하여금 암시적 행동의 발생빈도를 세게 하거나, 감정적 상태에 대해 점수를 부여하는 방법으로 측정한다.

2 평가 기법

대표적인 사회복지실천의 평가기법으로는 **단일사례연구설계, 목표달성척도**가 있다.

1. 단일사례설계[1]

2. 목표(또는 목적)달성척도(Goal Attainment Scaling, GAS)[2]

(1) **목표를 설정하고 목표달성 정도를 측정하기 위해 활용할 수 있는 평가도구**이다.

(2) 표준화된 척도와는 달리 측정을 위한 내용(또는 차원)이 미리 정해져 있지 않아 클라이언트의 개인 목표에 따라 자유롭게 정할 수 있어 **사회복지실천의 개별화의 원리와 일치**하며, **목표달성 정도를 계량할 수 있으므로 실천현장에서 다각도로 활용**되고 있다.

예

클라이언트 성명: 재철씨	일반목표: 금주와 금연	일자: 20OO년 O월 O일
성과수준(척도 점수)	목표1) 금주	목표2) 금연
최적의 향상(0.10)	한 달 동안 전혀 음주를 하지 않음	한 달 동안 전혀 흡연을 하지 않음
기대이상으로 향상(0.75)	한 달 동안 기존의 1/3만큼만 음주를 함	한 달 동안 기존의 1/3만큼만 흡연을 함
기대한 정도의 향상(0.50)	한 달 동안 기존의 절반의 양만 음주를 함	한 달 동안 기존의 절반의 양만 흡연을 함
기대이하의 향상(0.25)	한 달 동안 기존의 2/3만큼만 음주를 함	한 달 동안 기존의 2/3만큼만 흡연을 함
전혀 성과 없음(0.00)	한 달 동안 기존과 동일하게 음주를 함	한 달 동안 기존과 동일하게 흡연을 함

선생님 가이드

❶ 단일사례설계는 이미 사회복지조사론에서 다루어 보았습니다.

❷ 목표달성척도는 원래 정신건강분야에서 정신장애인을 평가하기 위한 도구로서 개발되었고, 현재는 대부분의 사회복지 실천현장에서 매우 유용한 평가도구로 활용되고 있습니다.

제3장 지역사회복지

제1절 지역사회복지의 개관

회독 Check! 1회 □ 2회 □ 3회 □

1 지역사회의 이해

1. 지역사회의 개념

지역사회란 일정한 **지리적 영역을 공유**하는 **공동의 유대감**을 지닌 사람들(지역사회 주민) 간의 **사회 · 문화적 상호작용과 연대성에 기초하여** 형성된 사회체계를 말한다.

> **핵심 PLUS**
>
> **힐러리(Hillery)가 제시한 지역사회의 3가지 기본요소**
>
> 지리적 영역의 공유, 공동의 유대감, 사회 · 문화적 상호작용

2. 지리적 지역사회와 기능적 지역사회(Ross) 必

로스(Ross)는 지역사회의 개념을 **지리적 지역사회와 기능적 지역사회로 구분**하였다.

(1) 지리적 지역사회(또는 지리적 개념, 지리적 공동체)

① 지역사회의 구성요소 중 **'지리적 영역의 공유'를 강조**하는 개념으로, **일정한 지리적 영역을 공유하는 사람들의 집단**을 말한다.

② **모든 지역사회는 사회(Society)이나, 모든 사회가 지역사회는** 아니다.

예 읍 · 면 · 동 등의 행정구역, 이웃, 마을, 도시 등

(2) 기능적 지역사회(또는 기능적 개념, 기능적 공동체)

① 지역사회의 구성요소 중 **'공동의 유대감, 사회 · 문화적 동질성, 상호작용'을 강조**하는 개념으로, **구성원, 즉 종교, 민족, 이념, 사회계층, 직업유형, 성적 지향성, 취미활동과 같은 사회 · 문화적 동질성을 가지고 상호작용을 하는 이익공동체**라고도 할 수 있다.

② 현대에 와서 교통 · 정보통신 기술의 발달로 과거에 비해 더욱 많이 형성되고 있고, **가상공동체나 사이버공동체와 같은 새로운 형태의 기능적 지역사회가 등장 및 활성화**되고 있다.

예 장애인 부모회, 동성애자 모임, 외국인 근로자 공동체, 인터넷 카페 동호회와 같은 가상공동체의 온라인 커뮤니티 등

3. 공동사회와 이익사회(Tönnies)

퇴니스(Tönnies)는 **사회구성원의 인간 관계와 결합의 유형이 자연적인가 합리적인가**에 따라 사회를 **공동사회와 이익사회로 구분**하였으며, **산업화 이후 공동사회에서 이익사회로 발전**하였다고 보았다.

(1) **공동사회(Gemeinschft, 게마인샤프트)**

자연의지에 의해 결합된 사회를 말한다. 즉, **구성원들의 상호작용은 혈연이나 지연 등의 애정을 기초**로 하며, 비이해타산적이다.

예 가족, 이웃, 친구, 민족 등

(2) **이익사회(Gesellshaft, 게젤샤프트)**

합리의지에 따라 결합된 사회를 말한다. 즉, **구성원들의 상호작용은 계약에 기초**하며, 인위적이고 이해타산적이다.

4. 지역사회를 바라보는 이론적 관점

(1) **지역사회 상실이론**

현대에 와서 **과거의 기능적인 지역사회의 기능이 상실**되었다고 보고, 이러한 상실된 기능을 대체하기 위한 **정부 차원의 공식적인 사회복지제도 도입을 주장**한다.

(2) **지역사회 보존이론**

지역사회상실이론의 반대 입장이다. 즉, 과거의 기능적인 지역사회의 기능이 현재까지도 보존되어 있다고 보기 때문에 **정부 차원의 사회복지제도 도입을 반대**한다.

(3) **지역사회 개방이론**

지역사회 상실이론과 지역사회 보존이론의 대안으로, 과거 기능적인 지역사회의 기능 상실을 인정하지만, 이에 대해 정부 차원의 공식적인 사회복지제도의 도입만이 유능한 해결책이 아님을 강조하여 대안으로 사회적 지지망의 관점에서 **지역사회 내에서의 비공식적 연계를 주장**한다.

2 지역사회의 유형화와 기능

1. 지역사회의 유형화(Dunham)

던햄(Dunham)은 지역사회를 **지리적으로 보고** 4가지 기준에 따라 유형화시켰다.

(1) **인구의 크기에 따라**

대도시, 중 · 소도시, 읍 지역 등

(2) **산업구조 및 경제적 기반에 따라**

광산촌, 산촌, 농촌, 어촌, 산업단지 등

(3) **정부가 정한 행정구역에 따라**

특별시, 광역시 · 도, 시 · 군 · 구, 읍 · 면 · 동 등

(4) **인구구성의 사회적 특수성에 따라**

도시 저소득층 지역, 쪽방촌, 외국인 밀집지역, 장애인 밀집지역, 차이나타운 등

2. 지역사회의 기능 20. 지방직 必

길버트와 스펙트(Gilbert & Specht)는 모든 사회가 공통적으로 수행하는 1차적 기능(Major Functions)을 기능주의 관점하에 **존슨과 워렌(Johnson & Warren)의 기술**을 정리하여 다음과 같이 5가지로 구분하였다.

(1) 생산 · 분배 · 소비 기능

① 주민들이 일상생활을 영위하는 데 필요한 **재화와 서비스를 생산 · 분배 · 소비하는 과정과 관련된 기능**을 말한다.

② **수행주체:** 기업, 정부 등

③ **관련제도:** 경제(또는 시장)제도

예 지역주민이 생산한 채소를 마을 공동 판매장에 진열하여 판매하는 것

(2) 사회화 기능

① 주민들에게 **지역사회의 지식 · 사회적 가치 · 행동양태를 전달시키는 기능**을 말한다.

② **수행주체:** 가족, 학교 등

③ **관련제도:** 가족제도

(3) 사회통제 기능

① 주민들로 하여금 **사회의 규범(**예 법, 도덕, 규칙**)에 순응하게 만드는 기능**을 말한다.

② **수행주체:** 경찰, 사법제도 등

③ **관련제도:** 정치제도

예 지역사회에서 안전한 생활영위를 위하여 법률로 치안을 강제하고, 법과 도덕을 지키게 하는 것

(4) 사회통합 기능

① 사회체계가 정상적인 기능을 수행하기 위해서 **결속력과 사기를 제공하는 기능**을 말한다.

② **수행주체: 주로 종교단체가 수행**하지만 때로는 가정이나 학교도 부분적으로 수행한다.

③ **관련제도:** 종교제도

예 종교단체가 지역주민 어르신을 대상으로 경로잔치를 개최하고 후원물품을 나누어주는 것

(5) 상부상조(相扶相助) 기능

① 주민들 중 곤경에 처한 자에 대한 **상부상조적 원조를 제공하는 기능**을 말하며, 이 **기능이 현대의 사회복지제도로 정착**되었다.

② **수행주체:** 과거에는 가족, 친척, 이웃 등의 1차 집단이 수행하였지만, 현대 산업사회에서는 그 기능이 정부, 복지단체, 종교단체 등으로 이전되어 가고 있다.

기출 OX

지역주민이 자원 봉사 활동을 하는 것은 워렌(Warren)이 제시한 지역사회의 기능 중 사회통제 기능이다. (　) 20. 지방직

× '사회통제 기능'이 아니라 '상부상조 기능'이 옳다.

③ **관련제도:** 사회복지제도

예 지역주민이 자원봉사 활동을 하는 것, 수급자인 독거어르신을 위하여 주민 일촌 맺기를 실시하여 생계비를 연계 지원하는 것

3. 지역사회의 기능 비교척도(Warren) 必

워렌(Warren)은 지역사회 간 기능의 정도를 비교하는 기준으로 다음과 같은 4가지 차원을 제시하였다.

(1) 지역의 자치성

지역사회가 **경제적 · 정치적으로 타 지역에 의존하지 않은 정도**를 말한다.

예 지역의 재정자립도, 지역의 정치인 수 등

(2) 서비스 영역의 일치성(또는 서비스의 일치성)

지역사회 내 **서비스 영역이 동일지역 내에서 일치하는 정도**를 말한다.

예 지역 내에 위치한 병원, 쇼핑몰, 편의시설 등의 수

(3) 지역에 대한 주민들의 심리적 동일시

지역사회 주민들이 **자기 지역을 중요한 준거집단으로 생각하는 정도**를 말한다.

예 지역에 대한 주민 개개인의 자긍심 등

(4) 수평적 유형

지역사회 내 **상이한 조직들의 구조적 · 기능적 관련 정도**를 말한다.

예 관광특구, 공단지역 등

회독 Check! 1회 □ 2회 □ 3회 □

제2절 지역사회복지실천의 개관

1 지역사회복지실천(Community Practice)의 개념과 특징

1. 개념

(1) 정의

누가	**공식적인 전문가(또는 사회복지사) 및 비전문가**[❶]가
어디에서	지리적 의미(또는 지역성)와 기능적 의미(또는 기능성)를 포함한 지역사회 내에서
무엇을 위해	지역주민의 삶의 질 향상을 위해
왜	지역사회의 문제해결능력 향상과 주민의 복지욕구를 충족시키고자
무엇을 가지고	**전문적 또는 비전문적 서비스를 제공**하는

일체의 사회적 노력이며, **지역사회를 대상으로 하는 사회복지실천을 포괄적으로 일컫는 개념**이다.

(2) 지역사회를 대상으로 하는 사회복지실천에 대한 **포괄적인 개념**이다.

선생님 가이드

❶ 지역사회복지실천은 지역사회복지증진을 위한 전문적 · 비전문적 활동을 모두 포괄하는 개념입니다. 따라서 지역사회복지실천의 전문가인 사회복지사뿐만 아니라 지역사회 주민 등을 포함하는 비전문가 역시 지역사회복지실천의 주요 주체가 될 수 있습니다.

(3) 지역사회복지를 실천하는 사회복지사에게 있어서 **지역사회는 실천의 대상이면서 동시에 수단**이 된다.

2. 특성

(1) 예방성

지역사회복지실천은 지역주민에게 발생할 수 있는 문제나 욕구를 조기에 발견하고 선제적으로 대응할 수 있다.

(2) 포괄성

지역사회복지실천은 지역주민에게 다양한 문제나 욕구가 존재함을 인정하고, 이를 해결 및 충족시킬 수 있는 다양한 수준의 서비스를 개발할 수 있다.

(3) 통합성

지역사회복지실천은 서비스 제공 기관 간 연계 및 '조정' 활동을 통해 '포괄성'을 충족시킬 수 있다.

(4) 연대성 · 공동성

지역사회복지실천은 주민 개개인의 사적 문제를 주민 전체의 공통적인 문제로 인식하고, 이를 해결하기 위해서 주민 스스로가 해결 과정에 참여할 수 있다.

(5) 지역성

지역사회복지실천은 **지역주민들이 속한 물리적 · 심리적 생활권역의 범위 내에서 수행**된다.

2 지역사회복지실천의 이념

1. 정상화(Normalization) 16. 국가직 (必)

(1) 1959년 **덴마크에서** '정신지체인을 가능한 최대로 정상적인 생활조건에 가깝게 생존하도록 하는 것'[2]이라 정의한 정신지체인을 대상으로 한 「**정신지체인법**」**에서 처음으로 사용된 개념**으로, **휴먼서비스 영역에서는 계획 수립의 지침**이 될 수 있다.

(2) 처음의 취지는 지적장애인에게 주거, 교육, 일, 취미활동 등을 포함하여 다른 모든 시민들이 갖고 있는 기본권을 제공하는 데 있었다.

(3) 이후 인간에게는 발달 과정에서 개인적인 경험을 중시 받고, 인생주기에 선택의 자유를 보장 받을 수 있는 환경이 제공되어야 한다고 확대되어 주장되었다.

(4) 일탈을 **문화적으로 규정하며, 상대적(또는 상이적) 특성을 지닌 사회현상으로 이해**[3]한다.

선생님 가이드

[2] 이러한 이데올로기는 시설보호를 강조하는 전통적 복지 서비스 이데올로기에 정면으로 대치되는 것이었습니다.

[3] 월팬스버거(Wolfensberger)는 한 개인이 그가 속한 사회 속에서 일탈자로 규정되는 과정을 '한 가지 혹은 그 이상의 정체성에 있어서 주변 사람과 상이하고, 주변 사람들이 그 상이성을 중시하며, 그 상이성을 무가치하게 인식할 때, 그는 일탈자로 규정된다.'라고 주장하였습니다. 즉, 상이성 그 자체가 일탈로 이어지는 것이 아니라 부정의 가치가 부여된 상이성이 일탈을 초래한다는 것입니다.

(5) **동화(同化)로서의 정상화와 이화(異化)로서의 정상화**가 있다.

동화로서의 정상화	대규모 수용시설의 비인간적인 보호에 대한 반성에 기인하여 모든 수용시설에서 생활하는 사람들에게 **일상적인 생활을 영위하는 보통의 사람들과 같은 생활조건을 제공하는 것**이다.
이화로서의 정상화	그동안 대규모 수용실에서 생활해 온 사람들에 대한 배제와 차별에 대한 반성에 기인하여 **기회의 평등을 포함한 모든 주민의 실질적 평등을 권리로서 보장하는 것**이다.

(6) 기본적으로 **지역사회 내 강제 · 폐쇄적인 생활시설 집중화(또는 확충)에 반대**한다.

2. 사회통합과 사회적 연대 22. 국가직 (必)

(1) **사회통합**

① 지역사회 내 장애인, 노인, 여성, 다문화 집단 등과 같이 지역사회에서 자칫 소외될 수 있는 대상들이 **지역사회구성원의 자격을 가지고 공존할 수 있는 조건이 확립되는 것**을 말한다.

② 이를 위해서는 **세대 간, 지역 간, 인종 간 발생하는 다양한 불평등을 감소시키거나 해소시키기 위한 사회적 노력이 필요**하다.

(2) **사회적 연대**

① 특정한 사회 문제에 대한 집단적인 대처수단으로, **피해를 입은 소수를 위하여 다수가 그 비용을 공동으로 부담**하는 등, 상부상조(相扶相助)의 정신에 따라 사회 문제 해결 과정에서 공동체에 속한 **구성원 전체의 이타적 노력을 강조하는 이념**이다.

② 다만, 이러한 사회적 연대에 있어서 **공동체에 대한 개인의 연대 참여는 당사자의 자유의지에 달려있다.**

③ 뒤르켐(E. Durkheim)은 **기계적 연대와 유기적 연대를 주장**하였다.

㉠ 기계적 연대: **사회구성원의 유사성(또는 동류성)에 근거**하여 사회전체의 공통적 의식이 개인의 의식을 지배하는 결합상태로, **전통사회의 지배적인 연대를 의미**한다.

㉡ 유기적 연대: **산업사회의 전개와 이로 인한 사회의 분화(또는 전문화)로 인해 발생한 연대**로, 사회구성원의 개별성에 근거하여 **다양한 개인들 사이의 상호의존에 의해 발생한 긴밀한 인간관계를 의미**한다.

3. 탈시설화 (必)

(1) 소외계층에 대해 **생활시설 수용을 탈피하여 지역사회에 거주**하게 하고, 지역사회는 그에게 필요한 서비스를 제공해야 함을 주장하는 것으로, **지역사회 중심의 복지체계 구축이 필요한 동기**가 된다.

(2) 단, 이것이 '무시설주의'를 의미하는 것은 아니다. 즉, **소규모 생활시설**(예 주야간보호, 단기보호, 그룹홈 등)**로 다양화시키고 이들 시설이 지역사회에 개방화되어야 한다고 주장**한다.

기출 OX

에밀 뒤르켐(E. Durkheim)이 주장하는 유기적 연대란 사회구성원의 유사성에 근거한 전통사회에서 지배적인 연대를 의미한다. ( ) 22. 국가직

× '유기적 연대'가 아니라 '기계적 연대'가 옳다.

4. 가족주의와 국가주의 (必)

실천의 주체와 비용부담에 있어서 누가 중심이 되어야 하는가의 선택의 문제에 따라 **가족주의와 국가주의로 분류**된다.

(1) **가족주의**

① 가족지향적 보호: **가족이 사회복지정책의 방향을 설정하는 기준이 되어야 한다는 이념**으로, 비가족적인 형태를 비정상적인 것으로 간주한다. 즉 가족이라는 사적 영역의 복지기능이 붕괴하는 곳에서만 공적인 영역이 개입해야 한다고 주장하며, 따라서 **사회복지는 가족적 형태의 보호와 가장 근접한 형태로 재생산**되어야 본다.

② 개인의 **자율성과 독립성을 강조**하여 **탈시설화를 찬성**한다.

③ 단점: 보호의 1차적 책임을 지게 되는 여성의 부담이 증가한다.

(2) **국가주의**

① 집합주의적 보호: 가족주의와는 달리 **사회의 모든 구성원에 대한 사회적 책임(또는 책임성)을 강조**한다. 또한 이러한 책임은 공적 · 사적영역을 포함하고, 공공교육, 보건 및 복지제도 등 광범위한 사회활동에 적용되어야 한다고 주장한다.

② **탈시설화를 반대**한다.

③ 단점: 명확하지 않은 공공과 사적 영역 간의 구분이나 시설의 폐쇄성 또는 경직성 등이 있다.

5. 시설 사회화

사회복지시설의 전반(예 운영, 공간, 시설 및 장비 등)**을 지역사회에 개방**하고, 주민들을 개별적 · 조직적 · 민주적으로 사회복지시설의 운영에 참여시켜야 한다고 주장하는 이념이다.

6. 주민참여 (必)

(1) **지역사회복지실천의 가장 중요한 이념**으로, **주민자치, 주민복지로 설명되며, 지역사회주민과 지방자치단체의 동등한 파트너십을 형성하는 방법**이다.

(2) 지방자치제도의 실시로 그 중요성이 더욱 강조되고 있다.

7. 연계망(또는 네트워크) 구축 (必)

이용자인 주민 중심의 서비스 제공을 위해 등장한 이념으로, 지역사회 내 산재되어 있는 **서비스 제공의 주체와 주민들의 조직화 · 연계 등을 주장**한다.

3 지역사회복지실천 관련 개념

1. 시설보호

사회적 보호가 필요한 사람들이 용도에 맞도록 설치된 **다분히 폐쇄적인 시설**에 거주하면서 서비스를 제공 받는 형태의 사회적 보호를 말한다.

선생님 가이드

❶ 전통적인 전문사회복지 방법으로는 개별사회사업, 집단사회사업, 그리고 지역사회조직화사업이 있습니다.
❷ 지역사회조직이 전문사회복지사에 의해 주도되는 반면, 지역사회개발은 지역사회주민들에 의해 주도된다는 점에서 차이가 있습니다.
❸ 케어 매니지먼트란 다양하고 복합적인 문제를 가진 클라이언트가 적절한 시기에 적합한 방법으로 그들이 필요로 하는 모든 서비스를 받을 수 있도록 보장하는 접근 방법을 말합니다.

2. 지역사회조직(Community Organization)

(1) **전통적인 전문 사회복지실천 방법**❶ 중의 하나로, **공공과 민간의 전문사회복지사나 조직의 협력과 협조하에 달성되는 영역을 말한다.**

(2) 전문사회복지사에 의해 보다 **조직적이고, 추구하는 변화에 대해 의도적이며, 과학적인 지식과 기술을 사용**한다.

3. 지역사회개발(Community Development)❷

지역사회 문제를 해결하기 위한 **지역사회주민들의 주도적 개입을 강조**하는 지역사회복지실천이며, 따라서 이를 통해 **지역사회구성원들의 사회적 관계를 향상**시킬 수 있다.

4. 지역사회보호(Community Care)

정상화 이념과 탈시설화의 영향으로 **시설보호의 한계를 극복하기 위해서 등장한 개념**으로, **클라이언트의 가정 또는 그와 유사한 지역사회 내의 환경에서 서비스를 제공하는 사회적 돌봄의 형태**를 말한다.

5. 재가보호(Domiciliary Care)

(1) 지역사회보호의 방법으로, **클라이언트가 자신의 가정에서 서비스를 받는 것**을 말한다.

(2) 공공과 민간의 공식적인 조직뿐만 아니라 클라이언트의 가족, 친척, 이웃 등이 제공하는 비공식적인 보호를 모두 포함한다.

핵심 PLUS

영국 지역사회보호의 형성기(1960년대 후반~1980년대 후반)에 발표된 보고서

① **시봄 보고서**(Seebohm Report, 1968년): **'지역사회보호'로의 실질적인 전환의 계기가 된 보고서**로, **지역사회를 사회서비스의 수혜자이며 동시에 서비스의 제공자로 인식**하고, 서비스의 협력 및 통합을 강조하여 지방정부에 의해 수행되는 '공식적 서비스'와 지역사회 주민의 참여에 의한 '비공식적 서비스'를 제공할 수 있는 새로운 사회서비스 부서의 창설을 제안하였다.

② **하버트 보고서**(Harbert Report, 1971년): 지역사회에 기초한 사회적 보호를 강조하여, '공공서비스'와 '민간서비스' 이외에 **'비공식적 서비스(예 가족, 친구 등)'의 역할의 중요성을 제시**하였다.

③ **바클레이 보고서**(Barclay Report, 1982년): **공식적인 서비스와 비공식적 서비스 간의 협력 관계 개발의 필요성을 주장**하였다.

④ **그리피스 보고서**(Griffith Report, 1988년)
- **지역사회보호의 1차적 책임자로서 지방정부의 역할을 강조**하여 지역사회보호를 위한 권한과 재정의 지방정부 이양을 주장하였고, 지역사회보호 실천 주체의 다양화를 강조하여 **지방정부는 대인사회 서비스의 직접적인 제공자가 아닌 계획·조정·구매자로서 역할만을 해야 한다**고 주장하였다.
- 또한 보호욕구의 정확한 판단과 이에 기초한 보호 서비스를 제공하기 위해서 **케어 매니지먼트(Care Management)❸의 도입을 강조**하였다.
- 1990년에 입법화되어 「국민보건서비스 및 지역사회보호법」으로 공포되었다.

4 지역사회복지실천의 원칙

1. 맥닐(McNeil)의 지역사회복지실천의 원칙

(1) 지역사회복지실천은 **지역사회주민들과 그들의 욕구에 관심을 가져야 한다.**

(2) 지역사회복지실천에 있어서 **1차적인 클라이언트는 지역사회**임을 알아야 한다.

(3) 지역사회는 있는 그대로 이해되고 **수용**되어야 한다.

(4) 지역사회의 모든 사람은 보건과 복지 서비스에 관심을 가지고 있다. 따라서 이들의 적극적인 참여는 각계각층의 이익을 대표할 수 있다.

(5) 욕구와 사람들과 집단들 사이의 관계상의 가변성을 인식해야 한다.

(6) 모든 사회복지기관과 단체는 **상호의존적이어야 하고, 이에 상호협력 및 기능의 분담이 이루어져야 한다.**

(7) 과정으로서의 지역사회복지실천이 사회복지실천의 한 분야임을 인식해야 한다.

2. 존스와 디마치(Johns & Demarche)의 지역사회복지실천의 원칙

(1) **"지역사회조직은 주민의 복지와 성장을 위한 수단이지 목적은 아니다."**라는 사실을 이해해야 한다.

(2) 각 지역사회는 특유의 성격 · 문제 · 욕구를 갖고 있으므로 효과적으로 돕기 위해서는 **개별화하여 지역사회를 바라보아야 한다.**

(3) 지역사회는 개인과 동일하게 **자기결정의 권리**를 가지고 있다. 따라서 **강요에 의한 사업 추진은 거부해야 한다.**

(4) 사회적 욕구는 지역사회조직의 토대가 된다. 따라서 **지역사회복지실천 활동은 지역사회주민과 그들의 욕구에 관심**을 가져야 한다.

(5) 사업선정에 있어서 **사회복지기관의 이익보다 지역사회의 이익이 우선적으로 고려되어야 한다.**

(6) 조정이란 성장을 위한 과정이므로 공통의 이익과 목표에 대한 지적인 인식에서 이루어져야 한다.

(7) 지역사회복지실천을 수행하기 위한 **구조는 가능한 한 단순**해야 한다.

(8) 지역사회의 서비스를 공평하게 분배하여 모든 사람들이 차별 없이 평등하게 이용할 수 있어야 한다.

(9) 접근 방법을 결정짓는 요소는 **지역사회의 욕구이어야 하므로 문제해결의 접근 방법에 있어서 지역사회의 다양성이 존중**되어야 한다.

(10) 지역사회복지협의체에는 광범한 집단의 이익이 반영되어야 한다.

(11) **사회복지기관의 효과적 운영을 위해 기관 간 집중과 분산 간의 균형(또는 병행)이 있어야 한다.**

(12) 지역사회 내에 존재하는 집단들 간의 의사소통을 가로막는 장애는 제거되어야 한다.

(13) 지역사회는 **전문가의 도움을 필요**로 한다.

3. 로스(Ross)의 추진회를 매개로 한 지역사회조직사업의 원칙 (必)

(1) 현재 지역사회의 **조건에 대한 불만으로부터 추진회의 결성**이 이루어진다.

(2) **불만은 특정 문제에 관한 계획을 세우고 실천에 옮길 수 있도록 집약**되어야 한다.

(3) 지역사회조직을 위한 불만은 지역사회주민들에게 널리 인식될 필요가 있다.

(4) 추진회에서는 지역사회 내에 있는 주요한 집단들에 의해 지목되고 수용될 수 있는 **공식적 · 비공식적 지도자들을 참여**시켜야 한다.

(5) 추진회는 지역사회주민들로부터 **고도의 지지를 받을 수 있는 목표와 운영 방법을 가지고 있어야 한다.**

(6) 추진회의 사업에는 **정서적인 내용을 지닌 활동들이 포함**되어야 한다.

(7) 추진회는 지역사회에 존재하는 **현재적 · 잠재적인 호의를 활용**해야 한다.

(8) 추진회는 그 자체 회원 상호 간, 그리고 지역사회와의 활발하고 **효과적인 의사소통 통로를 개발하고 유지**해야 한다.

(9) 추진회는 협동적인 노력을 위해 참여하고 있는 **여러 집단들을 지원하고 강화**시켜야 한다.

(10) 추진회는 정상적인 업무상의 결정 과정을 해치지 않는 범위 내에서 **절차상 융통성**을 지녀야 한다.

(11) 추진회는 지역사회의 현존 조건에 따라 수행하는 사업의 보조를 맞추어야 한다.

(12) 추진회는 **효과적인 지도자를 개발**하는 데 힘써야 한다. 즉 지역사회에서 주민의 공감을 얻을 수 있는 **풀뿌리 지도자(Grassroots Leader)를 발굴**해야 한다.

(13) 추진회는 지역사회 내의 지도자들을 참여시킬 수 있고, 어려운 문제를 해결할 수 있는 능력을 가져야 하며, 안정성이 있어야 하고, 지역사회로부터 신망을 얻어야 한다.

제3절 지역사회복지실천의 이론과 모델❶

회독 Check! 1회 □ 2회 □ 3회 □

1 지역사회복지실천의 이론

1. 구조기능이론

(1) 개관

① **사회변화는 점진적**으로 이루어지며, 지역사회는 생산 · 분배 · 소비, 사회화, 사회통제, 사회통합, 상부상조 기능을 하는 **다양한 하위체계들로 구성**되어 있고, 이러한 하위체계들은 **합의된 가치와 규범에 따라 움직이고, 전체 사회의 균형과 안정을 지향**한다고 가정한다.

② **급격한 사회 변동**, 즉 **사회적 균형, 조화, 안정, 균형**을 파괴하는 사회 해체 등과 **이에 부적응하는 개인이 지역사회 문제의 원인**이라고 본다.

③ 따라서 **사회 문제는 사회변화가 아닌 개인의 사회적응을 통해 해결할 수 있다고 주장**한다.

(2) 지역사회복지실천에의 적용

① 지역사회를 **다양한 하위체계로 구성되어 있는 단일한 체계로 이해**할 수 있게 하였다.

② 지역사회복지실천의 목표는 **각각의 하위체계들이 제 기능을 하면서 동시에 조화되도록 원조하는 것**이다.

2. 갈등이론

(1) 개관

① **사회적 권력 및 자원의 불평등한 분배에 의해 '갈등'이 발생**하고, **갈등으로 인한 불안은 사회의 본질적 현상**이며, 또한 **갈등은 사회변화의 주요한 기제로서의 역할을** 한다고 가정한다.

② **불평등, 즉 기득권층에 의한 피기득권층**(예 장애인, 여성, 소수집단 등)**의 지배**를 지역사회 문제의 원인으로 본다. 따라서 이러한 문제를 해결하기 위해서는 **불평등 관계를 극복**하여 자원 분배 체계의 평등화를 이루어 내야 한다고 주장한다.

(2) 지역사회복지실천에의 적용

① **피기득권층을 보호하고 그들의 권익을 추구하는 데 유용하게 적용**될 수 있다.

② 갈등을 둘러싼 연대와 권력형성의 도구가 되어 **사회행동모델에 유용**하다.

③ **알린스키(Alinsky)의 지역사회조직활동에 영향**을 미쳤다.

선생님 가이드

❶ 지역사회복지실천의 이론과 모델의 기능
- 효과적 실천 도구: 지역사회복지실천의 이론과 모델은 사회복지사로 하여금 지역사회복지실천의 일련의 과정, 즉 사정, 분석, 계획, 실행, 평가 등을 효과적으로 수행할 수는 지식체계를 제공한다.
- 변화하는 지식과 정보의 활용: 각 시대와 상황에 따라 적용하기에 적합한 지역사회실천 모델과 이론은 다양하므로 이러한 변화의 양상에 맞추어 사회복지사가 학습한 관련된 지식과 정보는 사회복지사의 실천 활동을 시대와 상황에 적합하도록 하는데 도움이 된다.
- 사회정의의 실현: 지역사회복지실천의 이론과 모델은 사회복지사에게 정의로운 사회와 이를 향해 지역사회가 변화하는 데 필요한 요소들을 결정하고 실천하는 이론을 제공한다.

3. 사회체계이론(또는 체계이론)

(1) 개관

지역사회는 교육기관, 사회복지기관, 주민 등과 같은 **다양한 하위체계(또는 하부체계)들이 모인 하나의 사회체계**이며, 각 **하위체계들은 상호 수평적 관계**를 맺고 있다고 가정한다. 즉 지역사회는 더 큰 상위체계, 동일수준의 체계, 여러 하위체계들과 상호작용하면서 순기능과 역기능이 이루어지는 공간이다.

(2) 지역사회복지실천에의 적용

① 모든 주민들이 지역사회의 문제와 욕구 해결에 참여할 수 있는 **안정적인 상태로 지역사회를 변화시켜 나가는 것이 지역사회복지실천의 목표**이다.

예 지역사회에서 급증하는 고독사나 독거노인에 대한 개입 전략을 수립할 때 사회복지사는 그들의 가족, 이웃, 지역사회 내 공공기관 등의 하위체계를 파악하고 네트워크를 형성함으로써 효과적인 대안을 마련할 수 있다.

② 사회복지사는 개입 시 **전체로서의 지역사회체계와 더불어 지역사회체계 내의 하위체계를 동시에 고려**해야 한다.

③ 보수적 이론으로 비판받지만, **지역사회의 구조와 기능을 설명하는 데에는 유용**하다.

4. 생태체계이론(또는 생태학이론, 생태이론)

(1) 개관

① 생태학과 체계이론이 결합해서 형성된 이론으로, **자연적인 섭리를 강조**하여 지역사회는 환경의 변화에 적응할 경우 생존하고, 그렇지 못하면 도태(또는 소멸)된다고 가정한다.

② **환경 속의 인간(Person-in-Environment)관**에 따라 지역사회는 환경과의 상호작용을 통해 **지속적으로 적응하고 진화**해 나간다고 이해한다.

③ 지역사회와 환경 간의 상호교류와 생태체계로서 지역사회 변형과정에 초점을 두고 지역사회에서 발생하는 현상을 설명한다. 따라서 이 관점에서 지역사회는 조직적 · 비조직적 상태에 있으며 **일정한 공간을 점유하고 있는 '인간 집합체(또는 공동체)'로 정의**할 수 있다.

(2) 주요 개념

① **경쟁(Competition)**: 보다 나은 입지, 위치를 차지하기 위한 적응과정이다.

② **협동적 경쟁(Cooperative Competition)**: 파괴적 경쟁 과정을 통해 다양한 집단을 제거하기보다는 다양한 집단의 이해 관계에 적응해 나가는 것이다.

③ **중심화(Centralization)**: 지역의 기능과 사회시설 및 서비스가 지역의 중심으로 몰리는 것이다.

④ **분산(Decentralization)**: 구성원이 중심으로부터 밀도가 더 낮은 외곽으로 빠져 나가는 것이다.

⑤ **집결(Concentration)**: 개인이 도시 등으로 이주하며 유입되는 것이다.

⑥ 분리(Segregation): 개인이나 집단 등이 배경적 특징에 따라 물리적 지역 내에서 서로 떨어져 유사배경 및 기능을 중심으로 한데 모이는 것이다.

⑦ 우세(Domination): 기능적으로 우위에 있는 것이 다른 단위에 대해 영향력을 행사하는 것이다.

⑧ 침입(Invasion): 지역사회의 한 집단이 완전히 분리된 다음 집단이 거주하는 지역으로 들어가는 것이다.

⑨ 계승(Succession): 침입이 완결된 지역의 상태이다.

(3) **지역사회복지실천에의 적용**

① 생태학이론에서 사용하는 주요 개념들인 **경쟁, 협동적 경쟁, 중심화, 분산, 집결, 분리, 우세, 침입, 계승 등을 활용하여 지역사회의 '역동적인 진화(또는 변화) 과정'**(예 지역의 특성, 도시화, 도시공동화, 사회적 계층화, 이민, 이주 등)**을 설명**할 수 있다.

② 사회복지사로 하여금 인간과 환경, 그리고 양자 간의 상호작용과 상호교류에 동시에 초점을 갖게 한다.

③ 사회복지사는 **환경이 지역사회복지실천의 매개 요인**으로 매우 중요한 역할을 한다는 것을 알아야 한다.

④ 사회복지사는 **지역사회가 스스로 생존하기 위하여 조직하는 방법을 탐구**해야 한다.

⑤ 사회복지사는 클라이언트의 문제에 대해서 클라이언트의 개인적 원인뿐만 아니라 **생태학적, 자연과학적, 객관적인 영향에 대해 고려하고 분석**해야 한다.

5. 자원동원이론

(1) **개관**

① 힘의존이론에 영향을 받았고, **사회운동조직들의 역할과 한계를 설명 또는 규명하는 이론**이다.

② **사회적 불만의 팽배를 사회 운동의 직접 원인으로 보는 전통적 시각을 비판**하며, **사회운동의 성패는 조직원 충원, 자금 조달, 적절한 조직 구조를 개발할 수 있는 능력**에 달려 있다고 보고, 이를 위해 조직원들의 집합적 정체성 형성을 돕고 이것을 토대로 조직원들의 헌신을 이끌어낼 수 있는 환경의 조성이 필요하다고 주장한다.

③ **외부체계와의 종속관계를 약화시켜 사회운동조직이 활성화되기 위해서는 자원**(예 돈, 정보, 사람, 조직원 간의 연대성, 사회운동의 목적과 방법에 대한 정당성)**이 필요**하며 이러한 **자원의 유무에 따라 사회운동의 성패가 결정된다고 가정**한다.

④ 사회운동의 성패 및 의사결정에 조직 간 자원 불균형이 미치는 영향을 강조함으로써 **사회운동조직의 자율성과 역동성을 저하시킨다는 비판**을 받는다.

(2) 지역사회복지실천에의 적용

① **사회운동조직은 생존을 위해 외부의 지원에 의존**할 수밖에 없다. 따라서 외부체계에 종속되지 않기 위해서는 **조직원의 모집 및 증원, 자금 확충, 직원 고용**을 해야 한다.

② 회원 간의 동질적 정체성 확보를 위해서 **회원의 적극적인 참여와 활동을 유도**해야 한다.

③ 강력한 사회운동조직들이 자신들의 대의를 전달하기 위해서 외부의 다양한 채널을 활용해야 한다.

④ 재정 확보 및 운용의 안정성을 위해서 충성심이 강한 회원과 거액 기부자를 확보해야 한다.

6. 사회적 교환이론(또는 교환이론)

(1) 개관

① **호만스(G. Homans)와 블라우(P. Blau)에 의해 정립된 이론**으로, 인간의 사회적 상호작용을 타인과의 대가(예 시간, 노력, 돈, 지위관계 등)와 교환자원(예 상담, 기부금, 돈, 정보, 의미, 힘, 아이디어, 정치적 영향력, 선의 등) 간의 **합리적인 교환 과정으로 이해**한다.

② 교환이익의 호혜성(Reciprocity): 타인이 필요로 하는 서비스에 대해 통제력을 가지면서, 동시에 타인의 서비스를 필요로 하지 않는 사람은 타인에 대하여 권력을 행사할 수 있는 위치에 놓인다. 즉 **권력구조는 불평등한 교환 관계로 형성**된다.

(2) 하드캐슬(Hardcastle)의 권력(또는 힘)균형 전략

① 교환관계에서의 권력(또는 힘)이란 **교환상대방이 필요로 하는 자원을 통제할 수 있는 능력**을 말한다.

② 'A'가 'B'에게 제시한 조건에 대해 'B'의 복종을 조건으로 자원을 교환함으로써 'A'는 'B'에 대해 권력을 행사할 수 있다. 이 때 **'B'는 교환관계에서 'A'에 대해 '권력의존적'인 상태에 있다고 표현**된다.

③ **하드캐슬(Hardcastle)은 'B'가 'A'와의** '권력의존적'인 상태에서 벗어나기 위한 **5가지 권력균형 전략으로 경쟁, 재평가, 상호호혜, 연합, 강압을 제안**하였다.

경쟁	'B'가 'A' 와의 교환관계에 참여하는 대신 **'C'나 'D' 등의 다른 교환 대상을 찾도록 하는 전략**으로, 이로 인해 'A'는 'B'와의 교환과 관련해서 'C', 'D'와 경쟁하게 된다. 예 B: 난 지금부터 A 당신 말고 C나 D와 교환하겠소!
재평가	'B'로 하여금 **'A'의 '교환자원'의 가치를 재평가하여 절하시키는 전략**이다. 예 B: 당신(A)이 제공한 교환자원은 더 이상 내게 필요가 없소!

상호호혜	'B'로 하여금 'A'가 필요한 교환자원을 개발하게 하여 **상호의존할 수밖에 없는 동등한 관계를 만드는 전략**이다. 예 B: 나도 A 당신이 필요한 자원을 가지고 있소! 우리 이제부터는 동등한 위치에서 거래합시다.
연합	**'B'가 자신처럼 'A'에 종속된 다른 'C, D 등'과 연합하여 'A'와 동등하게 교환할 수 있는 능력을 갖추어 대항하는 전략**이다. 예 B: A의 관계에서 종속된 C와 D여. 우리 함께 힘을 모아 A에 대항합시다.
강제(또는 강압)	**'B'로 하여금 물리적 강제력이나 위협 등을 사용해 'A'의 자원을 빼앗게 하는 전략**으로, 윤리적인 문제가 발생할 수 있다. 따라서 사회복지 영역에서 전적으로 수용할 수는 없는 전략이다. 예 B: A 당신이 가진 것을 내놓으시오!

(3) 지역사회복지실천에의 적용

① 지역사회복지실천 역시 교환 과정으로 이해한다. 즉, **지역사회는 교환자원인 상담, 기부금, 돈, 정보, 의미 힘 등의 교환이 이루어지는 장**을 의미한다.

② 지역사회 문제 발생의 원인을 **교환 관계의 단절이나 불균형, 교환자원의 부족·고갈·가치저하로 이해**한다. 다시 말해 교환자원이 교환 주체들의 상호 이익이나 가치에 부합되지 못해서 지역사회 문제가 발생한다고 본다.

③ 이 이론을 통해 **비영리조직인 사회복지조직의 마케팅이나 네트워킹 활동의 이유를 설명**할 수 있다.

7. 엘리트이론

(1) 개관

① **소수의 지배 엘리트 집단이 정책을 좌우하는 권력을 장악**하고 있다고 가정하며, 지역사회복지정책과 관련해서는 **엘리트들이 자신들의 이익을 위해 정책을 도입**한다고 본다.

② 따라서 이 관점하에서는 **사회나 조직을 지배하는 특정 소수엘리트 집단의 역할이 중요**하다.

(2) 지역사회복지실천에의 적용

지역사회 수준 또는 전국적인 수준에서 서로 결탁하여 권력을 독점적으로 행사하는 **소수의 기업인·관료·정치가 등이 존재하며 이들에 의해 지역사회가 지배되는 경향**이 있다는 것을 확인할 수 있다.

8. 다원주의이론

(1) 개관

① 특정목표를 중심으로 개인들이 **여러 집단이나 조직을 구성하여 자신들의 이익을 표출함**으로써 정책 과정에 영향을 끼칠 수 있다고 가정한다.

② 지역사회의 권력은 집중되는 형태를 갖기보다 전문성 등에 기반을 둔 다양한 사람들이 참여함으로써 다원화되는 경향이 있다고 본다.

(2) 지역사회복지실천에의 적용

① 지역사회복지정책을 **이익집단들 간의 갈등과 타협의 산물로 이해**한다.

② 지역사회복지정책은 개개인과 집단의 경쟁과 갈등을 정부 등(예 지방자치단체, 지방의회 등)이 공정하고 종합적인 입장에서 조정한 결과로서의 균형이다.

③ 지역사회복지정책 결정의 내용과 형태는 이익집단들의 상대적 영향력의 정도에 따라 달라진다.

9. 사회구성이론

(1) 개관

개인은 자신이 처한 **사회나 문화 속 맥락에 따라** 현실의 문제나 상황을 **주관적으로 구성 또는 재구성할 수 있다고 가정**한다.

(2) 지역사회복지실천에의 적용

① 사회복지사는 상호 역동적인 관계에 있는 개인들 사이에서 사회세계가 창조되며 건설된다고 이해해야 하므로 **개방적**이어야 한다.

② 사회복지사는 **지역사회 문제를 객관적 사실로 인정하지 않고, 특정 집단에 의해 규정된**다고 보아야 한다.

③ 사회복지사는 클라이언트와 관계된 정치적 · 문화적 · 개인적 역사에 대해 통찰하고 이러한 것이 **전문적 개입에 미치는 영향에 대해 민감성을 가지고 그 의미를 해석**해야 한다.

10. 권력의존이론

(1) 개관

① 지역사회체계 내 조직의 생존이 **권력균형의 교환 과정**, 즉 해당 조직이 지닌 자원의 크기에 따라 결정된다고 가정하는 관점이다.

② 즉, **자원을 많이 가진 조직이 적게 가진 조직을 통제할 수 있다고 이해**한다.

예 지방정부는 중앙정부보다 가진 자원이 적으므로 중앙정부에 의존적일 수밖에 없다.

(2) 지역사회복지실천에의 적용

① 사회복지조직으로 하여금 생존을 위해서는 외부의 재정적 지원에 의존할 수밖에 없다는 전제를 갖게 한다.

② **사회복지조직은** 생존과 더 나아가 자율성 확보를 위해 **재정 마련을 위한 다양한 후원처를 발굴**해야만 한다.

③ 블라우(Blau)의 이론: 클라이언트에게 서비스를 제공하는 데 사용되는 외부의 재정지원은 서비스 조직에게 재정지원자의 욕구에 충실할 수밖에 없는 구조를 만들게 되며, 이러한 재정지원자에 대한 조직의 지나친 의존은 조직의 목적 상실 · 자율성 제한 · 사회정의에 입각한 사회옹호 능력의 한계를 발생시켜 사회복지서비스 조직의 기본 목적에 부정적 영향을 끼치게 된다.

11. 사회적 자본이론

(1) 사회적 자본(Social Capital)의 개념

사람과 사람 사이의 협력과 사회적 거래를 촉진시키는 일체의 **신뢰 등 사회적 자산(또는 집합적 자산)**으로 **사회적 교환 관계에 내재된 자본**이며, 사회구성원들이 힘을 합쳐 **공동의 목표를 효율적으로 추구할 수 있게 하는 자본**이다.

(2) 사회적 자본의 특징

① 사회적 자본은 다른 자본들과는 달리 개인이나 물리적 생산시설에 존재하는 것이 아니라 **수평적인 사회적 교환 관계 내에 내재된 자본**이다. 따라서 사회적 자본을 소유하기 위해서는 타인과 사회적 관계를 맺어야 한다.

② 일단 획득된 사회적 자본일지라도 **일련의 지속적인 교환 과정을 거쳐야만 유지되고 재생산**될 수 있다. 즉 **획득된 후에 언제든지 사라질 수 있다.**

③ 사회적 자본은 **거래 당사자 모두가 사용하면 할수록 더욱 축적되고 더욱 증가하며 사용하지 않으면 고갈되는 정합(Positive-Sum) 관계**를 갖는다. 즉 **사용하면 사용할수록 그 총량이 늘어난다.**

④ 사회적 자본은 **일반적 호혜성(Generalized Reciprocity)에 기반을 둔 자원**이다. 즉, **보상에 대한 믿음이 존재**할 수 있다. 다만 그 호혜성은 불확실성, 위험성 등으로 인해 매우 취약하며 불안정적이다. 따라서 **동시에 교환되는 것을 전제로 하지는 않는다.**

⑤ 사회적 자본은 선별적으로 교환이 가능하다.

⑥ 어떤 목적이나 행위를 촉진시켜주는 사회적 자본이 다른 목적이나 행위에는 부적절할 수도 있다.

⑦ 물리적 자본은 구체적으로 관찰 가능한 반면, 인적 자본에서 사회적 자본으로 갈수록 직접적인 관찰이 어려워진다.

⑧ 사회적 자본은 구성원 일부가 아닌 모두에게 공유된다.

⑨ 사회적 자본은 **지역사회 내에서 관계를 맺고 있는 주민들과 이익이 공유**될 수 있다.

(3) 지역사회복지실천에 미친 영향

① 사회적 자본은 지역사회 내에서의 협력, 통합을 촉진시키고자 할 때에 매우 유용하게 적용될 수 있다.

② 사회적 자본 형성에는 **지역사회복지 실천을 위한 주요 개념인 네트워크, 사회적 정체감, 집합 행동(Collective Action) 등의 측면이 전제**되어 있다.

12. 사회연결망이론

(1) **사회적 연결망(또는 네트워크)**이란 조직 또는 개인 간에 도움을 주고받기 위해 형성된 **구조화된 사회적 관계(또는 체계)**로, 이를 매개로 하여 사회적 교환이 가능하다.

(2) 사회적 연결망은 단순한 자원의 교환뿐만 아니라 지역사회 구성원 간 **소통과 공통의 문제해결을 위한 장(Field)의 기능**도 한다.

(3) 사회복지조직의 경우 지역사회 내 다른 조직과의 서비스 조정, 협력, 공유 등도 가능하게 한다.

2 지역사회복지실천의 모델

1. 로스만(Rothman) 모델 11 · 21. 국가직, 17 · 18. 지방직, 17. 지방직(추가), 19. 서울시 必

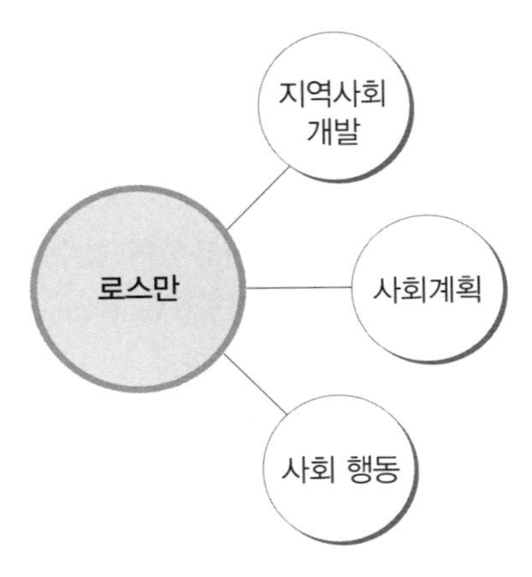

(1) 3가지 기본모델

지역사회개발(A)	① 개입의 대상: **지리적 지역사회의 주민전체** ② 변화의 목표 ㉠ **과정중심적 목표**[1] ㉡ **지역사회의 능력 향상, 지역사회의 역량 강화, 사회통합, 민주적 능력 개발** ③ 클라이언트 집단에 대한 인식: 아직 완전히 개발되지 않은 상당한 잠재력을 가졌지만 **전문가의 원조를 통해 그러한 잠재력의 개발이 필요한 정상인** ④ 권력구조에 대한 인식 ㉠ 사회통합적 시각 ㉡ 권력을 가지고 있는 지역사회 구성원 역시 전지역사회의 발전에 기여할 수 있는 **협력자(또는 파트너)로 인식** ⑤ 지역사회의 문제: **지역사회나 문제의 아노미**[2] **또는 쇠퇴된 현상을 전제로 한** 지역주민의 문제해결 능력 및 기술의 결여 또는 부족 ⑥ 변화의 전략과 전술(**지역사회주민들의 임파워먼트**) ㉠ 지역사회의 **자주성[또는 자조(自助)]** 강조 ㉡ 광범위한 **주민참여와 협조** ㉢ 전문가에 의한 지역주민을 대상으로 한 **교육** ㉣ **'합의와 집단토의' 기술**의 활용 ㉤ 아래로부터의 접근 강조, 즉 **민주적 절차 및 과정의 준수** ㉥ **토착적 지도자의 개발** ⑦ 변화의 매개체: **과업지향적인 소집단의 활용**

❶ 로스만(Rothman)은 지역사회복지실천모델의 목표로 과업중심과 과정중심을 제시하였습니다. 과업중심이란 구체적인 과업 완수, 즉 지역사회의 욕구충족, 문제해결 등을 목표로 삼는 것인데 반해, 과정중심이란 주민들 스스로 자신들의 문제를 해결할 수 있는 능력을 향상시키기 위해 참여, 자조, 협동능력 등을 강조하는 개념입니다.

❷ 아노미(Anomie)란 사회적 혼란으로 인해 규범이 사라지고 가치관이 붕괴되면서 나타나는 사회적, 개인적 불안정 상태를 말합니다. 뒤르켐(Durkheim)은 자신의 아노미 이론에서 사회가 급격히 변동했을 때 그에 대한 대응 규범이 나타나지 않으면, 사람들은 혼란을 겪게 되고, 이런 무규범 상태가 지속됨으로서 사회적 일탈이 발생한다고 보았습니다. 지역사회를 기능적으로 이해하는 지역사회 개발모델에서는 지역사회 문제의 원인을 지역사회의 갑작스러운 변화에 적응하지 못하는 지역주민의 문제해결 능력이나 기술의 결여 또는 부족으로 이해하며, 따라서 아노미를 전제합니다.

	⑧ 사회복지사의 역할: **조력자, 촉매자, 조정자,** 교육자, 격려자, 능력부여자, 안내자, 문제해결기술 훈련자 예 지역사회복지관의 지역사회개발사업, 주민자치행정 등
사회계획 (B)	① 개입의 대상: 전체지역사회 또는 지역사회의 일부 계층 ② 변화의 목표 ㉠ **과업중심적** ㉡ 지역사회의 특정 문제 해결, 문제규명 · 욕구사정 · 목표개발 등을 통한 **합리적 대안 수립** ③ 클라이언트 집단에 대한 인식: **전문가**[3]**가 제공**하는 서비스의 혜택을 받는 **소비자 또는 수혜자** ④ 권력구조에 대한 인식: **전문가의 후원자 또는 그를 고용한 고용기관** ⑤ 지역사회의 문제: 다양한 사회 문제(예 빈곤, 주택, 교통, 정신건강, 환경오염, 고용, 범죄 등) ⑥ 변화의 전략과 전술 ㉠ 조사, 객관적 자료수집 및 분석에 근거한 합리성 추구 ㉡ 사실의 발견(또는 진상파악)과 이에 대한 논리적 분석 ⑦ 변화의 매개체: 지방정부의 관료 조직, 공식적 사회조직 ⑧ 사회복지사의 역할: 전문가, 계획가, 분석가, 프로그램의 기획 및 평가자, 사실발견 수집가
사회행동 (C)	① 개입의 대상 ㉠ **억압과 착취로 인해 고통 받고 있는(또는 불이익을 받거나 권리가 박탈당한) 지역사회의 일부 계층**(예 노동자, 여성, 해외이주 노동자 등) ㉡ **지역사회 집단 간 적대적이거나 상반된 문제인식으로 인해 논의 및 협상으로는 합의가 어려운 경우** ② 변화의 목표 ㉠ 과정중심적: 개입 대상의 정치적 영향력 증대를 위한 적극적인 참여 ㉡ 과업중심적: 권력 · 자원 · 정책결정권 등의 재분배, **제도의 변화** ③ 클라이언트 집단에 대한 인식 ㉠ 소외계층, 억압받는 계층, 고통당하는 계층, 불이익 집단, 희생자 ㉡ **사회복지사의 동지** ④ 권력구조에 대한 인식: 클라이언트 집단과 클라이언트 집단을 억압하는 집단으로 양분해서 인식 ⑤ 지역사회의 문제: **혜택과 권한의 분배에 따라 상하 계층이 발생하거나 유지되는 사회체계** ⑥ 변화의 전략과 전술 ㉠ 아래로부터의 접근 강조 ㉡ 갈등이나 대결 강조 ㉢ 표적대상에 대항할 수 있도록 **주민동원 및 조직화기술의 활용 강조** ㉣ 정치적 참여와 연대 강화 강조 ㉤ **이의제기, 데모, 갈등, 대결, 직접적 행동, 협상, 항의, 시위, 보이콧, 피케팅 등의 대항전략과 집단행동** ⑦ 변화의 매개체: 대중조직과 정치적 과정의 조정 및 영향 ⑧ 사회복지사의 역할: 옹호자, 행동가, 중재자, 조직가, 선동자, 협상자 예 소수인종집단 인권 운동, 학생 운동, 여성해방(또는 여권신장) 운동, 소비자보호 운동, 노동조합 운동, 복지권 운동, 보육조례제정 운동 등

선생님 가이드

❸ 사회계획모델은 세 가지 모델 중에서 전문가의 역할이 가장 중요하지만, 클라이언트인 지역사회주민들의 역할은 가장 최소화된 모델입니다.

(2) 3가지 혼합모델

로스만은 3가지 기본모델이 개괄적인 분류일 뿐이며, 실제 지역사회복지실천을 위해서는 **3가지 모델을 혼합한 형태인 개발 · 행동모델, 행동 · 계획모델, 계획 · 개발모델 등이 활용**될 수 있다고 하였다.

구분	내용
개발 · 행동모델 (A · C)	과정에서는 지역사회 개발모델(예 참여와 합의, 민주적 과정 등)을, 목적에서는 사회행동모델(예 사회개혁, 차별 철폐, 자원 배분, 권력 이양 등)을 혼합한 유형이다. 예 여성 운동, 풀뿌리 대중(또는 민중) 운동 등
행동 · 계획모델 (C · B)	사회행동모델과 사회계획모델(예 사실에 기반한 실증적 조사 · 분석, 전문가의 개입 등)을 혼합한 유형이다. 예 소비자 운동, 환경보호 운동 등
계획 · 개발모델 (B · A)	**과정에서는 사회계획모델을, 목적에서는 지역사회개발을 혼합한 유형**이다. 예 지역사회 보장계획

2. 테일러와 로버츠(Taylor & Roberts)의 모델 11. 국가직, 12. 지방직, 19. 서울시 必

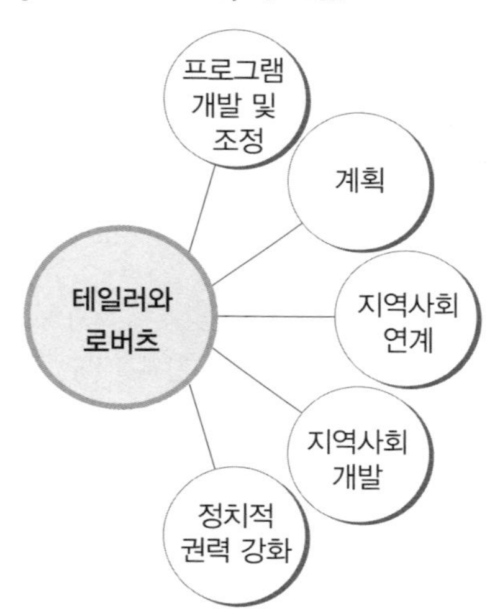

(1) 개관

① 로스만의 기본 **3가지 모델에 2가지 모델을 새로 추가하여 5모델을 제시**하였다.

② 이 모델에서는 실천 방법의 각 변인, 대안적인 전략, 의사결정의 영향 정도 등에 있어 **후원자와 클라이언트가 어느 정도의 결정권한이 있느냐**에 따라 5가지 유형으로 구분한다.

③ 로스만 모델과의 비교

로스만 모델	테일러와 로버츠의 모델
지역사회 개발모델	지역사회 개발모델
사회계획모델	프로그램 개발 및 조정모델
	계획모델
사회행동모델	정치적 권력 강화모델
별도 추가	지역사회연계모델

기출 OX

01 로스만(Rothman)의 '지역사회 개발모델'에서는 지역사회 내의 모든 집단들의 긍정적 변화를 위한 필수요소들이자 잠재적 파트너로 간주된다. ( ) 11. 국가직

02 로스만(J. Rothman)이 제시한 지역사회복지 실천모델 중 사회계획 모델에서는 교육을 통해 주민 지도자를 양성하고 협력적인 지역분위기를 조성하는 데 주력한다. ( ) 21. 국가직

03 로스만(J. Rothman)이 제시한 지역사회복지 실천모델 중 지역사회개발 모델에서는 주민의 자조정신이 강조되며 주민의 문제해결 능력 강화에 초점을 둔다. ( ) 21. 국가직

04 로스만(J. Rothman)이 제시한 지역사회복지 실천모델 중 사회행동 모델에서는 사회복지사의 중개자, 옹호자로서의 역할이 강조된다. ( ) 21. 국가직

05 지역사회 개발모델은 자조에 기반하며, 과업목표 지향적이다. ( ) 17. 지방직

06 사회계획모델에서는 변화전략으로 주로 클라이언트의 임파워먼트(empowerment)가 사용된다. ( ) 17. 지방직

07 사회행동모델은 세 모델 중 전문가의 역할이 가장 중요하며, 이의제기, 데모 등 대항전략을 많이 사용한다. ( ) 17. 지방직

01 ○
02 ×
03 ○
04 ○
05 × '과업목표 지향적'이 아니라 '과정목표 지향적'이 옳다.
06 × '사회계획모델'이 아니라 '지역사회 개발모델'이 옳다.
07 × '이의제기, 데모 등 대항전략을 많이 사용한다.'는 '사회행동모델'에 관한 설명이다.

(2) 모델

프로그램 개발 및 조정모델	① 지역사회의 효과적 변화를 유도하기 위해 **후원자가 프로그램을 개발하고 조정해 나가는 전략**이다. ② 주로 공공기관, 지리적 지역사회를 대상으로 서비스를 제공하는 민간기관, 기능적 지역사회, 기관협의회 등에서 수행되는 실천에 초점을 둔다. ③ **인보관 운동과 자선조직협회 운동에 근거**가 된다. ④ **의사결정권 배분정도는 후원자에게 100%이다.** 예 사회복지협의회, 지역공동모금회 등
계획모델	① 로스만의 초기 **사회계획모델에 인간지향적인 측면을 강조하도록 수정한 모델**이다. ② **합리적 기획모델에 기초한 조사전략 및 기술을 강조**한다. 특히 기획에 있어서 사람들과의 상호교류적인 노력을 강조하고 **보다 옹호적이며 진보적인 정치적 접근을 포함**한다. ③ **과업지향적인 과학적 설계를 기반**으로 하여 **과정지향적인 목표를 수립하기 위한 조직과정의 관리와 영향력 발휘**를 강조한다. ④ 의사결정권 배분정도는 '클라이언트 : 후원자 = 1 : 7'이다.
지역사회연계모델	① **로스만의 모델에는 포함되어 있지 않는 모델이다.** ② 사회복지기관의 일선 스태프(Staff)나 행정가들이 주로 수행하는 기능으로, 지역사회복지실천을 **사회복지기관의 1차적인 책임인 직접적인 서비스 전달에 대한 2차적 기능으로 이해**한다. ③ 지역사회와의 관계설정을 위한 수단으로서 **연계활동과 지지활동을 강조**한다. ④ 사회복지사의 역할은 단순한 서비스 제공자의 차원을 넘어서서 지속적인 관계구축에 헌신하는 자이다. ⑤ 의사결정권 배분정도는 '클라이언트 : 후원자 = 1 : 1'이다.
지역사회 개발모델	① **로스만의 지역사회 개발모델과 매우 유사한 모델**이다. ② 지역사회의 **리더십과 자조, 주민참여,** 교육 과정, 지역성, 상호부조에 바탕을 둔 지역사회 연구와 문제해결을 강조한다. ③ 사회복지사의 역할은 **조직가와 조력자**이다. ④ 의사결정권 배분정도는 '클라이언트 : 후원자 = 7 : 1'이다.
정치적 권력강화 모델	① **로스만의 사회행동모델이나 웨일과 갬블의 정치 · 사회행동모델과 유사**하다. ② 갈등이론과 다원주의 관점에 따라 다양한 이익집단의 경쟁원리에 기초하여, 의도된 **시민참여에 의한 정치적 권력강화에 초점**을 둔다. ③ 즉, 지역사회복지실천에서 **지역사회주민들의 정치력을 핵심적 요소로 이해**하여 주민의 참여를 보장하고, 극대화하며, **합법적 권력구조로의 진입을 강조**한다. ④ 사회복지사의 역할은 **교육자, 자원개발자, 사회운동가**이다. ⑤ 의사결정권 배분정도는 클라이언트에게 100%이다.

기출 OX

01 사회계획모델은 클라이언트의 역할이 가장 최소화된 모델이다. ( ) 17. 지방직

02 사회계획모델은 지역사회 내 권력과 자원의 재분배, 사회적 약자에 대한 의사결정의 접근성을 강화함으로써 지역사회의 변화에 초점을 두고 있다. 따라서 갈등, 대결, 직접적 행동, 협상 등의 전술을 사용한다. ( ) 18. 지방직

03 테일러와 로버츠(Tayler & Roberts)가 제시한 모델의 주된 특징은 후원자와 클라이언트 간의 의사결정 권한정도를 구체적으로 구분한 것이다. ( ) 11. 국가직

04 지역사회연계모델은 지역주민의 정치력을 핵심적 요소로 보며 합법적 권력구조로의 진입을 강조한다. ( ) 12. 지방직

05 테일러와 로버츠(Taylor & Roberts)가 제시한 지역사회복지실천모델 중에서 후원자의 영향력이 100%인 모델은 프로그램 개발 및 조정모델이다. ( ) 13. 서울시

01 ○
02 × '사회계획모델'이 아니라 '사회운동모델'이 옳다.
03 ○
04 × '지역사회연계모델'이 아니라 '정치적 권력강화 모델'이 옳다.
05 ○

3. 웨일과 갬블(Weil & Gamble)의 모델 11. 국가직 必

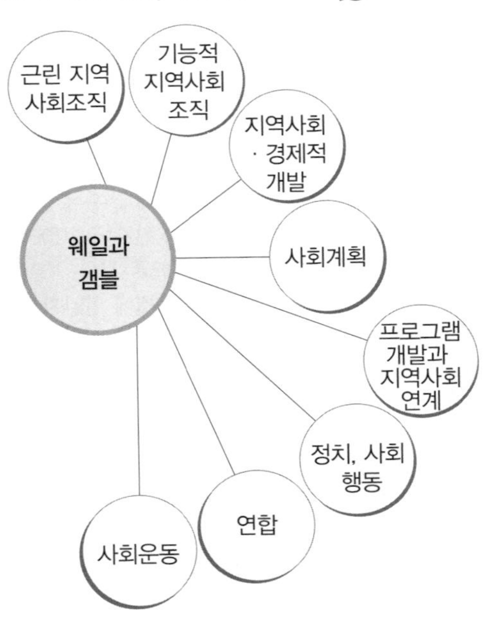

(1) **개관**

① 로스만의 기본모델을 확장시켜 **성취목표, 변화의 표적체계, 일차적 구성원, 주요 관심영역, 사회복지사의 역할 등 5개의 특징에 따라 8가지 유형의 모델을 제시**하였다.

② 로스만 모델과의 비교

로스만 모델	웨일과 갬블 모델
지역사회 개발모델	근린지역사회조직모델
	기능적지역사회조직모델
	지역사회 · 경제적 개발모델
사회계획모델	사회계획모델
	프로그램 개발과 지역사회 연계모델
사회행동모델	정치 · 사회행동모델
	연합모델
	사회운동

기출 OX

웨일과 갬블(Weil & Gamble)의 '기능적 지역사회조직모델'에서는 공통의 관심사에 근거한 기능적 지역사회조직에 중점을 두어 사회적 이슈나 특정집단의 권익 보호 및 옹호를 목표로 삼고 있다. ( )
11. 국가직

○

(2) **모델**

구분	성취목표	변화의 표적체계	일차적 구성원	주요 관심영역	사회복지사의 역할
근린지역 사회조직	① **사회적 · 경제적 환경의 변화와 조직화를 위한 지역사회주민의 능력개발** ② **지역사회주민의 삶의 질 향상** ③ 공공행정기관의 도시계획과 외부개발자들이 지역에 미칠 영향과 변화에 대한 조절	① 공공행정기관(또는 지방정부) ② 외부개발자 ③ 지역사회주민	지리적 의미의 지역사회에서의 주민(또는 이웃)	**지리적 의미(또는 대면접촉이 이루어지는)의 지역사회주민의 삶의 질**	① 조직가 ② 교사 ③ 코치 ④ 촉진자
기능적인 지역사회조직	특정 이슈와 관련된 정책 · 행위 · 태도의 옹호나 변화를 위한 행동이나 서비스 제공	정부와 대중의 인식	동호인(또는 동일한 이해 관계자들)	① 기능적 의미의 지역사회주민들의 삶의 질 향상 ② 특정 이슈와 대상을 옹호	① 조직가 ② 옹호자 ③ 집필 및 정보전달자 ④ 촉진자
지역사회의 사회 · 경제개발	① **지역사회주민의 관점에서 개발계획을 수립하고, 주민들이 사회 · 경제적 투자를 이용하도록 준비시킴** ② **사회 · 경제적 투자**를 통해 경제와 사회를 동시에 개발하여 저소득 및 불이익 계층의 삶의 질 향상과 기회 증진	지역사회의 사회경제적 개발에 투자할 수 있는 자원을 가진 사람들 예 은행 등의 금융기관, 재단, 외부개발자, 지역사회주민 등	지역사회의 저소득 및 불이익 계층	지역사회주민의 소득 · 자원 · 사회적지원개발 및 교육과 리더십기술 향상	① 협상가 ② 교사(또는 교육자) ③ 계획가 ④ 관리자
사회계획	선출된 기관 또는 사회복지서비스기관 협의체(Consortium)가 행동을 하기 위한 제언	지역사회지도자와 사회복지 서비스 지도자의 관점	① 선출된 공무원 ② 사회복지 기관 ③ 협의체	① 지역사회문제 해결을 위한 지역계획에 사회적 욕구 통합 ② 사회복지 서비스 관계망 조정	① 조사자 ② 프로포절 작성자 ③ 정보전달자 ④ 관리자
프로그램개발과 지역사회연계	지역사회서비스의 효과성을 증진시키기 위한 기관 프로그램의 확대와 방향 수정	① 프로그램의 개발에 소요되는 재정을 충원하는 자 ② 기관이 제공하는 서비스의 실제적인 수혜자	① 프로그램 개발에 관여하는 기관의 위원회나 이사회 ② 지역사회 대표자	**특정 욕구를 가지고 있는 대상자를위한 서비스 개발**	① 대변인 ② 계획가 ③ 관리자 ④ 프로포절 제안자
정치 · 사회행동	정책 또는 정책형성자의 변화에 초점을 둔 사회정의를 위한 행동	① 선거권자 ② 선거로 선출된 공직자와 행정관료 ③ 지역사회 주민의 생존을 위협하는 기업과 정부당국 ④ 잠재적 참여자	특정 정치적 권한이 있는 시민들	① 정치적 권력의 형성 ② 현 제도의 변화	① 옹호자 ② 조직가 ③ 조사자 ④ 조정자
연합	분리된 집단 및 조직을 사회변화에 동참시켜 **프로그램의 방향 또는 자원을 최대한 끌어 낼 수 있는 다조직(多組織) 기반의 구축**	① 선출직 공무원 ② 재단 ③ 정부기관	특정 이슈에 이해관계가 있지만 현재는 분리되어 있는 조직	사회적 욕구 또는 사회적 관심과 관련된 특정 이슈	① 중개자 ② 협상가 ③ 대변인
사회 운동	특정 대상집단 또는 이슈 관련 사회정의를 위한 행동	① 일반대중 ② 정치제도	새로운 비전과 이미지를 창출할 수 있는 조직과 지도자	사회정의	① 옹호자 ② 촉진자

4. 포플(Popple)의 모델

(1) 개관

'보호(Care)'와 '행동(Action)'의 연속선을 기준으로 하여 지역사회 복지실천모델을 8가지로 유형화하였다.

(2) 모델

지역사회 보호모델 (또는 커뮤니티 케어모델)	① 지역사회에 거주하는 주민(예 노인, 아동, 장애인 등)의 **케어를 위한 자원봉사 서비스와 지역사회 네트워크를 조성하는 데 초점을 둔 모델**이다. ② 주요 전략: 사회적 관계망과 자발적 서비스의 증진, 자조개념의 개발 ③ 사회복지사의 역할: 조직가, 자원봉사자
지역사회 조직모델	① 중앙과 지방 수준에서 유사한 조직들이 상호 협력해서 **서비스의 중복과 자원의 낭비를 줄이고, 국가 지원금을 요청하는 사업에 적용하는 모델**이다. ② 주요 전략: 타 복지기관 간 협력 증진 ③ 사회복지사의 역할: 조직가, 촉매자, 관리자
지역사회 개발모델	① 지역사회 주민의 삶의 질 향상을 위해 **주민 자신이 기술과 자신감을 획득하도록 지원하는 데 초점을 둔 모델**이다. ② 저개발국가의 지역개발에 활용할 수 있다. ③ 주요 전략: 삶의 질 향상과 관련된 신뢰와 기술을 습득하도록 원조, 적극적 참여 ④ 사회복지사의 역할: 조력자, 지역사회 활동가, 촉진자
사회 · 지역 계획모델	① **지역사회 개발모델과 유사**하다. 단, 경제계획과 국가계획이 포함되어 있는 모델이다. ② 사회복지사는 정부와의 파트너십을 발전시켜야 한다. ③ 주요 전략: 사회적 상황의 분석, 목표와 우선순위의 설정, 서비스 및 프로그램의 실행 및 평가 ④ 사회복지사의 역할: 조력자, 촉진자
지역사회 교육모델	① 교육과 지역사회를 보다 가깝게 하고, 보다 **평등한 관계를 맺도록 하는 교육정책이나 실천에 초점을 둔 모델**이다. ② 주요 전략: 교육과 지역사회 간의 밀접하고 동등한 관계 시도 ③ 사회복지사의 역할: 교육자, 촉진자
지역사회 행동모델	① 지역사회복지 실천의 가부장적 형태에 대항하고, **상대적으로 힘이 없는 집단의 효능감을 증가시키기 위해 활용하는 모델**이다. ② 주요 전략: 지역수준에서 계급 및 갈등에 기초한 직접적인 행동 ③ 사회복사의 역할: 행동가
여권주의적 (또는 페미니스트) 지역사회 사업모델	① 여성의 불평등한 사회적 결정요소에 도전하여 **여성복지를 증진시키기 위해서 활용하는 모델**이다. ② 주요 전략: 여성복지의 향상, 성 불평등 해소를 위한 집합적 활동 ③ 사회복지사의 역할: 행동가, 조력자, 촉진자
인종차별철폐 지역사회 사업모델	① 인종적 이유로 교육, 주택, 이민, 건강, 고용 정치 영역에서 **차별받는 흑인 등 소수인종에게 적용하는 모델**이다. ② 주요 전략: 소수 인종의 욕구 충족을 위한 집단의 조직 및 활동, 인종주의에 대한 도전 ③ 사회복지사의 역할: 행동가, 자원봉사자

5. 최근의 지역사회복지실천 모델 12. 지방직 必

(1) 다문화조직모델(Multi-Cultural Organizing Model)

대표적인 사회변환모델로, 기득권 문화를 강조하는 접근방식으로는 소수집단의 환경 · 생활에 대한 근본적 개선에 한계가 있음을 전제하고, 지역사회 내에 존재하는 **다양한 문화를 이해하고 문화적 집단 간의 상호작용을 통해 소수계층의 복지향상을 이룰 수 있음을 강조**한다.

(2) 지역자산모델(Community Asset)

① 지역사회가 가지고 있는 부정적인 결함보다는 **긍정적 자산에 초점**을 두며 실천 개입을 개발하는 모델로 **로스만의 지역사회 개발모델과 유사**하다.

② 지역 외부의 전문가들에 의해 지역주민의 욕구가 규명되는 전통적 모델과는 달리 **지역주민 스스로 개개인의 강점을 구축**하여 이웃 간에 기술과 자원을 효과적으로 교환시켜 나갈 수 있는 기제들을 개발하는 데 초점을 둔다. 이에 따라 지역주민의 참여에 기초한 **지역사회 내 자원동원을 1차적 출발점**으로 한다.

3 지역사회복지실천 모델별 사회복지사의 역할

1. 로스(Ross)의 지역사회 개발모델에서의 사회복지사의 역할 必

로스(Ross)는 지역사회 개발모델에서의 사회복지사의 역할을 **안내자, 조력가, 전문가, 사회치료자** 등 4가지로 제시하였다.

(1) 안내자

① 문제해결의 주도적 능력 발휘: 문제해결 과정에서 능동적인 주도력을 발휘해야 한다.

② 객관적인 입장 견지: **개입 초기에 지역사회의 조건에 대해 칭찬이나 비난 등의 감정표현을 하지 않고, 객관적인 입장을 견지**해야 한다.

③ 지역사회 전체에 동일시: 지역사회와 자신을 동일시하여 추진회 등, **지역사회 조직이 합의한 문제나 사업에 동일한 입장을 취해야 한다.**

④ 자신의 역할에 대한 수용과 만족: 안내자로서의 자신의 역할을 수용하여 **의사결정 등, 주민의 역할을 대신해서는 안 된다.**

⑤ 자신의 역할에 대한 설명: 지역사회주민들에게 **사회복지사 자신의 역할을 설명하여 지역사회에 수용되도록 노력해야 한다.**

(2) 조력가

① 불만의 집약: 지역사회 내 다양한 집단들에 의해 **표출된 불만을 집약**한다.

② 조직화에 대한 격려: 지역사회 내 **불만을 발견하는 일에 주도적인 역할**을 하며, 지역사회 주민들이 스스로 불만에 관한 논의를 하고, 이에 대한 우선순위를 정한 다음 이를 해결하기 위한 목적의 **조직을 결성하도록 원조**한다.

③ 공동목표 강조: 지역사회조직화 과정에서 지역주민들에게 공동의 목표를 강조한다.

기출 OX

01 다문화조직모델(multi-cultural organizing)은 서로 다른 문화 집단 간 상호작용과 상호이해를 바탕으로 소수자의 복지향상을 이룰 수 있다고 본다. ( ) 12. 지방직

02 지역자산모델(community asset)은 전문가의 역할이 강조되며 지역사회 내 존재하는 각종 문제해결에 중점을 둔다. ( ) 12. 지방직

01 ○
02 × '전문가'가 아니라 '주민들'이 옳고, '각종 문제해결'이 아니라 '지역주민 스스로 개개인의 강점을 구축하는 것'이 옳다.

(3) 전문가

① **지역사회진단**: 지역사회의 구조, 특성, 공동사업의 추진을 방해하는 장애요인 등에 대해 분석 및 진단을 한다.

② **조사기술**: 과학적이고 체계적인 조사방법에 대한 지식과 기술을 활용한다.

③ **타 지역사회에 관한 정보**: 다른 지역사회에서 행해진 조사, 연구, 시범사업 등에 대한 정보를 주민들에게 제공한다.

④ **조직화에 관한 조언**: 지역주민들이 조직을 결성하는 방법과 절차에 대한 전문가적 지식을 활용한다.

⑤ **기술상의 정보**: 기술적인 문제에 관한 참고자료의 내용 및 출처 제공, 정부기관, 민간단체, 국제기관의 자원을 이용하는 방법에 대해 조언한다.

⑥ **평가**: 수행되고 있는 사업에 대한 객관적이고 체계적인 평가를 수행하고 교육한다.

(4) 사회치료자

① 지역사회에 대한 진단과 이해 원조

② 지역사회 문제의 이해 원조

③ 긴장상태 · 불화 등 지역주민 간의 협력을 방해하는 요인의 제거 원조

2. 사회계획모델

사회계획모델에서 사회복지사의 역할을 **모리스와 빈스톡(Morris & Binstock)은 계획가로, 샌더스(Sanders)는 분석가, 계획가, 조직가, 행정가로 제시**하였다.

(1) 모리스와 빈스톡(Morris & Binstock)의 계획가

지역사회의 욕구를 파악하여 해당 욕구 충족과 관련된 기존 서비스의 개선 및 새로운 서비스의 개발에 필요한 **정책이나 프로그램을 계획하는 역할**로, 계획가가 가지고 있는 자원으로는 돈과 신용, 개인적 열정, 전문성, 인기, 사회적 기반과 정치적 기반, 정보의 통제, 적법성 등이 있다.

(2) 샌더스(Sanders)

① 분석가: **지역 사회 문제의 조사 및 평가**, 계획을 수립하는 과정에 관한 분석, 변화에 대한 평가 등을 한다.

② 계획가: **정책이나 프로그램을 계획하는 역할**로, 문제해결을 위한 합리적인 계획수립과 계획에 근거한 통제된 변화를 강조한다.

③ 조직가: 지역사회주민이나 단체를 지역사회 행동체계에 참여시키는 역할이다.

④ 행정가: 계획을 수립하고, 계획에서 설정한 목표의 효과적 · 효율적 달성을 위해 **인적 · 물적 자원을 적절하게 관리하는 역할**이다.

3. 사회행동모델

사회행동모델에서는 사회복지사의 역할을 **그로서(Grosser)는 조력자, 중개자, 옹호자, 행동가로, 그로스만(Grossman)은 조직가로 제시**하였다.

(1) 그로서(Grosser)

① 조력자: 지역사회 주민들 중 불이익집단의 욕구분석을 통해 그들 스스로 목표를 설정하여 추진하도록 조직화를 용이하게 하고 격려하는 역할이다.

② 중개자: 지역사회의 문제해결과 관련된 **지역사회의 자원이나 서비스를 그들에게 연결하는 역할**이다.

③ 옹호자: **자립하여 지역사회의 자원이나 서비스를 확보하기 어렵거나 또는 불이익을 당하는 소외된 클라이언트의 사회적 권리 확보**를 위해 **그들의 입장에서 그들을 대변하는 역할**로, **궁극적으로는 사회제도와 정책의 변화를 추구**한다.

④ 행동가: 지역사회를 포함한 거시적 체계 내의 사회정의와 평등실현을 위해 소외된 구성원들이 경험하는 부정의와 불평등에 맞서 사회적 행동을 한다.

(2) 그로스만(Grossman)의 조직가

기술적인 과업	① 진지한 토의, 화합, 빠른 승리를 얻으려고 한다. ② 주민들의 조직적인 행동을 장기적인 프로그램에 포함시킨다.
이데올로기적인 과업	① 지역사회에 계속적인 긴장을 조성한다. ② 주민들의 정치적 의식을 증대시킨다. ③ 주민들이 스스로의 생활에 관한 통제력을 키우도록 원조한다. ④ 사회복지조직의 힘을 키운다.

4 사회행동의 전략과 전술❶

1. 사회행동의 전략

(1) 상대 집단을 이기기 위한 힘의 전략 시 힘의 원천

① 정보력: 현 상황에 관한 지식을 **정부당국이나 정치인들에게 제공할 수 있는 힘의 원천**을 말한다.

② 힘의 과시: 사회행동을 주도하는 조직이 자신들의 활동과 결정에 반대하는 **상대 집단에 대해 불편과 손해를 증가시킬 수 있는 힘의 원천**을 말한다.

③ **피해를 입힐 수 있는 잠재력**이다.

④ 상대방의 약점을 드러내어 수치심을 자극할 수 있는 힘이다.

⑤ 동원능력: **집단행동에 많은 사람을 동원할 수 있는 힘**으로, 사회행동의 가장 중요한 힘의 원천이 된다.

(2) 합법성과 정당성 확보 전략

일반 대중에게 사회행동의 합법성과 정당성을 인정받기 위해서는 **현행 법체계에 위배되는 위법적 행위(예 폭력 등)을 행사해서는 안 된다.**

(3) 지역사회의 타조직과 협력하는 전략

① 조직의 독립적인 힘이 상대 집단을 이길 수 없다고 판단될 때 **그 힘을 증대시키기 위해서 활용되는 전략**을 말한다.

선생님 가이드

❶ 전략(戰略, Strategy)이란 '특정한 목표를 수행하기 위한 행동 계획'을, 반면 전술(戰術, Tactics)이란 '전략을 구현하기 위한 실제적인 방편'을 의미합니다.

② 종류

구분	협조(Cooperation)	연합(Coalition)	동맹(Alliance)
개념	각 조직별 목표는 유지한 채 유사한 목표를 가진 조직들 간에 **최소한 협력관계를 갖는 유형**으로, **각 조직의 자율성을 중시**한다.	특정 문제에 대한 전략을 협동하여 선택하는 유형이다.	**가장 고도의 조직적인 협력관계 유형**이다.
관계유지 기간	**일시적인 관계**이다. 즉 **특정 이슈에 관해 유사 조직들이 일시적으로 연결된 방식**으로, 각 조직 중 어느 한쪽의 결정에 의해 언제든 중단될 수 있다.	**계속적이지만 느슨한 관계**이다. 즉, **각 조직은 모든 사회행동에 함께 참여할 필요는 없다.**	**전문가를 둔 영속적 구조**이다.
의사 결정권의 분배	상황적 판단에 의해 필요에 따라 임시적으로 협의한다.	㉠ 조직별 대표자를 선출하여 '운영위원회' 등의 의사결정 기구를 구성하여 협의한다. ㉡ 단, 조직별 비준이 있어야만 합의된 의사결정으로 간주된다.	각 조직별 승인이 필요하지만 최종적인 의사결정권은 중앙위원회나 전문직원이 갖게 된다.
협력 강도	약함	←――――――――→	강함

2. 사회행동의 전술

(1) 정치적 압력 전술

① 개념: 정부를 대상으로 **새로운 법, 프로그램, 정책의 강구와 시행을 요구하는 사회행동**을 말한다.

② 효과적인 정치적 압력 기술

구분		내용
적재적소에 정치적 압력을 가하는 기술		"누가 문제해결에 관한 재량권(Discretion)을 가지고 있는가?" 또는 "누구를 대상으로 정치적 압력을 가해야 하는가?"를 정확히 파악해서 압력을 가해야 한다.
논쟁 기술		"합리적이며 논리적인 어떤 주장을 통해 정부관료나 정치인을 설득시킬 것인가?" 또는 "정부관료나 정치인은 자신들의 현직을 유지하기 위해 무엇을 원하는가?"를 정확히 파악해서 논쟁을 해야 한다.
	정부관료	㉠ 학위나 시험 등의 자격을 통해 임명되고, 정치적 이유로 해임되지 않도록 법으로 보호받는다. ㉡ 문제에 대해 장기적인 시각을 갖고 있으며, 공평한 집행과 바람직한 선례를 만드는 데 관심을 둔다. ㉢ 자신의 업무를 충실히 수행하고 있다는 것을 인정받고 싶어한다.
	정치인	선거나 임명을 통해 직위를 얻으므로 차기 선거를 의식하여 단기적 사안이나 가시적인 성과에 관심을 가지며, 대중적인 지지도를 중요시한다.

③ **입법로비활동:** 공청회에 군중 동원 · 의견 제시, 연판장(Signed Petition) 제출, 선출된 관리들과 일대일로 로비, 편지 보내기, 전화하기, 법안의 내용 제안, 법안을 심의하는 회의에 참여

④ **정치인들에게 압력을 가하는 전술:** 선출된 관리들의 입지(立地), 즉 이미지에 관심을 보일 것, 요구가 실천되는 것을 확인할 것, 정치적 구조와 과정을 이해할 것, 선출된 관료들이 당면한 제약을 인식할 것, 적으로 싸우기보다 친구로 함께할 것, 전문직원과 사무실을 활용할 것, 자료와 함께 정보를 제공할 것, 편지쓰기 캠페인을 전개할 것, 공청회 참석에 따른 예의를 배울 것

(2) 법적 행동

① 개념: 민사소송(예 손해배상청구, 가처분 신청, 부당이득금 환수청구 등), 행정소송, 행정심판 등의 **법 · 제도적 절차에 의해 상대방 조직을 무력화시키는 사회행동 전술**을 말한다.

② 장점과 단점

장점	단점
㉠ **사회행동을 합법화**시킬 수 있다. ㉡ **공격과 방어를 위한 시간을 확보**할 수 있다. ㉢ 소송 과정 중 상대방의 전략 및 전술 등의 정보를 습득할 수 있다. ㉣ 많은 비용이 소요됨으로 위협만으로도 협상에 대한 상대방의 양보를 얻어낼 수 있다. ㉤ 관련이슈에 대한 법령 · 주요 규칙 이해에 도움이 된다.	㉠ 시간과 경비가 많이 소요됨으로 조직을 지루하게 만들어 와해시킬 수 있다. ㉡ 법적행동의 승리는 한시적일 수 있다. ㉢ 외부 전문가(예 변호사)에 대한 의존성 심화되어 주민의 성취감이 저하될 수 있다. ㉣ 권리 쟁취는 가능하지만 개선책은 무시될 수도 있다.

(3) 사회적 대결

① 개념: **사회행동조직의 힘을 사용하는 전술**이다.

② 유형

시위전술	**대중을 동원하는 사회행동**이다. 예 행진, 집회, 성토대회, 피케팅, 농성 등
교육홍보전술	**사회행동의 정당성을 알리는 교육과 선전전(宣傳戰)**이다. 예 상대방과의 면담, 공청회, 대중매체의 광고 활용 등
불평전술	상대방에게 **사회행동조직이 해결하고자 하는 문제의 존재를 알리기 위한 사회행동**이다. 예 청원, 비공개로 불평전달, 경제전술(예 불매운동, 파업 등)

(4) 언론의 활용

① **간단한 홍보 활동:** 전화 홍보, 차량에 홍보 스티커 부착, 공공장소에 벽보 부착, 전시를 통한 조직의 활동에 대한 홍보

② **언론캠페인:** 언론이 뉴스 가치가 있다고 생각하는 것이 무엇인가를 알아야 한다. 언론계의 리듬을 알아야 한다. 기자들과 좋은 관계를 맺어야 한다.

③ **기자회견과 보도자료 배포**: 기자들이 필요한 경우 참고할 수 있도록 배경자료를 동봉하는 것이 좋다. 보도자료는 쉽게 편집할 수 있도록 작성되어야 한다.

(5) **협상**

상대방으로 하여금 주민조직이 요구하는 것을 받아들이지 않을 수 없는 상황으로 몰아놓는 것을 말한다.

> **핵심 PLUS**
>
> **프루이트(Pruitt)의 협상 전술**
>
> ① **시한을 두기**: 어느 때까지 타협이 이루어지지 못하면 쌍방에게 피해가 될 수 있다는 것을 보여 줄 수 있는 시한(Deadline)을 정해야 한다.
>
> ② **요구하는 입장을 확고히 하기**: 상대방으로 하여금 요구만 거창하지 실제로는 요구의 관철을 위해 철저히 행동에 옮기지는 않을 것이라는 인상을 주어서는 안 된다.
>
> ③ 언제 어떻게 양보를 해야 할 것인가를 배워야 한다.
>
> ④ 상대방의 제안에 대응할 때에는 신중해야 한다.
>
> ⑤ 협상이 계속 진행되도록 해야 한다.
>
> ⑥ 중재자를 개입시킬 필요가 있는지를 고려해야 한다.

회독 Check! 1회 □ 2회 □ 3회 □

제4절 지역사회복지실천 과정과 기술

1 지역사회복지실천 과정

지역사회복지실천 과정이란 지역사회 문제를 해결하는 과정으로, 일반적으로 **'문제확인 → 지역사회 욕구 사정 → 실천계획 수립 → 실행 → 평가'의 5단계로 진행**된다.

1. 제1단계 - 문제확인

(1) **개념**

① **문제 발견 및 분석 단계, 즉 지역사회의 문제를 발견하고 이를 분석하는 단계**로, 지역사회의 고유상황을 확인하고, 인구집단을 이해하는 데 목표를 둔다.

② 문제 발견은 **다양한 정보수집과 자료수집 과정을 통해서 이루어진다.**

(2) **주요과업**

지역사회에 대한 진단	① 지역사회의 고유 상황과 문제해결을 위한 **장애요인과 문제의 지속요인을 파악**하는 것으로, 문제의 범위를 설정하는 **초기에는 개방적 태도를 견지**해야 한다. ② 방법 ㉠ 문제와 관련된 문헌 및 객관적 실증자료의 분석하기 ㉡ 지역사회의 유력인사(예 지역사회 지도자, 공직자, 토착주민, 지역운동가 등)와 폭넓은 대화나누기 ㉢ 문제 해결과 관련된 지역사회의 과거 노력을 검토하기 등

표적집단 확인	㉠ 표적집단의 인구학적 특성, 사회 · 경제적 상태 등 개인적 요소 외에 지역사회의 전체 환경이 표적집단에 미치는 영향 등도 확인해야 한다. ㉡ 시간과 자원의 양에 따라 **표적집단을 결정**해야 한다.
우선순위 선정	지역사회의 여러 문제 중 **우선적으로 관심을 두어야 할 문제를 선정**하고, 이를 공식화하여 지역사회행동을 위한 아젠다(Agenda)로 채택한다.

2. 제2단계 - 지역사회 욕구 사정

(1) 개념

지역사회 욕구의 상대적 중요성, 욕구 해결에 필요한 자원을 파악하는 과정이다.

(2) 원칙

① 문제화된 욕구의 확인과 욕구충족을 통해 **문제를 해결하는 것에 우선순위**를 두어야 한다.

② 욕구충족을 위해 제공될 서비스의 제공 및 해당 서비스의 접근가능성이 모두 포함되어야 한다.

(3) 고려해야 할 사항

지역사회의 발전 과정	① 지역사회의 지도자 계층 파악 ② 지역사회에서 발생한 역사적 사건들 파악
지역사회의 정치 · 사회구조	① 지역 내의 정치적 세력(예 행정, 사법, 교육, 문화, 종교 등) 파악 ② 세력 간 알력이 있는 집단 및 조직 파악 ③ 비영리 시민단체 등에 대한 파악
지역사회의 경제적 상황	① 지방정부의 재정자립도 파악 ② 지역의 산업구조 파악
지역사회의 사회문화	① 생태학적인 입장에서 지역주민들의 삶의 형태 파악 ② 지역사회의 상부상조 유형 파악

(4) 지역사회 욕구 사정의 범위

① **지역사회주민의 욕구조사**: 지역사회주민이 바라는 것이 무엇인지 조사한다.

② **지역사회 자원 파악**: 지역사회주민의 욕구를 충족시킬 수 있는 지역사회 내 인적자원과 물적자원의 양과 질을 조사한다.

(5) 지역사회 욕구 사정의 유형

포괄적 사정	특정 문제나 집단에 한정되지 않고, **지역사회 전반을 대상으로 사정**한다.
문제중심 사정	아동보호, 노인학대, 정신건강 등 **지역사회의 특정 문제에 초점을 둔 사정**이다.
하위체계 사정	지역사회전체가 아닌 지역사회체계의 하위체계, 즉 **학교, 종교기관, 보호기관 등 지역사회의 특정부분이나 일면의 동태적(또는 역동적) 이해를 높이기 위한 사정**이다.
자원 사정	클라이언트의 욕구해결과 관련하여 지역사회에서 활용할 수 있는 권력, 전문기술, 재정, 서비스 등의 **자원의 효과성을 평가하는 사정**이다.
협력적 사정	지역사회성원들이 **파트너로서 조사계획 · 참여관찰 · 분석과 실행국면 등에 사회복지사와 협력 관계를 갖게 되면서 지역사회에 의해 수행되는 사정**이다.

3. 제3단계 - 실천계획 수립

(1) 개념

미션, 목적과 목표를 수립하고, 실행전략을 수립하는 단계이다.

핵심 PLUS

미션, 목적, 목표

① 목적은 미션보다 좀 더 구체적인 방향을 제시해야 한다.
② 목적과 목표설정에는 클라이언트를 참여시킬 수 있다.
③ 각 목표들은 목적에 통합될 수 있어야 한다.
④ **목표의 종류**

결과(또는 성과) 목표	㉠ 최종 목표로, 프로그램 실행 결과에 따른 클라이언트 체계의 변화, 즉 프로그램 실행의 결과 표적대상의 변화될 행동이나 태도를 기술하는 것을 말한다. ㉡ 변화 정도, 언제 변화가 나타날 것인가를 기술해야 하고, 표적집단을 **어떠한 상태로 향상시킬 것인가**의 내용을 담고 있어야 한다.
과정목표	㉠ 단계별로 어떻게 과업이 수행되고 성취될 것인지를 나타내는 목표로, 무엇으로 어떻게 그 결과에 도달할 것인가와 **무슨 일을 누가 어떻게 할 것인지에 관해 기술**해야 한다. ㉡ **성취여부는** '관찰, 현장메모, 면접, 설문지, 프로그램 기록, 지역신문과 간행물 수집 등' **양적인 기준과 질적인 기준 모두에 의해 판단**한다.

(2) 실행전략 수립(또는 대안의 선택, 프로그램 설계)

① 목적과 목표의 설정
② 대안의 개발
③ **실천모델 결정**
④ 필요한 활동의 제시
⑤ 활동상의 문제점 나열
⑥ 문제원인을 해결하기 위한 해결책의 제시
⑦ 활동 및 해결책의 우선순위 결정
⑧ 자원계획 및 동원
⑨ 관리 정보계획 수립
⑩ 평가계획 수립 등

4. 제4단계 - 실행

(1) 개념

수립된 계획을 추진하는 단계, 개입 단계, 프로그램을 실행하는 단계이다.

(2) 목적

① **재원의 확보**: 정부보조금, 공동모금, 기업 등을 대상으로 한 모금운동 전개
② **추진인력의 확보**: 풀뿌리 지도자 발굴 등
③ 지역사회복지 추진체계의 리더십 확보

(3) 과업

① **참여자 적응 촉진 및 활동 조정하기**

② 참여자 간 저항과 갈등 관리하기

5. 제5단계 - 평가

(1) 개념

성과측정 단계, 즉 **변화의 장점이나 가치에 대해 판단을 내리는 단계**이다.

(2) 목적

① 책임성 제고

② 프로그램의 향상

③ 기초지식의 발전

2 지역사회복지실천 기술

1. 조직화기술 (必)

(1) 개관

① 조직화란 지역사회주민들이 자신들의 문제를 스스로 인식하고, 이러한 문제를 해결하기 위해 이에 필요로 하는 **인력이나 서비스를 규합하고, 나아가 조직의 목표를 성취하도록 운영해 가는 기술**을 말한다.

② 지역사회가 처한 상황과 해결방향에 따라 목표를 수립하고, **이에 합당한 전체 주민을 대표하는 주민들을 선정하여 모임을 만들고 지역사회의 욕구나 문제를 해결해 나가도록 돕는다.**

③ 주민참여, 자기결정, 협동 등의 능력을 발전시키고 강화 · 유지하도록 지원하여 지역사회주민 스스로 자신의 문제에 효과적으로 대처하도록 해야 한다.

④ 조직화에서 사회복지사에게는 **대인 관계 기술이 중요**하며, 특히 다른 사람이 말하는 것을 이해하고 중요한 쟁점을 파악하는 능력을 가져야 한다.

⑤ **지역복지 운동 · 사회복지관 등의 다양한 지역사회복지실천 분야에서 활용**된다.

(2) 원칙

① **지역사회주민 개개인의 사적 이익에 대한 관심을 조직화에 활용**해야 한다. 즉, 조직화를 통해 지역사회주민들에게 사적 이익과 공적 이익의 공통적인 영역이 존재한다는 사실을 가르치는 것이 필요하다.

② 조직화는 **지속적인 관심과 노력을 요구하는 동적인 과정임을 주지**해야 한다.

③ **갈등과 대립에 익숙해지는 법을 배워야 한다.**

④ 조직화는 쟁점을 중심으로 진행된다. 따라서 **쟁점은 명확**해야 한다.

⑤ **초기에는 사회복지사가 주도적인 역할을 수행하다가 점차 지역사회주민에게 해당 주도권이 이양**되어야 한다.

(3) 구체적 전술

대화, 경청, 회의, 협상, 지역 문제 이슈설정, 지역사회 지도자 발굴 등

2. 연계(Networking, 또는 네트워크)기술 必

(1) 개관

① **연계**란 **효율적인 자원관리 및 서비스 제공을 위해서** 지역사회 내 **서비스 제공 기관 간에 자원의 공유와 상호교류를 활성화시키는 기술**로, 서비스 제공 기관 간에 **정기적인 모임 및 회의를 통하여** 서비스**계획을 공동으로 수립한 후 개별기관들이 자신들의 정체성을 유지하면서 각각 서비스를 제공**하는 것이다.

② **연계기술**이란 사회복지사가 **클라이언트의 문제해결이나 욕구충족에 적절한 (또는 적합한) 지역사회 내 자원이나 서비스를 연결하는 것**을 말한다.

③ 지역사회 또는 지역사회주민이 필요한 자원이나 서비스와 연결하는 것을 돕고 다양한 욕구를 충족시키기 위하여 **서비스의 패키지화 또는 One-Stop-Service가 이루어 질 수 있도록 한다.**

④ 풍부한 자원이 전제가 되어야 참여가 원활해 질 수 있다.

⑤ 사회적 교환은 네트워크의 형성과 유지의 작동원리이다.

(2) 장점

① **사회복지사의 연계망이 강화되고 확장**될 수 있다.

② 클라이언트의 욕구에 초점을 둘 수 있다. 즉, 클라이언트의 욕구가 복합적이고 다양할수록 효과적이다.

③ **이용자 중심의 통합적인 서비스 제공이 가능**하다.

④ **지역사회주민들 간의 관계를 강화함으로써 지역사회주민 간 연대의식을 강화시키고, 더 나아가 연계망이라 일컫는 '사회적 자본'을 형성**할 수 있다.

⑤ 서비스 중복과 누락을 막고 새로운 서비스 제공을 위해 소요될 시간과 비용을 절감할 수 있어 **서비스 제공과정에서 효율성이 증대**될 수 있다.

(3) 원칙

① 참여한 지역사회 서비스 제공 기관들에 대한 업무의 배분과 조정에 초점을 둔다.

② 지역사회 내 서비스 제공 기관 간에 서비스 계획은 공동으로 수립하지만, **개별기관의 정체성은 유지(기관 간 수평적인 관계를 통해 조직의 독립성 유지) 하면서 팀 접근 서비스를 시도**해야 한다.

③ **상호신뢰와 호혜성에 기반하여 유지**되어야 한다.

④ **자발성**: 서비스 제공 기관 **간에 자발적인 참여**에 의해 구성되어야 한다.

⑤ 분권성: 참여한 서비스 제공 기관 간에는 **권한과 자원이 분산**되어져야 한다.

⑥ 평등성: 참여한 서비스 제공 기관 간에 권한과 자원은 **평등하게 분산**되어져야 한다.

⑦ 유연성: 참여한 서비스 제공 기관은 **탈퇴도 자유로워야 한다.**

⑧ 공유성: 참여한 서비스 제공 기관 간에는 **협력하는 비전과 목적이 공유**되어야 한다.

3. 옹호(Advocacy)기술 17. 지방직 必

(1) 개관

① 옹호란 자립하여 **정당한 처우나 서비스를 받기 어려운 소외된 개인, 가족, 집단 등의 사회적 권리 확보를 위해 표적집단에 강력한 영향력이나 압력행사를 통하여 이러한 개인, 가족, 집단 등을 대변 또는 방어하는 기술**이다. **사회제도 및 정책의 변화를 위해 개별적 문제를 공공의 쟁점으로 또는 개인적 문제를 사회적 쟁점으로 전환시켜 사회정의를 지키고 유지**하기 위해서 사용된다.

② 옹호의 대상에 따라 **대의옹호와 사례옹호로 구분**된다.

대의옹호	주로 **거시적 지역사회복지실천에서 사용되는 옹호**로, 스스로 자신을 옹호할 능력이 부족한 **집단을 대상**으로 한다. 예 시민권 확보를 위한 입법 운동
사례옹호	주로 **미시적 지역사회복지실천에서 사용하는 옹호로, 개별적인 사례나 클라이언트를 대상**으로 하는 옹호를 말한다.

(2) 하드캐슬(Hardcastle)이 구분한 옹호의 유형

① 자기옹호: 클라이언트 개인이나 **자조집단이 자기 자신을 스스로 옹호**한다.

② 개인옹호: 사회복지사가 **옹호하는 대상이 개인**인 경우로, 자기옹호가 어려울 때에 활용한다.

예 감옥에 있거나 질병에 걸려서 스스로 돌볼 수 없는 자를 옹호하는 경우

③ 집단옹호: 사회복지사가 **옹호하는 대상이 희생자 집단**인 경우이다.

④ 지역사회옹호: 사회복지사가 **옹호하는 대상이 소외된 지역이나 동일한 문제나 욕구를 경험하는 지역사회주민들**인 경우이다.

⑤ 정치(또는 정책)옹호: 사회정의와 복지증진을 위해 **입법 · 행정 · 사법 영역에서 행해지는 옹호**를 말한다.

예 특정 법안을 통과 및 저지시키기

⑥ 체제변환적 옹호: **제도의 근본적인 변화를 추구하는 것**으로, 지역사회주민들과 더 나아가 사회 전체에 영향을 미치는 옹호이다.

예 성차별 폐지 운동

(3) 구체적 전술

설득	① 사회복지사가 주창하는 특정 사안에 대해 상대방에게 호의적인 해석을 얻어내기 위한 제반 활동을 말한다. ② **구성요소**: 전달자(Communicator), 전달형식(Format), 메시지(Message), 대상자(Audience)
청원	① **옹호의 세부적인 전술**로 어떤 조직이 행정권한을 가진 대상조직에게 자신들이 원하는 방향으로 별도의 조치를 해줄 것을 요청하기 위해 **다수인의 서명지를 전달하는 활동**을 말한다. ② 우리나라 「청원법」에서는 **청원대상기관**을 국가기관, 지방자치단체와 그 소속기관, 법령에 의하여 행정권한을 가지고 있거나 행정권한을 위임 또는 위탁받은 법인 · 단체 또는 그 기관이나 개인으로 정하고 있으며(법 제3조), **청원사항**으로는 피해의 구제, 공무원의 위법 · 부당한 행위에 대한 시정이나 징계의 요구, 법률 · 명령 · 조례 · 규칙 등의 제정 · 개정 또는 폐지, 공공의 제도 또는 시설의 운영, 그 밖에 국가기관 등의 권한에 속하는 사항이 포함되어 있다(법 제4조).
증언청취	전문가인 사회복지사가 자신의 문제를 스스로 해결할 능력이나 지식이 부족한 클라이언트를 대신하여 클라이언트와 관련된 의사결정을 내린 행정기관에 심사를 요청하는 활동을 말한다.
표적을 난처하게 하기	표적이 과거 자신의 공언(公言)과 다른 의사결정을 내릴 경우 주로 사용하는 간접적인 활동이다. 예 기관 앞에서 시위하기, 피케팅, 언론에 공표하기 등
정치적 압력	**선출직 공직자**(예 국회의원, 지방자치단체장 등)**나 정부의 지원을 받는 기관을 표적**으로 하여 수행하는 옹호 활동이다.
탄원서 서명	탄원서에 서명을 받아 의사결정 또는 행정기구에 제출하는 활동이다.

4. 자원개발 및 동원기술 必

(1) 개관

① 현존하는 자원으로는 지역사회 내 문제해결이 어려워 **인력, 현금, 현물, 시설, 조직, 기관, 정보 등의 새로운 지역사회자원을 개발하고 이를 동원하는 기술**을 말한다.

② 모금, 후원, 사업제안서 제출, **이벤트, 대중매체 광고, ARS, 공익연계마케팅(CRM)** 등의 방법을 활용할 수 있다.

③ 특히 지역사회복지실천에서 **가장 중요한 자원에는 인적자원과 물적자원**이 있다.

(2) 원칙

① 자원개발과 동원 시 가장 중요한 것은 **후원자에 대한 조직의 신뢰성을 형성하고 유지하는 것**으로, 이를 위해 사회복지사는 **자원의 사용에 대한 투명성을 확보하고 조직의 지역사회 내 책임성을 보여주기 위해 노력**해야 한다.

② 자원개발과 동원 시 클라이언트 · 기부자들과 같은 **이해당사자들의 욕구를 규명**해야 한다.

기출 OX

01 거시적 실천기술로서 옹호는 개별적 문제를 공공의 쟁점으로 또는 개인적 문제를 사회적 쟁점으로 전환시킨다. ( )
17. 지방직

02 시민권 확보를 위한 입법운동, 장애인 등을 포함한 위험에 처한 인구집단의 권리를 위한 투쟁 등은 대의옹호(cause advocacy)의 대표적 예이다. ( )
17. 지방직

03 옹호활동은 개별 사례나 클라이언트 개인의 문제를 다루는 미시적 실천에서는 활용되기 어려우며 주로 지역사회옹호나 정책옹호를 통해 이루어진다. ( )
17. 지방직

01 ○
02 ○
03 ×

③ 자원개발과 동원 시 지역사회자원에 대한 충분한 조사, 지역사회에 현존하는 네트워크의 활용, 내용과 분야에 따라 지역사회자원을 분류하는 등 **능동적이면서 적극적으로 환경을 조성**해야 한다.

④ 자원개발과 동원 시 **자원동원의 원천이나 특성에 따라 다양한 방법을 사용**할 수 있다.

(3) **전략**

① 지역사회 조직이나 구조를 활용하거나 강화하는 전략

㉠ 시민단체, 전문가단체, 친목단체 등 **지역사회에 현존하는 조직을 활용**한다.

㉡ 아직은 조직화되어 있지 않지만 **활용이 가능한 다양한 지역사회 내 관계망을 활용**한다.

㉢ 토착적인 지도자, 여론형성의 주도자가 될 수 있는 지역사회 내 인물을 발굴하여 활용한다.

㉣ 지역사회주민들이 공통적으로 체감하는 문제해결에 앞장서며 주민들의 참여를 촉진시킨다.

② 지역사회주민을 개인적인 차원에서 설득하는 전략

㉠ 지역사회주민을 개별적으로 만나 **그들이 체감하는 문제와 욕구를 확인**한다.

㉡ **참여에 소극적이거나 이를 회피하는 경우, 그 원인을 찾아 해결**한다.

㉢ 지역사회주민들 **개인이 가진 선호를 적극적으로 활용**한다.

㉣ 지역사회주민들과의 **접촉이 개별적이고, 직접적인 것이 되도록 노력**한다.

㉤ 지역사회주민들과 대화 시 **대화의 중심을 주민들이 체감하고 있는 문제와 그 문제해결에 둠으로써 주의를 환기**시킨다.

핵심 PLUS

인적자원의 개발·동원

인적자원의 소재 파악 · 접촉 → 인적자원의 특성 파악 → 기존조직의 활용, 개별적 접촉, 사회경제적 네트워크 활용

① 가장 우선적으로 수행해야 할 과업은 **주요한 인적자원**(예 토착적인 지도자, 여론형성의 주도자가 될 수 있는 인물 등)**의 소재를 파악하고 접촉**하는 것이다.

② 또한 자원의 효과적인 활용을 위해서는 **각 인적자원의 특성을 파악하여 접근하는 것이 필요**하며, 이러한 특성을 파악한 후에는 **기존조직의 활용, 개별적 접촉, 사회경제적 네트워크의 활용을 통해 인적자원을 동원**할 수 있다.

기존조직(또는 집단)의 활용	가장 쉽고 빠르게 인적자원을 동원하는 방법으로, **지역사회에 현존하는 조직의 지도자들을 통해서 지역사회주민들로 하여금 특정한 사회적 쟁점을 위한 활동에 참여하도록 요청**하는 방법이다.
개별적 접촉 (또는 개인의 직접적인 참여)	지역사회 **주민들을 개별적으로 접촉한 후 설득하는 방법**이다.
사회경제적 네트워크 활용	지역사회주민들의 상호영향력을 활용하는 방법, 즉 **지역사회 지도자를 통해서 지역사회활동에 참여를 촉진하는 메시지를 전달하는 방법**이다.

5. 지역사회 · 교육기술

(1) 개관

지역사회주민들에게 **지역사회의 문제해결과 관련된 정보와 지식을 지역사회실정에 맞게 제공하고 기술을 가르치는 것**이다.

(2) 전략

① 지역사회교육기술을 효과적으로 수행하기 위해서는 무엇보다도 **사회복지사가 해당 분야에 대한 정보와 지식, 그리고 기술을 많이 알고 있어야 하며, 이를 명확히 전달하고 지역사회주민들에게 이해시키기 위한 의사소통 능력도 필수적**이다.

② 사회복지사는 효과적인 기술 활용을 위해 다양한 교육 프로그램을 개발하고, 이를 적용할 수 있어야 한다.

6. 임파워먼트(또는 역량강화, 권한부여, 세력화) 기술 (必)

(1) 개관

① 지역사회주민들로 하여금 **능력을 갖게 하는 기술**로, **지역사회구성원 전체가 지지할 수 있는 의사결정 구조를 구축**하고 전반적인 지역사회복지 실천과정에 **소외계층의 참여를 확대하는 것**이다.

② **대화, 강점 확인, 자원 동원 기술 등을 포함**한다.

③ 개념적 구분

구분	내용
과정으로서의 임파워먼트	지역사회주민들이 자신들의 삶에 대한 통제력을 획득하고, 삶의 질을 높이는 데 필요한 **자원에 접근하려는 시도(試圖)**를 말한다.
결과로서의 임파워먼트	개입의 효과로 나타난 **주민들의 통제력과 자원에 대한 접근성**을 말한다.

(2) 향상 방안

① 의식제고(또는 의식고양) 시키기: 무력감을 표현하는 개인들을 모아 그들이 경험하는 문제가 **그들 자신이 아닌 사회구조적 원인에 있다는 것**을 알게 하여 **사회구조에 대해 비판적인 의식**을 갖추게 한다.

② 자기주장을 강화시키기(또는 자기 목소리 내기): 의식제고가 이루어진 이후, **공개적으로 자기의 목소리를 내어 자기주장을 전개**하게 한다.

③ 공공의제의 틀을 마련하기: 시위나 대중매체를 활용한 캠패인 등을 통해 **쟁점을 공공의제화**시킨다.

④ 권력을 키우기: **지역사회의 자원을 동원**하고, 주민을 조직화시켜 권력을 키운다.

⑤ 사회적 자본 창출하기: 사회적 자본 창출로 **지역사회주민 간 연대감을 형성**한다.

⑥ 역량건설: 지역사회주민들의 **역량을 강화시키기 위한 조직을 설립**하고, 이를 통해 그들의 주장을 효과적으로 표명하게 한다.

(3) **원칙**

① 현상을 타파할 수 있는 능력에 대한 **개인의 신념을 향상**시켜야 한다.

② 지역사회의 집합적인 목표를 달성하기 위하여 **지역사회집단의 능력을 향상**시켜야 한다.

③ 지역사회주민들로 하여금 자신이 **지역사회 문제의 희생자라는 인식**을 가지게 하여 **자기주장을 하도록 유도**해야 한다.

④ 공공의 집회나 캠페인을 통하여 쟁점을 알려야 한다.

제5절 지역사회복지의 실제

회독 Check! 1회 □ 2회 □ 3회 □

1 지방자치와 지역사회복지

1. 지방자치제의 개념

민주주의 사상에 기반하여, 일정한 지역을 기초로 하는 지방자치단체가 그 구성원인 지역주민의 직접 또는 간접의 자유로운 의사에 따라서 해당 **지방자치단체 자신의 권능과 책임 아래 자기의 기관과 재원에 의하여 지역의 공공사무를 자치적으로 처리하는 제도**를 말한다.

2. 지방자치제가 지역사회복지에 미치는 영향

(1) **긍정적 영향**

① **지방정부와 지역사회주민들의 복지에 대한 책임의식이 제고**된다.

② **지역사회복지에 대한 주체적 · 자발적 주민참여기회가 제공**된다.

③ 지방재정 중 복지 예산 증가 · 도시와 농촌 간의 재정력 격차 증가로 사회복지예산의 배분에서 불균형 시정을 위한 중앙정부의 정책적 배려가 의도적으로 이루어진다.

④ **민간**(예 비정부조직인 NGO 등)**의 복지 참여 확대**로 사회복지 서비스의 다양성 · 효율성이 증대된다.

⑤ 중앙정부의 역할이 줄어드는 반면 **지방정부 행정부서의 역할은 강화**된다.

⑥ 지방정부 중심의 복지행정으로 전환이 이루어져서 **지역사회 및 지역주민의 생활상의 욕구에 즉각적이고 포괄적으로 대응**할 수 있게 되어 **효율적인 복지 집행 체계의 구축이 가능**해진다.

⑦ 지역의 특성이 반영된 **주민욕구 맞춤형 복지 프로그램의 제공이 가능**해진다.

⑧ 지방자치단체 **선거에 출마하는 입후보자들의 사회복지 관련 선거공약을 활성화**시킬 수 있다.

(2) **부정적 영향**

① **중앙정부의 지역 문제에 대한 책임성을 약화**시킨다.

② **지방자치단체 간 경쟁 심화로 지역이기주의가 팽배**해진다.

③ **지방자치단체 장의 의지에 따른 변수가 발생**한다. 즉, 지역경제성장(또는 사회개발)을 주요 정책목표로 추구하는 지방자치단체의 경우 **지역사회복지 관련 예산을 축소**할 수 있다.

④ 재정 자립도 정도에 따라 **지방정부 간 복지 불균형이 심화되어 지역 간 갈등이 발생**한다.

3. 로컬 거버넌스[1](Local Governance)

(1) **개념**

지방 협치를 말한다. 즉, 정부와 기업, 학계, 비정부기구(NGO), 언론 등 사회구성인자 간 협력적 네트워크를 구축하는 것이다.

(2) **구성요소**

① 참여 주체: 지방 정부, 비영리단체, 영리단체의 참여를 포함한다.

② 구조: 수직적인 위계보다는 **수직적 · 수평적인 위계를 모두 포함하는 확산 구조**이다.

③ 기초 원리: **정치적 · 재정적 · 제도적 부분에서의 분권화**이다.

핵심 PLUS

지방자치로 따른 민간 사회복지 부분의 변화

① 사회복지종사자들의 직무능력 개발과 책임성 강화
② 복지 관련 연계망 구축기반 마련
③ 지역사회의 종교 · 시민단체 등과의 상호협조 강화
④ 공공부문에 대한 견제와 협력의 강화

2 지역사회 보장계획

1. 개관 (必)

일정한 지역을 기반으로 지역사회주민이 필요로 하는 사회보장서비스를 일정한 목표에 따라 종합적이고 체계적으로 제공하기 위해 **「사회보장급여의 이용 · 제공 및 수급권자 발굴에 관한 법률(이하 「사회보장급여법」)」 제35조에 따라 수립하는 법정계획**이다.

2. 필요성

(1) **지역사회 중심의 사회복지 제도화**

지역사회 보장계획을 수립하는 데 필요한 사회적 자원을 조달하는 과정이나 이를 적정하게 분배하는 데 있어서 제도화가 필요하기 때문이다.

선생님 가이드

[1] 거버넌스(Governance)란 조정, 안내, 방향 공공활동에 관련된 다양한 조직과 기구의 연결 유형, 느슨한 결합체, 다중제도적 조직 상황, 새롭고 공정적인 행정 이미지의 표현으로 정부(Government)와는 다른 개념입니다.

(2) 지역사회복지서비스의 수급조정과 안정적 공급

지역사회 보장계획을 통해 지역사회의 복지문제나 서비스의 수요와 공급의 균형을 조절함으로써 대상자에게 안정적이고 지속적으로 지역사회보장서비스를 제공하기 위해서 필요하다.

(3) 지역사회복지서비스 공급주체의 다원화

지역사회 보장계획을 수립할 때 중앙 및 지방정부뿐만 아니라 지역사회 내 다양한 민간단체를 복지서비스 공급에 참여하도록 촉구하기 위해서 필요하다.

(4) 사회적 자원의 조달과 적정 배분

지역사회 보장계획을 수립하는 과정에서는 **보건 · 의료 · 복지 · 주택 · 고용 · 문화 등과 관련된 지역사회의 공공 및 민간기관과 공동모금이나 기부금 등의 물적 자원개발, 사회복지시설 종사자와 주민 등의 인적 자원 개발 등의 조달방안이 제시**되어야 하고, 이렇게 조달된 자원을 효율적으로 배분하기 위한 노력이 있어야 한다.

3. 원칙

(1) 구체성의 원칙

지역사회 보장계획에는 실효성, 계획수립에 대한 기획 과정, 현안 및 과제, 비전 및 방향설정, 부문별 사업 계획이 구체적으로 제시되어야 한다.

(2) 참여성의 원칙

지역사회 보장계획은 다양한 집단의 의사가 반영되어야 하고, 이를 통해 실질적이고 효과적인 계획으로 진행하여야 한다.

(3) 지역성의 원칙

지역사회 보장계획에는 **각 개별 지역의 특징이 무엇보다도 고려**되어야 한다.

(4) 과학성, 객관성의 원칙

주민의 복지욕구, 주어진 환경 및 자원에 대한 과학적 자료를 수집하여 이에 기반하여 계획을 수립하고, 자료의 성격에 적합한 조사방법 사용 여부, 조사방법의 오류를 줄이려는 노력 등이 체계적으로 진행되어야 한다.

(5) 연속성 및 일관성의 원칙

지역사회 보장계획 및 실행에 대한 평가 및 피드백을 통해 각 해당 연도별 실행계획수립과 사업목표량의 성과 정도를 매년 지속적으로 반영하여야 한다.

(6) 실천성의 원칙

지역사회 보장계획의 실현가능성을 확보하기 위해 **관련 조직과 재정확보 등이 수반**되어야 한다.

(7) 연계와 조정의 원칙

다른 유관계획(예 보건계획 등)의 면밀한 검토로 상호 연계와 조정을 유지하면서 실행되어야 한다.

4. 연혁 11. 국가직 必

(1) 2003년 「사회복지사업법」 개정으로 2005년 7월 31일부터 **시 · 군 · 구청장, 시 · 도지사는 4년마다 지역사회 복지계획 및 연차별 시행계획을 수립하도록 의무화**되었다.

(2) 2007~2010년 제1기 지역사회 복지계획이 시행되었다.

(3) 2011~2014년 제2기 지역사회 복지계획이 시행되었다.

(4) 2015~2018년 제3기 지역사회 복지계획이 시행되었다.

(5) **2014년 12월 30일에 기존** 「사회복지사업법」 제15조의4에 규정되어 있던 지역사회복지계획 관련 조문이 삭제되고, **2015년 7월**부터 새로운 법률인 「사회보장급여법」 제35조에서 '지역사회 보장계획'으로 변경되어 구성되었다.

(6) 2019~2022년 제4기 지역사회 보장계획이 진행 중에 있다.

5. 수립 절차(「사회보장급여법」 제35조 및 동법 시행령 제20조)

12. 국가직, 10 · 16 · 22. 지방직 必

(1) **시 · 도지사 및 시장 · 군수 · 구청장은 지역사회 보장계획을 4년마다 수립**하고, 매년 지역사회 보장계획에 따라 연차별 시행계획을 수립하여야 한다. 이 경우 **「사회보장기본법」에 따른 사회보장 기본계획과 연계되도록 하여야 한다.**

(2) 시장 · 군수 · 구청장은 해당 시 · 군 · 구의 지역사회 보장계획을 **(20일 이상 공고하여)** 지역주민 등 이해관계인의 의견을 들은 후 수립하여야 한다.

(3) 그 후 **지역사회 보장협의체의 심의와 해당 시 · 군 · 구 의회의 보고를 거쳐 시행연도의 전년도 9월 30일까지, 그 연차별 시행계획을 시행연도의 전년도 11월 30일까지 각각 시 · 도지사에게 제출**하여야 한다.

(4) 시 · 도지사는 제출받은 시 · 군 · 구의 지역사회 보장계획을 지원하는 내용 등을 포함한 해당 특별시 · 광역시 · 도 · 특별자치도의 지역사회 보장계획을 수립하여야 한다.

(5) **특별자치시장은 지역주민 등 이해관계인의 의견을 들어 지역사회 보장계획을 수립**하여야 한다.

(6) 시 · 도지사는 특별시 · 광역시 · 도 · 특별자치도의 지역사회 보장계획을 **시 · 도 사회보장위원회의 심의와 해당 시 · 도의회의 보고를 거쳐** 보건복지부장관에게 제출하여야 한다.

(7) 이 경우 보건복지부장관은 제출된 계획을 사회보장위원회에 보고하여야 한다.

기출 OX

01 2003년 「사회복지사업법」 개정으로 지역사회 복지계획수립이 지방자치단체의 의무가 되고, 지역사회복지협의체가 도입되었다. ( ) 11. 국가직

02 시장 · 군수 · 구청장은 지역사회 보장계획안의 주요 내용을 20일 이상 공고하여 지역주민 등 이해관계인의 의견을 들은 후 시 · 군 · 구의 지역사회 보장계획을 수립하여야 한다. ( ) 16. 지방직

03 시 · 군 · 구 지역사회보장은 시 · 군 · 구 의회 보고를 거쳐 보건복지부장관에게 제출하여야 한다. ( ) 22. 지방직

01 ○
02 ○
03 × '보건복지부장관'이 아니라 '시 · 도지사'가 옳다.

지역사회보장조사의 시기 · 방법 등(「사회보장급여법 시행령」 제21조) 16. 지방직

① 법 제35조 제7항에 **지역사회보장조사는 4년마다 실시한다. 다만, 필요한 경우에는 수시로 실시할 수 있다.**

② 지역사회보장조사의 내용에는 다음 각 호의 사항 전부나 일부가 포함되어야 한다.

1. 성별, 연령, 가족사항 등 지역주민 또는 가구의 일반 특성에 관한 사항
2. 소득, 재산, 취업 등 지역주민 또는 가구의 경제활동 및 상태에 관한 사항
3. 주거, 교육, 건강, 돌봄 등 지역주민 또는 가구의 생활여건 및 사회보장급여 수급 실태에 관한 사항
4. 사회보장급여의 이용 및 제공에 관한 지역주민의 인식과 욕구에 관한 사항
5. 아동, 여성, 노인, 장애인 등 사회보장급여가 필요한 사람의 사회보장급여 이용 경험, 인지도 및 만족도에 관한 사항
6. 그 밖에 보건복지부장관이 지역주민의 사회보장 증진을 위하여 필요하다고 인정하는 사항

③ 지역사회보장조사는 표본조사의 방법으로 실시하되, 통계자료조사, 문헌조사 등의 방법을 병행하여 실시할 수 있다.

④ 보장기관의 장은 지역사회보장조사를 사회보장에 관한 전문성과 인력 및 장비를 갖춘 기관 · 법인 · 단체 · 시설에 의뢰할 수 있다.

⑤ 제1항부터 제4항까지에서 규정한 사항 외에 지역사회보장조사에 관하여 필요한 사항은 보건복지부장관이 정한다.

핵심 PLUS

지역사회 보장계획의 수립 절차

절차	내용
지역사회보장조사 실시	① **지역사회보장조사(욕구조사)**: 지역 내 사회보장 관련 실태, 지역주민의 사회보장에 관한 인식 등에 관하여 필요한 조사를 실시하여 당면 사회보장 문제, 삶의 질 등을 살펴 사회보장사업에 대한 필요(욕구)를 수렴 ② 지역사회보장 자원조사(공급조사) •지역 내 인력, 조직, 재정 등 사회보장자원 조사 •사회보장관련기관 등 공공복지자원, 자원봉사 등 민간복지자원을 망라
지역사회 보장계획(안) 마련	① 지역사회보장 수요의 측정, **목표 및 추진전략(또는 비전)** ② 지역사회보장지표의 설정 및 목표 ③ **지역사회보장의 분야별 추진전략, 중점 추진사업 및 연계협력 방안** ④ **지역사회보장 전달체계의 조직과 운영** ⑤ 사회보장급여의 사각지대 발굴 및 지원 방안 ⑥ **지역사회보장에 필요한 재원의 규모와 조달 방안** ⑦ 지역사회보장에 관련한 통계 수집 및 관리 방안 ⑧ **그 밖에 대통령령으로 정하는 사항** ※ 재정 및 행정 계획 •전달체계의 조직과 운영을 위해서 **인력확충, 역량강화, 전달체계 개선 계획을 수립**한다. • 재정 및 행정계획은 지역사회 보장지표 등에 나타난 증액 필요 부분과 세부사업계획의 소요 예산 등을 참고하여 작성해야 한다.
지역주민 의견 수렴	① 주요 내용을 20일 이상 공고하여 지역주민의 의견을 수렴하여야 함 ② 지역 사회 보장계획 수립 단계에서의 협의체 심의를 통한 주민참여 강화, 공청회 개최 등을 통한 의견수렴도 병행할 수 있음
지역사회보장 협의체 심의	지역사회보장 협의체 심의
의회 보고	시·군·구 의회 보고

기출 OX

보장기관의 장은 지역사회 보장계획의 수립 및 지원 등을 위하여 지역사회보장조사를 4년마다 실시한다. 다만, 필요한 경우에는 수시로 실시할 수 있다. ( )

16. 지방직

시 · 도에 계획서 제출	① **시·군·구 보장계획**: 시행연도의 전년도 9월 30일까지 시도지사에게 제출 ② **연차별 시행계획**: 시행연도의 전년도 11월 30일까지 시도지사에게 제출
조정 권고	대통령령으로 정하는 사유에 해당하는 경우 조정 권고 ① 지역사회 보장계획 내용이 법령을 위반할 우려가 있는 경우 ② 사회보장기본법에 따라 확정된 사회보장에 관한 기본계획 또는 국가 또는 시·도의 사회보장시책에 부합되지 아니하는 경우 ③ 지방자치단체의 행정구역과 주민생활권역 간의 차이를 반영하지 아니하는 경우 ④ 둘 이상의 지방자치단체에 걸쳐 있는데도 해당 지방자치단체 간 협의를 거치지 아니한 경우 ⑤ 지방자치단체 간 지역사회 보장계획의 내용에 현저한 불균형이 있는 경우 ⑥ 그 밖에 지역사회 보장계획의 조정을 위하여 필요하다고 보건복지부장관이 인정하는 경우
시행 및 시행 결과 평가	① 시장·군수·구청장은 지역사회 보장계획을 시행하고, 시행결과를 시행년도 다음해 2월 말까지 시도지사에게 제출 ② **보건복지부장관이나 시·도지사는 시·도 또는 시·군·구의 지역사회 보장계획 시행결과를 평가**: 내용의 충실성, 시행 과정의 적정성, 시행 결과의 목표달성도, 지역주민의 참여도와 만족도 등

6. 내용(「사회보장급여법」 제36조) 12. 국가직, 10 · 16. 지방직 必

시 · 군 · 구 지역사회 보장계획	시 · 도 지역사회 보장계획
• 지역사회보장 수요의 측정, 목표 및 추진 전략 • 지역사회보장의 목표를 점검할 수 있는 지역사회 보장지표의 설정 및 목표 • 지역사회보장의 분야별 추진전략, 중점 추진사업 및 연계협력 방안 • 지역사회보장 전달체계의 조직과 운영 • 사회보장급여의 사각지대 발굴 및 지원 방안 • 지역사회보장에 필요한 재원의 규모와 조달 방안 • 지역사회보장에 관련한 통계 수집 및 관리 방안 • 지역 내 부정수급 발생 현황 및 방지대책 • 그 밖에 대통령령으로 정하는 사항	• 시 · 군 · 구의 사회보장이 균형적이고 효과적으로 추진될 수 있도록 지원하기 위한 목표 및 전략 • 지역사회보장지표의 설정 및 목표 • 시 · 군 · 구에서 사회보장급여가 효과적으로 이용 및 제공될 수 있는 기반 구축 방안 • 시 · 군 · 구 사회보장급여 담당 인력의 양성 및 전 문성 제고 방안 • 지역사회보장에 관한 통계자료의 수집 및 관리 방안 • 시 · 군 · 구 부정수급 방지대책을 지원하기 위한 방안 • 그 밖에 지역사회보장 추진에 필요한 사항
특별자치시 지역사회보장계획	
• 시 · 군 · 구 지역사회보장계획 내용 外 • 사회보장급여가 효과적으로 제공될 수 있는 기반 구축 방안 • 사회보장급여 담당 인력 양성 및 전문성 제고 방안 • 그 밖에 지역사회보장 추진에 필요한 사항	

기출 OX

지역사회 보장계획에는 지역사회보장 수요의 측정, 목표 및 추진전략과 사회보장급여의 사각지대 발굴 및 지원방안이 포함된다. ( ) 16. 지방직

○

7. 변경과 평가(「사회보장급여법」 제37조, 제38조)

(1) **변경**

① 시 · 도지사 또는 시장 · 군수 · 구청장은 **사회보장의 환경 변화, 「사회보장기본법」에 따른 사회보장기본계획의 변경 등이 있는 경우에는 지역사회 보장계획을 변경**할 수 있다.

② 그 변경 절차는 사회보장급여법 제35조를 준용한다.

(2) **평가**

① **보건복지부장관은 시 · 도 지역사회 보장계획의 시행결과를, 시 · 도지사는 시 · 군 · 구 지역사회 보장계획의 시행결과를** 각각 보건복지부령으로 정하는 바에 따라 **평가할 수 있다.**

② 시 · 도지사는 평가를 시행한 경우 그 결과를 보건복지부장관에게 제출하여야 한다. 보건복지부장관은 이를 종합 · 검토하여 사회보장위원회에 보고하여야 한다.

③ 보건복지부장관 또는 시 · 도지사는 필요한 경우 평가결과를 지방자치단체에 대한 지원에 반영할 수 있다.

3 지역사회보장 협의체 21. 국가직, 10 · 22. 지방직, 13. 서울시

1. 개관 必

(1) **「사회보장급여의 이용 · 제공 및 수급권자 발굴에 관한 법률(이하 「사회보장급여법」)」**에 따라 설립된 법정 기구이다.

(2) **정의(「사회보장급여법」 제41조 제1항)**

시장 · 군수 · 구청장은 지역의 사회보장을 증진하고, **사회보장과 관련된 서비스를 제공하는 관계 기관 · 법인 · 단체 · 시설과 연계 · 협력을 강화하기 위하여 해당 시 · 군 · 구에 지역사회보장 협의체**를 둔다.

(3) 2015년, **「사회복지사업법」상의 '지역사회복지협의체'**가 **「사회보장급여법」상의 '지역사회보장 협의체'로 변경**되었다.

2. 목적

(1) 민 · 관협력의 구심점으로서 **지역사회 보호체계를 구축하고 운영**한다.

(2) **수요자 중심의 통합적 사회보장급여 제공의 기반을 마련**한다.

(3) 지역사회 내 **사회보장급여 제공기관 · 법인 · 단체 · 시설 간 연계 · 협력으로 지역복지자원의 효율적 활용체계를 조성**하고, **지역사회 공동체 기능의 회복과 사회적 자본의 확대를 지향**한다.

(4) 민 · 관협력을 통해 지역사회의 사각지대 발굴 및 지원 강화를 위한 **읍 · 면 · 동 단위 주민 네트워크를 조직**한다.

기출 OX

지역사회보장 협의체는 「사회보장급여의 이용 · 제공 및 수급권자 발굴에 관한 법률」에 근거하고 있다. ( ) 21. 국가직

3. 운영원칙

(1) 지역성

① 지역사회주민들의 생활권역을 배경으로 하여 조직 · 운영되는 지역사회보장 협의체는 지역주민의 복지욕구, 복지자원 총량 등을 고려하여 사회보장급여가 필요한 지원대상자에게 현장 **밀착형 서비스 제공체계를 마련**하여야 한다.

② 일반적으로 모든 지역에서 수행하는 보편적인 업무와 함께, 해당 지역의 특성, 복지 환경, 문화 등을 반영하고, 협의체의 기능 범위 내에서 자체 재원을 활용한 지역사업도 추진하여야 한다.

(2) 참여성

① **네트워크 조직을 표방하는 지역사회보장 협의체**는 법적 제도나 규제에 앞서 복지문제 해결을 위한 **지역사회주민의 자발적 참여가 일차적인 추동력으로 작용**해야 한다.

② 특히, 읍 · 면 · 동 단위 지역사회보장 협의체의 위원 위촉요건으로 관할 지역의 사회 보장 증진에 열의가 있는 사람을 포함하여 위원 구성 시 **지역주민에게 참여 기회를 대폭 개방**해야 한다.

③ **지역사회 내 다양한 분야의 대표성을 가진 사회보장과 관련된 서비스를 제공하는 관계 기관, 법인, 단체, 시설 등의 참여가 전제**되어야 한다.

④ 복지사각지대 및 자원 발굴과 서비스 제공 및 연계를 위해 다양한 지역주민의 폭넓은 참여를 통하여 원활한 기능을 수행해야 한다.

(3) 협력성

① **지역사회보장 협의체는 네트워크형 조직 구조**를 통해 당면한 지역사회 복지문제 등의 현안을 해결하는 **민 · 관협력 기구**이다.

② 지역사회 보장계획의 수립 · 시행 · 평가를 위한 **협의적 의사결정, 상생적 조직 관계, 지역사회 공동체, 사회적 자본 등을 주요 개념**으로 두고, **네트워크를 바탕으로 민주적이고 합리적인 방법으로 운영**해야 한다.

(4) 통합성

① 지역사회 내 복지자원 발굴 및 유기적인 연계와 협력을 통하여 수요자의 다양하고 복잡한 욕구에 부응하는 서비스를 통합적으로 제공해야 한다.

② 지역주민의 삶의 터전인 지역사회를 중심으로 주민의 다양한 복지 서비스 욕구를 충족시키기 위해서는 **삶의 각 영역을 포괄하는 다양한 서비스**(예 보건, 복지, 문화, 고용, 주거, 교육 등)**가 지역사회에서 제공**되어야 한다.

(5) 연대성

① 자체적으로 해결이 곤란한 복지문제는 지역주민 간 연대를 형성하거나 인근 지역과 연계 및 협력을 통하여 복지자원을 공유함으로써 해결해야 한다.

② 공공부문의 서비스를 보완하는 **사회복지법인 외에 비영리 시민단체나 조직의 지역 복지 활동 참여 확대뿐만 아니라 가족과 이웃을 통한 복지욕구 충족 등 지역사회에서 활동하는 사회보장주체의 연대성을 강조**해야 한다.

(6) **예방성**

지역주민의 복합적인 복지문제를 조기에 발견하여, 예방할 수 있도록 노력해야 한다.

4. 종류 (必)

(1) 지역사회보장 협의체에는 **시 · 군 · 구 지역사회보장 협의체와 읍 · 면 · 동 지역사회보장 협의체**가 있다.

구분	시 · 군 · 구 지역사회보장 협의체	읍 · 면 · 동 지역사회보장 협의체
근거	「사회보장급여법」 제41조	「사회보장급여법 시행규칙」 제7조
목적 및 기능	① 지역의 사회보장 증진 및 사회보장과 관련된 서비스를 제공하는 관련 기관 · 법인 · 단체 · 시설과 연계 협력 강화 ② 심의 · 자문 실시 ㉠ **시 · 군 · 구의 지역사회 보장계획 수립 · 시행 및 평가에 관한 사항** ㉡ 시 · 군 · 구의 지역사회보장조사 및 지역사회 보장지표에 관한 사항 ㉢ **시 · 군 · 구의 사회보장급여 제공에 관한 사항** ㉣ 시 · 군 · 구의 사회보장 추진에 관한 사항 ㉤ 읍 · 면 · 동 단위 지역사회보장 협의체의 구성 및 운영에 관한 사항	① 위기 가정(예 관할 지역의 저소득 주민 · 아동 · 노인 · 장애인 · 한부모가족 · 다문화가족 등 사회보장사업에 의한 도움을 필요로 하는 사람) 상시 발굴 업무 지원 ② 사회보장 자원 발굴 및 연계 업무(예 후원, 자원봉사, 사회공헌 등) 지원 ③ **지역사회보호체계 구축 및 운영 업무 지원:** 사각지대의 발굴 및 맞춤형 지원을 위한 지역사회 인적 안전망 구축 ④ 그 밖에 관할 지역 주민의 사회보장 증진에 필요한 업무 지원(예 읍 · 면 · 동협의체 특화사업 논의, 대상자 지원여부 결정 협의 등)
위원 자격요건	시장 · 군수 · 구청장이 임명 또는 위촉 ① 사회보장분야 전문가 ② 지역의 사회보장 활동을 수행하거나 서비스를 제공하는 기관 · 법인 · 단체 · 시설의 대표자 ③ 비영리민간단체의 추천자 ④ 읍 · 면 · 동 단위 지역사회보장 협의체 위원장 ⑤ **사회보장에 관한 업무를 담당하는 공무원**	시장 · 군수 · 구청장이 위촉 ① 사회보장을 제공하는 기관 · 법인 · 단체 · 시설 또는 공익단체의 실무자 ② 사회보장에 관한 업무를 담당하는 공무원 ③ 비영리민간단체에서 추천한 사람 ④ 이장 및 통장 ⑤ 주민자치위원, 자원봉사단체 구성원 ⑥ 지역의 사회보장 증진에 열의가 있는 사람
위원회 구성	**위원장을 포함한 10명 이상 40명 이하의 위원**	협의체 위원의 수는 공동위원장 2명을 포함하여 10명 이상이 되도록 구성
위원장 선출 방법	위원 중에서 호선 (공무원인 위원 · 위촉직 공동위원장 선출)	협의체 위원장은 읍 · 면 · 동장(공공위원장)과 민간위원 중에서 호선한 민간 위원장이 공동으로 구성하고, 부위원장은 민간위원 중에서 호선
위원 임기	**2년, 위원장은 1회 연임 가능**	민간위원의 임기는 2년으로 연임 가능(공무원 위원은 해당 직에 재직하는 기간으로 함)

기출 OX

01 지역사회보장 협의체는 지역의 사회보장 증진, 사회보장과 관련된 서비스를 제공하는 관계 기관 · 법인 · 단체 · 시설과 연계 · 협력을 강화하기 위한 목적을 가지고 있다. ( ) 21. 국가직

02 지역사회보장 협의체는 지역사회 보장계획을 심의 · 자문한다. ( ) 13. 서울시

03 시 · 군 · 구 지역사회보장협의체가 심의 · 자문하는 업무에는 사회복지시설 평가 기준 제정에 관한 사항이 포함되어 있다. ( ) 22. 지방직

04 사회보장에 관한 업무를 담당하는 공무원은 지역사회보장 협의체의 위원이 될 수 있다. ( ) 21. 국가직

01 ○
02 ○
03 ×
04 ○

협의체 운영	① 협의체 업무를 효율적으로 수행하기 위한 실무 협의체 구성 · 운영 ㉠ 위원장 1명 포함 10명 이상 40명 이하의 위원으로 구성 ㉡ 위원장은 위원 중에서 호선, 위원은 협의체 위원장이 임명 · 위촉 ② 보장기관 장의 인력 및 운영비 등 재정 지원 가능 ③ **실무 협의체의 위원장은 지역의 사회보장 관련 기관 · 법인 · 단체 · 시설 간 연계 · 협력을 강화하기 위하여 실무분과를 구성 · 운영**할 수 있으며, 실무분과의 운영에 관한 세부적인 사항은 시 · 군 · 구의 조례로 정할 수 있음 ④ 읍 · 면 · 동 단위 지역사회보장 협의체 구성 · 운영 ㉠ 기능: 관할 지역의 사회보장대상자 발굴, 지역사회보장 자원 발굴 및 연계, 지역사회보호체계 구축 · 운영 등 ㉡ 위원회 구성: 읍 · 면 · 동장과 읍 · 면 · 동장의 추천을 받아 시 · 군 · 구청장이 임명 또는 위촉(읍 · 면 · 동별 10명 이상), 읍 · 면 · 동장과 민간위원(호선)으로 공동위원장 체제 운영 ㉢ 위원임기: 2년, 연임 가능	복지사각지대 발굴, 자원 연계가 이루어질 수 있도록 소단위 분과 및 운영위원 등 운영 가능

(2) **세부 구성**

① 지역사회보장 협의체는 **대표 협의체, 실무 협의체, 실무분과, 읍 · 면 · 동 지역사회보장 협의체**로 구성되어 있다.

② 지역사회보장 협의체 각 주체별 심의 · 자문 안건

주체	역할
대표 협의체	㉠ 시 · 군 · 구 지역사회 보장계획 수립 · 시행 및 평가에 관한 사항 ㉡ 시 · 군 · 구 지역사회보장조사 및 지역사회 보장지표에 관한 사항 ㉢ 시 · 군 · 구 사회보장급여 제공에 관한 사항 ㉣ 시 · 군 · 구 사회보장 추진에 관한 사항 ㉤ 읍 · 면 · 동 단위 지역사회보장 협의체의 구성 및 운영에 관한 사항 ㉥ 그 밖에 위원장이 필요하다고 인정하는 사항 (예 연간 사업추진(운영)계획, 전문위원회 구성 · 운영 등)
실무 협의체	㉠ 대표 협의체 심의 안건에 대한 사전 논의 및 검토 ㉡ 시 · 군 · 구 사회보장 관련 시책 개발 협의 및 제안서 마련 ㉢ 실무분과, 읍 · 면 · 동 지역사회보장 협의체 현안 과제에 대한 검토 ㉣ 실무분과 공동 사업 검토 ㉤ 실무분과 간의 역할, 조정에 대한 수행
실무분과	㉠ 분과별 자체사업 계획 · 시행 · 평가 ㉡ 지역사회보장(분야별)과 관련된 현안 논의 및 안건 도출 ㉢ **지역사회 보장계획의 연차별 시행계획 모니터링**

읍·면·동 지역사회보장 협의체	㉠ 관할 지역의 지역 사회보장 대상자 발굴 업무 지원 ㉡ 사회보장 자원 발굴 및 연계 업무 지원 ㉢ 지역사회보호체계(또는 지역안전망) 구축 및 운영 업무 지원 ㉣ 그 밖에 관할 지역 주민의 사회보장 증진을 위하여 필요한 업무 지원 (예 읍면동협의체 특화사업 논의, 시행 관련, 대상자 지원여부 결정 협의 등)

핵심 PLUS

시·군·구 지역사회보장 협의체와 시·도 사회보장위원회의 심의·자문 사항 비교

시·군·구 지역사회보장 협의체 (「사회보장급여법」 제41조 제2항)	시·도 사회보장위원회 (「사회보장급여법」 제40조 제2항)
1. 시·군·구의 지역사회 보장계획 수립·시행 및 평가에 관한 사항 2. 시·군·구의 지역사회보장조사 및 지역사회 보장지표에 관한 사항 3. 시·군·구의 사회보장급여 제공에 관한 사항 4. 시·군·구의 사회보장 추진에 관한 사항 5. 읍·면·동 단위 지역사회보장 협의체의 구성 및 운영에 관한 사항 6. 그 밖에 위원장이 필요하다고 인정하는 사항	1. 시·도의 지역사회 보장계획 수립·시행 및 평가에 관한 사항 2. 시·도의 지역사회보장조사 및 지역사회 보장지표에 관한 사항 3. 시·도의 사회보장급여 제공에 관한 사항 4. 시·도의 사회보장 추진과 관련한 중요 사항 5. **읍·면·동 단위 지역사회보장 협의체의 구성 및 운영에 관한 사항(특별자치시에 한정한다)** 6. **사회보장과 관련된 서비스를 제공하는 관계 기관·법인·단체·시설과의 연계·협력 강화에 관한 사항(특별자치시에 한정한다)** 7. 그 밖에 위원장이 필요하다고 인정되는 사항

4 사회복지협의회

1. 개관 13. 국가직 必

(1) 「사회복지사업법」 제33조에 따라 설립된 법정단체로, **각종 민간의 사회복지사업과 활동을 조직적으로 연계 · 협력 · 조정하는 기구**이다.

(2) **지역사회복지에 관심 있는 민간단체 및 개인의 연합체**이며, 그 기원은 구호활동을 하던 민간사회복지기관의 모임이다.

2. 설립 목적(협의회 정관 제2장 총칙 제1조)

사회복지에 관한 조사 · 연구와 각종 복지사업을 조성하고, **각종 사회복지사업과 활동을 조직적으로 협의 · 조정**하며 사회복지에 대한 국민의 참여를 촉진시킴으로써 우리나라의 사회복지증진과 발전에 기여함을 목적으로 한다.

3. 주요 연혁

(1) 1952년, 사단법인 **한국사회복지협의회가 창립**되었다.

(2) 1970년, **사회복지법인 한국사회복지협의회로 개칭**되었다.

(3) 1998년, 시 · 도 사회복지협의회 독립법인이 설립되었다.

기출 OX

사회복지협의회는 사회복지 관련 기관 · 단체 간의 연계 · 협력 · 조정을 행한다. ( ) 13. 국가직

○

선생님 가이드

❶ 「공공기관의 운영에 관한 법률」 제5조에 따라 공공기관은 다음과 같이 분류됩니다. 공기업이란 직원 정원이 50인 이상이고, 자체수입액이 총수입액의 2분의 1 이상인 공공기관 중에서 기획재정부장관이 지정한 기관을 의미합니다. 준정부기관이란 직원 정원이 50인 이상이며, 자체수입비율이 50% 미만 인 기관입니다. 마지막으로 기타공공기관은 공기업, 준정부기관이 아닌 공공기관을 말합니다.

❷ 1952년 한국사회사업연합회로 설립 → 1961년 한국사회복지사업연합회로 개칭 → 1970년 한국사회복지협의회로 개칭 → 1983년 「사회복지사업법」 개정으로 법정단체화 → 2009년 공공기관운영에 관한 법률 제6조에 의거 '기타 공공기관'으로 지정되었습니다.

(4) 2003년, 시 · 군 · 구 사회복지협의회가 법인화되었다.

(5) 2009년, **한국사회복지협의회는 기타 공공기관**[1]**으로 지정**되었다.

4. 유형(「사회복지사업법」 제33조 제1항) (必)

(1) 유형에는 **한국사회복지협의회(중앙협의회)**[2], **시 · 도협의회, 시 · 군 · 구 협의회**가 있다. 이중에서 한국사회복지협의회(중앙협의회)와 시 · 도협의회는 반드시 두어야 하지만, **시 · 군 · 구 협의회는 필요시에만 두어도 된다.**

(2) **중앙협의회, 시 · 도협의회 및 시 · 군 · 구협의회는 「사회복지사업법」에 따른 사회복지법인**으로 한다(「사회복지사업법」 제33조 제2항).

5. 사회복지협의회의 임원 및 업무(「사회복지사업법」 제33조 제1항 및 동법 시행령 제12조) (必)

구분	한국사회복지협의회	시 · 도협의회	시 · 군 · 구협의회
임원	대표이사 1인을 포함한 15인 이상 30인 이하의 이사와 감사 2인		대표이사 1인을 포함한 10인 이상 30인 이하의 이사와 감사 2인
	① 이사와 감사의 임기는 3년으로 하되, 각각 연임할 수 있다. ② 임원의 선출 방법과 그 자격요건에 관하여 필요한 사항은 정관으로 정한다.		
업무	**① 사회복지에 관한 조사 · 연구 및 정책 건의** **② 사회복지 관련 기관 · 단체 간의 연계 · 협력 · 조정** **③ 사회복지 소외계층 발굴 및 민간사회복지자원과의 연계 · 협력** ④ 대통령령으로 정하는 사회복지사업의 조성 등 ※ 대통령령으로 정하는 사회복지사업(「사회복지사업법 시행규칙」 제12조) • 사회복지에 관한 교육훈련 • 사회복지에 관한 자료수집 및 간행물 발간 • 사회복지에 관한 계몽 및 홍보 • 자원봉사활동의 진흥 • 사회복지사업에 관한 기부문화의 조성 • 사회복지사업에 종사하는 사람의 교육훈련과 복지증진 • 사회복지에 관한 학술 도입과 국제사회복지단체와의 교류 등		

5 사회복지전담공무원

1. 개관 (必)

(1) **사회보장급여법** 제43조에 따른 지방공무원이다.

사회복지전담공무원의 법적 정의(사회보장급여법 제43조) (必)

① 사회복지사업에 관한 업무를 담당하게 하기 위하여 **시 · 도, 시 · 군 · 구, 읍 · 면 · 동 또는 사회보장사무 전담기구**에 사회복지전담공무원을 둘 수 있다.

② 사회복지전담공무원은 「사회복지사업법」에 따른 **사회복지사의 자격을 가진 사람**으로 한다.

③ 사회복지전담공무원은 사회보장급여에 관한 업무 중 **취약계층에 대한 상담과 지도, 생활실태의 조사 등** 보건복지부령으로 정하는 **사회복지에 관한 전문적 업무를 담당**한다.
④ 국가는 사회복지전담공무원의 보수 등에 드는 비용의 전부 또는 일부를 보조할 수 있다.
⑤ 시 · 도지사 및 시장 · 군수 · 구청장은 「지방공무원 교육훈련법」에 따라 **사회복지전담공무원의 교육훈련에 필요한 시책을 수립 · 시행**해야 한다.

(2) **경력직 공무원 중 일반직 공무원으로서의 법적 지위를 갖고, 사회복지직렬**에 속한다. 그리고 그 자격 · 임용 · 보수 · 연수 및 신분보장에 관하여서는 **「지방공무원법」의 적용**을 받는다.

2. 주요 연혁 (必)

(1) 1987년

별정직 '사회복지 전문요원'으로 서울시 관악구에서 최초로 시범사업차 임용 · 배치되었다.

(2) 1991년

① 보건사회부훈령 제622호 **「사회복지 전문요원의 직무 및 관리운영에 관한 규정」이 제정**되어 사회복지 전문요원의 직무에 관한 사항과 이들의 배치 및 지도 · 관리에 관한 사항을 정하였다.
② 사회복지 전문요원은 생활보호사업 등 사회복지업무의 효율적 추진을 기하기 위하여 지방자치단체의 장이 사회복지사 자격을 가진 자 중에서 선발하여 읍 · 면 · 동 행정기관에 배치한 지방공무원이라 정의하였다.

(3) 1992년

「사회복지사업법」 전부개정을 통해 법 제10조에 **'사회복지전담공무원' 조항이 신설되어 사회복지전담공무원의 법적 근거가 마련**되었다.

개정 「사회복지사업법」 제10조
법에서 정한 사업에 관한 업무를 담당하게 하기 위하여 **시 · 군 · 구 및 읍 · 면 · 동에 사회복지전담공무원을 둘 수 있으며, 사회복지전담공무원은 사회복지사의 자격을 가진 자**로 한다.

(4) 2000년 (必)

① 「사회복지 전문요원의 직무 및 관리운영에 관한 규정」이 폐지되고, **별정직 사회복지 전문요원이 일반직 공무원인 사회복지직렬으로 전환**되면서 **사회복지전담공무원으로 그 명칭이 변경**되었다.
② 2000년 **국민기초생활보장제도의 시행으로 수급자 및 차상위자에 대한 관리를 위해** 그 인원이 대폭 확대(또는 증원)되었다.

6 사회복지관 13 · 14. 국가직, 18. 지방직

1. 개관 (必)

(1) 정의

지역사회를 기반으로 일정한 시설과 전문 인력을 갖추고 지역주민의 참여와 협력을 통하여 지역사회복지 문제를 예방하고 해결하기 위하여 **종합적인 복지 서비스를 제공하는 시설(「사회복지사업법」 제2조 제5호)로, 「사회복지사업법」에 설립 근거를 둔 사회복지시설**이다. 또한 여기서 지역사회복지란 주민의 복지증진과 삶의 질 향상을 위하여 지역사회 차원에서 전개하는 사회복지를 말한다.

(2) 목적

사회복지 서비스 욕구를 가지고 있는 모든 지역사회 주민을 대상으로, 보호 서비스, 재가복지 서비스, 자립능력 배양을 위한 교육훈련 등 그들이 필요로 하는 복지 서비스를 제공하고, 가족기능 강화 및 주민상호 간 연대감 조성을 통한 **각종 지역사회 문제를 예방 · 치료하는 종합적인 복지 서비스 전달기구로서 지역사회 주민의 복지증진을 위한 중심적 역할을 수행**하여야 한다.

(3) 설치

① **사회복지관은 지방자치단체, 사회복지법인 및 기타 비영리법인이 설치 · 운영**할 수 있다.

② 지방자치단체는 사회복지관을 설치한 후 **사업의 전문성을 향상시키기 위해 운영 능력이 있는 사회복지법인 등에 위탁하여 운영**할 수 있다.

③ 지방자치단체는 공공단체의 시설물을 위탁받아 사회복지관을 설치 · 운영하거나 사회복지법인 등에 위탁하여 운영할 수 있다.

④ 시 · 도지사 및 시장 · 군수 · 구청장은 관내의 **저소득층 밀집지역, 요보호대상자 및 인구수, 기타 지역의 특성 등을 고려하여 사회복지관의 설치 · 운영에 관한 중 · 장기 육성계획을 수립**하고, 동 계획에 의하여 사회복지관이 설치 · 운영되도록 한다.

⑤ 시 · 도지사 및 시장 · 군수 · 구청장이 사회복지관을 설치하고자 할 때에는 **저소득층 밀집지역에 우선 설치하되, 사회복지관이 일부 지역에 편중되지 않도록 한다.**

기출 OX

사회복지관은 기초 지방자치단체마다 설치해야 한다. ( ) 19회

× 사회복지관 설치 시 '시 · 도지사 및 시장 · 군수 · 구청장이 사회복지관을 설치코자 할 때에는 저소득층 밀집지역에 우선 설치하되, 사회복지관이 일부 지역에 편중되지 않도록 한다.'는 지침[사회복기관 운영관련 업무처리 안내(보건복지부)]은 있으나 '기초 지방자치단체 마다 설치해야 한다.'는 규정은 없다.

2. 주요 연혁

(1) 1906년, **원산 인보관 운동에서 사회복지관사업이 태동**되었다.

(2) 1921년, 서울에 **우리나라 최초의 사회복지관인 태화여자관이 설립**되었다.

(3) 1926년, **원산에 보혜여자관이 설립**되었다.

(4) 1983년, 「사회복지사업법」 개정으로 사회복지관 운영 국고보조가 가능해졌다.

(5) **시 · 도 단위로 종합사회복지관 설립이 시작**되었다.

(6) 1989년, 「주택건설촉진법」 등에 의해 **저소득층 영구임대아파트 건립 시 일정규모의 사회복지관 건립이 의무화**되었다.

(7) 1997년, 「사회복지사업법」 개정으로 매 **3년마다 사회복지시설의 평가가 의무화되었으며, 따라서 사회복지시설에 포함되는 사회복지관 역시 의무적으로 3년마다 평가**[1]**를 받게** 되었다.

> **시설의 평가(「사회복지사업법 시행규칙」 제27조의2)**
> ① 보건복지부장관 및 시 · 도지사는 법 제43조의2에 따라 **3년마다 시설에 대한 평가를 실시**하여야 한다.
> ② 제1항에 따른 시설의 평가기준은 법 제43조 제1항에 따른 **서비스 최저기준을 고려하여 보건복지부장관이 정한다.**
> ③ 보건복지부장관과 시 · 도지사는 제1항에 따른 평가의 결과를 해당 기관의 홈페이지 등에 게시하여야 한다.
> ④ 제1항의 규정에 의한 평가의 방법 기타 평가에 관하여 필요한 사항은 보건복지부장관이 정한다.

(8) **2005년, 사회복지관 사업이 지방이양사업으로 분류**됨에 따라 **관할 지방자치단체가 자율적으로 사회복지관에 대한 예산을 편성 · 집행**할 수 있게 되었다.

선생님 가이드

[1] 2004년 「사회복지사업법 시행령」 개정으로 사회복지시설 평가를 전문기관에 위탁할 수 있게 됨에 따라 현재는 사회보장정보원에서 사회복지관에 대한 위탁 평가를 실시하고 있습니다.

3. 운영원칙 (必)

(1) 지역성의 원칙

지역사회의 특성과 지역주민의 문제나 욕구를 **신속하게 파악 · 반영하여 지역사회의 문제를 해결**하고, 이에 따른 서비스를 제공해야 하며, **지역주민의 적극적 참여를 유도하여 주민의 능동적 역할과 책임의식을 조성**해야 한다.

(2) 전문성의 원칙

다양한 지역사회문제에 대처하기 위해 일반적 프로그램과 특정한 문제를 해결할 수 있는 전문적 프로그램이 병행될 수 있도록 전문인력에 의해 사업을 수행하고 이들 인력에 대한 지속적인 재교육 등을 통해 전문성을 증진하도록 하여야 한다.

(3) 책임성의 원칙

서비스 이용자의 욕구를 충족하고 지역사회 문제를 해결함에 있어서 **효과성을 극대화**하기 위하여 최선의 노력을 기울여야 한다.

(4) 자율성의 원칙

다양한 복지 서비스를 효율적으로 제공하기 위하여 **사회복지관의 능력과 전문성이 최대한 발휘**될 수 있도록 자율적으로 운영해야 한다.

(5) 통합성의 원칙

사업을 수행함에 있어 지역 내 공공 및 민간복지기관 간에 연계성과 통합성을 강화시켜 **지역사회복지체계를 효율적이고 효과적으로 운영**되도록 해야 한다.

(6) **자원활용의 원칙**

주민욕구의 다양성에 따라 다양한 기능 및 인력과 재원을 필요로 하므로 **지역사회 내의 복지자원을 최대한 동원하고 활용**해야 한다.

(7) **중립성의 원칙**

정치활동, 영리활동, 특정 종교활동 등으로 이용되지 않도록 중립성이 유지되야 한다.

(8) **투명성의 원칙**

자원을 효율적으로 이용하고 운영 과정의 투명성을 유지해야 한다.

4. 사업 대상(「사회복지사업법」 제34조의5 제2항) (必)

(1) 사회복지관은 **일반주의 실천을 실행하는 곳**으로, **모든 지역주민을 대상으로 사회복지 서비스를 실시**하여야 한다.

(2) 단, 다음의 지역주민에게 우선 제공하여야 한다.

① **「국민기초생활보장법」에 따른 수급자 및 차상위계층**

② **장애인, 노인, 한부모가족 및 다문화가족**

③ **직업 및 취업 알선이 필요한 사람**

④ **보호와 교육이 필요한 유아 · 아동 및 청소년**

⑤ 그 밖에 사회복지관의 사회복지 서비스를 우선 제공할 필요가 있다고 인정되는 사람

5. 사업[❶](「사회복지사업법 시행규칙」 별표 3) (必)

기능	사업분야	사업 및 내용
사례관리기능	사례발굴	지역 내 보호가 필요한 대상자 및 위기 개입대상자를 발굴하여 개입계획 수립
	사례개입	지역 내 보호가 필요한 대상자 및 위기 개입대상자의 문제와 욕구에 대한 맞춤형 서비스가 제공될 수 있도록 사례개입
	서비스연계	사례개입에 필요한 지역 내 민간 및 공공의 가용자원과 서비스에 대한 정보 제공 및 연계, 의뢰
	가족기능강화	① 가족관계증진사업: 가족원 간의 의사소통을 원활히 하고 각자의 역할을 수행함으로써 이상적인 가족관계를 유지함과 동시에 가족의 능력을 개발 · 강화하는 사업 ② 가족기능보완사업: 사회구조 변화로 부족한 가족기능, 특히 부모의 역할을 보완하기 위하여 주로 아동 · 청소년을 대상으로 실시되는 사업 ③ 가정문제해결 · 치료사업: 문제가 발생한 가족에 대한 진단 · 치료 · 사회복귀 지원사업 ④ 부양가족지원사업: 보호대상 가족을 돌보는 가족원의 부양부담을 줄여주고 관련 정보를 공유하는 등 부양가족 대상 지원사업 ⑤ 다문화가정, 북한이탈주민 등 지역 내 이용자 특성을 반영한 사업
		① 급식 서비스: 지역사회에 거주하는 요보호 노인이나 결식아동 등을 위한 식사제공 서비스 ② 보건의료 서비스: 노인, 장애인, 저소득층 등 재가복지사업대상자들을 위한 보건 · 의료 관련 서비스

선생님 가이드

❶ 2004년 9월 6일 개정된 「사회복지사업법 시행규칙」에서 가족복지사업, 지역사회보호사업, 지역사회조직사업, 교육문화사업, 자활사업 등 5가지 사회복지관의 사업분야가 신설되었으며, 이후 2012년 8월 3일 「사회복지사업법 시행규칙」의 개정으로 사례관리기능, 서비스제공기능, 지역조직화기능으로 재편되었습니다.

기출 OX

01 사회복지관은 설립법인에 따라 정치 및 종교 활동에서 중립적이지 않을 수 있다. ( ) 14. 국가직

02 사회복지관의 기능은 크게 사례관리기능, 서비스제공기능, 지역조직화기능으로 구분된다. ( ) 14. 국가직

01 × '중립적이지 않을 수 있다.'가 아니라 '중립적이어야 한다.'가 옳다.
02 ○

서비스 제공 기능	지역사회 보호	③ 경제적 지원: 경제적으로 어려운 지역사회주민들을 대상으로 생활에 필요한 현금 및 물품 등을 지원하는 사업 ④ 일상생활 지원: 독립적인 생활능력이 떨어지는 요보호 대상자들이 시설이 아닌 지역사회에 거주하기 위해서 필요한 기초적인 일상생활 지원 서비스 ⑤ 정서 서비스: 지역사회에 거주하는 독거노인이나 소년소녀가장 등 부양가족이 없는 요보호 대상자들을 위한 비물질적인 지원 서비스 ⑥ 일시보호 서비스: 독립적인 생활이 불가능한 노인이나 장애인 또는 일시적인 보호가 필요한 실직자 · 노숙자 등을 위한 보호 서비스 ⑦ 재가복지봉사 서비스: 가정에서 보호를 요하는 장애인, 노인, 소년 · 소녀가정, 한부모가족 등 가족기능이 취약한 저소득 소외계층과 국가유공자, 지역사회 내에서 재가복지봉사 서비스를 원하는 사람에게 다양한 서비스 제공
	교육문화	① 아동 · 청소년 사회교육: 주거환경이 열악하여 가정에서 학습하기 곤란하거나 경제적 이유 등으로 학원 등 다른 기관의 활용이 어려운 아동 · 청소년에게 필요한 경우 학습 내용 등에 대하여 지도하거나 각종 기능 교육 ② 성인기능교실: 기능습득을 목적으로 하는 성인사회교육사업 ③ 노인 여가 · 문화: 노인은 대상으로 제공되는 각종 사회교육 및 취미교실운영사업 ④ 문화복지사업: 일반주민을 위한 여가 · 오락프로그램, 문화 소외집단을 위한 문화프로그램, 그 밖에 각종 지역문화행사사업
	자활지원 등 기타	① 직업기능훈련: 저소득층의 자립능력 배양과 가계소득에 기여할 수 있는 기능훈련을 실시하여 창업 또는 취업을 지원하는 사업 ② 취업알선: 직업훈련 이수자 기타 취업희망자들을 대상으로 취업에 관한 정보제공 및 알선사업 ③ 직업능력개발: 근로의욕 및 동기가 낮은 주민의 취업욕구 증대와 재취업을 위한 심리 · 사회적인 지원프로그램 실시사업 ④ 그 밖의 특화사업
지역 조직화 기능	복지 네트워크 구축	① 지역 내 복지기관 · 시설들과 네트워크를 구축함으로써 복지 서비스 공급의 효율성을 제고하고, 사회복지관이 지역복지의 중심으로서의 역할을 강화하는 사업 ② 지역사회연계사업, 지역욕구조사, 실습지도
	주민 조직화	① 주민이 지역사회 문제에 스스로 참여하고 공동체 의식을 갖도록 주민 조직의 육성을 지원하고, 이러한 주민협력강화에 필요한 주민의식을 높이기 위한 교육을 실시하는 사업 ② **주민복지증진사업, 주민조직화 사업, 주민교육**
	자원 개발 및 관리	① 지역주민의 다양한 욕구 충족 및 문제해결을 위해 필요한 인력, 재원 등을 발굴하여 연계 및 지원하는 사업 ② **자원봉사자 개발 · 관리**, 후원자 개발 · 관리

7 사회복지공동모금회 13. 국가직

1. 개관 必

(1) **「사회복지공동모금회법」에 설립 근거를 둔 법정 기구이며, 세법상 법정기부금❷ 단체**로, **사회복지공동모금사업을 관장하도록 하기 위하여 설립**되었다.

(2) **「사회복지사업법」에 따른 법인이며,** 정관을 작성하여 **보건복지부장관의 인가를 받아 등기**함으로써 설립된다(「사회복지공동모금회법」 제4조).

선생님 가이드

❷ 우리나라 「법인세법」이나 「소득세법」상에서는 기부금의 종류를 법정기부금과 지정기부금으로 구분하고 있으며, 사회복지공동모금회는 법정기부금 단체에 해당합니다.

기출 OX

01 서비스제공기능에 해당하는 지역사회보호사업의 세부사업에는 급식 서비스, 보건의료 서비스, 재가복지봉사 서비스 등이 있다. ( ) 14. 국가직

02 지역사회연계사업, 지역욕구조사, 실습지도는 사회복지관의 사례관리기능에 해당한다. ( ) 14. 국가직

01 ○
02 × '사례관리기능'이 아니라 '복지네트워크구축기능'이 옳다.

(3) 사회복지공동모금의 정의(「사회복지공동모금회법」 제2조 제2호)

사회복지사업이나 그 밖의 사회복지활동 지원에 필요한 재원을 조성하기 위하여 「사회복지공동모금회법」에 따라 기부금품을 모집하는 것을 말한다.

핵심 PLUS

공동모금

① 공동모금의 의의
- 사회복지에 대한 **주민참여, 신뢰성 회복, 수혜경쟁을 통한 서비스 제공 기관의 서비스 질 향상을 추구**[1] 한다.
- **무분별한 자선단체의 난립을 방지**하고, **지역사회 주민들이 신뢰할 수 있는 민간모금 창구를 구성**한다.
- **지역사회주민의 참여기회를 제공하여 자원봉사정신을 함양**한다.
- **사회복지 서비스 프로그램의 전문성 및 질적 향상을 제고**한다.
- 민주화와 지방자치제에 따른 **민간자원 동원과 시민참여를 극대화시킬 수 있는 지역사회복지 운동을 활성화**시킨다.

② 공동모금의 특성
- **민간복지운동**: 사회연대 및 상부상조 정신에 입각하여 **지역사회자원을 활용하는 민간복지운동**이다.
- **지역사회 기반**: 지역사회를 기반으로, 지역사회의 특성에 맞는 지역사회의 복지증진을 도모한다.
- **효율성 · 일원화**: 공동모금회가 기부자를 대신하여 심도 있는 조사와 평가를 통해 기부금품을 효율적으로 배분하며, 모금창구를 일원화 하여 기부자의 혼란을 방지할 수 있다.
- **공개성 · 투명성**: 모금과 배분은 공개적이며, 투명하게 진행된다.
- **전국민 참여로 전국적으로 동시 전개**: 공동모금회 전국 지회는 협조적 관계를 유지하면서 같은 기간에 일제히 모금하므로 **대국민 홍보와 모금에 대한 국민의식 고취에 효과적**이다.

선생님 가이드

[1] 공동모금은 민간사회복지기관의 재원충당을 위해서 라기보다는 이러한 사회적 목적을 달성하기 위해 실시됩니다.

2. 연혁

(1) 1992년, 이웃돕기 중앙운동 추진협의회가 결성되었다.

(2) 1997년 3월, 「사회복지공동모금법」이 제정되었다.

(3) 1999년 3월, 기존 「사회복지공동모금법」이 「사회복지공동모금회법」으로 개정되어 같은 해 4월 1일부터 시행되었다.

핵심 PLUS

공동모금의 발전 과정

① 1873년 **영국 리버풀시**에서 자선가의 기부금으로 **자선단체를 구성한 것이 공동모금의 기원**이다.
② 미국에서는 1887년 덴버시에서 조직된 자선조직협회가 1888년 최초로 지역공동모금을 수행하였다.
③ 우리나라는 **1970년 「사회복지사업법」이 제정되면서 민간 분야의 기금조성이 제도화**되었다.

3. 조직(「사회복지공동모금회법」 제12조, 제13조, 제14조, 제15조)

사무조직	사무총장 1명과 필요한 직원 및 기구
분과실행위원회	기획, 홍보, 모금, 배분
지회	① 시 · 도 단위의 지회 ② 지회장은 이사회의 의결을 거쳐 회장이 임명한다. ③ 1997년 제정된 「사회복지공동모금법」 당시 '독립법인형식'에서 **1999년 제정된 「사회복지공동모금회법」에서 '시 · 도지회 형식'으로 변경**되었다.

4. 사업과 재원 (必)

(1) 주요 사업(「사회복지공동모금회법」 제5조)

① 사회복지공동모금사업

② 공동모금재원의 배분

③ 공동모금재원의 운용 및 관리

④ 사회복지공동모금에 관한 조사 · 연구 · 홍보 및 교육 · 훈련

⑤ 사회복지공동모금지회의 운영

⑥ 사회복지공동모금과 관련된 국제교류 및 협력증진사업

⑦ 다른 기부금품 모집자와의 협력사업

⑧ 그 밖에 모금회의 목적 달성에 필요한 사업

(2) 재원(「사회복지공동모금회법」 제17조, 제18조, 제18조의2)

① 사회복지공동모금에 의한 기부금품

② 법인이나 단체가 출연하는 현금 · 물품 또는 그 밖의 재산

③ 「복권 및 복권기금법」에 따라 배분받은 복권수익금

④ 그 밖의 수입금

⑤ **보건복지부장관의 승인을 받아 복권을 발행**할 수 있다.

5. 배분사업(정관 제27조의2 제1항) (必)

신청사업	사회복지 증진을 위하여 **자유주제 공모형태**로 **개별 사회복지기관이나 시설로부터 복지 사업을 신청 받아 배분**하는 프로그램사업 및 기능보강사업이다.
기획사업	① 테마기획사업: **취약한 사회복지현장의 역량강화를 위해 모금회가 그 주제를 정하여 배분하는 사업**이다. ② 제안기획사업: 배분대상자로부터 제안 받은 내용 중에서 선정하여 배분하는 **시범적이고 전문적인 사업**이다.
긴급지원사업	재난구호 및 긴급구호, 저소득층 응급지원 등 **긴급히 지원해야 할 필요가 있는 경우**에 배분하는 사업이다.
지정기탁사업	사회복지 증진을 위하여 **기부자가 기부금품의 배분지역 · 배분대상자 또는 사용용도를 지정한 경우** 그 지정취지에 따라 배분하는 사업이다.

6. 모금방법 (必)

(1) 모금원에 따른 구분

개별형	**개인 및 가정을 대상으로 한 모금**이다.
기업중심형	**기업의 임직원을 대상으로 한 모금**으로, **전체모금에서 차지하는 비중이 가장 크다.**
단체형	**재단 및 협회 등을 대상으로 한 모금**이다.
특별사업형	모금회에서 구상한 **사업 · 프로그램 · 캠페인 · 이벤트 등을 통한 모금**이다. 예 걷기대회, 언론사 홍보, 공연 등

기출 OX

사회복지공동모금회는 사회복지공동모금사업, 공동모금재원의 배분, 운용 및 관리 등을 행한다. ( ) 13. 국가직

(2) 기간에 따른 구분(「사회복지공동모금회법」 제18조)

연중모금	모금회는 사회복지사업이나 그 밖의 사회복지활동을 지원하기 위하여 **연중 기부금품을 모집·접수할 수 있다.**
연말집중모금	① 모금회는 효율적인 모금을 위하여 **기간을 정하여 집중모금을 할 수 있다.** ② 모금회는 집중모금을 하려면 그 **모집일부터 15일 전에 그 내용을 보건복지부장관에게 보고**해야 한다. ③ 모집을 종료하였을 때에는 **모집종료일부터 1개월 이내에 그 결과를 보건복지부장관에게 보고**해야 한다.

7. 배분대상

(1) 사회복지사업 기타 사회복지활동을 행하는 법인·기관·단체 및 시설(개인신고시설 포함)

(2) 사회복지 서비스를 필요로 하는 개인

(3) **배분제외대상**

① 동일한 사업으로 국가·지방자치단체 또는 다른 기관으로부터 지원을 받았거나 받기로 확정된 사업(단, 배분분과실행위원회의 심의결과 지원이 필요하다고 인정되는 경우에는 예외로 함)

② 법령상 금지된 행위에 사용되는 비용

③ 정치·종교적 목적에 이용될 수 있는 경우

④ 수익을 주된 목적으로 하는 사업

⑤ 공직선거법에 위반되는 경우

⑥ 모금회의 제재조치에 따른 배분대상 제외기간에 배분신청한 경우

⑦ 모금회 배분분과실행위원회의 심의결과 배분대상 제외 필요성이 인정되는 사업 또는 비용

8. 배분 방법 - 우선순위 계획에 따른 배분 유형

기관배분형	**사회복지시설이나 기관별로 모금액을 배분하는 방식**이다.
문제 및 프로그램 배분형	지역사회의 보건 및 사회문제 해결에 필요한 **프로그램의 운용과 관련하여 모금액을 배분하는 방식**이다.
지역배분형	지역복지 증진을 위해 **지역단위로 모금액을 배분하는 방식**이다.
혼합형	**기관배분형과 문제 및 프로그램 배분형을 혼합해서 배분하는 방식**이다.

8 자원봉사센터 13. 국가직

1. 개관

(1) **정의(「자원봉사활동기본법」 제3조 제4호)**

"자원봉사센터"란 자원봉사활동의 개발·장려·연계·협력 등의 사업을 수행하기 위하여 법령과 조례 등에 따라 설치된 기관·법인·단체 등을 말한다.

기출 OX

자원봉사활동을 진흥하기 위해 「자원봉사활동기본법」을 제정하였다. ( )

13. 국가직

○

(2) **설립목적**

① 지역사회문제해결을 위해 **다양한 자원봉사자의 참여를 촉진하고 개발, 육성**한다.

② **자원봉사자를 필요로 하는 기관과 단체들의 자원봉사자 수급과 관리를 지원**하여 효과적인 자원봉사 활동이 이루어지도록 지원한다.

③ **지역사회 자원의 조직화와 소통 · 조정 · 연계를 통해** 지역사회의 문제해결을 돕는다.

④ 지역사회 내에서 **자원봉사에 대한 인식을 증진하고 자원봉사자의 위상을 제고하여 활동을 진흥**시킨다.

(3) **설치(「자원봉사활동기본법」 제19조)**

국가기관 및 지방자치단체는 자원봉사센터를 설치할 수 있다. 이 경우 **자원봉사센터를 법인으로 하여 운영하거나 비영리 법인에 위탁하여 운영**하여야 한다. 단, **자원봉사활동을 효율적으로 추진하기 위하여 필요하다고 인정할 경우에는 국가기관 및 지방자치단체가 운영할 수 있다.**

2. 조직과 사업(「자원봉사활동기본법 시행령」 제15조)

(1) 자원봉사센터에는 **특별시 · 광역시 · 도 자원봉사센터와 시 · 군 · 자치구 자원봉사센터**가 있다.

특별시 · 광역시 · 도 자원봉사센터	시 · 군 · 자치구 자원봉사센터
① 특별시 · 광역시 · 도 지역의 기관 · 단체들과의 상시협력체계 구축 ② 자원봉사 관리자 및 지도자의 교육훈련 ③ 자원봉사 프로그램의 개발 및 보급 ④ 자원봉사 조사 및 연구 ⑤ 자원봉사 정보자료실 운영 ⑥ 시 · 군 · 자치구 자원봉사센터 간의 정보 및 사업의 협력 · 조정 · 지원 ⑦ 그 밖에 특별시 · 광역시 · 도 지역의 자원봉사 진흥에 기여할 수 있는 사업	① 시 · 군 · 자치구 지역의 기관 · 단체들과의 상시협력체계 구축 ② 자원봉사자의 모집 및 교육 · 홍보 ③ **자원봉사 수요기관 및 단체에 자원봉사자 배치** ④ 자원봉사 프로그램의 개발 · 보급 및 시범운영 ⑤ 자원봉사 관련 정보의 수집 및 제공 ⑥ 그 밖에 시 · 군 · 자치구 지역의 자원봉사 진흥에 기여할 수 있는 사업

(2) 지방자치단체는 자원봉사센터의 **조직 및 운영 등에 관한 사항은 조례로 정한다.**

핵심 PLUS

자원봉사활동의 원칙(「자원봉사활동기본법」 제2조 제2호)

① **무보수성**: 경제적 보상과 관련되는 것으로 자원봉사활동에 대해 금전적 대가를 받지 않는 것을 말한다.

② **자발성**: 자신의 의사로써 시간과 재능, 경험을 도움이 필요한 이웃과 지역사회 공동체 형성에 아무런 대가 없이 활동하는 것을 말한다.

③ **공익성**: 이웃과 지역사회 내에 산재하고 있는 문제를 해결하여 삶의 질을 향상시키기 위하여 활동하는 것을 말한다.

④ 비영리성

⑤ 비정파성(非政派性)

⑥ 비종파성(非宗派性)

3. 한국자원봉사협의회(「자원봉사활동기본법」 제17조)

(1) **자원봉사단체는** 전국 단위의 자원봉사활동을 진흥 · 촉진하기 위한 다음의 활동을 하기 위하여 **한국자원봉사협의회를 설립**할 수 있다.

① 회원단체 간의 협력 및 사업 지원

② 자원봉사활동의 진흥을 위한 대국민 홍보 및 국제교류

③ 자원봉사활동과 관련된 정책의 개발 및 조사 · 연구

④ 자원봉사활동과 관련된 정책의 건의

⑤ 자원봉사활동과 관련된 정보의 연계 및 지원

⑥ 그 밖에 자원봉사활동의 진흥과 관련하여 국가 및 지방자치단체로부터 위탁받은 사업

(2) **한국자원봉사협의회는 법인**으로 한다.

(3) 한국자원봉사협의회는 **정관을 작성하여 행정안전부장관의 인가를 받아 등기함으로써 설립**된다.

9 희망복지지원단 19. 지방직

1. 개관 必

(1) 2012년 '찾아가는 보건 · 복지 서비스' 추진의 일환으로, **시 · 군 · 구 단위의 희망복지지원단이 설치**되어 통합사례관리 사업이 실시되었다.

(2) 희망복지지원단이란 경제적 · 의료적 · 정서적으로 **복합적인 욕구를 가진 대상자에게 통합사례관리를 제공**하고, 지역 내 자원 및 방문형 서비스 사업 등을 총괄 · 관리함으로써 **지역단위 통합 서비스 제공의 중추적 역할을 수행하는 전담조직(또는 컨트롤 타워)**으로, 민관협력을 통한 지역단위 통합적 서비스 제공체계를 구축 · 운영함으로써 찾아가는 보건 · 복지 서비스의 제공 및 지역주민의 복지체감도 향상을 위해 설립되었다.

2. 주요업무 必

(1) **대상자 발굴**

읍 · 면 · 동 주민센터와 시 · 군 · 구 각 부서, 지역주민 및 관련 기관에서 발굴된 대상자에 대해 **읍 · 면 · 동 주민센터에서 초기상담을 실시**한다.

> **핵심 PLUS**
>
> **대상자**
>
> ① 가족 해체, 경제적 기능상실 등으로 위기상황에 처해 긴급한 서비스를 필요로 하는 가구
>
> ② 지역사회의 자원을 필요로 하는 가구
>
> ③ 기타 일시적으로 홀로 어려움을 해결할 수 없는 가구로 탈수급 및 자립 가능 가구

기출 OX

01 희망복지지원단은 지방자치단체의 읍 · 면 · 동 행정복지센터에 설치되어 있다. ( ) 19. 지방직

02 희망복지지원단은 복합적 욕구를 가진 대상자에게 통합사례관리를 제공한다. ( ) 19. 지방직

03 희망복지지원단은 자원의 총괄 관리 업무를 수행한다. ( ) 19. 지방직

04 희망복지지원단은 지역사회보장 협의체 및 지역 내 관련 기관과의 연계와 협력을 추진한다. ( ) 19. 지방직

01 × '읍 · 면 · 동 행정복지센터'가 아니라 '시 · 군 · 구'가 옳다.
02 ○
03 ○
04 ○

(2) **통합사례관리 실시**

희망복지지원단을 중심으로 읍 · 면 · 동 주민센터, 지역사회보장 협의체, 지역 내 서비스제공기관과의 연계 및 협력을 통해 대상자의 다양한 욕구를 충족시키는 **찾아가는 보건 · 복지 서비스를 제공**하여 **맞춤형 사례관리**를 한다.

(3) 대상자별 서비스제공계획을 수립하여 통합적 서비스를 제공하고, 점검 및 사후관리를 실시한다.

(4) **자원의 총괄 관리 등**

① 희망복지지원단이 중심적으로 수행하되, 읍 · 면 · 동 주민센터, 지역사회보장 협의체, 지역 내 관련 기관과의 연계 및 협력을 적극적으로 추진한다.

② **희망복지지원단 사례관리 담당인력(공무원 및 통합사례관리사)에게 사회보장정보시스템(행복e음) 상담 · 사례관리 시스템 접속권한을 부여**하여 필요한 대상자 관련 정보조회 및 입력이 가능하도록 조치하고 있다.

3. 추진체계

추진주체	역할
보건복지부 (지역복지과)	사업 운영 총괄 ① 사업기본계획 수립 및 사업지침 시달 ② 사업 관리 · 감독 및 사업평가 ③ 국고보조금 교부, 사업 홍보 등
광역자치단체 (시 · 도)	시 · 군 · 구 희망복지지원단 운영 지원 · 지도 · 감독 ① 시 · 군 · 구 희망복지지원단 운영 · 관리에 대한 지원 ② 시 · 군 · 구의 위기가구 발굴 지원 및 사례관리 연계 체계 구축 지원 ③ 시 · 군 · 구의 사례관리 전달체계에 대한 관리 · 감독 ④ 시 · 군 · 구의 사례관리 모니터링, 교육, 컨설팅 계획 수립 및 실시 ⑤ 시 · 군 · 구의 통합사례관리사 채용, 배치 및 복무관리 지도 · 감독 ⑥ 시 · 군 · 구의 통합사례관리사 처우개선 지원 ⑦ 사례관리정책지원센터 등 유관기관과 협력 체계 구축 ⑧ 지방보조금 교부 및 시 · 군 · 구별 사업예산 조정 · 배분 ⑨ 희망복지지원단 사업 홍보 등
기초자치단체 (시 · 군 · 구)	희망복지지원단 구성 및 사업 운영 · 관리 · 감독 ① 희망복지지원단 설치 · 운영 ② 통합사례관리 사업 운영 · 관리 ③ 공공부문 사례관리 연계 · 협력 활성화 운영 · 지원 ④ 복지위기가구 지원, 차상위계층 지원 등 지역보호체계 운영 ⑤ 위기가구 사망사건 등 동향 파악 협조 ⑥ 지역사회 자원개발 등 자원관리 ⑦ 읍 · 면 · 동 찾아가는 보건 · 복지 서비스 지원 · 관리 · 감독 ⑧ 읍 · 면 · 동 인적안전망 운영 활성화 지원 ⑨ 통합사례관리사 채용 · 배치 · 복무관리 및 처우 개선 노력 ⑩ 사례관리정책지원센터 등 유관기관과 협력 ⑪ 예산집행, 사업 홍보 등

읍 · 면 · 동	찾아가는 보건 · 복지 서비스 수행 ① 찾아가는 복지상담, 사각지대 발굴, 통합사례관리, 민 · 관협력 및 인적안전망 구축 · 운영, 지역자원 발굴 및 연계 등 ② 공공부문 사례관리 사업 간 연계 · 협력 체계 구축 · 운영 등
사회보장 정보원 사례관리정책지원센터	통합사례관리 사업 운영 · 지원 ① 사업기본계획 및 사업지침 수립 등 기획 및 정책수립 지원 ② 사업현황 모니터링, 연구개발, 통계 생산 · 분석 등 ③ 찾아가는 컨설팅 등 통합사례관리 슈퍼비전 체계 구축 · 운영 ④ 정보화 교육, 소진예방 교육 등 사례관리 종사자 역량강화 지원 ⑤ 위기가구 사망사건 등 동향 파악 ⑥ 공공부문 사례관리 연계 · 협력 지원 ⑦ 공공부문 사례관리 중앙사업지원단 정책협의회 운영 ⑧ 사업평가 및 성과관리 지원 ⑨ 사업 홍보 등

10 자활사업

1. 자활사업의 목적

(1) 근로능력자의 기초생활을 보장하는 **국민기초생활보장제도를 도입하면서 근로역량 배양 및 일자리 제공을 통해 탈빈곤 및 빈곤예방을 지원**한다.

(2) 자활사업을 통해 **근로능력 있는 저소득층이 스스로 자활할 수 있도록 자활능력 배양, 기능 습득 지원 및 근로기회를 제공**한다.

2. 주요 연혁

(1) **1961년 「생활보호법」이 제정**되었다.

(2) **1982년 「생활보호법」 전부개정**되었다.

① 생활보호사업에 자활보호, 교육보호가 추가되었다.

② 보호대상자를 영세민 · 준영세민에서 거택보호자 · 시설보호자 · 자활보호자로 구분하는 것으로 변경되었다.

③ 생활보호자의 자립 · 자활을 지원하기 위하여 무상훈련 및 훈련비 지원을 내용으로 직업훈련사업을 실시하였다.

④ 생활보호자의 자활기반을 제공하기 위하여 생업자금 융자제 시행을 추진하였다(실제 시행은 1983년부터).

(3) **1996년 자활지원센터 시범사업 실시(전국 5개소)**

핵심 PLUS

지역자활센터의 주요 연혁

① 1996년 자활지원센터 설립

② 2000년 10월 '자활후견기관'으로 명칭 변경

③ **2006년 12월 '지역자활센터'로 명칭 변경**

④ 2012년 상반기부터 지역자활센터의 유형을 도시형, 도 · 농복합형, 농촌형으로 구분하여 운영

(4) 2000년 10월 「국민기초생활보장법」 시행(1999년 9월 7일 제정)되었다.

① 근로능력자에 대해 근로유인을 위한 소득공제 실시

② 조건부수급자 제도를 통한 자활사업 참여의무 부과

③ 가구별 종합자활지원계획을 수립하여 체계적인 자활지원

(5) 2004년 광역자활센터 시범사업이 전국 3개소를 대상으로 실시되었고, 자활근로사업 다양화가 추진되었다(시장진입형, 인턴형, 사회적일자리형, 근로유지형).

(6) 2012년 **'자활공동체'가 '자활기업'으로 그 명칭이 변경**되었다.

(7) **2019년 한국자활복지개발원이 출범**하였다.

3. 자활사업 참여 자격

의무 참여	수급자	조건부수급자 자활사업 참여를 조건으로 생계급여를 지급받는 수급자
희망 참여	수급자	자활급여특례자 생계 · 의료급여 수급자가 자활근로, 자활기업 등 자활사업 및 취업성공패키지(: 고용노동부)에 참가하여 발생한 소득으로 인하여 소득인정액이 기준 중위소득의 40%를 초과한 자
희망 참여	수급자	① 일반수급자: 참여 희망자(만 65세 이상 등 근로무능력자도 희망 시 참여 가능), 단 정신질환 · 알코올질환자 등은 시 · 군 · 구청장의 판단하에 참여 제한 가능하다. ② 일반수급자는 다음의 경우로 구분된다. ㉠ 근로능력 없는 생계급여수급권자 및 조건부과유예자 ㉡ 의료 · 주거 · 교육급여수급(권)자
희망 참여	일반	특례수급가구의 가구원 의료급여특례, 이행급여특례가구의 근로능력 있는 가구원 중 자활사업 참여를 희망하는 자
희망 참여	일반	① 차상위자: 근로능력이 있고, 소득인정액이 기준중위소득 50% 이하인 사람 중 비수급권자 ② 소득인정액이 기준 중위소득 50% 이하인 자로서 한국 국적의 미성년 자녀를 양육하고 있는 국적 미취득의 결혼이민자 포함 ③ 만 65세 이상 등 근로능력이 없는 차상위자가 자활사업 참여를 원할 경우 시 · 군 · 구의 자활사업 및 지원예산 · 자원의 여건을 감안하여 시군구청장 결정에 따라 참여 가능
희망 참여	일반	① **근로능력이 있는 시설수급자** ② 시설수급자 중 생계 · 의료급여 수급자: 행복e음 보장결정 필수(조건부수급자 전환 불필요) ③ 일반시설생활자(주거 · 교육급여 수급자 및 기타): 차상위자 참여 절차 준용

4. 자활지원계획

(1) 개념

① 자활대상자의 자립을 체계적으로 지원하기 위한 근거로써 **시 · 군 · 구에서 대상자와의 상담을 통해 수립하는 계획**이다.

② 개인의 업무역량과 능력에 대한 진단, 자활근로와 취 · 창업, 자산형성 등 유관서비스에 대한 욕구사정에 대한 내용을 포함한다.

(2) **대상**

조건부수급자, 희망참여자를 포함한 모든 자활사업 참여대상자

(3) **내용**

① 시 · 군 · 구 자활고용지원팀은 **대상자가 조건부수급자로 결정된 날로부터 1월 이내에 자활역량평가표를 참조하여 초기상담을 실시**하고 개인별 자활지원계획을 세워야 한다.

② 이 때, 자활담당공무원은 초기상담 결과를 참고하여 필요시 고용센터, 지역자활센터, 기타 지원기관과의 협의를 통해 자활지원계획을 수립할 수 있고, 참여자 요구 또는 담당자 판단에 따라 필요시 자활사례회의를 운영할 수 있다.

5. 자활사업프로그램

(1) **자활사례관리**

① 개념: **자활사업 참여자의 개인별 자활지원계획에 바탕을 두어 상담, 근로기회제공, 자활근로를 통한 일에 대한 의욕 · 자존감 고취 등을 모니터링하고 자립에 필요한 각종 서비스를 연계 지원**하는 자활프로그램의 하나이다.

② Gateway: 자활근로 참여자의 구체적인 자활경로를 세우고 이를 이행하기 위하여 기본지식과 소양을 익히는 사전 단계이다.

③ 참여 대상

㉠ 모든 자활사업 신규참여자

㉡ 기존 자활사업 참여자: 취업성공패키지 등 타자활프로그램에 참여 후 취업에 실패한 자, 기타 자활경로 재설정이 필요한 자

(2) **자활근로사업**

① 기본방향: 자활근로사업은 한시적인 일자리 제공에 그치지 않고, **저소득층이 노동시장에서 취 · 창업을 통해 경제활동을 영위하는 데 필요한 기초능력 배양 및 자립 장애요인의 제거**에 초점을 둔다.

② 사업영역: **간병, 집수리, 청소, 폐자원재활용, 음식물재활용사업의 5대 전국표준화사업을 중점사업으로 추진**하되, 정부재정사업의 자활사업 연계 활성화 등 지역실정에 맞는 특화된 사업을 적극 개발하여 추진한다.

③ **자활근로사업은 참여자의 자활능력과 사업유형에 따라 ㉠ 근로유지형, ㉡ 사회서비스형, ㉢ 인턴 · 도우미형, ㉣ 시장진입형** 자활근로사업으로 구분한다.

(3) **자활장려금 사업**

① 추진 목적: 보충급여를 기본원리로 하고 있는 국민기초생활보장제도가 야기할 수 있는 **수급자의 근로의욕 감퇴를 예방하는 차원에서 근로소득의 일정비율을 산정하여** '자활장려금'의 **형태로 구분 지원하는 제도**로, 빈곤층의 실질적인 자활 · 자립 및 일을 통한 복지 실현을 구현한다.

② 지급 대상: 전월 자활근로 참여 이력이 있으며, 자활근로소득공제(30%)가 적용된 자활근로 소득인정액 반영 시점에 생계급여 자격이 유효한 자로서, 시장진입형 · 인턴도우미형 · 사회서비스형 사업단, 시범(Pilot)자활근로 사업단, 시간제 자활근로, 예비자활기업, 청년자립도전 사업단 및 자활기업 참여자(근로유지형 · Gateway 제외)

③ 지급 제외자: 차상위 계층, 보장시설 수급자

④ 지급

㉠ 지급일: 매월 생계급여 지급일과 동일

㉡ 지급기간: 최대 5년(누적)

㉢ 지급 중지: 자활사업 참여 조건불이행자에 대해서는 자활장려금 지급 중지

(4) 자산형성지원사업

희망저축계좌(Ⅰ)	**일하는 생계 · 의료급여 수급 가구를 대상**으로 하는 자산형성지원사업
희망저축계좌(Ⅱ)	**일하는 주거 · 교육급여 수급 가구 및 차상위계층을 대상**으로 하는 자산형성지원사업
청년내일저축계좌	**생계급여 수급 가구의 근로 · 사업소득이 있는 청년(만 15세 이상 39세 이하)을 대상**으로 하는 자산형성지원사업

6. 자활사업 추진 체계 13. 국가직, 15 · 16. 지방직

(1) 지역자활센터

① 목적

㉠ **근로능력 있는 저소득층에게 집중적 · 체계적인 자활지원서비스를 제공함으로써 자활의욕 고취 및 자립능력 향상을 지원**한다.

㉡ **기초수급자 및 차상위계층의 자활 촉진**에 필요한 사업을 수행하는 핵심 인프라로서의 역할을 수행한다.

② 지정대상: 보장기관[1]은 지역사회복지사업 및 자활지원사업의 수행능력과 경험 등이 있는 **사회복지법인, 사회적협동조합[2] 등 비영리법인과 단체의 신청을 받아 지역자활센터로 지정할 수 있다.**

③ 사업

㉠ 자활의욕 고취를 위한 교육

㉡ 자활을 위한 정보제공, 상담, 직업교육 및 취업알선

㉢ 생업을 위한 자금융자 알선

㉣ 자영창업 지원 및 기술 · 경영 지도

㉤ 자활기업의 설립 · 운영 지원

㉥ 사회서비스지원 사업

㉦ 수급자나 차상위자의 자활사업 참여나 취업 · 창업으로 인하여 지원이 필요하게 된 가구에 대하여 사회복지서비스 등 필요한 서비스 연계

선생님 가이드

❶ 보장기관이란 「국민기초생활보장법」에 따른 급여를 실시하는 국가 또는 지방자치단체를 말합니다.

❷ 사회적 협동조합은 2014년 「국민기초생활보장법」 개정으로 2015년부터 지역자활센터 및 광역자활센터로 지정 신청이 가능하게 되었습니다.

기출 OX

2015년 7월부터 시행된 개정 「국민기초생활보장법」에서는 자활센터의 사업 수행기관에 사회적 협동조합이 추가될 근거가 마련되었다. ( ) 15. 지방직

○

◎ **통장 사례관리**: 희망저축계좌Ⅰ, 희망저축계좌Ⅱ, 청년내일저축계좌 등 보건복지부가 시행하는 근로빈곤층 대상 자산형성지원사업 참여자에 대한 사례관리 및 자립역량교육 지원

㉨ 그 밖에 자활을 위한 각종 사업

④ 지역자활센터는 수급자 및 차상위자에 대한 효과적인 자활 지원과 지역자활센터의 발전을 공동으로 도모하기 위하여 **지역자활센터협회를 설립**할 수 있다.

(2) 광역자활센터

① 목적

㉠ 기초단위에서 단편적으로 추진되고 있는 **자활지원체계를, 광역단위의 자활사업 인프라를 구축하여 종합적이고 효율적으로 자활사업을 추진함으로써 자활사업의 효과성을 제고하고 활성화를 도모**한다.

㉡ 광역단위의 공동사업 추진, 자활사업 네트워크 구축 등을 통한 지역 내 자활사업 활성화를 위한 다각적인 사업을 추진한다.

㉢ 다양한 자활정보 제공 및 전문적 · 체계적인 교육 · 훈련으로 창업 · 취업 능력을 배양하여 센터별 구체적인 자활성공사례를 배출한다.

㉣ 중앙 – 광역 – 지역으로 이루어지는 효율적인 자활지원 인프라를 통해 자활사업의 내실 및 자활지원 정책의 효과적인 전달체계를 형성한다.

② **지정대상**: 보장기관은 수급자 및 차상위자의 자활촉진에 필요한 사업을 수행하게 하기 위하여 사회복지법인, 사회적협동조합 등 비영리법인과 단체의 신청을 받아 **특별시 · 광역시 · 특별자치시 · 도 · 특별자치도(또는 시 · 도) 단위의 광역자활센터로 지정한다.**

③ 사업

㉠ 시 · 도 단위의 자활기업 창업지원

㉡ 시 · 도 단위의 수급자 및 차상위자에 대한 취업 · 창업 지원 및 알선

㉢ 지역자활센터 종사자 및 참여자에 대한 교육훈련 및 지원

㉣ 지역특화형 자활프로그램 개발 · 보급 및 사업개발 지원

㉤ 시 · 도 단위의 지역자활센터 및 자활기업에 대한 기술 · 경영 지도

㉥ 시 · 도 단위의 자활지원을 위한 조사 · 연구 · 홍보

㉦ 시 · 도 단위의 자산형성지원사업을 위탁 운영

◎ 자활기금 위탁운영 및 Microcredit 집행

㉨ 그 밖에 자활촉진에 필요한 사업으로서 보건복지부장관이 정하는 사업

(3) 한국자활복지개발원

① 목적: **자활지원을 위한 조사 · 연구 및 프로그램 개발 · 평가, 민간자원 연계 등의 기능 수행 및 자활 관련 기관 간의 협력체계 구축 등의 지원업무를 전담**하여 자활사업 지원체계의 전문성 및 효율성을 제고한다.

기출 OX

지역자활센터에서는 자활의욕 고취를 위한 교육, 직업교육 및 취업알선, 생업을 위한 자금융자 알선 등을 행한다. ( )

13. 국가직

○

② 사업

㉠ 자활지원사업의 개발 및 평가

㉡ 자활지원을 위한 조사 · 연구 및 홍보

㉢ 광역자활센터, 지역자활센터, 자활기업의 기술 · 경영 지도 및 평가

㉣ 자활 관련 기관 간의 협력체계 구축 · 운영

㉤ 자활 관련 기관 간의 정보네트워크 구축 · 운영

㉥ 취업 · 창업을 위한 자활촉진 프로그램 개발 및 지원

㉦ 고용지원서비스의 연계 및 사회복지서비스의 지원 대상자 관리

㉧ 수급자 및 차상위자의 자활촉진을 위한 교육 · 훈련, 광역자활센터 등 자활 관련 기관의 종사자 및 참여자에 대한 교육 · 훈련 및 지원

㉨ 국가 또는 지방자치단체로부터 위탁받은 자활 관련 사업

㉩ 그 밖에 자활촉진에 필요한 사업으로서 보건복지부장관이 정하는 사업

(4) 자활기금

① 기금의 설치 및 운영주체: 시 · 도지사 및 시 · 군 · 구청장

② 기금의 용도

㉠ 자활기업이 금융회사 등으로 부터 대여 받은 자금의 금리 차이에 대한 보전

㉡ 자활에 필요한 금품의 지급 또는 대여, 자활기업 및 시장진입형 자활근로사업단에 대한 사업자금 대여

㉢ 자산형성지원(희망저축계좌Ⅰ, 희망저축계좌Ⅱ, 청년내일저축계좌 등)

㉣ 지역자활지원계획의 집행을 위하여 필요한 비용

㉤ 자활기업 또는 저소득층의 생업자금 채무를 신용 보증하는데 소요되는 비용

㉥ 자활사업 연구 · 개발 · 평가 등을 위한 비용

㉦ 일을 통한 탈수급자에 대한 사회보험료 지원

㉧ 자활기업 육성 활성화를 위한 추가 지원

㉨ 전문 컨설턴트와 연계한 창업 컨설팅

㉩ 지원대상 자활기업에 대한 기계설비 구입 및 시설보강 사업비

㉪ 전문가 인건비 한시적 지원

㉫ 자활기업에 채용된 수급자에 대한 사업자 부담 사회보험료

㉬ 수급자 및 차상위자의 자활지원을 위해 지방자치단체의 조례로 정하는 사업

㉭ 전국자활기업에 대한 사업자금 대여, 수급자 및 차상위계층의 자활증진을 위한 사업에 기금이 활용될 수 있도록 한국자활복지개발원에 사업비 위탁 및 해당 시 · 도 자활기금의 일부 지원

(5) **자활기관협의체**

① 목적

㉠ **조건부수급자 등 저소득층의 자활을 위한 사업 의뢰 및 사후관리체계를 구축**한다.

㉡ 지역자활지원사업의 활성화를 위한 공공 · 민간자원의 총체적 활용을 도모한다.

㉢ 수급자의 자활 및 복지욕구 충족을 위한 지역사회 중심의 복지서비스 연계시스템을 마련함으로써 실질적인 사례관리(Case Management)체계를 구축한다.

② 구성(다음 각 기관 및 시설의 대표자)

㉠ 「직업안정법」에 의한 직업안정기관(고용센터)

㉡ 상공회의소 및 소상공인지원센터

㉢ 「사회복지사업법」에 의한 사회복지시설

㉣ 자활사업실시기관

(6) **자활기업**❶

① 목적: **취약계층의 공동창업을 통한 탈빈곤을 지원하는 제도이며, 근로능력이 있는 저소득층에게 일자리를 제공하는 등 사회적 가치를 창출**한다.

② 유형

㉠ 자립형 자활기업: 자활급로사업단을 거친 사업자로서, 사회형 자활기업을 제외한 모든 자활기업

㉡ 사회형 자활기업: **2인 이상의 수급자**❷ **또는 차상위자가 운영주체로 참여**하며, 아래의 요건을 모두 갖추어 인정받은 자활기업

핵심 PLUS

사회형 자활기업의 설립 요건

- **전체 구성원이 5명 이상**이고, **전체 구성원의 30퍼센트 이상이 「사회적기업 육성법」에 따른 취약계층**일 것
- **설립 후 만 3년이 경과하였을 것**
- 법인(설립 당시에는 법인이 아니었으나 설립 이후 법인으로 전환된 경우를 포함한다)일 것

③ 기본 설립 및 요건

㉠ **수급자 및 차상위자는 상호 협력하여 자활기업을 설립 · 운영**할 수 있다.

㉡ 세부기준

- **조합 또는 「부가가치세법」상 사업자의 형태를 갖출 것**
- **설립 및 운영 주체는 수급자 또는 차상위자를 2인 이상 포함하여 구성**할 것. 다만, 설립 당시에는 수급자 또는 차상위자였으나, 설립 이후 수급자 또는 차상위자를 면하게 된 사람이 계속하여 그 구성원으로 있는 경우에는 수급자 또는 차상위자로 산정(算定)한다.

선생님 가이드

❶ 2014년 「국민기초생활보장법」 개정으로 2015년부터 기존 '자활공동체'에서 '자활기업'으로 그 명칭이 변경되었습니다.

❷ 1인이 창업한 경우에는 개인 창업으로, 자활기업에 포함되지 않습니다.

기출 OX

수급자 및 차상위자는 상호 협력하여 자활기업을 설립 · 운영할 수 있다. ( )

16. 지방직

○

ⓒ 그 밖에 운영기준에 관하여 보건복지부장관이 정하는 사항을 갖출 것

④ 보장기관은 자활기업에게 직접 또는 자활복지개발원, 광역자활센터 및 지역자활센터를 통하여 다음의 지원을 할 수 있다.

> **지원 대상 자활기업(「국민기초생활보장법」 시행규칙 제31조)**
> 보장기관이 지원할 수 있는 **자활기업은 그 구성원 중 수급자가 5분의 1 이상이면서 수급자 또는 차상위자가 3분의 1 이상인 자활기업**으로 한다.

㉠ 자활을 위한 사업자금 융자

㉡ 국유지 · 공유지 우선 임대

㉢ 국가나 지방자치단체가 실시하는 사업의 우선 위탁

㉣ 자활기업 운영에 필요한 경영 · 세무 등의 교육 및 컨설팅 지원

㉤ 그 밖에 수급자의 자활촉진을 위한 각종 사업

11 사회적 경제

1. 개관 19. 국가직 (必)

(1) 개념

① **사회적 경제**란 사회적 가치(예 공동체의 보편적 이익실현, 민주적 의사결정, 노동중심의 수익분배, 사회 및 생태계의 지속가능성 등)의 실현을 우선적인 목적으로 하여 **자본보다 사람을 우위에 두며,** 사회적 문제를 해결한다는 사회적 측면과 자생력을 가져야 한다는 경제적 측면을 동시에 고려하는 **새로운 경제개념**이다.

② 공공부문과 시장부문에서 공급되지 않는 서비스를 제공하는 활동 영역이다.

③ 서구에서는 오래전부터 **일을 통한 복지(Workfare)라는 차원에서 관심이 증가**하고 있다.

(2) 등장 배경

① 자본주의 시장 경제가 발전하면서 나타난 불평등과 빈부격차, 환경파괴 등 다양한 사회문제에 대한 대안으로 등장하였다.

② 1800년대 초 유럽과 미국에서는 협동조합, 사회적 기업, 상호부조조합, 커뮤니티비지니스 형태로, **우리나라에서는 1920년대 농민협동조합, 도시빈곤층의 두레조합 형태**로 나타났고, 이후 **1960년대 시작된 신용협동조합 운동, 1980년대 생활협동조합 운동**이 일어났다.

(3) 1997년 외환위기 이후에는 구조화된 실업문제, 고용불안, 심화되는 빈부격차, 지역의 문제를 해결하기 위해 **자활기업, 협동조합, 사회적 기업, 마을기업** 등을 중심으로 하는 사회적경제론이 높아졌다.

기출 OX

01 사회적 경제조직은 사회 문제를 해결한다는 사회적 측면과 자생력을 가져야 한다는 경제적 측면이 동시에 고려되어야 한다. ( ) 19. 국가직

02 사회적 경제조직에는 사회적 기업, 협동조합 등이 있다. ( ) 19. 국가직

01 ○
02 ○

2. 사회적 경제기업으로서의 자활기업

(1) 의사결정 구조

사용자와 근로자 등의 이해관계자가 참여하는 의사결정 구조를 갖출 것

(2) 사회적 가치 실현

저소득층에게 일자리를 제공하거나 지역사회에 공헌하는 사회적 목적 실현을 기업의 주된 목적으로 할 것

3. 마을기업

(1) 개념

지역주민이 각종 지역자원을 활용한 수익사업을 통해 공동의 지역 문제를 해결하고, 소득 및 일자리를 창출하여 지역공동체의 이익을 효과적으로 실현하기 위해 **행정안전부장관의 지정을 받아 설립**·운영하는 **마을단위의 기업**이다.

(2) 조직형태

① 「민법」에 따른 법인, 영농조합, 협동조합, 상법에 따른 회사 등 조직형태가 법인인 자이어야 한다.

② **지역주민 5인 이상이 출자하여 참여**하여야 하며, 지역주민의 비율이 70%를 넘어야 한다.

③ 특정 1인과 그 특수관계인의 지분의 합이 50%를 넘지 않아야 한다.

(3) 요건

① **기업성**: 마을기업은 각종 사업을 통해 **수익을 추구하는 경제조직**이어야 한다. 즉, 시장경쟁력이 있는 사업계획을 수립하고 안정적인 매출 및 수익을 통해 지속가능성을 확보함으로써 지역경제 활성화에 노력해야 한다.

② **공동체성**: 출자자 개인의 이익과 함께 **마을기업 전체의 이익을 실현**해야 한다. 즉, 기업의 구성·운영에 있어 공동체를 중심으로 자발적 참여, 민주적 운영, 상호신뢰를 바탕으로 공동체회복 및 사회통합에 이바지해야 한다.

③ **공공성**: 마을기업은 경제적 이익과 함께 **지역사회 전체의 이익을 실현**해야 한다. 즉, 호혜와 협력을 기반으로 지역 내에서 다양한 공헌 및 상생을 위한 활동을 통해 공익적 및 공공적 가치를 창출해야 하며, **원활한 마을기업 운영을 위해 지역주민 또는 지역 내 다양한 이해관계자 등의 의견을 적극 반영하는 등 협력 관계를 구축·유지**해야 한다.

④ **지역성**: **지역에 뿌리를 두고, 지역의 자원을 활용하며, 지역주민이 주도하여 설립·운영**되어야 한다. 즉, 지역을 근거로 활동하는 사람들이 주도하여 지역 문제를 해결하기 위한 사업계획을 수립하고 지역 내에서 생산·소비·교환·분배가 이루어지는 선순환구조를 통해 지역 활성화에 기여해야 한다.

4. 협동조합 14. 지방직 必

(1) 「협동조합 기본법」에 설립 근거를 둔다.

(2) 종류(「협동조합 기본법」 제2조 제1호, 제3호)

구분	내용
협동조합	재화 또는 용역의 구매 · 생산 · 판매 · 제공 등을 협동으로 영위함으로써 **조합원의 권익을 향상하고 지역 사회에 공헌하고자 하는 사업조직**이다.
사회적협동조합	협동조합 중 지역주민들의 권익 · 복리 증진과 관련된 사업을 수행하거나 취약계층에게 사회서비스 또는 일자리를 제공하는 등 **영리를 목적으로 하지 아니하는 협동조합**이다.

(3) 법인격과 주소(「협동조합 기본법」 제4조)

① **협동조합 등은 법인**으로 한다.

② **사회적협동조합 등은 비영리법인**으로 한다.

(4) 설립

구분	내용
협동조합의 설립(「협동조합 기본법」 제15조)	① 협동조합을 설립하려는 경우에는 **5인 이상의 조합원 자격을 가진 자**가 발기인이 되어 정관을 작성하고 창립총회의 의결을 거친 후 주된 사무소의 소재지를 관할하는 **시 · 도지사에게 신고**하여야 한다. ② 시 · 도지사는 협동조합의 설립신고를 받은 때에는 즉시 **기획재정부장관에게 그 사실을 통보**하여야 한다.
사회적협동조합의 설립(「협동조합 기본법」 제85조)	사회적협동조합을 설립하고자 하는 때에는 **5인 이상의 조합원 자격을 가진 자가 발기인이 되어 정관을 작성**하고 창립총회의 의결을 거친 후 **기획재정부장관에게 인가**를 받아야 한다.

(5) 협동조합의 기본원칙(「협동조합 기본법」 제6조)

구분	내용
최대 봉사	협동조합 등 및 사회적 협동조합 등은 그 업무 수행 시 **조합원 등을 위하여 최대한 봉사**하여야 한다.
자발성, 공동성, 민주성	협동조합 등 및 사회적 협동조합 등은 **자발적으로 결성하여 공동으로 소유하고 민주적으로 운영**되어야 한다.
사회적 이윤 추구성	협동조합 등 및 사회적 협동조합 등은 **투기를 목적으로 하는 행위와 일부 조합원 등의 이익만을 목적으로 하는 업무와 사업을 하여서는 아니 된다.**

(6) 의결권 및 선거권(「협동조합 기본법」 제23조, 제26조)

① **조합원은 출자좌수에 관계없이 각각 1개의 의결권과 선거권**을 가진다.

② 조합원은 대리인으로 하여금 의결권 또는 선거권을 행사하게 할 수 있다. 이 경우 그 조합원은 출석한 것으로 본다. 대리인은 다른 조합원 또는 본인과 동거하는 가족(**조합원의 배우자, 조합원 또는 그 배우자의 직계 존속 · 비속과 형제자매, 조합원의 직계 존속 · 비속 및 형제자매의 배우자를 말한다**)이어야 하며, 대리인이 대리할 수 있는 조합원의 수는 1인에 한정한다.

기출 OX

01 협동조합 및 사회적협동조합의 최소 설립 인원은 5인 이상이며 시 · 도지사에게 신고하면 설립된다. ( ) 14. 지방직

02 사회적협동조합은 비영리법인으로 한다. ( ) 14. 지방직

03 협동조합 조합원은 출자좌수에 관계없이 각각 1개의 의결권과 선거권을 가진다. ( ) 14. 지방직

04 협동조합등 및 사회적협동조합등은 투기를 목적으로 하는 행위와 일부 조합원등의 이익만을 목적으로 하는 업무와 사업을 하여서는 아니된다. ( ) 14. 지방직

05 사회적 기업이란 정부, 지방자치단체가 출자한 조직이 사회적 기업 인증을 받아 운영하는 공기업이다. ( ) 19. 국가직

01 × 사회적 협동조합의 경우 시 · 도지사에게 신고가 아니라 기획재정부장관에게 인가를 받아야 한다.
02 ○
03 ○
04 ○
05 ×

5. 사회적기업 19. 국가직

(1) 「**사회적기업육성법**」에 **설립 근거**를 둔다.

(2) **사회적기업의 정의(「사회적기업 육성법」 제2조 제1호)**

"사회적기업"이란 취약계층에게 사회서비스 또는 일자리를 제공하거나 지역사회에 공헌함으로써 지역주민의 삶의 질을 높이는 등의 사회적 목적을 추구하면서 재화 및 서비스의 생산 · 판매 등 **영업활동을 하는 기업**으로서 **고용노동부장관에게 인증받은 자**를 말한다.

(3) **사회적기업의 운영주체별 역할 및 책무(「사회적기업 육성법」 제3조)**

① 국가의 역할: 국가는 사회서비스 확충 및 일자리 창출을 위하여 **사회적기업에 대한 지원대책을 수립하고 필요한 시책을 종합적으로 추진**하여야 한다.

② 지방자치단체의 역할: **지방자치단체는 지역별 특성에 맞는 사회적기업 지원시책을 수립 · 시행**하여야 한다.

③ 사회적기업의 역할: 사회적기업은 **영업활동을 통하여 창출한 이익을 사회적기업의 유지 · 확대에 재투자하도록 노력**하여야 한다.

④ 연계기업의 역할: **연계기업은 사회적기업이 창출하는 이익을 취할 수 없다.**

회독 Check! 1회 □ 2회 □ 3회 □

제6절 지역사회복지운동과 주민참여

1 지역사회복지운동

1. 개관

(1) 개념

① **지역화폐 운동, 마을만들기 운동, 보육조례제정 운동**과 같이 지역사회의 문제해결 및 지역사회복지발전에 **주민들이 계획 하에 조직적으로 참여하여 전개하는 사회 운동**이다.

② **목표로서의 지역사회복지발전과 이를 달성하기 위한 수단적 노력으로서의 사회 운동의 조합**이다.

(2) 발전 과정

① 우리나라의 경우 1997년 **국가경제위기를 기점**으로 급속하게 증가한 지역사회 빈곤 및 불평등 문제에 대항하기 위해서 등장 · 활성화되고 있다.

② 시민운동과 사회복지계의 협력형태를 띠면서 복지이슈 제기와 대안 마련을 위한 다양한 연대활동으로 구체화되고 있다.

③ 지역단위를 중심으로 직접적인 복지 문제의 제기 및 대안 마련, 관련 **조례제정운동 등 지역사회복지운동단체들의 활동영역이 확장**되고 있다.

(3) 의의

① 조직 운동: 지역사회주민의 주체성과 역량을 강화하고, **지역사회의 변화를 주도하는 조직운동**이다.

② 사회권 확립운동: 주민 참여의 활성화를 통해 **복지권리의식과 시민의식을 배양하는 사회권 확립운동**이다.

③ 생활 운동: **지역사회주민의 생활 속의 삶의 질을** 높이기 위해 실시하는 **지역사회복지의 확산과 발전을 위한 생활 운동**이다.

④ 동원 운동, 연대 운동: 지역사회의 다양한 자원 활용 및 관련 조직 간의 **유기적인 협력이 이루어지는 동원 운동이며 연대 운동**이다.

⑤ 복지권(또는 사회권) 확립 운동: 지역사회 주민들의 **복지권리의식과 시민의식을 배양하는 복지권(또는 사회권) 확립 운동**이다.

⑥ 지역자원동원 운동: 지역사회 관련조직 간의 협력을 통해 **다양한 자원을 활용하는 지역자원동원 운동**이다.

⑦ 사회정의 실현 운동: 사회복지가 추구하는 **사회적 가치로서 사회정의의 실현 운동**이다.

(4) 필요성

① 정부의 사회복지정책 결정에 영향을 주기 위해서 필요하다.

② 지역사회조직의 활성화를 위해서 필요하다.

③ **주민의 권리의식 및 주도성 제고**를 위해서 필요하다.

2. 주체와 구성요소

(1) 주체

지역사회활동가, 사회복지 전문가 및 실무자를 포함하여 **지역사회주민과 서비스 이용자 모두**가 주체가 된다.

(2) 구성요소

① 지역사회주민들이 **복지활동에 주체적으로 참여**하여야 한다.

② 지역사회에서 조직화된 지역사회주민들이 **정치적 영향력과 사회적 권리를 확보**해야 한다.

③ 지역사회주민들이 자신의 개별 이해를 공공의 이해와 일치시키도록 **공동체 의식을 강화하고, 자신의 역량을 높여야 한다.**

④ 지역사회주민들의 참여가 자신들의 욕구뿐만이 아니라 지역사회 전체에 영향을 미칠 수 있도록 제도 등의 제반 환경을 만들어 가야 한다.

2 주민참여

1. 개관

(1) 개념

① 지역사회주민들이 정부의 공식적인 의사결정 과정에 참여하여 **그들의 욕구를 정부의 정책이나 계획에 반영되도록 하는 적극적인 노력**을 말한다.

② 정부의 의사결정 과정에서 갖게 되는 **주민들의 권한 확보 과정**이다.

(2) 순기능과 역기능

① 순기능

㉠ 지역사회주민들이 공동체 의식을 갖게 하여 사회문제 발생이 타인의 문제가 아니라 바로 자신과 이웃의 문제라는 인식을 갖게 한다.

㉡ 지역사회주민들 개개인의 성숙과 자연스러운 분위기 속에서 사회제도의 변화를 가져오게 한다.

㉢ 정보교환기능: 지역사회주민들로 하여금 정부의 지방행정과 관련된 정보를 받을 수 있게 한다.

㉣ 의견수렴기능: 정부의 공공정책에 관한 지역사회주민들의 요구와 선호를 정책결정가에게 알려주어 주민의 협조와 욕구에 기반한 정책의 계획과 결정이 가능해진다.

㉤ 합리적 의사결정기능: 지역사회주민들 간의 토론을 통한 의사결정으로 주민들의 의사에 보다 적합한 서비스를 제공할 수 있다.

㉥ 지역사회의 문제가 발생할 경우 지역의 특성에 적합한 해결방식으로 서비스를 제공할 수 있다.

㉦ 민주적인 생활방식의 발전을 통해 지역사회의 특성, 지역사회주민들의 요구에 신축적 · 즉각적으로 대응할 수 있다.

㉧ 정책의 비판, 평가, 감시 기능을 한다.

② 역기능

㉠ 정부 관료의 저항이 발생할 수 있다.

㉡ 지역중심 또는 지역 이기주의를 심화시킬 수 있다.

㉢ 행정비용이 증가할 수 있다.

㉣ 참여자들의 대표성이 문제가 될 수 있다.

2. 주민참여 단계(Arnstein) 必

아른스테인(Arnstein)은 주민참여의 단계를 비참여, 형식적 참여, 주민권력의 3단계로 크게 분류한 후 하위 단계로 총 8단계를 제시하였다.

단계			참여내용
8	주민권력	주민통제	**주민에 의한 완전한 자치가 이루어지는 단계**로 정책입안부터 집행 · 평가 단계까지 **주민이 스스로 통제**한다.
7		권한위임	**주민이 주도적 역할을 수행하는 단계**로 주민들이 정책결정과 집행에 있어서 **정부보다 우월한 권한을 행사하는 단계**이다.
6		협동 관계	**주민과 정부가 동등한 입장에서 협상하여 정책을 결정하는 단계**이지만 **최종 결정은 정부가 내린다.** 단, 필요시 주민들은 정부와 협상이 가능하다.
5	형식적 참여	주민회유	**위원회 등을 통해** 주민의 참여범위가 확대되는 단계로, 주민의 관심과 이에 대한 정부의 반응이 적극적인 상태이다. 단, **최종 결정은 정부가 내린다.**
4		상담	공청회나 집회 등을 통해 **주민의 의견과 아이디어가 수렴되는 단계**이다. 이때 정부의 반응은 형식적이다.
3		정보제공	**정부가 주민에게 일방적으로 정보를 제공하는 단계**로, 주민의 반응과 같은 환류는 잘 일어나지 않는다.
2	비참여	대책치료	**정부가 주민을 임상적인 치료의 대상으로 간주하는 단계**로, 주민에 대한 행정의 일방적인 지도에 그친다.
1		조작 (또는 여론 조작)	**정책지지 유도를 위한 정부의 책략 단계**로, **정부의 행정과 주민 상호 간 관계만 확인**한다. 즉, 정부는 주민에게 일방적으로 설득 및 교육을 실시하고, 주민은 단순히 참여만 하게 된다.

제4장 사회복지정책

회독 Check! 1회 □ 2회 □ 3회 □

제1절 사회복지정책의 개관

1 사회복지정책의 개념과 영역

1. 사회복지정책(Social Welfare Policy)의 개념

(1) 일반적인 개념

구분	내용
주체	복지국가(중앙정부 + 지방정부)가
객체	국민의
목적	복지 증진(또는 기본적인 욕구 해결)이라는 **궁극적인 정책목표 달성**을 위해

그들이 지닌 **사회복지적 가치**를 **국민에게 권위적으로 배분**하기 위해 사용하는 **수단**이다.

(2) 국가별 개념

① 영국

㉠ 사회복지정책보다는 **사회정책, 사회행정, 사회서비스란 용어를 주로 사용**하는데, 여기에는 사회보장, 건강, 교육, 대인적 사회서비스, 주택, 고용 및 가족정책 등이 모두 포함되어 있다.

㉡ 일반적으로 **국민의 최저생활보장**을 사회보장의 궁극적인 목표로 삼는다.

② 미국

㉠ 주로 **사회보장**(Social Security)이란 용어를 사용하였다. 특히 **1935년 제정된 「사회보장법(Social Security Act)」에서는 세계 최초로 '사회보장'이란 용어를 명문화**하였다.

㉡ **사회복지를 공공부조로 이해**하는 경향이 있다.

㉢ 일반적으로 **국민의 경제활동 보장**을 사회정책의 궁극적인 목표로 삼는다.

③ 독일

㉠ 1883년 질병보험, 1884년 산재보험, 1889년 노령 및 폐질보험 등, **세계 최초로 사회보험제도를 도입하고 시행**하였다.

㉡ 일반적으로 **'사회정책'이란 용어를 선호**하며, 사회정책을 **시장체제 내에서 발생한 '분배상 폐해'를 입법과 행정 수단으로 극복하려는 국가의 정책**으로 정의한다.

④ 스칸디나비아 반도 등 북유럽국가들

㉠ 스웨덴❶, 노르웨이, 덴마크 등의 북유럽국가들은 **영미권 국가들에 비해 보편주의, 연대주의적 성격이 강한 사회정책을 선호**한다.

㉡ 주로 **보편적 사회수당제도를 정책 수단으로 활용**하지만, 이외에도 다양한 사회서비스를 국가가 중심이 되어 제공한다.

2. 사회복지정책의 영역

(1) 협의의 사회복지정책

① 소득보장정책

② 건강보장정책

③ 주택정책

④ 대인적 사회서비스

(2) 광의의 사회복지정책

① 교육정책

② 조세정책

③ 노동정책

2 사회복지정책의 가치

사회복지정책은 **사회문제에 대한 시각 및 자원배분의 기준과 관련하여 가치지향적(또는 가치판단적)**이다. 이러한 **'가치의 실현'**은 사회복지정책의 **'궁극적인 목표'**가 되며, 그 종류로는 **평등, 자유, 사회적 적절성, 효율성** 등이 있고, 각 가치는 **사회복지정책 수립이나 집행 시 적절한 수준에서 모두 고려**되어야 한다.

1. 평등(Equality)❷ 10. 국가직, 11 · 16. 지방직, 11 · 13. 서울시 (必)

평등이란 **한정된 자원의 배분과 관련된 가치**로, 이는 다시 **수량적 평등, 비례적 평등, 기회의 평등**으로 구분된다.

(1) 수량적 평등(또는 결과의 평등)

① **가장 적극적 의미의 평등 가치**로, 모든 구성원을 동일하게 취급하여 **그들의 기여, 욕구, 능력 등에 상관없이 자원을 동일하게 분배**하고자 하는 것을 말한다.

② 빈자에게는 유리하지만, 부자에게는 불리한 평등의 가치이다.❸

③ 이는 가장 적극적이며, **복지국가가 궁극적으로 추구하는 평등의 가치**이지만, **그 실현은 불가능한 이상적(理想的)인 가치에 불과**하다.

예 공공부조 제도(또는 급여), 영국의 국민보건서비스(NHS) 등

선생님 가이드

❶ 스웨덴이 세계적인 복지국가가 될 수 있었던 것은 적록동맹(Red-Green Alliance, 赤綠同盟)에 있습니다. 적록동맹이란 노동자와 농민의 정치적 연대를 말합니다. 원래 노동자는 당시 지주(地主)였던 농민과 동맹할 근거를 찾기가 어려웠습니다. 그럼에도 사회개혁이라는 공동의 목표 하에 이를 성사시켰으며, 이 동맹으로 1932년에 집권한 사회민주당이 보편적인 사회복지프로그램을 강력하게 추진하여 복지국가의 기틀을 마련하게 되었습니다.

❷ 평등의 가치에는 모든 인간은 출생 시부터 평등하다는 관념 이외에도 실제적으로 평등한 대우를 받아야 한다는 규범적인 측면이 모두 포함되어 있습니다.

❸ 수량적 평등을 실현하기 위해서는 부자의 소득이나 자산을 빈자에게로 수직적 이전시켜야 합니다. 따라서 빈자에게는 유리하지만, 부자에게는 불리한 평등의 가치가 됩니다.

선생님 가이드

❶ 보험수리원칙이란 보험자의 입장에서는 수입(또는 보험료)과 지출(또는 보험급여)이 서로 균형을 이루어야 하며, 가입자의 입장에서는 위험발생에 대비하여 지불한 보험료와 돌려받는 급여의 크기가 상호 비례해야 한다는 원리로, 개인적 형평성이 반영되어 있습니다.

기출 OX

01 결과의 평등은 기여에 따라 급여를 배분하는 것으로, 이를 흔히 공평(equity)이라고 한다. ( ) 10. 국가직

02 기회의 평등은 최소한의 국가개입을 주장하는 보수주의자 내지 (신)자유주의자들이 선호하는 개념이다. ( ) 10. 국가직

03 사회복지정책이 평등의 가치를 훌륭히 이루더라도 효율의 가치를 크게 훼손하면 바람직하지 않다. ( ) 11. 지방직

04 조건의 평등은 개인의 능력이나 장애와 상관 없이 기회를 모든 사람에게 균등하게 제공하고, 동일한 업적에 대해 동일한 보상을 제공한다. ( ) 16. 지방직

05 기회의 평등이란 개인의 욕구, 능력, 기여에 따라 사회적 자원을 상이하게 배분하는 것이다. ( ) 11. 서울시

06 수량적 평등이란 모든 사람을 똑같이 취급하여 사람들의 욕구나 능력의 차이에는 관계없이 사회적 자원을 똑같이 분배하는 것이다. ( ) 11. 서울시

01 × '결과의 평등'이 아니라 '비례적 평등'이 옳다.
02 ○
03 ○
04 × 조건의 평등은 조건들이 동등하지 않은 존재는 동등하지 않게 취급되어야 하므로 동등하게 권리를 누릴 수 있는 조건들이 우선적으로 제공되어야 한다고 주장한다.
05 × '기회의 평등'이 아니라 '비례적 평등'이 옳다.
06 ○

(2) 비례적 평등[또는 형평, 공평(Equity)]

기여(또는 업적, 공헌)·욕구·능력 등의 자원배분 기준에 따라 구성원마다 다르게 자원을 배분하고자 하는 평등의 가치를 말한다.

예 열등처우의 원칙, 보험수리원칙❶(또는 보험방식의 사회보장), 실업급여 등

(3) 기회의 평등

① **가장 소극적인 의미의 평등 가치**로, 자원을 분배하는 것이 아니라 **자원 분배의 자격만을 제공하고자 하는 것**이다. 즉, 구성원 각 개인에게 자원의 확보와 관련된 능력을 확보하게 하기 위한 **동등한 출발선만을 보장할 뿐 자원의 실질적 분배에는 관여하지 않는 평등의 가치**를 말한다.

② 최소한의 국가개입만을 주장하는 **보수주의자(또는 자유주의자)들이 선호하는 가치**이다.

③ 부자에게는 유리하지만, 빈자에게는 불리한 평등이다.

예 빈곤대책교육 프로그램, 우리나라의 드림스타트 프로그램과 미국의 헤드(Head start) 스타트 프로그램 등

(4) 조건의 평등

기회의 평등이 가진 한계로 인해 새롭게 대두된 평등 개념으로, 평등은 **비교 대상들의 능력이나 장애여부 등의 조건이 동등할 때에만 타당**하며, 이와 같은 조건들이 동등하지 않은 존재는 동등하지 않게 취급되어야 하므로 **동등하게 권리를 누릴 수 있는 조건들이 우선적으로 제공**되어야 한다고 주장하는 것이다.

예 공무원 장애인 전형 가산점 제도

2. 자유(Freedom) 必

자유란 **개인이 하고자 하는 것의 실현**을 말한다. 이러한 자유의 종류에는 **소극적 자유와 적극적 자유**가 있다.

(1) 소극적 자유

① **간섭 당하지 않을 자유의 가치**로, 개인의 자유권 행사에 **국가나 타인이 간섭하지 말아야 함**을 의미하며, 따라서 **국가의 개입이 감소할수록 그 보장이 용이**하다. 다만, 이러한 **자유권의 실현에 대한 책임은 전적으로 개인 자신**에게 있다.

② 부자에게는 유리하지만, 빈자에게는 불리한 자유이다.

(2) 적극적 자유

① **이룰 수 있는 자유의 가치**로, 개인의 자유권 행사에 **국가의 개입이 있어야 함**을 의미한다. 즉, **개인의 자유권 실현에 대한 국가의 책임을 인정하는 자유의 가치**이며, 따라서 **국가의 개입이 증가할수록 그 보장이 용이**하다.

② **적극적 자유의 침해**란 재분배 정책과 같은 국가의 개입이 적절하게 이루어지지 않아 **빈자들의 자유가 실현되지 못하였다는 것**을 의미한다. 따라서 이는 **그들에게 필요한 자원이나 기회가 박탈당한 것**으로 볼 수 있다.

③ 빈자에게는 유리하지만, 부자에게는 불리한 자유이다.

예 최저생활 보장 등

핵심 PLUS

평등과 자유와의 관계

수량적 평등 (빈자의 평등) (↑)	⇨	소극적 자유 (부자의 자유) (↓)
		적극적 자유 (빈자의 자유) (↑)

수량적 평등의 추구는 소극적 자유를 침해한다. 즉, 빈자에게 유리한 수량적 평등을 추구하게 되면, **빈자의 적극적 자유는 실현**되겠지만, **부자의 소극적 자유는 침해**될 수 있다.

3. 롤스(J. Rawls)의 정의론 – 평등과 자유의 공존은 불가능한 것인가?

22. 국가직, 19. 지방직, 19. 서울시 必

(1) 개관

① 롤스는 정의의 원칙을 발견하기 위해 **원초적 입장(또는 상황)을 가정**❷하고, 이 안에서 사회구성원 간의 사회적 계약을 도출하려고 하였다. 여기서 원초적 입장(Original Position)이란 **순수절차상의 정의가 보장되는 상황**으로, 이는 **무지의 베일과 상호무관심적 합리성**이라는 2가지 조건으로 구성되어 있다.

선생님 가이드

❷ 롤스는 사회구성원들이 자신과 자신이 소속된 사회의 '우연적 요인들'을 알 경우 자신들에게 유리한 계약을 이끌어 내려는 유혹에 끌리게 된다고 보았고, 이에 공정한 계약을 위해서는 사회구성원들은 자신과 자신이 소속된 사회의 '우연적 요인들'에 대해 무지하여야 하며, 모든 계약 과정은 '우연적 요인들'에 대한 '무지의 베일' 속에서 진행되어야 한다고 주장하였습니다.

무지의 베일	**사회구성원들이 자신과 자신이 소속된 사회의 우연적 요인들**(예 개인의 사회적 지위, 형편, 재능, 가치관 등)**에서 분리되어졌다고 보는 가정**으로, 개인은 자신의 처지가 어떻게 될지 모르는 무지의 상태에 있기 때문에 **정의가 무엇인지 자신의 입장에서 숙고**할 수 있게 된다.
상호 무관심적 합리성	롤스의 인간관으로, 인간은 개인의 이해타산(利害打算)만을 중시하는 존재로 **시기심이나 반대로 이타심을 가진 존재도 아니라는 것**이다.

(2) 정의의 원칙

① 제1의 원칙(평등한 자유의 원칙): **개인의 기본적 자유를 보장하는 원칙**으로, 모든 사회구성원은 **다른 사람의 자유와 상충되지 않는 한 동등한 수준의 기본적인 자유를 최대한 누려야 한다**는 것이다.

② 제2의 원칙(차등의 원칙): 제1의 원칙인 평등한 자유의 원칙을 훼손할 수 있는 2가지 조건으로, **기회균등의 원칙과 최소극대화의 원칙**이 있다.

기회균등의 원칙	**사회적 지위에 접근할 기회는 평등하게 부여되어야 한다는 것**이다.
최소극대화의 원칙	**평등주의적 분배의 근거를 제공하는 원칙**으로, 사회적으로 가장 불리한 처지에 처한 사람들인 **최소 수혜자**[1]들의 처지를 개선시키는 한도 내에서 **그들을 우대하기 위한 사회적·경제적 불평등의 허용을 주장하는 원칙**이다.

(3) 정의의 원칙에서의 우선순위의 원칙

① 롤스는 정의의 원칙에서의 우선순위를 정하였는데, **제1의 원칙이 제2의 원칙에 우선하여 적용**된다고 보았다. 이와 같은 관점은 개인의 기본적 자유를 중시한다는 점에서 **자유주의적 전통**에 속한다.

② 다시 제2의 원칙 내에서는 **기회균등의 원칙이 최소극대화의 원칙에 우선하여 적용**되어야 한다고 주장하였다.

핵심 PLUS

롤스의 정의론(正義論)

① 롤스의 정의론(正義論)과 사회복지정책

롤스는 **주로 증여(贈與)나 상속(相續)을 통해 이전되는 물적 초기자산이 시장에서 개인의 소득과 재산을 축적시키는 주요 요인**이라고 생각했다. 이는 개인의 천부적인 행운이며, 그가 주장한 우연적 요인들이므로 정부의 개입을 통해 사회적 차원에서 재분배되어야 한다고 주장하였다. 또한 이와 같은 정부의 개입을 통해 부자들의 부를 빈자들에게 재분배하여 **평등과 자유가 일정 정도 양립**할 수 있다고 보았다.

② 롤스와 로버트 노직(Robert Nozick)의 논쟁

로버트 노직(Robert Nozick)은 **자유지상주의 국가론**을 주장한 철학자이다. 그는 공공선이나 평등 지상주의 같은 복지국가론에 맞서 개인·시민의 소유권과 자유시장·자유기업 등을 인정하는 최소 형태의 국가를 **자유주의적 유토피아**로 보았다. 또는 그는 롤스의 정의론에 대해 개인의 권리와 이에 대한 윤리 이외에 어떠한 정의의 원칙도 부정하며 어떠한 개인적 권리의 침해도 용납할 수 없다고 보고 비판하였다. 이러한 자유지상주의적 관점하에서는 **빈자의 자유인 적극적 자유보다 부자의 자유인 소극적 자유를 더욱 옹호**하게 된다.

선생님 가이드

[1] 최소 수혜자(Worst Off)란 상대적인 개념으로 남성에 대한 여성 또는 사용자에 대한 노동자 등을 말합니다. 롤스는 이들을 가장 불리한 사회적 처지에 처한 사람들로 규정하였고, 그들의 처지를 개선시키는 한도 내에서는 그들을 우대하기 위한 사회적·경제적 불평등은 허용될 수 있다고 보았습니다.

기출 OX

01 롤스(J. Rawls)는 공정한 절차를 보장하기 위한 장치로서 원초적 입장(original position)이라는 개념을 제시하였다. ( ) 22. 국가직

02 존 롤스(John Rawls)는 정의론에서 모든 사람은 다른 사람의 유사한 자유와 상충되지 않는 한 기본적 자유에 대해 동등한 권리를 갖는다는 평등한 자유의 원칙(Principle of Equal Liberty)을 제시했다. ( ) 19. 지방직

03 로버트 노직(Robert Nozick)은 국가가 적극적으로 나서서 국민의 생활과 자유를 보장해야 한다고 주장했다. ( ) 19. 지방직

01 ○
02 ○
03 × '적극적으로'가 아니라 '소극적으로'가 옳다. 로버트 로직은 자유주의 국가론자로서 국가의 필요성은 인정하되 그 역할과 기능은 최소화되어야 한다고 주장하였다.

4. 사회적 적절성(Social Appropriateness, 또는 적절성) 必

(1) "인간다운 생활을 할 수 있는 적절한 정도의 급여 수준은 어느 정도인가?"에 대해 **사회적으로 형성한 다분히 객관적인 합의**❷로, **생존권 지지의 가치에 부합**된다.

(2) **평등과 사회적 적절성과의 관계**

공공부조 제도 운영❸ 시 빈자에 대한 '적절성 가치'의 추구는 '비례적 평등의 가치'와 상충할 수 있다.

예 국민기초생활보장제도의 최저생계비 산출 근거, 최저임금 산출의 근거 등

5. 효율성(Efficiency) 11. 지방직, 19. 서울시

효율성이란 **최소한의 자원을 투입하여 최대한의 산출물을 얻는 것**을 말한다. 사회복지정책에서의 효율성에는 **수단으로서의 효율성과 배분적 효율성**이 있다.

(1) **수단으로서의 효율성**

효율성 달성, 그 자체가 1차적인 목표(Primary Objective)가 아니라 '평등 가치'의 실현이라는 사회복지정책의 1차적인 목표 실현의 수단으로만 이해하여 **사회복지정책은 '평등 가치'의 실현을 위해 '비효율적'일 수도 있다고 보는 것**으로, 종류로는 **목표효율성(또는 대상효율성)과 운영효율성**이 있다.

목표효율성 (또는 대상효율성)	① **자원 배분의 집중성 정도**로, 사회복지정책을 집행하기 위해 투입된 자원이 목표 대상 집단에 얼마나 집중적으로 할당되었는가에 대한 판단 기준을 말한다. ② 일반적으로 **공공부조제도가 사회보험제도에 비해, 현물급여가 현금급여에 비해, 선별주의가 보편주의에 비해 목표효율성이 높다.**
운영효율성	① 자원 배분과 관련된 **행정비용의 투입 정도**로, 사회복지정책을 집행하기 위해서 투입된 **전체 비용에서 간접비용(또는 운영비용)이 차지하는 비율이 낮을수록 운영효율성이 높다**고 본다. ② 일반적으로 **사회보험제도가 공공부조제도에 비해, 현금급여가 현물급여에 비해, 보편주의가 선별주의에 비해 운영효율성이 높다.**

(2) **배분적 효율성[또는 파레토 효율성(Pareto Efficiency), 파레토 최적(Pareto Optimality)]**

① 수단으로서의 효율성과는 달리, **사회복지정책이 추구하는 '목표'인 배분적 효율을 의미**한다. 여기서 배분적 효율이란 **사회 전체의 효용을 높일 수 있도록 사회적 자원을 배분하는 것**을 말한다.

선생님 가이드

❷ 사회적 적절성은 사회통계 등의 과학적 절차와 수단에 따라 형성된 자료에 근거해서 결정되며, 따라서 객관적이라고 볼 수 있습니다.

❸ 공공부조 제도 상 수급자에게 그의 개별적인 욕구보다는 사회적 합의에 의해 결정된 수준의 급여만을 제공하게 되면 개인의 욕구에 기초하는 비례적 평등과 상충할 수 있습니다. 예를 들어, 국민기초생활보장제도 운영 시 국가가 지급하는 생계급여는 사회적 적절성에 근거하여 정한 액수인데, 이를 지급받는 수급자의 경우 자신의 욕구 충족과 비교하여 그 액수를 적다고 여길 수도 있다는 것입니다.

② 파레토 효율과 파레토 비효율

파레토 효율 (또는 파레토 최적)	㉠ **자원 배분이 가장 효율적으로 이루어진 상태 또는 효용이 최적으로 배분된 상태**[1]로, 하나의 자원 배분 상태에서 **다른 사람의 효용을 감소시키지 않고서는 어떤 한 사람의 효용이 증가되지 못하는 지점**을 말한다. ㉡ 경제학에서는 **완전경쟁시장, 즉 시장 내 정부의 개입이 존재하지 않는 시장 내에서 개인의 자발적인 선택을 전제**로 하는데, 이는 **정부가 시장에 개입할 경우 누군가**(예 부자)**의 효용은 감소될 것이 필연적**이기 때문이다. ㉢ 이런 의미에서 **누군가**(예 부자)의 효용을 감소시키면서 누군가(예 빈자)**의 효용을 증가시키는 '소득 재분배 정책'은 매우 비효율적**이다. ㉣ 다만, **사회적 자원 배분이 평등적이고 동시에 파레토 효율적**(Pareto Efficient)**이라면 평등과 효율은 공존**할 수 있다.
파레토 비효율 (非效率)[2]	㉠ **파레토 개선**(Pareto Improvement)**이 가능한 상태**를 말한다. ㉡ 여기서 **파레토 개선이란 다른 사람들의 효용을 감소시키지 않으면서 누군가의 효용을 증가시키는 것으로, 정부가 아닌 민간의 자발적인 자선활동**[3]**이 대표적인 예**가 될 수 있다.

3 국가의 시장개입의 필요성

1. 자유방임주의와 야경국가의 등장

(1) 1776년, 영국의 경제학자 아담 스미스의 『국부론(The Wealth of Nations)』 출간

그는 이 책에서 이익을 얻고자 하는 인간의 이기심으로 인해 근로 동기가 강화되어 경제발전이 이루어진다고 보았고, **보이지 않는 손**(Invisible Hand), 즉 수요와 공급의 각 주체들의 자발적인 효율성 추구로 시장 내에서 **'적절한 시장 가격'이 형성된다고 주장**하였다.

(2) 국부(國富)를 위한 경제관과 국가관 11. 지방직

아담 스미스는 국부를 이루기 위한 국가체제로 자유방임주의와 야경국가를 제시하였다.

자유방임주의 (自由放任主義)	시장 내에서 벌어지는 개인 간 경제활동에 **국가의 간섭을 최대한 배제**해야 한다는 **경제관**으로, 중상주의 정책에 반대했던 **프랑스의 중농주의자들이 최초로 주장**하였으며, 그 후 **아담 스미스가 『국부론』을 통해 경제학적으로 체계화**시켰다.
야경국가[4] (夜警國家)	자유방임주의적인 국가관은 **국가는 시장에 대한 개입 없이 '치안과 국방'만을 수행**하여 국민의 사유재산 보호의 기능만 해야 한다는 국가관이다.

선생님 가이드

❶ 파레토는 손해를 보는 사람은 하나도 없고 이익을 보는 사람만 있는 경우를 사회적 개선이라고 하였고, 이후 후대에서 이를 '파레토 개선'이라고 부르고 있습니다.
❷ 자원을 배분할 때에, 어느 누군가의 효용을 감소시키지 않으면서 다른 누군가가 효용을 증가시킬 수 있다면 파레토 비효율적인 상태로, 이때는 파레토 개선이 가능한 상태입니다. 그러나 더 이상 누군가의 효용을 감소시키지 않으면서 다른 누군가가 효용을 증가시킬 수 없게 된다면, 이때는 파레토개선이 모두 일어난 상태로, 파레토 효율 또는 파레토 최적이 되는 것입니다.
❸ 다시 말해 정부의 강제적인 소득 재분배 정책이 아닌 민간의 자발적인 자선활동이 이루어진다면 빈곤층의 소득이 늘어나더라도 자발적인 자선활동을 하는 개인(부자)의 효용은 오히려 증가 할 수도 있기 때문입니다. 자신이 즐겁고 행복한 마음으로 자선활동을 했다면 주관적인 효용은 감소되지 않고 오히려 증가하겠지요.
❹ 야경국가란 국가의 역할은 밤에 순찰하는 정도의 최소한에 그쳐야 하며, 나머지는 시장체제에 맡겨야 한다는 것으로, 적극적인 역할을 강조하는 복지국가와는 대조되는 국가관입니다.

기출 OX

01 사회복지정책에서 효율은 항상 수단으로서의 효율보다 파레토 효율을 중시한다. ( ) 11. 지방직

02 사회복지정책에서 효율은 어떠한 상황에서도 최소의 비용을 들이는 것이다. ( ) 11. 지방직

03 사회복지정책에서 효율성 평가는 정책이 원래 의도했던 목표를 달성하였는지를 판단하는 방법이다. ( ) 11. 지방직

01 × '수단으로서의 효율과 파레토 효율을 모두 고려한다.'가 옳다.
02 × 효율성 중 수단으로서의 효율성은 효율성을 '평등 가치'의 실현이라는 사회복지정책의 1차적 목표 실현의 수단으로만 여긴다. 이때 효율성이란 평등을 추구하는 여러 가지 정책 가운데 어느 것이 보다 적은 자원으로 보다 큰 평등을 달성할 수 있는가를 판단하는 기준일 뿐이다. 이 경우 사회복지정책은 '평등 가치'의 실현을 위해 '비효율적일 수도 있다.' 고 가정한다.
03 × '효과성 평가'가 옳다.

2. 시장실패 10 · 14 · 19 · 20. 국가직, 17 · 19 · 21. 지방직, 17. 서울시 必

시장실패란 시장 체제 내에서 **'보이지 않는 손'이 제대로 작동하지 못하여 효율적인 자원 배분이 이루어지지 못하는 상태**로, 결국 정부의 시장 내 개입의 정당성, 다시 말해 정부가 사회정책을 실현할 수밖에 없는 이유가 된다. 이러한 시장실패의 원인으로는 다음과 같다.

(1) 소득분배의 불평등

① 소득분배는 개인의 기여에 의해 시장 기제를 통해 이루어지는 1차적 분배와 개인의 기여가 없이 사회정책을 통해 이루어지는 2차적 분배가 있다.

구분	내용	특징
1차적 분배	시장기제를 통해 이루어지는 분배로, **개인의 기여에 따른 분배**이다.	부자 ⇄ 빈자 소득의 쌍방적 거래 (또는 등가적 교환)
2차적 분배	사회정책을 통해 이루어지는 분배로, **개인의 기여가 반영되지 않은 분배**이다.	부자 → 빈자 소득의 일방적 이전 (또는 부등가적 이전, 소득 재분배)

② 이 중에서 **1차적 분배는 소득분배에 있어서 불평등 현상을 발생**시키므로 **사회정책을 통한 2차적 분배를 통해 소득분배의 불평등 현상을 조율**해야 한다.

(2) 규모의 경제[Economy of Scale 또는 대규모생산의 법칙(The Law of Large Scale Production)]

① **규모의 경제**란 **대량생산을 통해 생산과 관련된 원가를 절감시켜 이윤을 극대화시킬 수 있는 현상**을 말한다.

② 모든 경제주체[5] 중에서 **정부가 규모의 경제 실현에 있어서 가장 유리**하다.

(3) 외부효과(External Effect)

① **외부효과**란 특정 경제주체의 행위가 **시장 내에서 거래 관계가 없는 제3자에게 긍정적 또는 부정적인 영향을 미치는 상태**로, 자원이 비효율적으로 배분되게 한다. 이때 긍정적인 영향을 미치는 상태를 '긍정적 외부효과', 부정적인 영향을 미치는 상태를 '부정적 외부효과'라고 한다.

구분	내용
긍정적 외부효과 (또는 외부경제)	**제3자에게 긍정적 영향(또는 혜택)을 미치는 외부효과**로, 사회적으로 바람직한 수준보다 훨씬 적은 양의 공급(또는 행위)이 이루어지기 때문에 **정부가 개입해서 그 공급(또는 행위)을 장려하고 촉진**해야 한다. 예 촉법소년들을 대상으로 한 교정당국의 인문학 교육으로 그들의 재범률이 낮아지고 이는 사회질서 유지에 긍정적인 영향을 미친다.
부정적 외부효과 (또는 외부불경제)	**제3자에게 부정적인 영향을(또는 손해를) 미치는 외부효과**로, 시장에만 맡겨질 경우 사회전체에 해(害)를 끼치면서 과다하게 이루어지기 때문에 **공권력을 지닌 정부가 조세나 벌금 등의 방법을 통해 규제**해야 한다. 예 음주로 인해 발생한 교통사고는 다른 사람(제3자)에게 피해를 끼친다. 이에 정부는 음주운전을 하는 사람에게 벌금을 매긴다.

② **사회복지의 재화나 서비스는 긍정적인 외부효과가 크다.**

선생님 가이드

[5] 일반적으로 사회복지를 제공하는 주체는 공공부문(국가)과 민간부문이라는 두 가지 부문으로 구분됩니다. 여기서 공공부문이란 중앙정부와 지방정부를, 민간부문이란 가족과 친족, 종교, 기업 등을 말합니다.

기출 OX

주택을 사회공공재로 규정하고 국가가 집값을 규제하는 것은 자유방임주의 이념에 기초하는 것이다. ( ) 11. 지방직

(4) 사회복지재화의 공공재적 성격

① **공공재**란 국방, 치안, 방송, 사회복지 서비스 등과 같이 인간이 살아가고 사회가 유지되기 위해서는 반드시 필요하지만, **이윤을 추구하는 민간의 경제주체들에서는 제대로 공급하기 어렵기 때문에 국가가 공급해야만 하는 재화나 서비스**를 말한다.

② 이러한 공공재는 **비경합성과 비배제성이라는 2가지 속성❶**을 갖추고 있어야 한다.

비경합성❷	어떤 재화나 서비스에 대해 누군가의 소비가 증가하더라도 다른 소비자의 소비가 감소하지 않는 속성을 말한다. 다시 말해 **누군가의 소비가 다른 사람의 소비를 방해하지 못하는 현상**이다. 예 국민 중 누군가가 국방과 치안 서비스를 받는 것이 다른 국민이 그 서비스를 동시에 받는 데 방해요인이 되지 못한다.
비배제성	㉠ **소비에 대한 대가를 치루지 않고 소비하더라도 소비에서 누군가를 배제시킬 수 없는 속성**을 말한다. 예 국민 중 누군가가 세금을 내지 않았다고 해서 그를 국방이나 치안서비스에서 배제시키지는 않는다. ㉡ 이러한 비배제성은 **무임승차자 문제**(Free Rider Problem)를 발생시킨다. 무임승차자 문제란 공공재의 비배제성으로 인해 발생하는 문제로, 공공재의 생산과 소비를 시장기제에만 맡길 경우 **소비자는 이에 합당한 대가를 지불하지 않고 편익만을 누리려 하기 때문에 적정수준의 공공재가 생산되지 않는 현상❸**을 말한다.

③ 결국 시장은 공공재의 수요와 공급을 효과적으로 이루어낼 수 없으므로, **조세를 통한 강제적인 재원조달로 '정부'에서 적정량을 생산하여 공급하는 것이 바람직하다.**

(5) 불완전한 정보(또는 정보의 불완전성)

① 불완전한 정보(또는 정보의 불완전성)란 시장체제 내에서 각각의 경제주체가 지닌 정보가 불완전한 현상으로, 이러한 불완전한 정보는 **'정보의 비대칭성(또는 비대칭적 정보)'**과 **'경제주체의 근시안성'**이라는 문제를 불러일으켜 소비자의 합리적 선택을 방해할 수 있다.

② 정보의 비대칭성

㉠ **정보의 비대칭성**이란 **시장 내 경제주체 간 지닌 정보의 양과 질이 상대적으로 불평등한 상태**로, 주로 사회보험 중 **건강보험제도와 고용보험제도에의 정부 개입의 당위성을 설명할 때 사용**된다.

㉡ 정보의 비대칭성은 **역선택**(Adverse Selection), **도덕적 해이**(Moral Hazard), **가치재**(Value Goods)라는 3가지 문제를 발생시킨다.

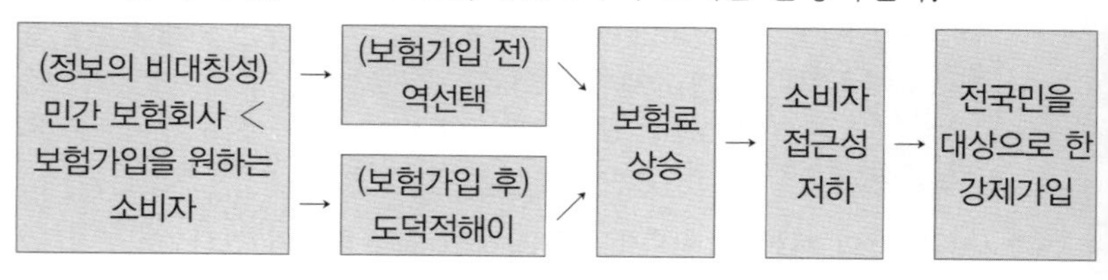

선생님 가이드

❶ 경제학자인 사무엘슨(P. Samuelson)은 이러한 두 가지 속성을 모두 가지고 있는 재화나 서비스가 공공재가 될 수 있다고 보았습니다.

❷ 공공재와는 달리 경합성과 배제성을 모두 갖추고 있어 시장에서 거래되는 재화나 서비스를 사용재(私用財, 또는 민간재)라고 합니다.

❸ 국민의 생활에 반드시 필요하지만 이윤만을 추구하는 시장은 이를 공급할 의지가 없으니, 결국 정부가 공급해야만 한다는 논리입니다.

기출 OX

시장실패의 원인으로는 외부효과, 정보의 비대칭성, X-비효율성, 불완전 경쟁, 정부조직의 내부성 등이 있다. ( )

21. 지방직

× 'X-비효율성과 정부조직의 내부성'은 정부실패의 원인에 해당한다.

㉢ 보험사와 보험에 가입을 원하는 자 간에 **보험의 수가 결정과 관련된 정보는 보험사보다 보험 가입을 원하는 자에게 더욱 편중**되어 있다.

㉣ 이러한 현상은 **보험 가입 전에 '역선택'의 문제를 발생**시키는데, **이는 보험사 입장에서 오히려 위험 발생 가능성이 높은 소비자가 더욱 보험에 가입하려고 노력하는 현상**을 말한다.

예 민간 보험회사에서 가입을 꺼리는 당뇨병 · 고혈압 등의 만성질환을 가진 사람들이 건강한 사람들보다 오히려 더욱 보험에 가입하려고 한다.

㉤ 또한 **보험에 가입한 이후에는 '도덕적 해이'의 문제를 발생**시키는데, 이는 소비자의 숨겨진 행동(Hidden Action)로 인해 발생하는 문제로, **보험 가입 후 소비자가 위험 발생을 줄이기 위한 노력을 덜 하게 되는 현상**을 말한다.

예 실비보장보험에 가입한 보험 가입자가 작은 병임에도 병원에 가서 치료받고 입원까지 하려는 경우가 있다.

㉥ 정보의 비대칭성에 따른 역선택이나 도덕적 해이의 문제는 **보험수가를 상승**[4]시키고, 이는 **소비자의 보험 접근성을 저하**시킨다.

㉦ 이에 **전국민을 대상으로 하는 보편적인 보험제도를 운영**하기 위해서는 **결국 전국민을 대상으로 한 정부의 강제가입의 원칙이 적용**될 수밖에 없다.

㉧ **가치재(Merit Goods)란 기본적으로 시장에서 거래가 가능하지만 소비자의 불완전한 정보로 인해 소비자가 그 가치를 과소평가(過小評價)하여 과소소비(過少消費)하기 쉬운 재화나 서비스**를 말한다.

㉨ 이는 사회적으로 바람직한 수준보다 **과소소비(過少消費)되기 쉬우므로 정부가 무상이나 저가로 공급하거나 또는 소비자가 의무적으로 소비하게 하는 정책 등을 통해 적정 소비를 유도해야 한다.**

㉩ 이러한 가치재는 **현금보다는 현물제공 위주의 사회정책을 정당화하는 중요한 근거**가 된다.

예 건강검진 등의 예방의료 서비스의 경우 건강한 사람들은 그 가치를 제대로 평가하지 못하기 쉬우므로 이에 정부가 건강검진을 급여로 책정해서 국민들에게 강제로 이용하게 한다.

③ 경제주체의 근시안성: **경제주체의 근시안성이란 경제주체가 자신에게 발생할 수 있는 사회적 위험에 대해 근시안적 시각을 가지고 대처하는 현상**을 말한다. 즉, 사람들은 현재 자신의 상태로 미래의 상태를 예측하려는 경향(예 지금 건강한 사람은 미래에 자신이 질병에 걸릴 가능성을 크게 고려하지 않는다)이 있고, 이로 인해 미래에 대한 대비를 소홀히 하기 때문에 **정부는 전국민을 대상으로 노령을 대비한 국민연금이나 질병을 대비한 건강보험 등의 정책을 강제로 시행**할 필요가 있다.

[4] 역선택과 도덕적 해이는 보험 회사의 보험료 지출을 증가시키고, 결국 재정을 보험료 수입에만 의존하는 민간보험사들은 보험료를 올리게 될 것이며, 또한 이렇게 보험료가 올라가면 보험료를 납부할 수 있는 경제 수준에 있는 자가 아니라면 민간보험사의 보험에 가입할 수 없게 될 것입니다.

(6) 불완전한 경쟁

① **수요자와 공급자가 자유롭게 경쟁할 때에만 시장은 희소한 자원을 효율적으로 배분**할 수 있으며, 이러한 시장을 **완전경쟁시장**이라고 한다. 즉, 완전경쟁시장은 공급자로 하여금 사회적으로 가장 필요한 재화와 서비스를 가장 낮은 가격으로 생산하게 하고, 이때 가장 높은 가격을 지불할 의사가 있는 소비자가 이러한 재화와 서비스를 소비하게 된다.

② 그러나 **완전경쟁시장이 소수의 공급자가 지배하는 독점 또는 과점의 시장으로 전환됨**에 따라 공급자는 생산량을 줄여 가격을 올림으로써 이윤을 높이려 하고, 더 나아가 공급자들이 자신의 시장 지배력을 이용하여 경쟁 상대가 될 수 있는 다른 공급자의 시장 진입을 막기도 한다.

③ 이로써 **시장은 그 효율성이 떨어지는 불완전 경쟁시장으로 전환**되고, 이에 따라 **정부의 개입을 통해 시장 내에서 독점 또는 과점되어 있는 공급자를 규제할 필요**가 있다.

(7) 위험 발생의 상호의존성(Interdependence, 또는 비독립성)

① **위험 발생의 상호의존성이란 누군가에게 발생한 위험이 다른 누군가의 위험 발생에 영향을 미친다**는 의미이다.

② **민간보험사의 보험은 가입자의 위험발생률이 상호 독립적**이어야 한다. 즉, 가입자들 가운데 일부에게는 위험이 발생하고, 다른 일부에게는 위험이 발생하지 않았을 때에 위험이 발생하지 않은 사람들이 지불한 보험료로 위험이 발생한 사람에게 보험금을 지불할 수 있게 된다.

③ 그러나 **대공황 등의 환경적 요인으로 인해 대규모 실업 사태 등이 발생할 경우 위험발생이 상호 의존(또는 비독립)**하게 되며, 이때 민간보험사는 이러한 위기를 대비해서 **보험료를 미리 산정하기도 어려울 뿐만 아니라 위기 발발 이후 이에 대응할 능력도 부족**하므로, 결국 **국가의 개입만이 이를 해결**할 수 있다.

핵심 PLUS

정부실패(Government Failure) 17·21. 지방직

① 개념: **시장실패와 대칭되는 개념**으로, 시장실패를 교정하기 위한 **정부의 규제적 성격의 개입이 오히려 자원을 비효율적으로 배분하게 만드는 현상**을 말한다.

② 종류

- **배분적 비효율성**: 비효율성이란 파레토 최적의 상태가 이루어지지 않은 상태, 즉 자원의 배분이 왜곡된 것을 말한다. 이는 정부가 사업에 대한 예측을 실패한 경우에 발생한다. 예를 들어 예산을 편익이 더 높은 사업에 투입하지 않고, 편익이 더 낮은 사업에 투입하는 경우 등이 여기에 해당한다.
- **X-비효율성**: X-비효율성이란 **효율적인 경영을 추구할 유인이 감소**하여 조직을 방만하게 운영될 때에 발생하는 **관리상의 비효율성**을 말한다. 정부조직의 경우 독점성으로 인한 **방만한 운영, 지대추구행위❶, 성과측정의 곤란성, 절차의 복잡성, 정치적 압력, 최신기술 미사용 등**으로 여기에 노출될 가능성이 크다.
- **목표로서의 내부성(Internalities), 또는 정부조직의 내부성**: 내부성(Internalities)이란 이윤(Profit)추구를 목표로 삼는 시장체제와는 달리 산출물 측정이 어렵고, 소비자로부터의 환류나 신호가 없거나 믿을 수 없으며, 경쟁적 유인이 약한 **정부조직에 내부적으로 적용되는 목표**를 말한다. 이러한 내부성에 따라 정부조직은 **원래 의도한 공식 목표와는 관련이 없는 내부성을 발전시킨다. 예산이나 인력을 확대시키는 경향**이 대표적이다.

선생님 가이드

❶ 지대추구(地代追求, Rent-Seeking)란 기존에 이미 정해진 부의 범위 내에서 자신의 몫을 늘리는 반면, 새로운 부를 창출하지는 않는 활동을 말합니다. 이를 위해 정부는 보조금, 세제상의 우대조치, 진입 규제 등의 정책을 동원합니다. 예를 들어 의사의 수입이 높은 것은 의대에 입학해서 의사자격시험에 합격하지 못하면 개업할 수 없기 때문입니다. 즉 의료 시장으로의 진입이 제도적으로나 법적으로 제한되기 때문입니다.

기출 OX

01 시장실패의 원인에는 파생적 외부성이 발생할 경우가 있다. ( ) 17. 지방직

02 도덕적 해이와 역선택, 양자 모두 정보의 비대칭성으로 인해 생기는 문제이다. ( ) 10. 국가직

03 보험에 가입한 사람들이 사고를 방지하려는 노력을 줄이는 것을 역선택이라고 한다. ( ) 10. 국가직

04 사회보험에서는 역선택을 방지하기 위해 강제가입의 원칙을 채택한다. ( ) 10. 국가직

05 사회보험 중 건강보험과 고용보험에서 상대적으로 도덕적 해이가 발생할 빈도가 높다. ( ) 10. 국가직

06 사회복지적 관점에서 볼 때 시장에서 재화들이 효율적으로 분배되기 위해서는 위험의 발생이 상호 의존적이어야 한다. ( ) 19. 국가직

01 × '시장실패'가 아니라 '정부실패'가 옳다.
02 ○
03 × '역선택'이 아니라 '도덕적 해이'가 옳다.
04 ○
05 ○
06 × '상호 의존적'이 아니라 '상호 독립적'이 옳다.

- **파생적 외부성(Derived Externality, 또는 비의도적 역작용)**: 파생적 외부성이란 정부가 시장의 세부적인 문제에 대한 정보가 부족한 상태에서 정책결정자의 조급성, 담당공무원의 졸속적 기안 등에 따라 수립한 **시장에 대한 개입 정책이 예기치 못하게 시장에 피해를 주는 경우**를 말한다.
- **권력과 특혜로 인한 분배적 불공평**: 정부의 활동이 조직화된 이익집단의 편익을 보호하기 위해 과도하게 사용되어 **결국 특혜의 수혜를 받는 집단과 이에 반해서 소외되는 집단으로 양분되는 경향**을 말한다.

4 사회복지정책의 기능

사회복지정책은 순기능과 역기능을 가지고 있다. 보통 **사회복지정책의 순기능에 초점을 두어 정책을 추진하는 세력을 진보 또는 사회주의**라고 하며, 반면에 **사회복지정책의 역기능에 초점을 두어 정책을 추진하는 세력을 보수 또는 자유주의**라고 한다.

1. 순기능

(1) **사회통합과 이를 통한 정치적 안정**을 이룰 수 있다.

(2) 사회복지정책의 **1차적 목표로서 국민의 최저생활을 보장**한다.

(3) **소득 재분배**[2]**를 통해** 시장실패를 시정하며, 자원 배분의 효율화를 이룰 수 있다.

(4) **개인의 잠재능력을 향상시켜 개인의 자립과 성장**을 이끈다.

(5) **사회 문제를 해결하고, 사회적 욕구를 충족**시킨다.

(6) **자동안정장치 기능(Automatic Stabilizer, 또는 자동안정화 기능)**

① 시장체제는 생태적으로 호황기와 이에 반하는 불황기가 발생하는 등 **불안정적인 경기변동이 발생**할 수밖에 없다.

② 이에 정부가 불황기에는 실업급여나 공공부조 정책 등의 사회보장 관련 지출을 하게 되고, 이것의 **재원마련을 위해 강화되는 소득세나 법인세**는 이를 납부하는 **부유층에게는 고소득에 수반되는 고소비나 고투자를 억제**시키고, 반면에 **정책 수혜자인 빈곤층에게는 유효수요를 창출**시켜서 **과도한 경기변동을 억제**할 수 있다. 이를 사회복지정책의 자동안정장치 기능이라고 한다.

2. 역기능

(1) 계층 간에 대립과 갈등을 발생시킨다.

(2) 국가의 재정 부담 증대와 경제성장을 저하시킨다.

(3) 인플레이션을 발생시킨다.

(4) 국가에서 제공하는 무상의 급여를 심각하게 의존하여 근로를 회피하고 빈곤에 머무르려는 현상인 **'빈곤의 함정'이 발생**한다.

선생님 가이드

❷ 소득 재분배란 시장에서 능력의 원칙에 따른 1차적 분배로 발생한 계층이나 위험 간의 격차를 필요의 원칙에 따른 2차적 분배를 통해 완화시키는 것을 말합니다.

회독 Check! 1회 □ 2회 □ 3회 □

제2절 사회복지정책 과정

사회복지정책 과정이란 사회복지와 관련된 사회 문제를 해결하기 위해 국가가 개입하는 과정을 말하며, 그 과정은 일반적으로 **'사회 문제 → 이슈화 → 의제화 → 정책대안 형성 → 정책결정 → 정책집행 → 정책평가'의 순**으로 진행된다.

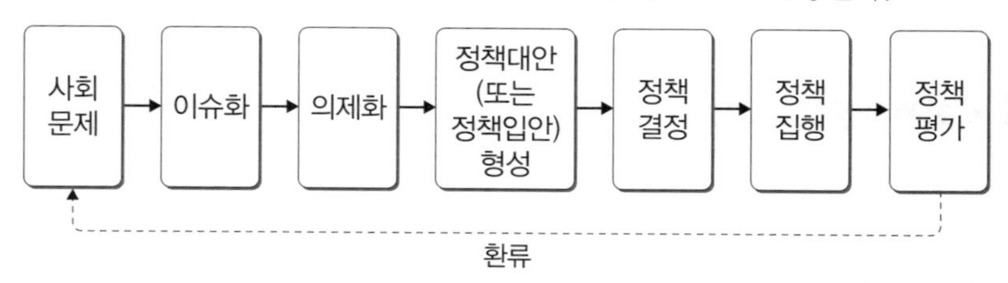

이때 **'사회 문제부터 정책결정'까지의 과정을 사회복지정책형성 과정**이라고 한다.

1 사회 문제, 이슈화, 의제화

1. 사회 문제

(1) 정의

① 어떠한 **사회적 원인**[1]**에 의해서 발생한 사회적 현상**이 ② 사회의 가치 · 규범 · 윤리에서 벗어나 ③ **사회적 다수가 그로 인해 상당한 기간 동안 지속적으로 피해**를 받아 이를 문제로 판단하고 ④ **이에 영향력 있는 집단이 이를 사회 문제라고 규정**하여 ⑤ **집단적(또는 사회적) 행동을 통해 해결(또는 개선)되기를 바라는 사회적 상태**를 말한다.

(2) 의제화 가능성이 높은 사회 문제

① 구체적이어야 한다.

② 사회적 유의성, 즉 사회 문제가 사회구성원에게 미치는 영향의 정도가 커야 한다.

③ 해결에 소요되는 시간(또는 기간)이 적절해야 한다.

④ 기술적으로 쉽게 이해될 수 있어야 한다.

⑤ 선례가 있어야 한다.

2. 이슈(Issue)화

(1) 개념

사회 문제가 대중의 관심을 불러일으켜 주요 논쟁거리로 바뀌는 것을 말한다.

(2) 사회 문제는 **이슈촉발장치와 이슈제기자**에 의해 이슈가 된다.

선생님 가이드

[1] 사회 문제는 사회적 원인에 기인합니다. 따라서 자연재해는 사회적 문제라고 볼 수 없습니다.

① **이슈촉발장치**: 대중의 관심을 불러일으키는 **예기치 못한 사건**을 말한다.

예 장애인복지시설에서 학대를 견디다 못한 장애인이 자살한 사건

② **이슈제기자**: 사회복지사, 언론, 정치인, 클라이언트 자신, 시민운동가와 같이 **사회 문제를 대중에게 논쟁거리로 제기하여 그들의 관심을 불러일으키는 사람**으로, 사회복지사(또는 사회복지 전문가)는 최적격의 이슈제기자이다.

(3) 그러나 모든 이슈가 의제화되지는 않는다. 이와 같이 **의제화되지 않는 이슈에는 억압된 이슈와 가짜 이슈**가 있다.

① **억압된 이슈(Non-Issue)**: **하찮은 논쟁거리**로, 사회 문제가 공공의 관심을 불러일으켰으나 **공공정책상의 논쟁거리로 제기되지 못하고 무시되는 이슈**를 말한다.

② **가짜 이슈(Pseudo-Issue)**: 공공의 사회 문제 해결의 요구에 **정책결정자가 관심을 가져주는 것처럼 보이지만 실제로 정책 과정에서 다루지 않고 무시되는 이슈**를 말한다.

3. 의제화

(1) 개념

이슈화된 사회 문제를 해결하기 위해 **정부와 같은 관련 주체들이 그러한 사회 문제를 정치적 논의의 대상으로 삼는 과정**을 말한다.

(2) 의제의 종류(Cobb & Elder)

콥과 엘더(Cobb & Elder)는 의제를 **공공의제와 정부의제로 분류**하였다.

① **공공의제(또는 체제의제)**: 대중이 논의의 대상으로 삼은 특정 사회 문제를 말한다.

② **정부의제(또는 제도의제, 공식의제)**: 정책결정과 집행의 권한을 지닌 정부가 논의의 대상으로 삼은 특정 사회 문제를 말한다.

(3) 의제화의 유형(Cobb & Ross)

콥과 로스(Cobb & Ross)는 의제화를 외부주도형, 동원모형, 내부접근모형으로 분류하였다.

① **외부주도형**: **공공의제에서 정부의제로 전환되는 유형**으로, 공공이 특정 사회 문제 해결을 정부에게 요구하고 정부가 이를 의제로 받아들이는 형태이다. 주로 **민주화된 선진국의 유형**이다.

② **동원모형**: **정부의제에서 공공의제로 전환되는 유형**으로, 정책결정자가 이미 정한 정부의제를 공공의 정부 지지를 유도하기 위해 일반 대중에게 공표하여 확산시키는 형태이다. 주로 민주화되지 않은 후진국 정치체제나 관료적 계층 사회의 유형이다.

③ **내부접근모형**: **공공의제가 없이 정부의제로만 존재하는 유형**으로, 정부 영역 내에서만 의제화되고 일반 공중에게는 확산시키지 않는 형태이다. 국익과 관련된 국방, 안보, 정보 분야에서 다루는 의제이다.

2 정책대안 형성

1. 개관

(1) **개념**

문제의 해결 방안으로, **주어진 정책 목표 달성을 위한 방법들을 강구하고 이를 비교 · 분석하는 과정**이다.

(2) **성격**

① 정보산출 과정

② **비정치적 성격**[1]: 사회복지정책 대안형성은 사회복지 전문가나 학자, 전문관료들에 의해 이루어지기 때문에, **이해당사자들 사이의 정치적 관점이 반영되지 않는다.**

③ **기술적 과정**: 정책개발과 분석 과정에는 **여러 학문분야에서 발전시킨 분석기법들이 동원**된다.

(3) **한계**

① **예측능력의 한계**: 정보와 자료의 부족, 정책분석가의 오판 등으로 문제에 대한 파악과 미래 예측이 정확하지 못한 경우가 많다.

② **계량화의 문제**: 사회복지정책 대안의 대상은 사람이기 때문에 **본질적으로 계량화할 수 없는 부분이 많다.**

③ **비교 기준으로서의 공동척도 부족**: 정책대안들의 장단점을 비교할 수 있는 공동척도가 부재하기 때문에 어떤 대안이 더 좋은 것인지 판단하기 어렵다.

④ 비용과 시간의 문제

2. 과정

(1) **사회 문제의 파악**

사회 문제를 파악하기 위해서는 문제를 일으키는 조건과 그것을 문제라고 인식하는 사람들이 생각하는 욕구가 무엇인가를 정확하게 파악해야 한다.

(2) **미래예측 및 목표의 설정**

사회 문제를 파악한 후에는 미래를 예측하여 정책목표를 설정해야 한다.

(3) **정책대안의 탐색과 개발**

① 목표가 설정되고 나면 정책수단으로서의 해결 방법들, 즉 정책대안을 개발해야 한다.

선생님 가이드

[1] 전체 정책과정 중에서 비정치적 성격을 갖는 것은 '정책대안 형성과정'뿐입니다. 꼭 기억해주세요.

② 정책대안 개발 방법

점진주의적 방법	정부가 과거에 집행하였거나 현재 집행 중인 정책 · 다른 정부의 정책 · 해외 정책 사례 등, **이미 알려진 대안들을 선택적으로 모방하는 방법**이다.
창조적 방법	㉠ 급변하는 환경 변화에 따라 새로운 사회 문제가 발생하므로 과거에 집행된 정책을 통해서는 해당 사회 문제를 해결할 수 없어서 **창의적인 대안을 개발해내는 방법**이다. ㉡ 구체적인 방법 · 과학적인 이론 및 모형을 활용하는 방법: 사회과학적 지식을 활용하여 정책대안을 개발하는 방법이다. · 주관적 · 직관적 방법: 정책분석가의 개인적 · 집단적 판단에 의존하여 정책대안을 개발하는 방법이다. 예 세미나, 패널토의, 포럼, 브레인스토밍, 정책델파이 등

(4) **정책대안의 결과의 미래예측 및 비교평가**

각 정책대안의 미래, 즉 **대안을 실제로 집행했을 때의 결과를 예측**하고, **대안과 대안을 특정 기준에 따라 비교평가**한다.

① 미래예측 방법

유추	**선례(先例)를 적용하는 등 '같은 형태'의 구조를 활용**해서 미래의 상황이나 문제를 추정하는 방법이다.
경향성분석	과거의 경향이나 추세를 **미래에 연장시켜 예측하는 방법**이다.
마르코프(Marcov) 모형	어떤 상황이 시간의 흐름에 따라 일정한 확률로 변해갈 때 이것의 최종적 상태를 예측하여 정책결정에 도움을 줄 수 있는 확률적 정보를 확인하는 방법으로, 주로 **과거에 있었던 변화를 토대로 앞으로 나타날 변화를 연속적으로 예측하는 데 사용**한다.
회귀분석	독립변수와 종속변수로 이루어진 회귀방정식을 설정한 후 회귀방정식이 만드는 형태를 추정하여 특정한 독립변수 값에 의해 발생되는 종속변수의 값을 통해 미래를 추정하는 방법이다. 예 $Y = aX + c$(X는 독립변수, Y는 종속변수)
델파이(Delphi)기법	예측하려는 상황에 대한 **선례나 적절한 자료가 없을 경우, 전문가들의 의견**을 우편이나 이메일 등의 방법으로 모으고, 교환하여, 발전시킴으로써 미래를 예측하는 방법이다.
정책델파이 (Policy Delphi)	정책대안에 대해 서로 정반대의 입장에 있는 전문가들로 하여금 **서로 대립되는 의견을 도출시키는 것**❷이 목적인 델파이 방법이다.

선생님 가이드

❷ 델파이가 전문가들의 합의된 의견을 도출하는 방식이라면, 정책델파이는 반대로 의견의 대립을 유도하는 방식입니다.

② 대안의 비교분석기법

<table>
<tr><td>비용편익분석
22. 국가직</td><td>㉠ 비용과 편익을 현재의 화폐가치로 측정한 후 '순편익(편익-비용)' 또는 'B÷C 비율(편익÷비용)'이 큰 대안을 최선의 대안으로 선택하는 방법이다. 즉, 프로그램에 들어간 비용뿐만 아니라 그 성과를 화폐가치로 환산하는 방식이다.
㉡ 사회복지정책의 경우 편익을 화폐가치로 측정하기 어렵기 때문에 적용하기가 어렵다.
예
<table><tr><th colspan="2">구분</th><th>20○○년</th><th>20○○년</th><th>합계</th><th>순편익</th><th>B/C</th></tr><tr><td rowspan="2">정책1</td><td>비용</td><td>100억</td><td></td><td>100억</td><td>200억</td><td>3</td></tr><tr><td>편익</td><td>150억</td><td>150억</td><td>300억</td><td></td><td></td></tr><tr><td rowspan="2">정책2</td><td>비용</td><td>50억</td><td></td><td>50억</td><td>180억</td><td>4.6</td></tr><tr><td>편익</td><td>200억</td><td>30억</td><td>230억</td><td></td><td></td></tr></table>[해설]
정책1의 순편익=정책1의 편익합계(300억) − 정책2의 비용합계(100억)
=200억
정책2의 순편익=정책2의 편익합계(230억)−정책2의 비용합계(50억)
=180억
정책1의 B÷C 비율=300억÷100억=3
정책2의 B÷C 비율=230억÷50억=4.6
[결론]
순편익 측면에서는 정책1을 선택하는 것 바람직하고, B÷C 비율 측면에서는 정책2를 선택하는 것이 바람직하다.</td></tr>
<tr><td>비용효과분석
22. 국가직</td><td>㉠ 정책집행에 소요되는 '비용을 화폐가치로' 측정한 후 해당 '정책의 효과는 재화나 서비스의 단위'로 측정하여 최소비용 또는 최대효과를 기준으로 최선의 대안을 선택하는 방법이다.
㉡ 효과를 화폐가치로 측정할 필요가 없으므로 비용편익분석이 불가능한 경우에 사용이 가능하다.
㉢ 종류로는 최소비용 기준과 최대효과 기준이 있다.
<table><tr><td>최소비용 기준</td><td>• 2개 이상의 정책대안들이 동일한 정책효과를 발생시킬 것으로 추정될 경우 최소의 비용이 소요되는 정책대안을 선택하는 방법이다.
• 정책목표 달성을 위한 비용을 최소화하기 위해 활용된다.</td></tr><tr><td>최대효과 기준</td><td>• 2개 이상의 정책대안들의 소요 비용이 동일한 경우 최대의 정책효과를 발생시킬 수 있는 정책대안을 선택하는 방법이다.
• 정해진 예산의 범위 내에서 산출을 극대화시키기 위해서 활용된다.</td></tr></table></td></tr>
<tr><td>줄서기 분석기법</td><td>줄서서 기다리는 시간 등의 사회적 비용과 이를 줄이기 위해서 투자해야 하는 시설투자비의 적정 수준을 찾아내기 위한 분석기법으로, 대기시간과 공공서비스의 수준을 결정하기 위해 사용한다.</td></tr>
<tr><td>모의실험(Simulation)</td><td>사회복지 정책대안들이 어떤 변화를 가져 올 것인가를 실제로 집행하지 않고, 비슷한 상황을 구성하여 분석하는 방법이다.</td></tr>
<tr><td>결정분석</td><td>정책대안의 결과를 예측하기 위하여 나타날 수 있는 확률적 사건을 나뭇가지처럼 그려 놓고 분석하는 방법이다.</td></tr>
<tr><td>선형계획(Linear Programing) 기법</td><td>독립변수와 종속변수 간에 1차 부등식을 조건으로 하는 1차 함수일(선형)때 극대 또는 극소의 값을 구하여 분석하는 방법으로, 한정된 자원의 최적배분, 즉 편익의 극대화 · 비용의 극소화를 위해 활용된다.</td></tr>
</table>

기출 OX

비용효과분석평가는 프로그램에 들어가는 비용뿐만 아니라 프로그램의 성과도 화폐적 가치로 환산하는 평가방식이다. ( ) 22. 국가직

× '비용효과분석평가'가 아니라 '비용편익분석평가'가 옳다.

③ 대안의 비교분석기준: 정책대안들이 만들어지면, 여러 가지 기준에 따라 분석하고 대안을 시행함으로써 나타날 결과를 예측하여 다른 대안들과 비교하고 평가하며, 비교분석기준으로는 크게 **실현가능성과 바람직성**이 있다.

구분	기준	내용
실현가능성	기술적 실현가능성	**현재 정부가 가진 전문화 수준, 재정능력, 행정능력을 가지고 선택된 정책대안을 실현(또는 집행)시킬 수 있는가**에 관한 기준이다.
	정치적 실현가능성	**선택된 정책대안이 실제로 집행될 때 정치적 측면에서 대표성과 힘을 지닌 국회, 국민, 주민, 이익집단, 여론 등의 정치세력에게 수용될 수 있는가**에 관한 기준이다.
	법적 실현가능성	**선택된 정책대안이 현재 집행 중인 법령 등에 모순되지 않는가에 관한 기준**이다.
바람직성	효율성	**선택된 정책대안은 최소한의 투입으로 최대한의 산출을 얻을 수 있는가에 관한 기준**이다.
	사회적 효과성	**선택된 정책대안이 실제로 집행될 경우 사회적 유대감 형성, 사회통합, 인간존중 등의 정책 목표를 달성할 수 있는가에 관한 기준**이다.
	사회적 형평성(또는 공평성)	**선택된 정책대안이 실제로 집행될 경우 사회적 자원의 배분적 정의 실현을 통해 사회계층 간 불평등을 개선할 수 있는가에 관한 기준**으로, **수평적 형평과 수직적 형평**이 있다.
		수평적 형평: **동일한 조건의 클라이언트에게 동일한 양의 사회복지 서비스를 제공**하는 것이다.
		수직적 형평: **성별, 나이, 지리적 위치, 건강, 소득 등에 있어서 서로 다른 조건을 가진 클라이언트에게 서로 다른 양의 사회복지 서비스를 제공**하는 것이다.

3 정책결정

1. 개관

(1) 개념

권위를 지닌 정책결정자가 **문제해결을 위한 여러 대안들 가운데 하나를 선택하는 행위 또는 과정**을 말한다.

(2) 성격

① 권위성: 구성원들이 선택된 정책대안을 받아들인다는 것을 의미한다.

② 해결방안의 채택: 정책결정은 사회문제 해결을 위한 대안 중에서 하나를 선택하는 과정이다.

③ 공익적 성격: 정책결정자는 사회전체적인 공익에 근거해서 정책결정을 해야 한다.

④ 정치적 성격: 여러 가지 대안들 중에서 하나의 대안을 선택하는 행위에는 **다분히 정치적 성격이 반영**될 수밖에 없다.

2. 정책결정모형 13. 국가직, 14 · 18 · 21. 지방직, 17. 지방직(추가), 13 · 19. 서울시 必

(1) 합리모형

① 개관

㉠ 합리성: 정책결정에 관여하는 인간이 **이성적이고 합리적**이라고 가정한다.

㉡ 최선의 정책 대안: 주어진 상황 속에서 주어진 목표를 해결(또는 달성)하기 위해 **최선의 정책대안을 찾을 수 있다고 가정**한다.

㉢ 인간의 능력에 대한 신뢰: 인간의 능력, 곧 지적 능력이나 판단 능력 등을 전제로 한다.

㉣ 대안의 비교 기준: **대안결과의 미래예측과 및 비교 · 평가 시 비용편익분석이나 비용효과분석과 같이 판단 기준이 명백하게 존재**할 수 있음을 가정한다.

② 한계

㉠ 인간의 이성 및 합리성에 대한 비판: 인간이 항상 이성적이고 합리적이지 않기 때문에 최선의 정책대안을 선택하는 정책결정만 존재하는 것은 아니다.

㉡ 목표와 상황의 불확실성: 정책목표라는 것이 항상 명백하게 주어지는 것은 아니며 정책상황 역시 불확실성을 띠면서 변화하는 까닭에, 합리모형에서처럼 정책목표나 상황을 정확하게 파악할 수는 없다.

㉢ 정보와 시간의 부족: 인간의 합리성이나 인간의 능력에 관한 합리모형의 가정을 인정한다 하더라도 정책 문제에 대한 **정보나 정책 문제의 해결에 대한 정보가 항상 충분한 것은 아니며, 문제를 해결할 수 있는 최선의 방안을 강구할 수 있는 시간적 여유가 없는 경우도 있다.**

㉣ 심리적 갈등의 문제: 정책대안을 비교 · 평가하는 명백한 판단 기준이 존재하더라도 복수의 기준들이 존재하는 경우 인간인 정책결정자는 심리적 갈등에 휩싸이게 된다.

㉤ 매몰비용의 문제: 경우에 따라서는 어떤 정책대안을 최선의 것이라고 판단하더라도 **매몰비용❶ 때문에 선택하지 못하는 경우**가 있다.

(2) 만족모형

① 개관

㉠ **마치와 시몬(March & Simon)이 대표적인 학자**이다.

㉡ 제한된 합리성: 인간이 합리적이긴 하지만 자신의 제한된 능력과 환경적 제약으로 인해 **완전한 합리성을 가진다고는 보지 않는다.**

㉢ 정책목표 및 기준의 불확정성: 정책목표가 항상 명백하다고 보지 않으며, 따라서 여러 개의 목표 사이의 우선순위도 명확하게 정하기 어렵다.

㉣ 제한된 대안의 탐색: 정책결정 과정에서 모든 정책대안이 다 **고려되지도 않고 고려될 수도 없을 뿐만 아니라 고려될 필요도 없다고 본다.**

선생님 가이드

❶ 매몰비용(Sunk Cost)이란 사라지고 없어져서 다시는 되돌릴 수 없는 비용을 말합니다. 즉 정책결정가가 정책결정을 하고 집행한 이후에 발생하는 비용 중 회수할 수 없는 비용입니다. 원칙적으로 합리모형에서는 매몰비용을 무시하고 항상 최적의 대안만을 중시합니다. 다시 말해 정치적 합리성은 고려치 않고 경제적 합리성만을 추구합니다. 그러나 정책결정가 역시 인간이므로 정책결정 시 매몰비용에 대한 집착 때문에 합리적 의사결정이 제한될 수밖에 없습니다. 예를 들어 정권이 바뀌어 새로운 정부가 집권하여 이전 정부가 추진해 왔던 정책과는 전혀 다른 새로운 정책을 경제적 합리성에 근거해서 추진하려할 때, 그 동안 그 정책에 소요된 비용이 매몰비용이 되고, 이는 국민적 저항에 맞닥뜨리게 됩니다. 이로 인해 새로운 정부는 정치적 합리성을 고려할 수밖에 없게 되어 새로운 정책 추진에 제한을 받을 수밖에 없습니다. 우리나라의 경우 새로운 정부에서 클린에너지 정책이라는 새로운 정책을 추진하기 위해 기존의 원자력발전 정책을 포기하려고 할 때 발생한 국민적인 저항을 확인한 적이 있습니다.

기출 OX

01 제한된 합리성을 바탕으로 접근이 용이한 일부 대안에 대한 만족할 만한 수준을 추구하는 것은 합리모형이다. ( ) 19. 서울시

02 점증모형은 기존의 정책에서 소폭의 수정 · 보완을 통해 정책을 결정하는 모형이다. ( ) 21. 지방직

01 × '합리모형'이 아니라 '만족모형'이 옳다.
02 ○

ⓜ 만족스러운 대안의 선택: 정책결정자는 **만족할 만한 정책대안을 찾으면** 그 대안을 선택함으로써 대안의 탐색이 중단되고 정책결정이 이루어진다고 본다.

② 한계

㉠ 만족스러운 대안의 불명확성: 만족할 만한 수준에서 대안을 선택한다고 할 때, **어느 정도의 수준이 만족할 만한 수준인지에 대한 객관적인 판단 기준이 없다.**

㉠ 반쇄신적: 이 모형에서는 만족할 만한 정책대안이 나타나는 경우 더 이상의 대안에 대한 탐색이 중단된다. 이 경우 **더 훌륭한 정책대안이 있어도 그대로 사장(死藏)될 수밖에 없으므로 쇄신적 문제해결(또는 혁신적이고 진보적인 정책결정)을 지향하기보다는 보수적인 성향**을 띨 수밖에 없다.

(3) 점증모형(또는 비합리모형)

① 개관

㉠ **린드블롬과 윌다스키(Liindblom & Wildavsky)가 대표적인 학자**이다.

㉡ 비합리성: **인간의 비합리성을 전제로 하여 정책결정형태를 설명**한다. 즉, 이 모형에서는 만족모형에서 이야기하는 것만큼의 합리성도 정책결정 과정에 존재하지 않는다고 본다.

㉢ 점증적: 현존하는 또는 과거 집행의 성과가 좋았던 정책을 **여론의 반응에 따라 약간 수정하고 보완하는 수준으로 정책을 결정**한다.

㉣ 정책목표와 수단의 조정: 목적을 수단에 맞추기도 하며 **수단과 목적 사이에 서로 조정**이 이루어진다.

ⓜ 제한적: 정책결정자는 **비교적 한정적인 수의 정책대안만 검토**하며, **각 대안에 대하여도 한정된 수의 중요한 결과만 분석**한다.

ⓑ 정치적 합리성: **이성적 · 경제적 합리성보다는 여론(또는 시민)의 지지를 얻을 수 있는 정치적 합리성**을 더욱 추구한다.

ⓢ 보수적: 이전의 정책을 매몰시킨다는 것은 현재까지의 정책 과정이 잘못된 것임을 시인하는 것이므로 절대 용납될 수 없다.

② 한계

㉠ 평가 기준의 부재: 검증의 기준이 존재하지 않는다.

㉡ 형평성의 문제: 항상 정치적으로 실현가능한 임기응변적 정책을 강구하는 데 치중하게 된다.

㉢ 반쇄신적: 합리적인 정책결정 방법을 시도하지 않고, **현상유지 위주의 문제해결방식에만 몰입**하게 된다.

㉣ 적용의 제한: 과거나 현재의 정책에 근거를 두고 이를 약간만 변화시키는 것이기 때문에, 새로운 대안을 과감히 적용하는 데에는 한계가 있다.

(4) **혼합모형**

① 개관

㉠ **에치오니(Etzioni)가 대표적인 학자**이다.

㉡ 종합적 합리성: **합리모형과 점증모형(또는 비합리모형)의 절충형태**로, 중요한 문제의 경우에는 합리모형에서 같이 포괄적 관찰을 통해 기본적인 정책 결정을 하고, 이후 기본적인 결정을 수정 · 보완하면서 세부적인 사안을 점증적으로 결정한다.

② 한계: 2개의 대립되는 극단의 모형들을 혼합 · 절충한 것에 지나지 않으며, 현실적이지 않다는 비판이 있다.

(5) **최적모형**

① 개관

㉠ **드롤(Dror)이 대표적인 학자**이다.

㉡ **체계론적 시각**에서 **정책 성과를 최적화**하려는 정책결정 모형이다.

㉢ **질적 모형**으로, 합리적 요소와 초합리적 요소, 곧 **경제적 합리성과 초합리성을 바탕**으로 한다.

핵심 PLUS

경제적 합리성과 초합리성

① 경제적 합리성이란 **합리적 결정의 효과가 합리적 결정에 드는 비용보다 많은 경우**를 말한다. 즉 **비용의 최소화와 편익의 최대화를 추구**한다.

② 초합리성이란 **직관, 판단, 통찰력, 창의력 등 인간의 아래 의식적(Sub-Conscious) 요소**를 말한다.

② 합리성, 초합리성, 경제적 합리성

합리성 추구	모든 정책대안과 이에 대한 결과를 고려해야 하므로 정보 · 시간 · 비용 등에 있어서 부족문제가 발생한다.
⬇	
이때 초합리성을 이용하여	
⬇	
경제적 합리성 추구	정보 · 시간 · 비용 등을 절감시킨다.

③ 정책결정 단계

초정책결정 단계 (Meta-Policymaking Stage)	정책결정을 어떻게 할 것인가에 대한 결정을 하는 단계로, 정책결정참여자, 시기, 비용, 방법 등을 결정한다.
⬇	
정책결정 단계 (Policymaking Stage)	일반적인 의미의 정책대안 형성 및 정책결정 단계이다.
⬇	
후 정책결정 단계 (Post Policymaking Stage)	정책결정 후 정책집행의 준비, 정책집행, 정책수정을 하는 단계로, 정책집행을 위한 동기부여, 집행, 집행 후의 평가, 의사전달 및 환류에 따른 새로운 정책결정 등을 결정한다.

④ 한계: 초합리성적 요소를 강조하게 되면 **신비주의에 빠질 가능성**이 있다.

기출 OX

01 혼합모형은 최적모형과 점증모형을 절충하여 현실적으로 만족할만한 수준의 정책대안을 선택하는 모형이다. ( ) 21. 지방직

02 합리모형은 정책결정 체계의 성과를 최적화하기 위해 경제적 합리성과 직관, 창의력 등 초합리적 요소를 중요하게 간주하는 모형이다. ( ) 21. 지방직

03 합리모형은 인간이 매우 이성적이며 고도의 합리성에 따라 행동하고 결정한다는 전제하에 정책결정에는 경제적 합리성과 함께 직관, 통찰력, 창의력 등을 동시에 고려해야 한다는 모형이다. ( ) 18. 지방직

04 쓰레기통 모형에서는 정책결정을 체계론적 시각에서 파악하고 정책성과를 최적화하려 한다. ( ) 13. 서울시

01 × '최적모형과 점증모형'이 아니라 '합리모형과 점증모형'이 옳다.
02 × '합리모형'이 아니라 '최적모형'이 옳다.
03 × '정책결정에는 경제적 합리성과 함께 직관, 통찰력, 창의력 등을 동시에 고려해야 한다.'는 '최적모형'에 관한 설명이다.
04 × '쓰레기통 모형'이 아니라 '최적모형'이 옳다.

(6) 쓰레기통모형

① 개관

㉠ **코헨과 마치 그리고 올슨(Cohen & March & Olsen)이 주장**하고, **킹돈(Kingdon)이 발전**시켰다.

㉡ 정책 과정은 몇 가지의 흐름으로 구성되어 있으며, 이러한 흐름이 합쳐질 때 정책결정이 이루어진다고 본다.

> **핵심 PLUS**
>
> **정책결정에 필요한 4가지 흐름(Cohen & March & Olsen)**
>
> ① 정책결정이 이루어질 수 있는 기회를 뜻하는 **선택기회의 흐름**
> ② 해결해야 할 **문제의 흐름**
> ③ 문제에 대한 해답으로서의 **해결방안의 흐름**
> ④ 정책결정에의 **참여자의 흐름**
>
> 이러한 4가지 흐름이 우연히 쓰레기통 속에서 만나게 되면 그 때 정책결정이 이루어진다고 본다.

② 쓰레기통모형의 흐름(Kingdon)

㉠ 킹돈(Kingdon)은 Cohen & March & Olsen의 이론을 발전시킨 **쓰레기통모형을 제시**하였다. 곧 정책과정은 **정치의 흐름, 정책 문제의 흐름, 정책대안의 흐름이라는 3가지 흐름**이 각각 독립적으로 존재하며, 각 흐름에 주요 참여자도 다르다고 보았다. 그리고 이러한 **흐름이 조직화된 무정부 상태에서 우연히 합쳐질 때에 비체계적으로 정책결정이 이루어진다고 주장**하였다.

㉡ 각 정책 흐름의 주요 참여자

정치의 흐름	정치인, 이익집단
정책 문제의 흐름	언론, 클라이언트
정책대안의 흐름	관료, 전문가

㉢ 쓰레기통모형의 흐름

정치, 정책 문제, 정책대안이 각각 독립적으로 흐르고 있다.

정책전문가(또는 정책활동가)들은 지속적으로 특정 사회 문제에 대한 정책대안들을 연구하면서 **정책대안들이 정치와 정책 문제의 흐름에 의해 정책아젠다(Agenda)로 등장할 때까지 기다리고 있다.**

⬇

흐름의 결합 1	**3가지 흐름이 우연히 만날 때 정책아젠다가 형성**된다.

⬇

흐름의 결합 2	정책대안의 흐름 속에 떠다니던 정책대안이 연결되는 경우 **정책의 창문(Policy Window)이 열리면서 정책결정의 기회를 맞게 된다.**

⬇

이 때 정책결정을 하지 않으면
정책의 창문이 닫히고 3개의 흐름은 다시 독립적으로 흐르게 된다.

기출 OX

01 정책결정 과정에서 조직화된 무정부 상태 속에서의 우연성을 강조하는 사회복지 정책 모형은 쓰레기통 모형이다. ( ) 14. 지방직

02 쓰레기통모형은 정책결정자가 높은 합리성을 가지고 주어진 상황에서 최선의 정책 대안을 찾아낼 수 있다고 본다. ( ) 17. 지방직(추가)

03 쓰레기통모형은 정책결정이 일정한 규칙에 따라 이루어지는 것이 아니라 문제, 해결책, 선택 기회, 참여자 등의 4요소가 우연히 만나게 될 때 정책결정이 이루어진다고 보는 모형이다. ( ) 21. 지방직

01 ○
02 × '쓰레기통 모형'이 아니라 '합리 모형'이 옳다.
03 ○

4 정책의 집행과 평가

1. 사회복지정책의 집행

(1) 개념

의도된 정책 목표를 달성하기 위하여 **결정된 사항들을 구체화시키는 활동**을 말한다.

(2) 성격

① 관리 기술적이고, ② 정치적이다.

2. 사회복지정책의 평가

(1) 개념

① 일반적 개념: 정책활동의 가치를 가늠하기 위한 **정보의 수집 · 분석 · 해석 활동**으로, **정책수단인 사업(Program)평가와 연관**되어 있다.

② 의미에 따른 개념

㉠ 좁은 의미의 정책평가: 정책을 통해 달성하고자 한 **사회 문제를 얼마나 해결했는지를 평가하는 것**이다.

㉡ 넓은 의미의 정책평가: **정책 과정 전반을 평가하는 것**이다.

(2) 필요성

① 정책의 효과성 증진: 평가를 통해 정책의 정책목표 달성 여부를 확인할 수 있다.

② 정책의 효율성 증진: 평가를 통해 정책에 소요된 자원의 경제적 합리성을 파악할 수 있다.

③ 정책결정 및 집행에 필요한 정보 제공: 평가를 통해 **정책을 결정하고 집행하는 데 필요한 근거 또는 정보를 확보**할 수 있으며, **정책집행과 관련된 활동을 통제하고 감사하는 데 활용**된다.

④ 정책 과정(또는 활동)상의 책임성 확보: **정책목표 달성의 정도나 책임소재를 분명하게 할 수 있다.**

⑤ 연구의 기초: 평가의 자료는 정책이슈를 수정하거나 강화하고, **기존 정책의 개선에 필요한 정보를 제공** 수 있다.

⑥ 학문발전: 평가를 통해 **정책이론을 형성하여 학문을 발전시키는 데 기여**한다.

(3) 정책평가의 유용성 조건

① 정책평가의 질적 수준: 우수하게 정책평가가 되어야 한다.

② 시간적 적절성: 평가 결과가 정책담당자에게 적시에 전달되어야 한다.

③ 정책담당자의 사용의지: 정책결정자나 집행자가 평가결과를 이해하고 이를 이후 정책 과정에 반영하려는 의지가 있어야 한다.

④ 환류장치 확보: 정책평가 결과 환류를 제도화해야 한다.

(4) 성격

① **가치지향적**: 정책평가에는 정책평가자의 가치판단적인 내용(예 잘되었는가?, 잘못되었는가?, 바람직한 것은 무엇인가? 등)이 포함된다.

② **개별 사례적**: 정책평가는 정책수단인 구체적인 정책사업(Program)이나 사업이 적용된 개별 사례를 연구의 대상으로 삼는다.

③ **기술적(技術的)**: 정책평가 시 조사 방법, 통계분석기법 등의 기술적 수단들이 활용된다.

④ **실용적(또는 응용적)**: 정책평가의 결과는 이후 정책개발이나 개선의 주요한 자료로 활용되어야 한다.

⑤ **종합학문적**: 효과적인 정책평가를 수행하기 위해서 평가자는 정책학, 통계학, 사회학, 사회복지학 등 다학문적 지식체계를 갖추고 있어야 한다.

⑥ **정치적**: 정책평가는 정책결정자, 집행자와 같은 정치적 이해집단에게 영향을 받을 수밖에 없다.

(5) 주요 평가 기준

① **효과성**: **정책목표의 달성정도**로, 수립된 정책목표가 집행 이후 어느 정도로 달성되었는가에 대한 평가이다.

② **효율성**

㉠ **정책에 소요된 투입과 산출의 비율 정도**로 비용 대비 편익의 정도를 말하며, **정책목표의 달성 여부를 비용측면에서 평가하는 것**이다.

㉡ 일반적으로 **정책성과를 화폐단위로 환산하기 쉬운 경우에 활용**하며, **효과성과 효율성은 깊은 상관 관계가 없다.**❶

③ **적절성(또는 적합성)**: **정책목표와 수단 간의 부합 정도**로, 정책목표 달성을 위해 사용된 수단의 적합성 여부에 대한 평가이다.

예 토익시험을 준비하면서 '일본어'를 공부하는 것은 적절성이 없다.

④ **적정성**: 적절성(또는 적합성)이 확보된 것을 전제로, 정책 목표와 수단 간의 타당한 관계 정도를 말한다. 즉, **정책 목표 달성을 위해 사용된 수단이 '어느 정도' 효과적인가에 관한 평가**이다.

⑤ **형평성**: 소득 재분배에 있어서의 공정성 정도로, **수평적 형평과 수직적 형평으로 구분**된다.

⑥ **민주성**: 정책대상으로 삼은 집단이 얼마만큼의 권한을 가지고 정책 과정 중에 참여했는가를 평가하는 것이다.

⑦ **반응성(또는 대응성)**: **정책대상 집단의 만족 정도**로, 특정 정책이 특정 정책 집단의 요구 · 선호 · 가치를 얼마나 만족시켰는가에 대한 평가이다.

⑧ **합법성**: **법 취지에 대한 정책의 부합 정도**로, 정책이 법을 준수하며, 더 나아가 법의 취지를 부합시키고 있는지를 평가하는 것이다.

⑨ **시의성**: **정책의 시대적 적합 정도**로, 정책을 당시의 시대적 상황에 비추어서 적절한가를 평가하는 것이다.

❶ 비효율적인 정책이라도 효과적인 정책이 될 수 있습니다.

(6) 평가시점에 따른 정책평가의 종류

① 과정평가(또는 형성평가)

㉠ **정책집행 과정 중에 수행하는 평가**로, 정책전략 설계의 **수정과 보완이 목적**이다.

㉡ 주로 **질적 평가 방법**을 활용한다.

② 결과평가(또는 총괄평가)

㉠ **정책이 집행된 이후 정책이 사회에 미친 영향이나 충격을 확인하는 사실판단적 활동**으로, 정책의 파급효과나 부작용 등을 분석하여 정책을 유지할 것인지, 중단할 것인지, 확대할 것인지를 결정하는 것이 목적이다.

㉡ 주로 **양적 평가 방법**을 활용한다.

(7) 평가에 영향을 미치는 요인

① 인적 요인: 평가는 정책평가자(정책평가자의 이념 · 가치 · 지식 · 전문성 등), 정책대상자(또는 클라이언트), 지역사회주민, 이해집단 등에 영향을 받을 수 있다.

② 시간적 요인: **충분한 시간적 여유 없이** 정책평가가 수행될 경우 부정확한 내용이 발생할 수 있고, 반면 **시간적 여유가 많을 경우**에는 적절한 환류의 시점을 놓칠 수 있다.

③ 기술적 요인: 평가목적에 부합되는 자료의 수집과 설계, 분석기법의 개발 등이 평가에 영향을 미칠 수 있다.

④ 제도적 요인: 좋은 정책평가를 위해서는 **행정적 지지가 요구**되며, 평가결과가 환류되어 **실제 활용될 수 있는 법적 · 제도적 장치가 마련**되어야 한다.

⑤ 정책자체 요인: 좋은 정책평가를 위해서는 **평가되는 정책 프로그램의 목표와 그 목표를 달성하는 수단이 명확**해야 하며, 또한 **평가될 내용의 측정 역시 가능**해야 한다.

(8) 절차

정책평가는 **정책평가의 목표설정 → 정책평가범위의 설정 → 정책 프로그램의 내용 파악 → 정책평가 설계 → 자료수집 및 측정 → 분석 및 해석 → 평가보고서의 작성 및 제출**이라는 절차에 따라 진행된다.

정책평가의 목표설정	① 평가 목표를 명확히 설정하고, 그에 알맞은 평가 기준을 잡는 단계이다. ② 정책평가의 목표가 결정되면 **정책평가자를 누구로 해야 할 지가 결정**되고, **평가의 기준과 범위도 드러나게 된다.**

⬇

정책평가범위의 설정	정책 프로그램을 분석함으로써 정책 프로그램이 의도하고 있는 여러 목표들을 찾아내고, 평가목적에 비추어 이들 가운데 어떤 것을 평가할 것인지를 결정하는 단계이다. 예 프로그램 실시 지역의 범위 결정, 평가대상, 시기적인 관점 등

⬇

정책 프로그램의 내용 파악	정책평가의 대상이 되는 사회복지 프로그램의 목표, 정책 대상, 관련 이해단체 등에 관한 법적 내용과 정책결정 과정 및 시행 과정 등에 관한 전반적인 정보를 수집하는 단계이다. 예 프로그램 목표의 구체화 정도, 정책을 수행할 수 있는 수단이나 자원의 형태 등

⬇

정책평가 설계	① **정책 프로그램이 영향을 받거나, 영향을 미치는 과정을 확인하기 위해 인과 모형을 형성하고, 평가 유형을 결정하는 단계**이다. ② **평가설계는 실험설계, 준실험설계, 비실험설계로 나누어지는데,** 이들 가운데 어떠한 형태로 평가설계를 해야 하는가는 적용가능성, 구체적으로 시간적 제약, 인적 · 물적 비용, 정책꾼이나 클라이언트에의 접근 가능성 따위를 고려하여 이루어진다.

⬇

자료수집 및 측정	① **평가에 필요한 자료를 수집하는 단계**로, 조사를 통해 직접 수집되어 작성되는 일차적 자료와 다른 사람이 다른 목적을 위하여 작성한 이차적 자료로 나눌 수 있다. ② 일반적으로 관찰법, 면접법 등의 설문지법을 활용한다.

⬇

분석 및 해석	① **수집된 자료를 분석하고 그 의미를 해석하는 단계**이다. ② **자료의 분석은 질적인 분석과 양적인 분석으로** 나눌 수 있다. 질적인 평가 분석은 객관적인 입장에서의 행태론적 접근이나 체제론적 접근뿐만 아니라 정책 위주의 주관적인 의미를 찾아내는 해석과 접근(비판적 접근 또는 자연주의적 접근) 따위에 의한 평가를 말한다. ③ 또한 양적인 분석은 통계적 기법을 사용하거나 정책 분석기법으로 개발된 여러 가지 분석기법에 의하여 이루어진다. 양적인 평가 분석기법 가운데 어느 것을 사용할 것인가는 정책평가의 목표와 자료측정 수준 등에 의하여 결정된다. 예 비용효과 분석, 비용편익 분석, 결정나무 분석, 선형 분석, 줄서기 이론 등

⬇

평가보고서의 작성 및 제출	정책평가 과정의 가장 마지막 부분으로서 평가보고서의 작성은 사회복지정책의 프로그램의 개선을 위해서 환류가 될 때에 그 의미가 있다.

제3절 사회복지정책 분석

회독 Check! 1회 □ 2회 □ 3회 □

1 개관

1. 개념

최상의 정책대안을 찾아내기 위해서 **정책 과정 전체에 대해 체계적으로 분석하는 과학적 방법**을 말한다.

2. 성격

(1) **목적지향적**

정책목표와 달성수단을 명확하게 규정하는 것이다.

(2) **체계적**

정책 과정의 여러 요인은 상호 관련되어 있다.

(3) **행위지향적**

정책집행을 예측하고, 필요한 조치를 시행하는 것이다.

(4) **조작적**

정책목표달성 방법을 구체적으로 검토하는 것이다.

(5) **다학문적**

문제 접근 방법에 있어서 다학문적이다.

2 사회복지정책 분석의 방법(Gilbert & Terrell)

길버트와 테렐은 사회복지정책 분석의 방법을 **과정 분석, 산출 분석, 성과 분석으로 구분**하였고, 이를 **정책 분석의 3Ps**라고 한다.

1. 과정(Process) 분석 (必)

(1) 사회복지정책 과정 중 **정책형성 과정에 대한 분석**이다. 즉, 정책형성 과정 중에 역동적으로 관여하는(또는 영향을 미치는) 정부, 정치, 이익집단 등의 다양한 변수들 간 상호작용과 영향력을 **사회정치적 변수와 기술적·방법적 변수 등의 맥락을 중심으로 분석**하는 것이며, **정책사정**(Policy Assessment)[1]이 어떻게 이루어지는지를 이해하기 위한 목적에서 수행된다.

(2) **정치학과 사회학**을 주요 이론적 기반으로 삼는다.

(3) 사회복지정책의 **계획과 관련**되어 있다. 즉, 계획과 관련된 각종 정보와 다양한 정치나 정부조직 간의 관계와 상호작용이 어떻게 사회복지정책 형성에 영향을 미쳤는가를 분석하는 데 관심을 둔다.

예 「노인장기요양보험법」 제정에서 이익집단의 영향 분석, 국민기초생활보장제도의 형성 과정 분석 등

2. 산물(Product) 분석(또는 산출 분석) (必)

(1) **정책 선택(또는 결정)에 관련된 다양한 쟁점을 분석하는 것**으로, **(사회복지정책의 내용 분석) 정책 과정을 통해 결정된 내용을 특정 기준이나 분석틀을 통해 분석하는 것**이다.

(2) 주로 프로그램, 관련 법률, 기획안 등에 포함되어 있는 **정책 선택의 형태와 내용을 분석**한다.

(3) 사회복지정책의 **운영과 관련**되어 있다.

선생님 가이드

❶ 정책사정(Policy Asessment)이란 어떠한 정책결정에 이르기까지에, 즉 정책형성 과정 내에 투입된 정치적·기술적 요소들을 파악하기 위해 관련 자료를 수집하고 이를 평가하는 행위를 말합니다. 과정분석은 이러한 정책사정(Policy Assessment)이 어떻게 이루어지는지를 이해하기 위한 목적 하에 수행됩니다.

(4) 정책의 분석틀로써 **재원, 할당, 급여, 전달체계라는 4가지 선택의 차원**과 **대안, 가치, 이론이라는 3가지 축**을 활용한다.
예 노인장기요양보험제도에서의 대상자 선정 기준 분석 등

3. 성과(Performance) 분석 必

(1) 정책 집행의 결과(또는 정책이 실행 된 이후), 즉 **산출에 대한 평가에 관한 것**으로, **사회복지정책 과정에서는 '평가'**라고도 한다.

(2) **조사 방법론을 활용한 양적, 질적 자료를 수집함으로써 측정이 가능**하다. 이러한 조사 방법론은 사회과학의 여러 분야에 기초하고 있으며, 또한 분석대상이 명확하므로 객관적이며 체계적인 분석이 가능하다.
예 노인장기요양보험제도의 정책 효과성 분석 등

3 산물 분석을 위한 분석틀의 구성

1. 4가지 선택의 차원 15. 지방직, 19. 서울시 必

길버트(N. Gilbert)와 테렐(P. Terrell)은 다음과 같은 4가지 질문으로 사회복지정책 분석의 기본 틀을 제시하였다.

2. 3가지 축

대안	4가지 선택의 차원에서 제시한 질문에 대한 구체적인 해답을 말한다.
가치	대안의 근거가 되는 가치를 말한다.
이론	각 대안을 형성시킨 이론적인 배경을 말한다.

3. 산물 분석을 위한 분석틀(4가지 선택의 차원과 3가지 축의 결합)

17. 지방직(추가), 19. 서울시

선택의 차원		대안
할당	누구에게 급여를 지불할 것인가?	① 귀속적 욕구 ② 보상 ③ 진단적 차별 ④ 자산조사
급여	무엇을 받을 것인가? (또는 급여의 형태는 무엇인가?)	① 현금 ② 현물 ③ 기회 ④ 증서 ⑤ 권력
전달체계	어떻게(또는 어떤 방법으로) 급여를 전달할 것인가?	① 공공 전달체계 ② 민간 전달체계 ③ 혼합 전달체계
재원	누가 급여를 지불할 것인가?	① 공공재원(중앙정부 재원 + 지방정부 재원) ② 민간재원 ③ 혼합재원

기출 OX

01 길버트와 테렐이 제시한 사회복지정책 분석틀에는 "어느 시점에 급여를 전달할 것인가?"가 있다. ( ) 15. 지방직

02 길버트(Gilbert)와 테렐(Terrell)이 제시한 사회복지정책 분석틀의 네 가지 구성요소에는 사회적 위험(social risks)의 포괄 범주가 들어간다. ( ) 19. 서울시

03 길버트(Gilbert)와 테렐(Terrell)이 제시한 사회복지정책 분석틀을 구성하는 주요 선택의 차원에서 급여는 재정마련의 방법에 관한 것으로 공공, 민간, 혼합 형태가 있다. ( ) 17. 지방직(추가)

04 할당이란 사회복지정책의 대상을 어떤 집단으로 할 것인지를 결정하는 것이다. ( ) 19. 서울시

01 ×
02 ×
03 × '급여'가 아니라 '재원'이 옳다.
04 ○

선생님 가이드

❶ 선별주의에서는 산업사회에서 정부는 이미 실패했고, 다만 가족제도와 시장기구의 임시적인 실패에 대해서만 개인의 생존과 관련된 잔여부분을 정부(또는 국가)가 보충적(또는 응급 조치적)으로 제공하여 개인의 최저 생활을 보장해야 한다고 주장합니다. 이런 면에서 잔여적 사회복지를 실현시키는 데 유리한 할당 원칙입니다.

❷ 보편주의에서는 산업사회에서 가족제도와 시장기구의 실패는 임시적이 아닌 지속적이며 당연한 현상이므로 사회복지는 사회를 유지·발전시키기 위한 필수적 기능을 수행하기 위해 제도화하는 것이 당연하다고 주장합니다. 이런 면에서 제도적 사회복지를 실현시키는 데 유리한 할당 원칙입니다.

❸ 누리 과정은 2012년부터 우리나라에서 실시된 보편적인 영유아 보육제도로, 만 3~5세의 취학 이전의 아동들을 대상으로 정부가 공통의 보육 및 교육 과정을 제공하는 프로그램으로 보편주의적 할당의 성격이 큽니다.

❹ 아동수당이란 아동에게 아동수당을 지급하여 아동 양육에 따른 경제적 부담을 경감하고 건강한 성장환경을 조성함으로써 아동의 기본적 권리와 복지를 증진시키고자 「아동수당법」에 근거하여 2018년 9월부터 시행되고 있는 아동복지정책을 말합니다. 2022년 1월부터는 아동 1인당 월 10만 원씩의 지원 금액이 만 8세 미만의 모든 아동을 대상으로 지급되고 있으므로 보편주의 원칙이 적용된 우리나라 최초의 사회수당제도라고 볼 수 있습니다. 또한 8세 미만이라는 연령을 기준으로 하여 할당되므로 인구학적 기준이 적용되었다고도 볼 수 있습니다.

❺ 유효수요란 실제로 재화를 구입할 수 있는 돈을 가지고 있는 상태에서 그 재화를 구매하려고 하는 개인의 욕구를 말합니다. 쉽게 말해 실제적인 구매력이 있는 수요를 의미합니다. 국민연금과 같은 공적연금제도를 통해 최저소득이 보장될 경우, 유효수요가 창출되고, 이는 개인의 구매력을 일정 수준 유지시키는 기능을 하게 됩니다.

❻ 선별주의는 급여 제공에 필요한 재정을 공급하는 자와 이에 수혜를 받는 자가 서로 다릅니다. 이로 인해 재정을 제공하는 자들, 쉽게 말해 부자들은 재정 제공을 거부하거나 축소하려고 할 것이고, 반대로 수혜를 받는 자들, 쉽게 말해 빈자들은 수혜를 더 받기 위해 부자들에게 더 많은 재정의 제공을 요구할 것입니다. 이러한 현상은 당연히 사회의 분열과 불안정성을 불러일으킬 수 있으며 이는 사회통합에 불리하게 작용될 수 있습니다.

4 할당

1. 할당의 대원칙 17·19·23. 국가직, 11·13·16·18·21. 지방직, 19. 서울시 必

보편주의(Universalism)와 선별주의(Selectivism)가 있다.

(1) **보편주의**

급여가 사회적 권리로서 **모든 사람들에게** 주어져야 한다는 원리이다.

(2) **선별주의**

급여가 개인의 욕구에 근거하여 **차별적으로** 주어져야 한다는 것이다.

선별주의❶	구분	보편주의❷
정부실패	전제	시장실패
개인주의, 예외주의, 잔여적 개념	기본가치	집합주의, 보편적 개념
소득·자산조사 등의 방법을 통해 확인된 **욕구를 자신의 능력으로 해결할 수 없는 자**를 대상으로 한다. 예 사회적 약자, 요보호 대상자 등	대상	성별, 거주 여부 등의 **인구학적 기준**이나 보육, 노화 등과 같은 **생애주기별 욕구**를 지닌 **모든 국민**으로, **사회복지 급여를 국민의 권리로 인식**한다.
공공부조제도 ① 국민기초생활보장제도 ② 의료급여제도 ③ 기초연금제도 ④ 장애인연금제도 ⑤ 긴급복지지원제도	주요 사회복지 제도	사회수당과 사회보험제도 ① 국민연금제도 ② 국민건강보험제도 ③ 고용보험제도 ④ 산업재해보상보험제도 ⑤ 노인장기요양보험제도 ⑥ 영국의 NHS(National Health Service)제도 ⑦ 누리 과정❸ ⑧ 아동수당❹ 등
① 욕구를 스스로 해결할 수 없는 사람들에게만 자원을 집중적으로 할당하므로 전체적인 급여 지급 비용이 적게 소요되는 등, **목표효율성(또는 대상효율성)과 비용효과성이 높다.** ② **소득 재분배 효과가 크다.**	장점	① 기여자와 수여자를 구분하지 않으므로 **사회통합에 유리**하고, **사회적 효과성(사회적 평등성)이 높다.** ② 행정 업무가 용이(또는 간편)하고, 대상자 선정과 자격관리가 용이해서 **운영효율성이 높다.** ③ **자산조사 절차가 없으므로 낙인효과가 거의 없다.** ④ 대중에게 정치적 지지를 받을 수 있어 **안정적인 운영이 가능**하다. ⑤ 최저소득보장을 통해 빈곤을 예방하고 **유효수요를 창출**❺하므로 경제의 안정과 성장에 기여한다. ⑥ 노령화나 보육 등 국민의 **생애주기별 욕구를 충족시키는 데에 유리**하다.
① 급여의 불공정성으로 인해 **수급자와 비수급자 간의 갈등이 발생**하여 사회분열을 일으킬 수 있고, **따라서 사회통합에 불리**❻하다.		① **목표효율성(또는 대상효율성)이 낮다.** ② **소득 재분배 효과가 크지 않다.**

② 행정절차가 복잡하고 수급자격 기준의 설정이 어려워 **운영효율성이 낮다.** ③ 수급자격을 결정할 때 절대적 빈곤 개념을 적용하는 경우가 많고, 이에 따라 **빈곤 수준(또는 빈곤선)을 낮게 책정하는 경향**이 있다. ④ 자산조사 과정에서 **낙인효과(Stigma Effect, 또는 사회적 낙인)가 발생**할 수 있고, 이로 인해 **수급자격을 가진 빈자가 신청을 기피**할 수도 있다. ⑤ **빈곤의 덫을 유발시**킬 수 있다. ⑥ **안정된 운영에 불리**하다.	단점

핵심 PLUS

낙인(Stigma Effect, 또는 사회적 낙인)

① 낙인이란 사회복지 서비스를 받는 이들에게 그들은 가난하고 무능력한 사람들이란 사회적 편견이 주어는 현상으로, **인간의 존엄성을 훼손**한다.
② **사회보험제도의 대상자는 공공부조제도의 대상자보다 낙인이 될 가능성이 낮다.**
③ **현금급여는 현물급여에 비해 낙인 발생 가능성을 줄일 수 있다.**
④ **자산조사가 소득조사[7]보다 낙인 발생 가능성이 높다.**
⑤ 수급자격이 권리보다 시혜적 성격으로 주어질 때 낙인될 가능성이 높다.

(3) 보편주의의 사회적 효과성과 선별주의의 비용 효과성 23. 국가직

① **사회적 효과성(또는 사회적 평등성)**: 사회통합이나 소득 재분배 등, 사회복지정책이 수립한 목표의 달성 정도를 말하며, 주로 **보편주의는 높지만 선별주의는 낮은 경향**이 있다.

② **비용 효과성**: 사회복지정책을 통해 시장체제에서 욕구를 스스로 해결할 수 없는 사람들에 대한 **자원의 집중적인 할당 정도**로, **선별주의는 높지만 보편주의는 낮은 경향**이 있다.

핵심 PLUS

보편주의와 선별주의의 반박(反駁)

보편주의는 '비용 효과성이 낮다.'라는 주장에 대한 반박	선별주의는 '사회적 효과성이 낮다.'라는 주장에 대한 반박
① 무상교육이나 의료 등의 보편주의적 프로그램 제공으로 청소년 비행, 출산율 저하, 평균수명 감소 등 다양한 사회 문제의 발생을 **사전에 예방**할 수 있다. ② 저소득계층에 대한 소득감면 등, 욕구 정도에 따른 차등적인 급여 지급을 통해 소득 재분배효과가 발생한다.	한정된 자원을 '사회적 욕구가 큰 사람들'에게 우선적으로 할당하여 **사회적 평등을 실현**할 수 있다.
이는 장기적 관점에서 전체적인 사회적 비용을 절감시킬 수 있으므로 보편주의에서도 비용 효과성이 존재한다.	따라서 사회적 효과성이 존재한다.

선생님 가이드

[7] 자산조사란 시장기제 내에서 자신의 욕구를 충족시킬 수 있는 재화나 서비스에 대한 구매력이 없는 빈곤층이나 저소득층을 선별하기 위한 수단으로, 일반적으로 공공부조 제도에서 주로 활용됩니다. 반면 소득조사란 개인 또는 가구의 경상소득(근로소득, 사업소득, 재산소득, 이전소득) 및 비경상소득(일시적소득으로 퇴직금, 경조소득 등)에 대한 조사로 공공부조 제도 뿐만 아니라 사회보험 제도에서도 활용됩니다.

기출 OX

보편주의는 선별주의에 비해 사회적 효과성보다 비용효과성을 더 강조한다. ( ) 23. 국가직

× '보편주의는 선별주의에 비해'가 아니라 '선별주의는 보편주의에 비해'가 맞다.

2. 할당의 세부 원칙 19. 서울시 (必)

귀속적 욕구	보상	진단적 차별	자산조사
보편주의 ←		→	선별주의

구분	대상자	욕구판단 기준	내용
귀속적 욕구(또는 부여된 욕구)	집단	규범적 판단(또는 기준)	① **규범적 판단(또는 기준)**[1]**에 기반한 집단(또는 범주)적 할당**이다. ② 대상: 시장체제를 통해서는 충족되지 않는 욕구를 공통적으로 지닌 집단에 소속된 사람들 ③ 욕구판단 기준: 성별, 거주여부, 인구학적 기준 등
보상	집단	규범적 판단(또는 기준)	① **형평성 회복을 위해 규범적 판단(또는 규범적 기준)에 기반한 집단(또는 범주)적 할당**이다. ② 대상: 사회를 위해 사회적 · 경제적으로 **공헌 · 기여를 한 사람**들과 사회로부터 **부당한 피해나 희생을 당한 사람**들 ③ 욕구판단 기준: 형평성의 회복 예 사회보험 가입자, 도시재개발에 의해 피해를 입은 사람 등
진단적 차별(또는 차등, 구분, 평가)	개인	전문적 등급 분류	① **기술적 진단에 기반을 둔 개인별 할당**이다. ② 대상: 신체적 · 정신적 결함으로 특정 재화나 서비스에 대한 **개별화된 욕구가 있는 개인** ③ 욕구판단 기준: 전문가의 기술적 진단에 근거한 개별화된 판단 예 「장애인복지법」상 수급자, 「노인장기요양보험법」상 수급자, 「국민연금법」 중 장애연금 수급자, 「산업재해보상보험법」 중 장해급여 수급자 등
자산조사(또는 자산조사 욕구)	개인	경제적 기준	① **욕구의 경제적 기준(소득과 재산)에 기반한 개인별 할당**이다. ② 대상: 시장체제 내에서 자신의 욕구를 충족시킬 수 있는 재화나 서비스에 대한 구매력이 없다는 증거가 있는 개인 ③ 욕구판단 기준: 구매력과 관련된 경제적 기준 예 「국민기초생활보장법」상 수급자 등

선생님 가이드

❶ 규범적 판단(또는 기준)이란 "~이 바람직하다"와 같이 판단자의 가치가 개입되어 최선의 여부를 결정하는 판단 기준을 말합니다.

기출 OX

진단적 차등에서 클라이언트가 대상자가 될 수 있는 기준은 전문가의 진단이 아니라 본인의 상태 파악으로 이루어진다. ( ) 11. 서울시

× '전문가의 진단이 아니라 본인의 상태 파악으로 이루어진다.'가 아니라 '전문가의 판단으로 이루어진다.'가 옳다.

핵심 PLUS

우리나라 주요 사회보장제도의 할당 기준(또는 급여 수급조건) 23. 국가직, 21. 지방직

대원칙	제도	근거법	세부할당 기준
선별주의	국민기초생활보장제도	「국민기초생활 보장법」	① 부양의무자(1촌 직계혈족 및 그의 배우자, 단 사망한 1촌 직계혈족의 배우자 제외) ② 소득인정액(개별가구의 소득평가액과 재산의 소득환산액을 합산한 금액) → **자산조사** * 단, 교육급여와 주거급여의 경우 소득인정액 조건만 적용
	장애인연금제도	「장애인연금법」	① 18세 이상 → **인구학적 기준** ② 중증장애인 → **진단적 차별** ③ 소득인정액(수급권자와 그 배우자의 소득평가액과 재산의 소득환산액을 합산한 금액) → **자산조사**
	기초연금제도	「기초연금법」	① 65세 이상 → **인구학적 기준** ② 소득인정액(수급권자와 배우자의 소득평가액과 재산의 소득환산액을 합산한 금액) → **자산조사**
	장애수당	「장애인복지법」	① 18세 이상 → **인구학적 기준** ② 「장애인연금법」 상 중증장애인에 해당하지 않는 사람(종전 4~6급) → **진단적 차별** ③ 「국민기초생활보장법」 상 수급자 및 차상위계층 → **자산조사**
	장애아동수당		① 18세 미만의 장애인 → **인구학적 기준** ② 「국민기초생활보장법」 상 수급자 및 차상위계층 → **자산조사**
	긴급복지지원제도	「긴급복지지원법」	① 위기상황 ② 긴급복지지원법에 따른 지원이 긴급하게 필요한 사람
보편주의	국민연금제도	「국민연금법」	① 18세 이상 60세 미만인 사람 → **인구학적 기준** ② 보험가입자 → **기여** * 단, 장애연금의 경우 진단적 차별도 적용
	노인장기요양보험제도	「노인장기요양 보험법」	① 65세 이상의 노인 또는 65세 미만의 자로서 치매·뇌혈관성질환 등 대통령령으로 정하는 노인성 질병을 가진 사람 → **인구학적 기준** ② 장기요양등급 판정자(1~5등급, 인지지원등급) → **진단적 차별** ③ 보험가입자 → **기여**
	아동수당제도	「아동수당법」	8세 미만의 아동 → **인구학적 기준**

기출 OX

01 우리나라의 장애수당과 장애인연금은 모두 선별주의에 해당하는 제도이다. ( ) 23. 국가직

02 국민연금은 비기여 · 비자산조사 프로그램에 해당한다. ( ) 21. 지방직

03 아동수당은 비기여 · 비자산조사 프로그램에 해당한다. ( ) 21. 지방직

01 ○
02 × '비기여'가 아니라 '기여'가 옳다.
03 ○

5 급여 10 · 11 · 12 · 16 · 17 · 18 · 21. 국가직, 10 · 13 · 14 · 15 · 20 · 21 · 23. 지방직, 11 · 19. 서울시

1. 현금 (必)

(1) 급여 **수급자에게 현금을 지급하는 것**으로, 연금 · 수당 · 공공부조 등의 제도에서 사용되며, 따라서 사회복지 급여 중에 가장 큰 비중을 차지한다.

(2) **장점과 단점**

장점	단점
① 사회복지기관의 관리운영비를 절감시키고, 행정적 편의를 증대시킬 수 있다. 따라서 **운영효율성이 높다.** ② 수급자 개인의 효용을 극대화시킬 수 있다. ③ **소비자 선택권과 자율성을 보장**하여 소비자 주권을 향상시킬 수 있다. ④ 낙인을 방지하여 인간의 존엄성을 유지할 수 있다.	① **목표효율성이 낮다.** ② 개인효용은 높일 수 있어도 사회적 효용이 감소될 수 있다.

2. 현물 (必)

(1) 급여 수급자에게 식품, 의복, 주택 등의 **재화**와 교육, 상담, 훈련 등의 **무형의 서비스를 전달하는 것**이다.

(2) 일반적으로 정부가 공기업이나 민영기업 등에게 보조금을 지급하여 구매한 후 수급자에게 분배한다.

(3) 우리나라 「사회복지사업법」 제5조의2(사회복지 서비스 제공의 원칙) 제1항에서는 "사회복지 서비스를 필요로 하는 사람(보호대상자)에 대한 **사회복지 서비스 제공은 현물(現物)로 제공하는 것을 원칙**으로 한다."라고 정하고 있다.

(4) **장점과 단점**

장점	단점
① **목표효율성(또는 대상효율성)이 높다.** ② 현금 급여에 비해 급여의 **오남용문제를 줄일 수 있다.** ③ **현금급여에 비해 재분배효과가 높다.** ④ 납세자, 현물을 생산하는 조직, 또는 이를 관리하는 관료 등, **정치적 이해관계자들에 의해서도 선호**되기 때문에 **정치적으로 채택될 가능성이 높다.** ⑤ 대량생산과 대량소비의 **규모의 경제를 발생**시켜 급여를 대량으로 저렴하게 제공할 수 있다. ⑥ 보통 **물품평등주의**, 즉 소득의 평등보다 물품의 평등을 더 선호하므로 관련된 프로그램의 도입이 용이하다.	현물을 생산 또는 제공하는 조직과의 부정한 정치적 거래가 발생해서 필요 이상의 현물이 제공될 경우 자원의 낭비가 발생할 수 있다.

핵심 PLUS

우리나라 주요 사회보장제도의 급여 형태

구분	제도	현금	현물	증서 (또는 바우처)
사회 보험 제도	산업재해보상 보험제도	① 휴업급여 ② 장해급여 ③ 간병급여 ④ 유족급여 ⑤ 상병(傷病)보상연금 ⑥ 장례비(葬禮費)	요양급여	
	국민건강보험 제도	① 요양비 ② 장애인 보조기기 ③ 장제비(미시행 중) ④ 상병수당	① 요양급여 ② 건강검진급여	임신·출산 진료비❶(국민행복카드)
	국민연금제도	① 노령연금 ② 장애연금 ③ 유족연금 ④ 반환일시금		
	고용보험제도	① 구직급여 ② 취업촉진수당(조기재취업수당, 직업능력 개발수당, 광역구직활동비, 이주비) ③ 상병급여		
	노인장기요양 보험제도	특별현금급여 ① 가족요양비 ② 특례요양비(미시행 중) ③ 요양병원간병비(미시행 중)	① 재가급여(방문요양, 방문목욕, 방문간호, 주·야간보호, 단기보호, 기타재가급여), 통합재가급여 ② 시설급여	
공공 부조 제도	국민기초생활 보장제도	① 생계급여 ② 교육급여(입학금, 수업료, 학용품비) ③ 주거급여(임차료, 수선유지비) ④ 장제급여 ⑤ 자활급여	① 교육급여(수급품) ② 주거급여(수급품) ③ 장제급여(물품) ④ 해산급여 ⑤ 의료급여 ⑥ 자활급여	
	의료급여제도	① 요양비 ② 장애인보장구지원급여	① 의료급여 ② 건강검진급여	
	기초 연금제도	기초연금액		
	장애인 연금제도	① 기초급여액 ② 부가급여액		

선생님 가이드

❶ 임신·출산 진료비는 임신기간 동안 지급금을 신청한 경우 전자바우처(국민행복카드) 형태로 진료비를 일부 지급하는 제도입니다.

3. 증서(Voucher, 또는 바우처) 必

(1) **(제3의 급여) 현금급여와 현물급여를 절충한 형태**로, 정부가 **일정한 용도 내에서 재화나 서비스를 선택하여 구매할 수 있는 증서를 수급자에게 전달**하면 수급자가 선택한 서비스 공급자가 수급자에게 서비스를 제공하고, 이후 정부가 서비스 공급자에게 현금을 상환하는 **제3자 현금상환 방식**이다. 즉 정부가 서비스 생산자(또는 제공기관)가 아닌 **소비자인 수급자에게 재정을 지원하여 서비스를 이용하게 만드는 방식**이다.

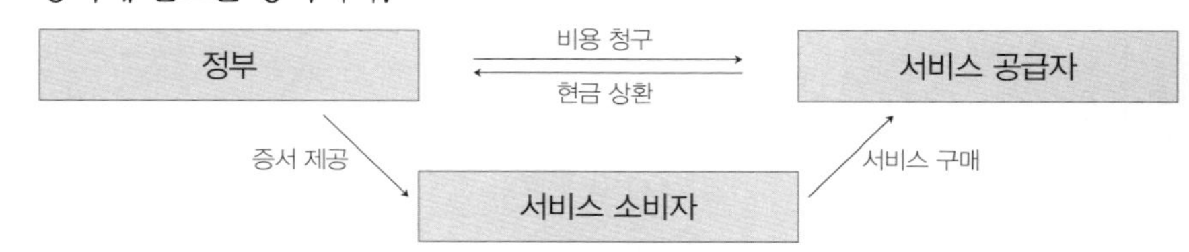

(2) 우리나라의 경우 2000년대 **이후 확대된 사회 서비스의 주된 공급전략**이다.

(3) **장점과 단점**

장점	단점
① **소비자가 일정한 용도 내에서 원하는 재화나 서비스를 선택**할 수 있어 현금급여가 지닌 소비자의 무제한 자유의 비합리적 부분을 제거하면서도 **소비자 선택의 자유를 제한적으로 살릴 수 있다.** ② **교환가치가 높을 경우 공급자의 경쟁 유발시켜서 수급자의 선택 기회를 확대**시킬 수 있다. ③ 현물급여에 비해 재화나 서비스의 질을 향상시킬 수 있다. ④ **목표(또는 대상) 효율성이 현금급여보다 높다.** ⑤ 현물급여보다 수급자 개인의 효용을 높일 수 있다. ⑥ 외형이 현금과 같기 때문에 관리 · 운영비용이 현금급여 수준이다. ⑦ 현금급여보다 정치적 지지를 더 많이 받는다. ⑧ **급여 제공량을 통제**할 수 있다. ⑨ 서비스 제공기관에 대한 보조금 방식에 비해 **수급자의 권리를 강화**시킬 수 있다.	① **교환가치가 낮을 경우 공급자가 수급자를 회피하거나 수급자를 자의적으로 선택하는 현상이 발생**할 수 있다. ② 중간적 성격이기 때문에 확실한 지지세력이 없다. ③ 현금할인(또는 꺾기) 등의 오남용 문제가 발생할 수 있다. ④ 현물급여에 비해 서비스에 대한 충분한 정보접근이 이루어져야 한다. ⑤ 정책의 실효성을 높이기 위해서는 이용자의 합리적 선택능력이 요구된다.

기출 OX

01 사회복지급여 중 현물급여에 비해 교환가치가 크면서 계획된 목적 외의 용도로 사용할 수 있는 현금 급여의 단점을 보완한 급여 형태는 바우처이다. ( ) 10. 국가직

02 사회서비스 바우처는 공급자 지원방식의 대표적인 정책수단이다. ( ) 16. 국가직

03 사회복지제도에서 현금급여를 현물급여보다 선호하는 이유에는 수급자의 선택권 강화, 행정 비용의 감소, 정책 목표의 특정화에 용이, 수급자 효용의 극대화가 있다. ( ) 21. 국가직

04 바우처의 실효성을 높이기 위해서는 이용자의 합리적 선택능력이 중요시된다. ( ) 10. 지방직

05 바우처는 사회 내의 불이익 집단 또는 특별히 사회에 공헌한 사람들에게 더 많은 기회를 제공할 수 있다. ( ) 20. 지방직

06 현물급여는 수급자가 자신이 원하는 재화와 서비스를 선택할 수 있다는 측면에서 수급자의 효용이 극대화된다. ( ) 19. 서울시

07 바우처는 정부조직을 통한 강제적 징수 방법으로 보험의 원리에 의해 보험가입자가 납부하는 기여금을 의미한다. ( ) 19. 서울시

08 물품과 자원에 대한 통제력을 재분배하는 것과 연관되며, 클라이언트 및 다른 사회적 약자 집단의 대표자들을 사회복지 관련 기관의 이사로 선임하는 정책 등을 통하여 추구되는 급여는 권력이다. ( ) 19. 서울시

01 ○
02 × '공급자 지원방식'이 아니라 '소비자 지원방식'이 옳다.
03 × '정책목표의 특정화에 용이'는 해당되지 않는다.
04 ○
05 × '바우처'가 아니라 '기회'가 옳다.
06 × '현물급여'가 아니라 '현금급여'가 옳다.
07 × '바우처'가 아니라 '보험료(또는 사회보장성 조세)'가 옳다.
08 ○

핵심 PLUS

우리나라의 사회 서비스 전자바우처 제도

① 전자바우처란 서비스 대상자의 **서비스 신청, 이용, 비용의 지불 및 정산 등의 전과정을 전산시스템을 활용하여 처리하는 바우처 형태**를 말한다.

② 제도 운영 시 이해당사자별 역할
- **대상자**: 시 · 군 · 구에서 수혜자로 인정을 받은 사람
- **보건복지부**: 대상자 선정 기준, 서비스 유형 및 바우처 지급 방법, 사회서비스 본부의 조직과 운영에 관한 내용, 기준 · 방법 · 절차에 대한 기반 마련
- **시 · 군 · 구**: **대상자 신청 접수 · 선정 · 통지**, 제공기관 신청 접수 · 선정 · 통지
- **한국사회보장 정보원**: **서비스 결제승인, 자금관리(비용지급, 정산업무 등), 결제매체(카드 및 단말기) 등의 사업 관리**
- **서비스 제공기관**: 보건복지부로부터 사회 서비스 제공기관으로 인정받아 대상자에게 사회서비스 제공

③ 주요 연혁
- **2007년 장애인 활동보조(장애인 활동지원), 노인돌봄종합, 지역사회 서비스 투자사업 시행**
- 2008년 산모신생아건강관리, 가사간병방문지원사업, 임신출산진료비지원사업 시행
- 2009년 발달재활서비스 시행
- 2010년 언어발달지원 사업 시행
- 2011년 「사회서비스 이용 및 이용권에 관한 법률」 제정
- 2012년 '차세대 전자바우처 운영체계[1]'로 전환(7월), **4개 사업(가사간병도우미, 노인돌봄종합서비스, 산모신생아도우미, 지역사회 서비스 투자사업)이 지정제에서 등록제로 전환(8월)**
- 2014년 노인돌봄(단기가사), 발달장애인부모심리상담서비스 시행
- 2015년 국가바우처 운영체계 도입(국민행복카드 출시)

④ 성과
- **일자리 창출**: 고용 취약계층에게 적합한 일자리 제공으로 서민생활 안정 및 경제활동 참여 기회를 확대시켰다.
- **선택권 강화**: 복지 서비스 대상자가 소극적인 복지수급자에서 **능동적인 서비스 구매자로 전환되어 수요자의 선택권을 강화**시키고, 기존 공급자 지원방식에서 **수요자 직접 지원방식으로의 전환으로 국민의 정책체감도 및 만족도를 증가**시켰다.
- **품질 경쟁체계 구축**: 복지 분야 독점상태를 해소하여 경쟁을 통한 서비스 품질 제고 환경을 구축하였고, 민간 및 대학 등 다양한 사회서비스 제공 기관을 신규로 확충하였다.
- **투명성 · 효율성 향상**: 사업의 전자화로 **행정관리비용이 감소하고, 재정운영의 효율성 및 투명성이 제고**되었다. 또한 지불 · 정산 업무 전산화로 지방자치단체의 행정부담이 경감하였고, 중앙정보 집적체계로 사업실적을 실시간 파악하고 행정비용을 절감시켰다.

⑤ 종류(2022년 현재)
- 장애인 활동지원
- **지역자율형 사회 서비스 투자사업: 지역사회 서비스 투자사업, 산모 · 신생아건강관리지원사업, 가사간병방문지원사업**
- 장애아동 가족지원사업
- 발달장애인 지원사업
- **임신출산진료비지원제도**
- 청소년산모임신출산의료비 지원사업
- 기저귀 · 조제분유 지원사업
- 아이돌봄지원사업
- 에너지바우처사업
- 여성청소년 생리대 바우처 지원사업
- 첫만남이용권 지원사업

선생님 가이드

[1] 차세대 전자바우처 운영체계란 사회서비스 전자바우처 사업 전체를 금융기관 위탁방식에서 결제승인 · 카드발급 · 단말기 관리기능을 한국사회보장 정보원이 일괄 수행하는 체제로 변경한 것을 말합니다.

선생님 가이드

❶ 이러한 특성상 기회급여를 긍정적 차별[또는 적극적 조치(Affirmative Action)]라고도 합니다.

4. 기회 (必)

여성, 노인, 장애인 등의 **사회적 취약 집단에게 보다 유리한 기회를 제공하여 이들이 받은 부정적 차별을 보상하고 그들의 시민권을 보장하는 방법**❶을 말한다.

예 대학입학정원 할당제, 공무원 시험 등 국가고시에 국가유공자 자녀 전형, 「장애인고용촉진 및 직업재활법」의 장애인 의무고용제 등

장점	단점
① **사회적 취약 집단에게 평등한 기회를 제공할 수 있다.** ② **사회 내의 불이익 집단 또는 특별히 사회에 공헌한 사람들에게 더 많은 기회를 제공할 수 있다.**	① **직접적인 교환가치(Exchange Value)를 지니는 급여가 아니기 때문에** 사회적 취약 집단의 경제적 문제를 **근본적으로 해결하는 데에는 한계**가 있다. ② 부정하게 이용될 경우 오히려 불평등을 야기해 타인의 이익을 훼손할 수 있다. ③ 기득권자들이 자신들의 이익을 합리화시키기 위한 수단으로 오용할 수 있다. ④ 급여가 동질적 조건을 가진 집단 내의 구성원들에게 불특정하게 제공되므로 정부나 기업과 같은 운영주체가 법을 준수하지 않을 경우 이를 강제할 수단이나 명분이 없다.

선생님 가이드

❷ 민주적 거버넌스(Governance)란 과거 정부의 일방적이며, 하향적인 의사결정 구조에서 벗어나 이와 연관되는 정부, 기업, 비정부기구 등의 다양한 주체가 네트워크를 구축하여 자신들의 이해와 관련된 의사결정 과정에 참여하고 이를 통해 문제를 해결하는 국정운영 방식을 말합니다.

5. 권력 (必)

수급자에게 **자원의 재분배와 관련된 의사결정 과정에 영향력(또는 통제력)을 재분배시켜주는 것**으로, 의사결정 과정에 그들의 참여를 보장하는 것이다.

장점	단점
① **참여 민주주의와 민주적 거버넌스**❷(Governance) 구성에 유리하다. ② 수급자가 다른 급여에 비해 사회 · 경제적 통제권과 참여권을 더 많이 획득할 수 있다.	급여가 형식적일 수 있어 정책결정의 합리화 도구로만 사용될 수 있다.

핵심 PLUS

현금·증서·현물의 주요 특징 비교

구분	비교
소비자 주권(또는 소비자 선택권)	현금 > 증서 > 현물
인간의 존엄성 유지(또는 낙인방지)	현금 > 증서 > 현물
급여의 오남용 문제 발생	현금 > 증서 > 현물
목표효율성(또는 대상효율성)	현금 < 증서 < 현물
운영효율성	현금 > 증서 > 현물
수급자 개인의 효용	현금 > 증서 > 현물
공급자 간 경쟁 유도와 이에 따른 서비스 질 향상	현금 > 증서 > 현물
사회적 효용	현금 < 증서 < 현물
정치적 선호	현금 < 증서 < 현물
규모의 경제 실현	현금 < 증서 < 현물

6 전달체계

전달체계란 사회복지 서비스를 제공하는 '공급자와 공급자' 또는 '사회복지 서비스를 소비하는 소비자와 공급자'를 연결시키기 위한 장치(또는 매개체)로써의 조직 및 인력을 말하며, **공공부문, 민간부문, 혼합부문**으로 구분된다.

1. 공공부문 13 · 14 · 16. 국가직, 19. 지방직 必

중앙정부(또는 국가)와 지방정부(또는 지방자치단체)가 수립과 운영의 주체인 경우를 말한다. 우리나라의 각종 **사회보험은 중앙정부가 전달체계를 책임**지고 있으며, **공공부조와 사회서비스 전달체계는 중앙정부와 지방정부가 분담**하고 있다.

(1) 중앙정부(또는 국가)

보건복지부, 고용노동부, 행정안전부 등이 사회보험, 공공부조, 사회서비스 등을 수급자에게 전달하는 체계로, 현대 복지국가의 제도적 이념의 사회복지 발전으로 가장 중요한 역할을 수행하며, 동시에 가장 큰 비중을 차지하고 있다.

(2) 지방정부(또는 지방자치단체)

① 공공부조와 사회서비스는 중앙정부뿐만 아니라 지방정부도 전달체계가 된다.

② 특히 공공부조와 사회서비스는 보건복지부의 소관임에도 불구하고 **행정안전부의 지침을 받는 시 · 도, 시 · 군 · 구 등 지방정부가 담당**하고 있다.

③ 장점과 단점

장점	단점
㉠ 중앙정부에 비해 **창의적이고 실험적인 서비스를 개발**하는 데에서 유리하다. ㉡ 중앙정부에 비해 **지역주민의 욕구를 즉각적으로 파악하여 적절한 서비스를 신속하게 제공**하는 데에 유리하다. ㉢ 지방정부 간 경쟁을 유발시켜 중앙정부에 비해 **서비스의 질과 가격을 수급자에게 유리하도록 조정**할 수 있다. ㉣ 중앙정부에 비해 정책결정에 수급자가 참여할 기회가 많아져서 **수급자의 입장을 반영하는 데 유리하다.** ㉤ 중앙정부에 비해 **지역별 다양한 사회복지 서비스 욕구에 탄력적으로 대응**할 수 있다.	㉠ 재정이나 그 밖의 이유로 중앙정부에 비해 제한적인 역할만 할 수 있다. ㉡ 지방정부의 재정상황에 따라 지방정부 간 급여 수준의 차이가 발생할 수 있다. ㉢ 규모의 경제 실현이 어렵다.

(3) 중앙정부와 지방정부의 혼합체계

① 중앙정부와 지방정부는 여러 경우 사업(또는 프로그램)을 협력해서 추진한다. 이때 **중앙정부는 재정 또는 운영상의 규제를 통해 지방정부의 사업에 영향력을 행사**하는데, 그 방법과 정도에 따라 지방정부의 권한과 자율성에 차이가 발생할 수 있다.

② 중앙정부의 지방정부에 대한 규제 방법

사업(또는 프로그램) 규제	중앙정부가 지방정부가 추진하는 사업에 있어서 **대상자의 자격, 급여의 형태와 액수, 세부적 전달 방법 등을 규제**하는 것이다.
수급자 수나 욕구에 따른 규제	중앙정부가 지방정부가 추진하는 사업에 있어서 수급자 수와 욕구 등의 기준을 설정하고 이에 따라 **지방정부에 대한 재정지원을 차등화해서 규제하는 것**이다.
절차적 규제	중앙정부가 지방정부가 추진하는 사업에 있어서 정책결정 과정에 수급자의 참여 문제, 차별 금지, 프로그램 진행에 대한 보고와 감사 등, **프로그램 운영 과정상에 일정한 절차를 요구하여 규제하는 것**이다.

③ 중앙정부와 지방정부의 혼합 방법

㉠ 중앙정부가 지방정부에게 보조금을 지급하고 지방정부가 사회복지 서비스를 제공하는 형태이다.

㉡ 보조금의 종류에는 **항목별 보조금, 포괄보조금, 특별보조금**이 있으며, **지방정부의 재량권이 작은 순서대로 나열**하면 **항목별 보조금 → 포괄보조금 → 특별보조금의 순**이 된다.

<table>
<tr><td>항목별보조금
(Categorical Grants, 또는 범주적 보조금)</td><td>• 지방정부의 재량권이 가장 적은 보조금으로, 중앙정부가 지방정부에 재정지원 시 사용목적, 사용처, 사용 방법을 세부적으로 규정하여 지급하는 보조금이다. 따라서 이 보조금을 지급받은 지방정부는 중앙정부가 정한 보조금 운용방식을 단순히 집행하는 역할만 한다.
• 주로 중앙정부의 보조금 지급에 대해 지방정부가 일정 비율의 대응 자금을 준비하도록 강제하는 매칭펀드(Matching Fund) 방식을 사용한다.
• 장점과 단점
<table>
<tr><th>장점</th><th>단점</th></tr>
<tr><td>사회복지 서비스의 전국적 통일성과 평등한 수준을 유지하는 데 적합하다.</td><td>- 지방정부의 보조금 집행에 있어서 탄력성과 자율성이 없다.
- 매칭펀드 방식은 지방정부의 재정운영을 어렵게 만들 수 있다.</td></tr>
</table></td></tr>
<tr><td>포괄보조금
(Block Grants, 또는 기능별 보조금)</td><td>• 중앙정부가 지방정부에 재정지원 시 사용목적, 사용처, 사용 방법을 느슨하게 제한하여 지급하는 보조금이다.
• 장점과 단점
<table>
<tr><th>장점</th><th>단점</th></tr>
<tr><td>윈-윈(Win-Win) 보조금으로 지방정부의 입장에서는 보조금 집행 시 자율성이 증가되고, 중앙정부 입장에서는 지원되는 사업의 실질적 책임을 지방정부로 이양함으로써 성과달성에 대한 부담을 감소할 수 있다.</td><td>실질적 책임이 지방정부로 이양되므로 중앙정부가 사업 운영과 관련된 재정을 확대할 동기가 줄어들어 지역 간 사회복지 서비스 제공의 격차[1]가 발생할 수 있다.</td></tr>
</table></td></tr>
</table>

선생님 가이드

❶ 같거나 유사한 사업을 진행할 경우 사업에 소요되는 재정을 확보한 지방정부는 사업 진행이 가능하지만, 재정을 확보할 여력이 없으면서 부족한 재정에 대한 중앙정부의 지원까지 받을 수 없는 지방정부의 경우에는 제대로 사업을 진행할 수 없게 됩니다.

특별보조금 (Special Revenue Shaving, 또는 일반 교부세, 일반보조금)	**지방정부의 재량권이 가장 큰 보조금**으로, 중앙정부가 지방정부에 재정지원 시 지역 간 재정력 격차 해소, 중앙정부와 지방정부 간 재정불균형 보정 등을 목적으로 **사용처에 어떠한 제한도 두지 않고 지급하는 보조금**이다.

2. 민간부문 13 · 14 · 16 · 21. 국가직, 19 · 21. 지방직 (必)

민간부문은 정부실패를 전제로, **민간조직이 주된 전달체계 기능을 하는 것**을 말하며, **비영리조직(또는 단체), 개인이 포함된 자원조직 이외에도 기업 등의 영리조직도 해당**된다. 민간부문은 **전통적으로 직접 서비스의 생산자 역할**을 주로 맡아왔다.

(1) 유형

<table>
<tr><td>비영리조직</td><td>① 공공성과 사회성에 기반하여 사적 이윤추구를 하지 않고, 공동체의 이익을 우선적으로 추구하여 사회복지 가치와 관련된 의도적 · 계획적인 동기하에 급여를 제공하는 조직이다.
② 그 구성요소에 따라 회원조직인 사단(社團)과 출연된 재산에 법인격이 부여된 재단(財團)으로 분류할 수 있다.
③ 재원은 정부지원이나 지역사회 기부금품이나 후원금품 등 외부 재원에 크게 의존하나 재원마련을 위해 필요에 따라 수익사업을 하기도 한다.
<table><tr><th>장점</th><th>단점</th></tr><tr><td>㉠ 공공부문에 비해 지역주민의 욕구를 즉각적으로 파악하여 적절한 서비스를 신속하게 제공하는 데 유리하다.
㉡ 서비스 이용자에 맞춘 다양한 혁신적 서비스를 제공할 수 있다.</td><td>외부의 재원에 크게 의존하므로 재원을 마련하는 데에 한계가 있고, 이러한 의존이 심할 경우 운영에 있어서 자율성을 상실하고 정부에 종속될 수 있다.</td></tr></table></td></tr>
<tr><td>자원조직</td><td>① 자원봉사활동을 목적으로 형성된 비영리 민간조직을 말한다.
② 재원은 정부의 지원이나 지역사회 후원 등으로 마련한다.</td></tr>
<tr><td>영리조직</td><td>① 시장원리에 기반하여 이윤을 목적으로 하며, 효율성을 추구하는 사회복지 서비스를 제공하는 조직을 말한다.
② 다수의 조직이 존재할 경우 경쟁을 통해 서비스의 질을 향상시키고 서비스의 가격을 낮출 수 있다. 단, 독과점이 형성될 경우 과잉 이윤을 추구하여 서비스의 가격이 상승되어 소비자 접근성을 저하시킬 수 있다.
③ 궁극적으로 공공재적 서비스 제공에는 한계가 있다.</td></tr>
</table>

(2) 정부와 비영리조직의 혼합형태

① **중앙정부 또는 지방정부가 민간부문에 재정을 지원**하고, **민간부문이 사회복지 서비스를 제공하는 형태**로, **기관보조금 방식, 위탁계약자 방식, 구매계약 방식, 계약, 바우처** 등이 있다.

기관(또는 시설) 보조금 방식	비영리조직은 사회복지시설을 설립하고 운영하면서 사회복지 서비스를 제공하고, 정부는 이에 소요되는 재정의 일부를 보조한다.

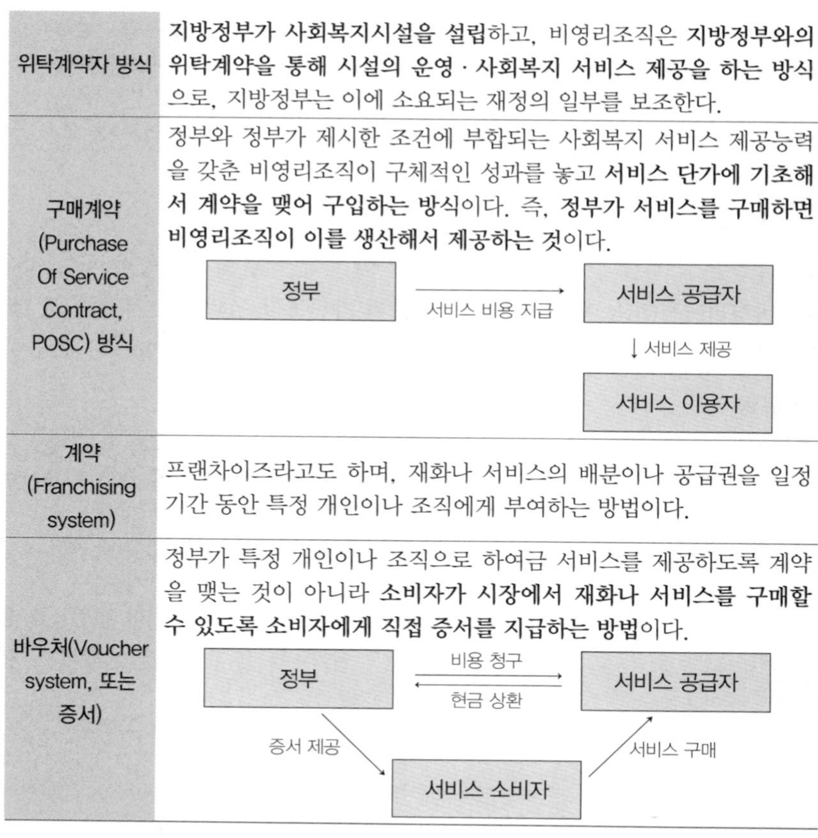

위탁계약자 방식	**지방정부가 사회복지시설을 설립**하고, 비영리조직은 **지방정부와의 위탁계약을 통해 시설의 운영 · 사회복지 서비스 제공을 하는 방식**으로, 지방정부는 이에 소요되는 재정의 일부를 보조한다.
구매계약 (Purchase Of Service Contract, POSC) 방식	정부와 정부가 제시한 조건에 부합되는 사회복지 서비스 제공능력을 갖춘 비영리조직이 구체적인 성과를 놓고 **서비스 단가에 기초해서 계약을 맺어 구입하는 방식**이다. 즉, **정부가 서비스를 구매하면 비영리조직이 이를 생산해서 제공하는 것**이다.
계약 (Franchising system)	프랜차이즈라고도 하며, 재화나 서비스의 배분이나 공급권을 일정 기간 동안 특정 개인이나 조직에게 부여하는 방법이다.
바우처(Voucher system, 또는 증서)	정부가 특정 개인이나 조직으로 하여금 서비스를 제공하도록 계약을 맺는 것이 아니라 **소비자가 시장에서 재화나 서비스를 구매할 수 있도록 소비자에게 직접 증서를 지급하는 방법**이다.

② 최근 들어 **바우처 제공방식이 급속하게 확대**되고 있다.

(3) **공공부문과 비교한 민간부문의 장점과 단점**

장점	단점
① **개인주의 이념 실현에 유리**하다. ② 경쟁적 시장의 장점인 **효율성, 경쟁성, 선택의 자유, 접근성, 대응성, 융통성 등의 측면에서 유리**하다. ③ 정부가 제공하는 서비스의 비해당자(또는 탈락자)를 지원할 수 있다. ④ 같은 종류의 서비스에 대한 서비스 이용자의 서비스 선택의 기회를 확대시키는 데 유리하다. ⑤ 특정영역에서 고도로 전문화된 서비스를 제공하는 데 유리하다. ⑥ 정부(또는 국가)의 사회복지 서비스 제공 비용을 절약할 수 있다. ⑦ 환경 변화에 대응하여 **선도적인 서비스를 개발하고 보급하는 데에 유리**하다. ⑧ **개별화가 강한 서비스 제공에 유리**하며, 따라서 다양한 서비스 제공이 가능하다. ⑨ **정부의 사회복지 참여욕구를 수렴❶할 수 있다.** ⑩ 민간의 사회복지 참여욕구를 수렴❷할 수 있다.	① 재정마련에 한계가 있고, 따라서 서비스 제공의 지속성과 안정성, 그리고 책임성 보증이 어렵다. ② 주로 특정 인구집단에만 서비스를 제공하므로 전국적 차원의 보편적 서비스 제공이 어렵다. ③ 공공부문에 과도한 재정 의존 시 자율성을 상실하고 정부에 종속화 될 수 있다.

선생님 가이드

❶ 민간조직은 연합체(또는 협의체)를 구성하여 정부가 제공하는 서비스를 개선하거나 새로운 서비스를 도입하도록 압력을 가할 수 있습니다.
❷ 우리사회의 구성원들 중에는 자원봉사자나 재정적 후원자, 또는 본인이 직접 사회복지 서비스를 제공하는 사회복지조직의 운영자가 되기를 원하는 분들이 의외로 많습니다. 이를 통틀어 민간의 사회복지 참여욕구라고 하는데, 이러한 욕구는 접근성이 좋은 지역사회의 민간 사회복지조직에서 적절히 수렴하거나 또는 민간조직의 설립을 통해 충족될 수 있습니다.

기출 OX

01 사회복지 서비스 전달체계의 운영주체로서 중앙정부에 비해 지방정부가 가진 장점으로는 프로그램을 통합 · 조정하거나 프로그램을 지속적이고 안정적으로 유지하는 데 유리하다. ( ) 14. 국가직

02 최근 들어 서비스 재정지원방식은 서비스 구매계약(POSC)이나 바우처(voucher) 제공방식보다 시설보조금(subsidy) 방식이 급속히 확대되고 있다. ( ) 14. 국가직

03 우리나라 사회복지 서비스 전달체계에서 민간부문은 전통적으로 직접 서비스 생산자 역할을 주로 맡아왔다. ( ) 21. 국가직

04 우리나라 사회복지 서비스 전달체계에서 민간부문은 공공부문에 비해 안정성이 높다는 장점과 융통성 발휘가 어렵다는 단점이 있다. ( ) 21. 국가직

05 중앙정부가 전달주체가 되면, 서비스의 접근성과 융통성이 커진다. ( ) 19. 지방직

01 × 중앙정부가 가진 장점에 대한 설명이다.
02 × 최근 들어 기관보조금 방식이나 위탁계약자방식보다 서비스 구매계약방식이나 바우처 제공방식이 급속하게 확대되고 있다.
03 ○
04 × 민간부문은 공공부문에 비해 융통성은 높다는 장점이 있지만, 반면 안정성이 떨어진다는 단점이 있다.
05 × '커진다.'가 아니라 '감소한다.'가 옳다.

7 재원

재원의 종류로는 **공공재원과 민간재원**이 있으며, 그 **성격에 따라 누진적 재원과 역진적 재원으로 구분**된다.

누진적	소득이 증가(또는 감소)할수록 재원에 대한 기여 정도가 함께 증가(또는 감소)하는 경우를 말하며, **누진적일수록 소득 재분배 효과가 크다.**
역진적	소득이 증가함에도 재원에 대한 기여 정도가 오히려 감소하거나 동일하게 유지되는 경우를 말하며, **역진적일수록 소득 재분배 효과가 작다.**

1. 공공재원 19. 국가직, 20. 지방직 (必)

(1) 일반조세(또는 일반세)

① **우리나라 사회보장의 주된 재원**이다.

② **지출용도를 정하지 않고**❸ **추정된 부담(또는 담세)능력**❹**을 고려**하여 **국민에게 징수하는 조세**로, **소득세, 소비세(또는 간접세), 부세(富稅)**❺가 있다.

소득세	**소득에 누진세율을 적용하여 부과하는 누진적 성격의 조세**로, **개인소득세와 법인소득세**가 있다.	
	개인소득세	**개인의 소득에 부과하는 소득세**로, 누진세율을 적용하고 일정소득 이하인 사람에게는 조세를 감면 또는 면제해주므로 **소득계층 간 소득 재분배 효과가 가장 큰 일반세**이다.
	법인소득세	법인의 영업이익에 부과하는 소득세이다.
소비세	㉠ **상품의 소비에 부과되는 역진적 성격의 조세**로, **일반소비세와 특별소비세**가 있다.	
	일반소비세	소득에 상관없이 **모든 상품에 단일 세율로 부과되므로 역진성이 크다.**
	특별소비세	• **사치품에 고율의 세율이 부과**되며, 이러한 사치품의 주요 소비자가 소득 상위층에 분포되어 있으므로 일반소비세에 비해 그 역진성이 작다. • 즉, **일반소비세가 특별소비세보다 더욱 역진적**이다.
	㉡ 우리나라의 부가가치세 역시 소비세에 해당하며, 특히 생산자의 생산 단계부터 소비자의 소비 단계까지 부과되는 것이 특징이다. ㉢ 이러한 소비세를 인상할 경우 물가상승의 요인이 된다.	
부세	**개인이 소유하고 있는 부(富)에 부과되는 누진적 성격의 조세**로, **재산세, 상속세, 증여세** 등이 있다.	

③ 직접세와 간접세

직접세	㉠ **소득세, 부세**처럼 재산이나 소득이 많거나 증가할수록 **많거나 증가된 세율이 적용되는 누진적 성격의 세금**을 말한다. ㉡ 전체 조세수입 중 **비중이 클수록 '조세형평성'이 높다고 볼 수 있다.**
간접세	㉠ **소비세**처럼 재산이나 **소득과는 상관없이 과세대상에 대해 같은 세율이 적용되는 세금**을 말한다. ㉡ **조세저항이 적고, 세금의 징수가 편리**한 반면, 소득 재분배에 있어서 **일반적으로 역진적**이어 형평성의 원칙에 어긋나는 단점도 있다. ㉢ 우리나라의 경우 간접세 세목으로는 부가가치세, 개별소비세, 주세, 전화세, 인지세, 증권거래세 등이 있다.

선생님 가이드

❸ 이것은 일반적인 구분이고, 우리나라의 일반조세는 내국세, 관세, 목적세 등의 조세수입, 그 밖의 재산수입, 수수료, 정부 소유재산 매각대금, 벌금 등의 기타수입, 그리고 국공채, 차관 등의 채무수입이 있습니다. 조세수입의 대부분을 차지하는 내국세는 다시 부가가치세, 개인소득세, 법인소득세 등으로 구분됩니다. 이러한 일반조세를 사회복지재원으로 사용할 경우 다른 정책부문과 경합되어 재원의 안정성이 감소할 수 있습니다. 다만 증액도 가능하고 신축성도 있다는 것은 장점이라고 볼 수 있습니다.

❹ - 일반세와는 달리 지출용도를 정하여 징수하는 세금을 목적세라고 합니다. 이는 특정 목적을 정하지 않고 부과되는 '보통세(또는 일반조세)'와는 대비되는 개념입니다. 우리나라의 경우 국세로서의 목적세는 '교육세, 교통에너지환경세, 농어촌특별세' 등이 있고, 지방세로서의 목적세는 '지역자원시설세, 지방교육세' 등이 있습니다. 그러나 사회보장과 관련된 목적세는 운영하고 있지 않습니다.
- 목적세는 법령에 근거하여 그 사용 목적이 정해져 있기 때문에 다른 정책부문과 경합되지 않아 일반조세에 비해 재원으로서의 안정성을 갖추고 있습니다.

❺ 조세는 납세자의 '실질적인 부담(또는 담세)능력'이 아닌 '추정된 부담능력'에 근거하여 과세표준과 세율을 정합니다. 여기서 담세능력이란 국민 개개인이 '조세를 지불할 수 있는 능력(Capacity to Pay) 또는 그 한도'를 의미합니다.

선생님 가이드

❶ 우리나라 「국가 재정법」에서는 '예산'과 '기금'을 합하여 국가의 재정으로 보고 있습니다(재정 = 예산 + 기금). 이 중에서 중앙정부에서 운영하는 기금은 '사업성 기금, 금융성 기금, 사회보험성 기금, 계정성 기금 등' 총 5가지 종류가 있으며, 다시 이 중에서 사회보험성 기금은 '국민연금기금, 사립학교교직원 연금기금, 고용보험기금, 산업재해보상보험 및 예방기금, 공무원 연금기금, 군인 연금기금' 등 총 6가지입니다. 특이한 것은 현재 우리나라가 운영 중인 사회보험제도 중에 '국민건강보험과 노인장기요양보험'만이 사회보험성 기금으로 운영되고 있지 않습니다.

❷ 인적공제란 납세자와 그 가족 등의 인적사항을 고려해서 과세된 소득에서 일정액을 공제하는 제도를 말합니다. 예를 들어 우리나라 「소득세법」에서는 기본공제대상자 중 만 70세 이상자가 있는 경우 1인당 일정액을 공제하는 경로우대자공제가 있습니다. 그러나 사회보험료에는 이러한 인적공제제도가 없습니다.

❸ 소득상한선 제도는 국민건강보험이나 국민연금에서 사용하는 것으로, 일정 이상의 소득에 대해서는 보험료를 부과하지 않도록 하는 것을 말합니다. 즉 소득이나 재산이 아무리 많아도 납부해야 할 보험료가 끝없이 올라가지 않고 상한되어진 금액까지만 내게 되는 것이지요. 이와 같이 상한되어진 금액까지만 보험료율을 적용하여 보험료를 납부하게 되고, 그 이상의 소득에 대해서는 보험료를 납부하지 않다보니 상한선 이상으로 소득이 많은 고소득층에게는 유리할 수 있습니다.

(2) **보험료❶(또는 사회보장성 조세)**

① 국민연금, 건강보험, 산재보험, 고용보험, 노인장기요양보험과 같은 **사회보험제도의 보험료를 국민에게 강제로 징수하는 준조세**이다.

② 종류

정률(또는 소득비례) 보험료	보험 **가입자의 소득, 즉 표준보수월액의 일정부분을 정률적으로 갹출하는 방식**이다.
정액보험료	㉠ 소득이나 재산에 상관없이 **모든 사람에게 동일한 액수를 보험료를 갹출하는 방식**이다. ㉡ 1942년 베버리지 보고서의 원칙 중 하나로 제시되었다.
삼자부담제도	㉠ 삼자란 보험 가입자(또는 근로자), 사용자, 정부를 말하며, 이들이 **사회보험에 소요되는 재정을 공동으로 부담한다.** ㉡ 우리나라 국민건강보험제도의 경우 직장가입자가 교직원으로서 사립학교에 근무하는 교원이면 그 직장가입자가 100분의 50을, 사용자가 100분의 30을, 국가가 100분의 20을 각각 부담하도록 하고 있다(「국민건강보험법」 제76조 제1항).

③ 장점과 단점

장점	단점
㉠ 정부가 강제로 징수하므로 **재원의 안정성을 도모**할 수 있다. ㉡ 국민 개개인의 기여금을 재원으로 하기 때문에 **급여에 대한 권리성이 강하다.** ㉢ 보험가입자가 보험제도 운영에 참여하므로 민주적 운영과 책임성을 높일 수 있다. ㉣ 국가의 반대급부가 특정되어 있으므로 **조세에 비해 징수에 대한 저항이 적다.** ㉤ **사용자가 부담하는 사회보험료는 수직적 소득 재분배** 기능을, **근로자가 부담하는 사회보험료는 수평적 재분배 기능**을 한다.	㉠ **정률의 사회보험료**는 모든 소득계층의 근로소득에 동일한 비율로 부과하므로 고소득자에 비해 저소득자의 부담이 높아져 **소득세에 비해 역진적**이다. ㉡ 조세와 달리 **인적공제❷가 없고, 추정된 부담능력(Assumed Capacity)을 고려하지 않아 저소득층에게 불리**할 수 있다. ㉢ 조세와 달리 **소득상한선이 있는 사회보험료는 고소득층에게만 유리❸**할 수 있다.

(3) **조세비용(또는 조세지출, 조세감면)**

① **정부가 받아야 할 세금을 감면하는 방식으로 마련하는 사회복지재원**으로, 납세자에게 조세감면, 조세공제, 조세면제 등의 납세 관련 혜택을 주어 **납세자의 구매력이나 소득을 실질적으로 증가시키는 조세**를 말한다.

② 장점과 단점

장점	단점
다른 재원에 비해 **부과 및 징수에 소요되는 비용이 낮다.**	급여 수혜의 대상이 주로 중상위 소득층이며, 저소득층은 혜택을 받기 어려워 **역진적이며, 급여의 보편성을 높이는 데는 한계**가 있다.

2. 민간재원 19. 국가직, 20. 지방직 必

(1) 이용료(또는 본인부담금)

① **사회복지 서비스를 이용하는 사람들이 자신의 비용으로 그 대가를 지불하는** 것으로, **수익자부담[4]이라는 시장체제의 기본적인 원칙에 부합되는 재원**이다.

② 유료 또는 실비 사회복지시설의 이용료, 국민건강보험제도나 노인장기요양보험제도의 본인부담금 등이 해당된다.

③ 장점과 단점

장점	단점
㉠ 서비스의 남용을 억제하여 **정부 복지 재정의 부담을 줄일 수 있다.** ㉡ 서비스 이용자의 권리의식(또는 자기존중감)을 높여 공급자가 제공하는 서비스의 질을 향상시킬 수 있다. ㉢ 서비스 제공자가 자신이 제공하는 서비스의 질에 대해 강한 책임감을 갖게 되어 서비스 질이 향상된다. ㉣ 서비스 이용자가 비용을 부담하므로 낙인감을 해소할 수 있다. ㉤ 서비스 이용자의 **도덕적 해이를 방지할 수 있다.**	㉠ 재원으로써 유동적이고 불안정하다. ㉡ **저소득층의 서비스 접근성을 저해**시킬 수 있다. ㉢ 특히 **정액의 이용료[5]는 소득 재분배에 역진적**이다.

(2) 자발적 기여

① **민간이 지불하는 자발적인 기부금**으로, **개인의 기여, 재단의 기여, 법인의 기여, 유산의 기여** 등이 있다.

② 자발적 기여를 한 중상위 소득층에 대한 정부의 조세감면 혜택으로 인해 **역진적 성격**을 띤다.

③ 기여자의 경제적 조건 등 다양한 변수의 영향을 많이 받으므로 안정적인 재원이 되기는 어렵다.

(3) 기업복지(또는 직업복지)

① 기업의 사용자가 노동자와 그의 가족에게 **임금 이외에 제공하는 부가 급여**로, 기업연금, 민간 건강보험, 유급휴가, 주택구입비 지원, 사택 제공, 무이자 대출, 사내 복지시설, 버스 운영 등이 있다.

② 장점과 단점

장점	단점
기업의 입장에서는 우수 노동력을 확보하고 유지시킬 수 있으며, 노사 관계를 안정시키고, 생산성을 향상시킬 수 있다.	같은 기업 내에서도 주로 임시직은 배제되고 정규직만을 대상으로 하며 지위가 높은 사람이 낮은 사람보다 유리하다. 더 나아가 실업자는 대상에서 완전히 제외되므로 **역진적** 성격이 강하다.

선생님 가이드

❹ 수익자부담(受益者負擔)이란 '공공재로부터 수익을 얻는 자에게 그 비용을 부담시킨다'라는 의미입니다. 우리나라 「사회보장기본법」 제28조 제4항에서는 '부담 능력이 있는 국민에 대한 사회서비스에 드는 비용은 그 수익자가 부담함을 원칙으로 하되, 관계 법령에서 정하는 바에 따라 국가와 지방자치단체가 그 비용의 일부를 부담할 수 있다.'고 정하고 있습니다.

❺ 이용료(또는 본인부담금)를 부과하는 대표적인 방식에는 정액제, 정률제, 연동제(sliding scale) 등이 있습니다.
- 정액제(또는 정액요금)란 이용료(본인부담금)의 부담에 있어서 서비스 이용자의 소득 수준과는 상관없이 일정하게 정해진 금액을 기여하는 방식을 말합니다. 이로 인해 소득이 적은 사람이나 또는 소득이 많은 사람이나 동일한 이용료를 지불하게 되므로 매우 역진적이며, 따라서 소득 재분배 효과 역시 매우 적습니다.
- 정률제란 소득 수준이나 서비스 이용량에 따라 이용료의 부담이 증감(增減)하는 방식입니다. 즉 소득이 많거나 서비스 이용량이 많을 경우, 소득이 적거나 서비스 이용량이 적은 경우 보다 더 많은 이용료를 부담하게 되는 방식을 말합니다.
- 연동제란 소득 수준을 주기적으로 파악해서 이를 이용료 부담에 연동시키는 방식으로, 소득 재분배 효과가 매우 큰 이용료 부과 방식입니다.

기출 OX

01 일반조세를 재원으로 하는 사회복지 정책은 안정성과 지속성을 갖는다. ( )
19. 국가직

02 수익자 부담은 저소득층의 자기존중감을 높여 서비스가 남용된다. ( )
19. 국가직

01 ○
02 × '서비스가 남용된다.'가 아니라 '서비스 남용을 억제한다.'가 옳다.

(4) 비공식부문(또는 사적 이전)

① 가족, 친구, 이웃 등의 비조직적 형태의 집단으로부터의 비공식적인 소득이전이다.

② 장점과 단점

장점	단점
㉠ 정서적 안정 등 비물질적인 측면에서는 공공부문보다 효과적이다. ㉡ 특히 가족은 개인에게 발생한 위급한 문제에 대해 즉각적인 원조가 가능하다.	소득계층별로 수급의 불평등이 심하다.

(5) 모금

① 모금이란 사회복지사업이나 그 밖의 사회복지활동 지원에 필요한 재원을 조성하기 위해서 주로 **지역사회를 기반으로 하여 기부금품을 모집하는 것**을 말한다.

② 우리나라의 경우 1999년에 **제정된 「사회복지공동모금회법」을 근거**로 공동모금제도를 실시하고 있다.

회독 Check! 1회 □ 2회 □ 3회 □

제4절 사회보장의 이해

1 사회보장의 개관

1. 사회보장의 개념 12. 지방직 必

(1) 법적 정의(「사회보장기본법」 제3조 제1호)

"사회보장"이란 **출산, 양육, 실업, 노령, 장애, 질병, 빈곤 및 사망** 등의 사회적 위험으로부터 모든 국민을 보호하고 국민 삶의 질을 향상시키는 데 필요한 소득·서비스를 보장하는 **사회보험, 공공부조, 사회서비스를 말한다.**

(2) 1935년, **미국이 「사회보장법(Social Security Act)」을 제정하면서 법률용어로 처음 사용**되었다.

2. 사회보장의 범위 12. 지방직 必

(1) 협의의 사회보장

① 사회보장을 **국가에 의한 '소득보장(또는 경제보장)제도'라는 좁은 의미로 해석**하는 것을 말한다.

② **대표국가: 미국, 영국 등**

(2) 광의의 사회보장

① 사회보장을 넓은 의미로 파악하여 **소득보장제도 이외에도 의료보장 등, 기타 사회복지적 개입을 포함하여 해석하는** 것을 말한다.

② **대표국가 및 기구: 프랑스, 일본, 국제노동기구(ILO) 등**

기출 OX

01 우리나라 「사회보장기본법」에서는 사회보장을 사회보험, 공공부조, 사회서비스로 넓게 정의하고 있다. ( ) 12. 지방직

02 국제노동기구(ILO)는 사회보장의 핵심을 소득보장으로 정의하여 좁은 의미로 보는 경향이 있다. ( ) 12. 지방직

03 미국에서 사회보장 프로그램들은 전반적으로 경제적 보장 프로그램의 일부분으로 범위가 좁게 인식된다. ( ) 12. 지방직

01 ○
02 × 국제노동기구(ILO)에서는 사회보장은 광의의 사회보장으로 보는 경향이 있다.
03 ○

3. 사회보장의 영역(「사회보장기본법」 제3조 제2~5호)

(1) 사회보험

국민에게 발생하는 사회적 위험을 **보험의 방식으로 대처**함으로써 국민의 건강과 소득을 보장하는 제도를 말한다.

(2) 공공부조

국가와 지방자치단체의 책임하에 생활 유지 능력이 없거나 생활이 어려운 국민의 **최저생활을 보장하고 자립을 지원**하는 제도를 말한다.

(3) 사회 서비스

국가 · 지방자치단체 및 민간부문의 도움이 필요한 모든 국민에게 복지, 보건의료, 교육, 고용, 주거, 문화, 환경 등의 분야에서 인간다운 생활을 보장하고 상담, 재활, 돌봄, 정보의 제공, 관련 시설의 이용, 역량 개발, 사회참여 지원 등을 통하여 국민의 삶의 질이 향상되도록 지원하는 제도를 말한다.

핵심 PLUS

사회 서비스(Social Service)

① 일반적 정의

사회복지기관이 제공하는 소득보장, 의료, 교육, 주택, 개별적 서비스 등을 포함하는 기본적이며 보편적인 인간의 욕구를 해결하기 위한 서비스이며, 사회적 욕구 충족에 초점을 두는 집합적이고 관계지향적인 활동이다.

② 특징

- 상대적인 불평등과 관련된 요구가 강한 서비스이다.
- 사회적 욕구, 즉 사회적으로 필요하나 시장에서 최적의 양이 공급되지 못해 공공부문에서 제공기반이 마련될 필요가 있는 서비스이다.
- 이윤추구 등 경제적 동기 외에 이타주의 등 사회적 동기가 결합된 서비스이다.
- 사회적 소비의 총량에 있어서 개인적 선택 외에 집단적인 의사결정이 중요한 요소로 작용하는 서비스이다.
- 서비스 대상자의 노동시장 참여를 강조한다.
- 시장실패를 보완하기 위한 공공부문 역할 강화와 함께 민간 시장 및 산업을 육성하는 것이 필요한 서비스이다.

(4) 평생사회안전망

생애주기에 걸쳐 보편적으로 충족되어야 하는 기본욕구와 **특정한 사회위험에 의하여 발생하는 특수욕구를 동시에 고려**하여 소득 · 서비스를 보장하는 **맞춤형 사회보장제도**를 말한다.

4. 사회보장제도의 운영원칙(「사회보장기본법」 제24조)

(1) 보편성

국가와 지방자치단체가 사회보장제도를 운영할 때에는 이 제도를 필요로 하는 **모든 국민에게 적용**하여야 한다.

(2) 형평성

국가와 지방자치단체는 **사회보장제도의 급여 수준과 비용 부담 등에서 형평성을 유지**하여야 한다.

(3) **민주성**

국가와 지방자치단체는 사회보장제도의 정책 결정 및 시행 과정에 **공익의 대표자 및 이해관계인 등을 참여**시켜 이를 민주적으로 결정하고 시행하여야 한다.

(4) **효율성, 연계성, 전문성**

국가와 지방자치단체가 사회보장제도를 운영할 때에는 국민의 다양한 복지 욕구를 **효율적으로 충족시키기 위하여 연계성과 전문성을 높여야 한다.**

2 소득 재분배(所得再分配, Redistribution of Income)

1. 개관 18. 국가직

(1) 소득 재분배란 **'부의 재분배(Redistribution of Wealth)'**, 즉 일반적으로 정부가 집행하는 **조세정책 · 사회복지정책 등을 통해 소득이 2차적으로 분배되는 것(공적이전)**을 말한다. 단, **개인의 자발적 기부, 민간보험, 기업복지(사적이전)와 같이 민간에 의해서도 이루어질 수 있다.**

(2) **특징**

① **능력에 따른 부담과 수혜**, 즉 능력이 있는 자는 부담하고, 능력이 없는 자는 수혜를 받는 구조이다.

② 국가의 사회보장 급여 지출이 전체 국민소득에서 차지하는 비율이 클수록 소득 재분배 효과가 크다.

③ 재원조달 측면에서 **부조방식이 보험방식보다 재분배 효과가 크며,** 따라서 기여금을 주된 재원으로 하는 사회보험제도보다 조세를 주된 재원으로 하는 공공부조 제도에서 더욱 두드러지게 나타난다.

④ 사회보장을 통해 보장하는 사회적 위험의 종류와 적용대상의 범위에 따라 소득 재분배의 효과가 달라질 수 있다. 즉, 사회적 위험의 종류가 많을수록 소득 재분배의 효과는 커지며, 적용범위(예 특정 산업, 직종, 계층)에 따라 소득 재분배의 효과는 상이하게 나타난다.

2. 유형 12 · 20 · 21. 지방직 必

(1) **공적 재분배와 사적 재분배**

① 공적 재분배: **정부가 시장체제에 개입하여 강제적으로 이루어지는 소득이전** 형태를 말한다.

예 사회보험, 공공부조, 조세, **근로장려세제** 등

② 사적 재분배: **민간부분의 자발적인 동기에 의해 이루어지는 소득이전** 형태를 말한다.

예 가족구성원 간의 소득이전, 친인척이나 친지 간의 소득이전, 민간보험, 기업복지 등

기출 OX

사회보장제도에서 보호하는 위험의 종류와 적용대상 범위는 소득 재분배의 효과에 영향을 미친다. ( ) 18. 국가직

○

(2) **세대 내 재분배와 세대 간 재분배**

① 세대 내 재분배: **한 세대 내에서 발생하는 소득 이전 형태**로, **수직적 재분배와 수평적 재분배로 구분**된다.

수직적 재분배	**부자(또는 고소득층)로부터 빈자(또는 저소득층, 사회적 취약계층)에게로 소득이 이전되는 형태**로, 소득계층 간 소득의 격차를 줄이는 기능을 한다. 부자 ↓소득 빈자 예 누진적 소득세, 공공부조 제도, 저소득층에게 지급되는 생계급여 등
수평적 재분배	**저위험집단에서 고위험집단으로 소득이 이전되는 형태**로, 같거나 또는 유사한 소득 계층 내에서 개인의 소득이 아닌 **욕구나 위험발생 정도에 따라 소득이 이전되는 형태**를 말한다. 욕구나 위험발생 정도가 없거나 낮은 자 →소득 욕구나 위험발생 정도가 높은 자 예 취업자로부터 실업자에게 소득이 이전되는 **실업급여**, 건강한 자로부터 질병에 걸린 자로 소득이 이전되는 **건강보험**, 근로자로부터 산업재해 피해자로 소득이 이전되는 **산재보험**, 자녀가 없는 가구로부터 자녀가 있는 가구로 소득이 이전되는 **아동수당** 등

② 세대 간 재분배: **현 근로세대에서 노령세대로(또는 청장년에게서 노인으로) 또는 현 세대와 미래세대 간(또는 성인에게서 아동으로)에 소득이 이전되는 형태**를 말한다.

예 부과방식 연금 재정조달 방법, 기초연금, 노인장기요양보험 등

(3) **장기적 재분배와 단기적 재분배**

① 장기적 재분배: 생애에 걸친 장기간 동안 소득이 이전되는 형태로, 개인 입장에서 **근로시기에서 노년시기로 소득을 이전하는 형태**를 말한다.

예 적립방식 연금 재정조달 방법

② 단기적 재분배: **현재 드러난 사회적 욕구의 충족을 위해 소득이 이전되는 형태**를 말한다.

예 공공부조

(4) **공간적 재분배와 시간적 재분배**

① 공간적 재분배: **소득 수준이 높은 지역에서 소득 수준이 낮은 지역으로 소득이 이전**되는 형태를 말한다.

예 도시에 농촌으로의 소득이전

② 시간적 재분배: 안정된 소득이 발생하는 근로생활 시기에서 불안정한 소득시기(예 노년, 실업 등)로 소득을 이전하는 형태를 말한다.

예 적립방식 연금 재정조달 방법

기출 OX

국민기초생활보장제도는 수급자 특성에 따라 맞춤형급여를 제공하므로 재분배 기능이 약하다. ( ) 21. 지방직

× 국민기초생활보장제도는 수직적 재분배 기능이 강하다.

(5) **우발적 재분배**

우발적 사고(예 재해, 질병 등)로 고통 받는 개인에게로 소득이 이전되는 형태를 말한다.

예 건강보험, 산재보험

3 사회보장제도의 효과

1. 사회보장제도의 정치 · 사회적 효과

(1) **경제적 불평등 완화**

자본주의 시장경제 체제 내에서 발생하는 경제적 불평등에 따른 계급 간 갈등을 완화시켜 **사회통합을 이룰 수 있다.**

(2) **사회연대 강화**

사회적 위험에 노출될 가능성이 높고 자립능력이 약한 집단들 간의 연대를 강화시킬 수 있다.

(3) **사회권의 확립**

민주주의를 기반으로 한 사회권을 확립시킬 수 있다.

2. 사회보장제도의 경제적 효과 (必)

사회보장제도와 경제적 효과는 **상호보완적 관계**를 가지며, 또한 **상호상생(相生)적인 역할**을 할 수 있다.

(1) **자동 안정장치 기능**

정부가 불황기에는 실업급여나 공공부조 정책 등의 사회보장 관련 지출을 하게 되고, 이것의 **재원마련을 위해 강화되는 소득세나 법인세**는 이를 납부하는 **부유층에게는 고소득에 수반되는 고소비나 고투자를 억제**시키고, 반면에 **정책 수혜자인 '빈자'에게는 유효수요를 창출**시켜서 **과도한 경기변동(또는 경기불안정)을 억제**할 수 있다.

(2) **자본축적 효과**

적립방식 연금 제도의 장기적 운용을 통해 형성된 자본은 국부 증진과 관련된 재정투자 · 융자 등에 활용될 수 있다.

(3) **저축행위에 미치는 효과**

대체효과 (또는 재산대체효과)	적립방식으로 형성된 연금[1]이 개인에게 미래자산으로 인식되어 개인의 자발적 저축을 감소시키는 효과를 말한다.
퇴직효과	공적연금 수령에 대한 기대감으로 조기 퇴직을 하게 되지만 길어진 은퇴기간과 이로 인해 지급받는 연금액보다 **더 많은 노후자금이 필요하게 되어 결국 개인 차원의 자발적인 저축이 증가(↑)하게 되는 현상**을 말한다.

선생님 가이드

[1] 대체효과는 적립방식 연금제도에서 발생합니다. 적립방식에서는 국민 개개인의 공적연금에 대한 기여금 지불이 증가하여 개인의 가처분 소득은 감소하지만, 그동안 불입한 연금이 기금으로 남아 있어 이를 인지한 개인의 자발적 저축은 줄어들게 됩니다. 반면 부과방식의 연금제도에서는 연금기금이 존재하지 않으므로 대체효과가 발생하지 않습니다.

기출 OX

01 공적연금제도의 재정조달방식에서 적립방식은 부과방식보다 세대 간 재분배 효과가 더 뚜렷하게 나타난다. ( ) 18. 국가직

02 누진세를 재원으로 하는 공공부조제도는 기여금을 재원으로 하는 사회보험제도보다 수직적 소득 재분배 효과가 더 있다. ( ) 18. 국가직

03 시간적 소득 재분배는 자녀세대의 소비를 위해서 자신의 미래 소비를 포기하고 소득을 이전하는 것을 의미한다. ( ) 20. 지방직

01 ×
02 ○
03 ×

상속효과	**부과방식 연금제도하에서** 부모세대가 장래 자신들의 연금을 자녀세대가 부담하여 자녀세대의 실질적인 소득이 감소한다는 사실을 인지하고, 이로 인해 발생하게 될 **자녀세대의 소득 감소를 보존해주기 위해 유산을 남기기 위한 개인 차원의 자발적인 저축이 증가(↑)하게 되는 현상**을 말한다.
인식효과	공적연금제도의 도입이 **자신의 노후준비에 소홀했던 개인에게 노후준비의 필요성을 인식시켜 개인 차원의 자발적인 저축이 증가(↑)하게 되는 현상**을 말한다.

① 일반적으로 사회보장제도의 확대는 기여금과 조세부담을 증가시켜서 **국민의 저축의욕을 감소**시킨다.

② 공적연금이 저축행위에 영향을 미치는 순효과

(4) 노동공급 효과

① 사회보장급여는 **소득효과와 대체효과를 동시에 발생**시킨다.

② 노동자의 하루가 여가시간과 노동시간으로만 구성되어 있다고 가정할 경우

소득효과	무상의 사회보장급여로 인해 실질소득이 증가하면 노동자들이 **여가시간을 늘리고(↑), 노동시간을 줄이고자(↓) 하는 현상**으로, 신자유주의자들이나 보수주의자들이 사회복지정책의 확대를 반대하는 논리가 된다.
대체효과	무상의 사회보장급여로 인해 여가시간의 기회비용, 즉 상대가치가 상승하면 **노동자들이 여가시간을 줄이고(↓), 노동시간을 늘리고자(↑) 하는 현상**으로, 사회주의자들이나 진보주의자들이 사회복지정책의 확대를 찬성하는 논리가 된다.

(5) 급여의 관대성(Generosity)

① 급여의 관대상이란 **사회보장제도가 제공하는 급여의 수급요건 · 급여 수준 · 지급 기간** 등으로, 이것이 높을수록 수급자에 대한 **사회보장 수준이 높다는 것을 의미**한다.

② 급여의 관대성(Generosity)이 근로동기를 저하시키는 형태

실업의 덫 (Unemployment Trap)	실업급여나 실업부조의 수준이 높을 경우 오히려 근로동기가 저하되는 현상을 말한다.
빈곤의 덫 (Poverty Trap, 또는 빈곤의 함정)	**빈곤에 머무르려는 현상**으로, 근로활동을 통해 소득을 빈곤선 이상으로 끌어올리기를 기피하는 현상을 말한다.
의존성의 덫 (Dependency Trap)	빈곤선에 근접한 소득을 지닌 공공부조 수급자가 근로활동을 통해 수입이 발생하여 공공부조 수급자의 자격을 박탈당할 것을 두려워하여 **근로활동 포기하고, 공공부조 수급자로 남아있으려는 현상**을 말한다.

(6) 사회보장제도가 수급자의 근로의욕에 영향을 주는 요인

기본급여액	**일정 소득 이하의 사람들에게 근로소득과 상관없이 주어지는 최소한의 급여**로, 높은 기본급여액은 근로의욕을 저하시키는 반면, 낮은 기본급여액은 근로의욕 저하와는 상관이 없다.
소득공제율	수급자의 소득 중 **사회보장 급여의 산정과 관련하여 공제해 주는 비율**[1]로, 낮은 소득공제율은 근로의욕을 저하시킨다. 예 「국민기초생활보장법」의 소득평가액 = [실제소득 − 가구특성별 지출비용 − (근로소득공제 + 그 밖에 추가적인 지출)]
급여감소율	**수급자의 소득 증가로 인한 사회보장 급여의 삭감 비율**[2]로, 높은 급여감소율은 근로의욕을 저하시키지만, 낮은 급여감소율은 근로의욕 저하와는 상관이 없다.

선생님 가이드

❶ 과세 당국, 즉 정부 입장에서는 당연히 과세해야 할 소득금액을 공제 해줌으로써, 납세자의 조세 부담을 감소시키는 효과가 있습니다.

❷ 수급자의 소득이 증가하게 되면 정부가 수급자에게 지급하는 사회보장 급여는 줄어들거나 없어지게 됩니다.

핵심 PLUS

기본소득[Basic Income, 또는 국민배당(National Dividend, ND)] 19. 서울시 必

① 의의

토머스 모어의 소설 「유토피아」에서 처음 등장한 개념으로, **재산이나 소득의 정도, 노동 여부나 노동 의사와 상관없이 가구 단위가 아닌 개인 단위로 모든 사회 구성원에게 균등하게 지급되는 급여**를 말한다.

② 개념적 특성

기본소득을 개념 짓기 위해서는 기본소득만의 5가지 특성인 **보편성, 무조건성, 개별성, 정기성, 현금이전**의 특성을 갖추어야 한다.

- **보편성**: 기본소득의 대상은 시민권이나 거주권을 가진 모든 국민이다.
- **무조건성**: 기본소득은 유급노동에 참여하고 있는지의 여부와 무관하게, 소득 수준과 무관하게, 가구형태와 무관하게, 사회적 기여여부와 무관하게 주어져야 한다.
- **개별성**: 기본소득은 가구가 아닌 개인을 대상(또는 단위)으로 하여 지급되어야 한다.
- **정기성**: 기본소득은 매월 또는 특정한 주기를 정하여 지급되어야 한다.
- **현금이전**: 기본소득의 급여 형태는 현금이어야 한다.

회독 Check! 1회 □ 2회 □ 3회 □

제5절 사회보험제도

1 개관

1. 사회보험의 개념 14 · 16. 지방직, 17. 지방직(추가), 19. 서울시 必

(1) "사회보험"이란 국민에게 발생하는 **사회적 위험을 보험의 방식으로 대처함으로써 국민의 건강과 소득을 보장하는 제도**를 말한다(「사회보장기본법」 제3조 제2호).

(2) 우리나라의 사회보험제도로는 **공무원 연금, 사립학교교직원 연금, 군인 연금, 별정우체국 연금** 등과 같은 특수직역 연금과 **산업재해보상보험, 국민건강보험, 국민 연금, 고용보험, 노인장기요양보험**과 같은 전국민을 대상으로 한 사회보험이 있다.

(3) 이 중에서 **국민 연금, 공무원 연금, 사립학교교직원 연금, 군인 연금, 별정우체국 연금** 등을 **5대 공적 연금**이라고 한다.

기출 OX

최근 노동중심적 복지국가의 한계가 부각되면서, 실현가능한 대안 중 하나로 논의되고 있는 '기본소득(Basic Income)'의 개념적 특성에는 재정적 지속가능성이 있다. ( ) 19. 서울시

×

2. 사회보험의 특징

(1) 레자(Rejda)의 견해

① **법률에 근거한 강제적인 프로그램**이다.

② 사회적 위험에 대비하기 위한 **최저소득보장제도**이다.

③ 개인적 형평성보다는 **사회적 충분성을 중시**한다.

④ **급여 수준이 소득 수준에 정비례하지는 않는다.**

⑤ **자산조사 절차가 없다.**

⑥ 사전에 규정된 욕구(Presumed Need)에 따라 급여가 지급된다.

⑦ 재정은 그 수혜자인 고용자 · 피용자 · 자영업자가 지불한다.

⑧ 급여는 법으로 규정되어 있다.

⑨ **국가의 개입이 필요한 사회문제의 해결을 위해 운용된다.**

⑩ 재정의 **완전 적립(Full Funding)이 불필요**하다.

(2) 킹슨과 버코비츠(Kingson & Berkowitz)의 견해

① 사회적 충분성: 급여 금액과 지급 기간이 충분하다.

② 개인적 형평성: 급여 액수는 개개인이 기여한 바에 비례한다.

③ 법정급여: 급여는 법으로 정한 권리이다.

④ 대상자의 보편성: 강제 가입의 원칙에 따라 전 국민이 모두 가입자에 포함된다.

⑤ 재정의 안정성: 정부의 권위와 징세권에 의거하여 재정 조달의 안정성이 확보된다.

⑥ 개인과 정부 간의 관계 공고화: 사회보험의 기여 및 급여 조건은 국민과 정부 간의 계약적 관계를 강화시킨다.

3. 보험[3]의 2가지 운영 원리 12. 지방직

(1) 위험분산의 원리(또는 위험 전가의 원리)

① **개인에게 발생할 수 있는 위험에 대해 집단적(또는 공동체적) 대응**을 하여 불확실성을 제거하는 원리로, 개인에게 발생하는 위험이 불확실한 경우라도 **'대수의 법칙'에 따라 집단에 발생할 위험을 미리 예측**할 수 있다.

> **핵심 PLUS**
>
> **대수의 법칙(Law of Large Numbers)**
>
> 관찰대상의 수를 늘려갈수록 관찰대상 개개인의 고유한 특성은 중화되고, **관찰대상 집단의 본질적인 경향성이 드러나게 되는 현상**으로, 인간의 수명 · 연령별 사망률 · 질병 발생률 등을 장기간에 걸쳐 많은 모집단에서 구하면 **일정한 경향성이 드러나게 되어 이를 통해 보험료와 보험료율 등을 산정**할 수 있다.

② 이 원리는 **개인에게 발생할 수 있는 위험을 집단에게 분산**시켜서 개인이 **적은 보험료를 납부하고도 큰 수혜를** 받을 수 있게 하므로 **사회연대성을 강화시키는 데 기여**한다.[4]

선생님 가이드

❸ 여기서 설명하는 보험의 원리는 주로 민간보험을 포함한 보험제도에서 추구하는 원리를 말합니다. 사회보험은 이 원리 이외에도 아래의 6가지 원칙이 더해져 있습니다.

❹ 이러한 원리는 위험분산을 극대화시키기 위해 사회보험제도가 법적인 강제성을 가지고 최대한 많은 대상을 가입자로 포함시켜야 하는 이유가 됩니다.

기출 OX

01 군인 연금은 우리나라 사회보장체계에서 사회보험이다. ( ) 14. 지방직

02 공적 연금에는 국민 연금과 특수직역연금이 있다. ( ) 17. 지방직(추가)

03 사립학교교직원 연금은 공적 연금에 해당한다. ( ) 17. 지방직(추가)

01 ○
02 ○
03 ○

(2) 수지상등의 원리(또는 수지균형의 원리, 보험수리원칙)

보험자의 입장에서는 **수입(또는 보험료)과 지출(또는 보험급여)이 서로 균형**을 이루어야 하며, 가입자의 입장에서는 위험발생에 대비하여 **지불한 보험료와 돌려받는 급여의 크기가 상호 비례**해야 한다는 원리이다.

4. 사회보험의 6가지 원칙 12 · 21. 지방직 (必)

(1) 소득 재분배의 원칙

보험의 수지상등의 원리가 사회보험에도 그대로 적용될 경우 위험에 노출될 가능성이 큰 집단(예 노인, 아동, 장애인 등)이 더 많은 보험료를 지불해야 하므로, **사회보험 제도에서는 위험에 노출될 가능성이 아닌 '소득 수준'에 따라 보험료를 부담**하게 하여 고소득자가 저소득자보다 더 많은 보험료를 부담하게 하는 방법으로 **수직적인 소득 재분배를 이루어야 한다는 원칙**이다.

(2) 사회적 연대의 원칙

개인은 '세대 간 계약❶'을 통해 **사회보험 재정의 기여자이며 이후 수혜자로서의 위치를 가져야 한다**는 원칙이다.

(3) 강제(또는 의무)가입의 원칙

정보의 비대칭성로 인한 도덕적 해이 · 역의 선택 문제를 해결하기 위해 도입된 것으로, **위험분산을 통해 사회보험 재정을 안정화**시키려는 원칙이다.

(4) 최저생활보장의 원칙

사회보험의 급여는 가입자의 재직 시기와 납입한 기여금의 수준에 따라 **일정수준의 보험금을 보장**해야 된다는 원칙이다.

(5) 기여분담의 원칙

위험이전과 위험의 광범위한 공동분담을 위해 보험료 납입에 있어서 **가입자 외에 고용주 · 국가 등도 함께 분담하여 이를 납입**해야 한다는 원칙이다.

(6) 보편주의의 원칙

사회보험의 적용에 있어서 법적 요건만 충족되면 **모든 국민은 당연하게 가입**된다는 원칙이다.

5. 사회보험과 민간(또는 민영)보험의 비교 07 · 16 · 24. 국가직 (必)

(1) 공통점

① **가입자의 경제적 보장을 목적**으로 한다.

② **위험의 이전과 분산(Risk Pooling)을 추구**한다.

③ **사전에 규정된 욕구(Presumed Need)에 따라 급여가 지급**된다.

④ 급여 자격과 총액에 대한 정확한 산술적 계산을 필요로 한다.

⑤ **자산조사를 하지 않는다.**

선생님 가이드

❶ '세대 간 계약'이란 개인의 입장에서는 시간적으로 이루어지는 소득 재분배로, 예를 들어 현 근로세대가 노인을 부양하고, 다시 현 근로세대는 노인이 되어 다음 세대 근로세대의 부양을 받게 된다는 의미입니다.

기출 OX

01 국민연금제도는 위험분산과 소득 재분배 효과를 극대화하기 위해 법적인 강제성을 가지고 최대한 많은 대상을 포함하여야 한다. ( ) 12. 지방직

02 사회보험은 급여액이 수급자가 낸 사회보험료에 비례하므로 재분배기능이 없다. ( ) 21. 지방직

01 ○ 사회보험의 기본 원리인 '위험분산의 원리'에 관한 설명으로, 국민연금제도 역시 사회보험제도에 포함된다.
02 × 사회보험 역시 재분배기능을 가지고 있다.

(2) 차이점

구분	사회보험	민간보험
가입원칙	법률에 의한 강제(또는 의무)가입	계약에 의한 임의(또는 자발적)가입
가입대상	집단	개인
기본원리	사회적 적절성(또는 적정성)과 개별적 형평성(또는 공평성)	개인적 형평성(또는 공평성)
보험료의 결정	평균적인 위험에 비례❷	가입자의 개별적인 위험과 이에 따른 계약에 비례
급여 수준의 결정	법률에 따라 집단적으로 결정하되 보험수리원칙에 따라 **납부한 보험료에 따라 일정부분 비례**❸	계약에 따라 개별적으로 결정하되 **철저한 보험수리 원칙에 따라 납부한 보험료에 비례**
보장의 범위	최저 수준의 소득 보장	지불능력에 따른 급여 보장
인플레이션에 대한 대처 정도	강함	약함
마케팅비용	적음	많음
관리비용	적음	많음
규모의 경제 정도	강함	약함
재원의 충당	가입자가 납부한 보험료, 일부 국가 지원	가입자가 납부한 보험료
재정운영 방식	적립방식, 부과방식 등 **정부의 개입**	보험사별 투자 · 대출 등

6. 우리나라 사회보험제도의 주요 입법 연혁 15. 국가직, 14 · 16. 지방직, 17. 지방직(추가) 必

(1) **1960년 1월 1일, 「공무원연금법」이 제정**되어, 같은 날 시행되었다. 이는 **우리나라 최초의 사회보험제도**로 평가받는다.

(2) **1963년 1월 28일, 「군인연금법」이 제정**되었다.

(3) **1963년 11월 5일, 「산업재해보상보험법」이 제정**되었다. 1948년 공포된 헌법 제17조 규정에 따라 1953년 5월 10일에 「근로기준법」이 제정되었으며, 동법 제8장에서는 재해보상 규정을 두어 산업재해 시 사용자가 요양보상, 휴업보상, 장해보상, 유족보상, 장사비, 일시보상 등을 하도록 정하였고, 이를 견고하게 하기 위한 목적으로 1963년에 「산업재해보상보험법」이 제정되었다.

(4) **1963년 12월 26일, 「의료보험법」이 제정**되었다.

① 1963년 제정된 「의료보험법」에 따라 근로자를 중심으로 한 의료보험제도를 실시하였으나 **강제가입이 아닌 임의가입 형태로 운영되어 가입자가 매우 적었다.**

② 이에 **1976년, 500인 이상 사업장 근로자를 대상으로 강제적인 의료보험제도가 도입되어 1977년 7월부터 시행**되었다.

❷ 사회보험의 급여를 산정할 때 최저생활 보장의 원칙에 따라 가입자의 재직 시기와 납입한 기여금의 수준에 따라 일정수준의 보험금이 보장되므로 사회적 적절성의 가치가, 일정 범위 내에서 소득 수준과 기여의 정도에 따라 보험료 및 급여 수준이 산정되므로 개별적 형평성의 가치와 함께 반영되었다고 볼 수 있습니다.

❸ - 사회보험 역시 민영보험처럼 보험수리 원칙을 일정 부분 따르는 것은 맞지만, 그 정도가 철저하지는 않으며 이에 따라 급여가 납부한 보험료에 완전히 비례하지는 않습니다. 특히 사회보험은 소득 재분배의 원칙이 반영되어 보험의 수지상등의 원리가 그대로 적용될 경우 위험에 노출될 가능성이 큰 집단(예 노인, 아동, 장애인 등)이 더 많은 보험료를 지불해야 하므로, 위험에 노출될 가능성이 아닌 '소득 수준'에 따라 보험료를 부담하게 하여 고소득자가 저소득자보다 더 많은 보험료를 부담하게 하는 방법으로 일정부분 수직적인 소득 재분배 기능을 합니다.

- 또한 사회보험의 급여 수준은 보험재정 조달규모를 감안한 필요에 따른 소득비례 또는 균등급여 형식을 취하고 있습니다. 그러나 소득비례 형식일 경우에도 그 정도가 정비례는 아니며, 단지 비례하는 정도입니다. 예를 들어 우리나라의 국민연금 제도의 경우 국민연금의 보험료 및 급여 산정을 위해서 일정액 이상의 소득에 대해서는 더 이상 보험료가 부과되지 않는 소득의 경계선으로서 기준소득월액의 '상한액'과 반대로 그 일정액 이하의 소득에 대해서는 보험료가 부과되는 않는 경계선으로서 '하한액' 제도를 두고 있습니다.

(5) **1973년 12월 20일, 「사립학교교원연금법」이 제정**되어 1974년 1월 1일부터 시행되었고, **2000년 1월 21일 「사립학교교직원연금법」으로 변경**되었다.

(6) **1973년 12월 24일, 「국민복지연금법」이 제정**되었으나 당시 발발한 세계석유파동 등으로 인해 시행되지 못하다가 **1986년 12월 31일 「국민연금법」으로 전부 개정**되었다.

(7) **1977년 12월 31일, 「공무원 및 사립학교교원 의료보험법」이 제정**되어 1978년 7월 1일부터 시행되었다.

(8) **1993년 12월 27일, 「고용보험법」이 제정**되어 1995년 7월 1일부터 시행되었다.

(9) **1999년 2월 8일, 「국민건강보험법」이 제정**되어 2000년 7월 1일부터 시행되었다.

① 공무원과 사립학교 교직원에 대한 의료보험제도는 별도의 법체계를 갖추어 1977년 「공무원 및 사립학교 교직원 의료보험법」이 제정되었으며 1979년 1월부터 이들에 대한 의료보험이 전면 실시되었다.

② 1981년에는 「의료보험법」이 다시 개정되어 농어촌지역 및 도시지역의 주민에 대한 의료보험 실시를 대통령령으로 정하여 **1988년 1월에는 농어촌지역에, 1989년 7월에는 도시지역에 의료보험이 전면 실시**되었다.

③ 이와 같이 이원화된 의료보험법은 단일화를 위한 통합방식에 대한 논란을 거듭하여오다가 1997년 12월 31일 지역의료보험과 공무원 및 사립학교교직원 의료보험이 통합된 **「통합의료보험법」이 제정되어 1998년 10월부터 시행**되었다.

④ 이후 **1998년에는 지역 · 직장, 공무원 및 사립학교교직원의 의료보험체계를 통합한 '국민건강보험법안'이 마련**되어 **1999년 2월 8일에 공포되고 2000년 7월 1일부터 시행**되었다.

(10) **2007년 4월 27일, 「노인장기요양보험법」이 제정**되어 2008년 7월 1일부터 시행되었다.

기출 CHECK

우리나라의 사회보험제도를 도입 순서대로 바르게 나열한 것은? 15. 국가직

① 산업재해보상보험 - 고용보험 - 국민 연금 - 노인장기요양보험
② 국민 연금 - 산업재해보상보험 - 노인장기요양보험 - 고용보험
③ 산업재해보상보험 - 국민 연금 - 고용보험 - 노인장기요양보험
④ 고용보험 - 산업재해보상보험 - 노인장기요양보험 - 국민 연금

해설

'도입 순서'를 제도 관련 법 제정 년도로 본다면, 산업재해보상보험(1963년) - 국민 연금(1986년) - 고용보험(1994년) - 노인장기요양보험(2007년) 순이다.

답 ③

기출 OX

01 민영보험은 계약에 의해 급여 수준이 결정되며, 사회보험은 법률에 의해 급여 수준이 정해진다. ( ) 16. 국가직

02 민영보험은 최저 수준의 소득 보장을, 사회보험은 지불능력에 따른 급여 보장을 목적으로 한다. ( ) 16. 국가직

03 대표적인 4대 공적연금 중 가장 먼저 시행된 것은 군인연금이다. ( ) 17. 지방직(추가)

01 ○
02 × 민영보험은 지불능력 또는 계약의 범위서 급여를 보장하지만 사회보험은 최저수준의 소득 보장을 목적으로 설계된다.
03 × '군인연금'이 아니라 '공무원연금'이 옳다.

2 공적 연금 제도

1. 개관

(1) 공적 연금의 기능

노후의 소득보장, 소득 재분배(수평적 재분배와 수직적 재분배), 경제적 기능 등

(2) 공적 연금의 기본원칙

강제가입원칙, 최저 수준보장, 급여에 대한 권리성

2. 유형 (必)

(1) 기여 여부에 따른 구분

① 무기여식 연금: **재원을 국가의 일반재정으로 충당**하여 개인에게 기여를 요구하지 않는 방식으로, **사회부조식 연금, 사회수당식 연금** 등이 있다.

구분	내용
사회부조식 연금	자산조사와 소득조사를 통해 정해진 **기준 이하의 소득과 연령을 지닌 자에게 보험료 부과 없이 국가의 일반재정을 통해 연금을 지급**하는 방식이다.
사회수당식 연금	㉠ **정해진 연령 기준을 충족하는 모든 국민에게 보험료 부과 없이 국가의 일반재정을 통해 연금을 지급**하는 방식이다. ㉡ 뉴질랜드, 덴마크, 캐나다, 스웨덴 등이 대표국가이다.

② 기여식 연금: **사용자, 피용자, 자영자 등이 지불하는 기여금으로부터 재원을 충당하는 방식**으로, **사회보험식 연금, 퇴직준비금제도, 강제가입식 개입연금제도** 등이 있다.

구분	내용
사회보험식 연금	㉠ **가입자들에게 징수한 사회보험료를 재원으로 하여 기금을 조성하는 방식**으로, 급여수급은 보험료 납입 실적, 즉 과거의 소득, 소득 활동 기간 등과 연동되므로 **중상위 소득계층으로부터 정치적 지지를 받기가 용이**하다. ㉡ 연금수급권이 기여에 대한 반대급부로 인정되므로 권리개념이 강하다. ㉢ 우리나라를 포함해서 다수의 국가에서 주로 채택되는 보편적인 연금형태이다.
퇴직준비금제도 (또는 퇴직저축, 기업연금, 직역연금❶)	㉠ **소득 재분배 없이 기여금과 이식수입이 개인별로 관리되고 축적되는 개인저축계정 형태의 강제저축식 연금**으로, 기업 또는 근로자가 **근로기간 동안 현금·주식 등을 적립하였다가 정년 퇴직 이후 연금형태로 지급받는 방식**이다. ㉡ 소득 재분배 기제를 포함하지 않고, 물가상승률·수익률 등의 위험이 개인에게 전가되며, 민간운영 주체가 많다는 문제점이 있다.
강제가입식 개인연금제도	㉠ **개인으로 하여금 민간의 보험사가 운영하는 보험 상품을 임의로 선택하되 이를 강제로 가입하게 하는 방식**으로 급여가 일시금이 아닌 연금 형태로 지급된다. ㉡ 칠레 등이 대표적인 국가이다.

선생님 가이드

❶ '직역연금(職域年金)'이란 특정 직업 또는 자격에 의해 연금수급권이 주어지는 연금으로, 소속 노동자는 모두 의무 가입해야 합니다. 우리나라의 경우 공무원 연금, 군인 연금, 사립학교 교직원 연금, 별정우체국연금 등이 있으며, 이는 노후생활보장, 재해보상 및 퇴직금의 성격을 모두 가지고 있습니다.

(2) 급여의 소득비례 여부에 따른 구분

① 정액연금

㉠ **과거소득이나 기여에 관계없이 모든 연금수급자에게 동일한 액수를 지급하는 방식**으로, 누진적 소득세가 부과되는 일반조세나 기여 시 소득에 비례하여 지급되는 보험료수입을 연금재원으로 한다.

㉡ 급여 시에는 과거소득에 관계없이 동일한 연금액을 지급하므로 **소득 재분배 효과가 크다.**

㉢ **사회부조식 연금과 사회수당식 연금이 해당**된다.

② 소득비례 연금: 가장 보편적인 형태로, 퇴직 전 일정기간 동안의 평균소득 또는 생애근로기간 동안의 평균소득에 비례하여 연금급여액을 달리 지급하는 방식이다.

(3) 기여와 급여 중 어느 것을 확정하는지에 따른 구분

① 확정급여식(Defined Benefit, DB): 퇴직 후 지급받을 급여는 **과거의 소득이나 소득활동 기간에 따라** 소득의 일정비율이나 금액으로 미리 확정되어 있지만 기여금은 확정되어 있지 않은 방식(**받을 급여는 확정 · 기여금은 미확정**)이다.

장점	단점
㉠ 가입자 입장에서는 지급받을 급여가 정해져 있으므로 노후의 안정적인 재정 설계가 가능하다. ㉡ 물가상승, 경기침체, 이자율 변동, 기대수명 연장 등의 사회적 위험을 사회 전체적으로 분산 · 대응할 수 있다. ㉢ **완전적립방식에서 부과방식까지 다양하게 운용**될 수 있다.	인구구조의 변화(저출산고령화), 지속적인 경기침체로 연금재정의 수지균형이 무너질 경우 연금 급여 수준을 유지하기 어렵다.

② 확정기여식(Defined Contribution, DC): 퇴직 후 지급받을 급여는 지급받을 시의 상황에 따라 유동적이지만, 기여금은 확정되어 있는 방식(**받을 급여는 미확정 · 기여금은 확정**)으로, **급여액은 기본적으로 적립한 기여금과 기여금의 투자수익에 따라 결정**된다.

장점	단점
연금재정의 수지균형이 무너지는 등의 문제가 발생하지 않아 운영주체인 **정부의 재정은 안정**될 수 있다.	**가입자가 투자위험에 노출**되므로 자칫 노후생활의 불안정, 부익부 빈익빈 현상을 초래하여 사회통합에 역기능적일 수 있다.

(4) **재정방식에 따른 구분** 11 · 21. 국가직, 14. 지방직

① 적립방식(Reserve-Finanaced Method)

㉠ **원칙적으로 수지상등의 원칙에 따라 가입자들 각자가 보험료를 납부하여 축적한(또는 저축한) 적립기금으로 자신들의 노후를 보장하는 방식**이다.

㉡ 장점과 단점

장점	단점
• **재정의 안정적 운영이 가능**하다. • **인구구조 변화에 유리**하다. • **막대한 적립기금(또는 축적된 자본)은 제도 성숙기에 활용할 수 있는 자원**이 될 수 있다. • **부과방식에 비해 세대 내 재분배효과가 크다.**	• 수급자의 입장에서는 수급을 위해서 장기간 보험료를 납부해야 하며, 운영자인 정부의 입장에서는 급여 지급 시 인플레이션에 취약하고, 재정 운영의 장기적인 예측이 어려울 수 있다. • **기금 투자로 인한 원금 손실의 위험이 존재**한다.

㉢ 종류

완전적립방식	**퇴직 후 생활보장을 위해 현재 소득의 일부를 저축하는 구조로,** 개인이 근로기간에 강제적으로 저축하여 정년 후에 그대로 되돌려 받는 방식이며, **수지상등의 원칙으로 재정을 운영**한다. 따라서 소득 재분배 기능은 없다.
부분적립방식	**보험요율을 부과방식보다 높게 책정하는 방식**으로, 개발도상국에서 제도 시행 초기에 적립금을 누적시키기 위한 목적으로 사용한다.
명목적립방식	**가입자 개인계정에 보험료를 가상으로 적립하고 실제 연금은 신규 가입자의 연금으로 충당하는 방식**으로, 재정적자나 평균수명 증가에 대응이 용이하다.

② 부과방식(Pay-As-You-Go)

㉠ **세대 간 재분배를 하는 방식**으로, 적립기금 없이 **현재 근로세대가 현재 은퇴세대의 연금급여에 필요한 재원을 부담**하여 연금재정의 수입총액과 지출총액의 균형을 맞추는 방식이다.

㉡ 장점과 단점

장점	단점
• 운영자인 정부의 입장에서는 인플레이션에 대처할 수 있고, 시행 초기에 부담이 적으며, 미래 예측을 위한 연금 추계가 불필요하다. • **부과방식에 비해 세대 간 재분배 효과가 크다.** • 도입 당시의 노인세대에게도 일정한 연금을 제공할 수 있다.	• 인구구조의 변화에 영향을 받을 수밖에 없으며 따라서 **근로세대의 부담으로 작용**할 수 있다. • 적립방식에 비해 **적립기금(또는 축적된 자본)의 효과를 기대하기 어렵다.**

기출 OX

01 부과방식은 적립방식에 비해 인플레에 취약하다. ( ) 11. 국가직

02 부과방식은 현재의 근로세대가 현재의 퇴직세대의 연금급여 지출에 필요한 재원을 부담하는 방식이다. ( ) 21. 국가직

03 부과방식은 적립방식에 비해 세대 간 소득 재분배 효과가 낮다. ( ) 21. 국가직

04 적립방식은 가입자로부터 징수한 보험료를 기금으로 적립하였다가 추후 지급하는 방식이다. ( ) 21. 국가직

05 적립방식은 적립된 기금의 운영이 가능하며, 기금 투자로 인한 원금 손실의 위험이 존재한다. ( ) 21. 국가직

06 부과방식은 제도 성숙기에 자원의 활용이 가능하다. ( ) 14. 지방직

01 × '취약하다.'가 아니라 '유리하다.'가 옳다.
02 ○
03 × '낮다.'가 아니라 '높다.'가 옳다.
04 ○
05 ○
06 × '부과방식'이 아니라 '적립방식'이 옳다.

핵심 PLUS

에스핑-앤더슨(Esping-Andersen)의 공적·사적 연금체계

조합주의적 국가우위의 연금체계	① **공적 연금**: **급여 수준은 퇴직 전 생활 수준을 유지할 정도의 높은 수준**이나 급여 수준을 퇴직 전 임금수준과 연계시키므로 **소득 계층 간의 불평등이 존재**한다. ② **사적 연금**: **공적 연금의 주변적 역할**만을 한다. ③ **대표국가**: 독일, 남부 유럽 국가들, 남미 등 라틴아메리카 국가들
보편주의적 국가지배체계	① **공적 연금** • **급여 수준은 높은 수준의 소득대체율을 가져 높은 수준의 소득 안정성을 보장**하고, 직업에 관계없이 사회연대를 강조하여 보편적인 적용범위를 갖는다. • 기초 연금의 수준이 높고, 이를 위한 사회적 부담 역시 높은 편으로 **노후에 따른 소득 재분배 효과가 높게 나타난다.** ② **사적 연금**: 노후 소득의 원천으로서는 **매우 제한적인 역할**만 한다. ③ **대표국가**: 스웨덴 등 북부유럽 국가들
잔여적 체계	① **공적 연금**: **급여 수준은 최저생계보장 수준**이며 그 이상의 수준에 대해서는 강제적 또는 자발적 형태든 사적 연금이 맡도록 하는 체계로, 공적 연금의 급여 수준이 다른 유형의 공적 연금체계와 비교했을 때 상대적으로 낮기 때문에 **공공부조 제도가 발달**해 있다. ② **사적 연금**: **연금체계에 있어서 그 역할이 매우 강조**되어 적정 수준의 퇴직이후 소득을 보장받기 위해서는 기업 연금을 제공하는 직장에 근무했거나, 기업연금에 상응하는 정도의 급여 수준이 보장되는 개인 연금에 가입해 있어야 한다. ③ **대표국가**: 영국, 미국, 호주, 일본, 우리나라 등

회독 Check! 1회 □ 2회 □ 3회 □

제6절 빈곤과 공공부조제도

1 빈곤, 사회적 배제, 소득불평등

1. 빈곤 12 · 13 · 16. 국가직, 16 · 20. 지방직 (必)

(1) 개념

빈곤의 개념은 측정방식에 따라 **절대적 빈곤, 상대적 빈곤, 주관적 빈곤 등으로 구분**할 수 있다.

① 절대적 빈곤[❶]

㉠ **정부 등이 객관적으로 결정한 절대적 최저한도인 빈곤선보다 미달이 되는 상태**로, 육체적 효율성을 유지하기 위한 **의 · 식 · 주 등의 기본적인 욕구를 해결하지 못하는 상태**를 말한다.

㉡ 최저생계비를 계측하는 방법으로는 **전물량 방식과 반물량 방식**이 있으며, 이를 통해 빈곤선을 설정할 수 있다.

❶ 절대적 빈곤은 라운트리(B. Rowntree)가 1889년 영국 요크시를 대상으로 한 빈곤 실태조사에서 처음으로 사용한 용어입니다.

전물량 방식 (Market Basket, Rowntree 방식)	• **인간생활에 필수적인 모든 품목에 대해서 최저한의 수준을 정하고, 이를 화폐가치로 환산(가격 × 최저소비량)한 총합**으로 빈곤선을 측정하는 방법이다. • 장점: 보충급여체계에서 의료비 · 교육비 등 급여종류별 기준액 산정과 장애인 · 노인 등의 가구유형별 부가급여 기준을 결정하는 데에 유용하다. • 단점: 필수품 선정에 있어서 연구자의 자의성이 개입되는 것을 배제할 수 없다.
반물량 방식 (Engel, Orshansky방식)	• 1964년 미국 사회보장청의 오샨스키(Orshansky)가 처음 제안한 방식으로, **최저식료품비를 구하여 여기에 엥겔계수(식료품비 × 총소득)의 역수를 곱한 금액을 최저생계비로 보는 방식**이며, 미국의 공식적인 빈곤선 계산에 활용된다. • 장점: 전물량 방식보다 계측이 간편하고, 연구자의 자의성을 줄일 수 있다. • 단점: 엥겔계수를 도출하기 위한 최저생활 수준을 설정하는 데에 자의성을 배제하기 어렵고, 전물량 방식에 비해 가구유형별 최저생계비 계측이 곤란하다.

② 상대적 빈곤

㉠ **상대적 박탈과 소득불평등 개념을 중시**하며, **한 사회의 평균적인 생활수준과 비교하여 빈곤을 규정**하는 방법으로, **그 사회의 불평등 정도와 관계가 깊다.**

㉡ 보통 사회구성원의 **평균소득이나 중위소득[❷]과 이에 대한 비율**을 빈곤선으로 정한다.

㉢ 빈곤선 측정 방법으로는 **박탈지표방식과 소득과 지출을 이용한 상대적 추정방식이** 있다.

박탈지표방식	• **타운젠드(Townsend)에 의해 제안된 방식**으로, 국가 또는 사회에서 일반적으로 인정되는 **기본적인 생활양식의 지표[❸]**를 객관적 · 주관적 · 시간적으로 규정한 후, 이 지표들을 보유하거나 누리고 있는 상태를 비교하여 일정 수준에 미치지 못한 가구의 소득을 빈곤선으로 파악하는 방법이다. • 기본적인 생활양식의 지표를 명확하게 선정하기 어려운 단점이 있다.
소득과 지출을 통한 상대적 추정방식	• 개별가구의 소득이 전체가구 평균소득의 몇 % 이하에 해당하느냐에 따라 빈곤선이 결정되는 방법이다. • **개별가구의 소득이 전체가구 평균소득의 80% 이하일 때에 빈곤층이 되며, 50% 이하가 될 때 극빈층으로 분류**된다. • **경제협력개발기구(OECD)와 세계은행(World Bank)의 빈곤선 측정 방법**이다.

㉣ 우리나라 국민기초생활보장제도에서 사용하는 빈곤선 측정방법이다.

❷ 중위소득과 평균소득
- 중위소득이란 모든 가구를 소득 순서대로 줄을 세웠을 때, 정확히 중간에 있는 가구의 소득을 말합니다.
  반면 평균소득이란 국가 또는 사회의 가구 소득의 전부를 가구의 수로 나눈 가구당 평균 소득을 말합니다.
- 일반적으로 중위소득 50% 기준 빈곤선은 평균소득 50% 기준 빈곤선보다 낮은 경향이 있습니다.

❸ 타운젠드(Townsend)는 객관적 박탈감을 측정하는 지표로 주거, 연료, TV 등의 가전제품, 휴가 또는 여행 등의 여가 및 문화생활 등을 사용하였고, 주관적 박탈감을 측정하는 지표로는 공간적으로 거주하는 지역의 소득 수준(어느 지역에 사느냐)을, 시간적 박탈감으로는 과거에 비해 현재 생활 수준에 대해 주관적으로 느끼는 박탈감을 사용하였습니다.

③ 주관적 빈곤

㉠ 절대적 빈곤이나 상대적 빈곤과 같이 제3자의 판단에 의해 빈곤에 대한 어떤 객관적인 기준이 정해지는 것이 아니라 **오직 개인의 주관적인 판단에 따라 빈곤선을 규정**하는 것이다.

㉡ 빈곤선 측정 방법으로는 **제3자적 평가에 의한 주관적 최저생계비와 본인의 평가에 의한 주관적 최저생계비로 라이덴(Leyden) 방식(또는 소득대용법)**이 있다.

<table>
<tr><td>제3자적 평가에 의한 주관적 최저생계비</td><td colspan="2">"당신이 사는 곳에서 4인 가족이 근근이 살아가기에 필요한 최소한의 소득은 얼마입니까?"에 대한 설문과 이에 대한 응답을 기초로 빈곤선을 측정하는 방법이다.</td></tr>
<tr><td rowspan="3">라이덴(Leyden) 방식
(또는 소득대용법)</td><td colspan="2">• 네델란드 라이덴 대학의 학자들에 의해 개발된 지표로, 여론조사에서 실제 응답자들 본인이 판단한 최소소득과 그들의 실제 소득과의 관계를 분석하여 빈곤선을 결정하는 방법이다.
• 즉 "개인 각자의 상황에 대한 가장 훌륭한 판단자는 그들 자신이다."라는 가정하에 2가지 질문을 통해 주관적 빈곤을 측정하는 방법이다.
• 라이덴 방식에서 사용하는 질문 유형</td></tr>
<tr><td>제1질문.
빈곤의 한계수준 찾기</td><td>실제로 빈곤하다고 느끼는 총 소득과 생활하는 데 있어서 곤란함을 겪지 않기 위해 필요한 총소득은 얼마인가?</td></tr>
<tr><td>제2질문.
빈곤의 의미상 차이를 소득이라는 필터로 계량화하기</td><td>소득이 잉여상태에서 불충분상태로, 불충분에서 극단적 결핍상태로 가는 순소득의 현금가치는 얼마인가?</td></tr>
</table>

핵심 PLUS

신빈곤과 센(Sen)의 빈곤

① 신빈곤(New Poverty) 16. 국가직

- 1980년대 복지국가의 위기 시대 이후에 등장한 빈곤관으로, **근로빈곤(Working Poor)**이라고도 한다. 즉 개인이 근로의 의사와 능력이 있음에도 불구하고 노동시장에 참여하지 못하거나 혹은 참여했음에도 불구하고 불안정한 고용과 저임금으로 인해 빈곤상태를 벗어나지 못하는 것을 말한다. 다시 말해 **경제활동에 참여하면서도 빈곤을 벗어나지 못하는 사람들의 문제에 대한 지적**이다. 이는 기존의 복지국가들이 추구하던 사회복지정책으로는 대응하기 어려운 빈곤 상황이다.
- 등장 배경

탈산업사회화	서구 산업사회의 탈산업사회화로 인해 대량의 미숙련 노동자들을 고용하던 공장산업들이 사양 산업화되고, 산업 체계가 지식산업과 서비스 산업으로 이동하여 복지국가의 전제가 되었던 **공장산업을 통한 대량고용과 완전고용이 더 이상 유지 불가능한 구조로 변화**되고 있으며, **정규직의 남성노동자가 가족을 부양하는 제도인 사회보험체제가 정상적으로 작동하기 어려운 분야가 증가**하게 되었다.
세계화	세계화와 세계적 경쟁의 심화로 인해 **'다국적 기업' 등이 등장**하여 노동자의 안정된 고용의 보장이 어렵게 되었다.

② 센(Sen)의 빈곤

- **절대적 빈곤과 상대적 빈곤에 대한 대안으로 센(Amartaya Sen)이 제시한 빈곤 개념**으로, 빈곤을 인간이 생존하고 활동하는 데 필요한 여러 가지 기능을 수행할 **잠재능력(Capability)이 없는 것으로 이해**한다. 여기서 잠재능력이란 개인 스스로 가치가 있다고 여기는 목표들을 달성하는 데 필요한 여러 가지 기능을 말한다.
- 창시자인 센은 상대적 빈곤개념의 의의를 인정하면서도 빈곤의 개념에 절대적 빈곤의 개념이 주축이 되어야 한다고 보고, 빈곤을 규정함에 있어서 **상대적 빈곤을 철저히 추구할 경우 빈곤이 불평등의 문제로 귀착되고 빈곤을 기정사실(旣定事實)로 인정하여 이를 영구적인 문제로 남겨 소홀할 수 있다고 생각**했다. 이에 센은 부국(富國)들이 빈곤국가에 무조적인 물자 원조만 하지 말고, 그들의 잠재능력을 향상시킬 수 있는 **교육, 건강, 영양상태, 선택을 위한 자유를 배려해야 한다고 주장**하였다.

(2) 측정

빈곤을 측정하는 대표적인 방법으로는 **빈곤율, 빈곤갭, 센지수** 등이 있다.

① 빈곤율

㉠ 국가 또는 사회전체의 **빈곤선 이하의 가구수(또는 인구수)를 전체 가구수(또는 인구수)에서 나눈 비율**로, **빈곤선 이하에 속하는 가구수(또는 인구수)가 전체 가구수(또는 인구수)에서 차지하는 비율**을 의미한다.

$$H = \frac{q}{n}$$

H: 빈곤율
q: 빈곤선 이하의 가구수(또는 인구수)
n: 전체 가구수(또는 인구수)

㉡ **빈곤선 이하 가구(또는 인구)의 전체적인 규모를 파악하는 데 유리**하다.

② 빈곤갭

㉠ **빈곤층의 평균소득과 빈곤선과의 격차를 나타내는 것**으로, **빈곤층의 소득을 빈곤선 수준까지 끌어올리는 데 필요한 총소득(또는 총비용)**을 의미한다.

㉡ 빈곤갭이 크면 빈곤을 해결하기 위해 소요되는 비용이 더 많아지므로 **빈곤의 심각성을 빈곤율보다 더 정확하게 보여줄 수 있다.**

㉢ **빈곤의 심도를 파악하는 데 유리**하다.

예 빈곤선이 100만 원이고, 10명의 빈곤자 중 5명은 소득이 전혀 없으며 나머지 5명은 90만 원의 소득이 있다면 빈곤갭은 550만 원[(100 − 0) x 5 + (100 − 90) x 5 = 500 + 50 = 550]으로 계산된다. 이 값은 10명의 빈곤자들의 소득을 빈곤선 수준까지 끌어올리는 데 필요한 총비용을 의미한다.

기출 OX

01 빈곤은 주관적 기준으로 측정될 수 있으며, 라이덴 빈곤선(poverty line)이 한 예이다. ( ) 12. 국가직

02 빈곤율(poverty rate)은 빈곤자(가구)가 전체인구(가구)에서 차지하는 비율을 말한다. ( ) 12. 국가직

03 빈곤갭(poverty gap)은 자력으로 일을 해서 가난으로부터 벗어나려 하기 보다 사회복지급여에 의존하여 생계를 해결하려는 의존심이 생기는 현상을 의미한다. ( ) 16. 지방직

04 전물량방식과 반물량방식은 상대적 빈곤 산정방식이다. ( ) 16. 지방직

05 빈곤갭(poverty gap)은 모든 빈곤층의 소득을 빈곤선 수준으로 끌어올리는 데 필요한 총 소득이다. ( ) 20. 지방직

06 상대빈곤은 최저생계비를 기준으로 결정된다. ( ) 20. 지방직

07 빈곤갭은 빈곤의 심도를 알려 주는 지표이다. ( ) 13. 국가직

01 ○
02 ○
03 × '빈곤갭(poverty gap)'이 아니라 '빈곤의 덫(poverty trap)'이 옳다.
04 × '상대적 빈곤'이 아니라 '절대적 빈곤'이 옳다.
05 ○
06 × '상대적 빈곤'이 아니라 '절대적 빈곤'이 옳다.
07 ○

③ 센지수(Sen Index)

㉠ 빈곤층의 심도를 파악할 수 없는 빈곤율의 한계를 해결하기 위해 등장한 것이 빈곤갭인데, 이 역시 빈곤층에 속한 사람들의 **내부에서의 갭은 보여주지 못하고,** 더군다나 같은 빈곤갭을 가진 사회라도 빈곤의 정도는 전혀 다를 수 있다는 점 역시 간과된다.

㉡ **센지수란 센(Amartaya Sen)이 제시한 빈곤 측정 방법으로 빈곤율과 빈곤갭의** 한계를 극복하기 위해 **빈곤율, 빈곤갭, 지니계수를 종합적으로 활용**하는 방법이다.

> PSEN(센지수) = HGz + PGI(1−Gz)
>
> H: 빈곤율
> PGI: 빈곤갭
> Gz: 저소득층의 지니계수

㉢ 지니계수와 같이 **0~1 사이의 값**을 가지며, **빈곤의 정도가 클수록 높은 값을 갖는다.**

2. 사회적 배제(社會的排除, Social Exclusion) 11 · 12 · 16. 국가직, 11 · 13. 지방직 必

(1) 개관

① 1970년대 프랑스에서 처음으로 대두된 개념으로, 빈곤 등 여러가지 사회문제에 대한 새로운 접근 방법[❶]이다.

② 1980~1990년대에 유럽연합에 의해 수용되어 회원국 사회정책의 이론적 기초가 되었다.

③ 빈곤을 소득의 결핍으로 보는 과거의 빈곤관 대신 빈곤을 사회나 개인이 특정 집단 내에서 다른 구성원들이 일반적으로 누릴 수 있는 다양한 정치적 · 경제적 권리 · 기회 · 자원(예 고용, 민주적 참여, 의료 등)으로부터 체계적으로 배제되어 있는 상태로 이해한다.

④ **사회적 결속의 증진 강조:** 빈곤의 근본적인 책임은 사회권의 보장이나 정책의 주요결정과정에서 개인을 소외시키는 사회에 있다고 보고, 빈곤 문제는 **시민권에 기초한 사회구성원 간의 연대의식이 공유되었을 때에 극복할 수 있다고 주장**한다.

선생님 가이드

❶ 사회적 배제는 1970년대 프랑스를 중심으로 한 유럽에서 경제가 성장하는 데도 불구하고 다수의 국민들이 경제적 불안정을 겪고, 또한 이를 호소하는 현상에 대해 과거부터 사용해 온 빈곤이나 박탈 개념만으로는 도저히 이를 해석할 수 없다는 반성에서 새롭게 등장한 개념입니다.

(2) 사회적 배제의 방법론적 특징

<table>
<tr><td>동태적
(또는 역동적)
관점</td><td>① 사회적 배제는 빈곤과 관련하여 결과적 상태보다는 빈곤화에 이르는 역동적 과정을 강조하여 빈곤(貧困)이 아닌 빈곤화(貧困化, 또는 빈곤에 이르게 되는 맥락)에 집중한다. 즉, 빈곤이 시간 · 장소 · 환경 등의 요인에 상당히 의존적인 과정이라고 정의하며, 특히 시간에 걸쳐 나타나는 현상이라고 주장한다.❷
② 사회적 배제와 관련 개념의 구분
<table>
<tr><th>구분</th><th>정태적 결과</th><th>동태적(또는 역동적) 과정</th></tr>
<tr><td>소득</td><td>빈곤(Poverty)</td><td>빈곤화
(Impoverishment)</td></tr>
<tr><td>다차원적 요인</td><td>박탈(Deprivation)</td><td>사회적 배제
(Social Exclusion)</td></tr>
</table></td></tr>
<tr><td>다차원성</td><td>① 기존의 빈곤 개념이 경제중심적인 데 반해 사회적 배제는 다차원적인 개념이다. 즉, 사회적 배제는 빈곤의 해결과 기본적 욕구 충족을 위한 재화 및 서비스의 부족뿐만 아니라, 사회보장제도 · 사회적 정의 · 대표성 · 시민권으로부터의 배제를 포함한다.
② 이로 인해 사회적 배제는 물질적 부족뿐만 아니라 주거, 건강, 노동(또는 고용), 교육, 사회적 관계망 등 다양한 영역에서 발생할 수 있으며, 또한 각 영역에서의 배제는 다른 영역에서의 배제의 원인인 동시에 결과로 해석될 수 있다.</td></tr>
<tr><td>관계중심성</td><td>① 기존의 빈곤이 자원과 인간의 관계에서 발생하는 문제라면 사회적 배제는 인간과 인간의 관계망에서 발생하는 문제로 본다. 즉, 사회적 배제는 개인이 특정 장소 · 특정 시기에서 주변의 타인과 자신을 비교하여 판단하는 상대성을 지닌 문제이다.
② 이러한 관점은 가해자와 피해자의 관계를 형성시키는데, 사회적 배제는 누군가의 행동의 결과로 발생한 것이며, 따라서 배제에는 배제시킨 자(행위자)와 배제당한 자(주체)가 존재한다고 본다.</td></tr>
</table>

(3) 사회적 배제에 대응하기 위한 전략

① 사전적(事前的) 기회균등화 정책: 적극적 노동시장 정책, 적극적 차별시장 정책, 아동에 대한 투자 증대

② 불균등한 자원배분을 보상하기 위한 사후적 보상정책

③ 사회적 위험에 대한 보장을 넘어서는 사회적 결속 강화

④ 정보 · 자원 및 사회 서비스에 대한 접근성 확대

⑤ 가족이나 친구들과 같은 유의미한 사회적 상호작용에의 참여 강화

(4) 사회적 포섭(社會的包攝)❸

① 사회적 배제의 반의어로, 사회적 배제를 일으키는 **환경과 습관을 변화시키는 배제된 대상들에 대한 적극적인 우대조치**를 말한다.

② 세계은행(IBRD)은 사회적 포섭을 **사회에 참여할 목적으로, 신분에 기초하여 불이익을 받는 사람들의 능력, 기회, 근면성을 개선하는 과정**으로 정의하였다.

선생님 가이드

❷ 유럽연합의 경우 1990년대 초반부터 빈곤의 문제를 특정한 상태가 아닌 '과정'으로 보아야 한다는 점을 지속적으로 강조하였습니다.

❸ 배제라는 단어는 "우리라는 울타리 안에 누군가가 들어오지 못하게 물리치고 제외한다."라는 의미를 가지고 있습니다. 예를 들면 같은 기업 내에 정규직과 비정규직이 함께 근무하고 있지만 비정규직은 정규직이 누리고 있는 다양한 혜택에서 체계적으로 소외되어 있습니다. 반면 포섭이란 "상대방을 우리라는 울타리 안으로 들어오게 한다."라는 의미를 가지고 있습니다. 같은 예에 적용한다면 같은 기업 내에서 정규직과 비정규직이 우리라는 울타리 안에서 공존하고 함께 혜택을 누리는 것을 의미합니다.

기출 OX

01 사회적 배제(social exclusion)의 개념은 소득 빈곤의 결과적 측면에 초점을 두는 것이다. ( ) 12. 국가직

02 사회적 배제(social exclusion)에서 빈곤의 문제는 공공부조와 실업급여 등 사전적 조치로 해결가능하다. ( ) 11. 지방직

03 사회적 배제(social exclusion)에 대응하기 위한 전략에서는 빈곤화에 이르는 역동적 과정보다는 결과적 상태를 나타내는 빈곤개념을 강조한다. ( ) 13. 지방직

04 사회적 배제(social exclusion)에 대응하기 위한 전략에서는 사회적 위험에 대한 보장을 넘어서 사회적 결속의 증진을 강조한다. ( ) 13. 지방직

05 사회적 배제(social exclusion)에 대응하기 위한 전략에서는 가족이나 친구들과 같은 유의미한 사회적 상호작용에 참여하게 한다. ( ) 13. 지방직

01 × '소득 빈곤의 결과적 측면'이 아니라 '빈곤화에 이르는 역동적인 과정'이 옳다.
02 ×
03 × '빈곤화에 이르는 역동적 과정보다는 결과적 상태를 나타내는 빈곤개념을 강조'가 아니라 '결과적 상태를 나타내는 빈곤개념이 아니라 빈곤화에 이르는 역동적인 과정을 강조'가 옳다.
04 ○
05 ○

기출 CHECK

사회복지사로서 역할 수행 중 다음과 같은 성찰이 생길 때 이에 대한 실마리를 제공하는 개념이 가장 적절하게 연결된 것은? 16. 국가직

〈성찰 내용〉

ㄱ. 기초생활수급자가 현재 빈곤한 상태인지만을 가지고 업무를 진행하면 이들이 빈곤한 상태로 이르게 되는 맥락을 간과하는 것이 아닐까?
ㄴ. 경제활동에 참여하면서도 빈곤을 벗어나지 못하는 사람들이 있는데 이것은 왜 그럴까?
ㄷ. 우리 시(군)에 장애인들이 지역사회의 동등한 일원으로 살아갈 수 있도록 할 수는 없을까?
ㄹ. 우리지역의 복지예산이 부족한데 1인시위, 거리행진 등을 통해 이것을 이슈화하면 추후에 개선이 이루어지지 않을까?

〈개념〉

A. 신빈곤	B. 상대적 빈곤	C. 사회적 배제
D. 정상화	E. 사회행동	F. 지역사회개발

	ㄱ	ㄴ	ㄷ	ㄹ
①	A	B	C	D
②	C	A	D	E
③	E	F	B	C
④	F	D	E	A

답 ②

3. 소득불평등 12 · 13 · 18. 국가직 (必)

(1) 개념

개인 간 경제적 자산과 소득의 재분배 과정이 올바르지 않아 발생하는 **계층 간 경제적 불평등**을 말한다.

(2) 측정 방법

① 로렌츠 곡선(Lorenz Curve 또는 로렌쯔 곡선)

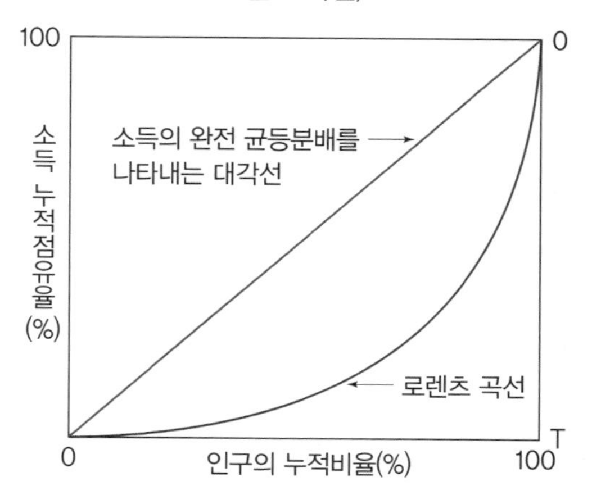

㉠ **가장 가난한 사람부터 가장 부유한 사람까지 순서대로 정렬한 인구의 누적비율을 표시한 횡축과 인구의 비율(%)에 의해 향유되는 소득의 누적비율을 표시한 종축으로 구성된 그래프**로, 그래프의 왼쪽 아래 꼭지점으로부터 대각선 방향으로 정반대쪽에 위치한 오른쪽 위 꼭지점을 연결하는 곡선으로 그려진다.

㉡ 만일 **모든 사람이 동일한 소득을 가지는 완전 평등의 분배 상태**라면 로렌츠 곡선은 **단순히 두 꼭지점을 연결하는 대각선, 즉 45도선**이 되며, 이때를 **완전 평등선**이라고 한다. 반면 **완전 평등선에서 아래쪽으로 볼록할수록 소득의 불평등 상태**임을 나타낸다.

② 지니(Gini)계수

㉠ **로렌츠 곡선으로부터 산출되는 하나의 숫자**로, 대각선과 로렌츠 곡선 사이의 면적을 A, 로렌츠 곡선 하방의 면적을 B라고 하면, **지니계수는 'A ÷ (A + B)'라는 공식**을 통해 구할 수 있다.

㉡ 완전 평등하다면 **A의 값이 0이므로 0이 되고, 완전 불평등하다면 B의 값이 0이므로 1이 된다.** 이를 통해 소득의 불평등 정도를 측정할 수 있다.

㉢ 즉, **지니계수는 0~1 사이의 값을 가지며, 0에 가까워질수록 평등한 상태를 나타내고, 1에 가까워질수록 불평등 정도가 심화**된다.

㉣ 소득이 완전히 균등하게 분배된 경우(또는 한 사회의 모든 구성원의 소득이 동일한 경우)에는 0이, 한 개인이 모든 소득을 독점하고 나머지는 소득이 없는 상태(또는 한 개인이 모든 소득을 독점하고 나머지는 소득이 없는 상태)의 지니계수는 1이 된다.

㉤ **시장소득 기준 지니계수와 가처분소득 기준 지니계수의 차이는 직접세의 재분배 효과**[❶]를 의미한다.

③ 소득배율

모든 가구를 소득 크기의 순서에 따라 일렬로 배열한 후 10등분을 하여 **소득이 제일 낮은 10%의 가구를 제1분위,** 그 다음 10%를 제2분위, 그 다음 10%를 제3분위, **소득이 가장 높은 마지막 10%의 가구를 제10분위(Percentile)**로 구분한 후 각각의 배율 공식에 따라 소득불평등을 측정하는 방식으로, 10분위 분배율과 5분위 분배율이 있다.

10분위 분배율	1분위에서 제4분위까지의 소득이 전체 소득에서 차지하는 점유율을 제9분위와 제10분의 소득이 전체소득에서 차지하는 점유율로 나눈 값으로, 그 **값이 클수록 소득분배가 평등**하다고 볼 수 있다. 최하위 40% 소득계층의 소득 점유율 ÷ 최상위 20% 소득계층의 소득 점유율
5분위 분배율	9분위에서 제10분위까지의 소득이 전체 소득에서 차지하는 점유율을 제1분위에서 제2분위의 소득이 전체소득에서 차지하는 점유율로 나눈 값으로, 그 **값이 클수록 소득분배가 불평등**하다고 볼 수 있다. 최상위 20% 소득계층의 소득 점유율 ÷ 최하위 20% 소득계층의 소득 점유율

선생님 가이드

❶ 시장소득이란 '근로소득, 사업소득, 재산소득, 사적이전소득' 4가지 소득을 합산한 소득을 말합니다. 반면 가처분소득이란 이러한 '시장소득'에 공적이전소득을 합산한 후 여기서 공적비소비지출(일반조세, 사회보장성 조세 등)을 제한 소득을 말합니다. 즉 '시장소득'은 '세전소득(조세 등을 제하기 전의 소득)'을 의미하며, '가처분소득'은 세후소득(조세 등을 제한 후의 소득)으로 시장소득에 정부의 조세 · 재정 · 사회보험 정책 등, 재분배 정책이 반영된 소득으로 이해할 수 있습니다.
시장소득 기준 지니계수와 가처분소득 기준 지니계수가 같다면, 정부의 소득 재분배 정책이 효과적으로 작용하여 빈부 간에 격차가 없다고 생각할 수 있습니다. 반면 '시장소득 기준 지니계수'와 '가처분소득 기준 지니계수' 간에 차이가 있다면, 이는 정부의 재분배 정책에 문제가 있다는 것을 의미합니다. 즉 소득 재분배와 관련하여 수직적 재분배 정책(조세정책을 통해 부자의 소득을 빈자에게 일방적으로 이전시키는 정책)이 효과적이지 않았다고 생각해 볼 수 있습니다. 이러한 수직적 재분배 정책은 역진적 성격의 간접세 보다는 누진적 성격의 직접세 적용 시에 더욱 효과적으로 달성될 수 있습니다.

기출 OX

01 소득불평등의 정도를 수치화하여 나타내는 측정치로써 지니계수(Gini coefficient)가 있다. ( ) 12. 국가직

02 지니계수는 소득의 불평등을 나타내는 지표이다. ( ) 13. 국가직

03 로렌츠 곡선과 균등분포선이 일치하는 사회에서는 누적인구비율 20%의 누적소득비율은 20%가 된다. ( ) 18. 국가직

04 로렌츠 곡선은 전체적인 소득불평등 상태를 알아보는 데 유용하다. ( ) 18. 국가직

05 한 사회의 모든 구성원의 소득이 같다면 지니계수는 1이 된다. ( ) 18. 국가직

01 ○
02 ○
03 ○
04 ○
05 × '1'이 아니라 '0'이 옳다.

예 어느 사회의 10분위별 소득총액분포가 다음과 같을 때에

소득분위	1분위	2분위	3분위	4분위	5분위	6분위	7분위	8분위	9분위	10분위
분위별 소득총액(억)	20	40	50	60	90	105	115	135	175	194

- 10분위 분배율은 최하위 40%의 소득의 합계(20억 + 40억 + 50억 + 60억 = 170억)를 최상위 20%의 소득의 합계(175억 + 194억 = 369억)로 나눈 값으로, 그 값은 0.46정도가 된다.
- 반면 5분위 분배율은 최상위 20%의 소득의 합계(175억 + 194억 = 170억)를 최하위 20%의 소득의 합계(20억 + 40억 = 60억)로 나눈 값으로, 그 값은 6.15가 된다.

2 공공부조제도

1. 공공부조의 개념 14 · 16 · 23. 지방직, 19. 서울시 (必)

(1) "공공부조"(公共扶助)란 **국가와 지방자치단체의 책임하에 생활 유지 능력이 없거나 생활이 어려운 국민의 최저생활을 보장하고 자립을 지원하는 제도**(「사회보장기본법」 제3조 제3호)로, **국가와 지방자치단체가 조세를 통해 마련한 재원으로 급여나 서비스를 제공**한다.

(2) 우리나라의 대표적인 공공부조제도로는 **국민기초생활보장제도, 의료급여제도, 기초 연금제도, 장애인 연금제도, 긴급복지지원제도, 근로장려세제** 등이 있다.

2. 공공부조 제도의 원칙 12 · 20. 국가직, 13. 지방직, 13 · 18. 서울시 (必)

(1) 최저생활 보장의 원칙(또는 생존권 보장의 원칙)

국가는 공공부조 제도를 통해 **국민의 최저생활을 보장**해야 한다.

> **「국민기초생활보장법」 제4조【급여의 기준 등】**
> ① 이 법에 따른 급여는 건강하고 문화적인 최저생활을 유지할 수 있는 것이어야 한다.

(2) 신청보호의 원칙

공공부조는 **개인 자신이나 기타 관계인의 신청**에 의해 이루어지며, 이는 공공부조가 국가의 시혜적 구제가 아닌 국민의 법적 권리임을 의미한다.

> **「국민기초생활보장법」 제21조【급여의 신청】**
> ① 수급권자와 그 친족, 그 밖의 관계인은 관할 시장 · 군수 · 구청장에게 수급권자에 대한 급여를 신청할 수 있다. 차상위자가 급여를 신청하려는 경우에도 같다.
> ② 사회복지 전담공무원은 이 법에 따른 급여를 필요로 하는 사람이 누락되지 아니하도록 하기 위하여 관할지역에 거주하는 수급권자에 대한 급여를 직권으로 신청할 수 있다. 이 경우 수급권자의 동의를 구하여야 하며 수급권자의 동의는 수급권자의 신청으로 볼 수 있다.

기출 OX

01 기초연금은 우리나라 사회보장체계에서 사회보험이다. ( ) 14. 지방직

02 사회보험은 생활유지능력이 없거나 생활이 어려운 국민의 최저생활을 보장하고 자립을 지원하는 제도다. ( ) 19. 서울시

03 공공부조는 정부가 조세를 통해 마련한 재원으로 급여나 서비스를 제공한다. ( ) 19. 서울시

01 × '사회보험'이 아니라 '공공부조'가 옳다.
02 × '사회보험'이 아니라 '공공부조'가 옳다.
03 ○

(3) 열등처우의 원칙

급여의 범위와 수준은 원칙적으로 빈곤상태에 노출된 **개인의 최저한도의 생활을 충족시키는 수준을 초과해서는 안 된다.**

> **「국민기초생활보장법」 제4조【급여의 기준 등】**
> ④ 지방자치단체인 보장기관은 해당 지방자치단체의 조례로 정하는 바에 따라 이 법에 따른 급여의 범위 및 수준을 초과하여 급여를 실시할 수 있다. 이 경우 해당 보장기관은 보건복지부장관 및 소관 중앙행정기관의 장에게 알려야 한다.

(4) 가족부양 우선의 원칙

수급권자가 되고자 하는 개인은 먼저 자신의 자산이나 소득을 통해 자신이 처한 빈곤 상황에 대처해야 하며, 다음으로 **가족과 같은 부양의무자의 비공식적 지지를 받아야 한다.**

> **「국민기초생활보장법」 제3조【급여의 기본원칙】**
> ② 부양의무자의 부양과 다른 법령에 따른 보호는 이 법에 따른 급여에 우선하여 행하여지는 것으로 한다. 다만, 다른 법령에 따른 보호의 수준이 이 법에서 정하는 수준에 이르지 아니하는 경우에는 나머지 부분에 관하여 이 법에 따른 급여를 받을 권리를 잃지 아니한다.

(5) 보충성의 원칙(또는 후순위의 원칙)

① 급여 수준은 소득과 자산조사를 통해 수급권자가 되고자 하는 **개인의 생존과 관련하여 자력구제를 우선으로 한 후, 소득의 부족분에 한해서만 보충적으로 이루어져야 하며,** 이러한 소득의 부족분을 산출하기 위해서 **개인 본인과 그의 가족을 대상으로 한 소득조사와 자산조사를 실시**한다.

② 단, 이 원칙이 적용될 경우 개인은 적극적인 근로를 하지 않고 **빈곤에 머무르려는 현상인 빈곤의 함정(Poverty Trap)에 빠질 수 있다.**

> **「국민기초생활보장법」 제3조【급여의 기본원칙】**
> ① 이 법에 따른 급여는 수급자가 자신의 생활의 유지 · 향상을 위하여 그의 소득, 재산, 근로능력 등을 활용하여 최대한 노력하는 것을 전제로 이를 보충 · 발전시키는 것을 기본원칙으로 한다.

(6) 개별성의 원칙(또는 개별적인 욕구충족의 원칙)

급여 내용과 수준은 원칙적으로 빈곤상태에 노출된 개인의 연령, 가구 규모, 거주지역, 그 밖의 생활여건 등을 고려하여 **차별적으로 이루어져야 한다.**

> **「국민기초생활보장법」 제4조【급여의 기준 등】**
> ② 이 법에 따른 급여의 기준은 수급자의 연령, 가구 규모, 거주지역, 그 밖의 생활여건 등을 고려하여 급여의 종류별로 보건복지부장관이 정하거나 급여를 지급하는 중앙행정기관의 장이 보건복지부장관과 협의하여 정한다.

(7) 세대단위의 원칙

공공부조제도의 수급 대상에 대한 **심사와 급여의 지급은 세대를 단위로 이루어져야 한다.**

> **「국민기초생활보장법」 제2조 【정의】**
> 이 법에서 사용하는 용어의 뜻은 다음과 같다.
> 8. "개별가구"란 이 법에 따른 급여를 받거나 이 법에 따른 자격요건에 부합하는지에 관한 조사를 받는 기본단위로서 수급자 또는 수급권자로 구성된 가구를 말한다. 이 경우 개별가구의 범위 등 구체적인 사항은 대통령령으로 정한다.
>
> **「국민기초생활보장법」 제4조 【급여의 기준 등】**
> ④ 보장기관은 이 법에 따른 급여를 개별가구 단위로 실시하되, 특히 필요하다고 인정하는 경우에는 개인 단위로 실시할 수 있다.

(8) 현금급여 우선의 원칙

공공부조 제도에서 특정 개인에 지급되는 급여는 **소비자 선택권 존중의 원칙에 근거**하여 **일반적으로 '현금' 형태**이어야 한다.

(9) 한시적 지급의 원칙

급여는 수급권자가 되고자 하는 개인의 빈곤이나 위기 상태의 해소와 해결 시기까지만 **한시적으로 지급**되어야 한다.

(10) 자립조장의 원칙

제도는 **궁극적으로 개인의 자립을 조장**해야 한다.

(11) 국가재원의 원칙

제도 운영에 필요한 재원은 **중앙정부와 지방정부❶의 일반재정에서 충당**되어야 한다.

> **「국민기초생활보장법」 제43조 【보장비용의 부담 구분】**
> 보장비용의 부담은 국가, 시 · 도, 시 · 군 · 구가 각 급여 종류별로 부담한다.

선생님 가이드

❶ 중앙정부와 지방정부가 공공부조의 책임을 함께 지는 것은 세계적인 추세입니다.

기출 OX

01 공공부조의 원리들 중 보충성의 원리는 빈곤함정(poverty trap) 유발의 가장 직접적인 원인이 된다. ( ) 12. 국가직

02 공공부조 제도는 일정 수준 이하의 소득계층에 대해 신청주의원칙에 입각하여 자산조사를 실시한 후 조세를 재원으로 하여 최저생활 이상의 삶을 보장하는 제도이다. ( ) 20. 국가직

03 최적생활보장의 원칙은 공공부조의 기본원리이다. ( ) 13. 서울시

04 공공부조를 시행할 때 무엇보다 먼저 수급자가 갖고 있는 능력을 활용하고, 그 후에도 수급자가 최저생활을 유지할 수 없을 경우에 비로소 국가가 그 부족한 부분을 보충해 주는 것을 원칙으로 삼는 원리는 보충성의 원리이다. ( ) 18. 서울시

01 ○
02 ○
03 × '최적생활보장'이 아니라 '최저생활보장'이 옳다.
04 ○

3. 공공부조제도와 사회보험제도의 비교 17. 국가직, 23. 지방직 (必)

공공부조		구분	사회보험	
사후적 대응	빈곤 등의 사회적 위험 발생 이후 이를 해결하기 위해 사후적으로 대응한다.	목적	사전적 대비	미래에 직면할 수 있는 특정된 사회적 위험에 보험방식을 통하여 사전적으로 대비한다.
선별주의	빈곤 등의 사회적 위험에 처한 특정한 사람들과 그들의 욕구에 대해서만 급여를 제공한다.	이념	보편주의	인구학적 자격조건을 갖춘 모든 국민에게 급여를 제공한다.
무차별평등 (또는 평등주의)	동일한 빈곤 수준에 놓인 모든 사람들에게 동일한 내용 및 수준의 급여를 제공한다.	원리	비례원리 강조 (또는 형평주의)	보험 재정의 기여 정도에 따라 개별적으로 차등화된 내용 및 수준의 급여를 제공한다.
표현된 욕구	수급자의 현재 드러난 욕구에 대해서만 대응한다.	욕구	예상되는 욕구	수급자에게 발생할 수 있는 욕구에 대해서 선제적으로 대비한다.
자산조사	후순위의 원칙(또는 가족부양 우선의 원칙)에 의해 급여 제공 전 소득·자산·부양의무자 등에 관한 자산조사를 실시해야 한다.	자격요건	인구학적 조건과 기여 여부	자산조사가 거의 없이❷ 인구학적 조건에 의하여 자격 조건이 결정된다.
매우 낮음	국민 중 극빈층만을 대상으로 하므로 수급률이 매우 낮다.	수급률 (Take-Up Rate)	매우 높음	모든 국민을 급여 수급의 대상으로 하므로 수급률이 매우 높다.
일반조세	수급자가 제도 운영과 관련된 기여금을 납입할 여력이 없으므로 고소득층으로부터 징수한 일반조세가 재원이 된다.❸	재원	보험료 및 정부지원	수급자 개인이 납부한 보험료가 주재원이며, 이외에도 사용자·정부지원 등의 다양한 재원이 있다.
비교적 어려움	빈곤계층의 수와 수요를 정확하게 파악하는 것이 어려우므로 재정의 예측이 어렵다.	재정예측성	비교적 쉬움	모든 국민을 대상으로 하므로 재정의 예측이 비교적 쉽다.
강함	선별적인 제도이므로 낙인감이 발생할 가능성이 높다.	낙인감	없음	보편적인 제도이므로 낙인감이 발생할 가능성이 거의 없다.

❷ 사회보험제도에서도 부분적으로 자산조사를 실시합니다.
❸ 공공부조제도는 재정부담자와 수급자가 다른 반면, 사회보험제도는 재정부담자와 수급자가 거의 동일합니다.

사회적 최소한	급여 수준의 상한선이 개인의 최저생활을 보장한다.	급여 수준	적정선	급여 수준의 하한선이 개인의 최저생활을 보호한다.
일치하지 않음	수급자는 직접적인 기여 없이 급여를 제공받을 수 있다.	기여자 및 수급자의 일치 여부	일치함	수급자는 직접적으로 기여를 해야 하며, 이에 따라 급여를 제공받을 수 있다.
권리성이 추상적이고 약함	수급자의 직접적인 기여가 없이 급여가 제공되므로 **수급권의 권리성이 약하다.**❶	수급권의 성격	권리성이 구체적이고 강함	수급자의 직접적인 기여가 있어야만 급여가 제공되므로 수급권의 권리성이 강하다.
매우 강함	고소득층의 부가 극빈층에게 이전되므로 소득계층 간 재분배가 강력하게 이루어진다.	수직적 소득 재분배 효과	매우 약함	국민연금의 균등부분이 소득계층간의 재분배기능을 수행하지만 그 정도는 매우 미약하다.
미약함	고소득층의 부가 극빈층에게 이전되므로 소득계층 내에서의 재분배가 거의 이루어지지 않는다.	수평적 재분배 효과	강함	공공부조에 비해 강하다.
매우 강함	극빈층이라는 특정 대상의 욕구에 대해서만 급여가 실시되므로 목표효율성이 강하다.	목표효율성 (또는 비용효과성, 대상효율성)	매우 약함	소득 및 자산 수준에 상관없이 모든 국민에게 급여가 제공되므로 목표효율성이 약하다.
약함	모든 국민 중 극빈층을 선별하고 이를 관리해야 하므로 이에 소요되는 비용 등이 사회보험 제도에 비해 더욱 많이 소요된다.	운영효율성	강함	모든 국민을 대상으로 적용하므로 행정비용 등을 절감할 수 있다.
약함	급여 제공으로 인해 빈곤의 함정이나 실업의 함정과 같은 현상이 발생할 수 있다.	수급자의 근로동기 강화	강함	근로를 통해 성취한 소득과 이에 비례하여 납입한 기여금의 정도에 따라 급여의 수준이 결정되므로 수급자의 근로동기를 강화시킬 수 있다.
중앙정부, 지방정부	중앙정부와 지방정부의 협력으로 운영된다.	운영주체	국가	중앙정부가 공단 등의 위탁 법정 기구를 설립하여 운영한다.
2차 사회안전망		사회안전망으로서의 성격	1차 사회안전망	

선생님 가이드

❶ 이러한 권리성은 법적 권리성이라기 보다는 추상적인 의미에서 권리성입니다. 법적으로는 공공부조 수급권도 당연한 국민의 권리입니다.

기출 OX

01 사회보험에 비해 공공부조는 근로동기를 저해하는 부작용이 적다. ( )
17. 국가직

02 사회보험에 비해 공공부조는 수직적인 소득 재분배 효과가 높다. ( )
17. 국가직

03 공공부조는 국가와 지방자치단체의 책임하에 생활 유지 능력이 없거나 생활이 어려운 국민의 최저생활을 보장하고 자립을 지원하는 것으로 1차적 안전망이다. ( ) 11. 서울시

01 × '적다'가 아니라 '크다'가 옳다.
02 ○
03 × '1차적 안전망'이 아니라 '2차적 안전망'이 옳다.

핵심 PLUS

사회수당

① 사회수당이란 조세를 재원으로 하여 국민의 최저소득을 보장하기 위해 인구학적 집단을 할당의 기준으로 하는 보편적인 현금급여를 말한다.

② 특징

- 기여, 자산조사나 근로의무와 같은 수급의 조건이 없는 보편적인 소득보장제도(비기여 – 비소득 · 자산조사 프로그램)로, 사회통합에 기여할 수 있다.
- 인구학적 집단(예 아동, 노인, 장애인 등)을 대상으로 하는 급여이며, 따라서 데모그란트(Demogrant)라고도 한다.
- 수평적 재분배 효과가 있다.
- 공공부조제도에 비해서 근로동기의 감소효과가 적다.
- 운영효율성은 높지만, 목표효율성이 낮으며, 따라서 사회적 적절성 가치 실현 정도는 낮다.
- 시민권(Citizenship)에 따라 보장되는 시민권적 제도이다. 즉, 수급권에 대한 권리성이 강하며 따라서 낙인 문제가 발생하지 않는다.

4. 근로장려세제(Earned Income Tax Credit, EITC) 10 · 13 · 16. 국가직, 12. 지방직 必

(1) 개관

① **1975년에 미국에서 최초로 도입**되었으며, 저소득 근로자의 근로의욕을 높이기 위해 그들에게 조세를 징수하는 것이 아니라 반대로 이를 지원(또는 환급)하는 **근로연계형 복지정책**이다. 즉, 면세점 이하의 저소득계층에게 면세점과 과세 전 소득과의 차액 중 일정비율을 **정부가 직접 지원하거나 또는 징수한 조세를 다시 환급하는 형태로 보전**해 주며, 이로 인해 **부의 소득세(負의 所得稅, Negative Income Tax, 또는 역소득세)**라고도 한다.

핵심 PLUS

근로연계 복지정책(Workfare, Welfare to Work)

① 신자유주의 이념에 따라 복지급여에 대해 국가보다는 개인의 책임을 더욱 강조하는 것으로, 근로능력이 있는 공공부조 수급자나 저소득계층에 대한 소득지원과 근로유인을 목적으로 이들에게 근로관련 활동에 대한 참여를 의무화시키는 정책을 통칭하는 것이다.

② 활용되는 전략으로는 취업우선 전략과 인적자원 투자전략이 있다.

취업 우선전략	수급자들의 특성에 따라 취업알선 및 취업경험 등의 서비스를 제공하는 것이다.
인적자원 투자전략	취업과 관련된 직업훈련 및 교육 등의 서비스를 제공하는 것이다.

③ 우리나라의 대표적인 근로연계 복지정책으로는 「국민기초생활보장법」에 따른 자활지원사업, 지역자활센터, 자활기업과 「조세특례제한법」에 따른 '근로장려세제' 등이 있다.

② **노동공급유인**을 통해 근로빈곤층, 즉 **사회보험이나 여타의 공공부조 수혜를 받지 못하는 저소득 근로자의 소득보전(또는 증대)이라는 실질적 혜택을 제공하여 그들을 빈곤으로부터 탈출시키는 기능**을 한다. 그러나 자신의 근로의지와는 무관하게 **취업이 어려운 계층**(예 장애인 등)**을 위해서는 이 제도 이외에 별도의 공공부조 제도가 필요하다**는 기능적인 한계를 가지고 있다.

(2) 우리나라의 근로장려세제

① 우리나라에서는 **2008년 1월부터 조세환급의 형태로 시행**되어 **2009년 9월에 처음으로 지급**되었다.

② **주무부처는 기획재정부**이며, **근거 법률은「조세특례제한법」**이다.

③ 차상위 계층의 소득지원과 근로유인 제고를 위해 **'점증 · 평탄 · 점감' 형태인 미국식 EITC모형을 채택**하였다.

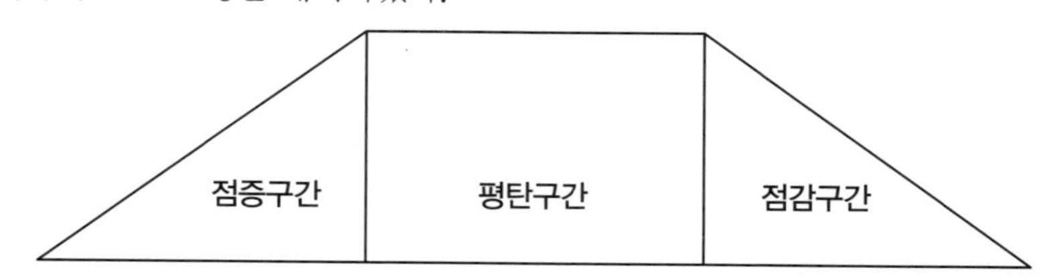

> ㉠ 점증구간: 근로소득이 늘어날수록 **근로장려금도 정률로 증가하는 구간**으로, **노동참여율을 증진시키는 효과**가 있다.
> ㉡ 평탄구간: **근로소득 증가에 상관없이 최대급여액이 정액으로 지급되는 구간**으로, 점감구간 앞에 위치하여 점감구간에 따른 **근로유인 저해를 완화하는 효과**가 있다.
> ㉢ 점감구간: 근로소득이 증가함에 따라 급여액이 정률로 감소하여 0에 도달하는 구간이다.

④ 신청자격: **근로소득, 사업소득, 종교인소득이 있는 거주자**로서 **부부합산 연간 총소득요건, 가구원 합계 재산요건, 기타요건(대한민국 국적을 보유, 다른 거주자의 부양자녀가 아닐 것, 거주자가 전문직 사업을 영위하고 있는 자가 아닐 것)의 3가지 요건**을 갖춘 가구가 **납세지 관할 세무서나 국세청홈페이지에 가구 단위로 신청 · 접수**[1]한다.

⑤ 구성

우리나라의 근로장려세제는 **근로장려금과 자녀장려금으로 구**성되어 있다.

㉠ **근로장려금**: 종교인과 사업자(전문직 제외)를 포함한 근로빈곤층 가구에 대해 가구원 구성과 총급여액 등에 따라 산정된 근로장려금을 지급함으로써 근로를 장려하고 실질소득을 지원하는 근로연계형 소득지원 제도이다.

㉡ **자녀장려금**: **2015년부터 시행된 제도**로, 저소득 가구의 자녀양육 부담을 경감하기 위해서 부부합산 총소득이 일정액 미만이면서 **부양자녀(18세 미만)가 있는 경우 1명당 일정액을 지급하는 제도**이다.

선생님 가이드

❶ 우리나라 근로장려세제의 신청방식은 신청주의만을 원칙으로 하고 있습니다.

기출 OX

01 근로장려세제에서 장애인 등과 같이 근로의지와 무관하게 취업을 할 수 없는 계층을 위해서는 별도의 공공부조제도가 필요하다. ( ) 13. 국가직

02 우리나라 근로장려세제는 근로의욕을 높여서 실질소득을 지원하기 위한 환급형 세액제도이다. ( ) 16. 국가직

03 우리나라 근로장려세제는「조세특례제한법」을 근거로 한다. ( ) 16. 국가직

04 우리나라 근로장려세제에서 근로장려금의 크기는 소득구간이 높아질수록 비례하여 커진다. ( ) 16. 국가직

05 빈곤층에게 EITC(Earned Income Tax Credit) 실시하는 목표는 근로동기를 약화시키기 위해서이다. ( ) 12. 지방직

01 ○
02 ○
03 ○
04 × '점증구간'의 경우에는 근로장려금의 크기가 소득구간이 높아질수록 비례해서 커지지만, 평탄구간이나 점감구간의 경우 그렇지 않다.
05 × '약화'가 아니라 '강화'가 옳다.

5. 개인발달계좌(Individual Development Accounts, IDAs) 22. 지방직

(1) 개관

① 저소득층에 대한 **'포괄적 자산형성지원제도'**로, 새러든(Sherraden)에 의해 처음 제시되었고, 1990년대 중반 미국에서 처음으로 시행되었다.

② 저소득층에게 현금급여를 통한 소득 지원 대신 물적 자산 형성 지원을 통해 근로의욕을 고취하고 노동시장에 적응할 수 있는 **물적 자본을 형성시키기 위한 정책목표하에 시행**된다.

(2) 방법

① 일반적으로 저소득층의 저축액에 대해 **매칭(Matching)을 제공**하여 그 소득을 증진시키며, 이러한 매칭으로 인해 저소득층들은 자발적으로 개인발달계좌에 참여하고 저축을 하게 된다.

② 이 제도에서는 계약된 저축용도(예 주거구입, 대학학자금, 소규모창업 등)에 사용하기 위해 저축액을 인출하는 경우에 매칭이 제공된다.

③ **보통 1:1 또는 2:1이 가장 일반적인 매칭률**이나, 프로그램 기관의 결정에 따라 보다 높은 매칭률을 제공하기도 한다.

④ 우리나라의 경우 **자산형성지원사업이라는 사업명**으로, **'희망키움통장(Ⅰ, Ⅱ), 내일키움통장, 청년희망키움통장, 디딤씨앗통장(또는 아동발달지원계좌)'** 등의 공공부조 정책에서 사용하고 있다.

희망키움통장(Ⅰ)	**일하는 생계 · 의료급여 수급 가구를 대상**으로 하는 자산형성지원사업으로, 본인저축액(월 10만 원) 적립 시 정부 지원금(월 평균 35만 원)을 지원한다.
희망키움통장(Ⅱ)	**일하는 주거 · 교육급여 수급 가구 및 차상위계층을 대상**으로 하는 자산형성지원사업으로, 본인저축액(월 10만 원) 적립 시 정부 지원금(월 10만 원)을 지원한다.
내일키움통장	**신청 당시 1개월 이상 자활근로사업단 성실참여자를 대상**으로 하는 자산형성지원사업으로, 본인저축액에 대해 내일근로장려금, 내일키움장려금 및 내일키움수익금을 지원한다.
청년희망키움통장	**생계급여 수급 가구의 근로 · 사업소득이 있는 청년(만 15세 이상 39세 이하)을 대상**으로 하는 자산형성지원사업으로, 3년 이내 생계급여 탈수급 시 근로소득공제금과 근로소득장려금을 지원한다.
디딤씨앗통장	**보호대상아동(만 18세 미만의 아동복지시설 · 공동생활가정 · 장애인시설 아동, 가정위탁 · 소년소녀가정 아동)을 대상**으로, 기본매칭 적립과 추가적립을 통해 자산형성을 지원하는 사업이다.

기출 OX

디딤씨앗통장 — 아동과 국가의 매칭펀드를 통해 저소득층 아동의 사회진출 시 필요한 자립자금 마련 지원 ( )

22. 지방직

제5장 사회복지행정

회독 Check! 1회 □ 2회 □ 3회 □

제1절 사회복지행정의 개관

1 사회복지행정의 개념

1. 광의적 개념

사회복지정책 → 사회복지조직의 활동 → 사회복지 서비스

사회복지정책을 개별적이고 구체적인 사회복지 서비스로 전환[1]시키는 데 필요한 사회복지조직의 일련의 활동이나 전달체계 또는 그러한 과정을 말한다.

2. 협의적 개념

사회서비스 활동으로, 공공 및 민간의 **조직 관리자에 의해** 조직의 목표 달성을 위해 **수행되는 조직 관리 또는 내부적 조정의 협력 과정**을 의미한다.

2 사회복지행정(또는 행정조직)과 일반행정의 비교

일반행정이란 정부의 관료제를 중심으로 이루어지는 제반활동을 말하며, 이러한 일반행정과 사회복지행정 간에는 다음과 같은 공통점과 사회복지행정만의 특징, 즉 차이점이 있다.

1. 공통점 (必)

(1) 일반행정과 사회복지행정 모두 **관리자가 중심이 되어 수행하는 기획, 대안 모색, 의사결정, 실행, 평가 과정 등을 모두 포함하는 문제해결 과정**이다.

(2) 일반행정과 사회복지행정 모두 문제를 해결하기 위한 대안 선택에서 **가치판단적인 요소가 작용**한다.

(3) 일반행정과 사회복지행정 모두 미래의 바람직한 상태를 구현하기 위한 것과 관련되어 있다.

(4) 일반행정과 사회복지행정 모두 **공공의 의지(Public Will)를 실현**시키고자 한다.

(5) 일반행정과 사회복지행정 모두 **목표를 설정하고 목표달성을 위해서 인적 · 물적 자원을 동원**한다.

(6) 일반행정과 사회복지행정 모두 **목표달성을 위한 내부적 조정과 협력 과정**이다. 그리고 이를 위해 **조직부서 간 업무의 조정이 요구되고 직무평가가 이루어진다.**

선생님 가이드

[1] 사회복지정책은 중앙정부 또는 지방정부에 의해 수립되며, 이러한 정책이 지역사회를 기반으로 한 사회복지조직과 조직이 수행하는 사회복지행정을 통해 지역사회주민들에게 적용됩니다.

2. 차이점[사회복지행정(또는 조직)만의 특징] 11. 지방직 必

(1) 인본주의적 가치 지향

사회복지행정은 서비스의 대상으로서 **인간을 가치지향적 존재로 가정**한다. 이에 따라 사회복지행정가는 대안선택 시 **인본주의적 가치지향적인 행정기술을 적용**해야 한다.

(2) 공동생산(Co-Production)의 지향

사회복지행정 과정과 서비스 생산 과정에는 사회복지조직의 조직성원뿐만 아니라 **클라이언트 역시 참여하여 영향을 미친다.** 따라서 사회복지행정은 **서비스 이용자와 제공자 간 공동생산의 가치를 지향**하게 된다.

(3) 환경에의 의존

사회복지행정은 행정 과정을 수행하기 위해 소요해야 할 자원의 조달과 관련하여 **외부환경에 대한 의존도가 매우 높다.** 따라서 사회복지행정은 사회적 가치 변화 등 역동적인 환경변화에 대응하는 조직관리에 주의해야 한다.

(4) 클라이언트의 욕구 충족

사회복지행정의 궁극적인 목적은 지역사회주민들을 포함한 **클라이언트의 인지된 또는 표현된 욕구의 충족**에 있다. 그리고 이러한 욕구 충족을 통해 클라이언트와 조직의 변화를 유도한다.

(5) 지역사회 기반

사회복지행정의 배경은 지역사회이다. 따라서 사회복지행정가는 조직운영에 있어서 지역사회와의 협력의 중요성을 인식해야 한다.

(6) 전문가에게 의존

사회복지행정을 통해 제공되는 서비스는 전문적인 성격을 가지고 있다. 따라서 사회복지조직은 **일선전문가인 사회복지사의 재량을 인정**할 수밖에 없다.

(7) 전인적 관점

사회복지행정은 **인간의 문제를 전체적으로 접근하며, 이에 따라 통합성을 추구**한다.

(8) 간접적인 실천 방법

사회복지행정은 인간을 대상으로 하는 **간접적인 사회복지실천 방법**이다.

(9) 지속적인 선택 과정

사회복지행정 과정 중에는 사회복지 자원을 효과적으로 활용하기 위한 선택이 지속적으로 이루어진다. 또한 이러한 과정 중에는 **사회사업적 지식, 기술, 가치 등이 의도적으로 적용**된다.

(10) 도덕적 정당성

사회복지조직의 원료는 '인간'이다. 따라서 조직이 사용하는 기술은 **인본주의에 근거하여 도덕적으로 정당화**될 수 있어야 한다.

기출 OX

01 사회복지행정 조직의 원료는 인간이다. ( ) 11. 지방직

02 사회복지행정조직의 일선 사회복지사의 활동보다 관리자의 활동이 더 중요하다. ( ) 11. 지방직

03 사회복지행정조직의 목표에 대한 구체적 합의의 결여로 목표추구활동이 어렵다. ( ) 11. 지방직

04 사회복지행정조직이 제공하는 서비스에 관한 지식과 기술이 불완전하다. ( ) 11. 지방직

01 ○
02 × 사회복지행정조직은 일선 사회복지사의 재량과 활동이 더 중요하다.
03 ○
04 ○

(11) 목표의 모호성

사회복지조직의 원료는 모호성을 지닌 '인간'이다. 이로 인해 성취 목표에 대한 조직성원의 합의점 도출이나 다양한 목표의 포괄적 수용 과정에서 오히려 **목표가 더욱 모호해질 수 있다.**

(12) 지식과 기술의 불확실성

사회복지조직의 대상인 인간은 변동적이며 불안정한 존재이므로 이들에게 사회복지조직이 사용하는 주된 **지식과 기술은 복잡하고 불확실해질 수밖에 없다.** 또한 이에 따라 사회복지조직이 제공하는 서비스의 성공확률은 그렇게 높지 못한 경향이 있다.

(13) 직원 · 클라이언트 간의 직접 접촉에 의한 상호작용

사회복지조직에서 제공하는 사회복지 서비스의 전달 과정은 **사회복지조직의 일선직원과 클라이언트의 직접적인 접촉에 의한 상호작용을 통해 이루어지므로 일선 직원과 클라이언트와의 관계가 조직의 효과성과의 성패를 좌우**한다.

(14) 어려운 성과평가

사회복지조직의 '목표의 모호성'으로 인해 **신뢰 있고 타당성 있는 효과성과 효율성을 측정할 척도가 사실상 부재**하므로 **조직성과의 객관적 증명이 쉽지 않다.**

(15) 대립적 가치의 상존

사회복지행정은 조직 내에서의 대립적인 가치로 인해 갈등이 발생할 수밖에 없다. 또한 조직은 조직 과정을 통해 이를 조정해야 한다.

(16) 조직 간 연계의 중요

사회복지행정은 목적을 달성하기 위해서 **조직 간 상호연계망을 구축**해야 한다.

(17) 복잡한 이해관계 집단의 구성

사회복지조직은 이해관계 집단의 구성이 복잡하여 대립된 가치와 이로 인한 **갈등의 문제가 발생**하기 쉽다.

3 사회복지행정의 필요성과 기본원칙

1. 필요성

(1) 복잡한 현대사회

산업화와 도시화의 결과로 발생한 다양한 사회 문제는 기존의 가족이나 이웃과 같은 1차집단만으로는 적절하게 대응할 수 없게 되었으며, 이에 **사회복지조직과 같이 사회 문제 해결을 위해 조직된 2차집단의 역할과 중요성**이 커지고 있다.

(2) 자원의 효과적인 관리

사회복지실천에 소요되는 인적자원이나 물적자원은 한정되어 있고 이러한 한정된 자원의 효과적인 관리의 필요성이 대두되었으며, 이에 **사회복지조직이 세분화되면서 조직 간 통합과 조정의 필요성 역시 커지고 있다.**

(3) 외부의 책임성 이행요구

사회복지조직이 활용하는 자원의 공급처이면서 동시에 수요자인 정부나 지역사회와 같은 외부체계의 **사회복지조직에 대한 책임성 이행 요구가 증가**하고 있다.

2. 기본(또는 실천)원칙(Trecker)

(1) 사회사업 가치의 원칙

기관이 제공하는 서비스와 프로그램에는 **사회사업의 가치가 적용**되어야 한다.

(2) 지역사회와 클라이언트 요구의 원칙

기관의 존립 이유는 **지역사회와 클라이언트의 요구에 반응**하는 것이다.

(3) 기관 목적의 원칙

기관은 기관의 **사회적 목적을 명확화 · 공식화**하여 설정해야 한다.

(4) 문화적 장의 원칙

기관은 지역사회의 문화에 대한 지식을 확대하고 이를 활용해야 한다.

(5) 의도적 관계의 원칙

기관은 지역사회 내 다양한 **조직성원들과 의도적 관계를 형성**해야 한다.

(6) 기관의 전체성의 원칙

기관은 하나의 유기체로 인식되어 기관 내 부서들은 상호 연계되어 **총체적으로 운영**되어야 한다.

(7) 전문적 책임의 원칙

기관은 전문적 실천 기술에 기반한 **고도의 전문적 서비스를 제공**해야 한다.

(8) 참가의 원칙

기관 내 조직성원들은 의사결정과 서비스 제공 과정 등 **기관이 수행하는 모든 활동에 역동적으로 참여**해야 한다.

(9) 커뮤니케이션의 원칙

기관은 기관 내 조직성원들 간의 효율적인 커뮤니케이션 경로 개발을 위해 **개방적인 채널을 구축**해야 한다.

(10) 지도력의 원칙

기관의 리더는 예시 · 자극 · 격려 · 지지 등의 수단을 통해 **기관의 목적 달성을 위한 적절한 수준의 지도력을 발휘**해야 한다.

(11) 계획의 원칙

기관은 기관의 미래와 지역사회의 공헌에 관한 내용을 **미래지향적으로 설계**해야 한다.

(12) 조직화의 원칙

기관은 기관 생산성 향상 등을 위해 **기관을 조직화 · 구조화**해야 한다.

(13) **권한 이양의 원칙**

기관은 직원들의 능력에 맞추어 **업무와 일정부분의 의사결정 권한 역시 할당**해야 한다.

(14) **조정의 원칙**

기관은 직원들이 자신의 업무에 집중할 수 있도록 **그 양과 질을 적당하게 조정**해야 한다.

(15) **자원 활용의 원칙**

기관은 지역사회가 그들에게 부여한 신뢰에 부응하여 기관의 자원을 **적절하고 합법적으로 통제하고 관리**해야 한다.

(16) **변화의 원칙**

기관은 **지속적인 변화 과정을 추구**해야 한다.

(17) **평가의 원칙**

기관은 기관의 목표성취를 위해 **지속적으로 평가**해야 한다.

(18) **성장의 원칙**

기관은 기관 내 모든 조직성원의 성장과 발전을 위해 **지속적으로 학습을 위한 기회를 제공**해야 한다.

4 사회복지행정의 가치와 관점

1. 사회복지행정의 가치 (必)

사회복지행정의 주요 가치로는 **효과성, 효율성, 형평성, 접근성** 등이 있다.

(1) **효과성(Effectiveness)**

조직의 목표 달성과 관련된 가치이다. 즉, 사회복지조직 관리자는 조직이 선정한 클라이언트의 욕구 충족 등 **조직이 기획한 목표의 달성을 지향**해야 한다.

(2) **효율성(Efficiency, 또는 능률성)**

자원의 유한성을 전제로 하여 이러한 자원을 어떻게 배분할 것인가에 대한 가치이다. 즉, 사회복지조직 관리자는 **최소한의 자원 투입으로 최대한의 산출 달성을 지향**해야 한다.

(3) **형평성(Equity, 또는 공평성)**

사회복지조직 관리자는 **동일한 욕구를 지닌 클라이언트에게 동일한 수준의 서비스 제공**을 지향해야 한다. 또한 이러한 형평성에는 서비스를 받을 기회와 내용뿐만 아니라 그 비용도 포함되어야 한다.

(4) 접근성(Accessibility, 또는 편의성)

사회복지조직 관리자는 조직이 제공하는 서비스에 대해 **클라이언트가 쉽게 이용할 수 있는 제반 여건을 확보**해야 한다. 이러한 제반 여건에는 기관의 위치나 교통수단 등의 물리적인 부분뿐만 아니라 서비스 이용비용, 이용자의 심리적 부담감 등이 모두 포함된다.

2. 사회복지행정의 관점 (必)

(1) 선별주의

클라이언트에게 **수급자격과 조건을 부여하여 서비스를 제공**해야 한다는 관점으로, **효과성과 효율성 측면에서 유리**하다.

(2) 보편주의

클라이언트에게 **수급자격과 조건을 부여하지 않고 서비스를 제공**해야 한다는 관점으로, **형평성과 접근성 측면에서 유리**하다.

5 미국의 사회복지행정 역사

미국의 사회복지행정 역사는 크게 19세기 중반부터 1920년대까지의 인식기, 1930년대부터 1950년대까지의 발전기, 1960년대의 침체기, 1970년대에서 1990년대까지의 확립 및 정착기로 구분할 수 있다.

1. 인식기(19세기 중반~1920년대)

(1) 시대적 배경

① 1865년 남북전쟁의 종료와 1873년 발발한 경제공황 등의 영향으로 **미국의 산업은 과거 농업 중심에서 공업 중심으로 변화**되었고, **인구는 도시로 집중**하였으며, **구대륙으로부터 이민이 폭증**하였다.

② 이러한 현상은 **빈민과 실업의 대량 발생, 도시의 슬럼화, 열악한 공중위생 문제, 범죄 문제 등 다양한 사회 문제를 발생**시켰으며, 이로 인해 사회복지에 대한 사회적 수요가 급증하여 **자선단체가 난립**하게 되었다.

(2) 사회복지행정 관련 주요 사건

① **1877년**에는 난립된 자선단체의 조정과 연계를 위해서 영국 자선조직협회에서 활동하던 미국인 목사들이 귀국하여 **뉴욕주 버팔로(Buffalo)에 미국 최초로 자선조직협회를 결성**하였다.

② 1886년, 코이트(Coit)가 뉴욕에 **미국 최초의 인보관인 근린길드(Neighborhood Guild)를 설립**하였다.

③ 1889년, 아담스(Addams)가 **시카고에 인보관인 헐 하우스(Hull House)를 설립**하였다.

④ 20세기 초에는 제1차 세계대전으로 공동모금이 '전시모금'을 겸하게 되면서 공동모금 활동이 급속히 확산되어 '지역공동모금회'가 창설되었고, 이로 인해 행정가의 역할이 증대되었다.

⑤ 지역사회의 문제를 해결하기 위해서 **'지역사회복지기관협의회'가 조직**되었다.

⑥ 사회복지행정교육

㉠ **1914년에는 사회사업 교과 과정에 최초로 사회복지행정이 등장**하며 사회복지사에 대한 **사회복지행정의 정규교육이 시작**되었다.

㉡ 1923년에는 미국 사회사업대학협의회에서 사회복지행정학을 선택과목으로 지정하였다.

㉢ **1929년 개최된 밀포드 회의에서는 사회복지행정 교육의 필요성이 주장**되어 사회복지행정이 **개별사회사업, 집단사회사업, 지역사회조직, 사회사업조사와 더불어 기본적인 실천 방법으로 인정**되었다.

⑦ **개별사회사업의 지식과 실천기술의 발달로 사회복지행정의 기초가 마련**되었다.

2. 발전기(1930년대~1950년대)

(1) 시대적 배경

① 1929년 발발한 경제대공황으로 **1935년에 「사회보장법」이 제정**되었다.

② 경제대공항의 발발은 정부 주도의 공공부조 제도 창설과 이를 운영하기 위한 **공공사회복지행정에 대한 필요성을 확산**시켰고, 이로 인해 이와 관련된 인력과 조직의 수요가 크게 증가하였다.

(2) 사회복지행정 관련 주요 사건

① 공공과 민간의 역할이 분담되어 **노인이나 빈민에 대한 공공부조는 공공영역이 담당**하고 **민간은 주로 전문화된 서비스만을 제공**하게 되었다.

② 1950년대에 들어서 행정학의 발달로 **행정학과의 교류를 통한 사회복지행정의 체계화가 시도**되었다.

③ 특히 **1952년 미국 사회복지교육협의회(CSWE)의 대학원 교육 과정에 조직행정 과정에 대한 교육이 포함**되었다.

3. 침체기(1960년대)

(1) 시대적 배경

1960년대 미국의 사회복지행정은 침체의 시기였다. 1960년대 촉발된 흑인 운동, 반전 운동, 복지권 운동 등의 다양한 민주화 운동 등에 힘입어 시작된 **존슨 정부의 빈곤과의 전쟁이 실패**하였고, 이로 인해 사회복지조직 활동의 효율성과 효과성에 대한 비판이 제기되어 **사회복지행정의 발달 역시 위축**될 수밖에 없었다.

(2) 사회복지행정 관련 주요 사건

① 1963년에 「지역사회 정신건강법」이 제정되어 **지역사회 정신건강센터(Community Mental Health Center)가 출범**하고 크게 확산되었다.

② 전국사회복지사협회(NASW) 내에 사회복지행정위원회가 설립되어 사회복지행정에 관한 학문적 연구가 활발해졌다.

4. 확립 및 정착기(1970년대~1990년대)

(1) 시대적 배경

① 1970년대 들어 베트남 전쟁과 오일쇼크 등으로 피폐해진 미국의 경제 상황하에 오히려 **사회복지 서비스 관련 공공지출은 급증**하게 되었다.

② 이에 사회복지 서비스를 제공하는 **사회복지조직에 대해 효과적이며 효율적인 경영에 대한 대외적 요구가 증가**하였으며, 이에 사회복지조직 관리자들은 고도의 행정기술 도입을 통해 전문적 프로그램을 기획 및 활용하고 **사례관리를 통한 서비스 통합을 본격적으로 실시**하였다.

③ 1981년에는 레이건(R. Reagan)이 대통령에 취임하면서 **신자유주의 및 신보수주의 정책을 급속하게 추진**하였고, 이에 사회복지 분야의 '민영화'가 시작되어 정부의 규모를 축소하고 재정지출을 줄이며, 민간의 자율성을 높이는 방향으로 사회복지정책이 추진되었다. 이러한 현상은 **민간사회복지조직에게 심각한 재원조달과 책임성의 문제를 야기**시켰다.

(2) 사회복지행정관련 주요 사건

① **1976년 최초의 학술지인 「사회사업 행정(Administration in Social Work)」이 발간**되었다.

② 1990년대 이후 사회복지 서비스의 민영화와 상업화가 더욱 강화되었고, 이로 인해 **기획에서 서비스전달까지 수행하던 거대 공공조직들이 퇴조**하고, 사회복지전달체계가 다원화되면서 **공공과 민간조직의 기능적인 구분이 불명확**해졌다.

제2절 사회복지조직이론

회독 Check! 1회 □ 2회 □ 3회 □

1 고전이론

고전이론에 따르면 조직은 경제적 이유와 생산 목표를 달성하기 위해 존재하며, **과학적 분석을 통해 생산을 조직화할 수 있는 최상의 방식을 규명**❶할 수 있다고 가정한다. 이들의 인간관은 **맥그리거의 X이론에 근거하여 개인은 합리적이고 경제적인 원칙에 따라서 행동**한다고 본다. 대표적인 이론으로는 **'과학적 관리론', '행정관리론', '관료제이론'**이 있다.

선생님 가이드

❶ 고전이론에서는 최상의 방식으로 전문화, 위계구조, 성과에 따른 보상, 분업을 강조합니다.

1. 과학적 관리론 10 · 18. 국가직, 19. 서울시 必

(1) 개관

테일러(F. Taylor)[1]가 산업현장에서 **직무수행의 효율성과 생산성의 극대화를 목표**로 한 경영 및 생산의 기술들을 종합하여 주장한 이론으로, **과학적 분석을 바탕**으로 한 능률적 작업 방법이 조직의 생산성을 증대시키고 조직성원들에게 적절한 보상을 확보해 줄 수 있다는 견해를 가지고 있다.

(2) 조직 관리의 기본원칙

① 기획과 실행의 분리: **기획은 관리자의 몫으로, 직무 수행은 조직성원의 몫으로 분리**해야 한다.

② 과학적 작업 관리

㉠ **조직의 생산성 향상과 관련된 명확한 목표를 수립**하고 이러한 목표의 우선순위를 정해야 한다.

㉡ **생산성을 고도화시킬 수 있는 최선의 방법**을 찾기 위해 직무에 소요되는 '시간과 동작의 연구'를 하고, 이를 통해 **'과업 수행에 필요한 단위 시간과 표준화된 동작' 그리고 '고도의 분업'을 설계**해야 한다.

③ 과학적 선발과 훈련: 과학적 방법을 통해 직무에 적합한 조직성원을 선발하고 직무와 그 직무에 있어서 따라야 할 절차에 관해 철저히 훈련시켜야 한다.

④ 상하의 일치성 확립: **권한과 책임은 오직 관리자에게만 부여**되어야 하며, 관리자 중에서도 전문가를 채용하여 직무의 방법, 속도, 규율, 품질 조정 등의 **'절차와 표준'을 맡겨서 조직성원 상하의 일치성을 확립**해야 한다.

⑤ 경제적 유인(또는 보상) 실시: 조직성원에게 그가 최선을 다해 일할 의욕이 생기도록 **금전적인 혜택(또는 차별적인 성과급)을 제공**해야 한다.

(3) 한계

① 환경과의 관계를 고려하지 못하는 **폐쇄체계적 관점**이다.

② 조직성원들은 오직 경제적 유인에만 반응한다고 가정하여 **인간에 대한 기계적인 견해**를 갖게 할 수 있으며, **구성원들의 비인간화로 소외현상이 발생**할 수 있다.

③ **비공식집단, 커뮤니케이션 등의 비합리적 요인들**이 조직의 생산성에 미치는 영향력을 지나치게 간과하였다.

④ 사회복지조직의 목표는 모호하고 불확실하므로 **실제로 명확한 목표를 수립하는 것이 어렵다.**

⑤ 권한과 책임을 관라자에게만 부여함으로써 **지나친 엘리트주의를 양성**시킬 수 있다.

선생님 가이드

[1] 19세기 말 미국 펜실베이니아의 철강 공장에서 관리자로 근무하던 테일러(Frederick Winslow Taylor)는 자신이 근무하던 공장의 근로자들이 각자가 맡은 업무를 성실하게 수행하지 않고 반대로 최대한 일을 하지 않으려는 모습을 보고, 이는 전적으로 비효율적인 조직 관리가 원인이라고 생각하였습니다. 그래서 테일러는 어떻게 조직을 생산적으로 관리할지, 어떻게 하면 근로자들을 효율적으로 일하게 할 수 있을지 고민하였고, 이에 객관적인 자료에 근거하여 과학적으로 조직관리를 한다면 생산성이 높아질 것이란 가정 하에 과학적 관리론을 탄생시켰습니다. 이러한 과학적 관리론은 1911년 테일러의 대표적 저서 '『과학적 관리론(The Principles of Scientific Management)』'에서 처음으로 사용된 용어입니다.

기출 OX

01 과학적 관리론에 따르면 조직은 갈등과 불화가 존재하는 체계이며, 조직의 목표가 분명치 않아 조직관리자가 우선순위를 정하기 어렵다. ( ) 18. 국가직

02 과학적 관리론은 계층제적 권한구조, 정책과 행정 결정의 분리 등의 특징을 지닌 대규모 조직을 설명하는 이론이다. ( ) 19. 서울시

01 × '갈등과 불화가 존재하는 체계'가 아니라 '상하의 일치성이 확립된 체계'이며, '조직의 목표가 분명치 않아 조직관리자가 우선순위를 정하기 어렵다.'가 아니라 '조직의 목표가 분명하고 이에 조직관리자가 우선순위를 정할 수 있다.'가 옳다.
02 × '계층제적 권한구조'는 관료제이론의 특성이다.

2. 행정관리론(또는 행정적 관리이론) 18. 서울시 必

(1) 개관

① 조직의 생산성이나 효율성보다는 **행정관리 기능의 향상에 주로 초점을 두는 이론**이다.

② 대표적인 학자로는 **굴릭(L. Gulick), 어윅(L. Urwick), 페이욜(H. Fayol)** 등이 있다.

(2) 조직행정의 행정적 기능(또는 과정) - 굴릭과 어윅(Gulick & Urwick)

굴릭과 어윅(Gulick & Urwick)은 조직행정의 행정적 기능을 POSDCoRBE(기획 → 조직화 → 인사 → 지시 → 조정 → 보고 → 재정 → 평가)로 **제시**하였다.

기획(Planning)	① **계획을 수립하는 과정과 기능**을 말한다. ② 조직의 구체적인 목표 설정, 목표 달성과 관련된 정보 수집 및 가용자원 검토, 목표 달성을 위한 대안 모색, 대안의 실시 조건 및 기대효과 평가, 최종대안 선택, 구체적 실행계획 등이 포함된다.
⬇	
조직화(Organizing)	① **작업의 할당이 규정되고 조정되는 조직의 공식적인 구조를 설정하는 과정과 기능**을 말한다. ② **조직의 공식적인 구조를 설정**하여 조직성원들의 업무를 규정하고, **조직목표와 과업 변화에 부응하여 조직구조를 확립하는 것** 등이 포함된다.
⬇	
인사(Staffing)	① **직원의 '채용부터 면직'까지의 관리 과정과 기능**을 말한다. ② 직원채용(모집, 선발, 임명), 직원개발(직원에 대한 교육 및 훈련 활동), 동기부여, 직원의 면직 등이 포함된다.
⬇	
지시(Directing, 또는 지휘)	① **직원에 대한 관리자의 관리 · 감독 과정과 기능**을 말한다. ② 조직관리자는 합리적인 결정, 능동적인 관심, 헌신적인 태도로 직원의 공헌을 칭찬하고 책임과 권한을 효과적으로 위임해야 한다.
⬇	
조정(Coordinating)	① **조직의 다양한 부분들을 상호 관련시키는 과정과 기능**을 말한다. ② 조직의 여러 부서 및 직원들 간에 효과적인 의사소통을 위해서 '위원회 활동'을 활성화시키는 것 등이 포함된다.
⬇	
보고(Reporting)	① **조직의 직원이나 이사회 또는 지역사회, 자원 제공자 등에게 조직의 활동을 알려주는 과정이나 기능**을 말한다. ② 기록의 유지, 정기적인 감사, 조사연구 등이 포함된다.
⬇	
재정(Budgeting)	① **조직의 운영에 소요되는 재정의 확보와 이의 운영과 관련된 과정과 기능**을 말한다. ② 예산서 작성, 재정집행 계획, 회계절차 관리 등이 포함된다.
⬇	
평가(Evaluating)	① **조직 활동의 효과성과 효율성을 측정하는 과정과 기능**을 말한다. ② 형성평가, 총괄평가, 효율성 평가, 효과성 평가 등이 포함된다.

기출 OX

굴릭(L. Gulick)과 어윅(L. Urwick)이 구분한 사회복지행정 과정인 POSDCoRB 중 조직(Organizing)은 '작업의 할당이 규정되고 조정되는 공식적인 구조의 설정'과 관련된 것이다. ( ) 18. 서울시

○

(3) 조직관리자가 준수해야 할 원칙(Fayol)

① **과업의 분업화**: 모든 과업은 세분화, 전문화, 지식화하여야 한다.

② **권한과 책임**: 직무 수행을 위해 권한과 책임은 상응해야 한다.

③ **규율**: 규칙을 준수하고 규칙에 따라 일해야 한다.

④ **명령의 통일**: 조직성원 중 하위자는 상위 관리자에게 지시를 받아야 한다.

⑤ **지휘 일원화**: 동일한 목적의 집단은 한 명의 관리자에 의해 계획되고 협의되어야 한다.

⑥ **조직이익 우선**: 조직의 이익이 개인의 이익에 종속되어야 한다.

⑦ **보상**: 급여와 그 지급은 공정해야 한다.

⑧ **집권화**: 총괄 및 의사 결정의 중심이 있어야 한다.

⑨ **계층적 연쇄**: 조직은 상호 연계되고 연속되어야 한다.

⑩ **질서**: 조직 내 물적 · 인적자원이 적재적소에 있어야 한다.

⑪ **공평성**: 관리자가 조직성원을 대할 때에는 공평하게 대해야 한다.

⑫ **낮은 이직률(고용안정)**: 능력은 고용의 안정에서 발휘될 수 있다.

⑬ **창의력 개발**: 조직성원에게 주도권을 부여하여 계획하고 실천할 때 창의력을 발휘하게 한다.

⑭ **단결심**: 협조와 단합으로 한결 같은 모습을 보여야 한다.

3. 관료제이론(또는 관료이론) 19. 국가직, 10. 지방직 (必)

(1) 개관

베버(Max Weber)에 의해 처음으로 연구되고 분석된 이론으로, **조직 내에서 집권화된 계층적 구조를 지닌 합법적 · 합리적 권위의 지배(또는 권한양식)가 제도화된 조직형태인 관료제**를 통해 조직의 생산성을 높이고자 한 이론이다.

(2) 특징

① 금전적인 요인만이 조직성원을 동기화시킨다고 가정하여 **연공(年功)과 업적에 따라 급여와 소득을 차별화**한다.

② 조직 운영에 있어서 **구성원 간의 사적 감정을 배제**한다.

③ 권위를 규정하는 **'성문화된 규칙'의 필요성, 관리자의 고도로 전문화된 기술적 지식, 명확하고 고도로 전문화된 분업, 공적인 지위에 기반을 둔 권위적인 위계구조를 강조**한다. 특히 위계구조 측면에서 최고관리자의 의사결정권을 강조한다.

④ 환경과의 관계를 고려하지 않는 **폐쇄체계적 관점**이다.

핵심 PLUS

관료제의 주요 특징에 따른 순기능과 역기능

관료제 주요 특징	순기능	역기능
권위적인 위계구조	엄격한 지시이행	의사소통의 저해
성문화된 규칙	지속성과 통일성	경직성과 목표전치, 비효과성
구성원 간 사적 감정 배제	합리성 확보	직원의 사기저하, 비인간화
명확하고 고도로 전문화된 분업	전문성 강화	직무에 대한 태만
급여와 소득의 차별화	유인체계	연공과 업적 간의 갈등

(3) 장점과 단점

장점	① 조직의 합리화와 전문화를 추구하여 효율성 증진에 기여한다. ② 조직이 수행해야 할 과업이 **일상적이고 일률적인 경우에 효율적**이다.
단점	① 동조과잉(Overcomformity)과 목표·수단의 대치현상: 본래 수단으로만 간주되었던 **규칙의 준수가 형식주의를 초래하게 되어 그 자체가 목표가 되어버릴 수 있다.** ② 크리밍(Creaming) 현상: 조직들이 **접근성 메커니즘을 조정하여 보다 유순하고 성공 가능성이 높은 클라이언트들을 선발하고, 비협조적이거나 어려울 것으로 예상되는 클라이언트들을 배척하게 되는 현상이 발생**할 수 있다. ③ 레드테이프(Red Tape) 현상[1], 또는 번문욕례(繁文縟禮)[2]: **사무의 처리가 문서라는 형식에만 의존**하게 되는 일이 발생할 수 있다는 것이다. ④ 매너리즘(Mannerism): 관료의 자기보존에 대한 집착 때문에 **의사결정에 있어서 심한 보수성**을 갖게 될 수 있다. ⑤ 할거주의(Sectionalism, 또는 부서이기주의): 관료들이 타기관이나 부처 등에 대한 배려 없이 **자신이 소속되어 있는 기관이나 부처의 입장과 발전만을 고려**하여 결과적으로 조정이나 협조가 어려워질 수 있다. ⑥ 조직 내 대인관계의 지나친 몰인정성(Impersonality)으로 인해 구성원 간에 냉담·무관심·불안의식 등이 발생하여 **인간성을 상실시키고, 인간적 발전을 저해**시킬 수 있다. ⑦ 무사안일주의(無事安逸主義): 적극적으로 새로운 일·조언·결정을 하려고 하지 않고, **상관의 지시가 옳든 그르든 이에 영합(Conform)하여 소극적으로 처리**한다. 이에 따라 제공되는 서비스가 최저 수준에 머무를 수 있다. ⑧ 전문화로 인한(또는 훈련된) 무능(Trained Incapacity): 해당 분야에 대한 지나친 **전문가 우선주의로 인해 조직 내 타분야의 협업 등에 있어서 문제가 발생**할 수 있다.

선생님 가이드

❶ 17세기 영국 관청에서 공문서 뭉치를 붉은 띠로 묶어둔 것에서 유래된 용어로, 당시 영국 관청에서는 붉은 띠로 묶여지지 않은 문서는 그 사안이나 중요성 등에 상관없이 공문서로 인정하지 않았다고 합니다.

❷ 문(文)도 번거롭고 예(禮)도 번거롭다는 의미로, 레드테이프에 대한 한자표현입니다.

기출 OX

사회복지 서비스 조직들은 보다 유순하고 성공 가능성이 높은 클라이언트를 선발하고, 비협조적이거나 어려울 것으로 예상되는 클라이언트들을 배척할 수 있다. 이는 개별 서비스 조직들이 외부 환경과의 관계 속에서 생존 가능성을 극대화하는데 필요한 전략으로 간주되지만, 전체 사회적 관점에서는 사회복지 서비스의 책임성을 낮춘다는 점에서 사회적 병폐가 된다. 이러한 것을 크리밍(creaming) 현상이라고 한다. ( )

10. 지방직

○

2 인간관계이론

인간관계이론에서는 고전이론에서 간과했던 조직성원의 동기, 목표 수준 등을 강조하며, 조직의 생산성을 높이기 위해서는 **조직구성원 간이나 구성원과 관리자 간의 인간관계가 중요하다고 가정**한다. 대표적인 이론으로는 **메이요의 인간관계이론, 맥그리거의 X-Y이론, 룬드스테드의 Z이론** 등이 있다.

1. 메이요(E. Mayo)의 인간관계이론 19. 서울시 必

(1) 개관

산업심리학자인 메이요가 **호손(Hawthorne)공장실험**[1]의 결과를 통해 제시한 조직이론으로, 호손공장실험의 결과 생산과 관리에서 **인간적인 요소와 감정의 중요성, 인간의 사회적 · 심리적 욕구와 조직성원의 사회적인 상호작용이 중요한 영향**을 미친다는 것이 증명되었다.

(2) 특징

① 인간관은 **맥그리거의 Y이론**에 근거한다. 따라서 조직에서 개인은 **비경제적인 동기인 심리적 · 사회적 욕구에 따라 행동**한다.

② 조직성원은 **개인으로서가 아니라 집단의 일원으로서 행동**한다.

③ 조직 내에 존재하는 비공식 집단 내의 인간 관계는 **정서적인 측면이나 사회적 관계와 같이 비합리적인 요소에 따라 이루어지며, 이러한 비공식적 집단은 개인의 태도와 생산성에 큰 영향**을 미친다.

④ 결국 **조직의 작업능률과 생산성은 인간 관계에 의해 좌우**되므로, 조직 내 생산성 향상과 관련하여 **사회기술(Social Skill)의 활용을 강조**한다.

(3) 한계

① 사회 · 심리적 변수 이외에도 조직에 중요한 영향을 미치는 환경, 자원의 목적, 조직 크기, 임금과 활동조건 등의 다양한 변수들을 고려하지 못한다.

② 업무수행에 영향을 미치는 조직 내의 정치 및 경제적 과정을 무시하는 경향이 있다.

③ 조직에서 인간관계적 기술의 사용이 주를 이룰 때, 표준화된 업무수행이 어려울 수 있다.

④ 환경과의 관계를 고려하지 않는 **폐쇄체계적 관점**이다.

2. 맥그리거(McGregor)의 X-Y이론 19. 서울시 必

(1) 메이요의 인간관계이론이 조직성원 간의 **수평적 인간관계이론**이라면, 맥그리거의 X-Y이론은 **관리자와 조직성원 간의 위계적인 인간 관계, 즉 수직적 인간관계이론**이다.

(2) 직무와 관련된 관리자의 조직성원에 대한 시각을 **'부정적 시각(X이론)'과 '긍정적 시각(Y이론)'으로 나누어서 이해**한다.

선생님 가이드

[1] 1924~1933년까지 산업심리학자인 메이요를 주축으로 미국 시카고 인근에 위치한 웨스턴전기회사의 호손공장에서 실시된 실험입니다. 처음에는 "공장 내 작업환경, 특히 조명의 양과 밝기가 공장 근로자의 생산성에 영향을 미칠 것이다."라는 가설을 입증하기 위해서 실시되었지만 실험결과 설정된 가설과는 전혀 상관없는 결과가 도출되었고, 그 이유를 파악하는 과정에서 '심리사회적인 요인'이 생산성에 지대한 영향을 준다는 사실을 발견하였습니다.

기출 OX

인간관계이론은 호손 공장의 실험을 계기로 전개되었다. ( ) 19. 서울시

○

X이론	Y이론
① 매슬로우의 하위욕구(생리적 욕구, 안전의 욕구)에 해당하는 인간: 조직성원은 **게으르며, 가능한 한 일을 적게 하려하고, 야망이 없으며, 책임지는 것을 싫어한다.** 또한 정직하지도 않으며, 똑똑하지도 않다. ② 따라서 관리자는 조직 욕구에 부합할 수 있도록 **조직성원을 통제, 지시하거나 행동을 수정**해 주어야 한다. 이러한 적극적인 관리 개입이 없다면 조직성원은 수동적으로 행동하거나 조직 요구에 저항한다.	① 매슬로우의 상위욕구(사회적 욕구, 자기존중 욕구, 자기실현 욕구)에 해당하는 인간: 조직성원은 자율성과 창조성을 가지고 있어 **관리자의 통제 없이도 자발적으로 책임 있게 행동**하며 또한 천성적으로 **조직 목표 달성을 위해 일할 준비가 되어 있고 직무를 성공적으로 수행하기 위한 자기개발, 동기, 역량이 있다.** ② 따라서 관리자의 주요 직무는 조직성원으로 하여금 자기개발, 동기, 역량이 있다는 것을 인식시켜 주고, 그들이 스스로의 노력으로 조직 목표를 달성할 수 있도록 조직환경을 변화시키고 지원해 주는 것이다.

(3) **X이론에서의 관리자는 지시적 인간 관계를, Y이론에서의 관리자는 지지적 또는 참여적 인간 관계**를 맺어야 한다.

3. 룬드스테드(Lundstedt)의 Z이론 (必)

(1) **맥그리거의 X-Y이론에서 주장하는 '인간 관계의 양분지향(지시적, 참여적)'을 비판**하여 등장한 이론으로, X이론이나 Y이론에 포함시킬 수 없는 또 다른 측면의 인간관에 근거하여 발달시킨 개념이다.

(2) 조직성원은 통제와 강제의 대상이 아님을 가정하여 일부 특수한 직종(예 학자, 연구자 등)에게 있어서 **조직 내의 방임상태**가 오히려 그들의 **심리적 충족과 창의력을 발휘하게 하여 생산성 향상에 기여**하게 한다고 주장한다.

3 상황이론과 구조주의이론

1. 상황이론

(1) 개관

① 상황에 따른 조직화: 고전이론과 인간관계이론에서 제시되는 근본적인 전제를 부정하여 조직화하는 데 있어 **이상적이며 유일한 최선의 방법은 없으며, 조직이 처한 조건과 상황에 따라 적절한 조직화 방법을 결정해야 한다고 전제**한다.

② 상황에 따른 조직 관리: **특정한 조직구조와 관리 방법이 다른 구조와 방법보다 효과적이라는 가정을 부정**[❷]하여 효과적인 조직은 다양할 수 있으며, **그 조직의 특성과 업무환경 및 기술환경과의 적합성이 조직의 성패를 좌우한다고 본다.**

③ 기존의 조직이론이 환경과의 관계를 도외시한 반면, **상황이론은 환경적 변수의 중요성을 강조**한다.

선생님 가이드

❷ 이러한 관점에서는 경직된 규칙과 구조를 가진 조직뿐만 아니라 느슨하고 유동적인 구조를 가진 조직 역시 어떤 시기에는 효과적이거나 반대로 비효과적일 수 있습니다.

기출 OX

01 X-Y이론은 목표에 의한 관리를 강조하는 이론을 의미한다. ( ) 19. 서울시

02 목표관리이론은 목표보다는 인간 관계를 강조한 이론이다. ( ) 19. 서울시

01 × 'X-Y이론'이 아니라 '목표관리이론(MBO)'이 맞다.
02 × '목표관리이론'이 아니라 '인간관계이론'이 옳다.

(2) **한계**

어떠한 상황이나 환경에 어떤 조직이 효과적이라는 일정한 원칙과 지침을 제공해 주는 데 실패했기 때문에 실제로 **이 이론을 과학적으로 검증하거나 현실에 적용하는 데에는 일정한 한계**가 있다.

2. 구조주의이론 10. 국가직 (必)

(1) **개관**

① **고전이론과 인간관계이론을 조화시키고 총합한 이론**으로, 조직의 공식적 요인과 비공식적 요인, 하급자와 상급자, 사회적 보상과 경제적(또는 물질적) 보상, 공식적 조직과 비공식적 조직 등이 그것이다.

② 조직을 **사회집단들이 상호작용하는 크고 복잡한 사회적 단위**로 보고, 이러한 조직 내에는 **구조적 법칙이 존재한다고 가정**한다. 즉, 조직 내에서는 표면적으로는 드러나지 않지만 조직성원들의 행위를 가능하게 하는 **내적 · 근원적 법칙이 존재하며, 이러한 법칙을 통해 조직을 설명**해야 제대로 설명할 수 있다고 주장한다.

③ 이러한 법칙 중에 **갈등**, 즉 집단들은 이해관계를 공유하기도 하지만 **양립할 수 없는 다른 이해 관계를 갖기도 한다는 점에 주목**한다.

(2) **특징**

① **개인과 조직의 목표가 일치하지 않을 수 있고, 조직에서 갈등이 불가피하다는 것을 가정**하여 **갈등을 역기능이 아니라 순기능**[1]으로 보고, **사회적 갈등을 인위적으로 은폐하는 것에 반대**한다.

② 개방체제적 관점: **조직에 대한 환경의 영향을 강조**하고, 외부환경을 관리하는 행정 및 조직의 역할을 중시한다.

(3) **사회복지조직에서의 유용성**

사회복지조직 역시 다른 조직들과 같이 갈등에 항상 노출되어 있으나 목표달성을 위해 양보, 타협, 중재, 대화 등의 문제해결 방법이 필요하다는 것을 시사한다.

(4) **한계**

① 사회현상에 구조적 법칙이 존재한다는 가정으로 인해 **자칫 역사적인 변동**[2]**이나 개인행위의 자율성 · 개별성 · 창의성 · 독립성 등과 같은 인간적인 요소들이 무시**[3]될 수 있다.

② **갈등을 지나치게 강조**하며, 갈등은 공개적인 의사소통과 신뢰만으로도 원만히 해결될 수 있다고 단정하지만 현실은 그렇지 않다.

4 체계이론

1. 기본 가정

(1) 조직은 **각각의 기능을 수행하는 하위체계로 구성된 복합체**이다.

선생님 가이드

❶ 구조주의자들은 갈등이 "조직의 다양한 문제를 노출시키고 그에 따른 해결책을 찾게 함으로써 조직이 그 기능을 달성할 수 있게 한다(Coser, 1956년)"라고 보았으므로 갈등을 인위적으로 은폐하려는 것에 반대했습니다. 그들은 갈등의 표출이야말로 상호이해와 신념의 진정한 차이를 나타나게 해주는 계기가 된다고 주장하였습니다.
❷ 역사적인 변동을 무시하는 초기 구조주의에 반대하여 사회구조의 역사적 변동에 관심을 기울이는 흐름이 등장하게 되는 데, 이를 후기구조주의라고 합니다.
❸ 이러한 비판은 인간관계이론가들에 의해 제시되었습니다.

기출 OX

구조주의 모형에서는 개인과 조직의 갈등은 불가피한 것으로 보며, 갈등을 순기능적으로 본다. ( ) 10. 국가직

○

(2) 하위체계는 **생산 하위체계, 유지 하위체계, 경계 하위체계, 적응 하위체계, 관리 하위체계로 구성**되며, **각 하위체계는 상호의존적**이다. 그리고 **관리 하위체계가 다른 하위체계들을 조정**한다.

2. 특징

(1) **고전이론, 인간관계이론, 구조주의이론을 통합시킨 이론**이다.

(2) 고전이론의 관점이 반영된 하위체계로는 생산 · 적응 · 관리 하위체계가 있다.

(3) 인간관계이론의 관점이 반영된 하위체계로는 유지 · 관리 하위체계가 있다.

(4) 구조주의이론의 관점이 반영된 하위체계로는 경계 · 적응 하위체계가 있다.

3. 5가지 하위체계 (必)

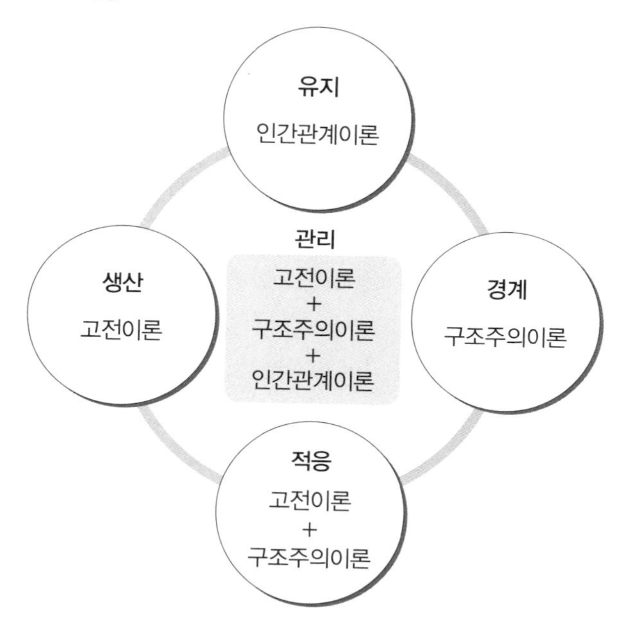

(1) **생산 하위체계**

① 모든 조직은 생산과 관련된 과업을 수행한다. 즉, 결과물로서 '생산품'을 생산하기 위해 조직되고 운영된다.

② 사회복지조직의 경우 **클라이언트에게 제공될 서비스를 생산하는 하위체계가 해당**된다.

③ **숙련과 기술을 강조하는 전문화의 원리를 중시**하므로 **고전이론에 기초**한다.

(2) **유지 하위체계**

① 업무절차를 **공식화 및 표준화**(예 보상체계 확립, 직원의 선발과 훈련 등)시켜 조직의 안정상태, 즉 현재 상태대로 **조직의 영속성을 확보**하도록 만드는 하위체계이다.

② 개인의 욕구를 조직의 욕구에 통합하는 것을 강조하는 **인간관계이론에 기초**한다.

선생님 가이드

❶ 보상체계 확립, 직원의 선발과 훈련 등과 같은 조직행동은 결국 조직성원 개인이 가진 자질과 인생 목표를 조직을 위해 헌신하도록 유도하는 기능을 하게 됩니다.

③ 기능: **조직성원마다 각자의 목표를 조직의 목표에 통합하도록 촉진**[❶]한다. 단 조직성원의 관심과 능력은 조직의 과업과 일치하지 않을 수도 있다.

(3) **경계 하위체계**

① 조직이 **외부환경에 영향을 미칠 수 있는 기반을 구축**하는 하위체계이다.

② **구조주의 이론**에 기초한다.

③ 구성요소로는 생산 지지체계와 제도적 지지체계가 있다.

생산 지지체계	서비스 전달에 후원과 지지를 보내기 위해 필요한 활동들에 관심을 갖는 것과 외부의 다른 조직과 교환 관계를 맺는 것, 그리고 동의와 조정 절차를 통해 다른 조직과 관계를 발전시키는 것이 포함된다.
제도적 지지체계	조직이 지역사회의 지지와 정통성을 확보하도록 하는 것과 조직의 임무와 업적을 지역사회에 홍보하는 것이 포함된다.

(4) **적응 하위체계**

① 연구, 계획, 평가 등의 과업을 이용해 **조직의 업무수행 능력을 평가하여 조직 변화의 방향을 제시**하는 하위체계이다.

② **고전이론과 구조주의 이론에 기초**한다.

(5) **관리 하위체계**

① 다른 4가지의 하위체계를 조정하고 통합하기 위해 **리더십을 제공**하는 하위체계이다.

② 고전이론(통제강조), 구조주의이론(환경강조), 인간관계이론(타협강조)에 기초한다.

③ 기능

㉠ 권한의 활용을 통해 계층 간에 생겨나는 갈등을 해결한다.

㉡ 타협과 심의를 통해 하위체계를 조정한다.

㉢ 자원을 증진시키고 필요할 경우 조직의 재구조화를 위해 외부환경과 조화를 이룬다.

5 조직환경이론

1. 구조 · 상황 이론

(1) **개관**

조직환경과 조직구조의 적합성이 조직성과에 영향을 주고, 궁극적으로는 조직의 생존에도 중요한 영향을 미친다고 보는 이론으로, **조직의 합리적인 선택에 의한 환경 적응을 가정**한다.

(2) **기능적인 조직**

① 조직구조를 배치하는 데 있어서 단 한 가지만의 최선의 방법이란 있을 수 없다. 이에 따라 **조직설계는 조직의 상황이나 환경특성에 의존할 때에 최선의 구성**이 될 수 있다.

② 상황변수: 환경의 불확실성, 과업의 종류, 조직의 기술, 조직의 규모

(3) 조직 유형

① **안정적 환경, 단순한 과업, 단순한 기술, 대규모 조직일 경우에는 관료제 조직구조가 적합**하다.

② **불안정적 환경, 복잡한 과업, 복잡한 기술, 소규모 조직일 경우에는 유기적이며 동태적인 조직구조(Adhocracy, 애드호크라시)가 적합**하다.

2. 정치 · 경제이론(또는 자원의존이론) (必)

(1) 개관

① 조직과 환경 간의 상호작용을 중시하며, 그러한 **상호작용이 조직 내부 역학관계에 미치는 영향들에 초점**을 둔 이론이다.

② 조직은 정치적 자원과 경제적 자원 등 **조직 생존과 관련된 자원을 내부적으로 창출하지 못한다고 가정**한다.

정치적 자원	합법성, 권력 등
경제적 자원	물질자원, 인적자원, 클라이언트 등

③ 결국 조직은 조직의 생존을 위해 **자원을 소유하고 있는 이해집단의 영향력에 의존할 수밖에 없고,** 이러한 상황하에서 조직은 재원의 할당권한을 지닌 조직 외부의 정치적 상황에 주목하며, **생존을 위해 이들로부터 합법성을 부여**받을 수밖에 없다.

④ 따라서 이 관점에서 조직이란, 조직이 필요로 하는 자원을 보유하고 있는 조직 외부에 존재하는 **다양한 이익집단들이 그들이 지닌 가치관을 조직을 통해 최대한 활용하려고 경쟁하는 장에 불과**하다.

(2) 특징

① **외부자원과 환경에 의존할 수밖에 없는 사회복지조직의 현실을 생생하게 설명**해 주는 이론이다.

② 사회복지조직에 있어서 **과업(또는 업무)환경과 이익집단 등 이해집단의 중요성을 인식**시켜준다.

③ 조직활동의 구동력을 자원으로만 한정하여 조직이 지닌 가치와 이념과 같은 요소를 지나치게 간과하는 경향이 있다.

3. (신)제도이론 18. 국가직 (必)

(1) 개관

① 과업환경에 초점을 둔 기존의 조직환경이론과는 달리 **(신)제도이론은 개방체계적 관점하에서 조직의 구조와 속성은 법적 규범**(예 법, 규칙, 정책 등), **사회적 여론, 가치체계와 같은 제도적인 환경에 영향을 받는다고 가정**한다.

② 다시 말해, 조직은 **'효율성의 논리'가 아닌 '생존'을 위해 이러한 '제도적인 환경'에 적응(또는 순응)**해야만 한다. 따라서 **조직의 생존을 위한 제도적인 환경에 적응하는 기제에 주목**한다.

(2) **제도적 동형화 과정(조직에서 제도적 규칙이 받아들여지는 과정과 방법)**

① 동형화(Isomorphism)란 유사한 서비스를 제공하는 **조직 내 한 조직단위가 동일한 환경 조건에 직면한 타조직단위를 닮아가는 과정**을 말한다.

② 종류

강제적 동형화	㉠ **정부나 법률 등 권력 관계에서 우월한 조직이 정한 규정에 의해서** '강제'로 받아들여지는 것을 말한다. ㉡ 법률적 규정에 따라 특정 클라이언트를 의무적으로 서비스 대상자로 선정하는 경우가 해당된다.
모방적 동형화	㉠ 불확실한 상황이나 문제에 봉착하였을 때에 **유사한 처지에 있으면서도 성공적으로 목표를 달성한 조직의 관행과 절차를 모범사례로 정하고 이를 '모방'하여 규칙을 정하는 방법**을 말한다. ㉡ 우수복지기관의 조직체계와 프로그램을 도입하여 시행하는 경우가 해당된다.
규범적 동형화❶	공교육 과정, 학위 인정, 자격증 제도 등을 통해 **전문직의 규범을 자연스럽게 수용하는 것**을 말한다.

선생님 가이드

❶ 이들은 동일한 표준적인 교육 과정을 거치기 때문에 문제를 보는 시각이 비슷해지게 됩니다. 따라서 주어진 정책, 절차, 그리고 구조를 규범적으로 정당화된 것으로 보며, 동일한 방식으로 행동하게 되지요.

4. 조직군 생태이론 18. 국가직 必

(1) **개관**

① **해넌과 프리만(M. Hannan & J. Freeman)** 등이 주장한 이론으로, 조직을 **개방체계로 인식**하며, 정치 · 경제적 환경에 적합한 **조직군(組織群)만이** 장기적인 과정을 통해 **환경에 의해 선택된다는 수동적이며 환경결정론적 조직관**이다.

② 분석단위는 **개별조직이 아닌 조직군**이다.

(2) **특징**

① **진화론의 적자생존(適者生存) 원리**에 영향을 받아 조직군을 둘러싸고 있는 환경적 욕구에 부합하는 조직만이 선택되어 생존하게 되는 원리가 조직과 환경 간의 관계에서 적용됨을 주장한다.

② 장기적 조직변동, 즉 **'변이 → 선택 → 보전'의 과정**에 관심을 갖는다.

변이(Variation)	조직변동의 첫 단계로 **환경의 선택이 이루어지는 과정**이다.
선택(Selection)	조직 내 환경의 적합성 여부에 따라 **선택되어 생존하거나 도태되는 과정**이다.
보전(Retention)	환경에 의해 성공적으로 선택된 **조직형태가 지속되는 과정**이다.

예 영유아인구 감소와 노인인구 증가로 영유아 복지시설인 어린이집들의 수가 급격하게 감소하고 대신 노인복지시설들의 수가 급격하게 증가하는 경우

기출 OX

01 제도이론은 폐쇄체계적 관점에서 조직 자체의 규범이나 규칙 등과 같은 제도에 의해 조직 성격이 규정되고 조직생존이 결정된다고 주장한다. ( )

18. 국가직

02 조직군생태학이론은 조직을 개방체계로 인식하면서 조직의 생존은 결국 환경이 결정한다는 결정론적 입장을 취한다. ( )

18. 국가직

01 × '폐쇄체계적 관점'이 아니라 '개방체계적 관점'이, '조직 자체의 규범이나 규칙 등'이 아니라 '제도적인 외부 환경'이 옳다.
02 ○

핵심 PLUS

개방체계이론과 폐쇄체계이론 18. 국가직 (必)

하센펠트(Hasenfeld)는 조직이론을 **외부 환경과의 상호작용 여부에 따라 폐쇄체계이론과 개방체계이론으로 구분**하였다.

① 폐쇄체계이론

조직 경계 내에서의 특정요소의 투입 및 변화를 통해 **조직의 '생산성 향상'**❷**을 도모**할 수 있다고 보는 이론으로, **고전이론과 인간관계이론** 등이 해당된다.

② 개방체계이론

조직이 조직 경계 밖의 환경과의 상호작용을 통해 **조직의 '유지 및 생존'을 도모**할 수 있다고 보는 이론으로, **상황이론, 상황적합이론, 체계이론, 조직환경이론** 등이 해당된다.

6 현대조직이론

1. 목표관리(Management by Objectives, MBO)이론 19. 서울시 (必)

(1) 개관

1950년대 드러커(Drucker)가 최초로 소개한 이론으로, 조직 전체의 목표달성을 위해 **조직성원의 참여를 강조**하면서, **명확한 단기적 목표설정과 이의 달성을 위한 조직성원 전체의 책임부여에 초점**을 두어 생산성을 높이고자 하는 **조직관리 방법이며, 또한 예산 및 기획기법**이다.

(2) 기본요소

① 목표: 목표는 **수량화되어 측정**❸할 수 있어야 하며, **현실적인 성과가 가능**해야 한다.

② 참여: **조직의 상위 관리자뿐만 아니라 하위 관리자 역시 목표설정에 참여**해야 하며, 목표달성을 위해 각자의 책임범위를 정하고, 그 범위 내에서 각자의 행동의 자유를 인정한다.

③ 환류: 목표 달성의 결과뿐만 아니라 과정도 평가되어야 한다.

(3) 사회복지조직 내에서 활용 시 문제점

① 목표달성을 이유로 **부당한 수단이 정당화할 수 있다.**

② 목표와 성과의 측정이 어려울 수 있다.

③ 가시적인 성과를 위해 단기적 목표와 계량적 측정이 쉬운 업무에만 주력하는 경향이 발생할 수 있다.

핵심 PLUS

조직 목표의 종류 – 공식적 목표와 실제적 목표(또는 운영 목표)

① 공식적 목표

조직의 사명(조직이 존재하는 이유)을 제시하는 목표를 말한다.

② 실제적 목표(또는 운영 목표)

조직의 사명을 달성하기 위한 세부적인 목표로, 조직이 실제적인 활동을 통해 달성하고자 하는 것이며, 측정 가능한 형태로 기술되는 단기적 목표이다.

선생님 가이드

❷ 폐쇄체계이론의 핵심적 목표는 '생산성 향상'입니다. 여기에 해당하는 이론가들은 조직 외부 환경과는 상관없이 조직의 내부적 조작만으로도 생산성 향상이 이루어질 수 있다고 가정합니다.

❸ MBO에서의 목표 달성에서 성과는 측정이 가능해야 합니다. 따라서 질(質)이 아닌 측정이 가능한 수량적 목표를 우선시 합니다.

기출 OX

목표관리이론은 목표보다는 인간 관계를 강조한 이론이다. ( ) 19. 서울시

× '목표보다는 인간 관계를 강조한 이론'이 아니고 '목표를 강조한 이론'이 옳다.

③ 공식적 목표와 실제적 목표의 공통기능
- 조직이 존재하는 정당성과 합법성을 제공한다.
- 조직이 나아갈 방향을 제시한다.
- 조직구성원의 의사결정 기준을 제시한다.
- **조직성원의 활동이나 업무의 방향을 지도하는 지침**이 된다.
- 조직구성원으로 하여금 행동수행을 위한 동기를 유발시킨다.
- **조직과 개인의 수행평가를 위한 기준으로 사용**된다.

2. 총체적 품질관리(Total Quality Management, TQM)이론 18. 국가직 必

(1) 개관

조직성원 전체의 참여를 통해 조직이 제공하는 **재화와 서비스의 '품질향상'**을 이루어 이를 소비하는 **'고객의 만족'이라는 다소 장기적인 목표를 달성**하려 하는 **조직 전체의 체계적인 노력 또는 조직의 문화**❶를 일컫는다.

(2) 원칙

① 고객중심: **고객은 최초의, 그리고 가장 중요한 품질 판정자**이다.

② 품질중심: **품질은 조직의 1차적 목적**이며, **기획 단계부터 고려**되어야 한다.

③ **품질의 변이(Variation) 가능성을 예방하고 방지**하는 것이 고품질을 확보하는 비결이다.

④ 품질은 개인의 노력이 아니라 **팀워크를 통한 조직성원의 참여에 의해 결정**된다. 따라서 조직성원의 참여 활성화 전략을 중요시한다.

⑤ **투입(Inputs)과 산출(Outputs)에 관한 전반적인 과정이 포함**된다.

⑥ **품질의 개선은 최고관리자에 의해 주도**❷되어야 하며, 사명감에 기반한 조직성원 전체의 책임과 헌신이 요구된다.

⑦ **지속적인 품질향상을 추구**해야 한다. 이를 위해 기본적인 품질관리 테스트(예 욕구조사, 자료 분석 등)와 **통계 방법을 활용**하여 관리자들이 개인적인 감정이나 견해가 아닌 사실에 근거한 의사결정을 할 수 있도록 도와야 한다.

⑧ 품질향상을 위해 **서비스 생산 과정과 절차 역시 지속적으로 개선**되어야 한다.

⑨ **조직의 문제점을 지속적으로 발견하고 시정**해야 하며, 이를 위해 **지속적인 학습 과정을 강조**한다.

(3) 열린 조직 문화

품질향상과 관련된 정보를 조직 내 타성원과 공유하고, 변화를 긍정적으로 수용하며, 부서나 조직성원 사이의 교류를 막는 장애물을 줄이기 위해 노력한다.

핵심 PLUS

열린 조직 문화 형성을 위해 관리자에게 요구되는 노력

① 품질에 관계없이 할당량 초과가 목적인 **업적평가 방식(또는 수량 할당제도)을 개선**하기
② 부서 간의 의사소통과 상호교류를 촉진하기 위해 팀워크에 따른 아이디어 개발을 강화하기
③ **의사결정 과정에서 조직성원들에게 통제력과 권위를 부여하기**
④ 불공정한 분위기를 개선하여 조직 구성원들의 안정성과 보상체제의 공정성을 확보하기

선생님 가이드

❶ TQM은 성과를 위한 프로그램이나 방법론이 아닌 조직 내에서 구성원들에게 공유되는 가치관에 더욱 가깝습니다.
❷ - 조직 내에서 TQM이 안착되는 기간은 통상적으로 보통 3~7년 정도입니다. 이 기간 동안 최고관리자의 리더십과 열정은 조직성원들의 품질개선을 위한 노력을 유도하는 가장 중요한 원동력이 됩니다.
- TQM에서 최고관리자는 조직성원들이 필요로 하는 수단 공급하기, 지속적인 학습분위기 조성하기, 구성원들로 하여금 품질향상에 대한 자부심을 갖도록 보상이나 지원을 제공하기, 품질에 대한 훈련이나 연수가 필요할 경우 프로그램을 기획 · 조정 · 실행하기 등의 과업을 수행합니다.

(4) 사회복지조직 내에서 활용 시 문제점

사회복지 서비스의 질은 객관적으로 측정하는 것이 어려우므로 사회복지조직에 적용하기에는 한계가 있다.

3. 전략적 관리이론

(1) 개관

역동적인 환경하에서 조직의 생존과 발전을 이루기 위해 조직에 영향을 미치는 **다양한 환경적 변수에 변혁적 전략으로 대응하는 조직관리 기법**이다.

(2) 특징

① 목표지향적이다.

② 개혁적 관리를 추구한다.

③ 장기적 시간 관리를 한다.

④ 환경과 조직의 역량 분석을 강조한다.

⑤ 전략개발을 강조한다.

⑥ 조직활동의 통합을 강조한다.

4. 학습조직이론

(1) 개관

1990년대 미국에서 각광받은 이론으로, 현대 조직 경쟁력의 핵심인 지식 생산 능력을 향상시키기 위해 **조직은 학습조직화❸되어야 한다고 주장하는 이론**이다.

(2) 학습조직의 기본 요소

체계적 사고	전체를 보아 **전체에 포함된 부분들 사이의 인과관계를 파악하는 문제해결 수단**이다.
개인적 숙련 (또는 개인적 통제감)	개인이 진정으로 지향하는 본질적 가치를 추구하기 위해 **현재의 자기 능력을 심화시켜 나가는 행위**로, 이를 위해서는 자신감에 근거한 능력과 임파워먼트가 필요하다.
정신적 모델 (또는 사고의 틀)	**인간이 경험하는 현상들을 이해하는 체계 또는 준거틀**로, 이를 통해 자기 성찰을 이루고, 새로운 사고의 전환을 도모할 수 있다.
공유된 비전	조직이 추구하는 방향과 중요성에 대해 **모든 구성원들이 공감대를 형성하는 것**으로, 관리자와 직원과의 대화를 통해 만들어 진다.
팀 학습	팀구성원들이 바람직한 결과를 얻기 위해 **의도적 · 체계적으로 지속하는 학습행위**를 말한다.

(3) 특징

① 적응학습과 생산학습

② 시행착오를 통한 학습

③ 조직 내 전문가를 통한 학습

④ 비공식 · 비정규적인 자발적인 학습

⑤ 잠재력, 다양성, 인간중심의 혁신전략

⑥ 조직능력 학습을 통해 조직의 성장과 발전 지향

선생님 가이드

❸ 학습조직이란 모든 조직구성원들이 다양한 시행착오를 경험하면서, 함께 학습할 수 있는 방법을 지속적으로 배우고, 이를 통해 새로운 지식을 창출할 수 있는 조직형태를 말합니다.

기출 OX

사회복지 서비스의 질은 객관적으로 측정될 수 있으므로 총체적 품질관리(TQM: Total Quality Management)는 사회복지조직에 적용하기 적합한 관리기법이다. ( ) 18. 국가직

× 사회복지 서비스의 질은 객관적으로 측정하는 것이 어려우므로 TQM을 사회복지조직에 적용하기에는 한계가 있다.

회독 Check! 1회 □ 2회 □ 3회 □

선생님 가이드

❶ 조직구조란 조직 내의 공식적인 상호작용 형태, 즉 조직 내의 권력 관계, 지위 및 계층 관계, 조직 구성원들의 역할 배분 관계 등을 의미합니다.

❷ 즉, 조직성원이 언제, 무엇을, 어떻게 해야 하는 지에 대해 문서로 명문화시킨 정도를 말합니다.

제3절 사회복지조직의 구조

조직은 **공식성, 복잡성, 집권성이라는 3가지 기본변수에 의해 구조화❶**된다.

1 공식성(또는 공식화)

1. 개관

(1) 개념

① **직무(또는 업무)의 표준화(Standardization) 정도**이다.

② 공식성(또는 공식화)이란 조직성원이 언제, 무엇을, 어떻게 해야 하는지에 대한 정의인 **직무의 명문화 · 성문화된 정도❷**로, **조직운영의 경제성(또는 효율성)과 예측성을 높이기 위한 활동**이다.

(2) 특징

① **공식성 정도가 높은 조직**은 직무수행자가 수행 시 정형화된 규정에 따라 업무를 수행해야 하므로 **재량권과 자율권이 낮은 편**이다. 반면 **공식성 정도가 낮은 조직**은 직무수행자가 수행 시 비정형화된 규정에 따라 업무를 수행해야 하므로 **재량권과 자율권이 높은 편**이다.

② 공식성 정도가 높은 경우

㉠ 조직규모가 클수록

㉡ 단순하고 반복적으로 수행하는 직무일수록

㉢ 안정적인 환경일수록

㉣ 집권화된 조직일수록

㉤ 외부로부터의 감시와 통제가 많을수록

③ 일반적으로 **사회복지조직은 공식성 정도가 낮을수록 적합**하다.

(3) 공식성의 장점과 단점

① 장점

㉠ 시간과 노력이 절감되는 등 효율적인 업무 수행에 유리하다.

㉡ 불확실성을 감소시켜 조직성원 행동의 예측과 통제가 용이해진다.

㉢ 대외 관계의 일관성과 안정성을 유지하며, 공정하고 공평한 과업 수행이 가능하다.

㉣ 일상적인 업무에 있어서 대폭적인 하부위임이 가능하다.

㉤ 관리자의 직접적인 감독 필요성이 줄어든다.

㉥ 명확한 규정과 절차를 중요시하기 때문에 승진이나 보상 등에 대한 객관적인 지표를 제시하여 직무만족과 조직몰입에 긍정적인 영향을 미칠 수 있다.

㉦ 조직성원들의 업무 편차를 줄이는 데 효과적이다.

② 단점

㉠ 인간소외 현상, 즉 조직성원 개인이 담당하고 있는 업무에 대한 자율성과 재량을 감소시킨다.

㉡ 유동적 상황에서 탄력적 대응능력이 떨어진다.

㉢ 번문욕례(繁文縟禮), 즉 과다한 문서 생산을 야기시킨다.

㉣ 규칙과 절차 중시로 동조과잉 현상이 발생한다.

㉤ 관리자와 부하 간의 비민주적 · 비인간적 의존 관계가 발생할 수 있다.

㉥ 통제 중심의 관리방식이므로 직무만족과 조직만족에 부정적인 영향을 미친다.

2. 공식적 조직과 비공식적 조직 必

(1) 공식적 조직

① 조직의 공식적인 목표를 능률적으로 달성하기 위해 형성된 **인위적이며 제도적인 조직**을 말한다.

② 기본적인 요소로 **분업, 위계질서, 구조, 통제범위**를 갖추고 있다.

핵심 PLUS

공식적 조직의 4가지 기본적인 요소(Fulmer)

<table>
<tr><th>분업</th><td colspan="2">조직구성원 간에 업무를 분담하는 것을 말한다.</td></tr>
<tr><th rowspan="4">위계질서</th><td colspan="2">① 조직의 의사결정 권한의 정도에 따라 분류된 서열을 말한다.
② 위계적인 과정</td></tr>
<tr><th>명령의 개선</th><td>상급자가 하급자를 통솔하는 것이다.</td></tr>
<tr><th>명령의 통일</th><td>상급부서가 하급부서를 통솔하는 것이다.</td></tr>
<tr><th>권한의 위임</th><td>하급자 또는 하급부서에 적절한 수준의 권한을 위임하는 것이다.</td></tr>
<tr><th>구조</th><td colspan="2">업무의 역할과 범위를 명확히 구분 짓는 의사결정 통로로, 서비스 부문(클라이언트를 대상으로 서비스나 프로그램을 제공하는 업무)과 관리부문(회계·재정·설비·인사·시설 등의 운영과 관련된 업무)로 구성된다.</td></tr>
<tr><th>통제범위</th><td colspan="2">1명의 슈퍼바이저가 효과적으로 통제할 수 있는 직원의 수를 말한다.</td></tr>
</table>

(2) 비공식적 조직

① 조직 내 빈번하게 접촉하는 조직성원들 사이에서 **자연적으로 발생한 소규모 집단**을 말한다.

② 장점과 단점

장점	단점
㉠ 조직성원들의 생각과 감정을 나눌 수 있는 의사소통의 창구가 될 수 있어 공식 조직을 통해 얻지 못하는 정보를 얻을 수 있다.	㉠ 거대한 비공식조직은 비합리적 의사결정을 초래할 수 있다. ㉡ 조직의 목적이 전치될 수 있다. ㉢ 조직 전체보다 집단의 이익을 우선시할 수 있다.

㉡ 공식적 조직의 긴장감을 덜어주고 조직성원 간 사적인 관계를 통해 **조직의 응집력을 높일 수 있다.** ㉢ 비공식적 자리에서 조직성원들을 지지하고 인정함으로써 직원의 자기존중감을 향상시킬 수 있다. ㉣ 공식적 조직의 결함이나 약점을 보완할 수 있다.	㉣ 정확하지 않은 정보가 유통될 경우 자칫 조직성원의 사기를 저하시킬 수도 있다. ㉤ 공식적 업무의 **신뢰성과 일관성이 저하**될 수 있다. ㉥ 파벌, 반목, 분규 등으로 인해 공식적 조직의 분열을 초래할 수 있다. ㉦ 정실주의(情實主義)❶의 폐해가 발생할 수 있다.

선생님 가이드

❶ 정실주의란 능력이나 업적이 아닌 혈연, 지연, 학연, 친분 관계 등에 따라 조직에서 인사관리를 하는 것을 말합니다.

핵심 PLUS

조직 내 비공식조직에 대한 관리자의 관리지침

① 공식적인 조직구조와 조직 과정에 **기능적인 측면이 있으므로 허용해야 한다.**
② 조직의 생산성에 중요한 영향을 미치므로 **주의와 관심을 가져야 한다.**
③ 비공직조직의 지도자를 파악하고 그로 하여금 조직의 공식적인 목표에 협조하도록 설득해야 한다.
④ 공식적 명령 계통을 위배할 경우 설득 · 경고 · 전보 등의 조취를 취해야 한다.
⑤ 비공식조직을 통한 의사결정이 공식조직의 의사결정을 대체하도록 허용해서는 안된다.

2 복잡성

조직 내 분화 정도를 의미한다. 이러한 분화의 차원에는 **수평적 분화, 수직적 분화, 공간적 분산**이 있다.

1. 수평적 분화

(1) 조직이 수행하는 직무를 조직성원들이 지닌 전문성을 기준으로 하여 **'횡적'으로 분리한 정도**로, **통제범위가 넓어지면 상대적으로 수평적 조직구조**를 갖게 된다. 따라서 **조직 설계 시 이러한 통제범위를 고려**해야 한다.

(2) **업무 세분화와 부문화**로 구분할 수 있다.

① **업무 세분화(또는 분업)**: 업무를 세분화하여 **조직성원 개개인에게 전담시키는 방법**이다.

② **부문화**: 업무 세분화를 통해 개개인에게 세분화된 직무를 **어떤 기준에 의해 몇 개의 유사한 직무들로 집단화**시켜 그 전문가 집단에 의해 조직의 업무를 수행하게 하는 방법을 말한다.

(3) **쿤츠와 오도넬(Koontz & O'Donnel)의 부문화(Departmentation) 방법**

① **수(數) 기준 부문화**: 통제범위를 고려하여 **동일한 직무를 수행하는 직원들을 1명의 관리자의 지휘하에 소속시키는 방법**으로, **조직성원 개인의 능력 차이를 간과할 수 있는 단점**이 있다.

② 시간기준 부문화: 요양원이나 양로원과 같은 생활시설에서 **일일 근무 시간을 2교대 또는 3교대 등으로 나누어 교대로 근무시키는 방법**으로, 제대로 된 업무 인수인계가 어려울 수 있고, 야간근무를 해야 하는 것 등의 문제점들이 있어 일반사회복지조직에서 광범위하게 활용되지는 않고 있다.

③ 기능기준 부문화: 업무단위 간 **조직성원 간 능력차를 반영하여 서비스 제공, 모금, 사례관리, 지역사회 조직, 프로그램기획 등의 기능을 기준으로 하여 부문화하는 방법**으로, 팀, 부서와 같은 업무단위 간 협조를 이끌어 내기 어려울 수 있고, 직원이 자신이 속한 업무 단위에만 집중하므로 조직 전체의 목표를 등한시 할 수도 있다.

④ 지리적 영역기준 부문화: **서비스 대상자(또는 클라이언트)의 거주지역에 따라 부문화하는 방법**으로, 부서가 배당 받은 거주지역에 따라 업무단위별 업무량의 격차가 크게 발생할 수 있다.

⑤ 서비스기준 부문화: 개별사회사업, 집단사회사업, 지역사회 조직화사업 등과 같은 **전문화된 사회복지 실천방법에 따라 부문화하는 방법**으로, 다양한 문제를 가진 클라이언트에게 서비스를 효과적으로 전달하는 데 불리할 수 있다.

⑥ 고객기준 부문화: 아동, 장애인, 노인 등 클라이언트의 종류와 가족 문제, 비행 문제, 고용 문제 등 **문제유형에 따라 부분화하는 방법**으로, 다양한 문제를 가진 클라이언트에게 서비스를 효과적으로 전달하는 데 불리할 수 있다.

⑦ 서비스 접근통로기준 부문화: 조직 홈페이지, 타조직에 의한 의뢰, 유료이용자 또는 무료이용자 등과 같은 **클라이언트의 서비스 접근 통로별로 부문화시키는 방법**으로, 접근 통로에 따라 제공되는 정보가 제한적일 수 있다.

(4) 업무 재구조화 방법(업무 세분화의 부정적 영향에 대한 대처 방법)

조직단위 간 연결을 통한 방법	사례관리	사례관리자의 책임과 관리 하에 제공되는 **사정 · 연계 · 옹호 등의 기술을 통해 클라이언트의 복합적인 문제를 통합적으로 해결하는 방법**이다.
	사례옹호	**클라이언트의 욕구나 권익을 대변하는 역할을 조직단위 간 연결**을 통해 통합적으로 하는 방법이다.
	치료팀	조직 단위별로 다루어지는 클라이언트의 문제를 해결하기 위해 **세분화된 단위조직들이 팀으로 뭉쳐져 공동의 노력을 통해 이를 해결하는 방법**이다.
개별 조직성원 관리를 통한 노력(또는 개별 조직성원 차원의 노력)	직무확대	**개별 조직성원이 담당하는 직무의 종류나 수를 확대하는 방법**이다.
	직무순환	개별 조직성원들을 **주기적으로 가급적 이질적인 업무들에 순환적으로 배치하는 방법**이다.
	직무공유	**전일제 직무를 2명 이상의 조직성원이 나누어 수행하는 방법**이다.
	근로시간 유연화	조직성원의 근무 시간을 **조직성원의 자율성과 창의성 발휘에 적합한 시간에 맞추어 조직성원 스스로 설계하여 적용하도록 하는 방법**이다.

2. 수직적 분화

(1) **조직의 권력배분 정도,** 즉 직무의 책임도와 난이도에 따른 **조직의 수직화된 계층화 정도**를 의미한다. 따라서 **조직설계 시 조정과 의사소통 수준을 고려**해야 한다.

(2) 수직조직과 수평조직

<table>
<tr><th rowspan="2">수직조직</th><td colspan="2">① 명령과 복종관계를 가진 수직적 구조를 형성하여 목표달성이 중심이 되는 조직구조를 말한다.
② 장점과 단점</td></tr>
<tr><td>장점
㉠ 위계적인 구조로 인해 권한과 책임이 분명하다.
㉡ 의사결정이 신속하다.
㉢ 관리자의 통솔범위가 확대되어 업무의 효율성을 기할 수 있다.</td><td>단점
㉠ 대규모 조직에서는 적용이 불리하다.
㉡ 총괄적인 지휘 · 감독 등으로 관리자의 업무량이 과중될 수 있다.
㉢ 특수분야에 전문적인 지식을 활용할 수 없다.
㉣ 조직이 경직될 우려가 있다.</td></tr>
<tr><th rowspan="2">수평조직</th><td colspan="2">① 조직관리자가 명령적인 지휘나 통제를 이용해 조직을 이끌어 가는 것이 아니라, 조직관리자와 조직성원 모두 평등한 업무를 수행하는 조직을 말한다.
② 장점과 단점</td></tr>
<tr><td>장점
㉠ 조직성원의 전문지식과 경험을 활용할 수 있다.
㉡ 독단적이지 않으며 참여적이고 객관적인 의사결정을 가능하게 한다.</td><td>단점
㉠ 조직 내 인사 관계가 복잡해진다.
㉡ 책임소재를 둘러싸고 갈등이 야기될 수 있다.
㉢ 운영과 행정의 지연이 야기될 수 있다.
㉣ 의사소통의 경로를 혼란에 빠뜨릴 수 있다.</td></tr>
</table>

3. 공간적 분산

(1) **조직의 시설 및 조직성원의 지역적 또는 물리적 분산 정도**를 말한다.

(2) 수평적 · 수직적 분화 정도가 같을지라도 공간적으로 분산된 활동의 성장은 조직의 복잡성을 증가시킬 수 있다.

3 집권성과 분권성

1. 개관

(1) 조직 내 의사결정 권한이 분산되거나 이양된 정도로, 조직관리의 효과성 및 효율성과 연관되어 있는 개념이다.

(2) 종류로는 집권성(또는 집권화)과 분권성(또는 분권화)이 있다.

① 집권성: 주요 의사결정 권한이 최고관리자에게만 있는 것을 말한다.

② 분권성

㉠ 주요 의사결정 시 하위관리자에게 의사결정의 재량권이 분배된 것으로, 이와 관련하여 분권화는 책임과 권한을 조직 내에 분산시키는 전략이다.

㉡ 권한의 위임 정도와 의사결정 과정에서의 참여 정도에 따른 분권성의 종류

수직적 분권성	공식적 의사결정 권한이 계층 구조에 따라 위에서 아래로 분산되는 정도를 말한다.
수평적 분권성	모든 조직구성원이 동등하게 조직의 공식적인 의사결정 과정에 참여하는 정도로, 의사결정 권한을 타부서 혹은 다른 전문가에게 위임하는 것을 말한다.

(3) 집권화와 분권화 촉진요인

① 집권화 촉진요인

구성원 측면	㉠ 최고 관리층이 강력한 리더십을 가지고 있는 경우 ㉡ 하위층의 능력이나 자질이 부족한 경우
업무내용 측면	㉠ 조직의 여러 하위 부서 간에 통일성이 요구되는 업무 ㉡ 중요하거나 비용이 많이 드는 업무 ㉢ 부서 간 개인 간 횡적 조정이 곤란한 업무 ㉣ 조직의 활동이나 관리의 획일성 및 통일성이 요구되는 업무 ㉤ 행정기능의 중첩과 혼란 방지, 조직 내 분열 억제, 갈등의 신속한 해결, 특정 활동의 전문화가 필요한 경우 ㉥ 신속한 정책결정이 필요한 경우 ㉦ 조직이 내적 통제력을 확보하고자 하는 경우 ㉧ 규칙과 절차의 합리성 또는 효과성에 대한 신뢰가 존재하는 경우 ㉨ 규모의 경제를 실현하고자 하는 경우 ㉩ **표준화된 기술을 사용할 경우**
조직 측면	㉠ 신설조직: 조직의 규모가 작고 조직의 역사가 짧은 경우 ㉡ 집중투자를 위해서 조직이 동원 · 배분하는 자원규모가 팽창하는 경우
환경 측면	㉠ 교통 · 통신의 발달로 의사결정에 필요한 정보가 집중될 경우 ㉡ 조직이 위기나 난국에 처해있을 경우 ㉢ 개혁이나 쇄신 및 변화가 필요한 경우 ㉣ **단순한 환경일 경우**

② 분권화 촉진요인

구성원 측면	㉠ 최고 관리층이 민주적 리더십을 가지고 있을 경우 ㉡ 구성원의 능력이나 자질이 우수하거나 능력 향상을 도모하고자하는 경우 ㉢ 구성원의 자발성과 창의성을 향상시켜야 할 경우 ㉣ 하위계층에 훈련의 기회를 제공할 경우 ㉤ 정보기술이 발달해 지식공유가 원활하고 구성원의 전문성이 높을 경우 ㉥ 조직 내 관리자의 육성 및 동기유발을 하고자 할 경우 ㉦ **정보가 과다하게 집중되어 있는 경우**
업무 내용 측면	㉠ 행정업무의 내용이 전문적일 경우 ㉡ 예산이 적게 드는 사업일 경우 ㉢ 하위조직의 실정에 적합한 관리를 하고자 하는 경우 ㉣ 최고관리자가 세부적 · 일상적인 업무에서 벗어나 장기계획에 관심을 가질 경우
조직 측면	㉠ 기성조직, 즉 대규모 조직이거나 조직의 역사가 길 경우 ㉡ 조직이 성장하여 다루어야 할 문제가 많아질 경우 ㉢ 업무 수행 장소가 넓어져 조정하기 곤란할 경우 ㉣ 조직이 기술 수준의 고도화에 대응하고자 할 경우
환경 측면	㉠ 환경이 불확실하여 격동적인 환경에 신속하게 대응하고자 할 경우 ㉡ 고객에게 신속하고 상황적응적인 서비스를 제공하고자 할 경우 ㉢ 지역의 특수성이나 시기의 적절성을 고려하여야 할 경우

선생님 가이드

❶ 조직몰입이란 조직성원이 자신이 소속된 조직을 자신과 얼마나 동일시하는가, 또는 조직에 얼마나 헌신하는 가의 정도를 의미합니다. 당연히 조직몰입도가 높은 조직성원은 자신의 직무를 최선을 다해 수행하고, 이직률 역시 낮은 경향이 있습니다. 따라서 조직관리자는 조직의 목표 달성과 생산성 향상을 위해 조직성원의 조직몰입도를 향상시킬 필요가 있습니다.

2. 특징

(1) **집권성은 조직성원의 직무만족이나 조직몰입❶에 부정적인 영향을 줄 수 있다.**

(2) **집권성과 복잡성의 관계**

집권성이 낮아지면(↓) 복잡성은 증가(↑)하는 경향이 있다.

핵심 PLUS

기계적 조직과 유기적 조직

기계적 조직	구분	유기적 조직
집권화	집권성	분권화
정도가 높음	공식성	정도가 낮음
수직적	의사소통 유형	수평적

제4절 사회복지조직의 유형

1 기능조직과 파생 조직(프로젝트 조직, 행렬조직)

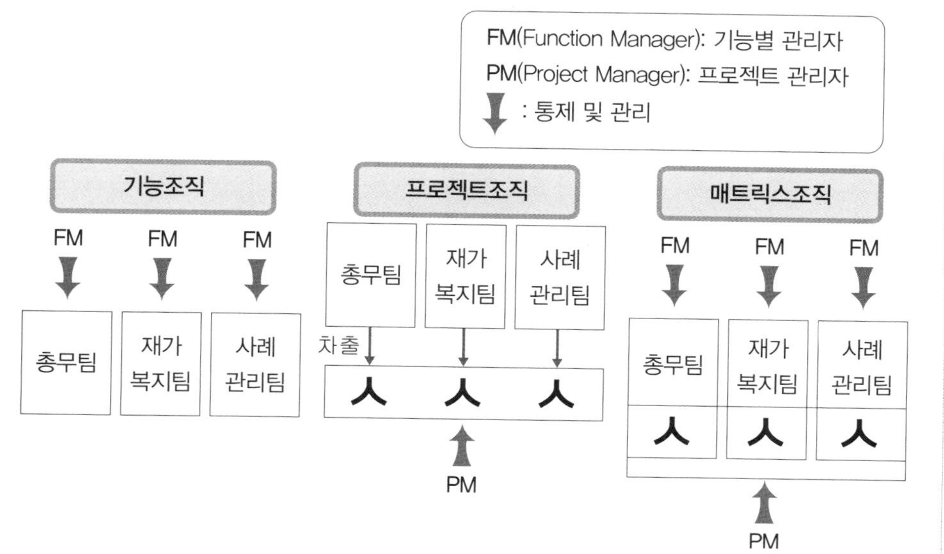

1. 기능조직 (必)

(1) **직무의 배치가 기능에 따른 위계와 부서별**로 이루어진 영속적 · 전형적 · 전통적인 조직을 말한다.

(2) 별도의 프로젝트 관리자를 두지 않지 않고 **기능별 관리자가 자신의 부서를 통제**한다.

2. 프로젝트 조직(Project Organization) (必)

(1) **특정 프로젝트를 중심으로 다른 종류의 기능조직을 종합한 공식적 조직**이다. 즉 특정 목표를 달성하기 위해서 일시적으로 다른 부서의 인력과 자원을 결합하여 조직을 구성하였다가 **목표가 달성되면 해체되어 원래의 부서로 돌아가는 한시적 조직**을 말한다.

(2) 조직성원은 프로젝트 관리자에게만 보고하며 그의 통제를 받게 된다.

(3) **장점과 단점**

장점	단점
① 프로젝트의 목표가 명확하므로 책임과 평가 역시 명확하다. ② 의사소통과 보고체계가 명확하여 간단하고 신속한 의사결정과 진행이 가능하다.	① 프로젝트 관리자의 지휘 능력에 크게 의존할 수밖에 없다. ② 프로젝트 기간이 길 경우 프로젝트를 완료한 이후 팀원들이 소속팀으로 복귀하는 것이 어려울 수도 있다.

3. 매트릭스 조직(Matrix Organization, 또는 행렬조직) (必)

(1) 전통적인 **기능조직과 프로젝트 조직의 장점을 결합한 공식적 조직**으로, **1명의 조직성원이 2곳의 부서에 동시에 소속**되어 부서별 **2명 이상의 관리자들(프로젝트 관리자, 기능별 관리자)에게 보고하고 통제를 받는 조직** 유형이다.

(2) 직무별 분업 인정과 동시에 사업별 협력을 강조하여 **직원에 대한 업무 할당은 프로젝트 관리자에 의해서, 업적 평가는 기능관리자에 의해서 수행**된다.

(3) **장점과 단점**

장점	단점
① **합리적 분업과 부서 간 통합이 허용**된다. ② 역동적인 외부환경 변화에 유연적 · 탄력적으로 대응할 수 있다. ③ 집권화와 분권화를 동시에 얻을 수 있다. ④ 합리적 분업과 부서 간 통합이 가능하다.	① 의사결정을 하는 데에 시간이 많이 소요된다. ② 조직 관리에 비용이 많이 든다. ③ 조직성원이 2명 이상의 관리자들에 의해 관리 및 통제를 받으므로 **역할긴장이나 갈등을 경험**할 수 있다.

2 기타 다양한 조직 분류

1. 권력의 형태에 따른 분류(A. Etzioni)

구분	하급자의 대응 형태		
	소외적 관여 (강한 소외감을 나타냄)	타산적 관여 (획득한 보상에 따른 무관심을 나타냄)	도덕적 관여 (강한 인정을 나타냄)
강제적 권력 (예 위협, 신체적 탄압 등)	**유형 1** 예 수용소, 정신병원, 교도소 등	유형 2	유형 3
보상적 권력 (예 물질, 금전 등)	유형 4	**유형 5** 예 민간기업 등	유형 6
규범적 권력 (예 존엄, 위신 등)	유형 7	유형 8	**유형 9** 예 종교조직, 정치조직, 사회복지조직, 학교조직, 병원조직 등

2. 클라이언트의 종류에 따른 분류(P. Blaw & W. Scott)

분류	1차적인 클라이언트 (또는 주요 수혜자)	예
상호수혜조직	조직구성원	정당, 종교단체, 노동조합 등
사업조직	사업체의 소유자	상업적인 회사, 은행 등
서비스조직	클라이언트	사회복지조직
공공조직	일반 대중	행정기관, 군대조직 등

3. 사회복지조직이 사용하는 기술에 따른 분류(Y. Hasenfeld)

기술의 유형 / 클라이언트유형	인간식별기술	인간유지기술	인간변화기술
정상기능	유형 1 예 대학교(신입생선발) 신용카드회사	유형 2 예 사회보장청 요양시설	유형 3 예 공립학교 YMCA
비정상기능	유형 4 예 소년법원 진료소	유형 5 예 공공부조사무소 요양시설	유형 6 예 병원 수용치료센터

4. 업무 통제성에 따른 분류(G. Smith)

관료제 조직	① 공식적인 조직과 규정 ② 계층적인 권위구조 ③ 명확하고 전문화된 분업 ④ 문서에 의한 업무처리 ⑤ 기술에 의한 신분보장 ⑥ 합리적인 통제조직
일선조직	주도권이 일선에 있는 조직
전면적 통제조직	관리자가 전면적으로 강한 통제력를 갖는 조직 예 정신병원, 기숙사, 교도소, 요양시설 등
투과성 조직	조직성원이나 클라이언트의 자발적인 참여가 가능한 조직 예 자원봉사활동 조직

5. 운영주체에 따른 분류(M. Gibelman)

공공조직	법에 따라 설립되고 운영되는 조직
하이브리드 모델	준공공조직, 준민간조직(정부보조형 조직, 민간주도형 조직)
민간조직	민간비영리조직, 민간영리조직

회독 Check! 1회 □ 2회 □ 3회 □

선생님 가이드

❶ 기획과 계획은 차이가 있습니다. 기획은 계획을 세워가는 활동과 과정에 초점을 두고 있어 계획보다 포괄적인 개념입니다. 반면 계획은 어떤 구체적인 사업에 대한 연속적인 의사결정이라는 의미도 있지만, 기획에서 도출된 결론이나 이미 결정된 행동노선을 가리키는 것으로 많이 사용됩니다.

제5절 사회복지조직의 운영과 관리

1 기획❶

1. 개념

기획이란 조직이 목표 달성을 위해 **미래에 수행할 행동을 체계적으로 준비하는 과정**으로, 조직이 처하게 될 미래 환경 변화에 대한 대응을 위해 계획된 **타당한 사업을 추진하기 위한 전문화된 지식체계에 기반한 수단**이다.

2. 특성적 요인(York) 必

(1) **미래지향적**이어야 한다.

(2) 사업에 대한 **연속적인 의사결정**으로 **계속적인 과정(또는 동태적인 과정)**이다.

(3) 의사결정과 연관되어 있어야 한다.

(4) **목표지향적**이어야 한다.

(5) 목표를 위한 수단적인 것이어야 한다.

3. 기획의 필요성

(1) **불확실성 감소**

급변하는 조직 외부의 정치경제적 환경 속에서 **조직 미래의 불확실성을 감소시**킬 수 있다.

(2) **오류 재발 방지**

미래에 일어날 수 있는 상황을 예측하며, **과거에 발생한 오류의 재발을 방지할** 수 있다.

(3) **합리성 증진**

사회문제의 우선순위를 설정하는 등의 **합리성을 높이는 데 도움**을 줄 수 있다.

(4) **효율성 증진**

최소의 비용과 노력으로 조직의 목표달성을 이룰 수 있는 방법과 과정을 제시하여 **조직운영의 효율성을 높이는 데 도움**이 될 수 있다.

(5) **효과성 증진**

조직이 제공하는 **서비스의 효과적 달성을 유도**할 수 있다.

(6) **책임성 증진**

프로그램 수행의 **책임성을 높이는 데 도움**이 될 수 있다.

(7) **조직성원의 사기 진작**

기획 과정 중 조직성원의 참여는 성취감, 안정감 등을 제공하여 **조직성원의 사기 진작에 도움**을 줄 수 있다.

4. 유형

(1) 조직의 위계 수준에 따른 종류

최고관리층	① 조직의 사명, 비전, 목표, 정책, 조직 전체 영역 등을 기획한다. ② 일반적으로 **1년 이상의 장기적 기획에 관여**한다.
중간관리층	**할당, 사업계획, 보완적 목표, 정책** 등을 기획한다.
감독관리층	**구체적 사업(또는 프로그램)계획**, 일정표, 단기목표, **운영기획** 등을 기획한다.
관리실무자	일상적 업무 및 사소한 절차에 국한된다.

(2) 시간적 차원에 따른 종류

장기기획	① 1년 이상으로 5년, 10년 또는 그 이상의 기간에 걸친 기획이다. ② 주로 외부환경의 영향을 중시하며, 주기적으로 조직의 목적과 목표를 재설정하는 것 역시 포함되는 기획이다.
단기기획	① 장기기획에 근거한 주로 1년 미만의 기간에 걸친 프로그램 기획이다. ② 보다 구체적이고 상세하며 행동지향적이고 실행 방법에 관한 기획이다.

(3) 대상에 따른 종류

① 전략 기획(戰略企劃, Strategic Planning)

㉠ 환경변화와 타조직과의 경쟁 등 다양한 환경 변수하에서 **과거의 일상적인 방법을 통해서는 달성하기 어려운 조직의 목표를 달성하기 위해** 비교적 장기간에 걸쳐 **조직의 기본적인 결정과 행동계획을 새롭게 수립하는 기획**으로, **과정을 강조**한다.

㉡ 이를 통해 조직의 사명과 가치를 설정하고, 조직의 구체적 목표의 설정 및 변경이 이루어지며, 목표달성을 위한 자원 및 그 자원의 획득방법, 사용, 자원할당을 위한 정책 결정이 진행된다.

㉢ 내용: **조직의 사명과 가치 설정, 조직의 구체적 목표의 설정 및 변경**, 구체적 목표달성을 위한 자원 및 그 자원의 획득 방법, **자원할당**을 위한 정책을 결정한다.

㉣ 기획 시 주의사항: 조직의 문제점에 대해 창조적이고 발전적인 해결책을 모색해야 하며, 조직의 환경적 요소(예 정부의 정책방향, 경제 예측 등)를 종합적으로 고려해야 한다.

ⓜ 과정

전략 기획 합의	전략 기획의 출발점으로, 조직 내 · 외부의 주요 이해 관계자의 참여와 합의를 통해 전략적 기획을 위한 팀이나 위원회를 설치하는 과정이다.
⬇	
조직 환경 분석	조직 내 · 외부 환경을 분석하는 과정으로, SWOT **분석 방법을 활용**한다.
⬇	
쟁점의 구체화	조직의 쟁점, 즉 **조직에게 큰 영향을 미치는 당면 문제를 파악하고, 그 우선순위를 정한 후, 이를 해결할 수 있는 전략을 구체화시키는 과정**이다.
⬇	
사명 · 사업 목적 재설정	쟁점의 구체화 단계에서 도출한 쟁점을 토대로 하여 **조직의 사명[1] · 가치 · 목적 · 목표를 재설정하는 과정**이다.
⬇	
전략결정	각각의 쟁점을 해결하기 위한 구체적인 전략을 수립하는 과정이다.
⬇	
기획안 작성	이해 관계자들이 쉽게 이해할 수 있는 기획안을 작성하는 과정이다.
⬇	
실행 및 평가	기획을 실행하고 목표 달성 여부를 평가하는 과정이다.

② 운영 기획

㉠ 자원 관리를 위한 기획이다. 즉, **획득된 자원이 효과적으로 사용되도록 하는 기획[2]**이다.

㉡ **기획 시 주의 사항:** 행사 운영의 목적과 취지가 명확히 드러나도록 작성해야 하며, 인력 운영에 관한 내용과 세부 추진 일정 · 예산 계획 등의 사항을 구체적으로 기재해야 한다. 또한 당일의 행사 운영 일정을 시간순으로 정리하여 작성해야 하고, 기획의 실행 가능성을 고려해야 한다.

5. 기획과정(Skidmore)

스키드모어(Skidmore)는 기획을 **목표 설정 → 가용자원 고려 → 대안 모색 → 대안의 결과 예측 → 최종대안 선택 → 구체적 프로그램 계획 수립 → 변화의 개방성 유지** 등 7단계로 구분하였다.

(1) 목표 설정

기획과정 중 첫 번째 단계로, 목적을 달성하기 위하여 한 가지 이상의 일반적 목표가 설정되고 일반적 목표를 달성하기 위한 하위 목표 또는 구체적 목표가 설정되는 단계이다.

(2) 가용자원 고려

기획의 대상과 구체적 목표에 대한 다양한 정보를 수집하고 이를 실시하는 데 필요한 **인적 · 물적 · 사회적 자원 등을 검토하는 단계**이다.

선생님 가이드

❶ 사명이란 조직의 존재 이유, 미래 비전 등을 의미합니다.

❷ 예를 들어 복지관에서 개최하는 일일찻집, 바자회 등의 행사에 사용되는 기획 등 일상에서 경험하는 다양한 행사와 관련된 기획을 생각하시면 됩니다.

(3) 대안 모색

목표달성을 위한 다양한 방법들을 찾는 단계로, 집단토의, 개별적 대화, 수집된 정보로부터 발견 등 다양한 수단을 통해 대안을 찾아낸다.

(4) 대안의 결과 예측

목표달성을 위한 각각의 대안들을 선택해서 **실제로 실시한 경우 발생 가능한 사건들을 다각도에서 예측해 보는 단계**이다.

(5) 최종대안 선택

다양한 대안들을 검토한 후 **우선순위에 따라 최종적인 대안을 선택하는 단계**이다.

(6) 구체적 프로그램 계획 수립

목표달성을 위한 선택된 방법(또는 프로그램)을 실시하기 위하여 **시간과 활동이 연관된 구체적인 계획을 수립하는 단계**로, 도표 작성 등의 업무가 포함된다.

(7) 변화의 개방성 유지

프로그램의 실제 수행 과정 중 발생할 수 있는 **예측 불가능한 변화에 대해 언제든지 기획을 수정할 수 있는 개방성을 유지하는 단계**로, **이 단계에서 보다 나은 절차가 없는 경우 기존 기획이 그대로 유지**된다.

6. 주요 기획 방법 (必)

사회복지행정에서 사용하는 기획 방법으로는 시간별 활동계획도표, 프로그램 평가검토기법, 월별 활동계획 카드 등이 있다.

(1) 시간별 활동계획도표[또는 간트차트(Gantt Chart), 막대그래프 차트, 간트 도표]

세부내용	추진일정							
	8월	9월	10월	11월	12월	1월	2월	3월
사회복지공동모금회에 프로포절 작성 및 제출								
지역사회 내 프로그램 대상 독거노인 파악								
난방용품 납품업체 파악 및 선정								
자원봉사자 모집								
자원봉사자 교육								
난방용품 불출								
사후관리								

▲ 겨울철 독거노인 난방지원 시간별 활동계획도표

① 1910년 미국의 사업가인 헨리 간트(Henry Gantt)가 생산관리를 위해 고안한 기획 방법으로, **사업별로 달성할 목표와 소요(또는 진행)시간을 파악하여 각각 단계별로 분류한 시간을 단선적 활동으로 나타낸 도표**이다.

② **세로 바에는 세부 목표와 활동 및 프로그램을, 가로 바에는 시간을 기입**하여 **사업의 소요(또는 진행)시간을 막대로 나타낸다.**

③ 장점과 단점

장점	단점
㉠ 상대적으로 복잡하지 않은 사업을 기획할 때 유리하며, **단순명료**하다. ㉡ 사업이 언제 시작되고 언제 끝나는지 분명히 알 수 있고, 전체적인 작업의 진행 과정을 파악할 수 있다.	㉠ 사업 간의 유기적 관계, 즉 **하나의 사업이 다른 사업과 어떻게 연결되는지를 파악할 수 없다.** ㉡ 복잡하고 세밀한 사업일정을 수립하는 데는 사용하기 어렵다. ㉢ 사업에 착수한 후 발생할 수 있는 문제점을 미리 예상하는 것이 어렵다.

(2) **프로그램 평가검토기법(Program Evaluation and Review Techniques, PERT)**

15 · 18. 국가직, 15 · 18. 지방직

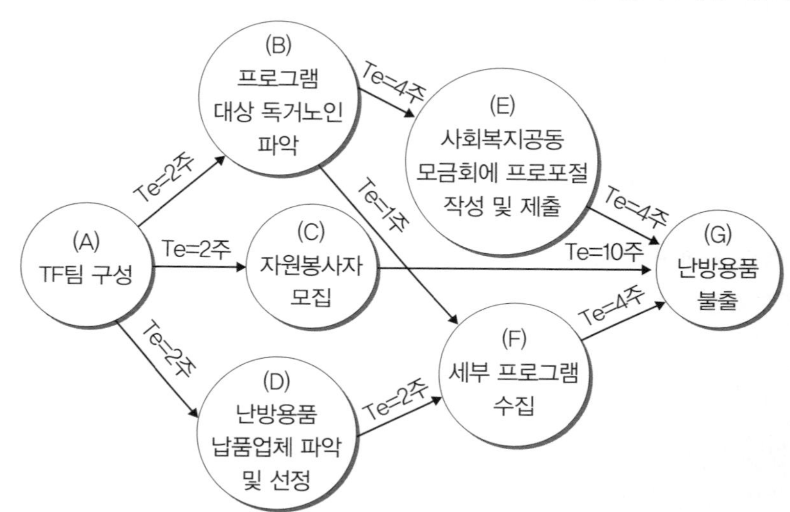

▲ 겨울철 독거노인 난방지원 사업 프로그램 평가검토 기법

① 1958년 미국 폴라리스 잠수함(Polaris Submarine) 건조 계획을 위해 도입된 기획 방법으로, 본래 6년으로 예정했던 잠수함의 배치 계획을 4년으로 단축하기 위해서 고안되었다.

② **목표달성을 위해서 설정된 주요 세부 목표와 프로그램의 상호 관계와 시간 계획을 연결시켜 도표화한 기획 방법**이다. 즉, **목표달성의 기한이 정해져 있고,** 그 기한 동안 달성할 세부 목표와 그 세부 목표를 달성하기 위한 프로그램 및 소요시간이 제시되어 있다.

③ **작성 과정:** 최종 목표 설정하기 → 최종 목표 달성과 관련된 모든 과업들을 확인하기 → 모든 과업의 순서를 결정하도록 도식화하기 → **각 과업별 소요시간을 계산하여 추정하기** → 전체 과업들 간 최적의 시간경로를 파악하기

④ 장점과 단점

장점	단점
㉠ 기획된 활동의 실행을 위해 필요한 **과업과 활동의 선행 · 후행 관계, 세부활동 및 소요시간 등을 일목요연하게 파악**하여 **최종 목표를 달성하는 데 있어 필요한 최단 시간을 제시**할 수 있다. ㉡ 일회성으로 끝나거나 종합적 파악이 유리한 프로그램에 유리하다. ㉢ 프로그램 완수를 위해 필요한 **세부 과업들을 전체 그림을 통해 확인**할 수 있다. ㉣ 시간별 활동계획도표에 비해 활동 간의 상관관계와 순서를 파악하는 데 유리하다. ㉤ **개별 활동들을 앞당기거나 늦추는 것이 전체 프로그램에 미칠 영향력을 파악**할 수 있다. ㉥ 활동을 진행하면서 특정 활동의 소요시간의 증감, 일정 변경 등 유동적인 상황에 대처하는 데 유리하다.	㉠ 도식화로 표현되는데 이때 도식화가 지나치게 복잡하면 도식화 과정 중에 시간이 많이 소요되고, 도식화 이후 도식화된 내용을 오히려 파악하기 어려울 수도 있다. ㉡ **소요시간의 예측이 어렵기 때문에 정밀한 계산이 필요**하다.

⑤ 임계경로(Critical Path, 또는 임계통로): 프로그램의 시작부터 모든 활동의 종료까지 이르는 경로 가운데 **가장 오래 시간이 걸리는 경로**로, 이는 프로그램 활동을 수행하기 위해 **최소한 확보해야 할 시간**을 의미한다.

기출 CHECK

PERT의 임계경로 구하기

1. 그림에서 구하기

다음 그림에서 임계경로(critical path)로 옳은 것은? 18. 국가직

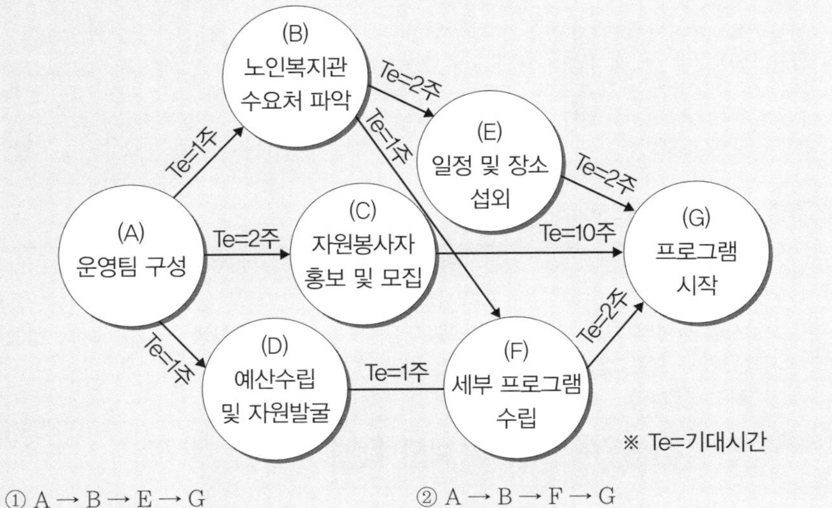

① A → B → E → G
② A → B → F → G
③ A → C → G
④ A → D → F → G

해설

임계경로는 프로그램의 시작부터 모든 활동의 종료까지 이르는 경로 가운데 **가장 오래 시간이 걸리는 경로**를 말한다.

① A → B → E → G: 1주 + 2주 + 2주 = 5주
② A → B → F → G: 1주 + 1주 + 2주 = 5주
③ A → C → G: 2주 + 5주 = 7주
④ A → D → F → G: 1주 + 1주 + 2주 = 5주

답 ③

2. 표에서 구하기

다음 표에서 임계경로(critical path)를 순서대로 바르게 나열한 것은? 18. 지방직

작업	선행작업	소요기간(일)
A	없음	2
B	A	6
C	A	4
D	B, C	2
E	D	4
F	D	3
G	E	2
H	E	4
I	F	2
J	F	1
K	G, H	2
L	I, K	2
M	J, L	3

① A → B → D → E → G → K → L → M
② A → B → D → E → H → K → L → M
③ A → C → D → E → G → K → L → M
④ A → C → D → F → H → K → L → M

해설

선행작업(A)에서 작업(B)까지 소요 기간이 6일, 선행작업(B, C)에서 작업(D)까지 소요 기간이 2일, 선행작업(D)에서 작업(E)까지 소요 기간이 4일, 선행작업(E)에서 작업(H)까지 소요 기간이 4일, 선행작업(G, H)에서 작업(K)까지 소요 기간이 2일, 선행작업(I, K)에서 작업(L)까지 소요 기간이 2일, 선행작업(J, L)에서 작업(M)까지 소요 기간이 3일이므로 총 소요 기간은 '6일 + 2일 + 4일 + 4일 + 2일 + 2일 + 3일 = 23일'이다. 따라서 임계경로는 A → B → D → E → H → K → L → M이다.

답 ②

(3) 월별 활동계획 카드(Shed-U Graph)

8월	9월	10월	11월
• 사회복지공동모금회에 프로포절 작성 및 제출 • 지역사회 내 프로그램 대상 독거노인 파악	지역사회 내 프로그램 대상 독거노인 파악	• 난방용품 납품업체 파악 및 선정 • 자원봉사자 모집	난방용품 불출

▲ 겨울철 독거노인 난방지원 사업 월별 활동계획 카드

① 미국의 래링턴 랜드(Remington Rand)라는 회사에서 고안한 기획 방법으로, 카드의 위쪽 가로에는 월(月)이 기록되고 해당 월 아래에 과업을 적은 작은 카드를 꽂거나 붙여서 **월별 활동내용을 파악하는 기획기법**이다.

② 장점과 단점

장점	단점
시간에 따라 변경하고 이동하는 것이 편리하다.	시간별 활동계획도표와 같이 사업 간의 연결성을 파악하는 것이 어렵다.

(4) 방침관리기획(PDCA)

① **방침**이란 **조직 목표를 달성하기 위해 일정기간 동안의 조직관리 방향 등을 명시한 것으로, '목표'와 이를 달성하기 위한 구체적인 방법인 '시책'으로 구성**되어 있다.

② 또한 **방침관리**란 조직관리(예 비전, 사훈 등) · 품질 · 환경방침에 책정되어 있는 목표 및 시책을 달성하기 위해서 각 조직상의 직계가 각각의 방침을 정하여 그것을 실시하고 그 결과를 검토하여 필요한 조치를 취하는 과정에 중심을 둔 종합적인 조직관리 방식이다.

③ 이를 위해 방침관리 기획을 활용하는데, 이는 **계획(Plan) → 실행(Do) → 확인(Check) → 조정(Act)**의 **순환적 과정(또는 싸이클)**을 따른다. 즉, 원계획(Plan)을 수립하고, 이를 실행(Do)하는 과정 중에 발생하는 다양한 문제나 상황변수들을 확인(Check)하여 이를 조정(Act)하는 과정을 하나의 프로그램 기획과정으로 본다.

(5) 사례모델링

벤치마킹과 유사한 개념으로 유사한 사례들 중 성공적인 사례를 모델로 삼아 그와 유사하게 기획하고 사업을 진행하는 것이다.

(6) 마일스톤

달성해야 할 세부적인 목표를 이정표로 정한 후, **어떤 활동이 어떤 활동으로 이어지는가에 대한 진행상황을 도식화하는 기획기법**으로, 프로그램 진행 상황을 모니터링하고 목표 성취 정도를 판단하는 데 활용한다.

(7) 책임행렬표(Linear Responsibility Chart, 또는 RACI행렬, 책임할당매트릭스, 책임차트)

조직성원별로 목표, 활동, 책임유형을 하나의 행렬(Matrix)형태로 제시하여 조직의 목표달성과 관련된 조직성원의 책임을 명확히 하는 기획기법이다.

2 의사결정

1. 개념

조직의 목표 달성과 관련된 **두 가지 이상의 대안 중 한 가지를 의식적으로 선택하는 과정**으로, 이때 선택된 대안은 조직의 정책 집행의 대상이 된다.

2. 분류

(1) 칼리슬(Carlisle)의 분류

구분	내용
직관적 결정	합리성보다 **의사결정자가 지닌 감정, 육감, 영감 등에 의존**하여 의사결정하는 방법으로 의사결정의 결과에 있어서 위험성이 크다.
판단적 결정	**의사결정자 개인이 가지고 있는 '지식과 경험'에 의존**하여 의사결정하는 방법으로, 조직에서 활용하는 **가장 일반적인 의사결정 방법**이다.
문제해결적 결정	**정보수집, 연구, 분석 등의 합리적이고 과학적인 절차**를 통해 이루어지는 의사결정 방법으로, 주로 시간적인 여유가 있어 즉각적인 결정이 불필요한 경우에 사용되는 방법이다.

(2) 사이먼(Simon)의 분류

구분	내용
정형적 의사결정	일상적이고 반복적인 의사결정 유형으로, 의사결정자가 **조직 내에서 이미 정해져 있는 절차, 규정, 방침 등에 따라 규칙적이고 체계적인 의사결정을 하는 방법**이다.
비정형적 의사결정	① 어떤 사안에 대해서 의사결정을 할 수 있는 절차, 규정, 방침 등이 존재하지 않을 경우 **의사결정자의 직관과 자의적인 판단에 근거하여 의사결정을 하는 방법**이다. ② 사전에 결정된 기준이 없이 이루어지며, 따라서 **보통 단발적이고 예상하지 못한 상황에 대한 의사결정**이다. ③ 예측 불가능한 환경에 많이 의존하고 있는 사회복지조직의 특성상 많이 이루어지는 의사결정 방법이다.

3. 의사결정 기법 (必)

(1) 개인적 의사결정 기법

의사결정 시 **최고책임자가 독단적으로 의사결정하는 기법**을 개인적 의사결정 기법이라고 하며, **의사결정 나무분석과 대안선택흐름도표**가 대표적이다.

구분	내용
의사결정 나무분석 (Decision Tree Analysis)	의사결정 규칙을 **나무의 기둥과 나뭇가지들이 뻗어나가는 모양으로 도표화**하여 관심대상이 되는 집단을 몇 개의 소집단으로 분류하거나 예측을 수행하는 계량적 분석 방법이다. 개인이 문제해결을 위해 **선택 가능한 대안들을 놓고, 각 대안별로 선택할 경우와 선택하지 않을 경우에 나타날 결과를 분석**하여, 각 대안들이 갖게 될 장·단점에 대해 균형된 시각을 갖도록 돕는 **개인적 의사결정 기법**이다.

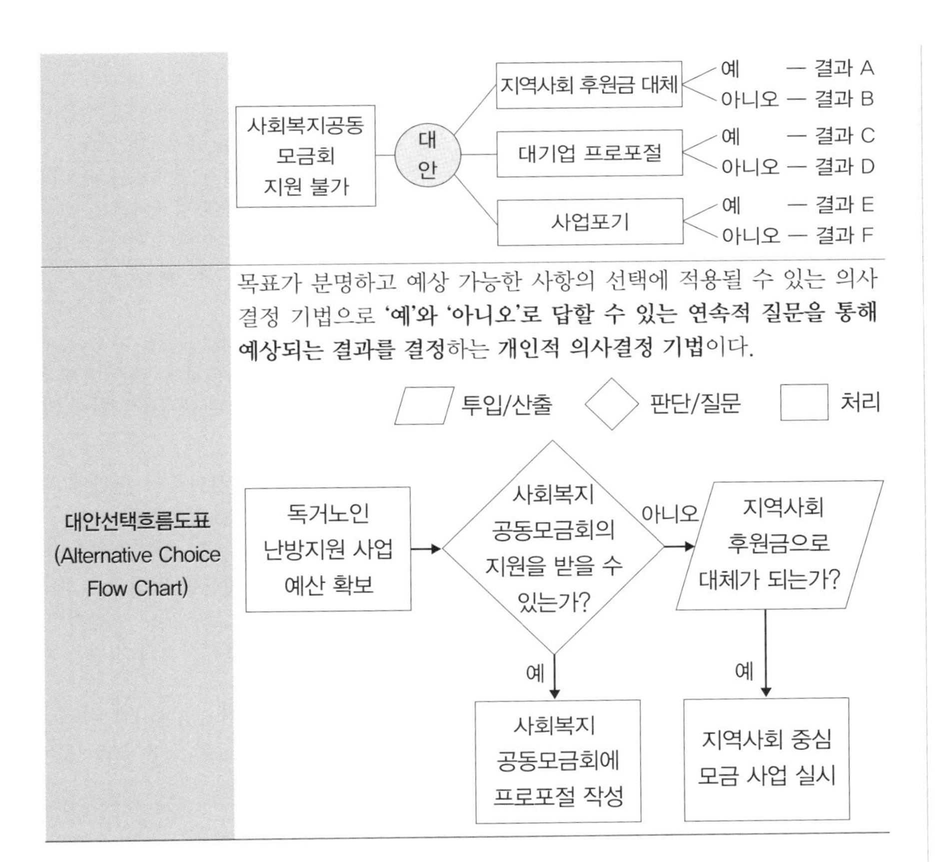

(2) **집단적 의사결정 기법**

최고 책임자가 의사결정을 하기 위해서 **조직의 다른 성원이나 전문가의 의견을 청취**하고 이를 종합하여 최종적인 의사결정을 하는 방법으로, **델파이기법, 명목집단기법, 브레인스토밍, 변증법적 토의, 상호작용집단기법** 등이 있다.

델파이기법 (Delphi Technique)	전문가들로부터 **우편이나 이메일 등**으로 의견이나 정보를 수집하여 그 결과를 분석한 후 다시 응답한 전문가들에게 이를 보내 의견을 묻는 식의 방법을 **만족스러운 결과를 얻을 때까지 반복하는 방법**으로, 어떤 불확실한 사항에 대한 **전문가들의 합의**를 얻으려고 할 때 사용하는 기법이다.
명목집단기법 (Nominal Group Technique)	① **소집단 투표의사결정 방법**이나 NGT(Nominal Group Technique) **법**이라고도 한다. ② 의사결정 과정 동안 토론 등 집단성원 간에 일체의 의사소통을 제한시키고, 각자 성원들로 하여금 **자신들의 의견을 '서면'으로 작성한 후 제출**하게 하여 제시된 의견을 집단 내에서 투표로 **최종 결정하는 방법**으로, **감정이나 분위기상의 왜곡현상을 피하는 데 유리**하다.
브레인스토밍	① **한 가지 구체적인 주제에 대해서 여러 사람이 자유롭게 토의를 하여 창의적인 아이디어를 구상하는 방법**으로, 일반적으로 사회자(또는 지도자) 1명, 기록자 1~2명, 발표자 6~12명이 한 조를 구성하여 1시간 내외로 진행한다.

	② 4가지 원칙 <table><tr><td>자유로운 분위기 유지</td><td>의사결정 과정 중 자유로운 복장 착용을 허용하는 등, 강압적이지 않은 분위기를 유지해야 한다.</td></tr><tr><td>질보다 양</td><td>양적으로 풍부한 아이디어에서 효과적인 아이디어를 찾아낼 수 있다는 가정하에 발표자들은 생각나는 대로 많은 아이디어를 만들어내야 한다.</td></tr><tr><td>무비판</td><td>상대방이 어떠한 아이디어를 내든지 절대 비판하지 않아야 한다.</td></tr><tr><td>결합과 개선</td><td>발표자 자신의 아이디어가 고갈되었을 경우에는 그냥 있지 말고 능동적으로 참여하여 다른 발표자의 아이디어를 결합하거나 자신의 생각을 더하여 발표해야 한다.</td></tr></table>
변증법적 토의	반대가 있어서 개선이 가능하다는 진리에 기반하여 **사안에 대해 조직성원을 찬반으로 나누어 토론을 진행**하는 기법이다.
상호작용집단기법	① 위원회나 회의와 같이 **다양한 사회적 배경을 지닌 사람들이 자유로운 분위기 속에서 공개적으로 여러 대안들에 대해 토론하고 논쟁하여 최선의 대안에 합의하는 방법**으로, 가장 보편적인 행태의 집단의사결정의 방법이며, 여러 집단의사결정 기법들 가운데 가장 구조화되지 않은 기법이다. ② 토론과 논쟁에 참여하는 사람들이 집단의사결정이나 타인들과의 상호작용에 있어서 상당한 경험과 지식을 소유하고 있을 때 적절하게 사용할 수 있다.

3 인적자원관리

1. 개념

조직 내의 인사활동, 즉 인사행정으로, 광의적으로는 인적자원관리로써 조직의 목적달성을 위해 **직원을 효과적 · 효율적으로 활용하기 위한 일련의 활동 및 과정**으로 볼 수 있으며, **직원 채용, 직원개발, 직원유지를 위한 평가 및 보상 등을 모두 포함하는 개념**이다.

2. 과정

인적자원관리는 **'채용[모집 → 선발 → 임명(또는 배치)] → 직원개발 → 직원유지(평가, 보상, 승진)'의 과정으로 진행**된다.

(1) **채용**

직무를 수행할 신규 인력을 과학적이고, 합리적인 방법으로 충원하는 과정으로, 채용의 과정은 **'모집 → 선발 → 임명'의 순으로 진행**된다.

모집	① 조직이 제시한 직무 수행 능력과 관련된 **일정한 조건을 지닌 지원자들을 공석중인 직위에 유치하는 과정**으로, **단기 · 중기 · 장기의 충원계획을 수립한 후 실시**한다. 필요한 신체적 · 정신적 조건, 직무의 위험성 등을 수집 · 분석하는 과정인 **직무 분석 → 직무기술서와 직무명세서 작성 → 모집공고의 순서로 진행**된다.

② 직무기술서와 직무명세서

구분	내용
직무기술서 (Job Description)	㉠ **직무명칭, 직무개요, 직무내용, 직무수행에 필요한 각종 장비 및 도구, 요건, 직무수행 방법, 핵심과업, 직무의 특성 등, 직무 분석을 통해 얻은 직무 자체에 대한 정보**를 직무의 특성에 중점을 두어 정리해서 기술한 문서이다. ㉡ **업무 담당자는 직무기술서를 통해 조직 내에서 자신이 수행해야 할 직무의 전반적인 내용을 파악**할 수 있다.
직무명세서 (Job Specification)	㉠ **직무기술서의 내용 중** 특정 직무를 수행하는 자에게 공통적으로 적용되는 **'직무요건'만을 분리해서 이를 구체적으로 기술한 문서**이다. ㉡ 1개의 직무에 1개의 직무명세서만을 작성한다. ㉢ 직무를 수행하기 위한 **성별, 연령, 체중, 신장, 교육정도, 기술 수준, 자격증** 등 인적요건에 중점을 둔다.

③ 직무기술서와 직무명세서는 직무평가를 위한 기초자료로 제공된다.

④ 모집공고에 포함될 내용: 직무명, 직무분류, 급여, 근무지역, 배치부서, 직무명세서, 시험 및 면접 일시, 신청일자, 신청마감일

⬇

선발

① 조직에 대한 충성심과 조직의 요구에 기초하여 모집을 통해 모인 지원자들을 **일정 방법에 따라 선별하는 과정**이다.

② **선발을 위해서는 일반적으로 시험(또는 직업능력검사)을 치루며,** 선발시험의 종류로는 **필기시험, 실기시험, 면접시험** 등이 있다.

구분	내용
필기시험	㉠ 주관식 시험: 고도의 복잡한 사고능력을 측정하는 데 효과적이며, 시험지 작성이 용이하지만, 채점자의 주관성이 개입될 수 있고, 채점에 시간과 경비가 소요된다는 단점이 있다. ㉡ 객관식 시험: 채점자의 주관성이 개입되기 어렵고, 채점에 시간과 경비가 덜 소요되지만, 고도의 복잡한 사고능력을 측정하는 것에는 한계가 있고, 시험지 제작이 어렵다.
실기시험	타당도는 높지만, 객관성 · 신뢰성이 낮아질 수 있다.
면접시험	보통 필기시험 후 또는 필기시험 합격자에 한해서 실시하는 시험으로, 필기시험에서 확인할 수 없는 지원자의 구체적인 정보(예 태도, 성격, 협조심 등)를 파악하기에 효과적이다. 다만, 면접관의 선입견이 개입될 가능성이 있다.

③ 사회복지조직에서 직원 선발 시 고려 사항: 조직에의 충성심, 전문성, 타직원과의 원만한 인간관계 형성능력, 클라이언트와 직원들을 보호할 수 있는 능력 등

④ 지원서(또는 신청서류) 심사 시 '자격요건'에 관한 논쟁 발생으로 인한 객관성 감소를 막기 위해 여러 명의 시험관들이 심사하는 것이 바람직하다.

⬇

임명 (또는 배치)

① 선발된 새로운 직원에게 일정한 **직위와 직무를 맡기는 과정**이다.

② 임명 시 관리자에 의해 제공되는 정보: 구체적인 책임, 기관의 목적, 조직의 구성, 직원, 이사회, 조직이 속한 지역사회, 보수, 부가급부, 근무시간, 휴가, 직원회의, 위원회의 구조, 직원개발계획, 다른 직위로의 전보 가능성, 타조직과의 관계 등

(2) 직원개발

① 관리자가 직원의 직무 관련 지식, 기술, 소양, 능력 등을 향상시켜 조직의 목표달성에 부합되도록 만드는 교육 및 훈련활동을 말한다.

② 유형

오리엔테이션	**신규 채용자 훈련**이라고 하며, **주로 신입직원들을 상대**로 하여 **조직의 역사, 사명, 기본정책, 조직이 담당하는 지역사회 등 조직에 대한 소개를 하는 방법**이다.
일반직원 훈련	**현재 재직 중인 일반직원들의 직무수행능력 향상을 목적**으로 하는 훈련 방법으로, 현직훈련의 형태로 실시하며, 장기적 · 지속적으로 이루어져야 한다.
감독자 훈련	슈퍼바이저의 리더십, 의사전달 방법, 인사관리 등의 **직무수행에 필요한 지식을 향상시**키기 위해 강의, 회의, 토의, 사례발표 등을 활용하는 방법이다.
관리자 훈련	**중 · 고급관리자의 정책수립능력과 리더십 향상**을 위해서 사례발표, 회의, 토의, 신디케이트 등을 활용하는 방법이다.

③ 방법

계속교육	㉠ **사회복지학과와 관련된 정규 교육을 모두 마친 직원들의 전문성을 유지하고 향상**시키기 위해 지속적으로 해당 분야에 대한 교육을 **직무연수 방식으로 제공**하는 것이다. ㉡ 지역사회의 필요나 조직성원의 욕구에 따라서 융통성 있게 실시할 수 있다.
사례발표	직원이 자신의 직무와 관련된 사례를 선정하여 개입 과정과 결과 등에 대해 보통 30~45분 정도 동료직원 간의 의견을 나누는 방법이다.
역할연기	클라이언트와 관련된 특정 사례를 **2명 이상의 직원들이 직원들 앞에서 연기로 표현**하면 다른 직원들이 연기를 평가하고 토론한 후 사회자가 결론을 맺는 방법으로, **인간관계훈련에 매우 효과적**이다.
감수성 훈련	15명 내외의 소집단을 구성하여 외부와 격리된 장소에서 **1~2주 동안 합숙**을 하며 조직성원끼리 자유로운 의사표현과 교환을 통해 자신과 상대방의 가치관 · 사고방식 · 행동방식 등을 파악하여 행동과 태도에 변화를 기하는 방법으로, 인간관계 개선에 효과적이다.
전직(轉職)	시험을 통해 조직 내 한 직위에서 **직무의 종류와 성격이 다른 직렬(職列)로 수평 이동**시키는 방법이다.

전보(轉補)	시험 없이 **동일한 직급에 속하는 한 직위에서 다른 직위로 보직(補職)을 변경**시키는 방법이다.
순환보직 (循環補職)	직원을 **일정한 간격을 두고 다른 직위나 직급에 전보 또는 배치**시키는 방법을 말한다.
신디케이트 (Syndicate)	**분임토의 또는 분반토의**라고도 하며, 직원들을 10명 내외의 분반으로 나눈 후 **동일한 주제를 분반별로 토의하여 해결 방안을 작성**하게 한 후 다시 전원이 한 장소에 모여 분반별로 작성한 안을 발표하고 토론하게 하여 최종적으로 결론을 맺게 하는 방법으로, 관리자훈련에 매우 유용하다.
직장훈련 (On-the-Job Training, OJT)	**현장훈련, 현장실습, 견습(見習), 직무를 통한 연수**라고도 하며, 직원이 **일상적인 직무를 수행**하면서 **감독자나 관리자(또는 조직의 상사나 선배)로부터 직무 수행에 관한 지식과 기술을 배우게 하는 방법**으로, 신규채용자나 재직자 훈련에 유용하다.
포럼(Forum)	**직원들을 한 자리에 참여시킨 후 소수의 전문가인 발표자가 화제를 제시**하고 이에 참여한 **직원들이 청중이 되어 토론에 참석하는 방법**이다. 이때 자유로운 추가토론이 가능하다.
패널토의 (Panel Discussion)	**패널토의**(Panel Discussion)란 1개의 주제에 대해 각 분야의 의견이 다를 경우 **각 분야를 대표하는 전문가 패널들이 자신들의 관점에서 자유토의**를 하면 이를 들은 청중들이 이에 참여하여 질문이나 의견을 제시하는 방법으로, **전문가들의 토의가 주를 이루며 청중의 질문이나 의견이 제한된다는 점에서 포럼과 차이**가 있다.
심포지엄 (Symposium)	1개의 주제에 대해 **2명 이상의 전문가가 자신들의 입장에서 짧은 강연**을 한 후 강연을 들은 청중들이 이에 참여하여 질문이나 의견을 제시하는 방법으로, **전문가 위주로 진행되므로 일방적으로 정보를 전달**하는 성격이 강하다.

(3) **직원유지**

직원의 **직무를 평가**하고 이에 따른 **적절한 수준의 보상과 승진을 실시**하여 직원으로 하여금 조직에 몰입하게 만드는 것을 말한다.

① 직무평가

㉠ **조직의 목표에 맞추어 직원의 업무가 기대한 대로 수행되었는지의 여부를 파악하는 과정이다.**

㉡ **직원관리(임금, 승진, 해고 등) 및 직원개발에 필요한 정보를 파악하는 데 주안점을 둔다.**

선생님 가이드

❶ 관대화의 오류란 평가자와 비평가자 사이의 인간관계 또는 평가자의 지식 부족이 평가에 영향을 주어 평가 결과를 좋게 만드는 현상을 말합니다.

ⓒ 직무평가 도구

구분	내용
도표평정식	• 가장 일반적으로 사용되는 직무평가 도구로, 측정도구 한 쪽에 바람직한 평정요소를 나열하고, 다른 쪽에는 직무수행 등급 척도를 제시한 후 각각의 요소에 대한 평가자의 직무수행 등급을 표시하는 식으로 평가하는 방법이다. • **집중화 현상이나 관대화의 오류(또는 경향)[1] 등의 문제점이 발생**할 수 있다.
개조서열식	각각의 평정요소에 대하여 모든 직원들에 대해 최상으로부터 최하까지 등급을 매기고 총점수에 따라 최상부터 최하까지 서열을 매겨서 평가하는 방법이다.
이분비교식	• 각각의 요소에 대해 직원 개개인을 자신을 제외한 모든 다른 사람들과 비교하는 방법이다. • 서열을 매기기보다 주어진 직위 내에서 그 밖의 다른 사람들과 비교하여 평가하는 데 유리하다.
강제배분식	• 평정 점수의 분포가 정상분포가 되도록 강제로 분산시키는 방법이다. • 도표평정식의 집중현상이나 관대화 경향 등의 결점을 배제할 수 있다.
중요사건 평가식	• 직원의 직무수행에서 특별히 바람직한 사건과 바람직하지 못한 사건을 기록하여 유지하는 방법이다. • 바람직한 사건은 강하고 바람직하지 못한 사건은 교정하여 계속적인 평가와 환류를 시킬 수 있다.
행동기준 평정식	• 중요 사건과 관련된 직원들의 행동에 대해 델파이를 실시하여 전문가들에 의해 가장 바람직한 행동으로부터 가장 바람직하지 못한 행동까지 등급화하여 평가하는 방법이다. • 시간과 비용이 많이 소요되지만, 사회복지 직무수행 평가로써 타당성적 측면에서는 최상의 기법이다.

② 보상

㉠ 적절한 보상체계는 직무와 관련하여 직원에게 동기를 부여하고, 경쟁력 있는 직원을 유인할 수 있다.

㉡ 유형

구분	내용
직접적 보상	**기본임금, 성과금, 유인적 임금 등**
간접적 보상	**사회보험 비용 부담, 근로 시간 조정**(예 휴가, 안식년 등) 등

㉢ **운영 원칙**: 효율성, 형평성, 법과 규칙에 대한 순응 등

③ 승진

㉠ 보다 높은 직위로의 상향 이동하는 것을 말한다.

㉡ 건전하고 합리적인 인사관리를 위해서는 승진을 위한 절차와 기준을 정의해 놓는 것이 바람직하다.

㉢ 승진기준의 내용은 일반적으로 경력과 실적으로 구분된다.

4 슈퍼비전과 소진

1. 슈퍼비전(Supervision) 18. 서울시 必

(1) 개념

사회복지조직 내에서 활동하고 있는 직원(또는 슈퍼바이지)이 전문성과 능력을 발휘할 수 있도록 관리자(또는 슈퍼바이저)에 의해서 제공되는 기능들로, 슈퍼바이저와 슈퍼바이지 간 상호작용과 의사소통이 핵심이다.

(2) 기능(Kadushin)

카두신(Kadushin)은 슈퍼비전의 기능을 **교육, 행정, 지지 등 3가지로 구분**하였다.

① 교육적 기능: 슈퍼바이지의 전문적 **지식과 기술 향상**을 위해서 슈퍼바이저가 **슈퍼바이지에게 정보를 제공**하는 기능으로, 교육의 내용으로는 조직의 기본 가치, 임무, 목적, 실천기술 등이 있다.

② 행정적 기능: **슈퍼바이저가 슈퍼바이지의 행정적 상급자**로서 **슈퍼바이지에게 조직의 규정과 절차를 적용**하는 기능으로, 슈퍼바이지에게 적합한 클라이언트 사례 위임, **서비스제공의 감독 및 평가,** 상하 간의 의사소통 촉진, 조직 활동에 대한 조정과 통제 등이 여기에 해당된다.

③ 지지적 기능: 슈퍼바이저가 **슈퍼바이지의 가치와 감정의 문제에 개입하여 직무만족도를 향상**시키는 기능으로, 슈퍼바이저는 슈퍼바이지의 개별적 욕구에 관심 갖기, 슈퍼바이지의 스트레스 유발 요인 제거하기, 동기와 사기 진작시키기, 불만족과 좌절 해결하기 등의 과업을 수행해야 한다.

(3) 모형(Watson)

왓슨(Watson)은 **슈퍼비전의 형태의 따라** 다음과 같이 슈퍼비전 모형을 제시하였다.

① 개인교습 모형: 슈퍼바이저와 슈퍼바이지가 개인교사와 학생의 관계와 같이 **1 : 1로 대응**하는 모형이다.

② 슈퍼비전 집단: 개인교습 모형이 확대된 형태로, **1명의 슈퍼바이저가 다수의 슈퍼바이지에 대응**하는 모형이다.

③ 사례 컨설테이션: 슈퍼바이저와 슈퍼바이지가 **특정 사례에 관해서만 '1 : 1, 혹은 1 : 다수'의 관계로 자문**을 하는 모형이다.

④ 동료집단 슈퍼비전: **별도의 슈퍼바이저 없이** 모든 조직성원들이 동등한 자격으로 참여하는 모형이다.

⑤ 직렬 슈퍼비전: 동료집단 슈퍼비전이 발전된 형태로, **2명의 동료직원이 동등한 자격으로 서로 슈퍼비전을 교환**하는 모형이다.

⑥ 팀 슈퍼비전: 특정 안건을 미리 팀 조직성원들에게 제시하고, 이에 대해 **다양한 성격을 지닌 조직성원들이 팀을 구성하여 조직성원 간 동등한 위치**에서 상호작용을 통해 결정해 나가는 모형이다.

(4) 슈퍼바이저의 조건(또는 자질)

① **풍부한 지식의 구비**: 슈퍼바이저는 전문직으로서 종합적인 지식을 갖추어야 한다.

② **실천기술과 경험의 구비**: 슈퍼바이저는 사회복지실천 현장에서의 경험이나 문제를 해결해 본 실천경험과 기술을 갖추고 있어야 한다.

③ **개방적 접근의 허용(또는 용이성)**: 슈퍼바이저는 예기치 못한 상황에서 슈퍼바이지가 자신에게 쉽게 접근하여 질문하고 지도 받을 수 있는 기회를 마련해야 한다.

④ **헌신적인 사명감**: 슈퍼바이저는 자신이 소속된 조직, 슈퍼바이지, 자기 자신에 대해 진실하고 지속적인 관심을 가져야 한다.

⑤ **솔직함**: 슈퍼바이저는 자신의 실수가 있을 경우에도 그것을 솔직히 인정할 수 있어야 한다.

⑥ **감사와 칭찬(또는 긍정적 보상)**: 슈퍼바이저는 자신이 소속된 조직, 동료, 슈퍼바이지의 업적에 대해 진심을 담아 칭찬하고 감사할 수 있어야 한다.

핵심 PLUS

혁신적 슈퍼바이저가 가져야 할 능력(Quinn)

퀸(Quinn)은 혁신적 슈퍼바이저가 가져야 할 능력을 다음과 같이 제시하였다.

① 유연한 변화를 창조하기 위한 의사소통 능력
② 비판적 · 창의적인 사고 능력
③ 융통성과 외부지향성의 가치를 실현하는 능력
④ 조직을 둘러싼 변화를 판단할 수 있는 능력
⑤ 조직성원과 이해관계자들 간의 갈등을 예방할 수 있는 능력

2. 소진(Burnout) 必

(1) 개념

① 전문직의 특성, 개인적 성향, 직무환경 등 다양한 요인으로 인한 **스트레스로 인해 조직성원에 발생하는 신체적 · 사회적 · 정서적 고갈상태**로, **목적의식이나 관심을 점차 상실하는 과정**이다.

② 주로 사회복지사, 간호사, 상담원 등과 같이 **타인과의 감정이입을 전제로 하는 직종에서 나타나기 쉬우며**, 특히 사회복지사는 소진의 위험이 다른 직업군에 비해 높은 상황이다.

(2) 단계(Edelwich & Brodsky)

에델위치와 브로드스키(Edelwich & Brodsky)는 소진의 단계를 **'열성 → 침체 → 좌절 → 무관심'의 순으로 제시**하였다.

기출 OX

01 슈퍼비전(supervision)은 사회복지사의 지식과 기술을 향상시키는 교육적 기능을 한다. ( ) 18. 서울시

02 슈퍼비전(supervision)은 사회복지사의 위상을 확립하고 권익을 실현하는 기능을 한다. ( ) 18. 서울시

03 슈퍼비전(supervision)은 사회복지사가 기관의 규정과 절차에 맞게 서비스를 제공하도록 관리하는 행정적 기능을 한다. ( ) 18. 서울시

01 ○
02 ×
03 ○

열성 단계	직무와 클라이언트의 변화에 대한 **비현실적인 희망과 기대를 갖는 단계**로, 직무수행에 대한 즉각적인 성공과 보상을 희망한다. 예 "정말 열심히 해야지! 나는 내게 맡겨진 클라이언트를 변화시키고 조직 내에서도 반드시 인정받을 거야!"
침체 단계	**열성 단계에서 가졌던 희망과 비현실적 기대가 충족될 수 없음을 인지하기 시작하는 단계**로, 이때부터 사회복지사는 오히려 보수, 근무시간 등 근무환경에 더욱 신경을 쓰고 개인적인 욕구충족을 더 중요하게 여긴다. 예 "어…. 정말 열심히 노력했는데 왜 클라이언트는 변하지 않고, 나는 조직 내에서도 인정받지 못하지?"
좌절 단계	① **자신이 감당할 수 있는 직무능력과 직무의 가치에 대해 의문을 갖기 시작하는 단계**로, 자신의 노력에 비해 성과가 적다고 불평하며 자신에게 부여된 직무를 회피한다. ② 이때 다양한 신체적 증상(예 두통, 흡연 및 음주의 증가, 신경질, 분노 등)을 자주 표현한다. 예 "사회복지사의 길을 선택한 나의 선택이 과연 옳을 것일까? 괜히 인생을 허비하며 살고 있는 것은 아닐까?"

무관심 단계	① **좌절에 대해 자신을 방어하기 위해 냉담해지는 단계**로, 사명감이나 가치를 상실한 채 단순히 생활을 위한 소득활동으로 자신의 직무를 인정한다. ② 이때 무관심의 정도가 깊어지면 직장을 옮기거나 자신의 직업 자체를 포기해버린다. 예 "그래 우리 가족의 생활을 위해서는 당장에 이 일을 그만 둘 수는 없어! 다른 더 좋은 일자리가 생길 때까지는 그럭저럭 출퇴근만 열심히 해야지!"

(3) 예방과 관리

① 조직적인 차원의 노력

㉠ 적정한 업무량 설정, 즉 개별 사회복지사에 할당되는 클라이언트의 수를 줄여준다.

㉡ 업무 중간에 휴게 시간을 보장한다.

㉢ **구성원의 참여와 자기계발 기회를 확대하는 직무환경을 조성한다.**

㉣ 융통성 있는 관리, 즉 구성원에게 의사결정을 허용하고, 개인적인 능력 활용의 기회를 제공한다.

㉤ 계속적인 교육을 실시한다.

㉥ 적절한 보상을 제공한다.

㉦ **업무생활의 질을 높이는 운동**(Quality of Work Life, QWL❶)**을 도입**한다.

㉧ **슈퍼바이저의 감정적 · 정서적 측면의 지지 역할을 강화**시킨다.

㉨ **조직의 사명이나 대의에 직원들이 공감하는 문화를 개발**한다.

선생님 가이드

❶ QWL란 노동생활의 질적 충실, 즉 일하는 보람을 지향하는 세계적인 운동을 합니다. 고도의 분업에 따른 인간소외를 극복하고 노동을 통해 정신적인 풍요를 실현하고자 1973년에 국제 QWL위원회가 발족되었습니다. QWL의 기준으로는 충분한 임금, 공평, 작업조건의 안전성, 능력의 개발 · 활용, 조직 내에서의 권리보장 등이 있습니다.

② 개인적인 차원의 관리

㉠ 규칙적인 운동을 하거나 취미생활을 즐긴다.

㉡ 효과적인 시간 관리를 한다.

㉢ 타인의 의견에 대해 개방적인 관점을 견지한다.

5 동기부여

1. 개념

조직성원으로 하여금 **자발적으로 조직의 목표 달성 과정에 참여 또는 노력하게 만 들어내는 의도적 관리 과정**을 말한다.

2. 분류

동기부여이론은 **인간 욕구의 선험성 여부**에 따라 **내용이론과 과정이론으로 구분**된다

(1) 내용이론

① **무엇이 직원의 동기를 유발시키는지를 연구하는 이론**이다. 즉, **선험적인 인간 욕구의 존재를 인정**하고 누구나 몇 가지 종류의 욕구가 있다고 보아 관리자는 선험적으로 규정된 직원의 욕구의 내용이 무엇인지를 파악하고 이를 충족시켜 줌으로써 직원을 동기부여시킬 수 있다고 가정한다.

② 종류로는 **매슬로우의 욕구위계이론, 허즈버그의 동기 · 위생이론, 알더퍼의 ERG이론, 맥클리랜드의 성취동기이론, 맥그리거의 X-Y이론**이 있다.

(2) 과정이론

① **동기가 어떻게 유발되는지를 연구하는 이론**이다. 즉, **선험적인 인간 욕구의 존재를 부정**하고, 직원들이 어떤 방법으로 그들의 욕구를 충족시키고 욕구충족을 위해 여러 가지 행동대안 중에서 어떤 행동선택을 하는가 하는 과정에 중점을 둔다.

② 종류로는 **브룸의 기대이론, 아담스의 형평성이론, 로케의 목표설정이론** 등이 있다.

3. 내용이론 (必)

(1) 매슬로우(Maslow)의 욕구위계(또는 계층)이론

① 매슬로우는 **인간의 욕구를 타고난 것**으로 보고, 욕구를 강도와 중요성에 따라 5단계로 구분하였다.

단계	내용		
제1단계 (생리적 욕구)	**생존을 위해 반드시 필요한 욕구**로, 음식, 공기, 물, 성(性) 등에 관한 욕구 등을 말한다. 예 "내가 이 조직에서 받는 보상으로 나는 생활할 수 있는가?"	하위 욕구 ❶	결핍 욕구
제2단계 (안전의 욕구)	**신체적 · 심리적으로 안전한 상태를 추구하는 욕구**이다. 예 "우리 조직은 내게 안정적인 일자리를 계속해서 제공해 줄 수 있는가?"		
제3단계 (사회적 욕구)	귀속의 욕구로, 배우자 · 가족 · 자녀 · 이웃 · 직장 등에 소속되거나 **조직성원들로부터의 지지를 추구하는 욕구**이다. 예 "나는 이 조직의 구성원으로 인정받고 있는가?"		
제4단계 (자기존중 욕구)	안정감이나 자신감과 같은 **자신**과 명성, 존경, 지위, 평판, 위신, 사회적 성공과 같은 **타인으로부터의 존경을 추구하는 욕구**이다. 예 "나는 이 조직에서 성공할 수 있는가?"	상위 욕구	성장 욕구
제5단계 (자기실현 욕구)	**자기 존재 가능성의 완전 구현을 추구하는 욕구**로, 자신의 잠재력을 완전히 실현하고자 하는 것이다. 예 "내가 이 조직에서 일하는 이유는 도대체 무엇인가? 내가 사는 이유는 무엇인가?"		

② 매슬로우는 욕구는 하위 단계에서 상위 단계로 계층적으로 배열되어 **하위 단계의 욕구가 충족되어야 다음 단계의 욕구가 나타날 수 있다고 주장**하였다.

③ 동기부여를 위해서 관리자는 조직성원의 현재 욕구위계 수준을 파악한 뒤 **파악된 욕구의 다음 위계의 욕구를 충족시킬 수 있는 기회를 제공**해야 한다.

예 안전의 욕구가 제대로 충족되지 않아 동기부여가 되어 있는 직원에게 자기존중이나 자기실현의 기회를 제공하는 것은 효과적이지 않다.

(2) 허즈버그(Herzberg)의 동기 · 위생 이론

① 허즈버그는 인간은 **이원적 욕구구조**를 가지고 있으며, **조직성원에게 '만족을 주는 요인'**❷**과 '불만족을 주는 요인'은 별개라고 이해**하였다. 이때 **만족을 주는 요인을 '동기부여요인(Motivator, 또는 동기유발용인)'**이라고 하고, **불만족을 주는 요인을 '위생요인(Hygienic Factor)'**이라고 하였다.

구분	내용
동기부여 요인	㉠ **조직성원에게 만족을 주는 요인**으로 **성취에 대한 인정, 일 자체, 책임감, 발전, 성장 등**이 해당된다. ㉡ **허즈버그에 따르면 동기부여는 동기부여요인이 제공되어야만 가능**하다.
위생요인	㉠ **조직성원에게 불만족을 주는 요인**으로 조직의 규칙, 관리 · 감독, 상사와의 관계, 작업조건이나 작업환경(예 안전, 편리), 급여, 동료와의 관계, 개인생활, 부하직원과의 관계, 지위 등이 해당된다. ㉡ **이는 불만족 야기의 요소일 뿐 '만족'과는 관계가 없다.** 즉, 불만족을 주는 위생요인을 좋게 하는 것은 '불만족스럽지는 않은' 상태를 만들 뿐 직접적 동기유발과는 관계가 없다.

② 동기부여를 위해서 관리자는 **조직성원의 동기요인을 충족**시켜야 한다.

선생님 가이드

❶ - 상위욕구란 개인이 내적으로 충족시킬 수 있는 욕구이며, 반면에 하위욕구란 외적 요인에 따라 그 충족이 이루어지는 욕구를 말합니다.
- 결핍욕구란 결핍 시 이를 충족시키고자 하는 동기가 지속적으로 유발되는 욕구이며, 성장욕구란 결핍욕구가 충족되면 발현되는 욕구로 자아실현의 욕구만이 해당됩니다.

❷ 허즈버그는 "만족하지 않는다."라는 것이 "불만족하다."와는 별개의 의미라고 보았습니다. 즉 만족은 만족대로 불만족은 불만족대로 독립적 형태로 존재한다고 보았습니다.

(3) 알더퍼(Alderfer)의 ERG이론

① 알더퍼는 **매슬로우의 5가지 욕구위계 범주를 3가지로 단순화**시켜 **존재의 욕구, 관계의 욕구, 성장의 욕구**로 나누었다.

존재의 욕구 (Existence)	매슬로우의 **생리적 욕구와 안전의 욕구**를 포함하는 욕구이다.
관계의 욕구 (Relatedness)	매슬로우의 **사회적 욕구와 자기존중 욕구 중 타인으로부터 존경을 추구하는 욕구**를 포함하는 욕구이다.
성장의 욕구 (Growth)	매슬로우의 **자기존중 욕구 중 자신으로부터 존경을 추구하는 욕구와 자기실현 욕구**를 포함하는 욕구이다.

② 매슬로우와 같이 저위계적 욕구 충족 이후 고위계적 욕구 충족을 위한 동기부여가 있을 수도 있지만, **동시에 3가지 욕구가 작용할 수도 있다**고 보아 매슬로우의 욕구의 위계성을 부분적으로 부인하였다.

③ 매슬로우와는 달리 **고위계적 욕구가 충족되지 않으면 저위계적 욕구를 더 많이 충족시켜서 이를 해소하려 하는 경향이 있다**고 보아 **좌절 · 퇴행적 접근을 인정**하였다.

(4) 맥클리랜드(McClelland)의 성취동기이론

① 맥클리랜드는 개인의 성격이 행위를 유발하는 3가지 요소, 즉 **성취욕구, 권력욕구, 친화욕구로 구분**되어 있다고 보았다.

② 맥클리랜드는 조직성원의 욕구를 개인의 성격이 행위를 유발하는 3가지 요소, 즉 **성취욕구, 권력욕구, 친화(또는 친교)욕구로 구분**되어 있다고 보았지만, 이러한 욕구가 단계나 계층으로 구성되어 있다고 보지는 않았다.

성취욕구	㉠ 경쟁에서 탁월해지고자 하는 욕구로, **성공을 추구하는 것**이다. ㉡ 이 욕구를 가진 조직성원은 자신에게 책임이 주어지고, 결과를 확인할 수 있고, **중등도 이상의 위험이 있는 과업에 관심**을 갖는다.
권력욕구	㉠ 다른 **조직성원을 통제**하거나 그의 행동에 영향을 주고 싶어 하는 욕구를 말한다. ㉡ 이 욕구를 가진 조직성원은 실제적인 업무 성과보다는 높은 지위에 올라서 다른 구성원에게 영향을 미치는 것에 관심을 갖는다.
친화(또는 친교) 욕구	㉠ 다른 조직성원과 개인적으로 **친밀한 인간 관계를 맺고자 하는 욕구**를 말한다. ㉡ 이 욕구를 가진 조직성원은 다른 구성원에게 인정받고 서로 좋은 인간 관계를 맺으며, 경쟁적인 상황이 아닌 협동적인 분위기에 관심을 갖는다.

③ 맥클리랜드는 이러한 3가지 욕구 중에서 **성취욕구를 강조**하였으며, 이를 통해 성취동기가 가능하다고 보았다.

(5) 맥그리거(McGregor)의 X-Y 이론

① 맥그리거는 직무와 관련된 관리자의 조직성원에 대한 시각을 **'부정적 시각(X이론)'과 '긍정적 시각(Y이론)'으로 나누어 이해**하였다.

X이론	㉠ 조직성원을 매슬로우의 하위욕구인 **생리적 욕구와 안전의 욕구에 해당하는 인간으**로 보아 그들은 본래 일하기 싫어하므로 조직의 목표 달성을 위해서는 지속적인 감시와 통제가 필요하다고 가정한다. ㉡ 이때 관리자에게 있어서 바람직한 인간 관계 유형은 **지시적이며 권위적인 인간 관계**이며, 또한 관리자가 조직성원의 동기부여를 하기 위해서는 그들의 **하위욕구를 관리**해야 한다.
Y이론	㉠ 조직성원을 매슬로우의 상위욕구인 **사회적 욕구, 자기존중 욕구, 자기실현 욕구에 해당하는 인간**으로 보아 그들은 **자율성과 창조성을 가지고 있어** 원래 일하기를 좋아하므로 조직의 목표가 공유되면 자발적으로 자신의 직무를 수행한다고 가정한다. ㉡ 이때 관리자에게 있어서 바람직한 인간 관계 유형은 **참여적인 인간 관계**이며, 또한 관리자가 조직성원의 동기부여를 하기 위해서는 그들의 **상위욕구를 관리**해야 한다.

② 맥그리거는 Y이론을 강조하여 동기부여를 위해서는 **조직성원을 의사결정에 참여**시키고, **조직성원에게 책임과 도전적인 과제를 부여**해야 한다고 주장하였다.

(6) 룬드스테드(Lundstedt)의 Z이론

맥그리거의 X-Y이론에서 주장하는 인간 관계의 **양분지향(지시적, 참여적)을 비판하여 등장한 이론**으로, 조직성원은 **통제와 강제의 대상이 아니라고 보아** 학자나 연구자와 같은 일부 특수한 직종에게 있어서 **조직 내의 방임상태**가 오히려 그들의 심리적 충족과 창의력을 발휘하게 하여 생산성 향상에 기여하게 한다고 주장하였다.

4. 과정이론 (必)

(1) 브룸(Vroom)의 기대이론

① 조직성원은 특정 행동을 할 때에 자신의 노력정도에 따른 결과를 기대하며, 그 기대를 실현하기 위해 어떤 행동의 수행 여부를 결정한다고 보는 이론으로, 동기부여 정도가 **가치, 수단, 기대의 함수 관계에 따라 결정된다고** 본다.

가치 (Valence)	조직으로부터 받는 보상에 부여하는 조직성원 스스로의 가치를 말한다. 즉, **조직이 부여한 보상에 조직성원이 스스로 갖는 만족감**이다. 예 "조직에서 제공하는 보상의 수준이 내 개인적인 목표에 부합될까?"
수단 (Instrumentality)	조직성원 자신이 기대하는 보상이 조직으로부터 주어질 가능성에 대한 예측 정도이다. 즉, **자신이 성과를 낼 경우 실제로 조직으로부터 적절한 보상을 받을 수 있을 것인가에 대한 확신감**이다. 예 "과연 내가 좋은 성과를 내면 실제로 이에 대한 보상을 받을 수 있을까?"
기대 (Expectancy)	조직성원 자신의 과업 수행 결과에 대한 자신에 대한 기대감 정도이다. 즉, **자신의 노력에 대한 성과 가능성에 대한 스스로의 기대감**이다. 예 "과연 내가 노력하면 좋은 성과가 나올 수 있을까? 나는 좋은 성과를 낼 만한 능력을 얼마나 가지고 있을까?"

② 3가지 요인인 기대, 수단, 가치와 동기부여 간에는 '동기부여(M) = f(V, I, E)' 라는 함수식이 성립된다고 보았다.

③ 관리자가 조직성원을 동기부여시키기 위해서는 조직성원 개개인의 개인적 목표가 무엇인지를 정확히 파악해서 **노력과 성과, 성과와 보상, 보상과 개인적 목표 사이의 관계를 확실하게 인식**시켜 주어야 한다.

(2) 아담스(Adams)의 공정성(또는 형평성) 이론

① 조직성원 개인의 행위는 타인과의 관계에서 공평성을 유지하는 방향으로 동기부여가 되며, 업무에서 공평하게 취급받으려는 욕구가 개인으로 하여금 동기를 갖게 한다고 보는 이론이다. 즉, **개인의 투입되는 노력과 이에 산출되는 보상 간의 공정성(또한 형평성)에 따른 동기부여를 강조**한다.

전제: 구성원은 자신의 과업 성과에 대해 조직이 제공하는 보상의 적절성을 스스로 판단할 경우 절대적 기준 외에 '상대적 비교 기준'도 중요하게 여긴다.❶

상대적 비교 기준	-
Self-Inside	동일 조직 내에서 다른 과업을 수행할 당시의 보상 수준과 비교
Self-Outside	현재 조직에 오기 전 근무하던 다른 조직에서 받던 보상과 비교
Other-Inside	동일 조직 내의 구성원의 보상 수준과 비교
Other-Outside	타 조직의 구성원의 보상 수준과 비교

⬇

개인이 '상대적 비교 기준'을 통해 차별적으로 보상받고 있다고 느낄 때, 즉 자신의 투입(Input)에 비해 산출(Output)이 적다고 느낄 때 '공정성'에 대한 긴장이 발생한다.

투입(Input)	노력, 경험, 교육 수준, 기술 수준 등
산출(Output)	급여 수준, 급여인상, 타인에게 인정

⬇

'공정성 긴장'을 해소하고자 '동기부여'가 발생한다.

② 동기부여를 위해서는 조직성원이 공정성에 대해 지각을 하고 있음을 의식하고 **산출에 이르는 과정에 대해 공평성의 실천, 즉 적절한 보상을 제시**해야 한다.

(3) 목표설정(Goal Setting)이론

① 로케(E. A. Locke)가 제안한 동기이론이다.

② 인지에 초점을 둔 이론으로, 조직성원 개인이 의식적으로 설정한 구체적인 목표, 즉 **개인이 의식적으로 얻고자 하는 사물이나 상태가 동기와 행동에 영향을 미친다고 가정하는 이론**이다.

③ **목표는 동기의 기초를 제공하고 행동의 지표**가 되며, 개인은 자신이 인지한 목표를 달성하려 한다고 가정한다.

④ 따라서 관리자가 조직성원에게 동기부여를 하기 위해서는 **조직성원 개개인에게 의미 있고 구체적인 목표를 제시**해주어야 한다.

선생님 가이드

❶ 절대적 기준에서는 적절하게 보상받고 있다고 생각하는 사람이라도 타인과 비교하여 차별받고 있다고 여길 수 있다.

6 리더십

1. 개념

일반적으로 리더십(또는 지도력)은 **조직이 정한 목표달성을 위해 조직성원들에게 조직의 리더가 영향력을 행사하는 과정**을 말한다.

2. 칼리슬(Carlisle)의 리더십 유형 (必)

칼리슬은 리더십을 **지시형, 참여형, 자율형으로 구분**하였다.

(1) 지시적 리더십(지시형)

① **상급자 중심의 위계적 리더십**으로, 명령과 복종을 강조하고, **보상과 처벌을 통한 통제와 관리에 초점**을 둔 리더십이다.

② 장점과 단점

장점	단점
㉠ 정책의 해석과 집행(또는 수행)의 일관성 확보가 가능하다. ㉡ **신속한 의사결정이 가능**하므로 변화와 위기 상황에 도움을 줄 수 있다. ㉢ **명령과 복종을 강조하므로 통제와 조정이 용이**하다.	㉠ 과도한 통제로 **조직성원의 사기가 저하**될 수 있다. ㉡ 조직성원의 **잠재력 개발의 기회가 감소**될 수 있다.

(2) 참여적 리더십(참여형)

① **민주적 리더십**으로, **의사결정 과정에 조직성원을 참여**시켜서 **리더와 조직성원 간에 양방향 의사소통을 하는 리더십**이다.

② 장점과 단점

장점	단점
㉠ **기술 수준이 높고 동기부여가 된 조직성원에게 효과적**이다. ㉡ 조직성원 간 정보 교환이 활발해질 수 있다. ㉢ **리더와 구성원 간 의사소통이 활발**해질 수 있다. ㉣ **집단의 지식, 경험, 기술의 활용이 용이**하다. ㉤ **조직성원의 조직에 대한 헌신과 자신의 직무에 대한 사명감이 증가한다.** ㉥ **조직의 목표에 대한 조직성원의 적극적인 참여동기부여가 가능**하다.	㉠ **참여 과정에 따르는 상당한 시간이 소요**된다. ㉡ 책임 분산으로 조직이 무기력하게 될 수 있다. ㉢ 문제 발생 시 **책임소재가 불분명**할 수 있다.

(3) 자율적 리더십(또는 위임형 리더십)

① **방임적 리더십**으로, 리더가 자신의 권한과 책임을 포기하는 리더십이다. 다시 말해, **조직성원 중심(또는 하급자 중심)의 의사결정이 이루어지는 리더십**으로 리더십의 부재(不在)라고도 볼 수 있다.

② 조직성원의 자율성이 극대화될 수 있지만, **조직 내 심각한 갈등이 발생**할 수도 있다.

3. 계층별 리더십 유형

(1) 최고관리층의 리더십

① 최고관리층이란 사회복지법인의 이사회 임원들이나 사회복지시설의 시설장과 같이 의사결정, 조직체계의 전반적인 조정, 조직이 소요할 재정의 결정, 정치적 지지의 확보 등 조직에 대해 전반적으로 책임을 지는 사람들을 말한다.

② 이들은 **조직 내부 운영을 지시하고 조정**하며, **조직 외부환경과의 관계를 수립**한다.

③ 이들의 의사결정 내용으로는 **조직의 기본 수행 과업 선정, 지역사회와의 상호적 관계 정립을 통한 조직의 정통성 확립, 환경변화에 대응하기 위해 지속적으로 조직을 평가하고 관리하는 것** 등이 있다.

(2) 중간관리층의 리더십

① 중간관리층이란 사회복지시설의 부장이나 과장과 같이 **조직의 중요한 프로그램 부서의 책임자**를 말한다.

② 이들은 최고관리층이 내린 정책 결정의 집행과 보조를 하며, 최고관리층의 지시를 구체적인 프로그램 목표로 전환하여 목표 달성을 위한 프로그램전략을 선택하고 프로그램 실행에 따르는 인적 · 물적 자원을 확보한다. 또한 내부운영절차 개발과 함께 프로그램활동에 대한 감독 · 조정 · 평가를 한다.

③ 이들에게는 최고관리층과 하위관리층, 일선 직원 간을 수직적 · 수평적으로 연결하는 기술과 개별 직원들의 욕구와 기대를 조직의 목표에 통합시키는 **인간관계기술이 필요**하다.

(3) 하위관리층의 리더십

① 하위관리층이란 사회복지시설의 팀장과 같이 **일선 직원들과 일상적으로 대면접촉을 하는 슈퍼바이저**를 말한다.

② 이들은 진행 중인 **프로그램을 감독**하고, 일선 직원들에게 **업무를 위임 및 분담**시키며, **제공되는 서비스를 검토**한다.

4. 전통적인 리더십이론 18. 국가직, 21. 지방직 (必)

전통적인 리더십이론으로는 **특성이론, 행동이론, 상황이론**이 있다.

1940~1950년대	1950~1960년대	1960~1970년대
특성이론	행동이론	상황이론

(1) 특성이론(또는 자질이론)

1940~1950년대에 주로 주장된 이론으로, 리더에게는 신체적 특성, 사회적 배경, 인지적 · 정서적 · 사회적 · 과업적 특성 등 일련의 **천부적인 특성이나 자질이 있다고 가정**하여 **성공적인 리더의 공통적인 특성과 자질을 찾는 데 집중**하였다. 그러나 모든 상황에 보편적으로 적용할 수 있는 리더의 일반적인 특성은 없다는 점에서 비판받았다.

핵심 PLUS

스토그딜(Stogdill, 1948년)의 리더의 5가지 특성 범주

재능(Capacity)	지능, 기민성, 언어 사용의 유창성, 독창성, 판단력
성취(Achievement)	학문, 지식, 운동경기의 성취
책임(Responsibility)	신뢰, 솔선, 인내력, 적극성, 자신감, 성취욕
참여(Participation)	활동성, 사교성, 협동성, 적응성, 유머
지위(Status)	사회경제적 위치, 인기

(2) 행동이론(또는 행위이론)

① **1950~1960년대에 특성이론에 대한 비판과 이에 대한 대안으로 등장한 이론**으로, **모든 상황에 적용할 수 있는 리더의 '행동 유형'을 밝히려는 시도**로 그 연구가 시작되었다.

② **바람직한 리더십 행동은 훈련(또는 학습)을 통해서 개발**되며, 효과적인 리더는 **생산과 인간에 대한 행동 유형으로 구별된다고 가정**한다.

③ 대표적인 연구로는 **오하이오 연구, 미시건 연구, 관리격자이론** 등이 있다.

<table>
<tr><td rowspan="4">오하이오 연구❶</td><td colspan="2">㉠ (배려성 vs 구조성) 리더십 유형을 인간에 대한 관심유형인 배려성과 생산에 대한 관심 유형인 구조성으로 구분하였다.</td></tr>
<tr><td>배려성</td><td>리더의 구성원에 대한 신뢰, 존경, 온화, 지원, 관심의 정도를 말한다.</td></tr>
<tr><td>구조성</td><td>리더가 조직의 공식적인 과업목표를 달성하기 위해 구성원에게 조직화, 과업할당, 조직의 과업성취 평가 등을 시행하는 정도를 말한다.</td></tr>
<tr><td colspan="2">㉡ 이때 효과적인 리더십은 높은 배려성과 동시에 구조성을 갖춘 리더십이라고 주장하였다.</td></tr>
<tr><td rowspan="2">미시건 연구❷</td><td colspan="2">㉠ (직무중심형 vs 구성원중심형) 리더십 유형을 생산에 대한 관심유형인 직무중심형(또는 직무지향적 리더십)과 인간에 대한 관심유형인 구성원 중심형(또는 관계지향적 리더십)으로 구분하였다.</td></tr>
<tr><td>직무중심형</td><td>오하이오 연구의 '구조성 차원'이 높은 리더의 행동과 유사한 리더십으로, 리더는 구성원에게 조직의 공식적인 과업수행과 성취만을 강조하며, 따라서 구성원에게 직무 표준화, 엄격한 분업, 직무 수행 방법 규정, 작업 수행에 대한 면밀한 조언을 제공한다.</td></tr>
</table>

선생님 가이드

❶ 미국 오하이오 주립대학교에서 진행된 연구로, 배려성 차원의 15문항, 구조성 차원의 15문항 등 총 30문항으로 구성된 리더 행동기술질문지(Leader Behavior Description Questionnaire, LBDQ)를 개발하여 리더십을 측정하였습니다.

❷ 오하이오 연구와 같은 목적하에 미국 미시건 대학교에서 진행된 연구입니다.

기출 OX

리더십 특성이론은 리더가 가진 특성이나 자질을 강조하면서, 그러한 특성과 자질을 학습하면 누구나 리더가 될 수 있다고 주장한다. ( ) 18. 국가직

× '특성과 자질을 학습하면 누구나 리더가 될 수 있다고 주장한다.'가 옳지 않다. 특성이론에서 리더십은 천부적인 것이다.

<table>
<tr>
<td></td>
<td>
<table>
<tr><td>구성원중심형</td><td>오하이오 연구의 '배려성 차원'이 높은 리더의 행동과 유사한 리더십으로, 리더는 구성원의 개인적인 욕구 충족과 인간 관계 개선을 강조하며, 따라서 구성원과 합의한 집단의사결정을 선호하고, 격려와 더불어 세심하고 신중하게 구성원을 처우한다.</td></tr>
</table>
ⓒ 이때 구성원 중심형 리더십이 직무중심형 리더십보다 효과적이라고 주장하여, 오하이오 연구와 차이점을 둔다.
</td>
</tr>
<tr>
<td>관리격자이론
(Managerial Grid Theory)</td>
<td>
㉠ 블레이크와 머튼(Blake & Mouton)이 대표적인 학자이다.
ⓒ 오하이오 연구를 발전시킨 것으로, 횡축과 종축을 따라 9개의 위치로 설정된 관리망을 통해 총 81종의 합성적인 리더십 유형을 제시하였다.
ⓒ 특히 이 중에서 생산에 대한 관심과 인간에 대한 관심의 정도에 따라 무기력형, 컨트리클럽형, 중도형, 과업형, 팀형 등 5가지 리더십 유형을 제시하였다.
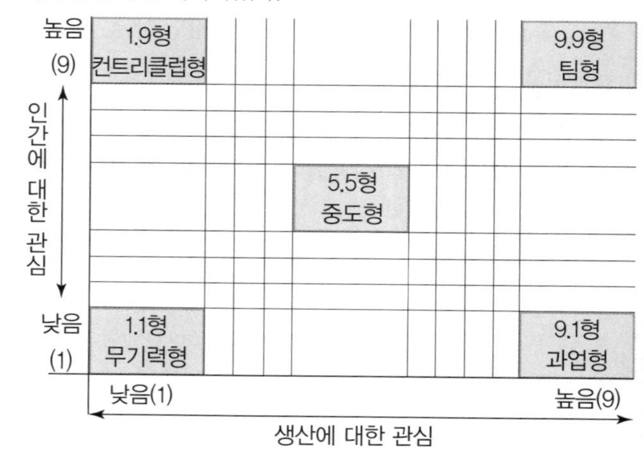

▲ 블레이크와 머튼의 관리격자
<table>
<tr><td>무관심형
(또는 무기력형)</td><td>(1,1)
인간관계와 생산에 모두 관심을 보이지 않는 유형이다.</td></tr>
<tr><td>컨트리클럽형</td><td>(1,9)
생산에 대한 관심은 낮으나 인간 관계에 대해서는 지대한 관심을 보이는 유형이다.</td></tr>
<tr><td>중도형</td><td>(5,5)
생산과 인간 관계의 유지에 모두 적당한 정도의 관심을 보이는 유형이다.</td></tr>
<tr><td>과업형</td><td>(9,1)
인간관계유지에는 낮은 관심을 보이지만 생산에 대해서는 지대한 관심을 보이는 유형이다.</td></tr>
<tr><td>팀형</td><td>(9,9)
생산과 인간 관계의 유지에 모두 지대한 관심을 보이는 유형으로, 모든 리더십 유형 중에서 가장 효과적인 유형이다.</td></tr>
</table>
</td>
</tr>
</table>

기출 OX

블레이크와 머튼(Blake & Mouton)이 제시하는 관리격자이론에서는 중도(middle-of-the-road)형 리더십을 가장 이상적인 리더십으로 간주한다. ( )

18. 국가직

× '중도형'이 아니라 '팀형'이 옳다.

(3) 상황이론

① **1960~1970년대에 주로 주장된 이론**으로, 효과적인 리더의 자질과 행동 유형은 **업무상황(또는 과업환경)에 따라 달라질 수밖에 없다고 가정**한다.

② 이 연구들에서는 **우선 리더십의 유형과 리더십 유형에 영향을 미치는 상황변수 정한 후 이후 이들 간에 조합을 구성**한다.

③ 대표적인 연구로는 **상황적합이론, 경로 · 목표이론, 상황대응이론** 등이 있다.

상황적합이론[1]

㉠ **피들러(Fiedler)가 대표적인 학자**이다.

㉡ 리더십 유형으로는 **과업지향형 리더, 관계지향형 리더**가 있다.

구분	내용
과업지향적 리더	• LPC 점수가 낮은 리더로, 자신이 싫어하는 동료를 비호의적으로 평가한 리더이다. • 이들은 대인 관계보다 과업성과를 중시한다.
관계지향적 리더	• LPC 점수가 높은 리더로, 싫어하는 동료를 그 사람과의 관계를 고려하여 좋게 평가한 리더이다. • 이들은 과업성과보다 대인 관계를 중시한다.

㉢ 상황변수로는 **리더와 구성원의 관계, 과업의 구조화, 지위 권력**이 있다.

변수	내용	구분
리더와 구성원의 관계	리더와 구성원의 질적 관계로, 리더의 구성원에 대한 신뢰 · 구성원의 리더에 대한 존경심 정도를 말한다.	양호(Good)
		불량(Poor)
과업의 구조화	직무의 명확한 규정 · 직무 수행 방법의 체계화 정도를 말한다.	구조적
		비구조적
지위 권력	구성원들을 지도 · 평가하고 상 · 벌을 줄 수 있는 리더의 조직 내 권력의 소유 정도를 말한다.	강
		약

㉣ 상황호의성이 극단적인 경우, 즉 상황이 아주 호의적이거나 또는 비호의적일 때에는 과업지향형 리더십을, 상황호의성이 중간 정도일 때에는 관계지향형 리더십을 사용하는 바람직하다고 주장한다.

상황	상황에 적합한 리더 유형
상황호의성이 극단적인 경우, 즉 상황이 아주 호의적이거나 또는 비호의적일 때	**과업지향형 리더**
상황호의성이 중간 정도일 때	**관계지향형 리더**

선생님 가이드

❶ 상황적합이론에서 리더십의 효과는 '리더십 유형'과 '리더십 상황(leadership situation)의 적합성'에 달려 있습니다. 특히 피들러는 리더의 유형을 분류하기 위해 'LPC(Least Preferred Coworker)척도'를 개발하였는데, 이는 과거 또는 현재의 '가장 함께 일하기 싫은 동료(단, 감정적으로 싫은 동료를 의미하는 것이 아니다)'를 회상하면서 리더 스스로 동료의 등급을 매기는 척도를 말합니다.

경로-목표이론[1]

㉠ **하우스(House)가 대표적인 학자**이다.

㉡ 리더십 유형으로는 **지시적 리더십, 지원적 리더십, 참여적 리더십, 성취지향적 리더십**이 있다.

구분	내용
지시적 (또는 도구적) 리더십	• 리더는 구성원에게 자신이 제시한 규칙과 절차의 준수를 요구한다. • 비구조화된 과업에 종사하는 구성원에 적용하면 효과적이다.
지원적 (또는 후원적) 리더십	• 리더는 구성원의 욕구를 배려하고, 구성원과 의도적으로 형성된 좋은 인간 관계를 강조한다. • 구조화된 일상적 과업을 수행하는 구성원에게 적용하면 효과적이다.
참여적 리더십	리더는 구성원의 문제에 관하여 자신이 혼자서 독단적으로 결정하는 것이 아니라 협의를 통해 그들을 의사결정 과정에 참가시킨다.
성취지향적 리더십	리더는 구성원에게 도전적인 목표를 설정하게 하고 구성원은 그것을 성과로 달성해낼 수 있다는 신뢰가 있기에 구성원의 능력 발휘를 격려하고 자율적인 수행 기회를 부여한다.

㉢ 상황변수로는 조직성원의 특성(욕구, 능력), 과업(또는 업무)환경의 특성이 있다.

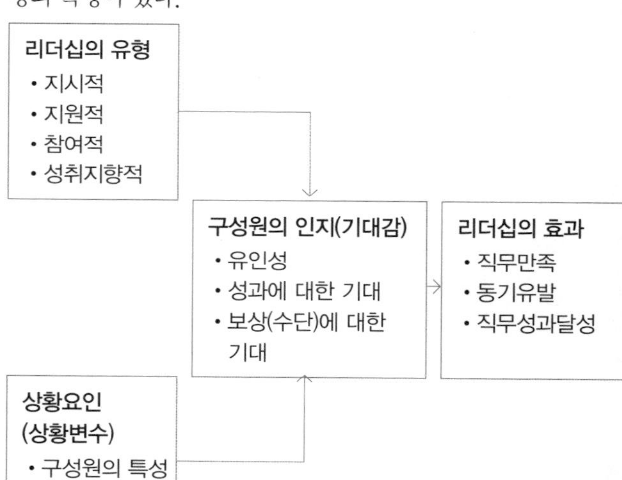

㉣ **욕구와 능력이 높은 조직성원에게는 참여형적 · 성취지향적 리더십**을, **욕구와 능력이 낮은 조직성원에게는 지시적 리더십**을, **내적통제 성향**[2] **인 조직성원에게는 참여적 리더십**을, **외적통제 성향 조직성원에게는 지시적 리더십을 사용**하는 것이 바람직하다고 주장한다.

선생님 가이드

❶ 경로-목표이론은 브룸(Vroom)의 「기대이론」을 적용하여 리더십 유형과 상황변수가 구성원들의 보상에 대한 인지에 영향을 주고 이것이 리더십의 효과를 발생시킨다고 보았습니다.

❷ 내적통제 성향이란 조직성원이 스스로 자신의 직무와 주변상황을 스스로 잘 통제할 수 있다고 믿는 성향, 반면에 외적통제 성향이란 구성원이 자신의 직무와 주변상황이 자신의 통제범위 밖에 있어서 행운이나 운명에 따라 결정된다고 믿는 성향을 말합니다.

기출 OX

하우스(House)의 경로-목표이론에서는 상황을 크게 부하의 상황과 업무환경에 관련된 상황으로 구분한다. ( )

21. 지방직

○

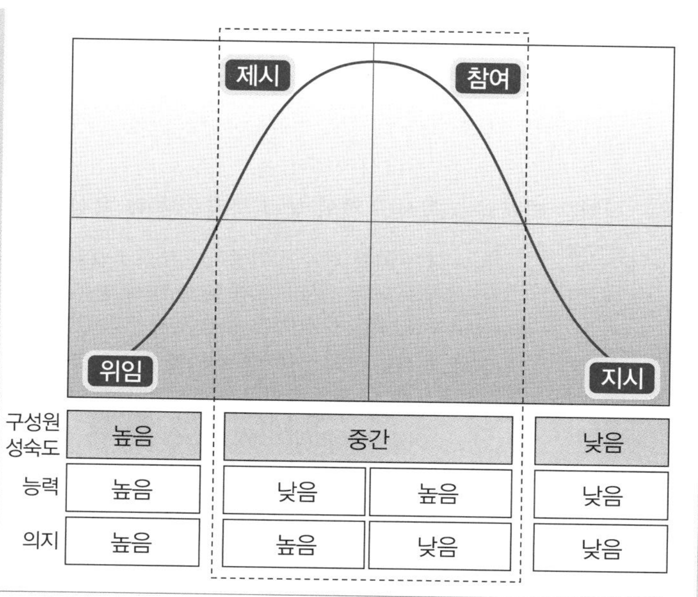

상황대응이론

㉠ **허쉬와 블랜차드(Hersey & Blanchard)가 대표적인 학자**이다.

㉡ 리더십 유형으로는 **지시형 리더십, 설득형(또는 제시형) 리더십, 참여형 리더십, 위임형 리더십**이 있다.

지시형 리더십	**고지시 · 저관계성 리더십 유형**으로, 리더 중심의 일방적 의사소통이 이루어진다. 즉, 리더는 구성원에게 일방적으로 기준을 제시하고 구성원은 이를 복종한다.
설득형(또는 제시형) 리더십	**고지시 · 고관계성 리더십 유형**으로, 쌍방적 의사소통이 이루어진다. 즉, 리더는 리더의 결정사항을 구성원에게 설명하며 공동의 의사결정을 지향한다.
참여형 리더십	**고협력 · 고관계성 리더십 유형**으로, 인간 관계를 중시한다. 즉, 리더는 구성원과 함께 아이디어를 공유하여 의사결정 과정을 촉진시키려 한다.
위임형 리더십	**저협력 · 저관계성 리더십 유형**으로, 리더는 구성원에게 의사결정 권한을 위임하여 구성원이 자율적으로 과업을 수행하게 한다.

㉢ 상황변수로는 **구성원의 성숙도인 능력과 의지**가 있으며, 또한 성숙도는 **직무 성숙도와 심리적 성숙도**로 구분된다.

직무 성숙도	구성원의 직무 수행 **능력**
심리적 성숙도	구성원의 직무에 대한 **수행 의지**

㉣ **구성원의 성숙도와 바람직한 리더십 유형** 간에는 다음과 같은 관계가 있다.

구분	의지 낮음(↓)	의지 높음(↑)
능력 낮음(↓)	지시형 리더십	설득형 리더십
능력 높음(↑)	참여형 리더십	위임형 리더십

기출 OX

01 피들러(Fiedler)의 상황이론에서는 상황의 주요 구성요소로 리더와 부하의 관계, 과업이 구조화되어 있는 정도, 관리자의 지위권력 정도를 제시한다. ( ) 18. 국가직

02 허시와 블랜차드(Hersey & Blanchard)의 상황이론에서는 리더십 유형의 유효성을 높일 수 있는 상황조절변수로 리더의 성숙도를 들고 있다. ( ) 18. 국가직

03 허시(Hersey)와 블랜챠드(Blanchard)의 상황이론에서는 부하가 업무능력은 없지만 업무수행 의지는 있는 경우, 참여형 리더십이 효과적이라고 주장한다. ( ) 21. 지방직

01 ○
02 × '리더의 성숙도'가 아니라 '구성원의 성숙도'가 옳다.
03 × '참여형 리더십'이 아니라 '제시형 리더십'이 옳다.

5. 현대 리더십 이론 (必)

(1) 거래적 - 변혁적 리더십 이론

1978년 번즈(Burns)가 처음 제시하고 배스(Bass)에 의해 발전된 이론으로, 그들은 이전의 모든 리더십 이론들을 '거래적 리더십'이라고 비판하며, **변혁적 리더십은 리더와 조직성원 간의 협력 과정을 통해 형성된다고 주장**하였다.

구분	내용
거래적 리더십	리더는 **교환 관계에 기반**하여 조직성원의 욕구를 파악하여 조직성원들에게 목표를 제시하고 목표 달성 시 얻을 수 있는 '보상'이 무엇인지 알려주고 또한 **실제로 그 보상을 제공함으로써 리더십을 얻을 수 있다.**
변혁적 리더십	① 리더는 조직성원에게 **이상적인 영향력을 제공**하여 **조직성원을 성장시키고, 공동체 의식을 형성**시켜야 한다. 이를 위한 리더의 과업 ㉠ 높은 수준의 윤리적 행위를 실천하기 ㉡ 목표 수행 과정에서 발생하는 위험을 조직성원과 함께 분담하기 ㉢ 리더의 개혁적 · 변화지향적인 모습을 제시하기 ㉣ 높은 도덕적 가치와 이상적 가치에 호소하여 조직성원의 의식을 변화시키기 ㉤ 리더 자신보다는 조직성원의 욕구를 먼저 배려하기 ㉥ 리더 개인의 이익이 아니라 조직의 이익을 위해 행동하기 ② 리더는 **감화력를 제공하여 목표달성에 조직성원들을 동기화**시키고, **조직문화를 창출**한다. 이를 위한 리더의 과업 ㉠ 조직성원에게 비전을 제시하기 ㉡ 조직성원의 노력을 칭찬하기 ㉢ 조직성원에게 단체의식 · 낙관주의 · 열성과 헌신을 강조하기 ③ 리더는 **지적 자극을 제공하여 조직성원들이 창의적 · 혁신적인 사고를 할 수 있도록 유도**해야 한다. 이를 위한 리더의 과업 ㉠ 일상적인 사고에 대해 의문을 제기하기 ㉡ 문제들을 재구조화하기 ㉢ 개별적인 배려를 통해 조직성원들의 개인적인 성장을 독려하기 ㉣ 새로운 학습기회를 제공하기 ㉤ 조직성원 개인의 성장을 위한 직무를 배분하기

(2) 카리스마(Charisma)적 리더십 이론

① **특성이론과 관련**된 이론이다.

② 카리스마란 조직성원들이 리더를 지원하고 수용하도록 만드는 **대인적인 매력(魅力)**이다. 즉, 리더가 지닌 이러한 '카리스마'를 이용해 **조직성원의 헌신적인 복종과 충성을 얻어낼 수 있다고 보는 이론**이다.

(3) 서번트(Servant), 또는 섬김의 리더십 이론

① 그린리프(Greenleaf)는 **힘과 권력에 의한 조직지배를 지양**하여 **리더를 타인에게 봉사하는 하인**으로 규정하고, 그 타인을 리더의 섬김의 대상으로 간주하였다.

② 서번트 리더십에서는 **리더의 조직성원 성장에의 헌신과 함께 이를 통한 공동체의 목표 달성을 강조**한다.

7 재정관리

1. 개념

(1) 조직의 목표달성, 즉 클라이언트에 대한 사회복지 서비스의 생산 및 제공을 위해 필요한 **재정지원을 합리적 · 계획적으로 동원 및 배분하고 효율적으로 사용 · 관리하는 과정을 말한다.**

(2) 협의적으로는 조직 외부로부터 소요 재원을 확보하는 재무활동으로 볼 수 있으나, 광의적으로는 신규재원의 확보 및 조직 내 확보된 자산의 운용, 그 결과의 체계적 기록을 포함하는 자산 관리활동 전반으로 이해된다.

2. 사회복지조직 재정관리의 특징(Hasenfeld)

(1) 사회복지조직은 재원조달에 대한 직접적인 통제력이 약하다. 즉, **재원의 지속적인 조달을 직접적으로 통제할 수 없으며 통제하려 하지도 않는다.**

(2) 국가와 지방자치단체의 보조금, 법인지원금, 후원금, 상품판매, 특별 행사, 서비스 이용료 등 매우 다양한 재원을 가지고 있다. 그리고 이러한 다양한 재원 중에서도 특히 **국가와 지방자치단체의 보조금이나 후원금과 같은 외부재원의 영향을 많이 받으며, 또한 특별히 법적으로 위탁받은 서비스를 제공할 때에는 그 재정의 임의적 할당은 불가**하다.

(3) 다양한 재원을 얻기 위해서 **프로포절, 모금행사, 정부와의 계약, 의도적 연계** 등의 특별한 업무를 한다.

3. 재정관리 과정

일반적으로 사회복지의 재정관리는 **'예산수립(또는 예산편성) → 심의 · 의결 → 예산집행 → 결산 → 회계감사'로 진행**된다.

4. 예산수립(또는 예산편성)

(1) 개념

재정계획의 수립, 재원조달, 목적에 따라 자원을 할당하는 과정이다.

(2) 성격

① **정치적인 과정:** 예산은 자원배분이 초점이며, 이러한 자원배분과 관련된 의사결정은 다분히 정치적 속성을 갖는다.

② **프로그램기획 과정:** 예산은 프로그램 기획 과정과 병행 · 통합되어 수립된다.

③ **프로그램관리 과정:** 예산은 조직 각 단위의 활동과 책임자의 시행일정 등을 검토해서 수립된다.

④ **회계 과정**: 예산은 회계담당자가 자금의 내 · 외적 흐름을 통제하고 재정활동을 승인하는 근거가 된다.

⑤ **인간적인 과정**: 예산수립의 이해당사자인 클라이언트, 직원, 지역사회주민들과 좋은 인간관계를 맺어야 한다.

⑥ **미래를 변화시키는 과정**: 예산수립은 미래 활동에 대한 계획이다.

(3) **예산수립의 원칙**

① **공개성**: **예산의 편성 · 심의 · 집행 등 주요 단계의 정보는 공개**되어야 한다.

② **명료성**: 예산은 이를 보는 **모든 사람들이 쉽게 이해할 수 있도록** 합리적 관점에서 편성되어야 하고, 수지의 추계가 명료해야 하며, 수입의 유래와 용도가 분명하게 표시되어야 한다.

③ **정확성(또는 엄밀성)**: 특별한 경우가 아닌 이상 **예산은 계획대로 정확히 지출하여 결산과 가급적 일치**해야 한다.

④ **포괄성(또는 완전성)**: **예산총계정주의 원칙**❶으로, 예산에는 모든 **세입과 세출이 모두 계상**되어야 한다.

⑤ **단일성**: 예산은 가능한 단일의 회계 내에서 하나로 정리되고 시행되어야 한다.

⑥ **통일성**: 모든 수입을 하나의 창구에 편입시킨 후에 여기서부터 모든 지출이 이루어져야 한다. 즉, 특정한 수입과 특정한 사업을 직접 연결하는 것은 지양해야 한다.

⑦ **명세성**: **예산의 목적 외 사용금지 원칙**으로, 예산수지는 구체적 · 명시적으로 제시되어야 하며, **특별한 경우를 제외하고는 예산의 전용은 금지**된다.

⑧ **배타성**: 예산은 재정적인 문제만을 다루어야 한다.

⑨ **연례성**: **예산단연의 원칙**으로, **예산은 회계연도 단위로 작성**되어야 한다.

⑩ **사전승인의 원칙**: **예산은 회계연도 개시(또는 예산집행) 이전에** 권한을 가지고 있는 기구에 의해 심의 · 의결되어야 한다.

(4) **예산수립의 절차**

조직의 단기적 · 구체적 목표설정 → 조직 운영 관련 자료수집 운영 대안 고려 → 조직활동 우선순위 결정 → 우선순위에 따른 예산안(지출 및 수입 예산)의 잠정적 확정 → 재정원천과의 접촉 및 확인 → 예산안 수정 및 확정

5. 예산모형 13 · 15. 국가직, 11 · 18. 서울시 必

(1) **품목별 예산(Line-Item Budget, LIB, 또는 항목별 예산)**

① **전년도 예산에 기초하여 작성**되어 예산액수가 점진적으로 증가하는 특성을 가지고 있는 **점증주의적 예산**으로, 다가오는 해의 계획된 총비용을 파악하기 위해 **조직의 모든 수입과 지출을 단순하게 목록화한 것**이다.

② 특히 지출하고자 하는 **재화나 서비스의 항목(또는 품목)으로 편성하는 투입 중심형 예산**으로, 구체적인 항목은 지출 용도에 따라 구분된다.

선생님 가이드

❶ 예산총계정주의 원칙이란 조직의 제반수입은 세입예산에 편성하고, 제반지출은 세출예산에 편성 · 운영하여 세입과 세출예산이 누락됨이 없이 총괄적으로 편성 · 관리되도록 하기 위한 것으로 제반 예산원칙 중 가장 기본이 되는 원칙입니다.

③ 장점과 단점

장점	단점
㉠ 항목별로 명확한 근거에 의해 지출되어 **예산통제(또는 예산남용 방지)에 효과**적이고 **회계책임을 명확히** 할 수 있어 **회계자에게 유리**하다. ㉡ 전년도 예산에 기초하여 작성하므로 **예산수립이 간편**하여 다른 예산모형과 결합하여 사회복지조직에서 널리 활용되고 있다. ㉢ **급여, 재화 및 서비스 구매에 효과적**이다.	㉠ 점증적 예산이므로 **예산증감에 신축성이 없고, 예산증감의 정당성에 대한 근거가 부족**하다. ㉡ 예산을 통해 프로그램의 내용을 알기가 어렵다. ㉢ 서비스의 효율성에 대한 정보를 알기 어렵다. ㉣ 정책 및 사업의 우선순위를 소홀히 할 수 있다.

예 2000년도 A복지관 예산

지출 항목	전년도 예산(원)	금년도 예산(원)
급여	45,800,000	52,000,000
기관운영비	3,250,000	3,600,000
직책보조비	18,500,000	20,000,000
회의비	800,000	100,000
총지출	68,350,000	75,700,000

예 「사회복지법인 및 사회복지시설 재무 · 회계 규칙」의 시설회계 세출예산과목 중 일부

과목						내역
관		항		목		
		13	운영비	131	여비	시설직원의 국내 · 외 출장여비
				132	수용비 및 수수료	사무용품비 · 인쇄비 · 집기구입비(물건의 성질상 장기간사용 또는 고정자산으로 취급되는 집기류는 212목에 계상) · 도서구입비 · 공고료 · 수수료 · 등기료 · 운송비 · 통행료 및 주차료 · 소규모수선비 · 포장비 등
				133	공공요금	우편료 · 전신전화료 · 전기료 · 상하수도료 · 가스료 및 오물수거료
				134	제세공과금	법령에 의하여 지급하는 제세(자동차세 등), 협회가입비, 화재 · 자동차보험료, 기타 보험료
				135	차량비	차량유류대 · 차량정비유지비 · 차량소모품비
				136	기타운영비	시설직원 상용피복비 · 급량비 등 운영경비로 위에 분류되지 아니한 경비
02	재산조성비	21	시설비	211	시설비	시설 신 · 증축비 및 부대경비, 그 밖에 시설비
				212	자산취득비	시설운영에 필요한 비품구입비, 토지 · 건물 · 그 밖에 자산의 취득비
				213	시설장비유지비	건물 및 건축설비(구축물 · 기계장치), 공구 · 기구, 비품수선비(소규모수선비는 132목에 계상) 그 밖의 시설물의 유지관리비

기출 OX

성과주의 예산(PB) 모형은 지출내역을 분명히 알 수 있어 프로그램 예산통제가 용이하다. ( ) 13. 서울시

× '성과주의 예산(PB)'이 아니라 '품목별 예산(LIB)'이 옳다.

(2) **성과주의 예산**(Performance Budget, PB)

① **조직이 운영하는 프로그램(또는 업무)을 중심으로 편성하는 예산**으로, 개별 지출 항목들을 성과, 즉 **프로그램의 목표 수행과 연관시키는 관리지향적 예산**이다.

② 조직의 활동을 기능별 · 프로그램별로 나누고 다시 세부프로그램으로 나누어 프로그램 단위 비용을 편성하는 **과정중심적 성격**을 가지고 있다. 즉 각 **세부 프로그램을 '단위원가 × 업무량 = 예산'으로 계산**한다.

③ 현재 사회복지 조직의 책임성과 관련하여 그 중요성이 강조되고 있는 예산모형이다.

④ 장점과 단점

장점	단점
㉠ 프로그램의 목표와 운영에 대한 모니터링이 가능하므로 **프로그램 관리자에게 유리**하다. ㉡ 예산 할당의 기준이 성과에 근거하므로 **프로그램 운영의 효율성과 합리성**을 기할 수 있다. ㉢ 조직의 사업과 목표를 이해하는 데 도움을 주고, 조직의 운영이나 활동내용을 명확하게 볼 수 있다. ㉣ 항목별 예산에 비해 **예산집행에 신축성**이 있다. ㉤ 실적평가가 용이해서 **재정을 합리적으로 배정**할 수 있다. ㉥ **사업별 예산통제가 가능**하다.	㉠ 단위원가와 업무량을 책정하는 것이 어렵다. ㉡ 품목별 예산에 비해 예산통제가 어렵다.

예 사업명: 겨울철 독거노인 난방지원 사업

예산 항목	전년도 예산	금년도 예산
연탄 구입 단위비용이 500원인 연탄 x 10,000장		
등유 구입 단위비용이 1,500원인 등유 x 2,000리터		
자원봉사자 식대		
단위 비용이 3,000원인 식사 x 20명 x 20회		
총지출		

(3) **기획 예산**(Planning-Programming-Budgeting System, PPBS, 또는 계획 예산)

① **장기적 계획과 단기적 예산편성의 유기적인 결합이 이루어진 예산**으로, **미래의 비용을 고려한 장기적인 기본계획**과 이에 따른 명확한 목표를 수립한 후 이를 연차적으로 실행하기 위해 프로그램별로 편성하는 예산이다.

② 제한된 재정을 **과학적 · 합리적 기법을 이용해 배분**하여 지출의 효과를 극대화하고자 하는 예산으로, **산출중심의 예산**이며 **통제보다는 기획에 초점을 둔 예산**이다.

기출 OX

01 기획 예산은 사업계획을 세부사업으로 분류하고 각 세부사업을 '단위원가 × 업무량 = 예산액'으로 표시하여 편성한다. ( ) 13. 국가직

02 성과주의예산 모형은 사회복지조직 예산편성에서 자금 배정의 합리화와 집행의 신축성을 부여하는데 적합한 예산 모형이다. ( ) 11. 서울시

01 × '기획 예산'이 아니라 '성과주의 예산'이 옳다.
02 ○

계획수립	㉠ **장기적 목표개발(또는 수립)** ㉡ 목표 달성의 우선순위결정
⬇	
프로그램 작성	㉠ 구체적인 프로그램 계획 수립 ㉡ 연도별 소요비용 추정
⬇	
예산편성	결정된 소요비용에 맞추어 예산 편성

③ 장점과 단점

장점	단점
㉠ 장기적인 계획과 예산의 연계성을 유지하여 재정을 합리적으로 배분할 수 있으므로 **효율적인 예산 집행이 가능**하다. ㉡ 프로그램 계획과 예산 수립의 괴리를 막을 수 있어 프로그램의 효과성을 높일 수 있어서 **계획자에게 유리한 예산**이다. ㉢ **부서 간이 아닌 사업별로 예산이 편성**됨으로 **조직의 통합적 · 합리적 운영에 편리**하다.	㉠ 명확한 장기목표를 수립하는 것이 어렵다. ㉡ 수립된 목표달성이라는 결과에 치중하여 과정이 무시될 수 있다. ㉢ 장기기획에 대한 구속으로 인해 **예산편성이 집권화**될 수 있다. ㉣ **품목과 예산이 직접 연결되지 않아** 환산작업이 어려울 수 있다.

(4) 영기준 예산(Zero-Based Budget, ZBB)

① 점증식 예산 책정의 관행을 타바하기 위해 도입된 예산으로, **전년도 예산과는 무관**하게 매년 **비용 · 편익 분석에 따라** 프로그램의 우선순위를 정하여 합리적으로 편성하는 것이다.

② 즉, **현재 프로그램의 효과성 · 효율성 · 시급성에 따라 예산을 재평가하여 증감을 결정하는 모형**이다.

③ 예산을 수립할 때에 **여러 개의 독자적인 목표를 가지고 활동하는 예산결정 단위를 설정**한다.

장점	단점
㉠ **프로그램의 쇄신에 기여**하고, **재정을 합리적으로 배분**하며 **예산을 효율적 · 탄력적으로 운용**할 수 있다. ㉡ **단기적 계획 수립에 유용**하다.	㉠ 지나친 합리성 강조로 인해 **정치적 · 심리적 요인이 무시**될 수 있다. ㉡ **장기적 예산으로는 부적절**하다. ㉢ **관리자의 전문성과 객관성이 요구**된다.

기출 OX

01 영기준 예산은 전년도 예산을 고려하지 않고 비용 · 편익 분석에 따라 우선순위를 결정한다. ( ) 13. 국가직

02 영기준예산(zero-based budgeting)은 점증식 예산 책정의 관행을 타파하기 위해 도입되었으며 모든 프로그램의 정당성을 매년 새롭게 마련해야 하는 예산편성 방법이다. ( ) 11. 국가직

01 ○
02 ○

핵심 PLUS

「사회복지법인 및 사회복지시설의 재무·회계 규칙」상의 주요 예산편성 지침

① **회계연도(규칙 제3조)**: 법인 및 시설의 회계연도는 정부의 회계연도(매년 1월 1일부터 12월 31일까지)를 따른다. 다만, 「영유아보육법」에 따른 어린이집의 회계연도는 매년 3월 1일에 시작하여 다음 연도 2월 말일에 종료한다.

② **회계의 구분(규칙 제6조 제1항)**: 법인의 회계는 법인회계, 해당 법인이 설치·운영하는 시설의 시설회계 및 수익사업회계로 구분하여야 하며, 시설의 회계는 해당 시설의 시설회계로 한다.

③ **예산총계주의원칙(법 제8조)**: 세입과 세출은 모두 예산에 계상하여야 한다.

④ **예산안 편성 및 결정절차(법 제10조)**
- 법인의 대표이사 및 시설의 장은 예산을 편성하여 각각 법인 이사회의 의결 및 「사회복지사업법」에 따른 운영위원회 또는 「영유아보육법」에 따른 어린이집 운영위원회(이하 "시설운영위원회"라 한다)에의 보고를 거쳐 확정한다. 다만, 법인이 설치·운영하는 시설인 경우에는 시설운영위원회에 보고한 후 법인 이사회의 의결을 거쳐 확정한다.
- 법인의 대표이사 및 시설의 장은 **확정한 예산을 매 회계연도 개시 5일전까지 관할 시장·군수·구청장에게 제출(「사회복지사업법」에 따른 정보시스템을 활용한 제출을 포함한다)**하여야 한다.

⑤ **예산에 첨부하여야 할 서류(법 제11조)**: 예산총칙, 세입·세출명세서, 추정대차대조표, 추정수지계산서, 임·직원 보수일람표, 당해예산을 의결한 이사회 회의록 또는 해당 예산을 보고받은 시설운영위원회 회의록 사본

⑥ **준예산(법 제12조)**: **회계연도 개시 전까지 법인 및 시설의 예산이 성립되지 아니한 때에는** 법인의 대표이사 및 시설의 장은 시장·군수·구청장에게 그 사유를 보고하고 **예산이 성립될 때까지 임·직원의 보수, 법인 및 시설운영에 직접 사용되는 필수적인 경비, 법령상 지급의무가 있는 경비를 전년도 예산에 준하여 집**행할 수 있다.

⑦ **추가경정예산(법 제13조)**
- 법인의 대표이사 및 시설의 장은 예산성립 후에 생긴 사유로 인하여 이미 성립된 예산에 변경을 가할 필요가 있을 때에는 제10조 및 제11조의 규정에 의한 절차에 준하여 추가경정예산을 편성·확정할 수 있다.
- 법인의 대표이사 및 시설의 장은 **추가경정예산이 확정된 날로부터 7일이내에 이를 시장·군수·구청장에게 제출**하여야 한다.

⑧ **예비비(법 제14조)**: 법인의 대표이사 및 시설의 장은 예측할 수 없는 예산외의 지출 또는 예산의 초과지출에 충당하기 위하여 예비비를 세출예산에 계상할 수 있다.

6. 예산집행

(1) 개념

수립된 **예산상의 수입과 지출을 실행하는 활동 과정**을 말한다.

(2) 예산통제의 원칙(Lohmann)

① **개별성의 원칙**: 예산통제체계는 **개별조직의 상황을 고려**해서 개발되어야 한다

② **강제성의 원칙**: 예산통제체계는 **강제성을 가진 문서화된 명시적 규정**이 있어야 한다.

③ **예외의 원칙**: 강제성의 원칙에 의해 만들어진 규칙일지라도 **예외상황 발생에 적용할 수 있는 예외적 규칙**이 있어야 한다.

④ **보고의 원칙**: 예산통제체계는 예산집행 관련 행위를 **공식적으로 감시·통제할 보고 규정**을 두어야 한다.

⑤ **개정의 원칙**: 예산통제체계 관련 규칙은 조직 환경 변화 등에 대비하여 **개정의 여지를 규정화**해야 한다.

⑥ 효율성의 원칙: **예산통제를 위해 소요되는 비용과 활동은 최소화**하는 정도에서 이루어져야 한다.

⑦ 의미의 원칙: 효과적인 예산통제를 위해서는 통제와 관련된 다양한 사항이 **모든 이해당사자에게 잘 이해되도록 전달**되어야 한다.

⑧ 환류의 원칙: 예산통제와 관련된 다양한 요소들의 적용 시 장단점 등의 결과를 **관계인으로부터 수집하여 개정의 기초로 활용**해야 한다.

⑨ 생산성의 원칙: 예산통제로 인하여 **서비스 전달이라는 생산성에 장애와 갈등이 발생하지 않도록 유의**해야 한다.

핵심 PLUS

「사회복지법인 및 사회복지시설의 재무·회계 규칙」상의 주요 예산집행 지침

① **예산의 목적 외 사용금지(법 제15조)**: 법인회계 및 시설회계의 예산은 **세출예산이 정한 목적외에 이를 사용하지 못한다.**

② **예산의 전용(법 제16조 제1항)**: **법인의 대표이사 및 시설의 장은 관·항·목 간의 예산을 전용할 수 있다.** 다만, 법인 및 시설(소규모 시설은 제외한다)의 관간 전용 또는 동일 관내의 항간 전용을 하려면 이사회의 의결 또는 시설운영위원회에의 보고를 거쳐야 하되, 법인이 설치·운영하는 시설인 경우에는 시설운영위원회에 보고한 후 법인 이사회의 의결을 거쳐야 한다.

「사회복지법인 및 사회복지시설 재무 · 회계 규칙」 상의 후원금 관리 지침 22. 지방직

① **후원금의 범위 등(법 제41조의2)**

법인의 대표이사와 시설의 장은 「사회복지사업법」에 따른 후원금의 수입 · 지출 내용과 관리에 명확성이 확보되도록 하여야 한다. **시설거주자가 받은 개인결연 후원금을 당해인이 정신질환 기타 이에 준하는 사유로 관리능력이 없어 시설의 장이 이를 관리하게 되는 경우에도 또한 같다.**

② **후원금의 영수증 발급 등(법 제41조의4)**

㉠ 법인의 대표이사와 시설의 장은 후원금을 받은 때에는 「소득세법 시행규칙」에 따른 기부금영수증 서식 또는 「법인세법 시행규칙」에 따른 기부금영수증 서식에 따라 후원금 영수증을 발급하여야 하며, 영수증 발급목록을 별도의 장부로 작성 · 비치하여야 한다.

㉡ 법인의 대표이사와 시설의 장은 금융기관 또는 체신관서의 계좌입금을 통하여 후원금을 받은 때에는 법인명의의 후원금전용계좌나 시설의 명칭이 부기된 시설장 명의의 계좌(후원금전용계좌 등)를 사용하여야 한다. 이 경우 **후원자가 영수증 발급을 원하는 경우를 제외하고는 ㉠에 따른 영수증의 발급을 생략할 수 있다.**

㉢ 법인의 대표이사 및 시설의 장은 후원금을 받을 때에는 각각의 법인 및 시설별로 후원금전용계좌등을 구분하여 사용하여야 하며, **미리 후원자에게 후원금전용계좌 등의 구분에 관한 사항을 안내**하여야 한다.

㉣ 모든 후원금의 수입 및 지출은 후원금전용계좌 등을 통하여 처리하여야 한다. **다만, 물품 형태의 후원금은 그러하지 아니하다.**

③ **후원금의 수입 및 사용내용통보제(법 41조의5)**

법인의 대표이사와 시설의 장은 연 1회 이상 해당 후원금의 수입 및 사용내용을 후원금을 낸 법인 · 단체 또는 개인에게 통보하여야 한다. 이 경우 법인이 발행하는 정기간행물 또는 홍보지 등을 이용하여 일괄 통보할 수 있다.

④ **후원금의 수입 · 사용결과 보고 및 공개(법 제41조의6)**

㉠ 법인의 대표이사와 시설의 장은 결산보고서를 제출할 때에 후원금수입 및 사용결과보고서(전산파일을 포함한다)를 관할 시장 · 군수 · 구청장에게 제출하여야 한다.

㉡ 시장 · 군수 · 구청장은 ㉠에 따라 제출받은 후원금수입 및 사용결과보고서를 **제출받은 날부터 20일 이내에 인터넷 등을 통하여 3개월 동안 공개**하여야 하며, 법인의 대표이사 및 시설의 장은 해당 법인 및 시설의 게시판과 인터넷 홈페이지에 같은 기간 동안 공개하여야 한다. 다만, 후원자의 성명(법인 등의 경우는 그 명칭)은 공개하지 아니한다.

㉢ ㉡에 따른 공개는 「사회복지사업법」에 따른 정보시스템에 게시하는 것으로 갈음할 수 있다.

⑤ **후원금의 용도외 사용금지(법 제41조의7)**

㉠ 법인의 대표이사와 시설의 장은 후원금을 후원자가 지정한 사용용도 외의 용도로 사용하지 못한다.

㉡ 보건복지부장관은 후원자가 사용용도를 지정하지 아니한 후원금에 대하여 그 사용기준을 정할 수 있다.

㉢ 후원금의 수입 및 지출은 예산의 편성 및 확정절차에 따라 세입 · 세출예산에 편성하여 사용하여야 한다.

7. 결산

(1) 개념

회계연도 내에 발생한 **모든 수입과 지출을 확정적인 계수로 표시한 재정보고서를 작성하기 위한 과정**으로, 결산 내용에는 경제성, 효율성, 효과성 등의 평가도 포함된다.

(2) 기능

① 예산에서 설정된 수입과 지출 항목에 대한 타당성 검토가 이루어진다.

② 결산 심사 결과는 다음 연도 예산편성 및 심의에 반영된다.

핵심 PLUS

「사회복지법인 및 사회복지시설의 재무 · 회계 규칙」상의 결산 지침

① 결산서의 작성 제출(법 제19조 제1항): 법인의 대표이사 및 시설의 장은 법인회계와 시설회계의 세입 · 세출 결산보고서를 작성하여 각각 이사회의 의결 및 시설운영위원회에의 보고를 거친 후 다음 연도 3월 31일까지(「영유아보육법」에 따른 어린이집의 경우에는 5월 31일까지를 말한다) 시장 · 군수 · 구청장에게 제출(「사회복지사업법」에 따른 정보시스템을 활용한 제출을 포함한다)하여야 한다. 다만, 법인이 설치 · 운영하는 시설인 경우에는 시설운영위원회에 보고한 후 법인 이사회의 의결을 거쳐 제출하여야 한다.

② 결산보고서에 첨부해야 할 서류(법 제20조): 세입 · 세출결산서, 과목 전용조서, 예비비 사용조서, 대차대조표, 수지계산서, 현금 및 예금명세서, 유가증권명세서, 미수금명세서, 재고자산명세서, 기타 유동자산명세서, 고정자산(토지 · 건물 · 차량운반구 · 비품 · 전화가입권)명세서, 부채명세서(차입금 · 미지급금을 포함한다), 제충당금명세서, 기본재산수입명세서(법인만 해당한다), 사업수입명세서, 정부보조금명세서, 후원금수입 및 사용결과보고서(전산파일을 포함한다), 후원금 전용계좌의 입출금내역, 인건비명세서, 사업비명세서, 기타비용명세서(인건비 및 사업비를 제외한 비용을 말한다), 감사보고서, 법인세 신고서(수익사업이 있는 경우에 한한다)

8. 회계 및 회계감사 (必)

(1) 회계

① 조직의 재정적 활동, 즉 **수입과 지출에 관한 사실의 확인과 그 결과를 분류 · 기록 · 요약하고 그 결과를 해석하고 표준화한 기술적 방법**을 말한다.

② 회계는 목적에 따라 **재무회계와 관리회계로 구분**된다.

재무회계	**조직 외부의 이해관계자들**이 경제적 의사결정에 유용하도록 조직의 현상을 보고하는 재무보고서 작성을 주된 목적으로 하는 회계이다.
관리회계	**조직 관리자가 조직의 현상을 파악**하고, **이를 바탕으로 미래의 행정적 의사결정을 위한 조직관리 측면의 재무보고서 작성을 주된 목적으로 하는 회계**이다.

핵심 PLUS

현금주의와 발생주의

① **현금주의**: 현금의 출납, 즉 **수입과 지출의 시점을 기준으로 거래를 인식하는 방법**으로, 이때 감가상각비나 퇴직적립금과 같이 현금이 수반되지 않은 거래는 거래로 인식되지 않는 특징이 있다.

② **발생주의**: **수익과 비용을 현금의 수입이나 지출과는 관계없이 발생한 시점을 기준으로 인식하는 방법**으로, 미수금과 같이 거래는 발생하였으나 현금의 유입과 유출이 이루어지기 이전 시점에 지급되는 비용도 거래로 인식된다.

(2) 회계감사

① 조직의 예산과 수입 · 지출 등 회계 또는 운영의 사실을 확인하고 검증하여 **이를 대내외적으로 보고하기 위해서 관련된 서류 등을 체계적으로 검사하는 절차**이다.

② 목적에 따른 종류로 **규정순응감사와 운영감사**가 있다.

규정순응감사 (Compliance Audit)	㉠ 주로 **항목별(또는 품목별) 예산 방식에 따라 조직의 재정관리가 예산에서 이미 정해진 것에 맞추어 합당하게 이루어졌는지를 평가하는 방법**이다. ㉡ 단, 이 방법의 적용 시 조직성원은 정해진 예산 지침만을 준수하려 할 뿐 실질적인 서비스 생산성은 도외시할 수 있으며, **프로그램의 목표달성 여부나 효율성 문제는 다루기 어려운 한계**를 가지고 있다.
운영감사 (Operational Audit)	㉠ 규정순응 감사의 단점을 보완하기 위한 감사로, **재정 투입을 통해 얻어진 조직의 성과물을 검토하는 감사**이다. ㉡ 주로 **기능별 예산에 합당**하며, 감사 시 감사자의 지식이나 기술과 같은 전문성이 요구된다.

핵심 PLUS

「사회복지법인 및 사회복지시설의 재무·회계 규칙」상의 회계와 회계감사 지침

① 회계의 구분(법 제6조)
- 이 규칙에서의 회계는 법인의 업무전반에 관한 회계(이하 "법인회계"라 한다), 시설의 운영에 관한 회계(이하 "시설회계"라 한다) 및 법인이 수행하는 수익사업에 관한 회계(이하 "수익사업회계"라 한다)로 구분한다.
- 법인의 회계는 법인회계, 해당 법인이 설치·운영하는 시설의 시설회계 및 수익사업회계로 구분하여야 하며, 시설의 회계는 해당 시설의 시설회계로 한다.

② 회계의 방법(법 제23조): **회계는 단식부기에 의한다.** 다만, 법인회계와 수익사업회계에 있어서 복식부기의 필요가 있는 경우에는 복식부기에 의한다.

③ 장부의 종류(법 제24조): 법인 및 시설에는 다음의 회계장부를 둔다.
- **현금출납부** • **총계정원장** • **재산대장** • **비품관리대장**

④ 감사(법 제42조)
- **법인의 감사는 당해법인과 시설에 대하여 매년 1회 이상 감사를 실시**하여야 한다.
- 법인의 대표이사는 시설의 장과 수입원 및 지출원이 사망하거나 경질된 때에는 그 관장에 속하는 수입, 지출, 재산, 물품 및 현금 등의 관리상황을 감사로 하여금 감사하게 하여야 한다.
- 감사를 함에 있어서는 전임자가 입회하여야 하며, 전임자가 입회할 수 없는 경우에는 그 전임자가 지정하거나 법인의 대표이사가 관계직원 중에서 지정한 입회인을 입회하게 하여야 한다.
- 감사는 감사를 한 때는 감사보고서를 작성하여 당해법인의 이사회에 보고하여야 하며, 재산상황 또는 업무집행에 관하여 부정 또는 불비한 점이 발견된 때에는 시장·군수·구청장에게 보고하여야 한다.
- 감사보고서에는 감사가 서명 또는 날인하여야 한다.

8 마케팅

1. 개념

클라이언트, 기부자, 지역사회 등 사회복지조직과 관련된 사회체계가 **사회복지조직에 대해 더욱 많은 관심을 갖고 또한 기부하도록 하기 위한 사회복지조직의 활동**을 말한다.

2. 사회복지조직과 영리조직의 마케팅 비교

구분	사회복지조직 마케팅	영리조직(또는 기업)의 마케팅
특징	사회복지조직의 외부욕구를 강조한다.	기업의 내부욕구를 강조한다.
목적	**재정자립**	이윤추구
상품의 개별성	소비자의 개별적인 욕구에 따라 다양하고 복잡하게 제공된다.	소비자의 욕구를 중시하지만, 개별성 정도는 사회복지조직에 비해 덜하다.
생산과 소비의 시점	**생산과 소비가 동시에 이루어진다.**	일반적으로 기업이 생산한 재화를 후 소비자가 시장에서 구입하여 소 한다.
교환	**무형의 형태로 소비자에게 전달**되어, 소비자가 이를 이용해 본 이후에만 평가를 받을 수 있다.	일반적으로 서비스와 재화를 제공 고 이에 대한 대가를 화폐형태로 환받는다.
저장성	사회복지조직의 서비스와 프로그램은 저장이 불가능하다.	기업이 생산해낸 재화의 경우 저장 가능하다.

3. 사회복지조직에서 마케팅의 필요성

(1) 책임성

① 사회복지조직은 정부보조금이나 기부금 등을 재원으로 운영되며, 따라서 **운영의 효과성과 효율성을 추구해야 할 책임과 의무가 발생**한다.

② 전략적 마케팅을 도입하여 비용효과성과 비용편익성을 추구해야 한다.

(2) 대상자 관리

고객 중심의 서비스 제공 요구 증가, 서비스 이용자의 선택권 확대로 **마케팅적 접근, 즉 사회복지조직이 제공하는 서비스를 이용하는 대상을 '고객'으로 인식하는 것**의 중요성이 대두되어 고객의 욕구를 세분화시키고 세분화된 욕구충족을 통해 궁극적으로 '고객만족'을 추구해야 한다.

(3) 서비스 개발

사회복지조직이 처한 환경을 세분화하여 프로그램 · 서비스의 가치를 증대해야 한다.

(4) 재정 확보

서비스 제공 조직들 간 경쟁의 증가, 사회적 돌봄 서비스의 시장 방식 공급 확대로 마케팅적 접근을 통해 조직 운영에 소요되는 재정 자원을 체계적 · 과학적으로 확보해야 한다.

4. 사회복지조직의 마케팅 과정 (必)

일반적으로 사회복지조직의 마케팅은 **'조직환경 분석 → 시장욕구 분석 → 마케팅 목표 설정 → 기부시장 분석 → 마케팅 도구 설정 → 마케팅 실행 → 마케팅 평가'**의 **순으로 진행**된다.

(1) 조직환경 분석

① 조직환경이란 사회복지조직이 서비스를 계획하고 제공하는 것과 같은 **관리활동에 영향을 미칠 수 있는 내부 또는 외부의 모든 환경**을 말한다.

② 이러한 조직환경에 대한 분석과 더불어 고객의 행동이 어떠한지를 분석해야 한다. 이것은 **기본적으로 고객의 욕구가 어떻게 변화하는가를 파악하는 것**이며, 분석을 통해 사회복지조직이 제공하게 될 서비스가 **시장기회, 즉 시장성을 갖는지를 판단**하게 된다.

③ 조직환경을 분석하는 대표적인 방법으로 SWOT **분석**이 있다.

구분	내용
강점(Strengths)	**조직이 처한 내부환경의 강점**으로, 마케팅 시 조직이 활용해야 할 요인이다.
약점(Weaknesses)	**조직이 처한 내부환경의 약점**으로, 마케팅 시 조직이 보완해야 할 내부적 요인이다.
기회(Opportunities)	타 조직과의 경쟁, 클라이언트 등 **조직이 처한 외부환경에서 비롯된 기회**로 조직이 포착해야 할 외부적 요인이다.
위협(Threats)	**조직이 처한 외부환경에서 비롯된 위협**으로, 조직이 회피해야 할 외부적 요인이다.

핵심 PLUS

SWOT 분석을 활용한 조직관리 전략

S · O전략	강점·기회 전략으로, 강점을 활용해서 기회를 포착하는 전략이다.
S · T전략	강점·위협 전략으로, 강점을 활용해서 위협을 회피하는 전략이다.
W · O전략	약점·기회 전략으로, 약점을 보완해서 기회를 포착하는 전략이다.
W · T전략	약점·위협 전략으로, 약점을 보완해서 위협을 회피하는 전략이다.

(2) **시장욕구 분석**

① 잠재적인 기부자의 욕구를 파악하고, 조직이 관심을 갖는 지역사회 문제와 이에 대한 주민들의 욕구를 조사하는 단계이다.

② 조사 내용

욕구	그들은 상품이나 서비스에 대한 욕구를 가지고 있는가? 예 조직이 관심을 갖는 문제에 관심이 있는가?
구매욕구	욕구를 지닌 사람들은 구매욕구가 있는가? 예 이 분야에 대한 후원에 관심이 있는가?
구매력	상품 구매력은 있는가? 예 후원할 돈을 가지고 있는가?
구매의지	구매의지가 있는가? 예 후원할 의지가 있는가?

(3) **마케팅 목표 설정**

사회복지조직이 마케팅 활동을 통해서 달성하고자 하는 **구체적이고 명확한 목표를 설정하는 단계**이다.

(4) **기부시장 분석**

① 기부시장 분석이란 **결국 누구를 후원자로 정하고, 그들에게 어떠한 가치를 제안하여 후원을 유도해 낼 것인가에 대한 고민**이다.

② 이러한 기부시장의 분석 과정을 'STP'라고 하는데, 이는 **'시장세분화(Segmentation) → 표적시장 선정(Targeting) → 시장 포지셔닝(Positioning)을 의미**한다.

③ **시장세분화**: 식별이 가능한 특성을 토대로 대상자나 대단위 시장을 동질적인 하위단위로 구분하는 것으로, 그 정도에 따라 **'대량 마케팅, 세분화 마케팅, 틈새시장 마케팅, 미시적 마케팅'으로 구분**하며, **미시적 마케팅 쪽으로 갈수록 시장세분화 정도가 높다.**

대량(Mass) 마케팅	㉠ 비차별적 마케팅: **시장세분화 정도가 가장 낮은 마케팅**으로, **전체시장에 하나의 동일한 마케팅 프로그램을 제공**하는 전략이다. ㉡ 대량생산 · 대량유통 · 대량촉진으로 원가를 절감하고 최저시장가격을 책정하여 시장점유율을 급속히 확대하기 위해 활용한다.
세분화(Segment) 마케팅	표적 마케팅, 차별적 마케팅: **전체시장을 연령이나 취향 등의 다양한 세분화 변수에서 몇 개의 시장 부문으로 세분화하는 전략**으로, 조직의 자원과 능력을 고려해 부문화된 시장 중 하나 또는 소수의 부분에 대해서만 집중하는 것이다.
틈새시장(Niche) 마케팅	부분 시장 집중적 마케팅, 블루오션 마케팅: 조직의 현재 자원과 능력으로는 과점(寡占)된 전체시장을 점유할 수 없다고 판단될 경우 **특정한 성격을 지닌 소규모의 세분화된 시장부문에만 개별화된 방법으로 집중하는 전략**이다.
미시적(Micro) 마케팅	개인 마케팅, 원 투 원 마케팅: **시장세분화 정도가 가장 높은 마케팅으로**, 소비자와의 지속적인 상호작용을 통해 성별, 나이, 소득, 취미 등 소비자의 정보를 수집하여 데이터베이스화한 후 이들 소비자에게 가장 적절한 수준을 찾아 마케팅하는 전략이다.

④ 표적시장 선정: 시장세분화를 평가한 후, 그 가운데에서 표적시장을 선정하게 된다. 표적시장을 선정한다는 것은 **사회복지조직의 서비스를 필요로 하거나 관심을 가지는 고객들이 누구인가를 찾아내는 것**을 의미한다.

⑤ 시장 포지셔닝(Market Positioning) 전략: 선정된 표적시장 속 **소비자의 인상에 경쟁 조직이 제공하는 서비스와는 차별되는 분명한 위치를 차지하게 하는 만드는 단계**로, 후원자로 하여금 해당 조직에 후원하려는 마음을 확정하게 만드는 과정으로 볼 수 있다.

(5) 마케팅 도구 설정

① 서비스 등의 시장성이 확인되고 표적시장이 대략적으로 정해지면, 이를 기초로 한 마케팅믹스를 개발한다.

② **마케팅믹스**(Marketing Mix)란 표적시장에서 마케팅목표를 달성하기 위해 **상품(또는 제품), 가격, 유통(또는 입지), 촉진(또는 판매촉진)을 종합적으로 결정하는 전략**을 말한다. 즉, 분석된 기부시장을 대상으로 **마케팅믹스와 구체적인 모금기법을 계획하는 단계**라고 볼 수 있다.

③ 마케팅믹스(4Ps)

상품(Product, 또는 제품) 전략	"비영리조직이 후원자나 클라이언트에게 어떤 프로그램이나 서비스를 제공할 것인가?"에 관한 전략이다.
가격(Price) 전략	"비영리조직이 후원자나 클라이언트에게 프로그램이나 서비스를 제공하면서 받게 되는 대가는 어느 정도 선에서 결정되어야 할 것인가?"에 관한 전략이다.
유통(Place, 또는 입지) 전략	"비영리조직이 후원자나 클라이언트에게 제공하는 프로그램이나 서비스가 어떤 경로를 통해 전달되어 접근성을 향상시킬 것인가?"에 관한 전략이다.
촉진(Promotion, 또는 판매촉진) 전략	"어떻게 비영리조직이 생산해 낸 서비스와 프로그램을 후원자나 클라이언트에게 더욱 판촉시킬 것인가?"에 관한 전략으로, 인쇄물 제작 및 배포, 언론 및 방송 매체를 통한 홍보, 인터넷을 이용한 홍보, 인적 판매, 커뮤니케이션 수단 활용 등을 할 수 있다.

④ 비영리조직의 모금 유형

인터넷 마케팅 (Internet Marketing)	전자우편, 홈페이지, 배너 등의 인터넷 매체를 만들고 운영하여 이용자가 많은 포털사이트와 협력하면서, 배너 교환이나 공익연계 캠페인 등을 통해 후원자를 개발하는 방법이다.
ARS (Automatic Response System) 모금	사회복지조직에서 각종 마케팅 정보를 미리 음성장치를 통해 저장해 놓고 잠재적 후원자들에게 전화를 하여 ARS 모금에 참여할 수 있는 방법을 알려주어 후원자를 발굴하는 방법이다.
다이렉트 마케팅 (Direct Marketing, DM)	사회복지조직의 운영현황이나 프로그램 이용실적, 프로그램이나 서비스에 대한 이용 정보를 **우편물을 통해** 클라이언트, 서비스 이용자, 기부자나 잠재적인 후원자 등에게 발송하는 방법이다.
고객 관계 관리 마케팅 (Customer Relationship Management Marketing, CRM)	사회복지조직이 신규 기부자나 기존 기부자와 잠재적 기부자의 개발을 위해 기부와 관련된 그들의 욕구를 파악하여 그에 맞는 **'맞춤형 서비스'를 지속적으로 제공함**으로써 기부금 확보의 효과를 극대화시키는 방법이다.
기업연계 마케팅 (Cause-Related Marketing, CRM)	㉠ **'공익연계 마케팅'**이라고도 하며, 기업의 전략적 사회공헌 활동으로, 사회복지조직이 기업의 욕구를 파악하여 기업의 기부나 봉사활동을 조직의 사업과 연계하여 사회적 효율성을 달성하는 방법이다. 이를 통해 사회복지조직은 자원개발을 할 수 있고, 기업은 이윤의 사회 환원을 통해 법인세 감면 등의 세제 혜택과 기업 이미지 쇄신을 통한 홍보효과를 동시에 얻을 수 있어서 **'Win-Win 전략'**이라고도 불리운다. ㉡ 고객이 기업의 물품을 구입할 경우 **그 기업이 판매 수입의 일정비율을 사회복지조직에 기부하는 방식 등**이 있다.

데이터베이스 마케팅 (Database Marketing)	사회복지조직을 찾은 클라이언트나 **기부자의 성명, 주소, 프로그램 이용 현황 등의 개별 정보를 자료화**시켜서 마케팅에 활용하는 방법이다.
사회 마케팅 (Social Marketing, 또는 소셜 마케팅)	정부나 지방자치단체, 시민과 지역사회의 이익, 즉 공익의 실현을 위해 대중의 행동변화를 시키기 위한 집단적이며 조직적인 마케팅 방법이다. 예 아동학대 예방운동, 피케팅 등
크라우드 펀딩 (Crowd Funding)	특정 사회문제 해결과 관련된 **기금(Fund)을 마련하기 위해서 인터넷 매체 등을 활용하여 불특정 대중(Crowd)을 대상으로 모금하는 것**을 말한다.

(6) 마케팅 실행

마케팅 기획안을 작성하고 이를 실행하여 잠재적 기부자들에게 기부를 요청하는 과정으로, 감사편지, 연하장, 신규후원자 신청서 등을 발송하여 기부자를 개발하고 관리한다.

(7) 마케팅 평가

기부행위에 대한 종합적인 평가를 하는 과정으로, 조직의 사명에 기초한 사회적 욕구에 대한 분석이 요구된다.

9 사회복지조직의 정보관리체계

1. 사회복지조직 정보관리체계(Management Information System, MIS)의 개념

사회복지조직의 일상 업무, 관리업무, 클라이언트 관련 업무 등을 위한 일련의 의사결정 또는 문제해결 과정에 필요한 정보를 관리하는 일련의 과정이며, **정보를 그 목표달성의 수단으로 이용하는 관리방식**으로, **포괄적 의미에서 사람 · 절차 · 기술의 집합체**이다.

2. 사회복지조직 정보관리체계의 필요성

(1) 조직 관리 측면

① 장기간 수행해야 할 업무를 단시간에 처리할 수 있으므로 비용절감 효과가 발생할 수 있다.

② **조직 내 사회복지 전문가가 복잡한 의사결정을 쉽게 할 수 있도록 지원**해 준다.

③ 사회복지 서비스 업무의 표준화를 가능하게 할 수 있다.

④ 상시적인 평가 및 환류와 서비스 질에 대한 지속적인 모니터링이 가능해진다.

⑤ 서비스 이용자의 실적에 대해 월별 · 분기별 · 사업현황별로 정기적 점검이 가능해 진다.

⑥ 조직의 성과를 대내외적으로 제시할 수 있는 수단이 될 수 있다.

⑦ **축적된 다수의 사례를 통해 이론 발전에 기여**할 수 있다.

(2) **정보 교류 측면**

① 조직 업무의 전산화를 통해 유관 조직 간에 정보 교류를 통한 연계가 수월해진다.

② 정보를 이용하고자 하는 조직이나 개인들의 정보에 대한 접근성이 증대될 수 있다.

3. 사회복지조직 정보관리체계의 부작용

(1) 전산화를 통해 모든 정보를 공유하기 때문에 조직은 물론 고객의 사적부분까지 과다 노출될 가능성이 있다.

(2) **대규모 개인정보 유출 위험이 증가**한다.

(3) 전산화된 장비를 잘 다루지 못하는 사람의 경우 정보로부터 소외될 수 있다.

(4) 조직이 잘못된 정보를 그대로 공유하고 받아들일 경우 클라이언트 등에게 혼선을 발생시킬 수 있다.

(5) 정보관리 과정을 학습해야 하는 등, 일선 사회복지사에게 업무 이외의 학습 부담을 부여할 수 있다.

(6) 전산화로 더욱 많은 자료를 정리할 수도 있겠지만, **일정형식에 따라 "이 정도면 되겠지"라는 나름의 기준을 결정하게 되는 '기준행동'을 유발**시킬 수도 있다.

4. 정보관리체계의 분류

유형	운용 목적	기능
전산자료처리시스템 (DP)	효율 (또는 능률)	① 1950년대 회계 및 재고관리를 위해 개발된 것으로, 조직 내 비서나 직원들의 **일상적 · 반복적 · 단순한 업무를 처리하는 데 소요되는 시간과 비용을 절약**하기 위해서 자료입력만으로 처리하게 하는 정보처리기술이다. ② **정보의 수집 · 저장 · 검색 · 조정 · 전송 · 자료출력 과정을 포함**한다. 예 급여명세서의 자동처리, 이용자 명부관리 등
관리정보시스템 (MIS)	정보제공, 보고	① 1960년대 방대한 정보를 신속히 처리하기 위해 개발된 것으로, 조직의 사업관리를 위해 필요한 정보를 수집 · 배분하기 위해 고안되었다. ② 사회복지현장에서 생성되는 다양한 정보를 **목적에 따라 통합 · 가공하여 새로운 자료로 생산하여 '보고'의 형식으로 제작**하는 정보처리기술이다. ③ **일상적이고 구조화된 의사결정에 필요한 효율적 정보를 제공**한다. 예 이용자실적을 사업부서별 · 월별 · 분기별로 자동 작성하여 보고서 작성

<table>
<tr><td rowspan="2">지식기반시스템
(KBS)</td><td rowspan="2">의사결정</td><td>① 정보관리체계에 저장한 지식을 응용하여 사례에 관한 의사결정을 하는 정보처리기술로, 보고서를 작성하기보다는 의사결정을 하는 데 활용된다.
② 단점
㉠ 전문가들 사이에 의견이 다를 수 있어서 의사결정이 모호해질 수 있다.
㉡ 상황별 · 유형별 다양한 정보의 축적이 필요하다.
㉢ 복잡하고 어려운 정보처리기술이 필요하다.
③ 유형: 사례기반추론, 자연음성처리, 전문가 시스템</td></tr>
<tr><td><table>
<tr><td>사례기반추론</td><td>수천 개의 클라이언트의 사례(예 인구통계, 서비스, 성과 등)를 조사하여 저장한 후 저장된 사례 정보로부터 지식을 얻어 낸다.</td></tr>
<tr><td>자연음성처리</td><td>언어를 텍스트로 전환하는 기술로, 외국어를 번역하여 텍스트로 전환하여 저장하거나 사람이 말한 내용을 텍스트로서 전환하여 저장한다.</td></tr>
<tr><td>전문가 시스템</td><td>사용자가 제공한 사실을 기초로 컴퓨터 안에 저장된 지식을 응용하여 사례에 관한 의사결정을 한다.</td></tr>
</table></td></tr>
<tr><td>의사결정지원시스템
(DSS)</td><td>효과</td><td>① 1970년대 전문가가 복잡한 의사결정을 보다 쉽게 할 수 있도록 지원하기 위해 고안된 것으로, 전문가가 자료를 검색 · 관리하여 의사결정에 관한 정보 획득하는 데 도움을 주는 정보처리기술이다. 단, DSS가 의사결정을 하는 것이 아닌 전문가가 직접 의사결정을 해야 한다.
② 의사결정의 대안 제시: 정보를 도식화하여 분석모형과 데이터를 제공함으로써 의사결정자의 의사결정과정이 보다 효과적으로 이루어지게 도와준다.
예 클라이언트의 접수일정을 자동으로 결정 → 클라이언트에게 서비스를 제공할 담당자에게 자료 전송 → 클라이언트에 대한 통계 작성 → 통계를 기반으로 전문가인 사회복지사가 직접 의사결정을 내림</td></tr>
<tr><td>업무수행지원시스템
(PSS)</td><td>성과</td><td>① 1990년대 정보기술 발달로 개발된 것으로, 실천 현장에서 직접 서비스를 제공하는 서비스 제공자인 사회복지사가 타인으로부터 최소한의 도움만을 받아 즉시 업무를 완수할 수 있도록 개발된 통합정보제공시스템이다.
② 의사결정과는 상관 없이 단순히 업무능률 향상을 목적으로 하며, 서비스 제공자가 업무수행을 위해 특정한 정보가 필요한 경우 필요한 정보를 즉각적으로 확인하거나 지원해 준다.</td></tr>
</table>

0 프로그램 개발과 평가

개관

) 프로그램

사회복지조직의 목표달성을 위한 보다 직접적인 수단으로써, 일정한 절차에 따라 이루어지는 의도적이고 체계적인 활동체계를 말한다.

(2) **프로그램 개발과 평가**

① 프로그램의 기획과 설계는 물론 실행, 평가, 환류 과정을 망라하는 절차 방법을 포괄하는 과정을 말한다.

② 이러한 프로그램의 개발과 평가의 과정은 **'문제의 확인과 욕구조사 → 목적 목표 설정 → 프로그램 설계와 실행 → 프로그램 평가'**의 순으로 **진행**된다.

2. 프로그램 개발과 평가 과정 - 1. 문제의 확인과 욕구조사 16. 국가직 (必)

(1) 문제의 확인이란 "어떠한 현상이 누군가에게 있어서 얼마만큼의 문제 수준으 체감되고 있는가?"에 대한 조사이다. 이렇게 확인된 **문제는 욕구화되어야 한다**

(2) 문제를 확인한 후에는 욕구를 가진 대상집단의 분포를 파악해야 한다. 이때 **상집단을 일반집단, 위험집단, 표적집단, 클라이언트집단 등 4개의 인구집단으로 구분**하여 그 범위를 좁혀나간다.

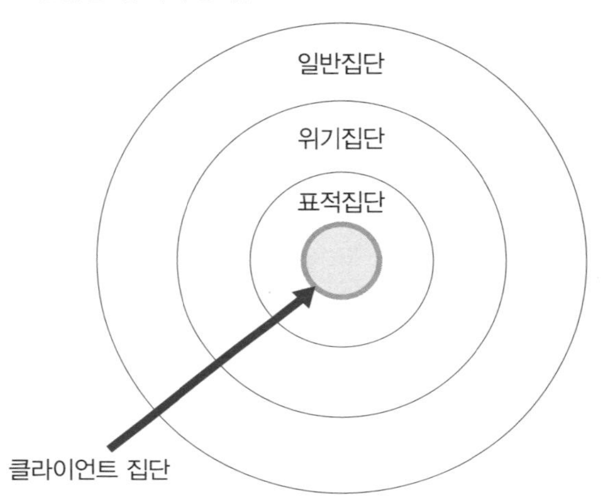

일반집단 (General Population, 또는 일반인구)	정의된 문제를 가질 수 있다고 판단되는 **가장 포괄적인 인구집**으로, 일반적으로 프로그램의 **행정구역 내에 거주하는 전체 인 집단**을 의미한다. 예 OO구의 인구 12,000명
위험집단 (At-Risk Population, 또는 위험인구)	**일반집단 중 특별히 그러한 문제에 노출될 위험**(또는 **취약성**) **있고 잠재적인 욕구를 지닌 인구집단**으로, 일반적으로 **문제에 출될 위험이 큰 지역이나 연령층**이다. 예 OO구의 한 부모가정 100세대
표적집단 (Target Population, 또는 표적인구)	**프로그램의 혜택**(또는 **수급**)**을 받을 자격을 갖춘 집단**으로, 프로그램 제공을 통해 문제해결의 직접적 대상이 되는 인구집단이다. **해결하려 하는 문제에 노출된 위험집단의 전체규모**를 의미한다. 예 한부모가정 60세대
클라이언트집단 (Client Population, 또는 클라이언트 인구)	① **프로그램을 제공받는 수혜자 집단**(또는 **프로그램에 참여하는 집단**)으로, 프로그램이 적용될 때의 실질적인 소비자 또는 수혜자들이다. ② 프로그램 적용 시 활용할 수 있는 자원이 풍부하거나 상황 건이 갖춰진 경우에는 표적집단과 같을 수도 있다. 예 20세대의 아동 30명

기출 OX

01 인구집단을 일반집단, 위기집단, 표적집단, 클라이언트집단으로 구분할 수 있다. ( ) 16. 국가직

02 위기집단은 위기를 겪어서 프로그램에 참여하는 모든 집단이다. ( ) 16. 국가직

03 클라이언트집단은 표적집단 중에서 프로그램을 제공받는 수혜자집단이다. ( ) 16. 국가직

01 ○
02 × '위기집단'이 아니라 '클라이언트 집단'이 옳다.
03 ○

(3) 욕구조사

① 확인된 문제는 욕구로 변화되어야 한다.

② 이때 욕구란 **개인이 체감하고 있는 결핍 상태를 충족시키기 위해서 필요로 하거나 원하는 상태**를 말한다.

③ 지역사회의 욕구를 조사하는 방법으로는 지역사회공개토론회, 명목집단기법, 초점집단기법, 델파이기법, 주요 정보제공자 조사 등이 있다.

3. 프로그램 개발과 평가 과정 - 2. 목적과 목표 설정 17. 국가직 必

목적(Goal)이 프로그램 제공을 통해 **궁극적으로 달성하고자 하는 포괄적이며 추상적인 지향점**을 말하는 것에 반해, **목표(Objective)**란 목적을 달성하기 위해 **구체적으로 이루어야 할 결과물**을 말한다.

(1) 목표의 종류

① 성과 목표(Outcome Objectives)

㉠ 성과란 특정 활동이 클라이언트 및 사회에 미친 영향(Impact), 즉 **프로그램 실행 후 변화된 것이 무엇인가**를 의미한다.

㉡ 결과지향적 성격: 성과 목표는 클라이언트에게 **예상되는 행동, 지식, 태도, 조건의 변화**를 나타내기 위해 **'줄인다, 향상한다, 증가한다, 촉진한다, 획득한다' 등과 같은 행위를 나타내는 동사를 사용하여 표현**해야 한다.

㉢ 성과 목표를 작성할 때에는 에간(G. Egan)의 **SMART 기준**을 고려한다.

핵심 PLUS

에간(G. Egan)의 성과 목표 설정의 SMART 원칙

구체적(Specific)	성과 목표는 구체적이어야 한다.
측정 가능(Measurable)	성과 목표는 측정 가능해야 하고, 달성되었을 때의 상태를 서술할 수 있어야 하며, 수량·품질 등으로 표현되어야 한다.
달성 가능(Attainable)	성과 목표는 달성할 수 있어야 한다.
현실적(Realistic)	성과 목표는 현실적이어야 한다.
시간 관련 (Time-Bounded, Time-Related)	성과 목표는 시간 제한적이어야 한다.

예 클라이언트의 자아존중감을 10% 이상 향상한다.

② 산출 목표(Output Objectives, 활동 목표, 과정 목표)

㉠ **사회복지사의 개입 강도나 클라이언트의 노력의 총량을 의미**하며, 이는 일반적으로 '실적'에 해당하며, '기관의 이용자 수, 제공된 서비스 시간, 차량 운행 시간 등'의 산출물로 표현된다.

㉡ **과정지향적 성격**: 성과 목표가 프로그램의 궁극적이고 최종적인 목표로서 결과지향적 성격이라면, **산출 목표는 과정으로서의 목표이고 활동의 총량이기 때문에 활동 목표와 과정 목표라는 용어를 사용**하기도 한다.

예 클라이언트에게 주2회 물리치료서비스를 제공한다.

기출 OX

01 사회복지 프로그램의 성과 목표는 과정지향적이어야 한다. ( ) 17. 국가직

02 사회복지 프로그램의 성과 목표는 획득가능해야 한다. ( ) 17. 국가직

01 × '과정지향적'이 아니라 '결과지향적'이 옳다.
02 ○

4. 프로그램 개발과 평가 과정) - 3. 프로그램 설계(또는 프로그래밍)와 실행

(1) 프로그램 설계란 목적과 목표를 달성하게 될 **프로그램을 구체적으로 설계하는 과정**이다.

(2) 프로그램 실행이란 **계획된 프로그램을 실제로 집행하는 과정**이다.

5. 프로그램 개발과 평가 과정 - 4. 프로그램 평가

17 · 19 · 21 · 22. 국가직, 10. 지방직, 13. 서울시 必

(1) 개념과 기능

① **프로그램이 의도한 목표의 달성 정도를 사정하는 단계**이다.

② 기능

㉠ 프로그램 과정상의 환류를 통해 **사회복지 서비스를 질적으로 개선**시킬 수 있다.

㉡ **프로그램 수정과 정책개발 등에 활용**될 수 있다.

㉢ **사회복지조직으로 하여금 국가나 사회에 준수해야 할 책임을 이행**하게 할 수 있다.

㉣ **사회복지실천에 관한 이론을 형성**하는 데 도움을 준다.

(2) 평가의 기본틀

프로그램을 평가하는 기본틀로는 **목표달성모델과 체계모델**이 있다.

① 목표달성모델

㉠ **조직을 목표 달성을 위해 만들어진 합리적인 도구**로 보아 **조직의 효과성은 구체화된 목표의 달성 여부에 따라 결정된다고 이해**한다.

㉡ 따라서 구체적인 목표를 지닌 조직에 잘 적용할 수는 있지만 **다수의 모호한 목표를 지닐 수밖에 없는 사회복지조직에 적용하기에는 한계**가 있다.

② 체계모델

㉠ **체계이론에 기반하여 형성된 모델**로, 목표달성보다는 **목표달성을 위해 필요로 하는 수단과 과정 그리고 조직의 하위체계 간의 관계에 초점을 둔 모델**이다.

㉡ **프로그램 요소들 간의 인과관계를 가정**하여, 외부 환경으로부터 투입요소(Input)를 받아들여 조직 내의 전환과정(Throughput Process)을 거쳐 환경으로 산출(Output)을 내보내는 과정을 지속하는 환경적응적 과정을 통해 조직의 생존과 성장이 보장될 수 있다고 본다.

㉢ 이에 따라 **조직의 효과성을 환경적응력으로 보며**, 또한 **이를 통해 프로그램 평가의 논리모형(Logic Model)이 형성**된다.

㉣ 논리모형은 **투입, 전환(또는 활동), 산출, 성과로 도식화(또는 구조화)하는 방법**이다.

기출 OX

01 사회복지 프로그램의 기획과 평가에 활용되는 논리 모형은 프로그램을 체계이론의 관점에서 분석하고 이해한다. ( ) 21. 국가직

02 사회복지 프로그램의 기획과 평가에 활용되는 논리 모형은 프로그램의 구성부분을 활동(process), 성과(outcome), 산출(output), 투입(input)으로 나눈다. ( ) 21. 국가직

01 ○
02 ○

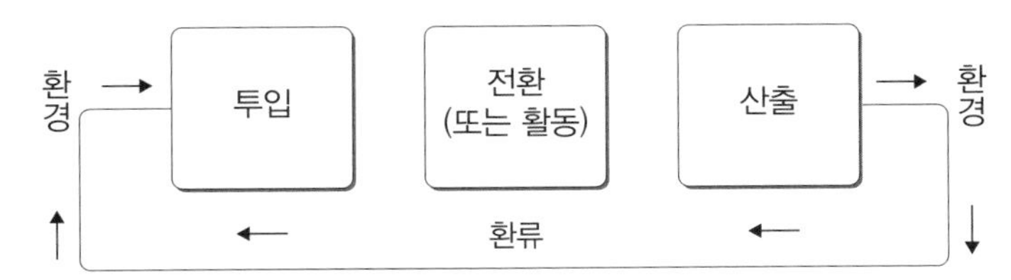

▲ 프로그램 논리모형

투입(Input)	• **프로그램에서 사용하는 모든 종류의 자원들**을 말한다. • 서비스에 소요된 비용, 직원 및 직원의 근무시간, 자원봉사자 및 활동시간, 시설, 장비 등으로 표현된다.
전환[Throughput, 또는 활동(activity, process)]	프로그램에 투입된 자원들을 가지고 목표달성을 위해 **실질적으로 수행하는 활동들**을 말한다. 예 사회복지실천기술 등
산출(Output)	• **프로그램 활동으로 얻어진 직접적인 결과물(또는 실적)**로, **일반적으로 완성된 업무량을 말한다.** • 즉, **성과를 위한 프로그램 활동의 직접적 결과 상태**이며, **수량(또는 양적)으로 표현**된다. • 클라이언트의 서비스 참여 횟수, 서비스 제공자와 클라이언트 간 접촉 건수, 클라이언트가 서비스를 제공받은 시간, 참여자의 출석률, 서비스를 받은 클라이언트의 수, 서비스 종료 여부 등으로 표현된다.
성과(Outcome)	• 프로그램 참여자들이 계획 당시 수립된 프로그램의 목표, 즉 **프로그램 종료 후 얻게 된 태도, 지식, 기술 등에서의 내적 변화 · 이익 · 혜택** 등의 달성 정도를 말한다. • 즉, **프로그램이 의도하는 변화 목적의 성취 상태를 말한다.**
영향	프로그램 계획 당시 고려하지 않았던 프로그램의 결과로 나타나는 **부수적이면서도 장기적인 성과**이다. 예 사회문제 해결에 미친 영향 정도
환류	**프로그램 활동에 대한 전반적인 재검토**를 말한다.

(3) 프로그램 평가의 종류

① 형성평가

㉠ **프로그램 제공 과정 중에(또는 진행 중에) 이루어지는 동태적 성격의 평가**로, 양적 · 질적 방법으로 **프로그램 운용 과정 중에 발생하는 문제점을 찾아내 이를 수정하고 보완하거나** 또는 **프로그램 수행의 중단 여부를 결정**하는 데 활용된다.

㉡ **모니터링과 서비스 질 관리가 포함**된다.

㉢ 주로 내부 평가가 우선되며, **총괄평가에 비해 유연한 틀을 가지고 융통성 있게 평가를 진행**한다.

기출 OX

01 사회복지 프로그램의 기획과 평가에 활용되는 논리 모형에서 산출은 프로그램 활동의 직접적인 결과에 해당하는 생산물을 말한다. ( ) 21. 국가직

02 사회복지 프로그램의 기획과 평가에 활용되는 논리 모형에서 성과는 투입의 결과로서 산출에 앞서서 발생한다. ( ) 21. 국가직

03 형성평가란 프로그램 진행 중에 원활하고 성공적으로 프로그램이 수행되도록 문제점을 찾아내고 수정 보완할 목적으로 실시된다. ( ) 19. 국가직

04 형성평가는 프로그램 계획과정이나 실행 중에 수행되는 평가방식이다. ( ) 22. 국가직

01 ○
02 × '투입의 결과'는 '성과'가 아니라 '산출'이며, 성과는 '산출 다음에 발생'한다.
03 ○
04 ○

② 성과(또는 총괄)평가

㉠ **프로그램 제공 종료 후에** 연역적 · 객관적 방법에 따라 실시되는 평가로 **프로그램 참여자들이 프로그램 종료 후 얻은 태도 · 지식 · 기술 등에서의 내적 변화 · 이익 · 혜택 등에 대해 효과성(성과)과 함께 효율성(비용)을 평가하는 것**이다.

효과성평가	프로그램 계획 시 설정한 **'목표달성의 정도'를 평가**하는 것이다.
효율성평가	**투입과 산출에 대한 경제적 관점의 평가**이다.

㉡ 주로 **프로그램의 성공 여부와 이에 따른 지속 여부 등과 관련된 의사결정에 활용하기 위해 수행**한다.

㉢ 보통 평가를 위한 **고정화된 틀을 가지고 과학적이고 체계적인 평가절차를** 갖는다.

③ 통합평가: **형성평가와 총괄평가를 결합한 평가**이다.

④ 공평성평가: 프로그램 운용과 관련된 비용 등이 개인이나 집단이 지닌 욕구나 기여 정도에 따라 **형평하게 분배되었는지에 대한 평가**이다.

⑤ 메타평가: **평가의 평가**, 즉 프로그램 평가의 결과를 차후에 종합적으로 검토해 보는 평가를 말한다.

(4) **프로그램 평가 기준**(York)

① 노력성

㉠ 프로그램 수행을 위해 **동원된 자원의 양**을 말한다.

㉡ 주로 **프로그램에 참여한 사회복지사의 수나 활동 시간, 소요된 재정 등을 통해 평가**할 수 있다.

② 효율성

㉠ 재정, 시간, 인원 등 **프로그램에 투입된 비용에 대비한 산출의 비율 정도**로, **효과성과 더불어 사회복지조직의 책임성 평가 방식**이 된다.

㉡ 효율성 추구를 통해 예산절감을 할 수 있다.

㉢ 프로그램의 성과를 화폐적 가치로 환산하여 비용과 대비해 보는 방법인 **'비용 · 편익 분석'을 통해 산출**할 수 있다.

핵심 PLUS

비용편익분석과 비용효과성분석

① **비용편익분석: 프로그램 집행에 소요되는 비용뿐만 아니라 그 성과 역시 현재의 화폐적 가치로 평가하는 방식**으로, 주로 **효율성을 평가하는 데에 활용**된다.

② **비용효과성분석**: 목표달성에 가장 효과적인 대안을 찾기 위해 각 대안이 초래할 산출 효과를 비교하는 방법으로, **프로그램에 집행에 투입되는 비용은 화폐적 가치로 환산하나, 프로그램으로부터 얻게 되는 편익이나 산출은 화폐적 가치로 환산하지 않고, 그 효과성만을 평가하는 방법**이다.

기출 OX

01 총괄평가란 프로그램 종결 후 연역적 객관적 방법으로 프로그램이 달성하고자 했던 목표를 얼마나 잘 성취했는가의 여부를 평가한다. ( ) 19. 국가직

02 총괄평가는 사회복지프로그램 존속 여부와 성공 여부를 결정하는 평가방식이다. ( ) 22. 국가직

03 메타평가란 프로그램 평가를 차후에 종합적으로 검토해 보는 평가를 말하며, 평가에 대한 평가로 표현되기도 한다. ( ) 19. 국가직

01 ○
02 ○
03 ○

③ 과정

㉠ **프로그램 결과의 경로**, 즉 노력이 산출로 전환되는 **중간 과정 또는 절차**로, 특정 프로그램의 성공이나 실패의 이유를 파악하려는 것이다.

㉡ **프로그램의 환경 조건, 프로그램의 속성, 프로그램 대상인구**에 주로 초점을 둔다.

㉢ **절차나 규정 준수 여부 등으로 측정할 수 있다.**

④ 효과성

㉠ **프로그램 수행으로 인한 의도된 목표의 달성 정도**로, 주로 총괄평가에서 활용된다.

㉡ **비용 · 효과성 분석, 목표달성척도(Goal Attainment Scale)가 평가도구로 활용**된다.

예 클라이언트의 만족도, 클라이언트의 문제해결 능력 향상도, 클라이언트의 변화 등

⑤ **형평성(또는 공평성)**: 프로그램이 사회집단들에게 동일한 수준의 접근기회를 제공한 정도로, **자원이 사회집단 간 얼마나 공평하게 배분**되었는가를 말한다.

⑥ 서비스 질

㉠ 프로그램의 **우월성과 전문성에 관련된 전반적인 판단**으로, 클라이언트의 욕구 충족에 부합되는 제대로 된 서비스 수준과 전문가의 서비스 제공여부 등을 판단하는 것이다.

㉡ 주로 **서비스 제공 인력의 자격증 보유 여부, 사회복지사의 자격증 등급 등**을 통해 확인할 수 있다.

핵심 PLUS

목표(또는 목적)달성척도(Goal Attainment Scaling, GAS)❶ 22. 국가직

① 목표를 설정하고 목표달성 정도, 즉 효과성을 측정하기 위해 활용할 수 있는 평가도구이다.

② 표준화된 척도와는 달리 측정을 위한 내용(또는 차원)이 미리 정해져 있지 않아 클라이언트의 개인 목표에 따라 자유롭게 정할 수 있어 **사회복지실천의 개별화의 원리와 일치**하며, **목표달성 정도를 계량할 수 있으므로 실천현장에서 다각도로 활용**되고 있다.

예

클라이언트 성명: 재철씨	일반목표: 금주와 금연	일자: 2000년 0월 0일
성과 수준(척도 점수)	목표 1. 금주	목표 2. 금연
최적의 향상(0.10)	한 달 동안 전혀 음주를 하지 않음	한 달 동안 전혀 흡연을 하지 않음
기대이상으로 향상(0.75)	한 달 동안 기존의 1/3만큼만 음주를 함	한 달 동안 기존의 1/3만큼만 흡연을 함
기대한 정도의 향상(0.50)	한 달 동안 기존의 절반의 양만 음주를 함	한 달 동안 기존의 절반의 양만 흡연을 함
기대이하의 향상(0.25)	한 달 동안 기존의 2/3만큼만 음주를 함	한 달 동안 기존의 2/3만큼만 흡연을 함
전혀 성과 없음(0.00)	한 달 동안 기존과 동일하게 음주를 함	한 달 동안 기존과 동일하게 흡연을 함

선생님 가이드

❶ 목표달성척도는 원래 정신건강분야에서 정신장애인을 평가하기 위한 도구로서 개발되었고, 현재는 대부분의 사회복지 실천현장에서 매우 유용한 평가도구로 활용되고 있습니다.

기출 OX

01 효과성은 프로그램이 클라이언트에게 의도했던 목표대로 바람직한 결과를 가져왔는지에 관한 것이다. ( ) 13. 서울시

02 비용효과분석평가는 프로그램에 들어가는 비용뿐만 아니라 프로그램의 성과도 화폐적 가치로 환산하는 평가방식이다. ( ) 22. 국가직

03 목표달성(goal attainment)평가는 평가하고자 하는 프로그램이 목표를 얼마나 달성했는가를 알아보는 평가방식이다. ( ) 22. 국가직

01 ○
02 × '비용효과분석평가'가 아니라 '비용편익분석평가'가 옳다.
03 ○

핵심 PLUS

평가와 기준행동(Criterion Behavior)

① **기준행동**이란 성과**평가 시 양적 지표를 사용할 경우에 발생할 수 있는 부정적인 현상**으로, 조직성원들이 기준으로 제시된(또는 규정된) 특정 사안의 준수나 지표관리에만 집중하여 실질적인 서비스의 효과성에 대해서는 무관심해져 결국 **서비스 개선을 위한 새로운 시도를 기피하는 현상**을 말한다.

② 사회복지조직의 평가뿐만 아니라 **정보관리 시에도 발생**할 수 있다.

기출 CHECK

다문화가족의 적응력 향상을 위한 한국문화체험 프로그램을 논리모델(logic model)로 구성하였을 때, 다음 예시 (가)~(라)에 해당하는 요소를 바르게 연결한 것은? 17. 국가직

(가) 교육이수자 ○명, 교육이수 ○○시간, 자격취득자 ○○명
(나) 한국어 능력 향상, 한국문화 이해도 증진, 가족기능 강화
(다) 건강가정사 ○명, 한국어강사 ○명, 사회복지사 ○명
(라) 한국어 교육, 문화답사, 가족캠프

	(가)	(나)	(다)	(라)
①	산출	성과	투입	활동
②	투입	성과	산출	활동
③	투입	활동	산출	성과
④	산출	활동	성과	투입

답 ①

11 사회복지 서비스 전달체계

1. 개념 11. 지방직 (必)

사회복지 서비스를 제공하는 '공급자와 공급자' 또는 '사회복지 서비스를 소비하는 소비자와 공급자'를 연결시키기 위한 장치(또는 매개체)로써의 조직 및 인력이다.

2. 전달체계 구축의 원칙 13. 국가직, 11 · 14 · 17 · 21. 지방직, 18. 서울시 (必)

(1) 전문성

① 사회복지 서비스를 제공할 때 **핵심적인 주요업무는 반드시 객관적으로 자격이 인정된 전문가(Professional)[1]에 의해 수행**되어야 한다는 원칙으로, 이를 준수하기 위해서는 **충분한 사회복지 전문가의 확보가 필요**하다.

② 단, **조직의 비핵심적이며, 비전문적인 업무가 전문가에 의해 수행되는 것은 비효과적이며 또한 비효율적**이다.

예 사회복지기관에서 환경 미화 업무는 사회복지사가 아닌 관리자에 의해 수행되어야 한다.

(2) 적절성(또는 충분성)

① 사회복지 서비스의 **양과 질, 기간은 클라이언트의 정신적 · 육체적 욕구를 충족시키고 목표를 달성할 만큼 충분히 제공**되어야 한다.

② 단, 시대나 상황에 따라 클라이언트의 욕구는 달라지기 때문에 적절성의 기준도 달라져야 한다.

선생님 가이드

❶ 여기서 전문가란 경험과 지식이 많은 사람을 의미하는 것이 아니라 국가가 제공하는 자격증이나 면허증 등의 객관적인 자격을 갖춘 사람을 의미합니다. 즉 직무에 관한 권위 · 의사결정권 · 책임성 등이 자격증 · 면허증 등을 통해 확인되는 것이 객관적으로 입증된 사람입니다. 대표적으로 '사회복지사'가 있습니다.

기출 OX

01 사회복지 전달체계는 사회복지정책에서 제공하는 급여 또는 서비스를 제공하는 조직적 장치를 말한다. ( ) 11. 지방직

02 수익성은 사회복지 전달체계 구축의 원칙에 해당한다. ( ) 14. 지방직

03 적절성이란 사회복지서비스의 양과 질 등이 클라이언트 문제해결에 충분할 만큼 제공되어야 하는 것이다. ( ) 21. 지방직

04 통합성이란 클라이언트의 욕구는 다양하므로 이러한 욕구충족을 위해 포괄적이고 다양한 서비스가 제공되어야 하는 것이다. ( ) 21. 지방직

01 ○
02 ×
03 ○
04 × '통합성'이 아니라 '포괄성'이 옳다.

(5) 포괄성

① 인간의 욕구와 문제는 다양하므로 **사회복지 서비스는 클라이언트의 다양한 욕구와 문제에 동시에 또는 순차적으로 대응할 수 있도록 종합적으로 제공**되어야 한다. 즉, 사회복지 서비스는 클라이언트의 모든 문제와 욕구를 다룰 수 있어야 한다.

② 접근 방법

구분	내용
일반화 접근 방법 (Generalist Approach)	**1명의 전문가가 1명의 클라이언트가 가진 여러 가지 문제를 다루는 방법**으로, 자칫 전문가의 전문성이 약해질 수 있다.
전문화 접근 방법 (Specialist Approach)	**1명의 클라이언트가 가진 여러 가지 문제별로 각각의 전문가가 이를 나누어서 다루는 방법**으로, 문제에 대한 진단과 서비스 간 통합 · 조정이 어려워질 수 있다.
팀 접근 방법 (Team Approach, 또는 집단 접근 방법)	**1명의 클라이언트를 해당분야의 여러 전문가가 팀을 구성하여 다루는 방법**으로, 개입 과정 중에 전문가들 간의 갈등의 발생할 수 있다.
사례관리 방법 (Case Management)	**여러 가지 접근 방법을 보완하기 위한 방법**으로, 복합적이고 다양한 문제를 지닌 1명의 클라이언트가 가진 문제를 해결하는 데 1명의 전문가가 **책임을 지고 지속적으로 필요한 서비스와 전문가를 연계시켜주는 방법**이다.

(6) 통합성(또는 통합조정의 원칙)

① **포괄성 원칙을 실현하기 위한 수단**이다.

② 즉, 인간의 욕구와 문제는 다양하지만 개별 사회복지 서비스가 충족 · 해결할 수 있는 인간의 욕구와 문제는 한정되어 있으므로 이를 해결하기 위해서는 **지역사회 내 사회복지 서비스 제공 주체 간에 유기적인 협력관계를 형성하여 서비스 중복과 누락을 방지하고 다양한 서비스를 제공**해야 한다.

③ 따라서 **통합성을 높이려면 지역사회 유관 조직 간 상호 연관된 서비스를 종합적으로 고려하여 연계를 강화**해야 한다.

예 원스톱 서비스센터(One-Stop Service), 통합사례관리서비스 등

(7) 지속성(또는 연속성)

① **클라이언트에게 필요한 서비스는 일정기간 동안 중단 없이 지속적으로 제공**되어야 한다.

② 특히 클라이언트의 욕구나 문제는 계속적으로 변화하므로 이에 대응하는 사회복지 서비스 역시 클라이언트에게 맞추어 그 내용이 계속적으로 달라져야만 지속적으로 제공할 수 있으며, 이를 위해 지역사회를 기반으로 하는 **사례관리 등의 방법을 적극적으로 모색하고, 서비스 조직 간 연계를 강화**해야 한다.

(8) 평등성

보편주의에 입각한 원칙으로, 사회복지 서비스는 연령, 성별, 소득, 지위, 지역, 종교와 같이 클라이언트가 가진 조건과는 관계 없이 이를 필요로 하는 모든 이에게 제공되어야 한다.

기출 OX

01 원스톱서비스센터나 통합사례관리서비스는 통합조정의 원칙에 근거한다. ( ) 13. 국가직

02 고용지원센터의 원스톱 서비스(one-stop service)는 통합성의 원칙을 고려한 것이다. ( ) 11. 지방직

03 지속성이란 클라이언트의 문제나 욕구 해결과정에서 제공되는 서비스의 종류와 내용이 달라져야 하는 경우 신규 서비스가 지속적으로 제공되어야 하는 것이다. ( ) 21. 지방직

04 평등성이란 사회복지서비스는 클라이언트의 연령, 성별, 지역, 종교 등을 막론하고 차별 없이 제공되어야 하는 것이다. ( ) 21. 지방직

01 ○
02 ○
03 ○
04 ○

(7) 책임성

① 사회복지 서비스의 제공 주체는 **클라이언트의 욕구충족이라는 궁극적인** **표달성**뿐만 아니라 **전달체계 자체의 효과성이나 효율성을 향상**시켜야 한

② 책임져야 할 내용: 수혜자 욕구에 대한 적절한 대응, 전달 절차의 적합성, 서비스 전달 과정에서 발생하는 **불평 · 불만에 대한 제도적 수렴장치**의 적합성

(8) 비분절(또는 비단절)성과 비파편성

① 분절성(또는 단절성)과 파편성이란 조직이 제공하는 **사회복지 서비스가 수요자에게 전달되기까지의 신청 · 조사 · 결정 · 제공 과정이 서비스별로 따로따로 진행되는 것**을 말한다.

② 분절성(또는 단절성)과 비파편성의 문제점

㉠ 서비스별로 각기 다른 신청 · 조사 · 결정 · 제공 과정에 투입되는 자원 **상당 부분이 일반관리비용으로 낭비**될 수 있다.

㉡ 서비스와 관련한 정보가 제각각 관리되어 서비스 제공의 **편중(또는 중복 지급)이나 누락이 발생**할 수 있다.

㉢ 서비스 이용자들이 서비스 이용을 위해 **각각 다른 창구를 이용해야 하는 불편함이 발생**할 수 있다.

③ 분절성(또는 단절성)과 비파편성을 줄이는 전략[비분절(또는 비단절)성 · 비파편성 전략]

㉠ 사회복지 서비스 제공자 네트워크 구축

㉡ 사례관리 강화

㉢ 서비스 연계 기제 마련을 통한 서비스 통합

㉣ 서비스 이용자(또는 클라이언트)의 욕구에 대한 종합적 파악

(9) 접근성(또는 접근용이성)

① 클라이언트가 조직이 제공하는 사회복지 서비스를 이용하는 데에서 발생하는 **다양한 장애요인(정보, 지리 또는 거리, 심리, 선정절차, 재정 또는 자원)을 제거하여 제약 없이 쉽고 편리하게 서비스를 이용**할 수 있게 해야 한다.

② 다양한 장애요인

구분	내용
정보적 장애	서비스에 관한 정보 부족 또는 결여 등으로 발생하는 장애이다.
지리적 장애	서비스를 제공하는 조직의 위치 등과 관련해서 원거리 또는 교통 불편 등으로 발생하는 장애이다.
심리적 장애	자신의 문제 노출에 대한 두려움 · 수치감 · 낙인감, 소외의식이나 사회복지사와의 거리감 등으로 발생하는 장애이다.
선정 절차상의 장애	서비스 수혜절차(예 클라이언트로 선정되는 데 있어서 자산조사의 엄격한 적용 등)의 까다로움이나 긴 시간소요 등으로 발생하는 장애이다.
재정(또는 자원)적 장애	서비스 제공자 부족이나 비용 등 서비스 제공과 관련된 재정(또는 자원)의 부족 등으로 발생하는 장애이다.

③ 때로는 **책임성을 높이는 전략이 접근성을 높이기도 한다.**

기출 OX

01 클라이언트가 필요할 때 쉽고 편리하게 서비스를 받을 수 있도록 전달체계를 구축하는 것은 책임성의 원칙에 근거한다. ( ) 13. 국가직

02 서비스 장소의 위치, 서비스 사용 시 사회적 낙인의 여부 등은 접근성에 영향을 미치는 요소이다. ( ) 11. 지방직

03 유사한 서비스 제공 기관들의 난립에 따른 선택 장애는 사회복지 서비스 전달체계의 구축의 주요 원칙 중 접근용이성의 장애요인이다. ( ) 17. 지방직

01 × '책임성'이 아니라 '접근성(또는 접근용이성)'이 옳다.
02 ○
03 × '선택장애'는 접근용이성의 장애요인에 해당되지 않는다.

핵심 PLUS

사회복지 서비스의 활용

① 사회복지 서비스의 활용(또는 활용성)이란 어떠한 방법을 통해 한정된 자원을 이를 가장 필요로 하는 클라이언트에게 제공할 수 있을 것인가에 대한 사회복지사 또는 사회복지조직의 적극적인 관심을 말한다.

② **사회복지 서비스의 '과활용 및 저활용'과 사회적 비용**

서비스 과활용	•사회복지 서비스 이용에 대한 욕구를 갖지 않은 사람이 서비스를 이용할 때 발생하는 것으로, 때로는 **의도적인 서비스 사취(詐取)로 간주**될 수 있다. •주로 특정 사회복지 서비스에 대한 수요자의 기대와 공급자의 기대가 서로 일치하지 않을 때 발생한다. •서비스 과활용에 따른 사회적 비용은 기회비용 또는 잠재적인 개인적·사회적 급부의 상실이 있다.
서비스 저활용	•사회복지 서비스 이용에 대한 욕구를 가진 인구가 서비스 접근에 어려운 경우에 발생한다. •서비스 저활용에 따른 사회적 비용은 사회복지 서비스 이용에 대한 욕구를 가진 인구들이 해당 서비스를 적절하게 받지 못함으로 발생하는 사회문제가 있다.

③ 서비스 과활용 및 저활용에 따른 사회적 비용뿐만 아니라 행정비용(과활용과 저활용을 줄이기 위해 투입되는 행정상의 비용)도 사회적 비용으로 소모된다.

④ **서비스 접근 효과성 지표**: 사회복지서비스 활용에 있어서 욕구를 가진 인구들이 얼마나 적합하게 서비스에 접근하는 가를 나타낸 것이다.

⑤ **서비스 접근 효과성 지표의 산출식**: 접근효과성 = [N(정상이용자 수) - O(과활용 이용자 수)] ÷ T(전체 표적 인구 수). 접근효과성의 지표는 1이 이상적인 상태, 1보다 작을수록 접근효과성이 약해지는 것으로 이해할 수 있다.

⑥ 서비스 활용성을 높이기 위한 전략

기출 CHECK

〈보기〉와 같은 상황에서 요구되는 사회복지 서비스 전달체계 구축의 가장 바람직한 원칙은?

18. 서울시

〈보기〉

K복지관을 찾은 갑(甲)은 결혼이주민으로, 현재 이혼 상태이며 한부모 가정의 여성 가장이다. 갑(甲)은 초등학교 1학년된 딸과 함께 빌라 지하 월세방에서 생활하고 있다. 안정적인 직업을 갖지 못하고 낮에는 건물 청소일을 하며 저녁에는 같은 나라 출신의 친구가 운영하는 가게에서 주방일을 하고 있다.
갑(甲)은 하루하루 돈벌이에 바빠 딸의 교육에는 전혀 신경을 쓰지 못하고 있다.
갑(甲)은 신장기능이 저하되어 건강이 좋지 못하다.

① 자활 및 재활의 원칙　② 적정성의 원칙
③ 평등성의 원칙　④ 포괄성의 원칙

해설

포괄성이란 인간의 욕구와 문제는 다양하므로 사회복지 서비스가 클라이언트의 다양한 욕구와 문제에 동시 또는 순차적으로 대응할 수 있도록 종합적으로 제공되어야 한다는 원칙이다. 〈보기〉에서 갑(甲)의 욕구와 문제는 이혼으로 인한 빈곤 문제, 한부모가족의 가장으로서 딸의 양육과 교육 문제, 불안정한 일자리 문제, 신장기능 저하로 인한 건강 문제 등 매우 다양하며 이에 사회복지사는 이러한 문제들에 대해 동시에 또는 순차적으로 대응하여 원조해야 한다. **답 ④**

3. 사회복지전달체계에 있어서 주로 제기되는 4가지 문제들(Gilbert & Specht)

18. 지방직 必

(1) 단편성(Fragmentation, 또는 분절성)

통합성의 반대 개념으로, 각각의 전달체계에서 제공되는 사회복지 서비스가 각각의 문제 해결 과정에는 도움이 되지만 **전체적으로 볼 때에는 상호연계가 되지 않아 전체적인 문제를 해결하는 데에는 어려움이 발생하는 경우**를 말한다.

(2) 비연속성(Discontinuity, 또는 불연속성, 일시성)

지속성의 반대 개념으로, 사회복지 서비스 지급이 클라이언트의 욕구와는 상관없이 **잠시 동안만 제공된 후 중단되거나 일관성 없이 지속되는 경우**를 말한다.

(3) 무책임성(Unaccountability)

책임성의 반대 개념이다.

(4) 비접근성(Inaccessibility)

접근성의 반대 개념이다.

기출 CHECK

〈보기 1〉의 사회복지 전달체계 문제 상황에서 ㉠~㉢에 들어갈 말을 보기 2의 ⓐ~ⓓ에서 바르게 연결한 것은? 18. 지방직

〈보기 1〉

약물중독 문제를 가지고 있는 실업자인 한부모 A는 딸 B를 주간보호센터에 맡기고, 본인은 약물재활치료를 받은 후 나머지 시간에 자활 근로훈련을 받는다. 만약 주간보호센터와 재활클리닉, 훈련프로그램이 각각 다른 장소와 일정으로 운영되어 중복의 문제가 발생한다면 이는 (㉠)문제이다. A의 거주지가 약물재활치료센터 및 지역자활센터와 거리가 멀어서 재활치료나 근로훈련을 받을 수 없다면 이는 (㉡)의 문제이다. 클라이언트가 이러한 상황에 대한 불만을 토로할 수단이 없다면 이는 (㉢)문제이다.

〈보기 2〉

ⓐ 단편성(fragmentation) ⓑ 비연속성(discontinuity)
ⓒ 무책임성(unaccountability) ⓓ 비접근성(inaccessibility)

	㉠	㉡	㉢
①	ⓐ	ⓑ	ⓓ
②	ⓐ	ⓓ	ⓒ
③	ⓒ	ⓓ	ⓑ
④	ⓓ	ⓒ	ⓑ

답 ②

4. 전달체계 통합 전략 18. 지방직 必

(1) 종합서비스센터

하나의 분야에 대해 **종합적 서비스를 제공하는 별도의 조직을 설치하는 방법**이다.

예 장애인 종합사회복지관, 노인 종합사회복지관

(2) 인테이크 단일화

전달체계 내의 조직들이 **인테이크를 전담하는 공동 창구를 개발하는 방법**으로, 이를 통해 클라이언트의 욕구를 종합적으로 평가하여 적절한 서비스를 제공하는 기관에 클라이언트를 공급할 수 있다.

(3) 종합적인 정보와 의뢰 시스템(I&R)

통합정보망을 구축하여 서비스 연계를 강화하는 방법으로, 각각의 조직들의 독립성은 그대로 유지한 채 클라이언트의 의뢰나 서비스들 간의 연결을 목적으로 종합적 정보와 의뢰 시스템을 강화하는 방법이다. 즉, **조직들 간 구조적인 통합이 아닌 느슨한 네트워크를 구성하는 것**이다.

(4) 사례관리

지역사회 수준에서 **사례관리체계를 도입하여 조직들에 분산된 서비스를 클라이언트의 욕구에 맞추어 연결하고 관리하는 방법**으로, 조직들 간 구조적인 통합이 아닌 느슨한 네트워크를 구성하는 것이다.

예 드림스타트 사업

(5) 트래킹(Tracking)[1] - 이력履歷 관리시스템

서로 다른 각각의 조직과 프로그램에서 다루었던 **클라이언트의 서비스이력 정보를 공유하는 정보 통합 방법**으로, 생애주기별 사례관리에는 적합하지만 클라이언트의 비밀이나 개인정보를 보호하는 데에는 취약하다는 한계를 가지고 있다.

5. 분류 (必)

(1) 구조 · 기능적 차원의 분류

① 행정체계: **사회복지 서비스 기획 · 지시 · 지원 · 관리 체계**로, 사회복지 서비스를 기획하여 집행체계에게 그 제공을 지시한 후 이를 지원하고 관리하는 체계이며, **주로 법규와 규정에 따라 운영되는 관료제 조직**을 말한다.

예 보건복지부 → 시 · 도 → 시 · 군 · 구

② 집행체계: **서비스 전달 기능이 주된 기능인 체계**로, 클라이언트와 상호접촉을 통해 서비스를 직접 전달하는 체계이며, 일반적으로 상담계획을 수립하거나 슈퍼비전을 제공하는 등 **행정기능도 수행한다.** 주로 가치지향적인 전문가들의 합의를 통해 자율적 · 신축적으로 운영된다.

예 읍 · 면 · 동 → 클라이언트

③ 우리나라의 대표적인 사회복지 서비스의 행정체계와 집행체계

사회복지 서비스의 종류	행정체계	집행체계
노인장기요양보험 서비스	보건복지부 → 국민건강보험공단	장기요양기관
장애인 활동지원 서비스	보건복지부 → 국민연금공단	활동지원기관
보육 서비스(어린이집)	보건복지부 → 시 · 도 → 시 · 군 · 구	어린이집
국민기초생활보장제도 관련 급여	보건복지부 → 시 · 도 → 시 · 군 · 구	읍 · 면 · 동
지역사회 서비스투자사업	보건복지부 → 시 · 도 → 시 · 군 · 구	서비스 제공 기관

선생님 가이드

[1] Tracking은 '추적'이라는 의미를 가지고 있습니다.

(2) **운영주체 차원의 분류**

운영주체 차원으로는 **공공부문, 민간부문, 혼합유형** 등이 있다.

12 사회복지조직 문화

1. 개념

조직성원들에게서 뚜렷하게 나타나는 가치나 규범, 신념체계이며, 조직성원의 가치관과 사고방식, 행동패턴을 결정하는 기본요소로, 조직행동에 영향을 주는 **조직성원이 공유하는 비공식적인 가치, 규범, 행동양식, 신념**이다.

핵심 PLUS

스케인(Schein, 1992년)의 조직문화의 구성 - 믿음(또는 전제) ⊂ 가치 ⊂ 인공물

믿음(또는 전제): 조직성원들이 당연한 것으로 간주하는 원천적인 문화로, 당연한 것으로 여겨지지만 인식되지는 않는다. 다만, 주의 깊은 행위관찰을 통해서만 확인이 가능하다.

가치: 인식 수준, 믿음(또는 전제)의 표출, 조직이 신봉하는 목표 · 이상 · 규범 · 표준 · 윤리 등으로 조직 성원들에 대한 설문조사를 통해 확인이 가능하다.

인공물: 가시적 수준, 즉 조직 구성원이 조직문화에 진입하면서 관찰하고 체험할 수 있는 조직문화의 외적 표현물로 언어사용방식, 의사소통방식, 행동방식 등이 있다.

2. 기능

(1) 조직성원들의 소속감과 정체의식 형성에 영향을 미친다.

(2) 조직성원으로 하여금 자기보다 큰 어떤 것에 대한 몰입을 촉진시킨다.

(3) 조직체계의 안정성을 증진시킨다.

(4) 의사결정방식, 과업수행방식 등 조직행동을 안내하고 형성시키는 감지도구로 작용한다.

(5) 사회복지 서비스 체계의 규범과 가치로서 역할을 한다.

(6) 사회복지 서비스 제공자의 상황인식에 중요한 역할을 한다.

(7) 조직성원의 행태와 인식 그리고 태도를 통해서 조직효과성과 연결하는 역할을 한다.

3. 특징

(1) **직원의 선발과 교육은 조직문화를 유지 · 전파하는 수단**이 된다.

(2) 조직문화의 강도를 통해 새로운 기술도입에 따른 조직의 유연성 정도를 설명할 수 있다.

(3) 최근에는 이직의 원인을 설명해주는 이론으로도 활용된다.

4. 조직성과의 연관성

조직문화와 조직성과는 긴밀한 관계를 갖고 있다.

(1) **조직의 핵심가치를 공유하는 조직성원이 많을수록 조직성과가 향상**된다.

(2) 조직문화가 조직의 전략과 일치할수록 조직성과가 향상된다.

(3) 조직문화는 변하기 어려워서 조직성과에 부정적 영향을 줄 수도 있다.

(4) 환경적응적 조직문화는 조직 외부 이해당사자들의 기대실현을 적절한 수준으로 고려하여 조직성과를 향상시킨다.

5. 경쟁가치 모델(Quinn)

(1) 퀸(Quinn)은 조직문화를 **내부지향과 외부지향, 통제 지향과 유연성 지향이라는 2가지 차원의 경쟁적 가치를 축**으로 하여 **관계지향, 위계지향, 혁신지향, 과업지향**이라는 4개의 조직문화유형을 도출하였다. 이러한 퀸의 경쟁가치모델은 모순적이고 배타적인 다양한 조직문화의 가치요소들을 포괄적으로 분석할 수 있는 틀을 제공해 주었다.

(2) **경쟁적 가치**

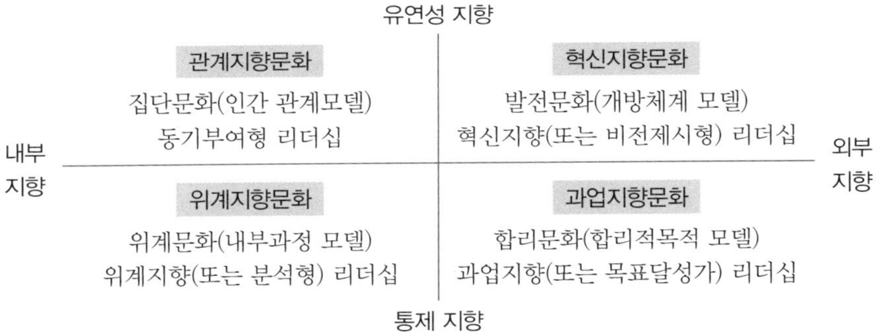

	유연성 지향		
내부 지향	관계지향문화 집단문화(인간 관계모델) 동기부여형 리더십	혁신지향문화 발전문화(개방체계 모델) 혁신지향(또는 비전제시형) 리더십	외부 지향
	위계지향문화 위계문화(내부과정 모델) 위계지향(또는 분석형) 리더십	과업지향문화 합리문화(합리적목적 모델) 과업지향(또는 목표달성가) 리더십	
	통제 지향		

조직문화	특성	리더십 유형	특성
관계지향 문화	① **집단문화 또는 인간 관계 모델**이라고도 한다. ② 내부 지향적이며 비공식적인 유연한 조직문화 유형이다. ③ 조직성원의 단결, 협동, 공유가치, 의사결정 과정에 참여 등이 중시되며, 개인의 능력개발에 대한 관심이 높고 조직성원에 대한 인간적 배려와 가족적인 분위기를 중시하는 조직풍토를 특징으로 한다. ④ 이러한 문화유형에서는 무엇보다 조직 내 가족적인 인간 관계의 유지에 최대의 역점을 둔다.	동기부여형 리더십	① **배려적 리더십**이다. ② 인간 관계 기능을 중시하여 상호작용과 참여를 강조한다. ③ 주요 리더십은 조직성원의 개인적 성장과 발전의 기회를 갖도록 원조하는 것이다.

혁신지향 문화	① **발전문화 또는 개방체계모델**이라고도 한다. ② 조직의 변화와 유연성을 강조하면서, 조직이 당면하고 있는 외부환경에의 적응능력에 중점을 둔다. ③ 외부환경에 대한 변화지향성과 신축적 대응성을 기반으로 조직구성원의 도전의식, 모험성, 창의성, 혁신성, 자원획득 등을 중시하며 조직의 성장과 발전에 관심이 높은 조직문화를 의미하기 때문에 조직구성원의 업무수행에 대한 자율성과 자유 재량권 부여 여부가 핵심 요인이 된다.	혁신지향 (또는 비전제시형) 리더십	① **변혁적 리더십**이다. ② 비판적 · 창의적 사고능력을 가지고, 조직을 둘러싼 변화를 판단하고 이에 능동적으로 대처할 수 있는 능력을 중시한다. ③ 위험과 불확실성을 감수하고 변화를 추구하며, 유연한 변화를 만들기 위한 의사소통 능력을 갖추어야 한다. ④ 조직성원과 이해관계자들 간의 갈등을 예방할 수 있는 능력 또한 가지고 있어야 한다.
위계지향 문화	① **위계문화 또는 내부과정모델**이라고도 한다. ② 질서와 안정를 중시하고 내부지향적인 조직풍토를 가지고 있다. ③ 공식적 명령과 규칙, 집권적 통제와 안정지향성을 강조하는 관료제의 가치와 규범을 반영하기 때문에 무엇보다 안정성과 통제에 대한 필요성과 조직 내부적 유지와 통합에 초점을 둔다.	위계지향 (또는 분석형) 리더십	① **관료적 리더십**이다. ② 주의 깊고 보수적이어서 현상유지를 지향한다. ③ 조직의 일관성과 예측가능성을 중시하고, 계획화, 조정, 문제해결, 규칙 및 법의 준수를 강조한다.
과업지향 문화	① **합리문화 또는 합리적 목적모델**이라고도 한다. ② 경쟁 지향적인 생산 중심의 문화로 외부지향적이다. ③ 조직의 성과목표 달성과 과업 수행에 있어서의 생산성을 강조하며, 목표달성, 계획, 능률성, 성과 보상의 가치를 강조한다. ④ 외부지향성의 관점에서 경쟁을, 성과통제의 관점에서 목표달성을 강조하며, 생산성과 능률성의 기준이 목표 달성에 있어 중요하다. 따라서 주로 공급자나 고객, 규제자 등 외부관계자와의 거래에 강조점을 두며, 경쟁력과 생산성이 핵심가치가 된다.	과업지향 (또는 목표달성가) 리더십	① **독려형 리더십**이다. ② 조직성원에게 달성해야 할 목표를 정확하게 알려주고 목표달성을 위한 작업계획을 신속히 수립하며 방법을 구체적으로 지시하는 능력을 갖추어야 한다. ③ 조직을 경쟁적이고 도전적인 분위기로 만드는 능력이 있어야 한다. ④ 조직성원의 개인성과를 점검하는 능력이 있어야 한다.

3 사회복지조직환경

개념 (必)

(사)회복지조직환경이란 **조직과 상호작용하는 외부요소의 총칭**으로, 사회복지조직은 (지)속적인 지지와 자원공급, 지역사회로부터의 인가 등 **외부환경과 밀접하게 연관**(되)어 있으며, 특히 이러한 외부환경에 종속되기 쉬운 취약점을 안고 있다.

종류 17. 지방직 (必)

(사)회복지조직의 외부환경은 조직에 미치는 영향에 따라 **일반 환경과 과업 환경**으(로) 구분된다.

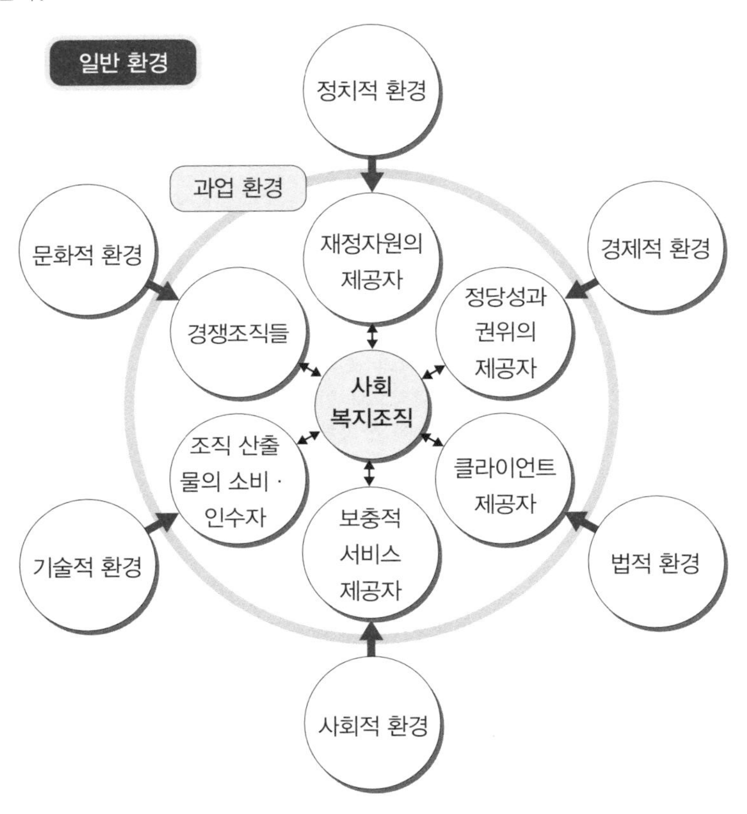

) 일반 환경

① 사회복지조직은 **그 환경에 영향을 받지만, 오히려 그러한 외부환경에 영향을 주기는 어려운 환경**을 말한다.

② 종류로는 **정치적, 경제적, 인구 · 사회적, 문화적, 법적, 기술적 환경**이 있다.

정치적 환경	㉠ 사회복지조직의 주요 재정 지원자이면서 정책적 의사결정자인 **정부 또는 정치집단이 지닌 규제를 통해 사회적 기반을 형성하는 이념**을 말한다.

	㉡ 이는 **정부의 재정자원 등을 사회복지조직에 분배하는 조건**으로서 분배 수준의 결정에 따라 사회복지조직은 일정한 영향을 받게 된다는 점에서 높은 수준의 중요성을 갖는다. 예 정권의 이념이 보수인가 또는 진보인가에 따라 사회복지조직의 자원분배 조건은 차이가 있다.
경제적 환경	㉠ **사회복지조직이 영향을 받는 일반적인 경제상태**를 말한다. ㉡ 이는 **사회복지조직의 재정적 기반 마련과 관련된 조건**으로 사회복지조직에 대한 자원공급을 결정하는 주요 요인이 될 뿐 아니라 **사회복지조직에 대한 클라이언트의 수요를 결정하는 변수**도 된다. 예 1인당 GDP, 실업률, 경제성장률, 경기상태, 지방정부의 재정 증감 등
인구 · 사회학적 환경	**사회복지조직이 영향을 받는 인구학적 조건**으로, 이는 다양한 사회 문제와 욕구를 발생시키는 조건이며, 따라서 사회 문제와 욕구를 가늠할 수 있게 한다. 예 연령, 성별, 거주지역, 인구구조, 소득 수준, 사회적 계층(또는 계급), 가족구조, 고령화 등
문화적 환경	**사회복지조직이 영향을 받는 당시의 지배적인 문화적 가치나 태도**로, 사회복지정책 수립과 실행에 영향을 미치는 중요한 조건이다. 예 분배중심문화는 경기불황에 대한 대안으로 저소득층 지원 등 분배정책을 내세우지만, 성장중심문화는 경기불황에 대한 대안으로 기업투자 등 경제성장 정책을 내세운다.
법적 환경	**사회복지조직의 조직행동을 강제하거나 또는 사회복지조직의 활동을 대외적으로 인가하는 제도적 환경**으로, 이러한 **법적 규제가 많을수록 사회복지조직이 제공하는 서비스에 대한 클라이언트의 접근성이 제한**될 수 있다. 예 우리나라 헌법 제34조에서 규정하고 있는 생존권, 사회복지사업법 등
기술적 환경	**사회복지조직이 서비스 제공과 관련하여 당시에 활용할 수 있는 타분야의 기술 수준**이다. 예 심리학에서 행동주의이론은 사회복지조직의 행동수정 관련 서비스를 향상시켰고, 1920년대 진단주의는 정신분석이론에 영향을 받았다.

(2) 과업환경

① **사회복지조직이 직접 상호 영향을 주고받는 환경**으로, 궁극적으로 사회복지조직은 일반환경에 영향을 받다.

② 종류로는 **재정자원의 제공자, 정당성과 권위의 제공자, 클라이언트 및 클라이언트 제공자, 보충적 서비스 제공자, 조직산출물의 소비 · 인수자, 경쟁하는 조직들**이 있다.

재정자원의 제공자	㉠ **사회복지조직에 가장 큰 영향을 미치는 과업환경**으로, 사회복지조직의 생산과 유지에 필요한 재정을 공급하는 **중앙정부 · 지방정부 등의 공공부문과 개인 · 기업 · 종교단체 · 사회복지공동모금회 등의 민간부문**을 말한다. ㉡ 특히 우리나라 **민간 사회복지조직의 재정은 중앙정부 · 지방정부 등의 정부보조에 의존**하는 비중이 상대적으로 높다.

 **기출 OX**

사회계층은 사회복지조직의 일반환경 중 사회인구학적 조건에 해당한다. ( )

17. 지방직

○

정당성과 권위의 제공자	사회복지조직에게 **합법성과 권위를 부여하는 법률이나 조례 등의 법규 또는 조직**을 말한다. 예 사회복지사업법, 한국사회복지사협회, 한국사회복지협의회 등
클라이언트 및 클라이언트 제공자	**클라이언트**란 사회복지조직의 행동 대상을 말하며, **클라이언트 제공자**란 이러한 **클라이언트를 사회복지조직에게 제공해주는 환경**을 말한다. 예 공공기관, 학교, 교회, 청소년단체, 경찰서 등
보충적 서비스 제공자	**조직 간의 의뢰 · 협력 체계**로, 사회복지조직이 추구하는 **포괄성과 통합성의 원칙 실현을 위해 협조하는 타조직**을 말한다. 즉, 사회복지조직에서 클라이언트의 욕구를 충족시킬 수 있는 모든 서비스를 제공할 수 없다는 점에서, 다른 기관에 일부의 서비스를 의뢰할 수밖에 없다. 따라서 조직은 주된 서비스를 보충해줄 수 있는 보충적 서비스의 제공자와의 공식적 또는 비공식적 협조체계를 유지해야 한다.
조직산출물의 소비 · 인수자	**문제나 욕구가 해결된 클라이언트를 받아들일 수 있는 소비자 또는 인수자**이다. 즉, 사회복지조직에 클라이언트의 문제나 욕구가 투입되고(투입), 그들이 지닌 사회복지실천기술을 활용하여(전환) 그러한 문제나 욕구가 해결된 클라이언트가 산출되며(산출), 이들을 인수할 수 있는 환경을 말한다. 예 학교, 기업, 가족 등
경쟁하는 조직들	클라이언트나 재정자원 등을 둘러싸고 **치열한 경쟁을 전개하는 타조직**을 말한다.

3. 사회복지조직의 환경관리를 위한 조건(의존-권력의 강화 및 상쇄 조건)

(1) 사회복지조직은 일반환경이나 과업환경과 같은 외부환경에 '종속'되기 쉬우므로 이런 '종속 관계'를 극복하기 위해서 **'환경대응❶'을 통한 환경관리 전략 수립이 필요**하다.

(2) 환경의존의 강화조건과 상쇄조건

구분	강화조건	상쇄(相殺)❷조건
개념	사회복지조직을 **외부환경에 더욱 의존하게 만드는 조건**이다.	사회복지조직이 **외부환경에 의존하는 효과를 줄이거나 없애는 조건**이다.
종류	① 정부 등 외부에서 사회복지조직의 정책을 강요하는 경우 ② 사회복지조직이 인적 · 물적 자원을 적게 소유하고 있는 경우 ③ 대체서비스의 가용성이 낮은 수준인 경우 ④ 정부 등 외부에서 이념적 승인을 받아야 하는 경우 ⑤ 문제에 대한 부정확한 대안을 가지고 있는 경우	① 사회복지조직의 정책이 정부 등 외부로부터 강요되지 않고 자유를 인정받은 경우 ② 사회복지조직이 인적 · 물적 자원을 많게 소유하고 있는 경우 ③ 대체서비스의 가용성이 높은 수준인 경우 ④ 정부 등 외부의 간섭 없이 사회복지조직 자체에서 이념을 승인할 수 있는 경우 ⑤ 문제에 대한 정확한 대안을 소유하는 경우

선생님 가이드

❶ 환경대응(Enonmental Response)란 사회복지조직이 외부환경 의존 정도가 높아 조직에 부정적 영향이 발생할 경우 '대응전략'을 통해 적절한 수준의 의존성을 지향하는 활동을 말합니다.

❷ 상쇄란 상반되는 것이 서로 영향을 주어 효과가 없어지는 상태를 의미합니다.

① '환경의존 강화조건'이 낮은 수준이면 '환경의존 상쇄' 가능성이 높아진다.

② '환경의존 강화조건'이 높은 수준이면 '환경의존 상쇄' 가능성이 낮아진다.

4. 환경의존 대응전략(Hasenfeld) (必)

환경의존 대응전략이란 조직이 환경에 대한 종속 관계를 극복하기 위한 전략으로, **하센펠트(Hasenfeld)는 이를 권위주의적 전략, 경쟁적 전략, 협동적 전략, 방해적 전략으로 구분**하였다.

(1) 권위주의적 전략

조직이 외부환경과의 교환 관계에서 우월한 재정이나 권위 등을 소유함으로써 **타 조직의 행동을 지시 · 권장할 수 있는 전략**으로, 주로 공권력을 지닌 정부조직들이 사용한다.

예 중앙정부조직이 지방조직에게 보조금을 지급하고 지침을 시달하는 것, 지방정부조직이 민간사회복지조직에게 보조금을 지급하고 지도 · 감독 등을 시행하는 것

(2) 경쟁적 전략

① **조직이 다른 조직과의 경쟁을 통해 세력을 증가시켜 서비스의 질과 절차 등을 매력적으로 만드는 전략**으로, 조직 내 충분한 내적 자원이 있을 경우에 사용이 가능하다.

② 조직은 타 조직보다 더 높은 수준의 서비스를 제공하므로 클라이언트의 수요가 증가하고, 이로 인해 정부의 재정지원이나 지역사회의 후원금이 늘어나 양질의 조직구조를 갖출 수 있게 된다.

③ **장점**: 클라이언트의 서비스 선택 범위를 넓혀 주고 질 높은 서비스를 받게 해 준다.

④ **단점**: 조직의 입장에서 성공률이 높은 클라이언트만 받아들이고, 이와 반대되는 클라이언트는 거부하는 **'크리밍 현상'이 발생**할 수 있으며, **지나친 경쟁으로 서비스의 중복과 자원낭비가 조장**될 수 있다.

(3) 협동적 전략

① **일반적으로 사회복지조직에서 가장 많이 사용되는 전략**으로, **조직이 타 조직에게 필요한 서비스를 제공하여 상호 불안감을 해소**시키고, 그에 대한 보답으로 상대 조직에 대한 권력을 증가시키는 것이다.

② 유형으로는 **계약, 연합, 흡수**가 있다.

계약 (Contract)	㉠ **두 조직 간 서비스 교환을 위한 공식적 · 비공식적 협의 형태의 협동**이다. ㉡ **한계**: 조직의 서비스 선택범위를 좁히고, 자율성을 침해하며, 조직의 목적에 부합하지 않는 서비스를 제공받을 가능성과 서비스의 부실 가능성이 커질 수 있다.

연합 (Coalition)	㉠ 여러 조직들이 **협동으로 사업을 수행하기 위해 인적 · 물적 자원을 결합하는 형태**로, 자원의 혜택과 서비스 제공에서 그 수준이 비슷한 조직들이 상호 제휴하는 전략이다. ㉡ 한계: 자원 낭비, 조직 간 불화, 이익배분 과정에서 의견불일치 등의 발생할 수 있다.
흡수 (Absorption)	㉠ **과업환경 내 외부조직의 대표자들을 조직의 의사결정기구에 참여시키는 형태**로, 사회복지관 운영위원회에 지역주민 중 대표자를 참여시켜 의사결정을 하는 경우 등이 예가 될 수 있다. ㉡ 한계: 조직의 자율성이 침해될 수 있다.

(4) 방해적 전략

① 표적조직(또는 경쟁적 위치에 있는 조직)이 평화적인 요구를 무시할 때 **시위나 탄원서 제출 등의 방법으로 그 조직의 활동을 방해하거나 세력을 약화시키는 전략**이다.

② **소외계층을 조직화시켜서 타 조직이 요구를 거부할 때 이에 대응하**게 함으로써 타 조직의 양보를 얻어내는 데 효과적이다. 다만, **근본적인 문제의 해결책이 될 수 없고, 일시적으로 얻은 이익을 상쇄**하는 반작용이 야기될 수 있다는 단점이 있다.

14 사회복지행정의 책임성과 시설평가 및 서비스 질 관리

1. 사회복지행정의 책임성

(1) 개념

사회복지조직과 그 구성원들이 자신들의 **업무 수행 결과에 대한 책임감과 함께 조직의 효과성과 효율성을 위한 투입 단계에서부터 산출 단계까지의 과정에서의 정당성도 갖추어야 함을 의미**한다.

(2) 특징

① 사회복지행정의 책임성은 일정한 행동을 해야 하는 것을 전제로 한다. 즉, **행동에 대한 책임이지 도의적 책임을 의미하는 것이 아니다.**

② 사회복지행정의 책임성은 일정한 재량의 여지가 있는 경우에만 발생한다. 즉, **조직 내에서 주어진 권한에 따라 책임성의 정도가 달라진다.**

③ 사회복지행정의 책임성은 객관적 기준과 결과에 따라야 한다. 이에 따라 **책임성의 준수 여부를 판단할 평가 기준 등이 존재**한다.

④ 사회복지행정의 책임성은 통제 및 참여를 통해서 확보될 수 있다. 즉, 사회복지조직에 대한 국가, 지방자치단체, 지역사회주민 등에 의한 적절한 수준에서의 통제와 의사결정에의 참여를 통해 책임성을 확보할 수 있다.

(3) **기준**

① **적법성**: “사회복지조직은 **명문화된 법적 기준에 부합되게 활동**하는가?”에 대한 정도이다.

② **이념의 전제**: “사회복지조직은 **사회복지행정의 이념을 전제로 하여 활동**하는가?”에 대한 정도이다.

③ **공익성**: “사회복지조직의 활동은 **가능한 공익, 즉 사회전체의 이익을 얼마나 실현**하는가?”에 대한 정도이다.

④ **욕구충족**: “사회복지조직은 **클라이언트의 욕구를 충족시키기 위해 얼마나 신속하고 적극적으로 프로그램을 제공**하는가?”에 대한 정도이다.

(4) **유형**

① **적용**: 사회복지조직은 사회복지 서비스가 필요한 대상자에게 서비스를 적용하는가?

② **서비스 전달**: 사회복지조직은 '자격이 있는 종사자'를 통해 서비스를 제공하는가?

③ **영향**: 사회복지조직이 제공하는 서비스는 클라이언트에게 긍정적인 영향을 주는가?

④ **효율성**: 사회복지조직이 제공하는 서비스는 비용 대비 산출을 극대화시키고 있는가?

⑤ **재정**: 사회복지조직은 재정 집행의 투명성을 확보하고 있는가?

⑥ **법률**: 사회복지조직이 제공하는 서비스는 합법적인 범위 내에서 제공되는가?

⑦ **윤리**: 사회복지조직이 제공하는 서비스는 사회복지사 윤리강령과 실천원칙에 따라 제공되는가?

⑧ **이미지**: 사회복지조직이 제공하는 서비스로 인해 클라이언트가 사회적 낙인과 이로 인한 이미지 훼손을 당하지는 않는가?

⑨ **욕구**: 사회복지조직이 제공하는 서비스는 클라이언트의 욕구에 부응하도록 제공는가?

⑩ **참여**: 사회복지조직은 서비스 제공과 관련하여 이해당사자들을의 참여를 보장하고 있는가?

⑪ **조직혁신**: 사회복지조직은 바람직한 리더십을 통해 조직을 혁신하고 있는가?

핵심 PLUS

조직의 혁신과 매몰비용

① **매몰비용(Sunk Cost)**이란 사라지고 없어져서 다시는 되돌릴 수 없는 시간과 노력, 헌신 등의 비용을 말한다. 즉, 조직의 의사결정가가 의사결정을 하고 집행한 이후에 발생하는 비용 중 **회수할 수 없는 비용**이다.

② 따라서 조직의 의사결정가는 의사결정 시 매몰비용에 대한 집착 때문에 합리적 의사결정이 제한될 수밖에 없으며, 이러한 매몰비용으로 인한 의사결정의 제한은 **조직이 혁신과 변화를 시도할 때에 강력한 저항이나 걸림돌이 될 수 있다.**

⑫ **평가**: 사회복지조직은 전문적이고 체계적인 평가제도를 운용하고 있는가?

2. 사회복지시설 평가 22. 국가직 必

(1) 목적

① **평가의 환류 기능**을 통해 **사회복지시설의 운영 효율화와 서비스의 질을 제고**할 수 있다.

② 관리자로 하여금 평가결과에 기반한 행정 · 관리를 할 수 있는 수단이 된다.

③ 시설의 외부자원 확보를 위한 수단이 된다.

④ 합리적 평가지표와 평가체계의 개발을 통해 **사회복지시설에 대한 객관적인 평가 기준을 마련**할 수 있다.

⑤ 사회복지시설의 운영 상태에 관한 정보를 제공하여 **사회복지시설에게는 투명성과 책임성 제고를, 국민들에게는 선택권을 보장**받게 할 수 있다.

⑥ 전체 사회복지시설들로 하여금 **기본적 수준 이상으로 서비스의 질을 향상시킬 수 있도록 유도**할 수 있다.

(2) 「사회복지사업법」에 따른 사회복지시설의 평가

① 주요 연혁

1997년 「사회복지사업법」 개정	사회복지시설의 평가가 법정(法定)으로 의무화되었다.
1999~2001년	제1기 사회복지시설 평가가 시행되었다.

② 평가 주체 및 기준

「사회복지사업법」 제43조의2 제1항	㉠ **보건복지부장관과 시 · 도지사**[1]는 보건복지부령으로 정하는 바에 따라 시설을 정기적으로 평가하고, **그 결과를 공표하거나 시설의 감독 · 지원 등에 반영할 수 있으며** 시설 거주자를 다른 시설로 보내는 등의 조치를 할 수 있다. ㉡ 평가 위탁 및 시행주체 • 1~2기: 보건사회연구원 • 3~6기: 한국사회복지사협회 • 7기(2017년 이후)~2021: **사회보장정보원** • **2022년부터 중앙사회서비스원**
「사회복지사업법 시행규칙」 제27조의2	㉠ **보건복지부장관 및 시 · 도지사는 3년마다 시설에 대한 평가를 실시**하여야 한다. ㉡ 이에 따른 시설의 평가기준은 **보건복지부령으로 정한 서비스 최저기준을 고려**하여 보건복지부장관이 정한다. 보건복지부령으로 정한 사회복지시설의 서비스 최저기준 「사회복지사업법 시행규칙」 제27조 ① 서비스 최저기준에는 다음 각 호의 사항이 포함되어야 한다. 1. 시설 이용자의 인권 2. 시설의 환경 3. 시설의 운영 4. 시설의 안전관리 5. 시설의 인력관리 6. 지역사회 연계 7. 서비스의 과정 및 결과 8. 그 밖에 서비스 최저기준 유지에 필요한 사항

선생님 가이드

❶ 사회복지시설의 평가권을 가지고 있는 보건복지부장관과 시 · 도지사입니다. 따라서 시 · 군 · 구청장은 평가권을 가지고 있지 않습니다. 주의해서 기억해주시기 바랍니다.

기출 OX

1997년에 「사회복지사업법」을 개정하여 1998년 사회보장정보원이 사회복지시설에 대한 평가를 실시하였다. ( )

22. 국가직

× '1988년 사회보장정보원'이 아니라 '1999년 보건사회연구원'이 옳다.

㉢ **보건복지부장관과 시 · 도지사는 평가의 결과를 해당 기관의 홈페이지 등에 게시**하여야 한다.
㉣ **평가의 방법 기타 평가에 관하여 필요한 사항은 보건복지부장관이 정한다.**

3. 서비스 질 측정도구 - 서브퀄(SERVQUAL)

(1) **서브퀄(SERVQUAL)**은 패라슈라만 등(A. Parasuraman, V. A. Zeithaml & L. L. Berry)이 기업의 서비스 품질에 대한 고객의 인식을 주로 질적으로 측정하기 위해 5개 차원과 22개 항목으로 구성하여 제시한 다항척도이다. **SERVQUAL의 5개 차원은 유형성(Tangibles), 신뢰성(Reliability), 대응성(Responsiveness), 확신성(Assuarance, 또는 보증성), 공감성(Empathy)으로 구성**되어 있으며, 각 차원은 4~5개의 항목으로 구성되어 있다.

(2) **구성**

① **유형성**: 서비스 제공을 위한 조직의 시설 및 장비, 그리고 서비스 제공자의 외양(外樣)이 갖춘 편의와 매력을 말한다.

② **신뢰성**: 고객과 약속한 서비스를 고객이 신뢰할 수 있게 정확히 제공할 수 있는 능력을 말한다.

③ **대응성**: 고객을 돕고 고객에게 신속한 서비스를 제공하려는 조직성원들의 의지를 말한다.

④ **확신성**: 고객에게 서비스 제공자의 지식, 예의, 믿음과 신뢰를 제공할 수 있는 능력을 말한다.

⑤ **공감성**: 조직이 고객을 인간적으로 배려하고 관심을 제공할 수 있는 능력을 말한다.

(3) **서비스 질과 위험관리(Risk Management)** 19. 국가직 (必)

① 위험 관리의 개념: **서비스 이용자의 안전확보가 곧 서비스 질 향상과 연결된다는 관점**으로, 이용자의 안전을 최대의 목적으로 하고, 서비스 질 향상과 이용자 만족도 향상을 지향하는 활동을 통칭하는 것이다.

② 사회복지조직에서 발생할 수 있는 위험요인에는 **업무 리스크, 경영 리스크, 사회적 리스크, 재해 리스크 등**이 있다.

③ 사회복지조직에서 위험관리는 **서비스 이용자에 대한 서비스 관리 측면과 조직 관리 측면이 모두 포함**된다.

기출 OX

사회복지 분야 자원봉사활동의 위험관리 대책에 따르면 위험관리 대상은 자원봉사자와 직원에 한정한다. ( ) 19. 국가직

× 위험관리의 대상은 자원봉사자와 직원뿐만 아니라 이들로부터 서비스를 제공받는 이용자도 포함되어야 한다.

④ 위험 관리의 목적

㉠ 생명을 보호하기 위해서

㉡ 서비스의 질을 향상시키기 위해서

㉢ 사회복지조직의 사회적 신뢰를 쌓기 위해서

㉣ 복지권의 보장을 위해서

㉤ 서비스 이용자의 선택과 결정(또는 이용자의 권리 옹호)을 중시하기 위해서

㉥ 전문성의 확보와 전문가의 윤리적 기준의 실행을 위해서

㉦ 이용자의 만족을 추구하기 위해서

㉧ 조직 경영을 유지하고 발전시키기 위해서

핵심 PLUS

우리나라 사회복지 관련 법률 등에 나타난 위험 관리 지침

① 「사회보장기본법」 제9조상의 '사회보장수급권'을 통한 '복지권'의 명시

② 「사회보장기본법」 제31조, 「사회복지사업법」 제47조, 사회복지사의 윤리강령에 나타난 클라이언트에 대한 '비밀보장과 비밀누설의 금지'

③ 「사회복지사업법」 제34조의2상의 '보험가입의무', 동법 제34조의3에 의한 '시설의 안전점검' 규정

④ 사회복지사의 윤리강령 중 사회복지사의 클라이언트에 대한 윤리 기준 중 클라이언트와의 관계에서 사회복지사는 어떠한 상황에서도 클라이언트와 부적절한 성적 관계를 가져서는 안 된다는 규정 등

MEMO

MEMO

MEMO

2025 대비 최신개정판

해커스공무원

박정훈 사회복지학개론

기본서 | 2권

개정 5판 1쇄 발행 2024년 7월 1일

지은이	박정훈 편저
펴낸곳	해커스패스
펴낸이	해커스공무원 출판팀
주소	서울특별시 강남구 강남대로 428 해커스공무원
고객센터	1588-4055
교재 관련 문의	gosi@hackerspass.com 해커스공무원 사이트(gosi.Hackers.com) 교재 Q&A 게시판 카카오톡 플러스 친구 [해커스공무원 노량진캠퍼스]
학원 강의 및 동영상강의	gosi.Hackers.com
ISBN	2권: 979-11-7244-173-9 (14330) 세트: 979-11-7244-171-5 (14330)
Serial Number	05-01-01